D1260733

HISTOIRE DE L'ATHÉISME

DU MÊME AUTEUR

Histoire de la vieillesse de l'Antiquité à la Renaissance, Fayard, 1987.
La Bretagne des prêtres en Trégor d'Ancien Régime, Les Bibliophiles de Bretagne, 1987.
Le Confesseur du roi. Les directeurs de conscience de la monarchie française, Fayard, 1988.
Henri VIII, Fayard, 1989.
Les Religieux en Bretagne sous l'Ancien Régime, Ouest-France, 1989.
L'Église et la Science. Histoire d'un malentendu, t. I : *De saint Augustin à Galilée,* Fayard, 1990 ; t. II : *De Galilée à Jean-Paul II,* Fayard, 1991.
Histoire religieuse de la Bretagne, éd. Gisserot, 1991.
Histoire des enfers, Fayard, 1991.
Nouvelle Histoire de la Bretagne, Fayard, 1992.
Du Guesclin, Fayard, 1993.
Histoire de l'enfer, Presses universitaires de France, 1994.
L'Église et la Guerre. De la Bible à l'ère atomique, Fayard, 1994.
Censure et Culture sous l'Ancien Régime, Fayard, 1995.
Histoire du suicide. La société occidentale face à la mort volontaire, Fayard, 1995.
Les Stuarts, Presses universitaires de France, 1996.
Les Tudors, Presses universitaires de France, 1996.
Histoire de l'avenir, des prophètes à la prospective, Fayard, 1996.
L'Angleterre georgienne, Presses universitaires de France, 1997.
Le Couteau et le Poison. L'assassinat politique en Europe (1400-1800), Fayard, 1997.
Le Diable, Presses universitaires de France, 1998.
Anne de Bretagne, Fayard, 1999.

Participation à :

Répertoire des visites pastorales de la France, CNRS, 1re série, *Anciens Diocèses,* t. IV, 1985.
Les Bretons et Dieu, atlas d'histoire religieuse, Presses universitaires de Rennes-II, 1985.
Les Côtes-du-Nord de la préhistoire à nos jours, Bordessoules, 1987.
Le Trégor, Autrement, 1988.
Foi chrétienne et Milieux maritimes, Publisud, 1989.
Histoire de Saint-Brieuc et du pays Briochin, Privat, 1991.
Science et Foi, Centurion, 1992.
Breizh. Die Bretagne und ihre kulturelle Identität, Kassel, 1993.
L'Historien et la Foi, Fayard, 1996.
Les Jésuites, Desclée de Brouwer, 1996.
Dictionnaire de l'Ancien Régime, Presses universitaires de France, 1996.
Guide encyclopédique des religions, Bayard-Centurion, 1996.
Bretagnes. Art, négoce et société de l'Antiquité à nos jours, Mélanges offerts au professeur Jean Tanguy, Brest, 1996.
Homo Religiosus. Autour de Jean Delumeau, Fayard, 1997.

Georges Minois

Histoire
de l'athéisme

Les incroyants dans le monde occidental
des origines à nos jours

Fayard

à mon épouse
pour trente ans de partage

« Gott ist tot! Gott bleibt tot! Und wir haben ihn getötet! Wie trösten wir uns, die Mörder aller Mörder? [...] Ist nicht die Grösse dieser Tat zu gross für uns? Müssen wir nicht selber zu Göttern werden, um nur ihrer würdig zu erscheinen? [...] Dies ungeheure Ereignis ist noch unterwegs und wandert — es ist noch nicht bis zu den Ohren der Menschen gedrungen. »

« Dieu est mort! Dieu reste mort! Et c'est nous qui l'avons tué! Comment nous consolerons-nous, nous, les meurtriers des meurtriers? [...] La grandeur de cet acte n'est-elle pas trop grande pour nous? Ne sommes-nous pas forcés de devenir nous-mêmes des dieux pour du moins paraître dignes d'eux? [...] Cet événement énorme est encore en route, il marche et n'est pas encore parvenu jusqu'à l'oreille des hommes. »

Friedrich Nietzsche,
Die fröhliche Wissenschaft, II, 125.

INTRODUCTION

Une histoire de l'incroyance et de l'athéisme à une époque où l'on proclame partout le « retour du religieux », la « revanche de Dieu », le « réenchantement du monde », est-ce de la provocation, de l'inconscience, de l'archaïsme, du rêve ? Non, bien entendu.

D'abord, parce que tous ces pseudo-retours sont assez suspects, et qu'à y regarder de plus près, la réalité est loin de correspondre à un renouveau religieux. Certes, les rayons des librairies croulent sous les volumes d'histoire de l'Église, des religions, du protestantisme, du christianisme, de la foi, des croyants, des spiritualités, sous les guides, encyclopédies, dictionnaires du monde religieux. La religion n'attire plus beaucoup dans les églises, mais elle se vend bien. Le père Decloux, qui déplorait en 1995 le fait que les auteurs se plaisent « à reprendre sans cesse la question et à multiplier les livres sur l'athéisme[1] », n'avait sans doute pas bien comparé les rayons « athéisme » et « religion » des bibliothèques. J'ai moi-même écrit plusieurs ouvrages d'histoire religieuse, et participé à des travaux collectifs sur ce sujet. Et c'est précisément ce déluge de livres sur la foi qui m'a amené à m'intéresser au domaine de l'incroyance, qui demeure si peu étudié dans une perspective historique.

Depuis le livre introuvable de Spitzel, *Scrutinium atheismi historico-aetiologicum*, paru il y a presque trois siècles et demi, en 1663[2], les histoires de l'athéisme sont fort rares, la plus complète restant les quatre volumes de F. Mautner, *Der Atheismus und seine Geschichte im Abendlande*[3], publiés entre 1920 et 1923.

L'athéisme a fait l'objet de nombreuses études philosophiques, sociologiques, psychologiques ou psychanalytiques ; il a également été étudié pour des époques très précises et dans des régions limitées, mais les seules véritables synthèses complètes sont des travaux soviétiques, souvent tendancieux.

Il y a donc là un relatif vide historiographique. Cette lacune mérite d'être comblée, car l'athéisme a son histoire propre, qui n'est pas le simple négatif de l'histoire des croyances religieuses. S'il y a si peu d'ouvrages traitant le sujet, c'est précisément à cause de la connotation négative qui s'attache à l'incroyance. Tous les termes utilisés pour la désigner sont à préfixe privatif ou négatif : a-théisme, incroyance, a-gnosticisme, in-différence. « Ceci témoigne, peut-on lire dans *L'État des religions*, d'une histoire, d'une lutte pour arracher l'être humain à l'univers du divin, ceci témoigne aussi d'une difficulté, sinon à vivre, du moins à exprimer positivement, sans nostalgie, sans référence à un univers dont on voudrait s'affranchir, une existence libre, autonome, responsable. Comme s'il y avait un malaise ou un reste de provocation à exister sans dieu ni diable, simplement entre hommes[4]. »

Le terme d' « athée » conserve une vague connotation péjorative, et fait toujours un peu peur : héritage de plusieurs siècles de persécutions, de mépris et de haine pour tous ceux qui niaient l'existence de Dieu et se trouvaient irrémédiablement damnés. Inconsciemment, l'idée de malédiction rôde toujours : « Dieu merci, Dieu n'existe pas. Mais si, Dieu nous en préserve, Dieu existait tout de même ? » dit un proverbe russe. Dans ce domaine, la certitude est-elle jamais absolue ? Le pari n'est-il pas risqué ? Beaucoup d'incroyants convaincus hésitent encore à se proclamer athées. Le terme n'est pas neutre, et il s'en dégage encore une vague odeur de bûcher. Celui de « matérialiste », qui lui est souvent associé, conserve également une nuance méprisante : lié à une doctrine « grossière », « basse », « primaire », il a longtemps été utilisé comme une accusation ou une injure.

Il y a donc un lourd héritage passionnel autour de l'athéisme, notion chargée d'agressivité, autant pour ses partisans que pour ses adversaires, car il s'agit de la négation par excellence, la négation de Dieu. Comment faire l'histoire d'une attitude négative ? L'histoire de « ceux qui s'opposent à... » est le plus souvent prise en main par le camp adverse, et traitée avec tous les préjugés d'usage. L'incroyance apparaît plus souvent dans l'histoire des religions que dans des ouvrages qui lui sont réservés, et le danger d'une histoire de l'incroyance est justement de faire une histoire de la foi en creux. Pendant bien longtemps, les seuls témoignages relatifs à l'incroyance venaient des autorités religieuses qui la réprimaient, en particulier aux xvie et xviie siècles. Au xxe siècle encore, un esprit aussi ouvert que Gabriel Le Bras n'hésitait pas à annexer, en y portant un regard chargé de sympathie, l'histoire de l'irréligion à la sociologie religieuse : « L'athéisme des milieux modernes nous oblige à scruter tous les cadres sociaux et toute la vie de l'esprit : car la sociologie de l'irréligion constitue un des principaux chapitres, le plus émouvant de toute sociologie religieuse[5]. » La difficulté n'est pas moins grande à l'époque contemporaine : à l'exception des mouvements athées militants, très minoritaires, comment retracer l'histoire d'une attitude qui ne semble pas avoir de contenu positif ? Songerait-on par exemple à retracer l'histoire de ceux qui ne croient pas aux ovni ?

Autre problème : celui du vocabulaire, qui exprime une multitude de nuances. De l'athée matérialiste pur et dur au croyant intégriste, il y a place pour l'agnostique, le sceptique, l'indifférent, le panthéiste, le déiste ; tous, aux yeux des fidèles, sont plus ou moins des athées. Mais les différences entre eux sont considérables. Même les termes d'« athée » et d'« incroyant » ne sont pas absolument synonymes. Alors, histoire de l'athéisme ou histoire de l'incroyance ? Autant de questions méthodologiques qu'il faut poser dès le départ.

L'attitude incroyante est une composante fondamentale, originelle, nécessaire et donc inévitable de toute société. Par là, elle a obligatoirement un contenu positif, et ne se réduit pas à la non-croyance. Elle est une affirmation : l'affirmation de la solitude de l'homme dans l'univers, génératrice d'orgueil et d'angoisse ; seul face à son énigme, l'homme athée nie l'existence d'un être surnaturel intervenant dans sa vie, mais son comportement ne s'appuie pas sur cette négation ; il l'assume, comme une donnée fondamentale (athéisme théorique) ou inconsciemment (athéisme pratique).

Cette solitude, qui fait sa grandeur et sa misère, est à l'origine de conduites diverses ; elle engendre une morale ou une éthique fondée sur la seule valeur discernable dans l'univers : l'homme. Ne pas croire en Dieu n'est pas une attitude négative. C'est une position qui entraîne des choix pratiques et spéculatifs autonomes, qui a donc sa spécificité, et son histoire, différente de l'histoire des croyants. Comme les religions, l'athéisme est pluriel, il a évolué, il a pris des formes différentes, successives et simultanées, parfois antagonistes.

Bien sûr, son histoire a longtemps été modelée par ses rapports avec les religions, qui l'ont persécuté, avant que lui-même devienne persécuteur dans certaines cultures incroyantes du XXe siècle. L'athéisme est aussi ancien que les religions. Car, dans ce domaine, il y a toujours une place pour le doute spéculatif, aussi bien que pour la conduite rebelle. Par rapport au christianisme en particulier, qui se plaît à vanter sa durée de deux mille ans, l'athéisme jouit d'une antériorité qui devrait lui valoir la respectabilité. Deux mille cinq cents ans avant Jésus-Christ, des sages indiens avaient déjà proclamé que le ciel était vide. Pour s'en tenir à la civilisation occidentale, dès le VIe siècle avant notre ère, Parménide, Héraclite, Xénophane de Colophon professaient l'éternité de la matière, et, peu après, Théodore l'Athée annonçait la mort de Dieu. Comme le rappelle Georges Hourdin :

> Le fait de l'athéisme est historiquement beaucoup plus ancien que ne l'est la civilisation chrétienne. Il a une autonomie. Certains philosophes de l'Antiquité comme Épictète et Épicure étaient athées. D'autre part, le fait de l'athéisme est géographiquement plus largement répandu que ne l'a été la connaissance de l'Évangile. Ce que l'on a coutume d'appeler, par exemple, les

religions d'Extrême-Orient : bouddhisme, confucianisme, sont souvent et simplement des sagesses et des rationalismes. Le Christ, Fils de Dieu, s'est donc incarné alors qu'il y avait déjà des athées. Les Églises qui le continuent n'ont pas mis fin à l'athéisme[6].

L'athéisme, indépendant des religions, peut être conçu comme la grandiose tentative de l'homme pour s'inventer un sens, pour auto-justifier sa présence dans l'univers matériel, pour s'y bâtir une place inexpugnable. Le mythe religieux de la Tour de Babel peut ici trouver une interprétation inattendue et bien différente de celle qu'en donne l'exégèse croyante.

Cet épisode étrange a d'ailleurs été déformé par cette dernière, qui l'a présenté comme une manifestation de l'orgueil humain justement châtié par Dieu : les hommes, pour éviter d'être une nouvelle fois engloutis par un déluge, auraient décidé de bâtir une tour gigantesque destinée à les mettre à l'abri des eaux, défiant ainsi la puissance divine ; Dieu, pour les punir, aurait alors introduit la diversité des langues, rendant la compréhension impossible entre les hommes, semant entre eux la désunion, et entraînant l'arrêt des travaux. Le texte biblique ne dit en réalité rien de tel. Voici le récit de la Genèse:

La terre entière se servait de la même langue et des mêmes mots. Or, en se déplaçant vers l'orient, les hommes découvrirent une plaine dans le pays de Shinéar et y habitèrent. Ils se dirent l'un à l'autre : « Allons ! Moulons des briques et cuisons-les au four. » Les briques leur servirent de pierre et le bitume leur servit de mortier. « Allons ! dirent-ils, bâtissons-nous une ville et une tour dont le sommet touche le ciel. Faisons-nous un nom, afin de ne pas être dispersés sur toute la surface de la terre. »
Le Seigneur descendit pour voir la ville et la tour que bâtissaient les fils d'Adam. « Eh ! dit le Seigneur, ils ne sont tous qu'un peuple et qu'une langue et c'est là leur première œuvre ! Maintenant, rien de ce qu'ils projetteront de faire ne leur sera inaccessible ! Allons, descendons et brouillons ici leur langue, qu'ils ne s'entendent plus les uns les autres ! » De là, le Seigneur les dispersa sur toute la surface de la terre et ils cessèrent de bâtir la ville. Aussi lui donna-t-on le nom de Babel, car c'est là que le Seigneur brouilla la langue de toute la terre, et c'est de là que le Seigneur dispersa les hommes sur toute la surface de la terre[7].

Traduisons : les hommes sans Dieu sont unis, solidaires, et décident de bâtir une humanité forte, indépendante, dominant le monde et lui donnant un sens : « Faisons-nous un nom ! » Ces hommes ne s'occupent pas de Dieu ; ils construisent leur avenir avec fierté, dans l'union ; ils peuvent représenter l'humanité athée, s'organisant seule. Or, Dieu est jaloux de leur entente, qui fait leur force ; il brouille les langues et introduit la division. Dieu veut une humanité faible, humble, soumise ; il ne peut supporter que les hommes s'organisent sans lui, qu'ils fraternisent sans tenir compte de son existence. Il préfère qu'ils se querellent, qu'ils se battent, ce qui lui redonne le rôle d'arbitre suprême. La foi, donc les religions, facteur de division, face à l'incroyance, facteur de solidarité humaine : la Tour de Babel ne serait-elle pas symbole d'une humanité athée cherchant à se donner un sens — le « nom » — et dont les efforts sont anéantis par l'intervention du sacré, du divin, du surnaturel, de l'absolu, qui divise, et ruine tout espoir d'union naturelle ?

Cette interprétation n'a évidemment guère de chances d'être acceptée. À s'en tenir strictement au texte, elle me semble pourtant une lecture possible. L'épisode, en tout cas, peut illustrer l'hostilité fondamentale des religions à l'égard de l'incroyance. Jusqu'au milieu du XXe siècle, croyants et incroyants constituent en Occident deux mondes antagonistes, prêts à en venir aux mains. Ce n'est qu'à une époque toute récente que l'opposition semble enfin dépassée. Pourquoi cette haine, ou du moins cette suspicion ? Qu'importe à ceux qui croient que d'autres ne croient pas, et *vice versa* ? Cette intolérance n'a rien à voir avec le problème de la vérité : on ne persécute pas ceux qui ne croient pas au théorème de Pythagore, ou ceux qui nient que deux et deux font quatre ; on se contente de les traiter de fous. Si pendant longtemps la volonté d'éliminer l'athéisme a prévalu, c'est que l'absence de foi était supposée entraîner une différence de comportement individuel et social. L'homme sans dieu, jusqu'à Bayle et même après, c'est l'homme sans morale, donc un danger pour la société. L'histoire de l'athéisme, c'est aussi l'histoire de ces combats pour une morale purement humaine.

L'histoire de l'athéisme n'est pas simplement l'histoire d'une idée, c'est également l'histoire d'un comportement. C'est pourquoi je ferai appel, dans la mesure du possible, aux enquêtes sociologiques, y compris religieuses. Il s'agit de comprendre pourquoi et comment une fraction de la société européenne, depuis les origines, a vécu sans faire référence à un dieu quelconque. Cela permet de rappeler à notre époque, en plein désarroi culturel, les façons dont autrefois des hommes ont pu vivre en inventant un sens à leur existence en dehors de toute foi religieuse.

Plus d'un homme sur cinq est aujourd'hui athée dans le monde ; et dans les quatre cinquièmes qui restent, combien d'indifférents, de sceptiques, d'agnostiques ? L'histoire de l'athéisme n'est pas l'histoire d'une poignée d'individus. Elle concerne des centaines de millions de personnes qui ne peuvent pas croire en Dieu. Car la foi ne se décrète pas, ne se démontre pas, ne s'impose pas de l'extérieur. Ce qui devrait tout de même interpeller les croyants : comment se fait-il qu'ils croient, eux, et que tant d'autres ne croient pas ? L'histoire des incroyants devrait alimenter la réflexion des croyants.

Quant à l'auteur, on aime connaître son opinion personnelle lorsqu'il traite de tels sujets, ne serait-ce que pour le guetter au tournant et être sur ses gardes dans un sens ou dans l'autre. Qu'il me suffise de dire qu'il n'y a dans ce livre aucune visée apologétique pour ou contre l'athéisme, pour ou contre la foi. La motivation principale est une quête de sens, qui ne rejette *a priori* aucune attitude. Nous sommes tous embarqués dans une étrange aventure. Nés sans l'avoir demandé, vivant sans savoir pourquoi, mourant sans recevoir d'excuse, nous devons tous subir le même parcours sans avoir droit à la moindre explication. Beaucoup ne se posent pas la question. Ce sont probablement les plus heureux. D'autres ont des réponses toutes faites, bien lisses, indiscutables, qu'ils ont reçues ou qu'ils ont élaborées ; ils y croient et ont sans doute raison de s'en tenir là : au moins, ils savent quelle est la conduite à tenir. Enfin, il y a ceux qui n'y comprennent rien, les inquiets, les angoissés, ceux qui depuis les origines se demandent : pourquoi ? en considérant ce monde grotesque et grandiose, et qui ne se satisfont d'aucune réponse. L'historien se doit d'explorer le passé de ces trois attitudes, avec compréhension et compassion, sachant qu'il est lui-même immergé dans l'un de ces trois courants qui le dépassent. Appartenant au troisième groupe, j'envie ceux qui n'ont pas de questions et ceux qui n'ont que des réponses, moi qui n'ai que des questions sans réponses.

Ce livre parle de l'histoire des incroyants, en regroupant sous ce vocable tous ceux qui ne reconnaissent pas l'existence d'un dieu personnel intervenant dans leur vie : athées, panthéistes, sceptiques, agnostiques, mais aussi déistes, les nuances entre ces catégories étant infinies. À eux tous, ils constituent sans doute la majorité de l'humanité. C'est en fait l'histoire des hommes qui ne croient qu'à l'existence des hommes.

PREMIÈRE PARTIE

L'athéisme dans l'Antiquité et au Moyen Âge

CHAPITRE PREMIER

Au commencement : foi ou incroyance ?

L'homme primitif était-il athée ou religieux ? Le problème des origines est à la fois capital et insoluble. Capital, parce qu'il permettrait de déterminer le caractère naturel de l'athéisme ou de l'attitude religieuse, ce qui donnerait à l'un ou à l'autre une justification fondamentale. Insoluble, parce que la mentalité primitive des peuples préhistoriques est à tout jamais hors de portée d'une étude scientifique. Nous sommes donc, dans ce domaine, réduits à nous contenter de minces indices dont l'interprétation dépend largement des présupposés des chercheurs. Pourtant, depuis au moins un siècle et demi, sociologues, ethnologues, psychologues, historiens ont abondamment débattu de cette question.

Problème de l'athéisme primitif

Posée dans le contexte des conflits entre foi et science qui marquaient le XIXᵉ siècle, la question n'est évidemment pas neutre. Les deux camps revendiquent une antériorité qui ferait de l'adversaire un dérivé artificiel et sans valeur d'une attitude originelle, naturelle, authentique et saine. Jusqu'à une époque récente, les chercheurs, croyants ou athées, ont donc travaillé avant tout pour défendre une cause, idéologique ou religieuse.

En 1936 par exemple, Henri de Lubac voyait dans l'affirmation marxiste d'une phase primitive areligieuse de l'humanité la volonté partisane de montrer que la religion n'est pas un besoin essentiel de l'homme et qu'elle ne correspond qu'à un état transitoire de la société[1]. Il s'en prenait aussi aux présupposés sociologiques d'Émile Durkheim et ethnologiques de Lucien Lévy-Bruhl qui, prolongeant le schéma d'Auguste Comte, feraient du stade religieux une phase provisoire dans l'histoire de l'esprit humain. Le travail des sciences humaines s'effectue aujourd'hui dans un esprit moins polémique, mais l'interférence de nos présupposés contemporains n'en est pas moins toujours présente. Il est cependant indispensable de faire état de ces recherches.

La première étude sérieuse consacrée au sujet remonte à 1870 : *The Origin of Civilization and the Primitive Condition of Man*. John Lubbock (1834-1913), qui avait étudié des peuplades primitives d'Australie et de Terre de Feu, affirme dans cet ouvrage que l'humanité originelle est athée, c'est-à-dire qu'elle n'a aucune idée d'un quelconque monde divin. Se plaçant dans une perspective évolutionniste, il retrace les étapes de l'élaboration progressive de la religion, en passant successivement par les phases fétichiste, totémiste, chamaniste, idolâtre anthropomorphique. Lubbock déclare en même temps qu'il existe des peuples entièrement athées : Cafres, Mélanésiens, Yagans de la Terre de Feu, Aruntas d'Australie.

Dès l'année suivante, Edward Tylor (1832-1917) réagit contre cette idée et montre que la prétendue absence d'idées sur Dieu chez ces peuples provient de l'inadéquation des concepts qui décrivent le système de croyances des primitifs. Ces peuples, explique-t-il, ignorent *notre* conception de Dieu, mais cela ne veut pas dire qu'ils n'aient pas *une* conception de Dieu. Déjà se profile une ambiguïté fondamentale que nous retrouverons souvent : la tendance à utiliser le terme « athée » pour qualifier tous ceux qui ont une conception autre de la divinité. C'est ainsi que païens polythéistes et chrétiens monothéistes se traiteront mutuellement d'athées.

Selon Tylor, l'homme primitif est amené à concevoir une réalité surhumaine ou extra-humaine à partir de son expérience du sommeil, du rêve, des visions, de l'extase, du délire, de la mort. De là serait issue la notion d'âme, attribuée à tous les objets, vivants ou inertes, puis réservée à l'homme et dotée de l'immortalité ; progressivement, l'homme en viendrait au monothéisme. Quatre ans plus tard, Herbert Spencer (1820-1903), se situant lui aussi dans une perspective évolutionniste, affirme que la religion originelle repose sur le culte des ancêtres[2].

D'autres chercheurs de la fin du XIXe siècle crurent déceler chez les peuples primitifs non seulement un sentiment religieux, mais un monothéisme originel. Ainsi Howitt, qui s'intéresse en 1884 aux tribus du Sud-Est australien, et peu après Andrew Land, pour qui le dieu du ciel est l'ancêtre primitif de la tribu[3]. Le principal défenseur de cette thèse extrême est le père Wilhelm Schmidt (1868-1954) : dans un énorme ouvrage sur les Pygmées[4], il montre que l'Être suprême de ce peuple, tout-puissant, maître de la vie et de la mort, créateur, justicier, est le type même du dieu unique. Depuis, d'autres ont cru découvrir les mêmes traces de monothéisme primitif avec Tira-Wa chez les Pawnees, Nzambi chez les Bantous, Vatauineuva (le « Très Vieux ») chez les Yagans, Kalunga chez les Ovambos, ajoutant que, souvent, ce dieu suprême n'est pas l'objet d'un culte parce qu'il est hors de portée et ne s'occupe pas des hommes.

Ces conceptions, en général bâties sur un arrière-plan apologétique, ont été très critiquées, en particulier par Raffaele Pettazzoni (1883-1959), pour qui la notion de monothéisme est employée de façon abusive par ces sociologues et ethnologues. D'autres auteurs ont soutenu la thèse inverse, celle de l'absence de sentiment religieux dans les peuplades étudiées[5]. Mais leur argumentation est également fragile, car elle repose sur une définition très étroite et occidentale de la religion.

En 1912, Émile Durkheim reprend le débat dans *Les Formes élémentaires de la vie religieuse*, en étudiant le milieu des aborigènes australiens, considérés comme les plus proches de la condition primitive de l'humanité. Son approche, exclusivement sociologique, peut alimenter aussi bien les arguments athées que religieux. Si la religion dépend certes du substrat économique et social qui lui donne naissance, elle dépasse ce dernier, car elle a une valeur objective qui n'est pas moindre que l'expérience scientifique ; elle est plus qu'un épiphénomène, tout comme la pensée est plus que le cerveau : « Loin donc que la religion ignore la société réelle et en fasse abstraction, elle en est l'image ; elle en reflète tous les aspects, même les plus vulgaires et les plus repoussants. Mais si, à travers les mythologies et les théologies, on voit clairement transparaître la réalité, il est bien vrai qu'elle ne s'y retrouve qu'agrandie, transformée, idéalisée[6]. »

Pour Durkheim, les formes élémentaires de la vie religieuse s'ordonnent autour de la notion de totem, qui est à la fois le nom et l'emblème du clan, à partir duquel s'élaborent les classifications religieuses, les rites et les tabous. Toutes les catégories fondamentales de la pensée, et donc aussi la science, sont d'origine religieuse : « Si la religion a engendré tout ce qu'il y a d'essentiel dans la société, c'est que l'idée de la société est l'âme de la religion[7]. »

Son idée fondamentale, en ce qui concerne notre propos, est que l'on trouve chez les peuples les plus primitifs, et donc implicitement à l'origine de l'humanité, tous les éléments constitutifs de l'attitude religieuse même la plus avancée, à savoir : « distinction des choses en sacrées et profanes, notions d'âme, d'esprit, de personnalité mythique, de divinité nationale et même internationale, culte négatif avec les pratiques ascétiques qui en sont les formes exaspérées, rites d'oblation et de communion, rites imitatifs, rites piaculaires, rien n'y manque d'essentiel[8] ».

Dès le départ, le culte joue un rôle fondamental dans la cohésion sociale : « C'est que la société ne peut faire sentir son influence que si elle est un acte, et elle n'est un acte que si les individus qui la composent sont assemblés et agissent en commun[9]. » Les forces religieuses, enracinées dans la société, sont intériorisées par les individus, qui les associent à leur vie intime. En outre, chaque société étant plus ou moins engagée dans des rapports avec d'autres sociétés, les idées religieuses peuvent prendre rapidement un caractère universaliste. Durkheim ne laisse donc aucune place à la possibilité d'un athéisme originel. Sur ce point, il s'accorde avec la majorité des ethnologues et sociologues de son époque, qui pensent qu'il n'y a pas de peuples primitifs sans religion.

Le problème n'est pas résolu pour autant. D'abord, parce qu'affirmer que l'universalité du sentiment religieux chez les peuples primitifs plaide en faveur d'une révélation originelle est évidemment un raisonnement abusif — cette hypothèse est d'ailleurs totalement absente chez Durkheim. Ensuite, parce que l'assimilation de la pensée des peuples primitifs du xxᵉ siècle et de celle de l'humanité préhistorique est un autre saut contestable. Enfin, parce que la notion de religieux reste souvent cernée d'incertitudes et peut donner lieu à bien des contestations : ce que l'on qualifie de « religieux » chez tel ou tel peuple primitif n'est-il pas plus proche d'un animisme naturaliste que d'une véritable croyance religieuse ? La limite entre théisme et athéisme n'est pas toujours très nette à notre époque. Elle semble encore plus floue, voire inexistante, dans la mentalité primitive.

La mentalité primitive : le mana

Depuis les années 1900, ethnologues et philosophes se sont orientés vers une notion plus apte à qualifier les relations entre l'homme préhistorique et son environnement naturel : celle de « mana », c'est-à-dire une force immatérielle et active, diffuse dans tous les objets. Dès 1891, Codrington l'avait étudiée chez les Mélanésiens [10], mais c'est en 1915 que l'Allemand Lehmann lui consacre une grande étude [11]. La même réalité est alors identifiée sous d'autres noms chez les Malgaches (*hasina*), les Hurons (*orenda*), les Tlingit (*yok*), les Omaha (*wakenda*), les Barongas (*tilo*), etc.

Le mana est difficile à concevoir et surtout à définir. Codrington y voyait une « puissance ou influence surnaturelle qui entre en jeu pour effectuer tout ce qui est au-delà du pouvoir ordinaire de l'homme, en dehors du processus commun de la nature ». Cette définition, qui semble introduire une différence entre nature et surnature, a été ensuite corrigée. Comme le précisera Georges Gusdorf, la mentalité primitive est en effet moniste : elle ne distingue pas le naturel du surnaturel, la physique de la métaphysique. L'homme et son environnement ne font qu'un, et l'ontologie n'est pas pensée, mais vécue. Le primitif ne sépare pas profane et sacré ; il est immergé dans un milieu avec lequel il ne fait qu'un. Il vit dans du vivant, partie intégrante d'un tout unique :

> Le primitif ne dispose que d'une visée unique, et le mot « mana » désigne cette attitude unitaire de l'homme devant l'univers, ou plutôt dans l'univers. [...] Le mana est immanent à l'existence dans sa spontanéité, mais il peut se rencontrer aussi bien du côté du sujet que du côté de l'objet. Plus exactement, le mana correspond à un certain affrontement de l'homme et de la réalité ambiante, donné initialement comme un être dans le monde caractéristique de la vie primitive. L'intention mana ne désigne pas particulièrement une situation proprement « religieuse » : elle indique une certaine polarisation de l'existence dans son ensemble, en dehors de toute référence à des « dieux », ou même à des « esprits », si imprécis qu'ils soient[12].

En fait, le mana n'est pas une réalité en soi, mais plutôt une structure de la conscience, qui nous fait agir intuitivement comme si les objets qui nous entourent étaient chargés d'intentions à notre égard. Il s'agit donc d'une donnée brute, immédiate, qui n'a rien à voir avec un sentiment du divin ou du sacré. Mais ce mode de conscience, préanimiste, peut engendrer deux types d'attitudes : la magie et la religion. Pour Lehmann, la notion confuse de mana est une sorte d'objectivation du sentiment de crainte à l'égard de l'objet : si le pouvoir est attribué à l'objet lui-même, on dérive vers la magie ; s'il est attribué à un esprit qui dirige l'objet, on dérive vers le théisme et donc la religion.

Magie et religion ont ainsi la même origine. Or ces deux attitudes caractérisent respectivement les visions athée et théiste du monde. Ce qui conduirait à exclure toute antériorité de l'une par rapport à l'autre. Le célèbre ouvrage d'Henri Bergson sur *Les Deux Sources de la morale et de la religion* semblerait renforcer cette hypothèse. Paru en 1932, il s'appuie sur les nombreuses études ethnologiques de son époque et conclut au caractère simultané et indissociable de la magie et de la religion : « Il ne peut être question de faire sortir la religion de la magie : elles sont contemporaines. » Dans sa phase préanimiste, écrit Bergson, « l'humanité se serait représenté une force impersonnelle telle que le mana polynésien, répandue dans le tout, inégalement distribuée entre les parties ; elle ne serait venue que plus tard aux esprits[13] ». La magie est prolongation de l'action humaine sur le monde ; elle est donc « innée à l'homme, n'étant que l'extériorisation d'un désir dont le cœur est rempli ».

À l'origine, il n'y aurait ainsi aucune conception abstraite ou théorique d'un quelconque surnaturel : « Ce n'est pas une force impersonnelle, ce ne sont pas des esprits déjà individualisés qu'on aurait conçu d'abord ; on aurait simplement prêté des intentions aux choses et aux événements, comme si la nature avait partout des yeux qu'elle tourne vers l'homme[14]. » De ce fonds commun seraient sorties vers le bas la magie, utilisant les forces impersonnelles de la nature, et vers le haut la religion, qui personnalise ces forces. La religion populaire a conservé les deux aspects, que les grandes religions traditionnelles auront le plus grand mal à séparer.

Cependant, Bergson étend abusivement le terme de « religion » à la situation commune antérieure à cette distinction, lorsqu'il écrit : « La vérité est que la religion, étant coextensive à notre espèce, doit tenir à notre structure. » Si l'on s'en tient à son raisonnement précédent, ce qui est coextensif à notre espèce, c'est le stade du mana, qui est à la fois préreligieux et prémagique, c'est-à-dire préathée. D'ailleurs, le philosophe confirme lui-même le caractère dérivé de la religion quand il nie tout lien fondamental entre cette dernière et la morale, laquelle n'est que l'expression de nécessités sociales : « Quand nous disons qu'une des fonctions de la religion, telle qu'elle a été voulue par la nature, est de maintenir la vie sociale, nous n'entendons pas par là qu'il y ait solidarité entre cette religion et la morale. L'histoire témoigne du contraire. Pécher a toujours été offenser la divinité ; mais il s'en faut que la divinité ait toujours pris offense de l'immoralité ou même du crime : il lui est arrivé de les prescrire [15]. »

Le caractère simultané et indissociable de la magie et de la religion est également affirmé, sous une autre forme, par Claude Lévi-Strauss qui écrit dans *La Pensée sauvage* : « L'anthropomorphisme de la nature (en quoi consiste la religion) et le physiomorphisme de l'homme (par quoi nous définissons la magie) forment deux composantes toujours données, et dont le dosage seulement varie. [...] Il n'y a pas plus de religion sans magie que de magie qui ne contienne au moins un grain de religion. La notion d'une surnature n'existe que pour une humanité qui s'attribue à elle-même des pouvoirs surnaturels, et qui prête en retour, à la nature, les pouvoirs de sa super-humanité [16]. »

L'ethnologue montre comment la religion correspond à une humanisation des lois naturelles, par attribution à un Être supérieur des forces de la nature, et comment la magie correspond à une naturalisation des actions humaines, par attribution à la nature d'intentions et de pouvoirs de type humain. S'il subsiste un certain mélange des deux attitudes, leur nature est foncièrement différente, mais toutes deux proviennent d'un fonds commun.

Or, répétons-le, l'attitude magique est fondamentalement athée et conduira, par évolution naturelle, à l'athéisme pratique. Lorsque je trébuche sur une chaise, si j'en suis au stade mana, je lui donne un coup de pied ; si je suis plus évolué, soit j'attribue ma chute à la volonté divine, et je suis alors un esprit religieux ; soit j'accuse la chaise de mauvaise intention à mon égard, et je témoigne alors d'un état d'esprit magique, qui ne fait pas référence à un être surnaturel — et tôt ou tard j'en arriverai à l'indifférence à l'égard de la chaise, et me considérerai comme seul responsable de ma maladresse.

À l'origine, ni foi ni incroyance : la conscience mythique

À l'origine, le mythe est un mode d'être dans le monde, la façon pour l'homme de vivre son insertion dans un environnement donné, qui agit sur lui et sur lequel il agit. Cherchant à satisfaire ses besoins fondamentaux, il noue avec le monde un tissu de relations affectives vitales, fondées sur le couple attraction-répulsion. Attribuant aux choses des intentions qu'il exploite pour sa propre satisfaction, il vit dans le mythe, dont il ne se dissocie pas par la pensée. À ce stade, le mythe n'est ni une théorie, ni une légende, ni une allégorie, ni un symbole : c'est un genre de vie, un mode d'être, où l'accès au sens est immédiat, sans dissociation.

L'homme primitif est immergé dans la réalité mythique. « C'est pourquoi, écrit Georges Gusdorf, il ne connaît pas l'instabilité de l'homme moderne qui a perdu son lieu ontologique, et toujours le recherche. Il se sent à sa place, au cœur de la réalité, pas assez conscient de lui-même pour se vouloir autre qu'il n'est[17]. » Il serait vain de qualifier cet état initial de religieux ou d'athée. Il est l'un et l'autre à la fois, et en même temps donc leur négation mutuelle. Dans l'état mythique, l'être est unitaire ; il n'y a pas de distinction entre divin et profane, naturel et surnaturel. Le primitif vit dans le sacré, mais un sacré vécu, non conceptualisé. Le mythe est la réalité ultime, qui comprend tout et son contraire, dangereux et amical, attirant et repoussant. Mircea Eliade a souligné cette ambivalence du sacré originel, qui n'est en fait qu'une réaction face à un monde chargé de bonnes et de mauvaises intentions, capable de produire le bon et le mauvais, l'agréable et le douloureux :

> L'attitude ambivalente de l'homme devant un sacré à la fois attirant et repoussant, bienfaisant et dangereux, trouve son explication non seulement dans la structure ambivalente du sacré en lui-même, mais encore dans les réactions naturelles que l'homme manifeste devant cette réalité transcendante qui l'attire et l'épouvante avec une égale violence. La résistance s'affirme plus nettement quand l'homme se voit placé devant une sollicitation totale du sacré, quand il est appelé à prendre la décision suprême : embrasser, complètement et sans retour, les valeurs sacrées ou se maintenir, à leur égard, dans une attitude équivoque[18].

Dès ce stade, l'homme peut donc réagir négativement vis-à-vis du sacré, par la répulsion, le rejet, la haine, le sarcasme ou l'indifférence. Ces attitudes se retrouveront face aux religions constituées. Mais, au stade mythique, l'homme n'est ni religieux ni athée. Pour être croyant ou athée, il faut se distancier par la pensée du monde divin, que l'on accepte ou que l'on rejette.

> Le problème doit donc se poser en termes ontologiques : ce qui *existe*, ce qui est *réel* et ce qui *n'existe pas* — et non pas en termes personnel-impersonnel, corporel-incorporel, concepts qui n'ont pas, dans la conscience des primitifs, la précision qu'ils ont acquise dans les cultures historiques. Ce

qui est pourvu de mana existe sur le plan ontologique, et, par suite, est efficace, fécond, fertile. On ne saurait affirmer par conséquent l'« impersonna-
lité » du mana, cette notion n'ayant aucun sens dans l'horizon mental
archaïque. On ne rencontre d'ailleurs nulle part le mana hypostasié, détaché
des objets, des événements cosmiques, des êtres ou des hommes [19].

Donc, au point de départ, il y aurait une humanité dont la
conscience, immergée dans son environnement, vivrait dans le mythe.
Après cette phase areligieuse, le moment décisif est celui où émergent
la raison et la conscience de soi, celui où intervient l'intelligence. Car
l'intelligence distingue, sépare, dissocie, classe ce qui jusque-là ne
faisait qu'un. Alors commencent à s'opposer moi et le monde, le profane et le sacré, le mythe pensé et le mythe vécu. C'est là que se situe
le véritable passage entre préhistoire et histoire. La pensée mythique
fait place à deux attitudes opposées, mais complémentaires et encore
souvent mêlées : l'attitude religieuse et l'attitude magico-superstitieuse, toutes deux potentiellement lourdes de croyance et d'athéisme.

L'attitude religieuse correspond à la conceptualisation du mythe,
qui n'est plus vécu, mais représenté, joué et pensé. Il devient une réalité autonome, structurée par l'esprit et à laquelle on croit. C'est
désormais un objet symbolique, objet d'un discours, organisé dans
une littérature sacrée. Bien sûr, le mythe, qui fait dès lors référence à
une réalité extérieure, a perdu de sa force : « La reprise du mythe par
l'intelligence, sa transcription réfléchie laisse donc échapper l'essentiel, dans la mesure où elle détache le mythe de la situation, lui conférant ainsi une autonomie en pensée qui le dénature [20]. » Il n'en reste
pas moins indispensable. Car la désagrégation de l'état mythique est
pour l'homme une source irrémédiable d'inquiétude et d'angoisse
existentielle. Dans l'intériorité de sa conscience, il se pose par rapport
au monde et, ayant perdu l'harmonie initiale, il est en perpétuel décalage par rapport à son environnement. Dans cette situation, il ne
songe plus qu'à retrouver la sécurité et l'unité perdues, par la religion,
par la philosophie, par la magie, par la technique, par la politique.

L'attitude religieuse est née : en elle, le sacré primitif mythique est
organisé par l'intelligence en un *logos*, un discours cohérent qui tend
à expliquer le monde par un récit isolant le sacré du profane, tout en
les reliant par des liens efficaces : sacrements, symboles, rites. Le
monde divin prend son autonomie et sa transcendance. Georges Gusdorf a retracé l'émergence de la religion :

> La conscience réfléchie, élaborant l'expérience primitive du sacré, donne
> naissance à la religion. Ce qui semble se produire d'abord, c'est une sorte
> d'organisation de la matière plastique et diffuse du sacré. [...] Au stade rituel
> des observances immanentes succède ainsi un stade théologique où le sacré,
> au lieu d'être l'objet d'une appréhension directe, se trouve mis en perspective
> selon l'exigence d'un discours cohérent.
> La première étape est sans doute celle qui permet d'opposer nettement le
> sacré et le profane, en séparant le séjour des dieux et le séjour des hommes.

[...] L'homme s'affirme désormais devant son Dieu, et cette relation d'extériorité correspond ici à l'affirmation d'une transcendance du divin. Le surnaturel se démêle de la nature, qui acquiert ainsi une certaine autonomie[21].

Cette distinction entre profane et sacré, qui est le fondement même de l'attitude religieuse, s'opère suivant une ligne ainsi définie par Roger Caillois :

Le domaine du profane se présente comme celui de l'usage commun, celui des gestes qui ne nécessitent aucune précaution et qui se tiennent dans la marge souvent étroite laissée à l'homme pour exercer sans contrainte son activité. Le monde du sacré, au contraire, apparaît comme celui du dangereux ou du défendu : l'individu ne peut s'en approcher sans mettre en branle des forces dont il n'est pas le maître et devant lesquelles sa faiblesse se sent désarmée[22].

Du mythe vécu au mythe conceptualisé : la religion et ses dérivés

Avec l'attitude religieuse, le mythe est donc conceptualisé dans le langage théologique, par la raison. Dès lors, l'évolution socio-culturelle travaille irréversiblement le donné mythique révélé. À partir du moment où intervient l'intelligence, la contestation est possible : ce que la raison organise, la raison peut aussi le critiquer. Dès que le mythe n'est plus vécu mais pensé, il devient objet de foi et peut également être rejeté : l'incroyance peut désormais s'opposer à la croyance.

Le discours théologique, pour organiser le donné mythique, aura recours à la raison, et cette dernière tendra inéluctablement, sous la pression de l'évolution culturelle, à réduire la place du révélé, à l'absorber de l'intérieur. Cette rationalisation progressive de la foi par une raison conquérante qui digère le mythe en l'expliquant peut aboutir à l'athéisme, lorsque la raison aura remplacé le révélé comme seule norme de la vérité. Le mouvement est connu. C'est lui qui, des Lumières au scientisme, procédera à la démythisation de la foi, dissolvant les mythes en les expliquant, comme Œdipe fit disparaître le Sphinx en résolvant son énigme.

Peu importe ici la valeur des arguments de la démythisation. Que Fontenelle, Bayle ou Voltaire aient commis des excès dans leur appréciation des mythes religieux n'entame en rien l'apparente marche triomphale de la raison, que Léon Brunschvicg souhaitait voir poussée à son terme[23]. Le point ultime de la théologie rationnelle serait alors la divinisation de la raison : « La théologie rationnelle apparaît donc au bout du compte comme une promotion théologique de la raison. Le Dieu qui ne saurait avoir de nom propre en reçoit un par la transformation de l'initiale du mot "raison" en lettre majuscule. Cette majoration élève la raison à une puissance supérieure[24]. »

Le sacré mythique organisé par les religions est également menacé par l'intériorisation et la personnification de la foi. Ce mouvement, qui paraît lui aussi inéluctable, conduit à l'émiettement du sacré, devenu pur sentiment intérieur, jusqu'au moment où, écrit Roger Caillois, « certains subordonnent tout à la conservation de leur vie et de leurs biens et semblent ainsi tout tenir pour profane, prenant avec tout, dans la mesure de leur pouvoir, les plus grandes libertés. L'intérêt bien entendu les gouverne ou leur plaisir du moment. Pour eux seuls il est clair que le sacré n'existe sous aucune forme[25] ». L'égoïsme sacré est ainsi l'aboutissement logique de l'intériorisation du sacré, et de la spiritualisation croissante de la religion, qui élimine le sacré des objets extérieurs.

La logique de la rationalisation semblerait donc conduire à la dissolution du dieu des grandes religions. Or, jusqu'à ce jour, ce dernier résiste, et même mieux que prévu. S'il a perdu beaucoup de terrain au cours du xxᵉ siècle, il compte encore des centaines de millions de fidèles, beaucoup plus que ne l'auraient prédit en 1900 les prophètes de sa mort. C'est que les grandes religions continuent à satisfaire en partie le besoin d'une saisie mythique du réel. En conservant au réel une part de mystère, elles gardent d'une certaine façon une part du mythe vécu primitif, et donc permettent à l'individu croyant de retrouver en partie l'unité originelle perdue. C'est là que réside la force réelle des religions, qui explique qu'elles se maintiennent tant bien que mal au milieu d'un monde désenchanté et rationalisé. Par la religion, l'homme tente de guérir l'inquiétude existentielle en retrouvant la sécurité du mythe vécu.

Lucien Lévy-Bruhl a bien montré à quel point la mentalité mythique, refoulée chez l'homme moderne, tend sans cesse à resurgir, parce qu'elle est une structure inaliénable de l'esprit humain : « Là se trouve la raison profonde du charme qui l'attire vers les contes du folklore, et la séduction de leur langage. Dès que nous y prêtons l'oreille, cette contrainte est suspendue, cette violence fait trêve. En un instant, d'un seul bond, les tendances refoulées regagnent le terrain perdu. Quand nous écoutons des contes, nous abandonnons voluptueusement l'attitude rationnelle, nous ne sommes plus soumis à ses exigences[26]. » Dans une lettre à Jacques Maritain, il affirme que « la mentalité primitive est un *état* de la mentalité humaine », correspondant à la situation originelle sécurisante d'harmonie, ou plutôt de fusion, avec le milieu naturel. La brisure de cette unité entre l'homme et le monde est à l'origine de l'angoisse existentielle. La religion est une tentative pour combler le fossé ainsi creusé, pour retrouver — grâce au sacré — l'âge d'or, le paradis terrestre. Par le mythe religieux et théologique, un lien est établi avec le sacré : un modèle exemplaire est fourni à toutes les actions humaines significatives, permettant de se conformer au divin[27]. Le mythe offre un archétype dont

la répétition par le rituel religieux abolit le temps et la cassure originelle : « La répétition, écrit Mircea Eliade, entraîne l'abolition du
temps profane et la projection de l'homme dans un temps magico-
religieux qui n'a rien à voir avec la durée proprement dite, mais
constitue cet éternel présent du temps mythique[28]. »

L'importance de cette fonction religieuse a conduit certains auteurs
à en conclure abusivement que la dimension religieuse était une structure fondamentale de l'esprit humain. Or la religion, mythe conceptualisé, n'est qu'un moyen parmi d'autres — moyen longtemps privilégié, il est vrai — de satisfaire le désir utopique de retour à la
conscience mythique vécue. C'est cette dernière qui est un besoin
fondamental, et non la religion. Le besoin religieux n'est apparu
qu'ensuite. Il convient de le réaffirmer avec Georges Gusdorf : « Il
faut donc renoncer à toute ambiguïté en reconnaissant dans la
conscience mythique une structure inaliénable de l'être humain. Elle
apporte avec soi le sens premier de l'existence et ses orientations ori-
ginaires. La fonction logique de la pensée se développe seulement
ensuite. [...] Le discrédit jeté sur la conscience mythique, puis son
éviction totale, représente sans doute le péché originel de l'intellectualisme[29]. »

Le stade religieux évolue sous l'effet des conditions sociocultu-
relles. Suivant le degré plus ou moins élevé de rationalisation, il est
susceptible d'aboutir à quatre types d'attitudes, allant de la foi religieuse traditionnelle à l'incroyance rationaliste. Lorsque le donné
révélé ou mythologique l'emporte sur l'aspect rationnel, nous
sommes dans le cadre des grandes religions traditionnelles, codifiées,
ordonnées autour d'un certain nombre de dogmes, dirigées par un
clergé, affirmant l'existence d'un ou de plusieurs dieux, qui interviennent dans les affaires humaines et imposent une morale. Si l'élément révélé est au contraire nié au profit de la simple affirmation
d'une divinité transcendante mais sans providence, nous avons affaire
au déisme. Si la transcendance divine est à son tour niée au profit
d'un Grand Tout, d'un principe organisateur non personnel, nous
sommes dans le panthéisme, qui peut être naturaliste ou spiritualiste.
Enfin, si toute notion de divinité, de finalité, de transcendance, d'âme
immortelle, est niée, nous aboutissons à l'athéisme théorique, ou dogmatique, qui lui-même peut prendre plusieurs formes.

Du mythe vécu à la magie : l'attitude superstitieuse et ses dérivés

Mais il y a une autre série d'attitudes possibles. En effet, la pensée
mythique originelle fait place à deux positions mythiques dérivées : la
première est la religion, c'est-à-dire le mythe conceptualisé ; la
seconde est la superstition de type magique, c'est-à-dire le mythe en
action. Opérant elle aussi la séparation entre profane et sacré, divin et

humain, l'attitude superstitieuse voit partout dans le profane des manifestations du sacré et tente d'utiliser, de manipuler ces forces surnaturelles pour rétablir l'état originel supposé d'harmonie entre l'homme et le monde. C'est ici l'aspect pratique qui prédomine, et non l'aspect spéculatif comme dans la religion. Le sacré s'incarne dans une multitude d'objets et, en s'incarnant, s'individualise, se limite et se morcelle à l'infini. Les objets ainsi habités par le sacré — pierres, arbres, sources, montagnes, etc. — exercent un pouvoir ; mais, identifié, ce pouvoir peut être magiquement circonvenu, détourné, utilisé par l'esprit humain devenu conscient et donc maître des forces à l'œuvre dans le monde.

Certes, religion, superstition, magie ne sont pas des catégories hermétiquement fermées les unes par rapport aux autres. Toute religion comporte une part de superstition et de magie, et toute superstition a une dimension religieuse. D'où de nombreuses ambiguïtés lorsque l'Église catholique, à partir de la réforme tridentine, entamera la chasse aux superstitions : si le divin s'est incarné dans un homme, s'il se matérialise dans le pain et le vin, leur conférant des pouvoirs miraculeux, pourquoi ne se manifesterait-il pas dans d'autres êtres ? Il sera difficile de faire comprendre cela aux fidèles.

Malgré tout, il est possible de distinguer attitude religieuse et attitude superstitieuse, la première représentant le mythe conceptualisé et la seconde le mythe vécu et agissant, sous sa forme magique. Version spéculative dans le premier cas, active dans le second. Selon l'importance plus ou moins grande prise par l'action au cours de l'évolution socio-culturelle, l'attitude magico-superstitieuse peut elle-même déboucher sur quatre situations.

Tout d'abord, la lutte des autorités religieuses contre les superstitions et la magie — œuvre de longue haleine, qui occupera plusieurs siècles du christianisme — peut contribuer à absorber au sein des grandes religions traditionnelles un certain nombre d'esprits superstitieux satisfaits de la dose de magie que comportent tous les grands cultes. Aux XVIIIe et XIXe siècles, le christianisme récupérera ainsi des éléments populaires sur la base d'un compromis avec les pratiques superstitieuses.

Un deuxième groupe, qui se refuse à accepter les dogmes fondamentaux des grandes religions mais pour qui la foi est une donnée révélée par un prophète ou un homme inspiré, évolue vers la mentalité de secte. Le mouvement sectaire, qui est aussi alimenté par des dissidences à partir des religions traditionnelles, s'appuie sur une foi efficace et salvatrice, assurant au petit nombre d'élus le salut éternel.

Un troisième groupe issu de la mentalité superstitieuse et magique aboutit à l'ésotérisme et à l'occultisme. La croyance est dans ce cas orientée vers l'action terrestre, par une captation des forces invisibles, naturelles et surnaturelles. L'aspect pratique de l'existence prend le pas sur l'aspect spéculatif.

Genèse des principales attitudes de foi et d'athéisme

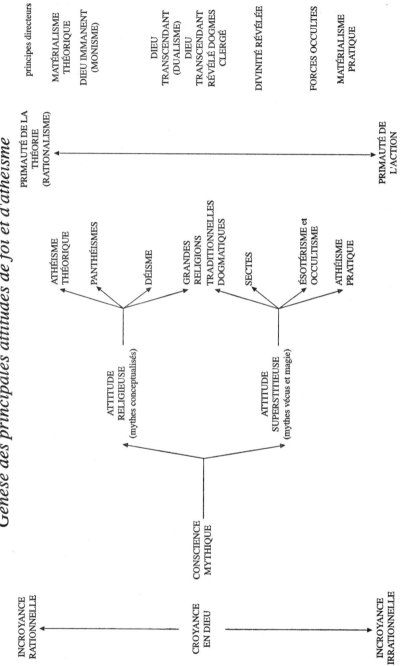

principes directeurs

MATÉRIALISME THÉORIQUE

DIEU IMMANENT (MONISME)

DIEU TRANSCENDANT (DUALISME)

DIEU TRANSCENDANT RÉVÉLÉ DOGMES CLERGÉ

DIVINITÉ RÉVÉLÉE

FORCES OCCULTES

MATÉRIALISME PRATIQUE

PRIMAUTÉ DE LA THÉORIE (RATIONALISME)

PRIMAUTÉ DE L'ACTION

ATHÉISME THÉORIQUE

PANTHÉISMES

DÉISME

GRANDES RELIGIONS TRADITIONNELLES DOGMATIQUES

SECTES

ÉSOTÉRISME et OCCULTISME

ATHÉISME PRATIQUE

ATTITUDE RELIGIEUSE (mythes conceptualisés)

ATTITUDE SUPERSTITIEUSE (mythes vécus et magie)

CONSCIENCE MYTHIQUE

INCROYANCE RATIONNELLE

CROYANCE EN DIEU

INCROYANCE IRRATIONNELLE

Enfin, lorsque l'aspect pratique exerce une domination exclusive, ayant perdu toute référence avec un quelconque surnaturel, l'attitude superstitieuse, totalement sécularisée, laïcisée et matérialisée, débouche sur l'athéisme pratique. Ce dernier est un mode d'existence qui consiste, pour des hommes immergés dans l'action quotidienne, à vivre sans se poser la question d'une éventuelle divinité, dans le postulat d'un matérialisme implicite. Attitude particulièrement importante dans le monde contemporain.

Nous aboutissons ainsi à une gamme de sept attitudes fondamentales s'échelonnant entre les deux pôles extrêmes que sont la primauté accordée à la rationalisation et la primauté accordée à l'action, c'est-à-dire l'athéisme théorique et l'athéisme pratique ; les positions intermédiaires étant le panthéisme, le déisme, l'appartenance à une grande religion traditionnelle, le phénomène sectaire, l'ésotérisme et occultisme (*voir schéma*).

De l'athéisme théorique à l'athéisme pratique :
une hypothèse de travail

Cette vision des choses est certes schématique et donc réductrice, mais elle nous semble constituer une hypothèse de travail féconde, qui nous servira de base au long de cette étude. Elle appelle au préalable quelques remarques.

Tout d'abord, rappelons que les séparations ainsi établies n'ont rien d'étanche. Dans les mentalités comme dans le vécu humain, les limites entre les différentes attitudes sont toujours floues. Entre le pur athée théorique et le pur panthéiste, par exemple, que de possibilités de fusions, d'ententes, d'ambiguïtés, de passages ! De même, où passe la frontière exacte entre l'athéisme pratique et l'attitude ésotérique, entre le déisme et le panthéisme ?

En deuxième lieu, il convient d'éviter une lecture trop strictement historique du schéma. Si nous discernons trois étapes, les liens entre celles-ci sont autant logiques que chronologiques. Seule la pensée mythique peut être considérée comme antérieure. Pour le reste, si le temps joue évidemment un rôle — c'est en grande partie sous l'effet du progrès de la raison théorique, puis des sciences exactes, enfin des sciences humaines que les différentes attitudes se distinguent à partir des mythes dégradés en concepts et en superstitions —, le progrès temporel n'entre pas seul en ligne de compte, car (et nous insistons là-dessus) ces différentes attitudes se retrouvent dans toutes les civilisations. Elles sont donc simultanées. Dès l'Antiquité, nous le verrons, il y a des esprits religieux, déistes, panthéistes, sectaires, ésotériques, athées pratiques et théoriques.

L'un des buts de cette étude sera d'en apporter la démonstration.

Nous rejetons d'emblée l'idée classique d'une évolution à sens unique partant d'un état religieux originel et aboutissant, au terme d'un processus croissant de laïcisation, à une rationalisation intégrale de la vision de l'univers, de type matérialiste. S'il est évident que le monde actuel est plus athée qu'il ne l'était il y a cinq mille ans, il est non moins indéniable que les éléments religieux et irrationnels restent beaucoup plus importants qu'on ne l'aurait pensé il y a un siècle ou deux. En fait, plutôt que de se succéder, les différentes attitudes, de l'athéisme à la croyance, sont simultanées : chaque culture, chaque civilisation a ses athées et ses croyants, même l'Europe « chrétienne » du Moyen Âge. La part des différentes attitudes dépend de l'organisation des valeurs socio-culturelles, économiques et politiques de chaque civilisation. L'attitude à l'égard du sacré, de son acceptation à son rejet intégral, n'est qu'un des éléments de l'ensemble culturel, dont l'équilibre général favorise tantôt tel type de croyance, tantôt tel type d'athéisme. L'une des faiblesses de l'historiographie des religions, œuvre le plus souvent de croyants, est de privilégier à l'excès la dimension religieuse de l'homme, alors qu'il ne s'agit que d'un élément parmi d'autres. Trop fréquemment, l'histoire religieuse conserve, même de nos jours, une visée apologétique inconsciente, partant d'un *a priori* d'après lequel la religion en question est « vraie », et donc indestructible.

Troisième remarque : le schéma que nous venons d'élaborer n'est qu'une hypothèse de travail, qui nous semble plus féconde que la vision linéaire traditionnelle. Comme toute hypothèse, elle reste soumise à l'épreuve des faits, et susceptible d'adaptations, voire d'une remise en cause plus profonde si nous rencontrons des éléments contradictoires déterminants. Or, dans le domaine des mentalités plus que dans tout autre, l'interprétation des témoignages pèse aussi lourd que les faits eux-mêmes, surtout sur le sol mouvant des croyances et de l'incroyance. L'histoire de l'athéisme n'est pas seulement celle de l'épicurisme, du scepticisme libertin, du matérialisme des Lumières, du marxisme, du nihilisme et de quelques autres théories intellectuelles. C'est aussi l'histoire de millions d'humbles gens immergés dans les tâches quotidiennes, trop préoccupés par le simple besoin de survivre pour se poser des questions sur les dieux. L'athéisme pratique, trop souvent négligé, est la façade existentielle de l'incroyance, tout aussi fondamentale que sa façade noble, théorique. Les deux pôles de l'athéisme sont les deux extrêmes de l'attitude envers le divin ; comme tous les extrêmes, ils s'opposent, se complètent et se rejoignent ; ils encadrent les différentes nuances du sentiment religieux, absorbant par le haut et par le bas les réfractaires au divin, les ennemis des dieux, les militants de la libre pensée, aussi bien que les déçus des religions et les indifférents. Ces deux franges extrêmes ont toujours existé, occupant une place plus ou moins grande suivant les circonstances, les valeurs dominantes et l'attitude des religions.

Mais l'athéisme n'est pas qu'une attitude de refus, de rejet ou d'indifférence, qui ne se définirait que par rapport aux religions. Il est également une attitude positive, constructive et autonome. Contrairement là encore aux présupposés de l'historiographie religieuse, l'athée n'est pas que celui qui ne croit pas. L'athée croit aussi — non pas en Dieu, mais en l'homme, en la matière, en la raison. Dans chaque civilisation, l'athéisme apporte quelque chose.

L'athéisme chez les peuples primitifs et antiques

Les traces de l'athéisme sont aussi anciennes que celles de la religion. Mais seules ces dernières se prêtent à une étude spécifique, ce qui a conduit à postuler le caractère exclusif de l'attitude religieuse dans les sociétés antiques. Temples, bas-reliefs, peintures, textes cultuels constituent l'essentiel des matériaux légués par ces civilisations anciennes. Cela signifie-t-il pour autant que pour tous les paysans, les artisans, les hommes de guerre, le monde du divin aille de soi ?

Depuis un certain temps, des historiens anglo-saxons ont commencé à attirer l'attention sur le phénomène du scepticisme dans les sociétés anciennes. Dès 1966, C. Geertz rappelle que « si l'étude anthropologique des implications religieuses reste insuffisamment développée, l'étude anthropologique de l'indifférence religieuse est inexistante[30] ». Et dans son grand ouvrage désormais classique, *Religion and the Decline of Magic*, Keith Thomas affirme que les sociétés anciennes ont elles aussi connu la remise en cause des croyances religieuses :

> On n'a pas assez tenu compte de l'importance de l'apathie, de l'hétérodoxie et de l'agnosticisme qui existaient avant le début de l'industrialisation. *Même les sociétés les plus primitives ont leurs sceptiques en religion.* Il est possible que les changements sociaux aient accru l'importance du scepticisme dans l'Angleterre des XVIe et XVIIe siècles. Mais il est clair que l'emprise de la religion organisée sur le peuple n'a jamais été assez complète pour étouffer d'autres systèmes de croyances[31].

Critiquant la conception durkheimienne qui fait du rituel religieux le facteur de l'unité collective, à travers l'image d'un Moyen Âge idéalisé, Keith Thomas montre qu'une telle unanimité n'a jamais existé.

À l'inverse, l'existence de peuples entiers réfractaires à la religion, totalement athées, relève tout autant de la légende. Cette idée, très polémique, avait été développée à partir du XVIIIe siècle par certains philosophes à propos des Chinois. Après l'avoir combattue, les apologistes chrétiens du XIXᵉ siècle l'avaient eux-mêmes reprise à leur compte dans un esprit à la fois raciste et antibouddhiste. « Les peuples bouddhiques peuvent être, sans aucune injustice, regardés comme des peuples athées, écrivait par exemple Barthélemy de Saint-Hilaire. Ceci ne veut pas dire qu'ils professent l'athéisme et qu'ils se font gloire de cette incrédulité avec cette jactance dont on pourrait citer plus d'un exemple parmi nous ; ceci veut dire seulement que ces peuples n'ont pas pu s'élever, dans leurs méditations les plus hautes, jusqu'à la notion de Dieu[32]. » De tels propos, aujourd'hui écartés[33], nous rappellent d'entrée combien le terme « athée » est chargé de polémiques multiséculaires.

Il n'en reste pas moins que les plus vieilles civilisations ont connu une part d'athéisme. De l'aveu même du *Dictionnaire de théologie catholique*, « c'est par l'Inde que doit s'ouvrir l'histoire de l'athéisme », et le Norvégien Finngeir Hiorth écrit : « Il y a des documents qui montrent l'existence d'athées en Inde environ deux mille ans plus tôt qu'en Grèce », c'est-à-dire au moins deux mille cinq cents ans avant Jésus-Christ[34]. Sans remonter jusqu'à ces temps très reculés, une tradition athée est fermement établie depuis au moins le IVᵉ siècle avant notre ère dans les philosophies indiennes Vaïçeshika-Nyâya et Sânkhya[35]. Cette dernière, qui accorde une grande importance aux nombres, s'est perpétuée ; on en retrouve des traces chez un petit nombre d'intellectuels indiens qui se réclament ouvertement de l'athéisme[36].

La Chine offre un premier exemple de la diversité des attitudes illustrant notre schéma de départ. Tandis que le taoïsme tardif et le mysticisme de Lao-tseu représentent les tendances ésotériques et sectaires, que le bouddhisme constitue la religion traditionnelle centrale, les nuances du confucianisme, plus ou moins teintées de théisme, sont les aspects déiste, panthéiste et athée théorique de la pensée chinoise. Mo-tseu s'en prenait d'ailleurs aux « sans-dieu » de son époque. L'athéisme pratique lui-même est présent avec Yang Chu et le matérialisme sceptique de Wang Chaung[37]. À lui seul, le confucianisme est un véritable kaléidoscope athéico-religieux, représentant par ses différentes facettes une sorte de religion sans dieu, de type plutôt panthéiste : « Cette religion est extrêmement naturaliste, rationaliste et humaniste. Aussi ne fait-elle place à aucun mythe, aucune divinité surnaturelle, aucun miracle irrationnel. Comme sa dernière conséquence est l'unité de l'homme et du ciel et qu'elle a ceci en commun avec le confucianisme, le taoïsme et le bouddhisme, elle est une véritable religion syncrétiste[38]. »

Une forme d'athéisme est également présente en Perse antique, avec le zervanisme, spéculation sur le « temps infini », *Zervan*, principe suprême impersonnel. Ce courant, jugé impie par le zoroastrisme, sera par lui persécuté. Si l'Égypte et la Babylonie n'ont pas laissé de trace d'un athéisme théorique, cela n'exclut pas l'existence d'un athéisme pratique tel que celui que nous trouvons, à une époque plus tardive, dans les sociétés germaniques et scandinaves, avec les confessions de Vikings[39]. L'expression explicite de l'athéisme est évidemment rare en dehors des grands courants philosophiques. Sans culte, sans rites, sans temples, sans textes liturgiques ou dogmatiques, quelles traces l'athée ordinaire laisserait-il de son absence de foi religieuse ? Bien souvent, son existence n'est attestée que par ses adversaires, les croyants, qui le maudissent.

Il en va ainsi chez les Hébreux. Qu'il ait pu y avoir des athées dans le peuple de la Bible paraît cependant aux croyants si scandaleux que les exégètes ont tendance à déformer, relativiser, affaiblir le sens des paroles les plus claires. À plusieurs reprises, les Psaumes s'en prennent aux impies qui nient l'existence de Dieu : « Dans sa suffisance, l'impie ne cherche plus : "Il n'y a pas de Dieu", voilà toute son astuce » (10, 4) ; « Les fous se disent : "Il n'y a pas de Dieu !" » (14, 1). De son côté, Jérémie déclare : « Ils renient le Seigneur en disant : "Il est inexistant, le malheur ne viendra pas sur nous" » (5, 12). Le Siracide, Job, le Qohélet contiennent des passages d'un ton fort sceptique, où l'immortalité de l'âme est également remise en cause. Le curé Meslier les reprendra pour construire sa démonstration d'athéisme au XVIIIe siècle : « Ils n'ont que faire, nos christicoles, de déclamer, ni de s'élever si fort contre ce sentiment puisque c'est expressément le sentiment même d'un de leurs sages, les paroles duquel ils révèrent comme des paroles divines[40]. »

Interprétation erronée, affirment la plupart des exégètes : dans la Bible, « il n'y a pas de Dieu » ne veut pas dire qu'il n'y a pas de Dieu, mais simplement que Dieu est indifférent ou impuissant à châtier les coupables. C'est pourquoi, affirme le *Dictionnaire du judaïsme*, l'athéisme est un « concept inconnu de la langue hébraïque, car l'Israël antique appartenait à un monde où nul ne doutait de l'existence des forces surnaturelles ». De même, les textes rabbiniques concernant « celui qui nie le principe fondamental » font référence à ceux qui nient la justice de Dieu. Ce n'est qu'au IIe siècle que l'érudit Élisée ben Avouyah (70-140), en niant catégoriquement la providence divine, l'idée de rétribution et de châtiment, s'approchera d'une attitude athée.

Pourtant, la présence attestée, au sein d'Israël, d'éléments qui déclarent ne pas craindre Dieu, et même l'ignorer, est assez troublante et tendrait à révéler l'existence d'un certain athéisme pratique. Ajoutons que les sadducéens, qui nient la résurrection des corps, l'immortalité personnelle, les récompenses dans la vie future, l'existence des anges et des démons, semblent assez proches de positions déistes.

Ernst Bloch, dans *L'Athéisme dans le christianisme*, a mis en valeur les éléments de révolte que contiennent les écrits bibliques contre les injustices sociales. Il voit dans cette attitude une profonde similitude avec la révolte qui anime le communisme, et n'hésite pas à écrire : « Seul un vrai chrétien peut être un bon athée, seul un véritable athée peut être un bon chrétien[41]. » Derrière cet apparent paradoxe, il découvre, à la racine de la contestation biblique et communiste, le même sentiment de révolte potentiellement athée, purement humain, qui porte l'individu à mettre en cause un ordre socio-économique injuste, au nom d'une solidarité purement terrestre.

La société hébraïque préchrétienne est, quoi qu'il en soit, marquée par une grande diversité d'attitudes à l'égard du monde divin. Les sources, pourtant exclusivement religieuses, mentionnent un fort courant sceptique dans les œuvres de sagesse, qui constituent les derniers livres de la Bible, sous l'influence de la philosophie grecque. Le ton désabusé du Qohélet se rapproche d'un vague déisme : un Dieu lointain qui n'intervient pas dans la vie des hommes, qui laisse prospérer l'injustice ; une égalité parfaite dans la mort, qui semble définitive et qui n'est suivie d'aucun jugement ; un appel à profiter de notre courte existence terrestre : « Va, mange avec joie ton pain et bois de bon cœur ton vin, [...] goûte la vie avec la femme que tu aimes durant les jours de ta vaine existence, [...] tout ce que ta main se trouve capable de faire, fais-le par tes propres forces ; car il n'y a ni œuvre, ni bilan, ni savoir, ni sagesse dans le séjour des morts où tu t'en iras » (9, 7-10). Épicure ne dira pas autre chose ! Si l'existence de Dieu n'est pas niée, elle paraît bien formelle, et cet appel à profiter de la vie ressemble à s'y méprendre à une forme d'athéisme pratique.

Chez les Juifs de la diaspora comme chez ceux de la Palestine sous l'occupation hellénistique, l'épicurisme et le stoïcisme rampants exercent une indéniable séduction, que les exégètes tentent de minimiser pour sauvegarder l'*a priori* d'une radicale originalité du peuple d'Israël. Pourquoi ce petit peuple, occupé, déporté, dispersé, aurait-il échappé aux lois communes des influences culturelles ? Cette attitude des commentateurs, rabbins et clercs chrétiens jusqu'à nos jours, est à l'origine de ce mythe juif, si dommageable pour tous, à commencer par les Juifs eux-mêmes : le mythe d'un peuple à part, hors de l'humanité commune, peuple élu pour les uns, maléfique pour les autres. De ces préjugés irrationnels sont nés aussi bien les pogroms que l'arrogance des extrémistes religieux d'Israël. Le peuple juif n'échappe pas aux questions ordinaires de l'humanité. Les derniers livres de l'Ancien Testament laissent au moins entrevoir une tentation déiste ou panthéiste en accord avec les courants philosophiques sceptiques qui travaillent à ce moment le monde hellénistique, dans lequel le peuple d'Israël est profondément immergé. Si la littérature religieuse biblique, résultat d'une sélection opérée par le clergé, n'est sans doute pas de nature à nous éclairer beaucoup sur ces aspects, l'étude de l'athéisme antique repose sur des sources infiniment plus explicites avec les écrits profanes gréco-romains.

CHAPITRE II

Les athéismes gréco-romains

Le monde grec illustre dans toute sa diversité le phénomène de l'athéisme. Des sources abondantes et une relative liberté d'expression permettent d'étudier sa genèse, ses manifestations et ses implications dans le cadre d'une civilisation imprégnée de religion. Mais la complexité et les multiples nuances entre courants philosophiques et religieux montrent combien sont floues les limites qui séparent la croyance de l'incroyance. Une extrême prudence s'impose en ce qui concerne le maniement des termes, à commencer par celui d'*atheos*, qui désigne l'adversaire des dieux traditionnels, mais peut fort bien aussi être un fidèle d'une autre religion, ou simplement un esprit superstitieux.

Jusqu'au Ve siècle : l'acceptation d'un panthéisme matérialiste

Pendant longtemps, à l'époque archaïque et jusqu'à la période présocratique, la distinction entre athéisme et croyance religieuse est difficile à établir, en raison du caractère particulier de la religion et des courants philosophiques. Tous sont manifestement hostiles à l'idée de transcendance. La réalité ultime est la nature, incréée et éternelle, dont l'homme fait partie. Les dieux eux-mêmes sont dans le monde ; éternels, ayant une forme corporelle, ils interviennent sans cesse dans les affaires humaines, fixent les destins, font connaître leurs volontés par des oracles, peuvent être fléchis par des pratiques magiques. La religion grecque traditionnelle est fortement décalée vers un panthéisme naturaliste fondé sur des mythes[1], qui ne sont évidemment plus vécus, mais conceptualisés, mis en forme, et souvent dégradés en légendes par les poètes. Au niveau populaire, cette religion est encombrée de superstitions nombreuses et de pratiques magiques occultes. Par en haut comme par en bas, c'est donc une religion éclatée, qui touche d'un côté à l'athéisme théorique, par une tendance à l'explication symbolique des mythes, et de l'autre à l'athéisme pratique, par une assimilation des mythes dans la vie quotidienne. L'aspect souvent trivial de la mythologie grecque a amené les historiens à se demander si les fidèles croyaient vraiment à ces histoires. Comme l'a montré Paul Veyne, la question ne se pose pas en ces termes[2]. La vérité est un phénomène culturel, et les mythes grecs sont les éléments d'une culture qu'on ne peut évaluer en termes de vrai ou de faux.

Les courants philosophiques présocratiques, qui abordent la réalité d'un point de vue rationnel, mêlent tout autant nature et divinité, en privilégiant le premier terme à tel point que leur panthéisme foncier frise l'athéisme. Il ne faudra pas grand-chose pour faire basculer leur doctrine dans le matérialisme naturaliste.

Leur idée essentielle est qu'il existe une réalité substantielle, sans commencement ni fin, une « matière » (hylè), dont tous les êtres ne sont qu'une modification : l'eau pour Thalès, l'air pour Anaximène, le feu pour Héraclite, la terre pour d'autres. Cette matière première est en même temps divine ; elle est animée par un souffle, une sorte d'esprit organisateur, qui en fait une matière vivante. Cette conception hylozoïste (de hylè, matière, et zoè, vie) est en général considérée comme l'origine du matérialisme — c'est l'idée que soutenait déjà Karl Marx dans sa thèse de 1841[3] et que reprendra bientôt Lange : « Le matérialisme est aussi ancien que la philosophie, mais il n'est pas plus ancien[4]. »

Un bref examen des principales doctrines présocratiques confirme leur propension très nette à l'athéisme. Ainsi, Théophraste rapporte que le très ancien philosophe Anaximandre de Milet (vers − 610, vers − 547) « disait que la cause matérielle et l'élément premier des choses était l'apeiron (l'indéterminé, le chaos originel), et il fut le premier à appeler de ce nom la cause matérielle. Il déclare que ce n'est ni l'eau ni aucun des prétendus éléments, mais une substance différente de ceux-ci, qui est indéterminée, et de laquelle procèdent tous les cieux et les mondes qu'ils renferment[5] ». L'apeiron, substance incréée, produit par lui-même tous les êtres qui existent. Au VIᵉ siècle avant notre ère, Xénophane de Colophon affirme que l'être absolu et éternel est le monde. Sans doute ce monde est-il dieu, mais c'est un dieu immanent, qui ne se distingue en rien de la matière. Xénophane n'a que mépris pour l'anthropomorphisme de la religion populaire et condamne toutes les spéculations sur les dieux : « Aucun homme ne sait et ne saura jamais rien de certain touchant les dieux. »

Pour Héraclite, « le monde n'a été fait ni par un des dieux, ni par un des hommes ; il a toujours été, il est, et il sera ; c'est le feu toujours vivant, qui s'allume régulièrement et qui s'éteint régulièrement ». Conception cyclique d'un univers autonome, qui pour l'éternité s'allume et s'éteint. Vers la même époque, Parménide d'Élée assimile aussi l'être absolu au monde, éternel et incréé, « le Tout, l'Unique, l'Immobile, l'Indestructible, l'Universel un et continu ». « Parménide est le père du matérialisme et des matérialistes, puisqu'il professe que le monde physique est l'être absolu[6] », note Claude Tresmontant. Que ce monde soit appelé divin ou non ne change rien à l'affaire : il reste la seule réalité.

Au ve siècle avant notre ère, le Sicilien Empédocle d'Agrigente réaffirme l'éternité du monde incréé, dans lequel rien ne se perd, rien ne se crée, et tout se transforme :

> Je veux te dire une autre chose : il n'existe de création, de genèse pour rien de ce qui est périssable, pas plus que de disparition dans la funeste mort, mais seulement un mélange et une modification de ce qui a été mélangé existe ; mais création, genèse au sujet de ceci, n'est qu'une appellation forgée par les hommes. [...] Fous — car ils n'ont pas de pensée étendue — ceux qui s'imaginent que ce qui n'était pas auparavant vient à l'existence, ou que quelque chose peut périr et être entièrement détruit. Car il ne se peut pas que rien puisse naître de ce qui n'existe en aucune manière, et il est impossible et inouï que ce qui est doive périr, car il sera toujours, en quelque lieu qu'on le place[7].

Zeus, Héra, Nestis, Aidôneus ne sont, aux yeux d'Empédocle, que les personnifications mythiques des quatre éléments, le feu, l'air, l'eau, la terre. Anaximène, lui, s'en tient à un élément originel, l'air, tandis qu'Anaxagore place l'origine de toute chose dans le chaos incréé.

Leucippe, né vers − 500, et son disciple Démocrite, né vers − 460, proposent une doctrine nettement plus élaborée, mais encore plus franchement matérialiste. La réalité ultime est pour eux l'atome, particule extrêmement petite, matérielle, pleine, indivisible, animée depuis toujours de mouvements. Ces atomes, de tailles et de formes diverses, se combinent au gré de leurs mouvements pour donner toutes les formes de l'univers, inertes et vivantes, et cela sans aucune finalité, sans aucun principe d'organisation préétabli. Le hasard et la nécessité des rencontres président seuls au défilé des êtres qui se font et se défont de toute éternité. Rien n'échappe à ce processus, pas même l'homme, dont le corps n'est que le fruit d'une organisation plus complexe, dont l'âme est composée d'atomes sphériques subtils ayant le caractère du feu, dont les pensées et les sentiments sont le résultat des impressions faites sur le corps et sur l'âme par les émanations atomiques extérieures. En dehors des atomes, il n'y a rien, c'est-à-dire le vide.

Les dieux eux-mêmes sont atomiques, sans rôle particulier. Les phénomènes que la religion leur attribue ne sont que des simulacres, des impressions produites sur l'esprit humain par les phénomènes naturels. De là provient la croyance en l'intervention divine. Démocrite va donc beaucoup plus loin que les autres philosophes dans le sens du matérialisme mécaniste, puisqu'il avance une explication psychologique du phénomène de la croyance religieuse et, par là même, dénie à cette dernière toute valeur. Expliquer, c'est démythifier.

Le matérialisme de Démocrite trouve un accueil favorable chez les intellectuels grecs et se transmet par un courant de pensée qui aboutit au IIIᵉ siècle à Épicure. Mais entre-temps des changements culturels et politiques sont venus bouleverser les attitudes religieuses et les rapports entre croyants et incroyants. Jusque vers la fin du vᵉ siècle avant notre ère, une relative liberté de conceptions religieuses semble régner en Grèce. Entre la mythologie populaire teintée de magie, le culte officiel aux mains du clergé des temples, et la philosophie fortement panthéiste, pour ne pas dire athée, qui noie les dieux dans la matière, les relations paraissent très détendues, dans tous les sens du terme. Personne n'est inquiété pour ses opinions religieuses ou pour son incroyance, pas même Démocrite. Thalès, aux yeux de qui, il est vrai, « le monde est plein de dieux », se livre tranquillement à l'étude scientifique de ce monde, apportant des explications naturelles aux tremblements de terre comme aux mouvements des astres. Contrairement à une idée reçue, l'étude scientifique de la nature n'a pas eu à attendre que le christianisme désacralise le monde matériel.

Jusqu'au vᵉ siècle donc, l'éventail des attitudes grecques dans le domaine des croyances semble nettement décalé vers la partie supérieure de notre schéma. Une sorte de consensus paraît réalisé chez les philosophes autour du panthéisme, dont certains aspects pourraient même être qualifiés d'athéisme, tant les dieux sont devenus insignifiants.

— 432 : le décret de Diopeithès,
début des procès pour athéisme et impiété

Or, assez brusquement, les oppositions se durcissent. L'athéisme latent est soudain perçu comme un danger, une menace à éliminer. À Athènes, les expressions de l'athéisme ou du simple scepticisme ne sont plus tolérées.

L'affaire Protagoras symbolise le nouvel état d'esprit. Ce sophiste, qui enseigne l'art du raisonnement, est connu pour ses positions d'un extrême relativisme. « Il fut le premier qui déclara que sur toute chose on pouvait faire deux discours exactement contraires, et il usa de cette méthode », écrit Diogène Laërce[8]. Vers − 415, il compose un traité *Sur les dieux*, dont il ne subsiste que la première phrase : « À propos des dieux, il m'est impossible de savoir s'ils existent ou s'ils n'existent pas, ni quelle est leur forme ; les éléments qui m'empêchent de le savoir sont nombreux, ainsi l'obscurité de la question et la brièveté de la vie humaine. » Cette affirmation de scepticisme religieux, qui n'aurait troublé personne quelques années auparavant, est à l'origine du premier autodafé connu de l'histoire occidentale. « C'est à cause de ce début de discours, rapporte Diogène Laërce, qu'il fut chassé d'Athènes, et que ses livres furent brûlés sur la place publique, après que le héraut les eut réclamés à tous ceux qui les avaient achetés[9]. »

Protagoras, professeur de scepticisme, n'avait pas jusque-là de réputation d'impiété. De plus, l'ouvrage incriminé, dont il faisait une lecture publique, n'était qu'un constat d'agnosticisme : l'esprit humain, limité, ne peut arriver à la connaissance des dieux, ce qui diffère d'une négation de leur existence. Mais le temps n'est plus à ces distinctions : « Il disait ne pas savoir si les dieux existent, ce qui est la même chose que de dire savoir qu'ils n'existent pas », déclare Diogène d'Oinoanda. Épiphane est plus catégorique encore : « Protagoras disait que ni les dieux, ni même absolument aucun dieu n'existaient. » C'est donc pratiquement pour athéisme qu'il est condamné, et la sévérité de la peine est exemplaire : exil selon Diogène Laërce, condamnation à mort par contumace selon d'autres.

Pourquoi un tel durcissement contre l'athéisme et l'impiété ? L'affaire a lieu en − 416/415, en pleine guerre du Péloponnèse, et l'accusateur est un riche aristocrate, Pythodoros, alors que Protagoras est un démocrate. C'est bien dans la liaison entre religion et politique qu'il faut rechercher les causes de la série de procès pour impiété qui commence, et dont l'histoire a été relatée par É. Derenne[10]. Mais derrière cette accusation, il y a également des motivations plus terre à terre.

À l'origine de cette chasse aux sorcières figure le décret adopté en − 432 à la demande de Diopeithès, qui prévoit l'engagement de poursuites contre tous ceux qui ne croient pas aux dieux reconnus par l'État. Diopeithès est un devin et s'inquiète de l'importance prise par les spéculations philosophiques à Athènes. En fait, sa manœuvre est avant tout un acte de défense d'une corporation menacée. En apportant des explications naturelles aux phénomènes jusque-là attribués à l'action des divinités, ces intellectuels ruinent le crédit des pratiques divinatoires. La première victime du décret, Anaxagore de Clazomènes, installé à Athènes depuis − 462, maître de Périclès, s'était en effet illustré par l'étude des phénomènes météorologiques, géologiques et astronomiques. Diogène Laërce procède à une longue énumération des phénomènes naturels dont il avait donné une « explication » :

> Il a dit que le soleil était une masse incandescente plus grande que le Péloponnèse, que la lune avait des demeures, et des collines, et des vallées, [...] que les comètes étaient la réunion d'astres errants émettant des flammes, et que les étoiles filantes étaient projetées par le vent comme des étincelles ; que les vents naissaient d'une raréfaction de l'air par le soleil, que le tonnerre venait du choc des nuages, et les éclairs de leur friction, que le tremblement de terre venait du vent qui s'engouffre dans la terre[11]...

Ces « explications », encore limitées à un cercle très restreint, sapaient la crédibilité des devins qui attribuaient les phénomènes aux dieux : « Anaxagore n'était pas lui-même un auteur ancien, commente Plutarque ; ses théories, loin d'être vulgarisées, étaient encore tenues secrètes, et ne se répandaient que parmi un nombre de personnes qui n'en parlaient qu'avec précaution et défiance. [...] Ils ruinaient la divinité en la ramenant à des causes sans intelligence, à des puissances aveugles, à des phénomènes nécessaires[12]. »

Anaxagore est donc accusé d'impiété pour avoir cherché à percer les mystères divins. Une condamnation est prononcée, dont on ne connaît pas la nature exacte : la mort ou l'ostracisme d'après Olympiodore, la prison d'après d'autres. Périclès serait intervenu en sa faveur. Dans l'entourage du célèbre stratège, on relève d'autres personnages suspects d'impiété : sa femme, Aspasie, et le sculpteur Phidias.

L'accusation d'impiété contre les « physiciens » devient courante. La tradition religieuse grecque, qui ignore la transcendance et affirme l'unité de la nature et du divin, pouvait déboucher à la fois sur un quasi-athéisme dans le cas du matérialisme mécaniste des philosophes, comme nous l'avons vu, et sur un ensemble magico-superstitieux. Le scientifique qui travaille dans un esprit positiviste est accusé de vouloir percer le secret des dieux, disséquer le sacré, par une sorte de « déisection ». C'est bien là, comme le rapporte Plutarque, le sens du décret de Diopeithès, « en vertu duquel on poursuivrait pour crime contre la cité ceux qui ne croyaient pas aux dieux et qui enseignaient des doctrines relatives aux phénomènes célestes ». Ce que l'on reproche à Anaxagore, c'est d'apprendre « à chasser hors de soi et mettre sous les pieds toute superstitieuse crainte des signes célestes, et des impressions qui se forment dans l'air, lesquelles apportent grande terreur à ceux qui en ignorent les causes, et à ceux qui craignent les dieux d'une frayeur éperdue, parce qu'ils n'en ont aucune connaissance certaine, que la vraie philosophie naturelle donne[13] ».

Explication magique contre explication scientifique : la confrontation va vite devenir classique. Dès cette époque, elle dérive vers une accusation d'athéisme à l'égard des philosophes physiciens. Mais pourquoi l'athéisme commence-t-il déjà à être considéré comme un *délit* ? Pourquoi de telles batailles autour d'une simple croyance ? Pourquoi ne pas croire aux dieux serait-il plus grave que de ne pas croire à la rotondité de la terre, par exemple ? Pourquoi ceux même qui sont accusés d'athéisme contestent-ils cette accusation ? La connotation péjorative qui s'attachera au terme d'« athée », presque jusqu'à nos jours, peut sembler énigmatique, surtout quand on songe à l'attitude apparemment plus libérale qui prévalait à l'époque grecque archaïque. La réaction corporatiste des devins n'explique pas à elle seule un tel jugement de valeur qui privilégie la croyance aux dépens de l'incroyance : d'autres éléments entrent en ligne de compte, comme le révèle le procès de Socrate.

De Socrate l'agnostique à Diagoras et à Théodore l'Athée

C'est aussi sous une accusation d'impiété et d'athéisme que cet illustre personnage, considéré comme un des pères de la pensée européenne, a été condamné à mort. Le texte de l'accusation, déposée en − 399 par Lycon, Anytos et le poète Mélétos, nous est connu littéralement : « Voici la plainte que rédigea et que confirma par serment contradictoire Mélétos, fils de Mélétos du dème de Pitthos, contre Socrate, fils de Sophroniskos, du dème d'Alopéké : Socrate est coupable de ne pas croire aux dieux reconnus par l'État et d'introduire de nouvelles divinités ; il est en outre coupable de corrompre les jeunes gens. Peine : la mort[14]. » Les « nouvelles divinités » feraient allusion aux paroles de Socrate sur son « démon ».

Les idées de Socrate sur les dieux sont tout aussi controversées de nos jours que de son vivant[15]. Pour Aristophane, c'est un athée intégral, qu'il met en scène dans *Les Nuées*, où il lui fait dire : « Les dieux ? C'est par eux que tu jureras ? D'abord, les dieux, cette monnaie-là n'a point cours chez nous » ; « Qui ça, Zeus ? Trêve de balivernes ; il n'existe même pas, Zeus » ; « Veux-tu donc ne reconnaître aucun autre dieu que les nôtres : le Vide que voilà, et les Nuées, et la Langue, ces trois-là seuls[16] ? ». Dans la même comédie, Socrate donne un véritable cours d'athéisme à Strepsiade pour lui prouver que les dieux n'existent pas.

L'image qu'en offre Xénophon est exactement inverse : un Socrate religieux, qui démontre l'existence des dieux par la finalité de l'univers (des dieux qui voient tout et envoient des signes aux hommes), un Socrate pieux et priant. Platon, plus nuancé, voit en Socrate un mystique et surtout un sceptique, selon les dialogues. Le côté agnostique l'emporte nettement. Dans l'*Apologie*, il dit ignorer ce qu'est l'enfer et ce qu'il y a après la mort. Dans le *Cratyle*, il affirme ne rien savoir des dieux et recommande de suivre les coutumes de la religion officielle. Dans l'*Euthyphron*, il rejette les mythes, et dans le *Phèdre* il déclare que, n'ayant pas même le temps ni la capacité de se connaître lui-même, il lui serait ridicule de se prononcer sur les mythes et les dieux :

> Si, ayant des doutes à leur sujet, on réduit chacun de ces êtres à ce qu'il y a de vraisemblable en recourant à je ne sais quel grossier bon sens, on aura besoin d'avoir beaucoup de temps libre ! Or je n'en ai pas du tout, moi, pour des occupations de cette sorte, et en voici, mon cher, la raison : je ne suis pas capable encore, ainsi que le demande l'inscription delphique, de me connaître moi-même ! Dès lors, je vois le ridicule qu'il y a, tant que cette connaissance me manque, de chercher à scruter les choses qui me sont étrangères. Par suite, je tire à ces histoires ma révérence et, à leur sujet, je me fie à la tradition ; ce n'est point elles, je le disais tout à l'heure, que je cherche à scruter, mais c'est moi-même[17].

On retrouvera cette belle profession d'agnosticisme chez les libertins français du XVIIe siècle : notre esprit étant incapable de comprendre ces questions métaphysiques, il suffit de se conformer aux pratiques en vigueur, sans y adhérer intérieurement : « Honore les dieux suivant les coutumes du pays. » Position relativiste et indifférentiste qui choque l'opinion publique, d'autant plus que se développe alors le besoin de s'identifier à un culte civique. Les liens entre la cité et la religion se renforcent à l'époque de la guerre du Péloponnèse, qui représente un choc culturel majeur. La cité, en état de conflit permanent pendant une trentaine d'années, puis vaincue, humiliée et menacée, s'accroche à tout ce qui peut incarner son identité et son unité. Les dieux et le culte local ne sont plus simplement des croyances, mais des signes d'appartenance civique. La religion des philosophes, trop spirituelle, trop intellectuelle, trop individualiste et trop universelle, avec son principe divin unique, est inapte à jouer le rôle de ciment social et patriotique. Mettre en doute les dieux de la cité, c'est à la fois être impie et traître, et aussi mettre en danger le civisme des jeunes gens. La religion fait partie intégrante du patrimoine de la cité, dans le cadre d'un contrat implicite entre les dieux et l'État, dont les magistrats sont en même temps prêtres. C'est dans cette liaison entre religion et politique que réside en partie la cause de la répression de l'athéisme. Mais il n'y a pas que cela.

Socrate a été disciple d'Archélaos ; et on lui reproche d'utiliser les sciences naturelles pour scruter les secrets de la nature. Ses défenseurs, de façon révélatrice, nient qu'il « spécule sur les phénomènes célestes », qu'il « recherche ce qui se passe sous terre [18] » ; il est faux, affirment-ils, de dire qu'il « discutait, comme les autres, sur la nature de l'univers ; il ne recherchait point comment est né ce que les philosophes appellent le monde, ni par quelles lois nécessaires se produit chacun des phénomènes célestes [19] ».

Les procès d'impiété révèlent aussi d'autres causes d'athéisme et d'autres motifs d'accusation. L'exemple de Diagoras, condamné la même année que Protagoras, en − 415, est intéressant à plus d'un titre. D'abord parce qu'il s'agit du premier personnage connu ayant suivi un itinéraire intellectuel allant de la foi à l'incroyance. Né à Mélos vers − 475, ce poète lyrique a écrit des œuvres d'esprit très religieux, puis est devenu athée. Les auteurs anciens ne sont pas d'accord sur les raisons de sa perte de foi, mais les explications qu'ils en donnent sont étonnamment modernes. Explication d'ordre intellectuel d'une part : d'après Suidas, Diagoras aurait été un disciple de Démocrite, convaincu par sa théorie de l'origine des croyances religieuses comme conséquence de la frayeur humaine face aux phénomènes naturels. Explication morale d'autre part : selon un ouvrage grec anonyme qu'on lui attribue, Diagoras aurait perdu la foi après avoir constaté qu'un disciple qui lui avait volé un péan, et qui avait ensuite nié par un faux serment, avait eu une vie heureuse — preuve à ses yeux qu'il n'y avait ni justice divine, ni providence, ni dieux. Raison scientifique et problème du mal : tels seront pendant des siècles les deux écueils sur lesquels viendront se briser les croyances religieuses de bien des fidèles. Que cela corresponde historiquement ou non au cas de Diagoras importe peu ; que l'on ait raconté ces histoires dès la fin du vᵉ siècle montre que la question se posait déjà.

Une anecdote rapportée par Cicéron confirme le débat autour du problème du mal entre ceux qui se fondent sur l'existence du bien pour prouver Dieu et ceux pour qui l'existence du mal est un signe évident de l'absence de providence. À Samothrace, alors que Diagoras regardait les ex-voto offerts par les marins qui avaient échappé aux naufrages, un ami lui demande : « Toi qui penses que les dieux ne s'occupent pas des affaires humaines, ne vois-tu pas, d'après toutes ces peintures, combien sont nombreux ceux qui, grâce à des vœux, ont échappé à la fureur de la tempête et sont parvenus au port sains et saufs ? — Non, dit-il, car nulle part on n'a peint tous ceux qui ont fait naufrage et ont péri en mer. »

Diagoras a laissé la réputation d'un athée intégral dès l'époque grecque. Il est violemment critiqué par certains conservateurs, comme Aristophane, et d'autres auteurs déclarent qu'il leur fait tellement horreur qu'ils préfèrent se taire à son sujet. Au ivᵉ siècle, Aristoxène de Tarente écrit qu'on lui attribue un ouvrage en prose ridiculisant les dieux, et Philodème, dans son *Traité sur la piété*, le prend comme la référence en matière d'athéisme. On raconte qu'il aurait divulgué les mystères d'Éleusis et tenté de dissuader ceux qui auraient voulu se faire initier. Il aurait aussi publiquement ridiculisé Dionysos. Ces provocations lui auraient valu une condamnation à mort, avec mise à prix de sa tête ; s'étant enfui, il aurait terminé sa vie en Achaïe.

On a conservé la trace de nombreux autres procès pour impiété et athéisme [20]. Diogène d'Apollonie, contemporain d'Anaxagore et disciple d'Anaximène, physicien réputé, y échappe de peu. Il donnait une explication purement physique de l'univers, où « rien ne naît du néant et rien n'y retourne ». Religions et mythes sont pour lui de pures allégories, et sa réputation d'athéisme lui vaut de solides inimitiés. Le philosophe Stilpon, né à Mégare, disciple de Diogène et ami de Théodore l'Athée, réussit aussi à éviter les poursuites en n'abordant la question des dieux qu'en privé, ainsi que le rapporte Diogène Laërce : « Cratès lui ayant demandé si les dieux se réjouissaient des génuflexions et des prières, il lui répondit : "Ne me demande donc pas cela sur la voie publique, animal, attends que nous soyons seuls !" C'est aussi la réponse que fit Bion à quelqu'un qui lui demandait si les dieux existaient : "Écarte donc la foule d'abord, malheureux vieillard [21] !" » Stilpon se moque de l'anthropomorphisme des dieux traditionnels avec une grande désinvolture [22].

Son ami Théodore, originaire de Cyrène, devient au IVe siècle le type même de l'incroyant, au point d'hériter du surnom de *l'Athée*. Cet aristocrate, chassé de sa ville d'origine pour motifs politiques, vient s'installer à Athènes, où sa liberté d'esprit et de mœurs fait scandale. Considérant que le sage est au-dessus de la morale ordinaire et n'a besoin ni d'amis, ni de patrie, ni de dieux, il estime qu'il peut tout se permettre. « Il ruinait par des opinions variées les opinions des Grecs sur les dieux », et il semble bien que, ne se contentant pas de nier les dieux traditionnels, il ait mérité son surnom. C'est ce que pense Cicéron, et ce que l'on peut aussi déduire du passage suivant de Plutarque :

> On pourrait peut-être trouver des nations barbares ou sauvages qui n'ont pas la notion de la divinité ; mais il n'a jamais existé aucun homme qui, tout en ayant la notion de la divinité, la conçoive comme étant périssable et non éternelle. Ainsi, ceux que l'on a surnommés athées, les Théodore... n'ont pas osé dire que la divinité était quelque chose de périssable, mais ils ne croyaient pas qu'il existât quelque chose d'impérissable. Ils attaquaient l'existence de l'impérissable, mais ils conservaient la notion commune de la divinité[23].

La renommée de Théodore l'Athée passera ensuite chez les chrétiens qui, paradoxalement, lui feront gloire de son incroyance. Clément d'Alexandrie estime ainsi que le païen croyant est doublement athée : parce qu'il ne connaît pas le vrai Dieu et parce qu'il en adore de faux. Mieux vaut encore l'attitude de Théodore, qui au moins rejette les faux dieux. Ce n'est évidemment pas l'avis des Athéniens. Sous Démétrios de Phalère (− 317, − 307), Théodore l'Athée est jugé par l'Aréopage et sans doute banni.

À l'époque de la conquête macédonienne, Démade est condamné à une amende pour avoir plaidé en faveur de la divinisation d'Alexandre, preuve d'impiété, qui sous-entend que les dieux sont des créations humaines — position que reprend à la même époque Évhémère. Quant à Théophraste, le procès qui lui est intenté pour impiété à la demande du démocrate Hagnonidès a une motivation purement politique : on lui reproche d'avoir été favorable aux Macédoniens. Que la raison politique l'ait souvent emporté sur le motif religieux dans le déclenchement de ces procès est confirmé par le fait que des athées notoires ne furent jamais inquiétés : tels Hippon de Rhégium, philosophe de la fin du Ve siècle, qui enseigne que rien n'existe hors de la matière, et Aristodème le Petit, admirateur de Socrate, qui se moque des croyants.

Platon, père de l'intolérance et de la répression de l'athéisme

Dès la première moitié du IVe siècle avant notre ère, le nombre d'athées en Grèce est néanmoins considérable, dans toutes les catégories sociales, et l'on s'en inquiète. Le témoignage de Platon est ici essentiel. Dans le livre X des *Lois*, le philosophe fait pour la première fois dans l'histoire le point sur ce problème. Attestant la présence massive d'athées, il recherche les causes de cette incroyance, à ses yeux dangereuse, et préconise de sévères mesures à l'encontre des athées. À bien des égards, on peut estimer que Platon est à l'origine de l'opinion péjorative qui va peser sur l'athéisme pendant deux mille ans ; en liant l'incroyance à l'immoralité, il franchit un pas décisif qui frappe les athées d'une tache indélébile. Désormais, l'athéisme, largement associé aux qualificatifs de « vulgaire », « grossier », sera opposé à l'attitude noble des idéalistes qui se réfèrent au monde pur des idées, de l'esprit. Si l'athéisme commençait à être mal considéré, c'est parce qu'il contrariait les activités des devins et du clergé, et parce qu'il passait pour une attitude anticivique. Dans les procès, les motifs politiques sous-jacents étaient, nous l'avons dit, essentiels. Le délit d'incroyance était donc lié à une conjoncture passagère. Platon va l'enraciner dans une conception métaphysique et éthique fondamentale qui va en faire le crime par excellence.

Le philosophe commence par un constat : l'athéisme est partout répandu ; ces doctrines sont, « pour ainsi dire, ensemencées chez tous les hommes ». On distingue parmi les incroyants trois catégories : ceux qui ne croient pas du tout à l'existence des dieux ; ceux qui croient que les dieux sont totalement indifférents aux affaires humaines ; ceux qui croient qu'on peut les séduire et leur faire changer d'avis par des prières et des sacrifices. Platon prête à ces athées le langage suivant :

> Étranger athénien, citoyens de Lacédémone et de Cnôssos, vous dites vrai ! Parmi nous, il y en a en effet qui en aucune façon n'admettent que des dieux existent du tout, et d'autres qui les caractérisent comme vous venez de le dire. Aussi réclamons-nous exactement ce que, touchant vos lois, vous avez vous-mêmes réclamé : de n'être pas menacés durement avant que vous n'ayez essayé de nous convaincre de l'existence des dieux et de nous enseigner, en alléguant des preuves suffisantes, que leur nature est trop excellente pour qu'ils puissent se laisser, contrairement à ce qui est juste, détourner et séduire [24].

Autrement dit : au lieu de nous persécuter, donnez-nous des preuves de l'existence des dieux. Tâche urgente, estime Platon, car l'athéisme est la source de l'immoralité et de l'incivisme : « Jamais quiconque attribue aux dieux une existence conforme à ce que décrètent les lois n'a ni volontairement commis d'actes impies, ni donné libre cours à un langage en opposition avec la loi. » Pourquoi les athées ne croient-ils pas aux dieux ? « Je vais te le dire plus clairement encore de la façon que voici », répond l'Athénien, qui exprime dans *Les Lois* la position de Platon :

> Feu, eau, terre, air, tout cela, disent-ils, existe en vertu de la Nature et du Hasard, et rien de tout cela en vertu de l'Art. Quant à ce corps qui, cette fois et postérieurement aux précédents, se rapporte soit à la terre, soit au soleil, soit à la lune, soit aux astres, son existence est due à ces autres corps, lesquels sont

absolument dépourvus d'âme. Mais, entraînés au hasard, chacun séparément, par l'action que constitue la propriété de chacun d'eux séparément ; s'ajustant, selon leurs rencontres, de quelque façon appropriée, ce qui est chaud avec ce qui est froid, ce qui est sec contre ce qui est humide, ce qui est mou contre ce qui est dur, bref tout ce qui a pu, en conséquence d'une nécessité, se combiner à l'aventure en une combinaison de contraires, c'est de cette façon et selon ce procédé que cela a de la sorte engendré le ciel tout entier avec tout ce qu'il y a dans le ciel, ainsi que, à son tour, tout l'ensemble des animaux et des plantes, une fois que de ces causes eurent résulté toutes les saisons ; non point cependant, disent-ils, grâce à une intelligence, pas davantage grâce à une divinité, ni non plus grâce à un art, mais, comme nous le disons, par le double effet de la Nature et du Hasard[25].

On aura reconnu les théories des physiciens, et en particulier l'atomisme de Démocrite. L'athéisme a donc des causes intellectuelles : les théories scientifiques de type matérialiste. Mais il a aussi des causes morales : les athées rejettent les dieux en raison de « leur incapacité à dominer leur jouissance et leurs passions ». Voulant donner libre cours à leurs appétits grossiers, ils enseignent que tout est permis si l'on suit la nature, et que celle-ci va dans le sens de la domination des plus forts. Platon agite déjà le spectre de la sélection naturelle et anticipe sur la célèbre formule : « Si Dieu n'existe pas, tout est permis. » La loi morale ne peut avoir de force que si elle s'enracine dans une loi divine transcendante, intouchable, absolue. L'athéisme est le ferment de dissolution de la société, et les intellectuels athées sont des corrupteurs de la jeunesse[26].

C'est un devoir de s'opposer à une doctrine reposant sur une fausse science et sur une immoralité foncière, dit Platon. Il faut s'y appliquer d'abord par la persuasion, puis par la répression. En premier lieu, donc, convaincre. Le philosophe entreprend cette tâche avec la plus extrême répugnance, tant il est indigné d'avoir à prouver l'évidence : « Comment, sans colère, parlerait-on pour dire qu'il existe des dieux ? Forcément, en effet, nous supportons à coup sûr malaisément et nous haïssons ces gens qui nous ont obligés, qui nous obligent aujourd'hui à parler là-dessus, faute pour eux d'ajouter foi aux discours que, dès leurs plus jeunes ans, encore à la mamelle, ils ont entendu tenir à leurs nourrices comme à leurs mères[27]. » On croirait déjà entendre les plaintes des prédicateurs du XIXe siècle ! Les athées n'ont pas « une seule raison qui vaille » ; pas « le moindre brin d'intelligence ». Il est indigne d'avoir à leur prouver l'existence des dieux. « Il faut pourtant s'y résoudre ! Non, nous ne devons pas, en effet, à la fois laisser certains de nos semblables tomber dans la démence par gloutonnerie de jouissance, tandis que certains autres en feraient autant par colère à l'égard de ces sortes de gens[28]. »

Voilà donc Platon aux prises avec ce serpent de mer autour duquel vont s'affronter les meilleurs esprits de la culture occidentale jusqu'à nos jours, et sans doute encore pour un certain temps : prouver l'existence de Dieu. À défaut d'arriver à des conclusions probantes après deux mille cinq cents ans d'efforts, cette interminable quête démontre au moins que l'existence de Dieu n'est pas évidente.

Les meilleurs intellectuels croyants de l'histoire des religions se sont vainement attelés à prouver rationnellement l'existence de Dieu. Depuis Pythagore, personne ne nie son théorème; depuis Platon, l'athéisme persiste. Bernard Sève, qui a récemment fait le point sur *La Question philosophique de l'existence de Dieu*, s'interroge : « La question de l'existence de Dieu touche-t-elle au cœur de la raison humaine, ou trahit-elle au contraire ce qui peut rester d'irrationalité dans la raison même ? Prétendre établir rationnellement l'existence de Dieu, réfléchir rationnellement sur les implications d'une telle existence, est-ce s'avancer jusqu'aux possibilités ultimes de la raison, ou est-ce, au contraire, régresser à des formes d'irrationalité que la raison n'en finit jamais de vaincre[29] ? »

La question s'applique en premier lieu à Platon, selon qui il ne suffit pas d'utiliser contre les physiciens l'argument de la finalité et de l'universalité de la croyance, comme le croit naïvement Clinias : « Il est aisé d'alléguer en premier lieu la terre, le soleil, ainsi que tout l'ensemble des astres; puis l'arrangement, si merveilleusement ordonné, des saisons, lequel est divisé par l'année et le mois; enfin le fait que tous les peuples, les Grecs aussi bien que les barbares, croient à l'existence des dieux[30]. » Les merveilles de la nature et le caractère universel de la foi : ces arguments seront de multiples fois rabâchés. Platon en signale déjà l'insuffisance face à des scientifiques qui diront que les astres « sont seulement de la terre et des pierres, et qu'ils sont incapables d'avoir souci des affaires humaines ».

La démonstration de Platon repose sur une conception radicalement dualiste de la réalité. En rupture avec les philosophies de type moniste jusque-là prédominantes, il postule l'existence, hors du monde matériel, d'un monde immuable des idées, des archétypes, du divin, des âmes. Partant de la notion d'âme individuelle, antérieure au corps, il en vient à l'âme du monde, qui est le monde divin; les dieux, bons et parfaits, interviennent dans les affaires humaines et ne sauraient se laisser fléchir. Peu importe ici la valeur de la démonstration. L'essentiel est le constat de rupture de l'être, entre un monde spirituel et divin et un monde matériel et humain.

Cette conception platonicienne aggrave considérablement le cas des athées, qui peuvent maintenant être accusés de nier la moitié la plus noble de la réalité pour s'en tenir au monde illusoire, éphémère, fluctuant, des ombres de la caverne. Esprits « grossiers » et « vulgaires », qui ne s'élèvent pas à la contemplation des idées. Jusque-là, être athée pouvait à la rigueur passer pour une erreur et une preuve d'incivisme; désormais, c'est une marque non seulement d'aveuglement, mais aussi de mauvaise foi et de bassesse morale, dangereuse pour la vie sociale et politique, car ne reconnaissant pas de valeurs absolues dans les conduites publique et privée. Les sources de la morale se trouvaient jusqu'alors dans le monde humain, qui n'était pas foncièrement différent du monde divin. En séparant les deux et en plaçant les valeurs immuables chez les dieux, Platon fait des athées des êtres immoraux, sans normes absolues de conduite, n'obéissant qu'à leurs passions. La répression de l'athéisme au nom de la morale et de la vérité peut commencer. Le dualisme de l'être est porteur du manichéisme de l'action : le bien et le vrai contre le mal et l'erreur.

Dans cette optique, Platon propose de mettre en place une législation répressive très dure contre l'athéisme et l'impiété. Tous les impies devront être dénoncés, faute de quoi celui qui garderait le silence serait lui-même considéré comme impie. Les sanctions seront proportionnées à la gravité de l'impiété, le cas le plus grave étant la « maladie d'athéisme », dans laquelle on distingue deux degrés : l'athée dont la conduite est correcte, dangereux par ses seules idées, et l'athée débauché, qui en plus est un mauvais exemple :

> Tel en effet peut être dans une totale incrédulité à l'égard de l'existence des dieux et joindre à son incrédulité un caractère naturellement juste ; il prend en haine les méchants ; l'impatience qu'il ressent à l'égard de l'injustice fait qu'il ne se compromet pas à agir d'une pareille manière, qu'il fuit ceux de ses semblables qui ne sont pas justes. Chez tel autre en revanche, si à la conviction que tout est vide de dieux vient se joindre l'incontinence à l'égard des plaisirs et des peines ; si à sa disposition il a une mémoire vigoureuse et une vive aptitude à s'instruire, alors sans doute la maladie de l'athéisme est commune aux deux espèces, mais, tandis qu'au détriment du reste des hommes la maladie de l'un produira de moindres effets, celle de l'autre en produira de plus considérables [31].

Pour la première catégorie, celle des athées simples, Platon prévoit d'abord un emprisonnement avec isolement total pour au moins cinq ans dans la « Maison de Résipiscence ». Pendant cette période, on lui prodiguera des cours de rééducation : « Aucun citoyen ne pourra avoir de relations avec eux, hormis les membres du Conseil Nocturne, dont les rapports avec eux auront pour but de les admonester autant que de pourvoir au salut de leur âme. » Au bout de cette période de lavage de cerveau, si le détenu semble revenu à de bons sentiments, il sera alors « admis à vivre dans la société des gens de bon sens », c'est-à-dire des croyants. « Dans le cas contraire et s'il est une fois de plus condamné sous un semblable chef d'inculpation, la peine devra être la mort [32]. »

Quant à la deuxième catégorie, celle des athées débauchés, ils seront enfermés à vie dans un pénitencier établi dans un « endroit désert le plus sauvage possible et dont le nom évoque l'idée que c'est le lieu du châtiment ». Là, dans l'isolement complet, « ne recevant des geôliers d'autre nourriture que celle qu'ont prescrite les Gardiens-des-Lois », l'athée sera un véritable damné. « Puis, quand il sera mort, son cadavre devra être rejeté, sans sépulture, hors des frontières. Dans le cas où un homme libre se mêlerait de vouloir l'ensevelir, qu'il soit, de la part de qui voudra, passible de poursuites pour crime d'impiété[33]. »

Le « divin » Platon, qui invente ainsi du même coup l'intolérance religieuse, l'inquisition et les camps de concentration, ne limite pas la répression aux seuls athées *stricto sensu*. Les magiciens et sorciers, ceux qui pratiquent des incantations, qui tentent de manipuler les forces occultes et divines, subiront le même sort. Il y aura une religion officielle d'État, obligatoire ; tout culte privé, toute pratique superstitieuse, toute indifférence seront sévèrement punis, jusqu'à la mort : « Il faut enfin établir une loi qui s'appliquera à tous ces impies en général, loi dont l'effet serait de réduire le nombre des fautes commises contre la divinité, en actes comme en paroles, par la majorité d'entre eux, et, cela va de soi, d'arrêter les progrès de cette aberration, en ne donnant droit de s'attacher à aucun culte, hormis à celui qui est conforme à la loi. »

Les démythifications : Évhémère et le panthéisme stoïcien

Le ton est donné. Les projets platoniciens sont à la mesure des craintes du philosophe et de l'ampleur de l'athéisme à cette époque. Et la crise du religieux ne fait que s'accentuer dans la seconde moitié du IVe siècle. Les bouleversements politiques, la fin de l'indépendance des cités, avec la constitution des empires hellénistique puis romain, ruinent la religion civique au profit de la religion individuelle, du scepticisme, de l'athéisme et de l'occultisme. Sous l'impact des changements politiques, économiques, sociaux, les valeurs traditionnelles s'effacent. La religion classique est la principale victime de ces transformations, au bénéfice de l'incroyance rationnelle et de l'incroyance irrationnelle.

L'évolution de la culture hellénistique aux IVe-IIIe siècles correspond bien au schéma qui nous sert d'hypothèse de travail : l'affaiblissement du centre de gravité religieux se traduit par un éclatement des attitudes, à la fois dans le sens rationnel, avec les progrès d'un stoïcisme panthéiste et d'un athéisme théorique, et dans le sens irrationnel, avec la prolifération des sectes, des cultes à mystères, des pratiques magiques, de la sorcellerie, mais aussi de l'athéisme pratique. Le parallèle a même pu être établi avec notre époque dans le livre stimulant de Maria Daraki, *Une religiosité sans Dieu*[34].

Le recul de la religion classique est sans appel. Au IIIe siècle, Callimaque, dans une épigramme funéraire, rejette les croyances traditionnelles concernant l'au-delà. Sur les pierres tombales, les inscriptions avec promesse d'immortalité disparaissent[35]. Les dieux anthropomorphes de l'Olympe s'effacent du culte domestique. Partout, le doute et l'indifférence progressent. Même le petit peuple délaisse le culte. Aux dieux invisibles, on substitue les souverains divinisés, signe révélateur du scepticisme ambiant. En − 290, lorsque Démétrios et son épouse Lanassa font leur entrée à Athènes comme dieux épiphanes [Démétrios-Déméter], un concours de péans est organisé en leur honneur, et celui d'Hermoclès, qui remporte le prix, proclame : « Quant à lui [Démétrios], il paraît avec un visage bien-veillant, comme il convient à un dieu, et il est beau et tout joyeux. [...] Les autres dieux sont loin, ou n'ont point d'oreilles, ou n'existent pas, ou ne font pas la moindre attention à nous : mais toi, nous te voyons face à face, non de bois ni de pierre, mais bien réel et véritable[36]. »

Toute l'évolution culturelle tend à saper les bases de la religion. Dès le ve siècle, les poètes prennent des libertés avec les mythes. Euripide laisse percer son scepticisme à travers des formules telles que : « les dieux, quels que soient les dieux », ou : « Zeus, quel que soit Zeus ». Aristophane, en traitant cavalièrement les dieux, contri-bue à les déconsidérer[37]. Les historiens font preuve de relativisme, comme il se doit : s'il est difficile de connaître le sentiment personnel de Thucydide sur la religion, tout son discours exprime un bon sens rationnel ; Hécatée est le premier à donner une interprétation rationa-liste des mythes ; Cynésias est un athée ouvert.

Les sophistes ne contribuent évidemment pas à renforcer la foi, eux pour qui l'homme est la mesure de toutes choses. La plupart sont sceptiques ou agnostiques. Thrasymaque nie la providence. Certains tentent d'expliquer comment l'idée des dieux a pu germer dans l'esprit humain, ce qui est la façon la plus radicale de ruiner la croyance. C'est le cas de Prodicos de Céos. Critias fait dire à Sisyphe que les dieux ont été inventés par un « homme fort habile » afin de garantir la vertu des individus par la crainte du châtiment. Pour beau-coup de stoïciens, les dieux sont simplement d'anciens hommes célèbres divinisés, les premiers bienfaiteurs de l'humanité : c'est l'opinion de Persée, disciple de Zénon, tandis que Chrysippe déclare qu'« on a transformé des hommes en dieux ». Persée suggère aussi que les hommes auraient adoré les choses qui leur étaient utiles, comme le pain et le vin, invoqués sous les noms de Déméter et de Dionysos. Cicéron fait dire à Balbus que c'était autrefois une cou-tume de placer au ciel ceux qui avaient rendu des services à la société, comme Hercule, Castor, Pollux, Esculape, Bacchus.

C'est le sophiste et mythographe Évhémère (− 340, − 260) qui, dans le *Récit sacré*, a poussé le plus loin cette théorie, qui porte main-tenant son nom, d'après laquelle les dieux sont d'anciens hommes célèbres, divinisés après leur mort. Désacralisant l'Olympe, il pense que Zeus était un souverain sage et bienfaisant, venu mourir en Crète après avoir voyagé dans le monde entier ; on lui aurait alors élevé des autels, comme on le faisait dans les monarchies hellénistiques de cette époque. Aphrodite aurait été la première courtisane, et le roi de

Chypre, fou de sa beauté, en aurait fait une déesse, tandis qu'Athéna aurait été une reine belliqueuse et conquérante. Diodore résume ainsi la théorie : « Les dieux ont vécu sur la terre, et c'est à cause des services qu'ils ont rendus aux hommes que les honneurs de l'immortalité leur ont été donnés ; Hercule, Dionysos, Aristée en sont des exemples. »

Sextus Empiricus donne une version légèrement différente de l'évhémérisme : « Évhémère, surnommé l'Athée, dit ceci : lorsque les hommes n'étaient pas encore civilisés, ceux qui l'emportaient assez sur les autres en force et en intelligence pour contraindre tout le monde à faire ce qu'ils ordonnaient, désirant jouir d'une plus grande admiration et obtenir plus de respect, s'attribuèrent faussement une puissance surhumaine et divine, ce qui les fit considérer par la foule comme des dieux[38]. » L'explication de type évhémériste sera souvent reprise par Nicanor de Chypre, par Mnaséas de Patras, par Dionysios Skytobrachion, par Apollodore, tandis que Polybe affirmera que les auteurs d'inventions utiles ont été divinisés. Les Grecs n'ont pas attendu les chrétiens pour désacraliser leurs mythes et leurs propres dieux.

La crise des IVe-IIIe siècles avant notre ère est aussi à l'origine du grand renouveau du panthéisme matérialiste qu'est le stoïcisme. Ce courant s'inscrit dans la tradition du monisme grec, en opposition totale avec le dualisme platonicien. Comme pour toutes les formes de panthéisme, il est difficile de déterminer s'il s'agit d'un athéisme ou d'un courant religieux. Maria Daraki le qualifie de « religiosité sans dieu » ; on pourrait tout aussi bien dire « athéisme religieux ». La « divinité » est en effet la nature, sage et bonne, le Tout, l'univers, entièrement matériel, en dehors duquel rien n'existe. Cet univers est composé des quatre éléments, dont le principal est le feu, qui le pénètre de toutes parts, lui donne son unité et sa cohésion, et l'embrase périodiquement. L'univers est cyclique ; il est consumé par le feu divin avant de renaître par refroidissement, et cela pour l'éternité. L'homme, partie intégrante de ce tout universel, de ce grand être divin, a — comme tout animal — une âme, un « souffle », qui est lui-même matériel.

La position des stoïciens à l'égard des dieux individuels est assez floue. Si l'on se réfère aux ouvrages d'Aratos, disciple de Zénon, au IIe siècle, et à ceux de l'aristotélicien Dicéarque, les dieux sont des allégories, des signes du divin impersonnel. Rationalisant les mythes hésiodiques en leur donnant un contenu « historique », ces auteurs remontent à une chute originelle, à partir de laquelle ils distinguent deux races d'hommes : les *sophoi*, ou sages, qui vivent conformément à la nature, et les *phauloi*, l'humanité déchue et dénaturée, composée d'athées — « ils sont impies envers les dieux », « ils ignorent les dieux », « ils s'opposent aux dieux par leur mode de vie, ils en sont les ennemis », « ils sont athées, dans le sens qui oppose athée à divin », « l'âme des *phauloi* survit quelque temps après la mort ou bien elle se dissout avec le corps [39] », tandis que celle des sages se réincarne jusqu'à la conflagration universelle. C'est la non-conformité du *phaulos* avec la nature qui en fait un athée, car il y a conformité entre lois de la nature et lois divines. La nature est sacrée, sans être une déesse. Elle est le Grand Tout cosmique qui tend vers le bien, mais elle ne devient conscience personnelle que dans le sage.

Comme le montre Maria Daraki, on passe avec le stoïcisme du religieux mythique au sacré psychologique : alors que le premier, dans la religion traditionnelle, objective le divin en personnages surnaturels, le second fait de l'homme la source et le centre du sacré. Le sage stoïcien, en faisant sienne la volonté de la nature, devient véritablement divin. C'est ce que veut dire Cléanthe dans son *Hymne à Zeus* lorsqu'il écrit : « Que ta volonté soit faite. » C'est aussi le sens de la proclamation d'Empédocle : « Je suis dieu. »

Ici, il n'y a nulle transcendance, mais divinisation de l'homme qui vit en conformité avec la nature. Ce *sophos*, ce sage, est un homme divin ; c'est en fait le surhomme, dont il a la force et l'orgueil. Cette conception est certainement plus proche de ce que nous appelons l'athéisme que d'une quelconque forme religieuse. Le sage est à la fois le dieu et le croyant. Une telle divinisation de l'humanité est aux antipodes de la conception religieuse traditionnelle, car elle efface la distinction entre le divin et le profane, entre le dieu et le fidèle. Le christianisme y verra même une forme pernicieuse d'athéisme : le sage chrétien, c'est-à-dire le saint, ne doit pas se conformer à la nature, mais la dominer, la dompter.

Ce type de retour à une nature primitive divinisée est caractéristique des périodes de crise culturelle profonde. C'est pourquoi Maria Daraki a pu faire le parallèle avec la situation actuelle de l'Occident, où le brouillage des certitudes, la chute des idéologies, des valeurs et des religions, la protestation individualiste, le rejet d'une science déterministe se combinent comme à l'époque du stoïcisme pour favoriser une sorte de religiosité diffuse, sans dieu, fondée sur une nature resacralisée par l'écologie, ne distinguant plus sacré et profane — bref, un retour au monisme originel [40].

L'épicurisme, un athéisme moral

Autre produit de la crise culturelle des ive-iiie siècles : l'épicurisme, encore beaucoup plus nettement athée que le stoïcisme. Déformé par ses adversaires, il sera pendant des siècles la bête noire du christianisme, qui en fera une doctrine quasiment diabolique alliant athéisme, matérialisme intégral et immoralité. Tous les incroyants seront traités de « pourceaux d'Épicure », et l'épicurisme constituera une poubelle commode pour se débarrasser sans examen de tous les sceptiques et libertins, affublés du qualificatif infamant d'épicuriens.

Que l'épicurisme soit aux antipodes des religions traditionnelles, on peut l'admettre sans difficulté. En fait, joignant un style de vie à une spéculation philosophique, il est à la fois un athéisme théorique et un athéisme pratique. Pourtant, Épicure (− 341, − 270) affirme bien l'existence des dieux : « Les dieux existent, la connaissance que nous en avons est claire évidence. » Ils sont matériels, faits d'atomes subtils ; ils sont beaux et heureux[41]. Leur bonheur doit servir de modèle au nôtre : ils jouissent de la paix complète, de l'ataraxie, parce qu'ils ne s'occupent de rien, et surtout pas des affaires humaines. Rien ne sert de les prier ou de les craindre : les dieux sont indifférents à notre sort. Ces dieux qui n'ont pas créé le monde, qui n'y interviennent jamais, qui ne promettent ni récompense ni châtiment à des hommes dont la vie est terrestre et s'arrête à la mort, sans aucune survie de l'âme, ces dieux n'ont qu'une existence formelle. Selon Épicure, les célébrer, c'est déjà participer un peu à leur bonheur. À partir de là, beaucoup d'épicuriens pourront se passer d'eux sans altérer les fondements de la doctrine.

Il semble bien, comme l'a montré J.-A. Festugière, qu'à l'origine de l'épicurisme il y ait une réaction contre la peur des dieux, qui empoisonne la vie humaine. C'est là un aspect mal connu des religions antiques, qui contribue encore à leur remise en cause, dans une crise qui décidément présente beaucoup de similitudes avec celle de la fin du xxᵉ siècle. Habitués que nous sommes à associer la notion de crainte religieuse au christianisme, avec le diable et l'enfer, la menace de châtiment éternel exploitée pendant longtemps par le clergé, nous avons tendance à oublier que la peur était présente dans les religions païennes, et qu'elle a puissamment contribué à développer le scepticisme et l'athéisme. Le païen a peur de ses dieux, dont les réactions sont imprévisibles. Des dieux qui façonnent son destin, d'une manière arbitraire, comme l'illustrait l'histoire des Atrides ; des dieux qui provoquent sans raison des cataclysmes naturels, ou qui conduisent l'homme à la mort en lui réservant un au-delà incertain sur lequel circulent des bruits sinistres. À partir du moment où le croyant postule l'existence d'une providence, d'une intervention divine dans les affaires humaines, il a tout à craindre de ces êtres surnaturels tout-puissants, rancuniers, toujours prêts à se venger. « Ainsi, la crainte des dieux, de leur colère à l'égard des vivants, de leur vengeance sur les morts, a-t-elle joué un grand rôle dans la religion des Grecs. Peut-être Épicure lui-même l'a-t-il éprouvée[42]. »

Cette opinion peut se prévaloir du témoignage de Plutarque, esprit religieux traditionnel, qui, dans sa *Déisidaimonia*, déclare que d'une certaine façon l'athéisme épicurien est préférable à la crainte excessive des dieux que ressentent beaucoup de fidèles, remplis de terreur parce qu'ils leur attribuent leurs malheurs : ils se roulent dans la boue en confessant leurs fautes, ils tremblent à la perspective d'une éternité de supplices. L'athée, au contraire, écrit Plutarque, en cas de difficulté, cherche en lui-même sa consolation ; paisible et sans crainte, il attribue ses malheurs au hasard ou à la Fortune, la *Tychè*.

Le rejet des dieux serait alors une réaction de révolte, la révolte de l'homme qui veut prendre en main son destin, qui refuse les mythes divins le maintenant dans l'esclavage et la peur. Cette réaction est manifeste chez le plus célèbre continuateur d'Épicure, le Romain Lucrèce (− 100, − 50). Dans son grand poème, *De natura rerum*, il montre, en prenant de nombreux exemples mythologiques, que les dieux sont des créations humaines inspirées par la crainte des forces naturelles. La religion, du même coup, rend l'homme malheureux, en lui faisant croire que les catastrophes sont délibérément provoquées par les dieux. Et si ces derniers sont capables de lui envoyer de tels cataclysmes dans cette vie, que ne lui réservent-ils pas dans la suivante ? L'imagination a donc inventé tous ces supplices, qui entretiennent la peur. L'homme doit rejeter toutes ces fables :

> Il faut chasser et culbuter cette crainte de l'Achéron, qui, pénétrant jusqu'au fond de l'homme, jette le trouble dans la vie, la colore tout entière de la noirceur de la mort. [...] Il n'est point, comme le dit la fable, de malheureux Tantale craignant sans cesse l'énorme rocher suspendu sur sa tête et paralysé d'une terreur sans objet ; mais c'est plutôt la vaine crainte des dieux qui tourmente la vie des mortels et la peur des coups dont le destin menace chacun de nous. Il n'y a pas non plus de Tityos gisant dans l'Achéron, déchiré par des oiseaux ; et ceux-ci d'ailleurs dans sa vaste poitrine ne sauraient trouver de quoi fouiller pendant l'éternité[43].

Pour Lucrèce, Épicure a sauvé l'homme de la religion. En renversant celle-ci, il lui a rendu sa dignité :

> Alors qu'aux yeux de tous l'humanité traînait sur terre une vie abjecte, écrasée sous le poids d'une religion dont le visage, se montrant du haut des régions célestes, menaçait les mortels de son aspect horrible, le premier, un homme de Grèce, osa lever ses yeux mortels contre elle, et contre elle se dresser. Loin de l'arrêter, les fables divines, la foudre, les grondements menaçants du ciel ne firent qu'exciter davantage l'ardeur de son courage et son désir de forcer le premier les portes étroitement closes de la nature. [...] Et par là la religion est à son tour renversée et foulée aux pieds, et nous, la victoire nous élève jusqu'aux cieux.

Ainsi, selon Lucrèce, l'épicurisme est bel et bien un athéisme. Négligeant les dieux impassibles et heureux que conservait encore son maître, il s'en tient à un pur matérialisme mécaniste. « La matière se compose d'atomes absolument pleins qui se meuvent, indestructibles, à travers l'éternité. [...] L'univers total n'est donc limité de nulle part » ; infini, formé de vide et de matière, où tout se fait et se défait sans plan d'ensemble. Différence avec la conception démocritéenne : les atomes ont une trajectoire légèrement oblique, et ce *clinamen*, cette inclinaison, qui rend possibles les combinaisons diverses, permet aussi de sauvegarder une certaine contingence et un certain degré de liberté humaine, ménageant un espace disponible pour une morale.

L'épicurisme est en effet la première grande tentative d'une morale athée, morale qui repose sur la seule valeur authentique possible d'un monde humain sans dieu : la recherche du bonheur individuel terrestre. Ce bonheur réside dans l'absence de souffrance physique et de trouble moral, dans cet état de sagesse équilibrée qu'est l'ataraxie. La quête du plaisir doit seule motiver le sage, ce qui exclut une vie de facilité et de débauche, source de plus de maux que de plaisirs. En fait, le plaisir tel que l'entend Épicure ressemble plus à l'ascétisme qu'au divertissement. Il est le résultat d'un savant et délicat dosage qui, pratiqué par tous, aboutirait à une société parfaite, juste, équilibrée :

> Puisque le plaisir est le premier des biens naturels, il s'ensuit que nous n'acceptons pas le premier plaisir venu, mais qu'en certains cas nous méprisons de nombreux plaisirs, quand ils ont pour conséquence une peine plus grande. D'un autre côté, il y a de nombreuses souffrances que nous estimons préférables aux plaisirs, quand elles entraînent pour nous un plus grand plaisir. [...]
> Les mets les plus simples apportent autant de plaisir que la table la plus richement servie, quand est absente la souffrance que cause le besoin, et du pain et de l'eau procurent le plaisir le plus vif, quand on les mange après une longue privation. L'habitude d'une vie simple et modeste est donc une bonne façon de soigner sa santé, et rend l'homme par surcroît courageux pour supporter les tâches qu'il doit nécessairement remplir dans la vie. Elle lui permet encore de mieux goûter une vie opulente, à l'occasion, et l'affermit contre les revers de la fortune. Par conséquent, lorsque nous disons que le plaisir est le souverain bien, nous ne parlons pas des plaisirs des débauchés, ni des jouissances sensuelles, comme le prétendent quelques ignorants qui nous combattent et défigurent notre pensée. Nous parlons de l'absence de souffrance physique et de l'absence de trouble moral [44].

Calomniée par les stoïciens dès l'origine, la doctrine épicurienne servira paradoxalement de repoussoir aux yeux des croyants, et de preuve de l'incompatibilité entre athéisme et morale. Ce malentendu est d'autant plus surprenant que stoïciens et épicuriens prônent tous l'indispensable conformité avec la nature ; mais, tandis que les premiers voient la sagesse dans une assimilation volontaire de l'homme et du naturel, les seconds recommandent un intelligent dosage des éléments naturels en vue d'assurer la plus grande paix possible de l'âme. Ce faisant, les épicuriens sauvent la dignité et la spécificité humaines, alors que les stoïciens la dissolvent dans la nature, supposée divine.

Autre paradoxe : les chrétiens, qui rejetteront ces deux doctrines comme athées, admireront la morale stoïcienne parce qu'elle prône l'acceptation volontaire du sort, et mépriseront la morale épicurienne parce qu'elle fait de l'individu le seul maître de sa conduite. Or l'authentique sage épicurien, dominant la nature, est beaucoup plus proche de l'ascète chrétien que le sage stoïcien, qui suit la nature.

Mais le premier a le tort, aux yeux des chrétiens, de revendiquer la recherche du plaisir comme valeur suprême, alors que le christianisme exalte la souffrance, la douleur, délibérément recherchée dans un but de purification.

Le christianisme ne pourra pas non plus pardonner à l'épicurisme la négation formelle de l'immortalité de l'âme. Pour Épicure, la mort de l'individu est totale et définitive ; elle n'est donc pas à craindre : « Le néant sera égal pour celui qui a fini de vivre aujourd'hui ou pour celui qui est mort il y a des mois et des années », écrit Lucrèce. Les atomes qui composaient l'individu se recomposent pour donner d'autres formes.

Ajoutons que l'épicurisme, dans sa quête des plaisirs équilibrés, n'est nullement garant d'une vie heureuse, comme l'illustre Lucrèce, père du mal de vivre existentiel : « Chacun cherche à se fuir soi-même, sans pouvoir évidemment s'évader, restant attaché à soi malgré soi et se prenant en haine. » L'amour même est un supplice, une folie, un désir exacerbé qui ne peut jamais être satisfait. Pour Lucrèce, l'enfer, c'est le moi et toutes ses craintes, c'est l'angoisse existentielle. De certaines de ces craintes on peut se libérer, comme de celle de dieu et de la mort, mais l'infernale angoisse fondamentale, celle d'exister, ne disparaît qu'avec nous-mêmes.

Le scepticisme du monde gréco-romain
aux IIe et Ier siècles avant notre ère

Ainsi, en dépit des avertissements de Platon, la religion traditionnelle ne cesse de perdre du terrain, au profit des courants hétérodoxes, de l'occultisme au panthéisme, de l'athéisme pratique à l'athéisme théorique. Les IVe et IIIe siècles sont une période de confusion des croyances et des incroyances, où les limites classiques entre les unes et les autres deviennent floues. Difficile de savoir par exemple quelle est l'opinion des cyniques sur les dieux. Tandis qu'Antisthène soutient l'unité de la divinité, Diogène a une réputation d'athée, peut-être injustifiée, liée à l'irrespect dont il fait preuve à l'égard des dieux anthropomorphes :

> Il tenait des raisonnements comme celui-ci : « Tout appartient aux dieux, or les sages sont les amis des dieux et entre amis tout est commun, donc tout appartient aux sages. » Voyant un jour une femme prosternée devant les dieux et qui montrait ainsi son derrière, il voulut la débarrasser de sa superstition. Il s'approcha d'elle et lui dit : « Ne crains-tu pas, ô femme, que le dieu ne soit par hasard derrière toi (car tout est plein de sa présence) et que tu ne lui montres ainsi un spectacle très indécent ? » Il posta un gladiateur près de l'Asclépéion avec mission de bien battre tous ceux qui viendraient se prosterner bouche contre terre [45].

L'attitude provocatrice de Diogène, qui raille les dieux, les mystères, la providence et les superstitions, le rapproche sans doute des conceptions panthéistes traditionnelles. C'est dans ce sens que Maria Daraki interprète l'anecdote suivante, rapportée par Diogène Laërce : « Platon ayant défini l'homme comme un animal à deux pieds sans plumes, et l'auditoire l'ayant approuvé, Diogène apporta dans son école un coq plumé, et dit : "Voilà l'homme selon Platon[46]." » Ce qui symboliserait l'opposition entre le platonisme qui, ayant séparé le sacré du profane, peut prendre l'homme, désacralisé, comme objet d'étude, et le panthéisme cynique qui considère comme un sacrilège l'étude de la nature et en particulier de l'homme, image des dieux.

La disparition des procès d'impiété et d'athéisme à la fin du IVe siècle, bien loin de signifier la disparition de ces attitudes, est plutôt la preuve de leur généralisation. Devenues tellement communes, elles ne choquent même plus, et l'on voit à Athènes des philosophes prêcher librement l'athéisme : c'est le cas de Bion de Borysthène, un disciple de Théodore l'Athée, dans la première moitié du IIIe siècle, tandis que Carnéade démontre l'impossibilité de prouver l'existence de Dieu. Aristarque de Samos est un moment inquiété pour ses théories astronomiques, mais personne n'ose déclencher contre lui la procédure d'impiété. La loi de Sophocle, fils d'Amphicleidès, qui interdisait aux philosophes d'enseigner à Athènes, est abrogée. Au Ier siècle avant notre ère, on voit encore un traité anonyme *Sur la politique*, attribué à Hippodamos, demander l'interdiction d'enseignement aux philosophes athées — en pure perte.

Parmi les nouvelles pensées à la mode, l'aristotélisme, tout en affirmant la nécessité d'un dieu premier moteur de l'univers, a une forte coloration matérialiste : un univers éternel, incréé, des âmes mortelles, aucune survie dans l'au-delà.

C'est dans ce climat de dispersion intellectuelle que les cultes et les dieux étrangers, théoriquement prohibés, s'installent en grand nombre, venant d'Orient et profitant de la tolérance de fait des autorités romaines, désormais maîtresses d'Athènes. Le mélange des éléments grecs, étrusco-romains et orientaux se solde par une déliquescence religieuse au cours des IIe et Ier siècles avant Jésus-Christ.

Au moment où Rome effectue la conquête du bassin oriental de la Méditerranée, on constate le recul de sa religion traditionnelle, l'altération et la baisse de crédit des trente mille dieux latins recensés par Varron. Mais, comme le remarque Albert Grenier, « en réalité, ce ne sont pas ces spéculations nouvelles qui ont tué les anciennes croyances ; celles-ci sont mortes d'elles-mêmes parce qu'elles ne correspondaient plus à l'état intellectuel et social du peuple. Faute d'avoir rien à y substituer, les Romains ont adopté, un peu au hasard, soit des notions philosophiques, soit des mythes et des cultes étrangers[47] ». Comme dans le monde grec, le déclin du culte privé et public au cours des IIe et Ier siècles s'accompagne d'un éclatement des croyances, depuis le succès des cultes à mystères jusqu'à l'athéisme, face aux questions laissées sans réponse par la religion officielle.

En −186, plus de sept mille personnes sont impliquées dans l'énorme scandale des bacchanales, suivi d'un procès interminable de cinq ans, avec de nombreuses accusations d'athéisme[48]. Avec la conquête de la Grèce arrivent stoïcisme, épicurisme, scepticisme éclectique, qui favorisent l'athéisme dans les cercles aristocratiques comme celui de Scipion Émilien, où l'on trouve Polybe, Térence, Lucilius, qui ne sont pas des modèles de ferveur religieuse. L'homme et sa psychologie sont au centre des préoccupations, et les dieux sont oubliés. Le vide est comblé à la fois par l'athéisme chez les intellectuels et par la superstition dans le peuple.

Au milieu du Ier siècle avant notre ère, Lucrèce, Brutus, Cassius, Cicéron sont de bons témoins et acteurs du scepticisme ambiant. Nous avons parlé du premier. « Ni Cassius, ni aucun de ses contemporains ne se trouve bien convaincu de l'existence des dieux, ou du moins cette conviction est-elle trop vacillante pour influer sur l'action[49] », note Albert Grenier. À la veille de la bataille de Philippes, rapporte Plutarque, Cassius exprime à Brutus son scepticisme :

> Mais au reste, de dire qu'il y ait des esprits ou des anges, et encore qu'il y en eût, qu'ils aient forme d'hommes, ou voix, ou puissance aucune qui parvienne jusqu'à nous, il n'est pas vraisemblable. Quant à moi, je voudrais qu'il y en eût, afin que nous eussions confiance, non seulement en si grand nombre d'armes, de chevaux, de navires et de vaisseaux, mais aussi au secours des dieux, attendu que nous sommes auteurs et défenseurs de très beaux, très saints et très vertueux actes[50].

Quant à Cicéron, le grand traité qu'il consacre à la question religieuse, *De la nature des dieux*, est un reflet de la multitude d'opinions sur le sujet et du scepticisme qui en résulte : « Quand on verra combien les hommes les plus doctes ont été partagés là-dessus, il y aura, si je ne me trompe, de quoi faire douter ceux-là même qui se piquent d'avoir trouvé quelque chose de certain[51]. » Dans le traité, en forme de conversation, Cotta fait valoir le point de vue des incrédules : « J'ai peine à me défendre de certaines pensées qui de temps en temps me troublent, et me rendent presque incrédule à cet égard[52]. » Épicure, poursuit-il, aurait dit qu'il est difficile de nier l'existence des dieux : « Oui, en public ; mais en particulier, comme nous faisons ici, rien de plus facile. »

La question est en tout cas très obscure, probablement au-delà de notre compréhension :

> Si vous me demandez ce que c'est que Dieu, je ferai avec vous comme Simonide avec le tyran Hiéron, qui lui proposait la même question. D'abord, il demanda un jour pour y penser ; le lendemain, deux autres jours ; et comme chaque fois il doublait le nombre de jours qu'il demandait, Hiéron voulut en savoir la cause. « Parce que, dit-il, plus j'y fais réflexion, plus la chose me paraît obscure[53]. »

Velleius, qui défend le point de vue de la foi, développe un autre argument classique : tous les peuples ont une idée de dieu empreinte dans leur âme ; « or, tout jugement de la nature, quand il est universel, est nécessairement vrai. Il faut donc reconnaître qu'il y a des dieux ». Cotta conteste cet universalisme : « Je suis persuadé, moi, qu'il y a beaucoup de peuples assez brutaux pour n'avoir pas la moindre idée des dieux [54]. » Diagoras, Théodore l'Athée, les impies ne sont-ils pas des preuves que l'idée de dieu n'est pas universelle ? Et devant la multitude et la diversité des croyances, comment ne serait-on pas sceptique ? « On s'étonne qu'un haruspice en regarde un autre sans rire, mais je suis encore plus surpris que vous puissiez vous tenir de rire, quand vous êtes plusieurs ensemble de votre secte [les croyants] [55]. »

L'athéisme antique et ses limites

C'est dans ce climat de scepticisme généralisé qu'apparaît le christianisme, perçu pendant longtemps comme une nouvelle superstition ou même comme une forme d'athéisme. Il y a deux mille ans, la limite entre croyance et incroyance est aussi floue et imprécise que de nos jours. Entre l'athéisme théorique complet de certains philosophes et la prolifération des superstitions populaires, des centaines de sectes, de religions, d'écoles de pensée spiritualistes et matérialistes se partagent le marché de la croyance. Mithra, Isis, Osiris, Sérapis, Cybèle, Jupiter et des dizaines d'autres voisinent avec les croyances astrologiques et magiques, le monothéisme juif, les doctrines épicurienne, stoïcienne, platonicienne, néo-platonicienne, cynique, sceptique. Dans cette cacophonie, la religion gréco-romaine officielle n'est plus qu'un cadre formel et civique, dont les temples et les cérémonies marquent encore le paysage, mais plus à la façon d'un décor que d'une vérité reconnue. Prêtres, augures, vestales jouent toujours un rôle, mais largement laïcisé. Quant à la masse du peuple, elle écoute les devins et vit au rythme de ses innombrables superstitions, dans une situation proche de l'athéisme pratique, tant le sentiment du divin est dégradé.

Le monde méditerranéen semble arrivé au relativisme religieux et à une totale liberté de croyance. La religion officielle traditionnelle n'est plus en mesure d'assurer un contrôle quelconque sur la foi. La tolérance règne sur cette Tour de Babel des opinions religieuses, où aucune valeur universelle n'est unanimement reconnue. Cette situation est proche de la nôtre : éclatement des croyances, relativisme, perte des valeurs et des repères nationaux et culturels, religions « à la carte », prédominance de l'action et de la recherche des satisfactions individuelles immédiates, religion traditionnelle (celle du panthéon gréco-romain il y a deux mille ans, christianisme aujourd'hui) reléguée à l'état de tradition formelle, voire de folklore, drainant encore de nombreux fidèles, mais incapable d'orienter la culture et de peser sur les choix de société.

Comment ce chaos éthico-religieux, source de scepticisme désabusé, n'a-t-il pas entraîné un naufrage généralisé de la religion, de la croyance en dieu(x), et une généralisation de l'athéisme ? Pourquoi l'incroyance ne s'est-elle pas imposée, alors que les conditions culturelles lui étaient exceptionnellement favorables ? Des explications athées du monde étaient disponibles ; Lucrèce venait d'exposer une vision rationnelle, pour l'époque, de l'univers. Pourquoi va-t-on finalement suivre saint Paul et repousser de deux mille ans la question, à laquelle nous sommes à nouveau confrontés ? Écartons ici les explications de type surnaturel et providentialiste, qui n'ont de valeur qu'à l'intérieur d'un système de croyances. Pourquoi, dans l'éventail des croyances qui leur étaient offertes, les hommes vont-ils aller vers la solution apparemment la plus absurde, celle d'un dieu tout-puissant qui se fait homme pour aller mourir sur une croix et ressusciter ?

Révélateur est l'accueil réservé à saint Paul à Athènes lorsque, vers l'an 50, il vient y présenter sa doctrine. L'apôtre éveille d'abord la curiosité, surtout chez les philosophes stoïciens et épicuriens, ouverts aux nouveautés mais blasés devant l'afflux des nouvelles sectes orientales. Ils écoutent ses explications jusqu'au moment où elles sortent de ce qui est rationnellement acceptable : la résurrection des morts. Le passage des Actes des Apôtres relatant l'épisode est instructif. Paul s'adresse au public sur l'agora :

> Il y avait même des philosophes épicuriens et stoïciens qui s'entretenaient avec lui. Certains disaient : « Que veut donc dire cette jacasse ? », et d'autres : « Ce doit être un prédicateur de divinités étrangères. » Paul annonçait en effet Jésus et la résurrection. Ils mirent donc la main sur lui pour le conduire devant l'Aréopage. « Pourrions-nous savoir, disaient-ils, quelle est cette nouvelle doctrine que tu exposes ? En effet, tu nous rebats les oreilles de propos étranges et nous voudrions bien savoir ce qu'ils veulent dire. » Il faut dire que tous les habitants d'Athènes et tous les étrangers en résidence passaient le meilleur de leur temps à raconter ou à écouter les dernières nouveautés. Debout au milieu de l'Aréopage, Paul prit la parole.

Il expose alors les grandes lignes de sa doctrine et en arrive au point crucial :

> « Et voici que Dieu, sans tenir compte de ces temps d'ignorance, annonce maintenant aux hommes que tous et partout ont à se convertir. Il a en effet fixé un jour où il doit juger le monde avec justice par l'homme qu'il a désigné, comme il en a donné la garantie à tous en le ressuscitant d'entre les morts. »
> Au mot de « résurrection des morts », les uns se moquaient, d'autres déclarèrent : « Nous t'entendrons là-dessus une autre fois. » C'est ainsi que Paul les quitta[56].

Le paulinisme est rejeté en raison de l'image indigne qu'il donne de la divinité, et de la contradiction qui existe entre ce dieu et la raison humaine. Ces philosophes acceptent l'idée d'un dieu, mais un dieu qui se ravale au rang de l'homme est indigne de l'absolu divin, et si en plus il contredit les lois de la nature, il devient invraisemblable. Voilà pourquoi les chrétiens sont longtemps considérés dans le monde païen, surtout chez les intellectuels, comme des athées. Le terme est fréquemment utilisé pendant les persécutions, dans un amalgame qui peut nous paraître surprenant : d'après Lucien, chrétiens et épicuriens, confondus sous l'appellation d'athées, sont ainsi victimes d'émeutes populaires déclenchées par des oracles qui les dénoncent comme responsables de la colère des dieux. « Avant l'édit de Dèce, rappelle Robin Lane Fox, les cités avaient pris l'initiative de leurs propres arrêts et accusations des chrétiens : elles craignaient, ou on leur rappelait de craindre, ces "athées" qui ne participaient pas aux cultes qui détournaient la colère des dieux[57]. »

Le terme d'« athée » est susceptible d'interprétations diverses, correspondant en particulier aux deux grandes catégories que nous avons distinguées. L'athéisme pratique, au niveau du comportement, peut viser tous ceux dont la morale n'est pas conforme aux normes dominantes. Cette acception l'emporte dans le peuple. Porphyre s'en est fait le porte-parole : « Toute vie légère est pleine de servitudes et d'irréligiosité : elle est donc athée, et dépourvue de justice, parce qu'en elle l'esprit est imprégné d'irréligiosité et par suite d'injustice[58]. »

Pour les philosophes au contraire, comme l'illustre l'épisode athénien de saint Paul, est athée toute doctrine qui donne une conception dégradante de la divinité. Le dieu des philosophes a des exigences rationnelles qui ne correspondent pas au dieu de la révélation. Pour les épicuriens et stoïciens, les chrétiens, avec leur dieu fait homme, sont en réalité des athées. « Si, en premier lieu, athéisme signifie négation directe de Dieu, écrit Cornelio Fabro, il consiste d'abord et surtout dans le fait d'admettre une notion de Dieu qui l'annule en tant que Dieu et l'abaisse en face de sa majesté. C'est bien là le jugement que les plus grands philosophes grecs donnent des divinités de la mythologie populaire et de l'État; c'est là aussi, d'après la loi des contraires, leur condamnation du christianisme[59]. »

De plus, comme l'expose le sceptique grec Sextus Empiricus dans ses *Hypotyposes pyrrhoniennes*, croire en la providence est une véritable impiété, en raison de l'existence du mal, car c'est supposer soit que ce dieu laisse volontairement faire le mal, et alors il est méchant, soit qu'il est impuissant à l'empêcher, et alors il n'est pas dieu. D'où le paradoxe selon lequel ceux qui affirment l'existence de dieu sont des impies, voire des athées : « Ceux qui affirment résolument que dieu existe tombent nécessairement dans l'impiété. En disant en effet que dieu est la providence de toutes choses, ils sont forcés de déclarer que dieu est la cause des maux, alors que s'ils disaient qu'il n'est la providence d'aucune chose, ils conviendraient nécessairement que dieu n'est ni méchant ni impuissant, alors que le contraire constituerait une impiété évidente[60]. »

Pour en revenir à notre question centrale — comment se fait-il que l'athéisme ne soit pas sorti vainqueur de la confusion religieuse dans le monde romain au 1er siècle ? —, il faut d'abord tenir compte justement de cette confusion, dans laquelle les termes d'« athée » et de « croyant » perdent leur sens strict. Le christianisme, qui va lentement l'emporter, est perçu alors comme une variante d'athéisme : athéisme moral à cause de la conduite étrange de ses fidèles, athéisme théorique par sa conception dégradante de dieu aux yeux des philosophes.

Il reste que bien d'autres formes d'athéisme existaient alors, même si les historiens des idées varient dans leurs classifications :

> Nous devons donc considérer dans le monde grec au moins trois formes d'athéisme, écrit Cornelio Fabro. Tout d'abord l'athéisme superstitieux et politique, c'est-à-dire les dieux en tant que forces du monde et de l'histoire ; puis l'athéisme dont on accusa les philosophes, ou plus exactement quelques-uns parmi les plus grands philosophes, qui avaient repoussé la religion comme indigne en fonction des forces de la nature ou des intérêts de la politique ; or il est évident que ceux-ci n'étaient pas athées par eux-mêmes, mais pouvaient être théistes authentiques, comme par exemple Platon, Aristote et d'autres encore. Enfin, il semble que les athées déclarés radicaux dont nous sont parvenues quelques listes n'ont pas fait défaut[61].

Anton Anwander, de son côté, distingue sept formes d'athéisme antique :

> L'incroyance pratique des gens incultes ; l'autoglorification de l'État qui, exigeant le sacrifice à l'empereur, met l'homme à la place de Dieu ; le remplacement de la foi en Dieu par la foi au destin aux traits tantôt héroïco-fatalistes, tantôt astrologico-magiques ; la destruction de la foi en Dieu par la raison, mais qui préfère une réinterprétation des vieux mythes à une négation radicale de Dieu ; le doute et le désespoir en face de la nécessité de la conscience dans un monde en mauvaise posture ; le refus hargneux de toute attitude indépendante à l'égard des problèmes les plus hauts, qui est stigmatisée comme athéisme et impiété[62].

Ainsi l'Antiquité a-t-elle connu, sinon toutes, du moins un grand nombre de formes possibles d'athéisme ; et, pendant les siècles chrétiens, c'est vers elles que se tourneront tous les contestataires anti-religieux, tous les tenants du matérialisme et de l'athéisme. Si donc nous nous demandons, non pas pourquoi le christianisme l'a emporté — question maintes fois examinée par les historiens des religions —, mais pourquoi l'athéisme, sous une de ses formes, ne s'est pas imposé alors que les conditions semblaient si favorables, il apparaît qu'il faut tenir compte du caractère hybride de toutes ces formes d'incroyance.

Le véritable athéisme théorique pur est alors extrêmement rare. L'énumération le montre bien : à chaque forme d'athéisme se rattache en effet une certaine forme de croyance religieuse ou irrationnelle, et bien peu de ces athéismes se pensent comme athéisme. Tout au contraire, ils sont prompts à accuser les autres d'impiété et d'athéisme. Loin de revendiquer ce titre, ils se présentent chacun comme la forme authentique de la piété. Même Sextus Empiricus, nous l'avons vu, considère par exemple que le scepticisme est la seule forme acceptable de piété, car il n'enferme pas les dieux dans les limites de définitions et de dogmes. Les dieux existent, dit-il en substance, mais nous ne savons pas ce que le mot « dieu » signifie, et nous ne pouvons pas en démontrer l'existence :

> Puisque les dogmatiques disent tantôt que dieu est corporel, tantôt incorporel, que les uns disent qu'il est à l'image de l'homme et les autres non, que les uns le situent dans l'espace et les autres non dans l'espace, et que parmi ceux qui le situent dans l'espace, les uns le situent à l'intérieur, les autres à l'extérieur du monde, comment pourrons-nous former l'idée de dieu, puisque l'on ne s'accorde ni sur son essence, ni sur sa forme, ni sur l'espace où il réside ? Que les dogmatiques commencent par se mettre d'accord et à avoir le même avis sur la quiddité de dieu. [...] L'existence de dieu n'est pas évidente. Si en effet il tombait de lui-même sous nos sens, les dogmatiques s'accorderaient à dire ce qu'il est, quel il est et où il réside [63].

L'athéisme antique manque donc de contenu. Conservant, même pour l'épicurisme, une certaine notion de dieu, il est ressenti de l'extérieur comme une forme d'impiété parmi d'autres ; jouant à la fois sur la croyance et sur la rationalité, il n'est pas perçu comme radicalement différent. L'athéisme intégral, tel que nous le concevons aujourd'hui, a besoin d'une armature scientifique et conceptuelle que la culture d'alors ne pouvait lui offrir.

Comme la religion, l'athéisme varie avec le type de civilisation dont il est une des facettes. De même qu'il n'y a pas de religion universelle et immuable, il n'y a pas non plus d'athéisme universel et immuable. L'athéisme antique partage les conceptions cosmologiques et philosophiques de l'Antiquité, qui ne lui permettent pas encore de présenter une explication globale crédible d'un univers sans dieu. Il ne peut que reléguer les dieux dans un rôle totalement passif, ou en faire l'âme du monde, impersonnelle et matérielle. Se situant donc en partie sur le terrain religieux, il continue à être ressenti comme une contre-religion. Tant qu'il ne sort pas de cette logique, l'athéisme garde l'image péjorative attachée à l'impiété.

De plus, l'évolution du pouvoir politique romain à cette époque, avec la divinisation de l'empereur, la création du culte de Rome et d'Auguste, la restauration de la religion traditionnelle par ce dernier, ne va pas du tout dans le sens d'une sécularisation de la société. L'Empire a besoin d'une religion et de la soumission au pouvoir. Il trouvera cela dans le christianisme, religion qui, sublimant la soumission politique dans la soumission à Dieu, selon l'analyse de Maria Daraki, est parfaitement adaptée aux besoins socio-politiques du Bas-Empire.

CHAPITRE III

Un athéisme médiéval?

L'image traditionnelle du Moyen Âge a subi depuis quelque temps de sérieuses retouches; après le plaidoyer *Pour un autre Moyen Âge* de Jacques Le Goff, le réquisitoire de Régine Pernoud *Pour en finir avec le Moyen Âge*, la remise en cause de la « légende du Moyen Âge chrétien » par Jean Delumeau, de nombreux autres travaux des médiévistes donnent aujourd'hui une image plus complexe de ce millénaire d'histoire.

« Siècles de foi »?

Les histoires de l'athéisme, du rationalisme, du matérialisme sautent allégrement de Lucrèce à Rabelais, en acceptant sans examen l'unanimisme de la croyance chrétienne de la quinzaine de siècles qui les séparent, comme si la vague de la chrétienté avait noyé toute possibilité de scepticisme et d'athéisme, ne laissant émerger comme seule forme de contestation que les hérésies, signes de vitalité du sentiment religieux. C'est ainsi que le grand *Dictionnaire de théologie catholique* de Vacant et Mangenot affirme, à l'article « athéisme » : « On trouve près de seize siècles sans rencontrer une négation de Dieu organisée, liée à une genèse scientifique du monde ou à un nouveau système de morale. »

Que des courants de pensée et des modes de vie si importants dans l'Antiquité aient ainsi pu disparaître aussi longtemps avant de resurgir miraculeusement au XVIe siècle est en soi suspect. L'homme médiéval ne pouvait-il voir le monde autrement qu'en croyant? La croyance en Dieu était-elle devenue une structure de l'esprit, un mode de pensée indélébile, une évidence universelle?

Ces belles certitudes sont aujourd'hui remises en question. Certes, la prudence et la nuance s'imposent. Mais on ne voit pas pourquoi cette époque, quelle qu'ait été la puissance de l'Église, aurait été imperméable à certaines formes de doute, de scepticisme, d'athéisme. L'importance accordée à la recherche des « preuves de l'existence de Dieu », avec saint Anselme et saint Thomas par exemple, devrait suffire à éveiller les soupçons. Si la foi allait de soi, ce souci serait superflu. Sans doute l'athéisme médiéval a-t-il une teinte particulière, qui n'est pas celle du matérialisme mécaniste. Sans doute aussi n'est-il pas le mode de pensée prédominant. Mais il existe, à la fois sous sa forme pratique et sous sa forme théorique.

C'est d'abord l'historiographie marxiste, comme il se doit, qui a attiré l'attention sur l'existence de courants potentiellement athées au Moyen Âge. Dès 1959, l'ouvrage de H. Ley[1] s'attachait à découvrir, à travers les disputes scolastiques autour d'Aristote, d'Averroès, des nominalistes, de Siger de Brabant, l'expression d'un agnosticisme, d'un matérialisme et d'un athéisme implicites, déguisés pour des raisons de sécurité sous les dehors de disputes formelles. À propos de l'influence arabe, il écrivait par exemple que « la confiance dans les forces de l'homme et le refus des formules théistes et déistes constituent le noyau de l'athéisme d'Averroès[2] ». Les discussions sur l'éternité du monde, la mortalité de l'âme, la liberté ou les miracles permettent, sous couvert de la *disputatio* médiévale, de faire valoir les arguments pour et contre, avant de décider dans une synthèse. Les arguments des thèses opposées à la foi, loin d'être esquivés, sont parfois présentés avec une force troublante, et si leur exploitation par les marxistes a souvent été excessive, écrit Cornelio Fabro, « cela n'empêche que dans la philosophie arabe tout comme dans la philosophie latine médiévale il existe des positions limites qui frôlent la "perte" de Dieu de la part de la raison humaine, ou qui peuvent amener à amenuiser l'idée de Dieu, de ses attributs fondamentaux, et à mettre ainsi en crise l'idée même de son existence[3] ».

Cela vaut pour la possibilité d'un athéisme médiéval théorique, philosophique. Emmanuel Le Roy Ladurie a aussi montré qu'un athéisme populaire avait pu exister en plein apogée du Moyen Âge chrétien et au cœur de la chrétienté. Dans son étude sur *Montaillou, village occitan*, il a découvert des exemples d'incroyance paysanne[4]. L'historien en profite, dans une note capitale, pour corriger les jugements sur l'impossibilité conceptuelle de l'incroyance au Moyen Âge :

> Lucien Febvre, et aussi d'éminents médiévistes comme Mollat et Perroy, pensent que le « problème de l'incroyance » au Moyen Âge et au xvie siècle doit être posé, ou plutôt non posé, en fonction de la mentalité essentiellement religieuse, surnaturaliste, magique et crédule de la plupart des gens. Ce serait seulement, dit Lucien Febvre, à partir de 1641 (quand Cyrano déclare : « Il ne faut croire d'un homme que ce qui est humain ») qu'il devient possible d'acquérir le sens de l'impossible et donc du rationnel, et donc de l'incroyance. Hélas ! ce texte de Cyrano est en fait de Montaigne. [...]

Contre ceux qui pensent que les gens simples et peu sophistiqués de l'Ancien Régime intellectuel, à commencer bien sûr par les paysans, étaient incapables d'« incroyance », je rappellerai les mots perspicaces [...] qu'a proférés Bénigne Bossuet, plus judicieux en cela que Lucien Febvre, à propos du scepticisme sur l'Eucharistie : « Que Dieu fasse des choses hautes, incompréhensibles, il n'y a rien au-dessus de lui ; que le monde en soit rebuté et résiste à une si haute révélation, c'est le naturel de l'homme animal. » L'erreur de Lucien Febvre fut sans doute en ce domaine d'avoir été infidèle à ses propres méthodes, et d'avoir jugé de l'incroyance d'époque médiévale ou renaissante d'après les structures de notre incroyance des Lumières, rationaliste et contemporaine[5].

Qu'il y ait un athéisme populaire médiéval, certes minoritaire et qui diffère de l'athéisme contemporain, c'est également ce que tendent à montrer des études récentes sur la notion de croyance au Moyen Âge, qui amènent Jean-Claude Schmitt à poser la question : « Y a-t-il, dans cette culture religieuse en apparence unanime, une place pour l'incroyance[6] ? » La réponse implique un réexamen des témoignages, récits hagiographiques, procès de canonisation, comptes rendus de miracles, prédications, qui trahissent une bonne dose d'ambivalence puisqu'on y trouve beaucoup de crédulité, mais aussi un besoin de preuves tangibles, matérielles, indices d'une inquiétude et d'une incrédulité diffuses. Cette impression est renforcée par des signes d'hostilité, de scepticisme, d'ironie, de sarcasmes. L'incrédule puni par le saint est un thème courant des récits hagiographiques. « Si l'on fait la somme de toutes ces critiques, de ces attaques, de ces plaisanteries parfois salaces, on s'aperçoit de l'extrême diffusion de comportements qui, sans doute, n'expriment pas de la part de simples fidèles un agnosticisme de principe, mais plutôt une défiance au coup par coup dénotant une grande latitude dans la réception du discours orthodoxe des clercs », écrit Jean-Claude Schmitt[7].

Le chapitre des superstitions est également instructif, mais délicat à manier. Traces d'anciens mythes, elles sont périodiquement remises en cause par les autorités ecclésiastiques qui s'appliquent à épurer la foi et à l'adapter aux besoins nouveaux. Ce « retraitement permanent des croyances[8] » est source d'ambiguïtés et de relativisme, l'esprit populaire ayant du mal à suivre les distinctions entre « vraies » et « fausses » croyances, d'autant plus que le diable, maître d'illusions et dispensateur de « fausses preuves », peut toujours brouiller les cartes. La foi populaire médiévale, acte social beaucoup plus qu'individuel, apparaît extrêmement confuse.

Quant à la foi des intellectuels, sans cesse retravaillée par l'effort de rationalisation des théologiens scolastiques, elle contient en germe, d'après Jean-Claude Schmitt, sa propre destruction[9]. La raison, à l'œuvre dans la révélation, ne cesse de ronger cette dernière. L'histoire de la théologie médiévale — et de la philosophie, qui en est inséparable — en est l'illustration. De l'averroïsme aristotélicien à l'occamisme, elle ouvre de dangereuses perspectives sur un univers tantôt panthéiste, tantôt matérialiste, tantôt athée, perspectives aussitôt écartées mais suffisamment séduisantes pour faire de certains les adeptes de la « double vérité ».

Au départ, tout semble simple. Pour les Pères de l'Église, les athées sont tous ceux qui ne croient pas au vrai Dieu, au Dieu des chrétiens :

> Qualifiez de mutilés non seulement ceux qui croient qu'il n'y a aucun dieu, mais aussi ceux-là qui ont divisé à profusion la majesté divine et qui ont mis sur le même rang le démiurge et la création. Les seuls athées ne sont donc pas Diagoras de Milet, Théodore de Cyrène, Évhémère de Tégée et leurs acolytes, qui nient absolument qu'il y ait des dieux [...] mais ce sont aussi Homère, Hésiode [10].

Ainsi s'exprime Théodoret de Cyr, qui rejette aussi bien les adeptes des religions païennes que ceux des doctrines panthéistes et agnostiques :

> On évitera l'athéisme de Diagoras de Milet, de Théodore de Cyrène et d'Évhémère de Tégée, ces hommes — Plutarque nous le dit — qui ont pensé qu'il n'y avait pas de dieu ; on fuira aussi l'idée inconvenante que les stoïciens se font de la divinité, en disant que Dieu est corporel ; et l'on exécrera les propos équivoques et indignes de créance que Protagoras tient à propos de Dieu ; en voici d'ailleurs un exemple : « Quant aux dieux, je ne sais ni s'ils existent, ni s'ils n'existent pas, ni quelle idée on peut s'en faire [11]. »

D'autres cependant, comme Clément d'Alexandrie, distinguent de façon surprenante les croyants des religions païennes, auxquels ils réservent le terme d'athées, et les philosophes antiques qui ont nié l'existence de toute divinité, et qui pour eux sont infiniment préférables aux premiers :

> Voilà les mystères des athées. J'ai raison d'appeler athées ces gens qui ignorent le vrai Dieu, qui vénèrent sans pudeur un petit enfant, enfant dépecé par les titans, une femme dans le deuil, et des membres dont la pudeur, vraiment, défend de parler. Une double impiété les possède : d'abord celle qui leur fait ignorer Dieu, puisqu'ils ne reconnaissent pas comme Dieu celui qui l'est vraiment ; puis cette erreur par laquelle ils attribuent l'existence à ceux qui ne l'ont pas, nomment dieux ceux qui ne le sont pas réellement, ou plutôt n'existent même pas, car on ne leur a jamais donné qu'un nom. [...]
> Aussi — il faut dire ici toute ma pensée —, je m'étonne de voir comment on a traité d'athées Évhémère d'Agrigente, Nicanor de Chypre, Diagoras et Hippon de Mélos, et avec eux ce fameux Cyrénéen, Théodore, et beaucoup d'autres, pour avoir mené une vie sage et avoir aperçu, avec plus de pénétration que le reste des hommes, les erreurs concernant ces dieux [12].

Une autre complication surgit bientôt avec l'interprétation des Écritures, qui va constituer, tout au long de l'histoire du christianisme, un grave sujet de dispute — au point d'être une cause d'apostasie pour plusieurs intellectuels chrétiens, tels Renan, Loisy, Turmel. La polémique, dont le centre sera variable, commence dès Origène, qui ose écrire :

> Quel est l'homme de sens qui croira jamais que, le premier, le second et le troisième jours, le soir et le matin purent avoir lieu sans soleil, sans lune et sans étoiles, et que le jour, qui est nommé le premier, ait pu se produire alors que le ciel n'était pas encore ? Qui serait assez stupide pour s'imaginer que

Dieu a planté, à la manière d'un agriculteur, un jardin d'Éden, dans un certain pays de l'Orient, et qu'il a placé là un arbre de vie tombant sous le sens, tel que celui qui en goûterait avec les dents du corps recevrait la vie ? [...] À quoi bon en dire davantage lorsque chacun, s'il n'est dénué de sens, peut facilement relever une multitude de choses semblables que l'Écriture raconte comme si elles étaient réellement arrivées et qui, à les prendre textuellement, n'ont guère eu de réalité [13] ?

Voilà bien de l'audace chez un auteur dont la foi ne saurait être mise en doute, même si elle se présente sous une forme peu orthodoxe. Rien n'arrête la pensée intelligente dans sa quête de la vérité, pas même le carcan d'une religion dogmatique telle que le christianisme. C'est ainsi que dès le IXe siècle circulent des théories panthéistes sur l'âme du monde, inspirées du *Commentaire du songe de Scipion*, de Macrobe [14].

L'apport arabo-musulman à l'incrédulité

Ce courant est renforcé au XIIe siècle par l'apport de l'averroïsme, l'une des philosophies les plus controversées du Moyen Âge au sein de la chrétienté. Son origine musulmane illustre à la fois le fait qu'aucune religion n'échappe aux spéculations philosophiques, et la permanence des échanges culturels entre fidèles et infidèles.

Dès l'origine, l'islam envisage le problème de l'incroyance et de l'athéisme (*ad-dahriyyah* en arabe ; l'athée, *dahri*, qui désigne aussi le matérialiste, vient de *ad-dahr*, le temps). Le Coran constate l'existence de nombreux athées, qui ne sont pas confondus avec les infidèles :

Ils disent : il n'y a point d'autre vie que la vie actuelle. Nous mourons et nous vivons, le temps seul nous anéantit. Ils n'en savent rien ; ils ne forment que des suppositions.
Lorsqu'on leur relit nos miracles évidents (nos versets clairs), que disent-ils ? Ils disent : faites donc revenir à la vie nos pères, si vous dites la vérité.
Dis-leur : Dieu nous fera revivre, et puis il vous fera mourir ; ensuite il vous rassemblera au jour de la résurrection. Il n'y a point de doute là-dessus ; mais la plupart des hommes ne le savent pas [15].

Le monde musulman, alors plus ouvert sur les études scientifiques que le monde chrétien, et qui bénéficie très tôt des traductions des œuvres philosophiques majeures de l'Antiquité, voit se développer des courants naturalistes athées, comme la pensée qu'exprime à la fin du XIe siècle Omar Kayyâm : « Ce bol renversé qu'on nomme le ciel, sous qui rampe et meurt la race des hommes, ne levez pas les mains vers lui comme un appel ; car il n'est pas moins impuissant que nous ne sommes [16]. » Dans un monde matériel mécaniste dirigé par un rigoureux déterminisme, il n'y a pas à chercher de dieu.

Au XIIe siècle, où de telles hardiesses deviennent difficiles dans le cadre de monarchies intolérantes, certains philosophes prônent une séparation complète entre la foi et la spéculation philosophique. Dans le *Régime du solitaire*, Ibn Bajja, qui vit chez les Almoravides d'Afrique du Nord, soutient que le sage doit s'isoler de la société afin de pouvoir penser librement. À la même époque, Ibn Tufayl exprime, dans un roman philosophique préfigurant Robinson Crusoé, le pessimisme de l'intellectuel face à l'intolérance religieuse. Le héros du roman, Hayy ibn Yaqzan, a grandi seul sur une île déserte, où il a découvert par l'observation et l'expérience les principes de la philosophie. Lorsqu'il cherche à transmettre son savoir à la communauté musulmane d'une île voisine, il est pourchassé et doit retourner à sa solitude. Pour Ibn Tufayl, qui sait que dans la vie réelle la fuite n'est pas possible, la seule solution est le silence : que les philosophes, formant une communauté invisible, gardent pour eux leurs spéculations. Il n'y a pas de contact possible entre la libre philosophie, qui peut mener à l'athéisme, et la foi. Tous les maux sociaux, les affrontements fanatiques viennent du mélange des genres. Foi et raison, qui ont chacune leur utilité, doivent être séparées : fidéisme pour la masse, rationalisme pour l'élite.

C'est aussi la position d'Ibn Rushd, c'est-à-dire Averroès (1126-1198), dont le *Discours décisif* vise à définir le statut légal de la philosophie par rapport à la religion, et ainsi à protéger la liberté de penser du philosophe. Cette liberté lui profiterait en premier lieu, car la doctrine qu'il défend n'est guère en accord avec la foi. Reprenant Aristote tel qu'il a déjà été interprété par Al-Farabi et Avicenne, Averroès affirme l'éternité du monde matériel, l'incapacité de Dieu à connaître les particuliers, et nie la résurrection des corps, avec des nuances qui n'atténuent pas l'essentiel [17].

Ces thèses rationalistes, transmises notamment par des philosophes juifs, vont affecter rapidement les rapports entre la raison et les trois religions du Livre. Du côté juif, Maïmonide utilise avec précaution l'idée de l'éternité du monde, mais Isaac Albalag, au XIIIe siècle, auteur du *Redressement des doctrines*, n'hésite pas à accepter en parallèle une vérité philosophique contraire à la foi et une vérité de foi contraire à la raison — c'est à proprement parler ce qu'on appelle la doctrine de la « double vérité » : « Sur beaucoup de points, écrit-il, tu trouveras mon opinion rationnelle contraire à ma foi, car je sais par la démonstration que telle chose est vraie par voie de nature et je sais en même temps, par les paroles des prophètes, que le contraire est vrai par voie de miracle [18]. » Il est impossible d'aller plus loin, pour un croyant, dans le sens de l'acceptation des conclusions rationnelles.

En Occident, certains n'hésitent pas à aller aussi loin, quitte à suivre les conclusions athées que l'on prêtait à Averroès. Dès le XIIIe siècle, Gilles de Rome se fait l'écho de la réputation d'incrédulité totale attachée au philosophe musulman, qui aurait condamné les trois grandes religions :

Ce grand homme, lequel n'ayant aucune religion, disait qu'il aimait mieux que son âme fût avec les philosophes qu'avec les chrétiens. Averroès nommait la religion des chrétiens impossible à cause du mystère de l'eucharistie. Il appelait celle des juifs une religion d'enfants, à cause des différents préceptes et obligations légales. Il avouait que la religion des mahométans, qui ne regarde que la satisfaction des sens, est une religion de pourceau [19].

Très tôt, une tradition verra en Averroès l'auteur possible du fameux traité blasphématoire mythique, le *De tribus impostoribus*, qualifiant Moïse, Jésus et Mahomet de menteurs, et que Léon X condamnera officiellement en 1513. Le thème impie de la comparaison des trois grandes religions est très répandu dans les milieux syncrétistes de la Sicile du xiiie siècle : c'est à la cour de Frédéric II qu'est élaboré le traité *Il Novellino*, contenant le « Conte des trois anneaux », qui considère les trois monothéismes comme la simple expression symbolique, adaptée aux pays et aux époques, d'une vérité métaphysique.

Cette sorte d'œcuménisme sceptique se développe dans les zones frontières entre les mondes musulman et chrétien. Dès les débuts de l'islam, des poètes arabes épicuriens, les *zindigs*, réduisent Mahomet à la dimension d'un sage, et le Persan Bassan Ibn Burd se demande s'il doit suivre la cloche de l'église ou l'appel du muezzin. Au xe siècle se tiennent des conférences à Bagdad qui réunissent musulmans, chrétiens, juifs de toutes tendances, mais aussi des athées matérialistes, pour comparer leurs opinions avec « des arguments tirés de la raison humaine ». Un grand colloque se déroule encore à Barcelone en 1263 [20].

Dans la chrétienté, l'idée de double vérité fait aussi des progrès décisifs, au point d'inquiéter les autorités religieuses. Que la responsabilité en ait été attribuée par erreur — depuis Pétrarque jusqu'à Ernest Renan — à Averroès ne change rien : il y a en Occident au xiiie siècle un courant de pensée prêt à soutenir des propositions athées en se fondant sur l'autonomie de la raison. Ce courant est solennellement condamné en 1277 par Étienne Tempier, évêque de Paris, qui censure deux cent dix-neuf thèses inadmissibles pour la foi : « Ils prétendent qu'il est des choses vraies selon la philosophie, quoiqu'elles ne le soient pas selon la foi, comme s'il y avait deux vérités contraires et comme si, en opposition avec la vérité de l'Écriture, la vérité pouvait se trouver dans les livres des païens damnés dont il est écrit : je perdrai la sagesse des sages. »

Pour Raymond Lulle, qui écrit en 1311, cette duplicité remonterait à Averroès. C'est aussi l'accusation que profère Pétrarque au milieu du xive siècle, dans son *De sui ipsius et multorum ignorantia*. Les averroïstes, dit-il, sont des athées qui « méprisent tout ce qui est conforme à la religion catholique », mais ils ne soutiennent leurs positions athées qu'en privé : « Ils combattent sans témoins vérité et religion, et dans les coins, sans se faire voir, tournent le Christ en ridicule, pour adorer Aristote qu'ils ne comprennent pas. » « Lorsqu'ils en arrivent à une discussion publique, n'osant point vomir leur hérésies, ils ont coutume de protester qu'ils dissertent indépendamment de la foi et en la laissant de côté. »

Parmi les thèses qu'osent soutenir ces philosophes, Étienne Tempier relève les suivantes : « le monde est éternel » ; « la résurrection future ne doit pas être considérée par le philosophe, car il est impossible d'en traiter par la raison » ; « la mort est le terme des choses redoutables » (négation de la survie de l'âme) ; « il n'est pas possible qu'un corps corrompu revienne à l'existence numériquement identique au corps qu'il était précédemment » ; « il est impossible à Dieu de faire subsister perpétuellement une réalité transformable et corruptible » ; « Dieu ne connaît pas le particulier ». Ce sont là autant de thèses propres à ruiner les dogmes fondamentaux de la foi chrétienne. D'autres propositions font de la philosophie la seule source de la certitude et dénient cette qualité à la théologie, affirmant que celle-ci repose sur des fables, que le mouvement et la race humaine sont éternels, qu'il n'y a jamais eu de premier homme, que l'histoire de l'univers est cyclique et se reproduit tous les trente-six mille ans, que les corps célestes sont mus par une âme, que la nature est une intelligence motrice, que tout événement est nécessaire, que la foi chrétienne a ses fables et ses erreurs comme les autres religions, qu'elle est un obstacle à la science, que le bonheur se trouve en cette vie et non en une autre. Les deux cent dix-neuf propositions de 1277 nous révèlent l'extraordinaire diversité des opinions circulant à l'université de Paris à cette époque, certaines allant jusqu'à un quasi-athéisme.

Le problème de la double vérité

La décision de censure était surtout motivée par les propos et les écrits de deux philosophes, Boèce de Dacie et Siger de Brabant. Du premier, nous savons qu'il fut inquiété pour ses opinions en 1277, et qu'en 1283 il était à la cour pontificale à Orvieto, peut-être prisonnier comme Siger de Brabant. Auteur d'un grand traité *De l'éternité du monde* et de plusieurs commentaires sur Aristote, il soutient dans ses œuvres la stricte séparation des domaines naturel et surnaturel. Le théologien n'a donc aucun droit de tirer des conclusions dans le domaine scientifique, et le savant ne peut se prononcer en matière théologique. Ainsi, pour reprendre la question de la création, il est impossible au physicien de prouver par la raison que le monde a commencé ; dans l'ordre naturel, la création n'existe pas ; tout phénomène est provoqué par un autre, tout être est engendré par un autre, tout mouvement est produit par un autre : il n'y a pas de premier homme, pas de commencement absolu.

Vérité de foi d'un côté, vérité rationnelle de l'autre : avec Siger de Brabant, ce n'est plus une simple distinction, mais une véritable opposition. Ce maître ès arts à Paris depuis 1266 recourt à toutes les subtilités et à tout le formalisme de la dialectique scolastique pour soutenir des sophismes très osés, tels que « Dieu n'existe pas ; les sens n'atteignent pas la réalité ; il n'y a pas de distance entre le passé et le présent ; le grave, laissé à lui-même, ne descend pas ; le principe de contradiction n'est pas vrai ». « Toutes propositions où l'on peut voir le germe de l'athéisme spéculatif », constate Émile Bréhier[21]. Dans ses *Questions sur la métaphysique*, Siger de Brabant se réfugie derrière le prétexte de l'étude scientifique d'Aristote :

> Notre intention principale n'est pas de chercher ce qu'est la vérité, mais quelle fut l'opinion du philosophe [...]. Ici, nous cherchons seulement l'intention des philosophes, principalement d'Aristote, même si par hasard le sentiment du philosophe ne correspond pas à la vérité, et même si la révélation nous a enseigné sur l'âme certaines choses qu'on ne peut conclure par des raisons naturelles. Mais pour l'instant les miracles de Dieu ne nous concernent pas, puisque nous traitons naturellement de choses naturelles[22].

Siger tire de l'aristotélisme des conclusions totalement opposées au dogme. Par exemple, « selon la foi, le monde et le mouvement ont commencé. Il n'y a pas de raison qui le prouve, car celui qui donne une raison ne pose pas la foi ». D'après la raison, donc, le monde est éternel, Dieu n'est pas la cause immédiate des événements et ne connaît pas le futur, il n'y a pas d'âmes individuelles mais un intellect universel, la résurrection est impossible. Siger ne se prononce cependant jamais sur la valeur absolue de ses conclusions. Alors que les grands docteurs de l'époque s'efforcent de concilier foi et raison, il se contente de prouver qu'elles sont antinomiques. Sa mise au point initiale est un bien maigre paravent : après avoir rappelé qu'il faut croire ce qu'enseigne l'Église, Siger montre que la science rationnelle conduit à croire le contraire.

« Siger n'admet d'autre vérité que celle qui est découverte par la raison », note Émile Bréhier. C'est déjà ce que pense un professeur de théologie qui enseigne à Paris en même temps que Siger : Thomas d'Aquin, qui n'aura de cesse que sa doctrine soit condamnée. Pour cela, dans son traité *Contre Averroès*, il s'attache à démontrer que la duplicité d'attitude de Siger revient à affirmer que le contenu de la foi est faux : « Il pense que la foi porte sur des affirmations dont on peut conclure le contraire en toute nécessité ; or, puisque en toute nécessité seul peut être conclu le vrai nécessaire dont l'opposé est le faux impossible, il s'ensuit, selon son propre dire, que la foi porte sur du faux impossible. »

Comme l'a bien montré Alain de Libera, Thomas d'Aquin est l'inventeur de la formule de la « double vérité », dont il attribue faussement l'origine à Averroès[23], et dont Siger, qui ne l'a jamais employée, serait le propagateur en Occident. Dans un sermon de 1270, le théologien s'en prend à ceux qui tiennent des propos impies en disant « qu'ils récitent les mots des philosophes ». Pour lui, c'est là l'attitude « d'un faux prophète et d'un faux docteur, puisque c'est la même chose de soulever un doute sans le résoudre que de l'accorder ». La même année, Albert le Grand intervient dans le débat, et une première condamnation est prononcée par l'évêque de Paris contre treize erreurs enseignées à la faculté des arts. Encore rappelé à l'ordre en 1272, Siger est convoqué le 23 octobre 1277 devant le tribunal de l'inquisiteur de France, Linon du Val. Reconnu hérétique, il en appelle à Rome, qui confirme le jugement et le condamne à l'internement à la Curie, où il meurt avant la fin de 1284, assassiné par son secrétaire.

« Aristote est un être divin », avait écrit Siger de Brabant. La redécouverte de la physique du Stagirite, au début du XIIIe siècle en Occident, est en effet une véritable révélation dans les centres intellectuels. Cette pensée ordonnée, logique, systématique, est commentée avec passion. Pour la foi cependant, elle peut être extrêmement dangereuse, en raison de son matérialisme foncier. À travers ses divers commentateurs, comme le Grec Alexandre d'Aphrodise et l'Arabe Averroès, la pensée aristotélicienne s'opposait au christianisme sur deux points : impossibilité de la création divine et éternité de la matière ; négation de l'immortalité individuelle, le seul élément immortel étant l'« intellect actif », qui est Dieu, dont chaque âme individuelle n'est qu'une partie provisoirement associée à un corps. C'est pourquoi l'enseignement de la *Physique* et de la *Métaphysique* d'Aristote est interdit à Paris en 1210, puis par le pape en 1215 et en 1228.

La condamnation de 1210, en particulier, est motivée par la propagation de deux hérésies de type panthéiste qui illustraient concrètement les dangers de certains aspects de l'aristotélisme pour la foi. Certes, il ne s'agit pas d'athéisme, mais plutôt d'une pensée qui tend à nier la séparation dualiste du divin et de l'humain, du sacré et du profane — un retour au monisme préplatonicien, qui est en fait l'étape ultime avant l'athéisme. La première de ces deux hérésies est celle d'Amaury de Bennes, mort en 1206, et dont on décide d'exhumer le cadavre pour le jeter en terre non consacrée. S'inspirant du philosophe et théologien du IXe siècle Jean Scot Érigène, il affirme que « tous les êtres sont un seul être et tous les êtres sont Dieu[24] ». Ce panthéisme spiritualiste pourrait facilement virer à l'athéisme. Il suffirait pour cela de substituer au mot « Dieu » le mot « matière ». D'ailleurs, pour Amaury, la foi allait être remplacée par la science comme source de connaissance.

Chez David de Dinant, à la même époque, l'influence aristotélicienne est plus nette. Ses œuvres, les *Quaternuli* et le *De tomis*, sont condamnées au feu, et il n'en subsiste aucun exemplaire. Mais sa pensée peut être reconstituée d'après ce qu'en ont dit ses adversaires. Pour lui, les trois principes aristotéliciens — Dieu, la matière et

l'intelligence — ne font qu'un, en raison de leur simplicité. Doctrine
que l'on a pu rapprocher du monisme parménidien et dont, écrit
Émile Bréhier, « la conséquence était de supprimer tous les dogmes
chrétiens et la base même de la vie chrétienne, la croyance à la chute
et à la rédemption [25] ».

Les séductions de la raison

À partir du XIIe siècle, les intellectuels chrétiens redécouvrent avec
ravissement les pouvoirs de la raison. À travers les traductions
d'arabe en latin des œuvres scientifiques et philosophiques grecques,
ils s'émerveillent de la sagesse des Anciens : « Nous sommes des
nains montés sur les épaules de géants », aurait dit Bernard de
Chartres. Mais les géants étaient païens et, pour beaucoup d'entre
eux, sceptiques, agnostiques, panthéistes, voire athées. Ce que les philosophes chrétiens vont chercher chez eux, ce sont des explications
scientifiques et des techniques logiques; pour la foi, ils ont les Écritures. C'est pourquoi ils vont se lancer à corps perdu dans l'étude des
sciences, avec un optimisme et un enthousiasme que l'on retrouve
rarement dans l'histoire.

La fameuse école de Chartres se distingue en effet par un esprit de
curiosité et d'investigation inépuisable, par un appétit de savoir extraordinaire dans tous les domaines. Gilbert de La Porée, Alain de Lille,
Guillaume de Conches, Thierry de Chartres expliquent les merveilles
du monde. Pour eux, Dieu est l'auteur de l'univers, comme le révèlent
les Écritures, et la science nous dévoile les trésors du fonctionnement
de son œuvre. Qu'il puisse y avoir opposition entre ces deux sources
de la connaissance, révélation et raison, est exclu. Abélard, l'un des
partisans les plus enthousiastes de l'union de la foi et de la raison,
écrit : « On ne peut croire ce qui ne se comprend pas, et il est ridicule
d'enseigner aux autres ce que ni soi ni ses auditeurs ne peuvent saisir
par l'intelligence. »

Paroles admirables, mais bien imprudentes ! Saint Bernard, le fou
de Dieu, l'implacable censeur et le vigilant gardien des vérités de la
foi, s'en émeut. Ces savants qui veulent expliquer la création de
l'homme « non à partir de Dieu mais de la nature » sont dangereux,
affirme-t-il. Abélard n'est qu'« un prétentieux bouffi d'orgueil » :
« [Il] travaille à détruire la vérité de la foi en soutenant que la raison
humaine est capable de comprendre Dieu dans toute son étendue. Il
plonge ses regards jusque dans les profondeurs des cieux et des
abîmes, car il n'est rien qu'il ne scrute au ciel ou dans les enfers [26]. »
Saint Bernard se méfie de la raison, car il sait que celle-ci, une fois
lancée, ne s'arrête plus, et qu'elle ne sera pas satisfaite tant qu'elle
n'aura pas occupé tout le terrain et poussé la foi hors de l'homme.

Déjà, il peut constater que les plus audacieux des Chartrains n'hésitent pas à mettre Dieu entre parenthèses pour approfondir la science en toute liberté.

C'est le cas de Guillaume de Conches (1080-1154). Ce dernier considère que, Dieu ayant créé la nature et ses lois, le déterminisme mécaniste est voulu par lui. La raison humaine a pour tâche d'expliquer le fonctionnement du monde, sans se laisser arrêter par d'apparentes contradictions avec les Écritures, qui peuvent être résolues par l'interprétation allégorique. Pas question non plus de se laisser impressionner par les prétendus « miracles », par lesquels Dieu contredirait lui-même les lois qu'il a créées : « Ce qui importe, écrit-il, ce n'est pas que Dieu ait pu faire cela, mais d'examiner cela, de l'expliquer rationnellement, d'en montrer le but et l'utilité. Sans doute Dieu peut tout faire, mais l'important, c'est qu'il ait fait telle ou telle chose. Sans doute Dieu peut d'un tronc d'arbre faire un veau, comme disent les rustauds, mais l'a-t-il jamais fait ? »

Ce sont donc les « rustauds » qui croient aux miracles, assimilés ainsi aux superstitions. Guillaume n'hésite pas, contre toutes les théories physiques et métaphysiques de son temps, à reprendre l'idée épicurienne des atomes, pourtant liée à la notion d'athéisme. Ces « particules simples et très petites, qui sont les premiers principes », se combinent pour engendrer toutes les formes. Et lorsque la Genèse affirme des faits qui défient les lois de la physique, comme « Dieu a posé le firmament au milieu des eaux », Guillaume écrit : « Nous allons montrer que cela est contraire à la raison, et, par conséquent, ne peut être », et doit donc s'expliquer par l'allégorie[27].

Si Dieu a fait le monde, le monde est raisonnable, et la raison peut donc le comprendre. Guillaume de Conches repousse l'attitude des fidéistes obscurantistes : « Je sais ce qu'ils diront ; nous ne savons comment la chose se fait, nous savons que Dieu peut la faire. Malheureux ! quoi de plus malheureux que semblables paroles ! Dieu peut-il faire une chose et ne pas voir comment elle est, et n'avoir pas de raison pour qu'elle soit ainsi, et ne pas rendre manifeste l'utilité qu'elle a ? » La nature, désacralisée, est une belle machine livrée à l'étude de l'homme. Guillaume de Saint-Thierry, alarmé par ces vues naturalistes qui chassent Dieu de ses œuvres, fait un catalogue des erreurs de Guillaume de Conches, et le dénonce à saint Bernard. Une science indépendante, c'est une science qui tôt ou tard en viendra à nier l'existence du Dieu de la révélation.

La menace de l'athéisme, le cistercien la voit aussi dans l'usage immodéré de l'orgueilleuse dialectique, cette logique rationnelle qui prétend résoudre tous les problèmes métaphysiques et même théologiques. Avec un outil pareil, aucun dogme n'est à l'abri, comme l'avait montré au milieu du XIᵉ siècle Bérenger, archidiacre d'Angers, qui avait contesté l'immortalité de l'âme, la résurrection, la transsubstantiation. Pierre Damien avait attaqué ces doctrines impudentes, déclarant que Dieu est supérieur au principe même de non-contradiction. À la fin du xiᵉ siècle, le dialecticien Roscelin utilise son art dans une autre direction : en niant la réalité des espèces et des genres — des « universaux », comme on les appelait —, et en affirmant que seuls existent les individus, il met en danger toutes les bases néoplatoniciennes de la théologie chrétienne. Mais pour lui, foi et raison sont deux domaines séparés, et la première n'a rien à craindre des spéculations de la seconde.

Toute cette agitation intellectuelle des xiᵉ-xiiiᵉ siècles montre que l'on est loin d'un paisible unanimisme de la foi chrétienne. Bien sûr, Dieu n'est pas directement remis en question dans ces débats. Mais, délibérément mis de côté par les uns, assujetti au cadre de la raison par les autres, il est soumis à rude épreuve. Tant que les esprits audacieux ne sont que des intellectuels, exprimant leurs idées dans de gros ouvrages en latin, l'Église peut contrôler la situation par ses censures et condamnations. Beaucoup plus difficile à diriger est le milieu des puissants, princes, rois, empereurs et leur entourage. La présence d'un prince aux idées hardies encourage la formation à sa cour de courants hétérodoxes pouvant aller jusqu'à l'athéisme.

Des milieux incrédules

La cour de l'empereur Frédéric II semble bien avoir été un tel foyer d'extrême liberté de croyance. Les accusations ne manquent pas, dès le xiiiᵉ siècle. En 1239, Grégoire IX écrit à propos de Frédéric :

> Nous avons des preuves contre sa foi. C'est qu'il a dit que le monde entier a été trompé par trois imposteurs, Jésus-Christ, Moïse et Mahomet, mettant Jésus-Christ crucifié au-dessous des deux autres, morts dans la gloire. Il a de plus osé dire qu'il n'y a que des insensés qui croient que Dieu, créateur de tout, ait pu naître d'une vierge [...] et qu'on ne doit croire que ce qu'on peut montrer par la raison naturelle [...]. Il a combattu la foi en plusieurs autres manières, tant par ses paroles que par ses actions [28].

En 1245, au concile de Lyon, l'avocat pontifical Albert de Beham traite ainsi l'empereur :

> Nouveau Lucifer, il a tenté d'escalader le ciel, d'élever son trône au-dessus des astres, pour devenir supérieur au vicaire du Très-Haut. Il a voulu usurper le droit divin, changer l'alliance éternelle établie par l'Évangile, changer les lois et les conditions de la vie des hommes. Ce soi-disant empereur n'est qu'un Hérode ennemi de la religion chrétienne, de la foi catholique et de la liberté de l'Église.

Adepte de l'astrologie, Frédéric II s'entretient avec son philosophe-astrologue Michel Scot de questions physiques et métaphysiques qui révèlent un esprit critique mettant en doute toutes les croyances qui ne lui semblent pas rationnelles, sur Dieu, le ciel, l'enfer [29]. La nature de l'âme le trouble particulièrement. Peu satisfait des réponses chrétiennes, il pose à son sujet les *Questions siciliennes* au dialecticien musulman Ibn Sabîn. Il ne rejette *a priori* aucune source d'information, d'Aristote aux Évangiles, en passant par le Coran et Averroès. Son éclectisme l'entraîne vers un extrême relativisme, et le musulman Ibn al-Jawzi, qui l'a fréquenté à Jérusalem, le considère comme un athée : « L'empereur était un matérialiste qui ne prenait pas au sérieux le christianisme. »

Élaborée dans un contexte polémique, cette conclusion doit sans doute être nuancée, mais la réputation de Frédéric II est entretenue dans les siècles suivants par une longue série d'accusations, qui portent aussi sur son entourage et sur ses partisans. Pour le chroniqueur Villani, au xve siècle, l'empereur « menait une vie épicurienne, n'estimant pas qu'aucune autre dût venir après celle-ci », et son fils Manfred ne croyait « ni en Dieu, ni aux saints, mais seulement aux plaisirs de la chair ». Pour Moreri, il était « impie jusqu'à l'athéisme ». Pour Dante, ses partisans italiens, les gibelins, à l'image du capitaine Farinata, pensaient que « le paradis ne doit être cherché qu'en ce monde ». Au xviiie siècle, l'érudit Mazzuchelli attribue la rédaction du *De tribus impostoribus* au secrétaire de l'empereur, Pierre des Vignes. Des anecdotes lui prêtent des remarques impies, telles que : « L'âme se dissipe comme un souffle », et : « Jusqu'à quand durera cette jonglerie ? », au passage d'un prêtre portant le saint sacrement. « C'était un athéiste », écrivait sans nuance le chroniqueur Fra Salimbene, contemporain de Frédéric II, qui rapporte avec effroi les études expérimentales menées par l'empereur pour vérifier les affirmations des livres d'Aristote et saisir le mystère de l'union de l'âme et du corps. Cette extrême curiosité, ce souci constant de vérification indiquent plutôt un esprit rationaliste et agnostique.

Un autre souverain de l'époque, Alphonse X le Sage, roi de Castille, a laissé une réputation suspecte, au point d'avoir été également accusé d'être l'auteur du *De tribus impostoribus*. Le biographe Beauchamp parle à son sujet d'« athéisme[30] », en raison du caractère éclectique et ouvert de ce savant qui fait appel à des juifs et à des musulmans aussi bien qu'à des chrétiens. Visiblement peu satisfait de l'œuvre du Créateur, « le roi répétait souvent son blasphème que, s'il avait assisté au conseil de Dieu, lors de la création de l'homme, il y aurait certaines choses qui seraient en meilleur ordre qu'elles ne le sont », rapporte l'historien Sanctius au xve siècle. Ces hardiesses ne sauraient être assimilées à l'athéisme, mais elles témoignent d'une remarquable liberté d'esprit.

Des rumeurs d'incrédulité concernent aussi des personnages moins célèbres, indices peut-être d'un scepticisme plus présent dans les écoles médiévales qu'on ne le pensait généralement. Ainsi ce clerc du xie siècle, Vilgard de Ravenne, dont le chroniqueur Raoul Glaber nous apprend qu'il considérait Virgile, Horace et Juvénal comme supérieurs aux Évangiles. « On découvrit en Italie plusieurs partisans de cette doctrine contagieuse », que certains d'entre eux vont répandre en Espagne. Plus connu, Simon de Tournai, docteur de l'université de Paris au xiiie siècle qui, d'après son contemporain Thomas de Cantimpré, « se mit à dire en outrecuidé des paroles exécrables de blasphèmes contre Jésus-Christ [...]. Ceux qui ont sujugué le monde par leurs sectes et enseignements sont, dit-il, trois : à scavoir Moïse, Jésus-Christ et Mahomet. Premièrement Moïse a fait devenir fol le peuple judaïc. Secondement Jésus-Christ les chrétiens. Tiercement Mahomet le peuple Gentil[31] ». Après cet esclandre, il aurait été frappé de stupeur. Pour les historiens, Simon de Tournai se serait en fait livré à un exercice d'école, examinant le pour et le contre du thème des trois imposteurs, ce qui montre au moins que ce thème était alors très répandu. On en trouve d'ailleurs une autre trace peu de temps après, au début du xive siècle, chez le théologien portugais Alvare Pelage, qui rapporte qu'« un nommé Scotus, cordelier et jacobin, détenu prisonnier à Lisbonne pour plusieurs impiétés, avait traité également d'imposteurs Moïse, Jésus-Christ et Mahomet, disant que le premier avait trompé les juifs, le second les chrétiens, le troisième les sarrasins[32] ».

La lecture de ces différents indices donne à réfléchir sur « l'apogée du Moyen Âge chrétien », entre le xie et le xiiie siècle. D'autant qu'en raison de la lourde tutelle ecclésiastique, des censures et des destructions, il est possible que nous n'ayons là que la partie émergée de l'iceberg sceptique ou athée. Ainsi, dans les milieux intellectuels européens du Moyen Âge circulent des idées rationalistes, qui s'attaquent aux piliers de la foi, traitent Moïse, Jésus et Mahomet d'imposteurs, nient l'immortalité de l'âme et l'idée de création, affirment que rien n'existe hors de cette vie ; des idées naturalistes et mécanistes, qui se situent hors du cadre des croyances. Il ne faut pas confondre ces idées avec les hérésies, qui sont aux antipodes de l'athéisme théorique puisqu'elles accroissent au contraire l'aspect irrationnel de la foi, en conservant ou accentuant certains points tombés en désuétude dans les credo officiels, et rompent l'équilibre théologique des grandes religions au détriment de la raison. Les courants que nous venons d'examiner détruisent aussi cet équilibre, mais au détriment de l'irrationnel. Ils tendent en fait vers un naturalisme athée.

Le besoin de « preuves » prouve le doute

L'effort des théologiens des xie-xiiie siècles pour approfondir les preuves de l'existence de Dieu n'est donc nullement un pur exercice d'école. On s'expliquerait mal l'importance qu'ils accordent à cette question s'il leur fallait simplement confirmer une évidence, une certitude unanime, une vérité inébranlable. Si la philosophie scolastique et la théologie spéculative sont mobilisées pour prouver que Dieu existe, c'est qu'il y a des esprits qui en doutent. Et ce n'est pas un hasard si la recherche des preuves s'intensifie au xie siècle avec saint Anselme. C'est en effet à ce moment que la dialectique commence à faire des ravages dans les certitudes de la foi.

Les « preuves » avancées sont évidemment adaptées aux besoins et à la culture de l'époque ; elles visent à réfuter une incroyance de type médiéval et à prouver l'existence d'un dieu médiéval, de type aristotélicien, qui n'est ni le dieu de la Bible ni celui de l'époque contemporaine. De plus, même à l'intérieur de leur contexte, elles ne persuadent que les convaincus. On ne prouve pas l'existence d'une personne, on l'éprouve. C'est pourquoi le dieu des preuves rationnelles peut être le dieu d'Aristote, celui de la philosophie, c'est-à-dire une notion ; mais du dieu de la Bible, on ne peut que faire l'expérience personnelle — c'est ce que disent les mystiques. Or ce type de rencontre est incontrôlable et l'Église s'en méfie, qui œuvre pour l'ensemble des fidèles auxquels Dieu ne se donne que par médiation : des signes pour les humbles, des preuves intellectuelles pour les savants.

Depuis l'Antiquité existent déjà les preuves morales, cosmologiques, providentialistes, celles de l'universalité de la croyance. Malheureusement, elles sont plus des arguments que des preuves. Au xie siècle, l'archevêque de Canterbury, saint Anselme, met au point ce qu'il croit être la preuve imparable, celle qui s'approche de l'évidence par son aveuglante simplicité : la preuve ontologique. Elle est contenue dans la définition de Dieu qu'il donne dans le *Proslogion* : Dieu est « l'être tel que rien de plus grand ne peut être pensé ». Or l'une des caractéristiques essentielles d'un tel être, c'est qu'il n'existe pas seulement dans la pensée, mais dans la réalité, car sinon il ne serait pas conforme à sa définition, il ne serait pas « le plus grand ». Donc Dieu existe nécessairement, et les athées ne pensent pas ce qu'ils disent : « *Dieu n'existe pas* est une proposition contradictoire. »

Cette preuve ontologique est contestée dès l'époque de saint Anselme par un moine de Marmoutier, Gaunilon, dans le *Pro insipiente*. Ce concept de Dieu, écrit-il, n'est-il pas une chimère, une pseudo-idée ? Comment peut-on sérieusement penser un concept dont le référent, c'est-à-dire l'être réel, n'est connu en aucune façon dans la réalité ? Anselme, dans son *Liber apologeticus*, répond que le concept de Dieu, avec tous ses prédicats (bonté, puissance, miséricorde, justice, éternité, etc.), nous vient de la foi. La « preuve » de saint Anselme, comme toutes les autres preuves, ne peut convaincre que celui qui croit déjà à l'existence de Dieu[33].

Au xiiie siècle, la quête des preuves s'oriente dans une autre direction, tout droit inspirée d'Aristote : le procédé de la régression à l'infini, la recherche de la première cause. Saint Thomas d'Aquin en a donné l'exposé le plus systématique dans la *Somme théologique*, avec les cinq voies d'accès vers Dieu. La première concerne la nécessité d'un premier moteur, pour expliquer l'existence du mouvement. La deuxième pose la nécessité d'une cause première, car on ne peut remonter à l'infini la série des causes et des effets. La troisième s'appuie sur l'affirmation d'un être nécessaire, qui existe par lui-même et dont tous les autres, les contingents, tiennent leur existence. La quatrième, inspirée de saint Anselme, postule l'existence d'un être possédant la perfection absolue, étalon de toutes les perfections. La cinquième, constatant la finalité qui existe dans le monde, conclut à l'existence d'une intelligence supérieure transcendante.

Il y aura bien d'autres tentatives aux XIᵉ-XIIIᵉ siècles visant à prouver l'existence de Dieu. Elles sont révélatrices d'un besoin ressenti chez ces penseurs épris de rationalité. Contrairement à ce que l'on a trop longtemps écrit, les intellectuels du Moyen Âge ont la passion de la raison. Situés dans une culture chrétienne, ils mettent cette raison au service de la foi, sans penser qu'il y a contradiction entre les deux domaines. Or leur démarche, loin de renforcer la croyance, prépare des arguments pour ses adversaires. Car il y a un fossé infranchissable entre l'essence et l'existence. « Prouver en effet l'existence de quelqu'un qui existe, écrira Kierkegaard, est le plus éhonté des attentats, car c'est une tentative pour le rendre risible. [...] Comment pourtant peut-on avoir l'idée de prouver qu'il existe, si ce n'est parce qu'on s'est permis de l'ignorer ; et voici qu'on rend la chose encore pire en lui prouvant son existence devant le nez[34]. »

Le désir de prouver l'existence de Dieu exerce cependant une sorte de fascination sur les penseurs chrétiens, surtout dans les âges dits classiques, ceux qui font confiance à la raison : après Thomas d'Aquin, Descartes, puis Leibniz et Malebranche reprendront les mêmes arguments. Bien que satisfaits de leur démonstration, ils n'ont sans doute converti personne. Les penseurs du XXᵉ siècle ont sévèrement jugé leur tentative, dans laquelle ils voient paradoxalement un renforcement de l'athéisme. « Affirmer Dieu, c'est notamment affirmer à la source première de tout, et même des plus hautes nécessités rationnelles, une Liberté concrète, un Absolu qui transcende formes et catégories, écrit en 1929 Édouard Le Roy. En conséquence, déduire Dieu équivaut à nier. Prétendre le trouver ainsi revient à vouloir l'atteindre par une méthode athée[35]. » En 1935, Gabriel Marcel le confirme : « La théodicée, c'est l'athéisme[36] », et Georges Gusdorf, étudiant à son tour le problème des preuves de l'existence de Dieu, observe : « Cette sorte d'athéisme a été pratiquée, fort innocemment, par la plupart des grands métaphysiciens classiques[37]. »

Vouloir prouver l'existence de Dieu, c'est réduire Dieu à un objet métaphysique, et adopter à son égard un point de vue qui est celui de l'athée. C'est plus un acte de foi en la raison qu'en un Dieu person-nel. Il a fallu attendre que Kant vienne ruiner les bases de la raison pure pour mettre fin à l'illusion d'une démonstration de l'existence de Dieu. Notre époque a poussé le criticisme beaucoup plus loin et a même dissous la raison dans le relativisme général, en montrant à quel point ses entreprises sont liées à l'histoire, à la culture d'une époque. Ses démonstrations au service de la foi ne valent qu'au sein d'une culture. L'évolution des normes culturelles, en révélant les fai-blesses des démonstrations précédentes, contribue à en faire des élé-ments de faiblesse pour la foi.

C'est déjà ce que soupçonnent les nominalistes de la fin du Moyen Âge. À partir du xive siècle en effet, l'atmosphère intellectuelle change. Duns Scot, l'un des premiers, émet de fortes réserves sur la possibilité de raisonner par analogie au sujet de Dieu. L'esprit humain ne connaît que les êtres sensibles et, écrit Émile Bréhier, « bien que Duns Scot ait admis la preuve de l'existence de Dieu, il paraît parfois douter que l'intelligence humaine puisse aller des êtres sensibles jusqu'à Dieu. [...] On voit comment l'univocité de l'être le pousse, quoi qu'il en ait, vers l'agnosticisme[38] ».

Le pas est franchi avec Guillaume d'Occam au milieu du xive siècle. Pour lui, foi et raison sont séparées, et leur autonomie rend vaines toutes les tentatives visant à prouver l'existence de Dieu : « Peut-on prouver par la raison naturelle que Dieu est la première cause effi-ciente de toute chose et qu'il est doué d'une puissance infinie ? Est-ce la même vérité sur Dieu qui peut être prouvée en théologie et en phy-sique ? » se demande-t-il dans ses *Quodlibet*, et sa réponse est néga-tive. D'abord, il est impossible d'arriver à la connaissance de Dieu par la science, car cette dernière ne peut connaître que le particulier, l'individuel, et ne peut prétendre atteindre la vérité, la réalité. L'esprit humain connaît intuitivement des objets singuliers ; il constate entre eux des relations, qu'il exprime par des signes et une logique for-melle, mais il ne peut prétendre remonter aux genres et termes univer-sels.

De même, les vérités religieuses sont indémontrables. D'une part parce que la seule existence certaine est celle qui peut être perçue intuitivement, et d'autre part parce que les « preuves » cosmologiques données par saint Thomas reposent sur une fausse conception scienti-fique de l'univers : la nécessité d'un premier mouvement et d'une première cause. À plus forte raison, nous ne saurions prouver la réa-lité des attributs divins — unicité, immutabilité, toute-puissance, infi-nité — puisque nous n'avons de connaissance intuitive que des contraires de ces qualités : pluralité, changement, finitude en puis-sance et en extension. Que le monde ait été créé est tout aussi indé-montrable, car on se retrouve alors avec une éternité avant et après lui, ce qui est absurde. En cette matière, seule la foi peut apporter des certitudes ; la raison n'est d'aucun secours.

Guillaume d'Occam anéantit les cinq preuves de saint Thomas. Certes, il n'aboutit pas à l'athéisme, mais il enlève à la croyance en Dieu tous ses soutiens rationnels, lui faisant courir le risque de dégénérer en superstition, dans le cadre d'un fidéisme intégral. Le XIVᵉ siècle annonce en effet un nouveau mouvement de balancier culturel vers l'irrationnel. Dans le domaine des sciences, le but n'est plus désormais de chercher la vérité, inconnaissable, mais de trouver des hypothèses capables de rendre compte des apparences. C'est ainsi qu'un disciple d'Occam, Nicolas d'Autrecourt, en revient à la théorie démocritéenne des atomes. Il doit se rétracter en 1347.

Dans le domaine de la pensée religieuse, l'heure n'est plus aux preuves, mais à la rencontre mystique, poussée parfois à un tel point de dépouillement que l'existence de Dieu semble s'évanouir. Dieu devient l'inconnaissable absolu, ce qui conduit le grand représentant de la mystique rhénane, Maître Eckhart, à écrire, dans le *Renouvellement de l'Esprit* : « Dieu est sans nom, car de lui personne ne peut rien dire ni connaître [...]. Si je dis encore que Dieu est quelque chose qui est, ce n'est pas vrai ; il est quelque chose de tout à fait transcendant, il est un *surétant non-être.* » Derrière ces mystérieuses formules se profile l'attrait pour le vide, le nihilisme. Au XVᵉ siècle, la théologie négative de Nicolas de Cues va dans le même sens : Dieu exclut toute détermination positive, il embrasse les contradictoires ; nous devons prendre conscience de notre ignorance au sujet de sa nature, car il est au-delà de nos capacités.

Cette approche de Dieu par la négation, ou apophatisme (du grec *apophasis*, négation), niant toute limite à la plénitude divine, plaçant le divin au-dessus de tout ce qui est concevable, peut aboutir à un quasi-athéisme, comme le relève Bernard Seve : « Prises littéralement, arrachées au mouvement d'ascèse qui les produit et qui les soutient, ces phrases seraient littéralement athées. » Les extrêmes se rejoignent : que Dieu soit en deçà ou au-delà de l'existence revient à peu près au même. Plusieurs auteurs spirituels et mystiques de la théologie négative ont d'ailleurs été soupçonnés d'athéisme. Claude Bruaire n'hésite pas, dans *Le Droit de Dieu*, à pousser le paradoxe jusqu'à sa conclusion extrême : « La théologie négative est négation de toute théologie. Sa vérité est l'athéisme. »

La recherche des preuves de l'existence de Dieu, du XIᵉ au XIIIᵉ siècle, réduisait le divin à un objet de connaissance intellectuelle contestable. La recherche du Dieu transcendant aux XIVᵉ et XVᵉ siècles conduisait à un abîme insondable où l'être ne se distinguait plus du néant. Pour tous ces théologiens profondément croyants, la quête de Dieu côtoyait sans qu'ils en eussent conscience l'athéisme, par le haut dans le premier cas, par un excès de rationalisme théologique, et par le bas dans le second cas, par un excès de pessimisme sur les capacités de l'esprit humain.

Miracles, merveilleux et scepticisme

L'ambiguïté existe aussi au niveau populaire, sous une autre forme. L'histoire des mentalités et la sociologie religieuse depuis un demi-siècle ne cessent de découvrir, derrière la « foi chrétienne » des masses médiévales, une extrême diversité de croyances et d'incroyances, mélange inextricable de foi et d'athéisme, d'animisme et de matérialisme. Superstitions héritées d'un autre âge, interprétations variées des dogmes chrétiens, rejet de certaines croyances fondamentales, détachement ou dérision à l'égard du culte, tout cela brouille les limites entre la foi et l'athéisme. Derrière ce foisonnement, ne peut-on discerner le spectre du scepticisme travaillant l'inconscient des masses ? N'est-ce pas l'angoisse existentielle née de la rupture de l'équilibre mythique originel qui se manifeste à travers toutes ces marques d'hétérodoxie ?

Dans son récent et très beau livre sur les *Mentalités médiévales*[39], Hervé Martin a relevé une foule de signes et de comportements dont l'interprétation nécessite le recours à un très ancien fonds non seulement préchrétien, mais même préreligieux. Les récits de miracles, par exemple, foisonnent à cette époque. On a pu en recenser quatre mille sept cent cinquante-six pendant les seuls xie et xiie siècles, dont 57 % de résurrections et de guérisons[40]. Ces récits, qui sont donc des textes hagiographiques, révèlent la présence d'un certain nombre d'incrédules, toujours punis par l'action du saint. P.A. Sigal en a relevé plusieurs exemples. Les mécréants sont surtout des seigneurs, qui nient le surnaturel ou l'intervention des saints. Ainsi, au début du xie siècle, un membre d'une célèbre famille d'Autun qui a pillé un prieuré déclare qu'il ne se soucie ni du pouvoir des saints ni des crédules qui y croient. Un autre seigneur, Bernard de Seneffe, se moque du clergé et affirme que les saints ne se mêlent pas de nos affaires. C'est aussi l'avis d'un écuyer présent au tombeau de saint Guillaume Firmat, et de Robert, comte de Mortaux. « La littérature hagiographique, écrit P.A. Sigal, n'a jamais perdu son caractère de littérature de combat, destinée à convaincre les incrédules[41] », ce qui suppose une certaine importance de ces derniers.

Ces textes révèlent que la mentalité mythique préreligieuse est toujours présente. Le saint guérit, de son vivant ou après sa mort, par le *mana*, cette force mystérieuse qui est dans les choses et qu'il a le pouvoir de manipuler. Le processus de guérison s'inscrit dans une structure fermée à base mythique, visant à restaurer un équilibre naturel : un manque initial (maladie) justifie un vœu ou un contrat passé avec le saint, qui entraîne un pèlerinage, suivi de la restauration de la santé du malade, puis de l'accomplissement du vœu. Les reliques ont également un pouvoir propre de guérison, une *vertu* qui peut même se stocker par trempage dans un liquide, le *vinage*, comme si l'on emmagasinait une énergie vitale.

Les récits hagiographiques montrent aussi, à travers le merveilleux, la capacité constante à produire des mythes : saints traversant la mer dans des auges de pierre, apparitions, monastères où la mort ne peut pénétrer, etc. Intégrés dans la prédication populaire sous forme d'*exempla*, ces mythes sont évidemment des dégradations, conceptualisées, de l'esprit mythique originel. Ils ne sont plus vécus, mais racontés. Ce merveilleux « exemplaire », qui hérite de superstitions préchrétiennes, se situe toutefois bien dans la grande entreprise de restauration magique de l'équilibre universel[42]. « Version atténuée du mythe, instrument logique pour penser et pour neutraliser la contradiction selon la définition fameuse de Lévi-Strauss, la légende laisse affleurer des problèmes fondamentaux auxquels elle apporte des "solutions" oniriques », écrit Hervé Martin[43], qui cite par exemple le cas des cerfs qui viennent s'atteler à la charrue du saint pour fournir une force de travail capable de vaincre l'hostilité du milieu naturel. L'intervention des fées est du même ordre.

Jung et Freud ont aussi mis en valeur les liens entre le merveilleux et le désir, avec l'effacement onirique des interdits, des frontières, des limitations : désir d'abondance, de délices, de bonheur, de liberté sexuelle. Désir aussi de fusion avec la nature, avec les forces naturelles, que révèle par exemple le monde des hybrides, mi-hommes, mi-animaux. À ce niveau de l'inconscient collectif populaire, on constate que cette prolifération des superstitions et du merveilleux médiéval, souvent considérée comme le signe d'une crédulité excessive à base religieuse, recouvre en réalité un substrat athée, naturaliste, préreligieux. Dieu est absent de ces désirs, où se manifeste une vision de l'humanité autonome immergée dans un univers moniste.

L'attitude de l'Église à l'égard du merveilleux et des superstitions au Moyen Âge tend à brouiller encore davantage les cartes. À partir du XIIe siècle, un encadrement clérical plus serré s'efforce d'intégrer les pratiques magiques et superstitieuses en les présentant comme symboliques. Cette christianisation des forces occultes préchrétiennes meuble le merveilleux et le miraculeux chrétien. C'est ce que Jacques Le Goff a appelé l'apparition d'une « orthodoxie du surnaturel[44] ». La croyance au double et à la lycanthropie peut ainsi renforcer la croyance à l'incarnation de Dieu ; les métamorphoses magiques s'accommodent très bien avec la transformation de l'eau en vin, ou de la femme de Loth en statue de sel. Il n'est pas jusqu'à la croyance aux monstres qui ne puisse servir d'illustration des différents péchés[45]. Tout cela vise à donner une image unifiée du monde, mais prépare des lendemains difficiles pour la foi lorsque, à partir du XIIIe siècle, se met en place un début de rationalisation de la croyance, avec une lutte contre les superstitions. Comment, au niveau populaire, va-t-on pouvoir opérer la distinction entre bonnes croyances et superstitions ? La lutte contre les secondes ne va-t-elle pas porter atteinte aux premières et aboutir à un scepticisme généralisé ?

Pendant longtemps, c'est plutôt l'inverse qui se produit, à savoir que la croyance l'emporte indistinctement, et que la masse des superstitions garde toute sa force dans la religion populaire. De nombreux témoignages signalent encore au XVe siècle des croyances surprenantes en pleine chrétienté : en Angleterre, des gens rendent un culte au soleil, à la lune, aux étoiles, et même au XVIIe siècle certains assimilent le Christ au soleil et le Saint-Esprit à la lune. Grottes, sources, arbres sont toujours objets de culte, en Italie comme en Espagne ou en Bretagne.

À la fin du Moyen Âge s'affrontent deux conceptions concernant les pouvoirs magiques supposés que possèdent certaines personnes :

> Pour les simples gens, écrit Jean Delumeau, notamment dans les campagnes, ils résultaient du *mana* — ce terme polynésien désignant une force mystérieuse s'applique bien ici — dont bénéficiaient certains individus. Mais pour les juges et les théologiens, ce qui ne semblait pas naturel ne pouvait logiquement s'expliquer que par une intervention suprahumaine. Derrière les maléfices se cachait la puissance de l'enfer que les aveux de pacte satanique et de participation au sabbat permettaient enfin de faire sortir de l'ombre[46].

Le *mana* ou Satan ? Les deux explications ne vont-elles pas dans le sens d'un affaiblissement du divin ? À terme, ces deux explications opposées renforceront scepticisme et athéisme, lorsque l'esprit scientifique et rationnel aura déconsidéré le *mana* et la sorcellerie. Les explications irrationnelles de la fin du Moyen Âge au niveau populaire contiennent autant de germes d'athéisme que le nominalisme au niveau savant.

« L'impiété grimace sous la bonhomie »

Certaines formes rituelles tolérées de dérision du sacré sont potentiellement tout aussi corrosives de la foi. C'est le cas de ces fêtes débridées qui partout ont lieu après Noël, fête des Fous, fête de l'Âne, fête des Innocents, ou encore charivari[47]. Lorsqu'on saisit leur apparition dans l'histoire, au XIIe siècle, ce sont des fêtes organisées dans les églises par de jeunes clercs, tournant en dérision les cérémonies religieuses, se moquant de la hiérarchie par des rites d'inversion. En dépit de leur caractère irrévérencieux, elles sont tolérées, à la fois comme un exutoire et comme une reconnaissance à l'envers de l'ordre social et naturel. Très vite, semble-t-il, elles prennent de l'ampleur, se prolongent, s'accompagnent de parodies, mascarades, bouffonneries, cris d'animaux, indécences de toutes sortes, avec une très forte empreinte de licence sexuelle. Robert Muchembled signale que jusqu'au XVIᵉ siècle, à Lille, « le jour des Innocents et plus généralement la fête des Fous, qui possédaient un caractère sexuel caractérisé, étaient des sortes de cérémonies magiques pour assurer la fécondité et les mariages de l'année suivante. Comme dans les lupercales romaines, les jeunes garçons, nus ou presque, poursuivaient les femmes et les jeunes filles, se livraient à des gestes obscènes, jetaient des cendres ou d'autres matières sur les spectateurs, etc.[48] ».

Ces fêtes, comme celles du carnaval, de mai, de la Saint-Jean, de la Saint-Michel, indiquent une population qui a conservé à travers les siècles une conception naturaliste, animiste et magique de l'univers. Un monde encore largement mythique, sans frontière entre le profane et le sacré. La multitude des rites festifs décrits par les folkloristes a permis de mettre en valeur six cycles de festivités au Moyen Âge, tous liés aux rythmes naturels, en particulier de fertilité : carnaval-carême, mai, Saint-Jean, Assomption, Toussaint, Douze-Jours (Noël)[49]. La liaison avec des commémorations religieuses chrétiennes ne doit pas faire illusion : c'est sur un substrat animiste et naturaliste que se greffe l'année liturgique.

Ces fêtes font aussi ressortir l'absence de sentiment de transcendance dans le peuple chrétien médiéval. Immergé dans le concret, celui-ci vit dans un monde de choses, de choses animées de forces. Dans les sacrements eux-mêmes, il voit essentiellement du concret, comme l'hostie que l'on veut absolument *voir* au moment de la consécration. Panthéisme populaire, ou naturalisme animiste, comme l'on voudra, qui permet à la magie d'agir — une magie naturelle, ni profane ni sacrée. Le monde du divin, c'est avant tout celui des saints, dont le *mana* peut être utilisé, des saints présents par leurs reliques et leurs statues, auxquelles on peut infliger de mauvais traitements s'ils ne remplissent pas leurs fonctions magiques.

Parler d'athéisme à propos de cet état d'esprit, c'est poser la question du vocabulaire. Contentons-nous de noter que la foi populaire médiévale, plus proche de l'esprit mythique que de l'esprit religieux, est à la limite de l'athéisme pratique. Elle se situe dans la partie inférieure de notre schéma de départ, dans ces régions de la magie, de l'occultisme et de la superstition qui caractérisent des populations accordant la primauté à l'action en raison de l'extrême précarité de leur existence. Ce quasi-athéisme pratique n'est qu'implicite. Mais l'ambiguïté commence à apparaître à partir du XIVᵉ siècle, avec les premières tentatives de la hiérarchie cléricale pour séparer le licite de l'illicite dans la foi populaire. Les risques d'un rejet conscient de la croyance peuvent alors se manifester.

Les premiers signes d'une réaction des autorités ecclésiastiques contre les fêtes populaires sont discernables à partir des années 1330. Sans doute sont-ils liés à l'importance prise par ces fêtes dans les villes, qui ont connu un grand essor du XIe au XIIIe siècle. Or, en milieu urbain, ces fêtes d'origine rurale perdent leur lien direct avec les rythmes biologiques. Moins spontanées, elles deviennent plus contestataires, plus agressives. Il reste, certes, un aspect onirique de recherche de l'âge d'or mythique, de retour au monde meilleur d'avant la rupture. Mais, dans le cadre urbain, la fête est aussi une occasion de décharger une agressivité contre des autorités qui polarisent les mécontentements. Elle est donc plus inquiétante. Les impertinences deviennent plus conscientes. Comme l'écrit Francis Rapp, « l'impiété grimace sous la bonhomie[50] ».

Face à cette contestation montante de certains aspects de la religion officielle, évêques, chapitres et conciles locaux réagissent, renforcent leur contrôle, interdisent. Ils finissent par avoir raison de la fête des Fous à la fin du XVe siècle. Surtout, ils entament le long combat contre le religieux illicite, contre la superstition ; ils entreprennent la grande œuvre de séparation du profane et du sacré, prenant le contre-pied de la politique syncrétique d'assimilation qui avait auparavant été la leur. Commence l'exclusion du profane, l'imposition d'un monde dualiste, qui n'existait jusque-là que dans l'esprit des savants. Cette œuvre, renforcée au XVIe siècle avec le concile de Trente, se prolongera au moins jusqu'au XVIIIe siècle.

Son impact est capital. Non pas tant par son succès, très relatif, que par les mentalités qu'il révèle et les réactions qu'il provoque. D'abord, le sacré, le divin rompt avec ses attaches matérielles, pour être relégué dans le transcendant. De plus en plus désincarné, isolé, circonscrit, il perd son assise naturelle. Sa disparition n'en sera que plus facile le moment venu, à l'époque scientifique. La séparation du profane et du sacré prépare en partie l'athéisme contemporain.

Les témoignages d'incroyance

À la fin du Moyen Âge, les premières luttes pour l'épuration de la foi ont pour effet de révéler la présence de nombreux signes d'incroyance au sein du peuple chrétien, des signes jusque-là négligés parce que recouverts du voile pudique du syncrétisme religieux. Les témoignages abondent.

Voici, dans le milieu de la jeunesse urbaine étudiante au XIIe siècle, les fameux goliards, que les historiens ont beaucoup de mal à cerner : des errants, sans doute, cultivés ou semi-cultivés, utilisant le latin, qualifiés aussi parfois de jongleurs, bouffons, ribauds, vagabonds.

Ils forment des groupes, provocateurs — leur nom viendrait de *gula*, la gueule, désignant donc des braillards. Dans leurs chansons, réunies sous le nom de *Carmina Burana*, ils s'attaquent aux autorités religieuses, fustigent leurs vices, leur cupidité, leur incontinence, d'une façon volontiers obscène, et tiennent des propos blasphématoires qui, pris à la lettre, trahissent un véritable athéisme : « l'âme est mortelle, je n'ai cure que de mon corps ! » ; je suis « plus avide de volupté que de salut éternel » ; « je veux mourir à la taverne, là où les vins seront proches de la bouche du mourant[51] ». Simples propos d'ivrognes ? Ce n'est pas sûr. La multiplication des condamnations à leur égard montre en tout cas qu'ils sont considérés comme un danger non négligeable. Honorius d'Autun les qualifie de « ministres de Satan » et leur refuse tout espoir de salut[52].

S'ils disparaissent au xiiie siècle, leur esprit se perpétue, notamment dans une tradition blasphématoire urbaine que l'on observe jusqu'à la fin du xve siècle. Dans ses *Marginaux parisiens*, Bronislaw Geremek a retrouvé leur trace : « Dans les procès des clercs et leur droit à bénéficier du *privilegium fori*, le reproche de "goliardise" apparaît souvent[53]. » Les motifs de condamnation visent notamment certains blasphèmes graves, qualifiés d'« hérétiques », en particulier « je renie Dieu », offense qui pouvait entraîner l'intervention du pouvoir civil et une condamnation à avoir la langue percée au fer rouge[54]. Les prédicateurs du xve siècle insistent sur la fréquence des pratiques blasphématoires : le cordelier Jean Foucault, à Dijon, demande une répression sévère contre leurs auteurs, d'autres signalent la recrudescence du « je renie Dieu[55] ».

Plus révélatrice peut-être, la dénonciation, dans les sermons, de l'existence de sceptiques, d'agnostiques, de raisonneurs et de fortes têtes dans les paroisses. En 1486, à Troyes, un prédicateur distingue quatre catégories de « croyants », dont la dernière semble bien proche de l'athéisme pratique :

> Crestiens croyent en IIII manières. Li uns simplement qui se fient des paroles des sains et de saincte esglise et point ne l'entendent, mais il se lesseroient avant tuer que il renoyassent Dieu. Autres sont qui par raison comprennent ce que foys ensoingne. Autres par sentement et par devocion. Ils n'onst pas raison mais onst sentement par experience. Autres qui ne croyent ni par raison ne par experience ne par sentement mais par coustume, qui ne pensent ne n'entendent fors aux choses presentez. Et ceux ci sont bien loings de la foy des crestiens[56].

À la même époque, un prédicateur d'Auxerre mentionne la présence de sceptiques, dont les doutes vont très loin :

> Veulent avoir expérience de leur foi et ne veulent point estre contens de la parolle de Dieu. Et quant on leur parle de Dieu et de son paradis et de ses jugemens il respondent : Et est-ce qui en est revenu ? Qui est-ce qui est descendu du ciel ? Il ne est que de estre. On scet bien où on est mais on ne scet où on va et que on devient. [...] Veulent veoir les signes et miracles de Dieu, sa passion ne sa resurrection ne leur souffist point et ne ont plus de foy que les diables[57].

Le prédicateur relève en outre que le conformisme de beaucoup cache en fait incroyance et athéisme : « Assez et beaucoup qui quelquez singerie qu'ils facent qui n'ont goutte de foy en eulx qui sont tous perverses et reprouvez. » Les mêmes observations sont faites par un prédicateur de Bayeux. Nous sommes loin, en cette fin du Moyen Âge, de l'acceptation crédule et unanime de la foi.

En Angleterre, à la même époque, des procès contre les milieux contestataires des lollards révèlent une surprenante gamme d'opinions « rationalistes ». L'historien John Thomson montre que ces opinions ne forment pas de système athée cohérent, mais nient des aspects essentiels de la foi, dans un esprit que nous qualifierions de « libre service de la croyance[58] ». En septembre 1422, un homme est jugé à Worcester pour avoir nié la résurrection des morts. Dans la même ville, en 1448, un certain Thomas Semer nie la divinité du Christ, l'existence du ciel et de l'enfer, l'immortalité de l'âme, la Trinité et le caractère divin des Écritures, ce qui est beaucoup pour un seul homme, clerc de surcroît. En 1491, on juge à Newbury un ouvrier foulon qui pense que l'âme meurt en même temps que le corps, comme la flamme s'éteint quand on la souffle. En 1499, à Salisbury, quatre hommes et une femme avouent qu'ils vont à la messe « uniquement par la peur des autres et pour échapper aux dangers qui nous menaçaient si nous n'avions pas fait comme les autres »; combien d'autres sont dans leur cas ? En 1502, à Windsor, on juge un homme qui ne croit pas à la résurrection, et en 1508 une femme d'Aldermanbury, pour le même motif[59]. En 1493, une Londonienne déclare qu'elle a son paradis en cette vie et qu'elle n'a rien à faire d'un paradis dans l'autre monde. La tentation d'athéisme a été confessée par de nombreux clercs et laïcs de cette époque[60].

Quelle importance accorder à ces témoignages? Selon un grand spécialiste des mentalités religieuses de cette période, l'historien Keith Thomas, il ne faut pas sous-estimer le scepticisme populaire médiéval : « Les tribunaux ecclésiastiques ont découvert une grande variété de scepticisme populaire. La majorité a été reléguée par les historiens sous le terme général de "lollardisme". Mais ce n'est nullement une théologie wycliffite ou proto-protestante qui sous-tend ce refus de quelques éléments fondamentaux de la doctrine chrétienne. [...] Il est possible que l'importance réelle de l'incroyance ait été beaucoup plus grande que ne l'indiquent les témoignages[61]. »

Nous souscrivons d'autant plus volontiers à cette opinion que des éléments viennent la renforcer des quatre coins de l'Europe. D'Italie émanent des bruits insistants de scepticisme; la littérature en est un bon miroir. Ainsi, l'œuvre de Pogge (1380-1459) contient un recueil de contes, les *Facéties* (1438-1452), dont beaucoup révèlent un profond scepticisme. Passe pour le tableau de la luxure et de l'avarice du clergé, thème anticlérical courant, mais certaines anecdotes vont bien plus loin, comme celle de ce malade à qui ses amis expliquent que Dieu châtie ceux qu'il aime, et qui rétorque : « Il n'est pas étonnant que Dieu ait si peu d'amis : à la façon dont il les traite, il devrait en avoir encore moins ! » Ou encore celle de cet évêque mangeant des perdrix un vendredi, et déclarant à son valet : « "Ne sais-tu pas que je suis prêtre ? Quel est le plus difficile, de fabriquer le corps du Christ avec du pain, ou des poissons avec des perdrix ?" Et il fit le signe de la croix, commanda aux perdrix de se changer en poissons, et les mangea comme tel. » Citons encore le cas de ce prédicateur qui, lorsqu'on lui reproche d'avoir dit que le Christ avait nourri cinq cents personnes au lieu de cinq mille avec cinq pains, rétorque : « Tais-toi, grosse bête : ils auront bien assez de peine à croire même aux cinq cents[62]. »

Ces historiettes révèlent le scepticisme ambiant, que partage probablement l'auteur, clerc, secrétaire apostolique, père de quatorze enfants, admirateur de Lucrèce et de Lucien, connu pour ses écrits licencieux, apologiste de l'hérésiarque Jérôme de Prague, dont il loue l'« obstination ou incrédulité ». Pogge est suffisamment suspect pour que plus tard on parle de lui comme de l'auteur possible du *De tribus impostoribus*.

Boccace a laissé la même réputation. Prosper Marchand écrit même, dans son *Dictionnaire historique* de 1758 : « Pour la religion, je crois que Boccace n'en avait pas et qu'il était parfait athée, ce qui pourrait se prouver par quelques chapitres de son *Décaméron*, principalement par celui dans lequel il est parlé d'un diamant qu'un père de famille laissa à ses trois fils[63]. » Dans ce conte symbolique, les trois religions, juive, chrétienne et musulmane, sont mises au même rang. Le *Décaméron* foisonne en tableaux et portraits révélant une société licencieuse et incrédule, à l'image de Messire Chapelet : « Il était très grand blasphémateur de Dieu et des saints [...]. L'église, jamais il ne la fréquentait, contemptant avec paroles abominables tous les sacrements comme chose vile. » Scepticisme, incrédulité, dérision à l'égard des miracles et des choses saintes imprègnent l'œuvre entière, outre les rituelles attaques contre le clergé.

Très révélateur est aussi le *De genealogia deorum*, composé vers 1360, dans lequel Boccace, reprenant l'idée d'Évhémère, montre comment les dieux antiques ne sont que le résultat de la déification de héros, ou de la personnification de phénomènes physiques. Il pousse l'audace jusqu'à suggérer que les premiers chrétiens avaient commencé à faire la même chose avec Paul et Barnabé. Rationalisme et matérialisme percent derrière ces insinuations.

En Italie toujours, en 1459, un docteur en droit canon, Jovinus de Solcia, est condamné pour avoir dit que « Moïse, Jésus et Mahomet avaient gouverné le monde à leur fantaisie[64] ». Au Portugal, la même année, Diego Gomez réduit les grandes religions à des influences astrales. Il affirme avoir lu dans un traité hébreu que le judaïsme, le christianisme et l'islam étaient « des extravagances de l'esprit humain, des fables puériles et ridicules », tandis que Saturne, Mercure et Mars règnent respectivement sur ces trois religions[65].

L'astrologie atteint à cette époque son apogée, et ses rapports avec la foi sont très ambigus. Dans un certain nombre de cas, cette pseudo-science trahit une conception naturaliste et matérialiste de l'univers, soumettant toutes les affaires humaines — y compris la religion — à l'action physique des astres. On fait l'horoscope du Christ, celui de Mahomet ; on explique l'apparition des grandes religions et leurs vicissitudes par les grandes conjonctions planétaires. La présence d'astrologues dans toutes les cours européennes, et même à celle du pape, contribue à entretenir le trouble, même si des réactions sporadiques viennent rappeler les limites à ne pas franchir : en 1327, Cecco d'Ascoli est brûlé à Florence. Parmi les chefs d'accusation figure son horoscope du Christ, expliquant sa sagesse, sa naissance dans une étable et sa mort en croix par l'influence des astres. Les protestations de Nicole Oresme (1320-1382), évêque de Lisieux, contre l'invasion astrologique illustrent la concurrence sournoise que celle-ci pouvait représenter pour la foi religieuse[66].

Le naturalisme matérialiste des paysans

Parmi les articles de foi les plus fréquemment contestés par la mentalité populaire médiévale se trouvent l'immortalité de l'âme et la résurrection des corps. Les philosophes et théologiens eux-mêmes ont bien du mal à élaborer le concept d'âme en phrases cohérentes avec des mots signifiant réellement quelque chose. C. Lecouteux a récemment montré la confusion qui a longtemps régné à propos de cette idée, qui tient à la fois de l'*animus* et du *spiritus* latins, de la « suiveuse », du double spirituel et du double physique germaniques[67]. Même le pape Grégoire le Grand, au début du VIIe siècle, n'est pas trop sûr à ce sujet. La question, nous l'avons vu, intrigue fort Frédéric II, et au XIVe siècle on trouve toujours, même dans l'élite sociale, des témoignages de totale incrédulité à cet endroit. Froissart rapporte que Betissac, trésorier du duc de Berry, aurait confessé : « [Je] ne puis croire qu'il soit riens de la Trinité, ne que li Fils de Dieu se daignat tant abaissier qu'il venist des cieulx descendre en corps humain de femme, et croy et di que, quand nous mourons, que il n'est riens d'âme. » Quant à la résurrection des corps, la croyance ne s'impose que très lentement. Au VIe siècle encore, Grégoire de Tours raconte que certains membres de son clergé n'y adhèrent toujours pas :

Un de mes prêtres souleva une fois de plus la pernicieuse doctrine des sad-ducéens et exprima son incroyance dans la résurrection des corps. Quand je lui expliquai que cela était prédit par les Saintes Écritures et que cela était confirmé par toute la tradition apostolique, il répondit : « Je ne conteste pas que beaucoup de gens y croient, mais nous ne pouvons pas savoir si cela est vrai, d'autant que lorsque Dieu fut en colère contre le premier homme, qu'il avait fait de sa propre main, il lui dit : Tu gagneras ton pain à la sueur de ton front, puis tu retourneras à la terre d'où tu as été tiré, car tu es poussière, et tu retourneras en poussière[68]. »

Devant ces exemples venus de haut, on ne s'étonnera pas de l'extraordinaire cacophonie de la religion populaire médiévale, dans laquelle ne manquent pas les notes de naturalisme, de matérialisme et d'athéisme[69]. Jacques Paul a pu parler de la présence d'« esprits forts, athées sauvages, ou naturalistes. [...] Admettons qu'une certaine incrédulité apparaisse, il reste à savoir si elle naît de l'hérésie, de l'anticléricalisme ou du folklore, c'est-à-dire de croyances anciennes refoulées ou disparues[70] ».

L'enquête menée au début du XIVe siècle par l'inquisiteur Jacques Fournier dans le village de Montaillou — enquête magnifiquement exploitée par Emmanuel Le Roy Ladurie — offre un véritable conser-vatoire de ces opinions naturalistes et matérialistes. Sont-elles parti-culières à ce territoire ? Nous ne le pensons pas. Il suffit pour s'en convaincre de voir l'extraordinaire variété des mythes naturalistes mentionnés un peu partout par les autorités ecclésiastiques jusqu'au début du XVIIe siècle.

Dans la région de Montaillou, beaucoup de gens humbles, comme Arnaud de Savignan, un carrier de Tarascon-sur-Ariège, croient à l'éternité du monde. Le monde matériel n'a jamais commencé et ne finira jamais, répond-il, précisant que cette croyance lui vient à la fois d'un proverbe populaire et de l'enseignement de son maître d'école[71]. Pour s'excuser, il ajoute : « À cause de mes occupations dans les car-rières de pierre, je sors très tôt de la messe, et je n'ai pas le temps d'écouter les sermons. » En fait, l'idée de l'éternité du monde semble avoir été largement répandue. Une femme d'Ax, Jaquette Carot, déclare : « Il n'y a pas d'autre siècle que le nôtre », et Arnaud de Savignan affirme : « J'ai entendu dire de beaucoup de gens, habitants du Sabarthès, que le monde avait toujours existé et qu'il existerait toujours dans l'avenir. » Même propos chez un homme d'Ax en 1335[72].

Nier la fin du monde, c'est aussi nier la résurrection de la chair. Les habitants du Sabarthès ne reculent pas devant cette logique. À Montaillou, Béatrice de Planissoles déclare « que les corps seront détruits comme des toiles d'araignée, parce qu'ils sont l'œuvre du diable ». Un notable local, Guillaume Austatz, exprime publiquement son scepticisme dans le cimetière, tandis que Bernard d'Orte clôt de la sorte une discussion avec quelques amis : « Après avoir ainsi blagué un moment, je dis à Gentile, en lui montrant les pouces de mes mains : "Ressusciterons-nous avec ces chairs et ces os ? Allons donc ! Moi, je n'y crois pas." » Même scepticisme désinvolte chez Jaquette Carot : « Retrouver nos pères et mères dans l'autre monde ? Récupérer nos os et notre chair, par la résurrection ? Allons donc[73] ! »

Quant à l'âme, beaucoup la considèrent comme purement matérielle. C'est le cas de Raymond de l'Aire, un paysan de la paroisse de Tignac, toujours dans la région de Montaillou. On peut même parler à son propos de naturalisme athée ou, comme Emmanuel Le Roy Ladurie, de « spinozisme sauvage ». En effet, pour ce pittoresque campagnard du début du XIVe siècle, tout ce que racontent les prêtres, « c'est de la truffe ». L'âme, c'est le sang, tout simplement, et il n'en est plus question après la mort. Évidemment, pas de résurrection, pas de paradis, pas d'enfer. La crucifixion, la résurrection, l'ascension du Christ, c'est aussi « de la truffe », tout comme la virginité de Marie : le Christ a été fait « dans le foutre et dans la merde, en branlant et en foutant, c'est-à-dire par le coït de l'homme et de la femme, tout comme nous autres ». D'ailleurs, il est possible, toujours d'après ses propres termes, « que Dieu et la Vierge Marie n'étaient pas autre chose que ce monde visible et audible[74] ».

Soutiendra-t-on encore que l'athéisme était inconcevable avant le XVIe siècle dans la mentalité populaire ? Non loin de là, à Ornolac, Guillemette Benet, villageoise, affirme que « l'âme, c'est du sang », tandis que pour l'éleveur Raymond Sicre, c'est du pain[75] ! Lorsque ladite Guillemette tombe du haut d'un mur et saigne du nez, elle crie : « C'est de l'âme. De l'âme ! L'âme n'est que du sang. » Les animaux ont donc eux aussi une âme, bien entendu.

Professant ainsi l'unité des espèces naturelles, y compris l'homme, ces paysans expriment parfois un panthéisme rustique : Dieu et la nature ne semblent faire qu'un. Ils en discutent en aiguisant leur faux, comme Pierre Rauzi et Raymond de l'Aire :

— Crois-tu que Dieu ou la bienheureuse Marie, c'est vraiment quelque chose ?
Et je lui répondis :
— Oui, bien sûr, je le crois.
Alors, Pierre me dit :
— Dieu et la bienheureuse Vierge Marie ne sont rien d'autre que le monde visible qui est autour de nous ; rien d'autre que ce que nous voyons et entendons.
Comme Pierre Rauzi était plus âgé que moi, je considérai qu'il m'avait dit la vérité ! Et je demeurai dans cette croyance pendant sept à dix ans, étant sincèrement convaincu que Dieu et la Vierge Marie n'étaient rien d'autre que ce monde visible qui est autour de nous[76].

Parfois, leurs explications des phénomènes naturels relèvent du pur naturalisme matérialiste : « Les arbres proviennent de la nature de la terre, et non de Dieu », affirme Arnaud de Bédeillac. « Le temps en suivant son cours fait le froid, et les fleurs, et les grains ; et Dieu n'y peut absolument rien », assure de son côté Aycard Boret.

Ces curieux paysans ariégeois ont décidément de surprenants côtés rationalistes. Ils semblent en effet, constate Emmanuel Le Roy

Ladurie, faire la différence entre religion, magie, superstition. On remarque chez eux « un véritable refus du miracle ; une volonté d'évacuer Dieu du monde matériel. En même temps que de Dieu, on se débarrasse de toute une causalité surnaturelle, à base de merveilleux concret. [...] Que font-ils donc, ces paysans, sinon théoriser un occamisme sauvage, qui lui aussi aboutit à l'évacuation du surnaturel[77] » ?

Y aurait-il donc correspondance, parallélisme, entre l'évolution de l'élite et celle du petit peuple vers l'expression d'un scepticisme profond, évolution vers un athéisme théorique par en haut et vers un athéisme pratique par en bas ? La fin du Moyen Âge, à partir de ce début du XIVe siècle, est marquée par une crise de la philosophie, de la théologie, et de la religion en général. L'élément rationnel, qui jouait le rôle de ciment des croyances, se lézarde, libérant les esprits, dont les uns dérivent vers le scepticisme et les autres vers le naturalisme. Certes, parler d'athéisme serait sans doute encore excessif, ou alors il faut lui donner un sens adapté à l'époque : aux XIVe et XVe siècles, Dieu devient plus inaccessible qu'il ne l'était auparavant. Inconnaissable pour les mystiques de la théologie négative, indémontrable pour le nominalisme occamien, inactif pour un certain nombre de fidèles, il semble briller davantage par son absence. Bien sûr, à travers les multiples catastrophes de cette époque troublée, le surnaturel est omniprésent, mais surtout dans ses formes dégradées que sont l'intervention des saints, la superstition, la magie, la sorcellerie. L'Église, affaiblie par l'épisode de la papauté d'Avignon, le Grand Schisme, la crise conciliaire, les hérésies, n'est plus à même d'assurer le respect des croyances traditionnelles et des dogmes. Un certain éclatement vers les marges se produit, pouvant aller jusqu'aux confins de l'athéisme.

Fragilité de l'encadrement clérical

On sent grandir l'impiété, favorisée par les désordres du temps : destruction des églises pendant la guerre de Cent Ans, relâchement de l'encadrement clérical, du fait d'un clergé décimé ou de qualité extrêmement médiocre, dont Paul Adam a laissé une bonne description[78]. Les prêtres, formés sur le tas par un curé qui leur apprend rapidement à célébrer les offices, sont admis aux fonctions sacerdotales après un petit examen mené par l'évêque ou l'archidiacre : des rudiments de latin, les formules sacramentelles, les canons pénitentiels, et surtout des cadeaux à l'examinateur. Cette pratique est fréquemment évoquée dans les farces populaires. Les résultats sont à la hauteur de ces méthodes. Guillaume Durand, évêque de Mende, fustige la grossière ignorance des prêtres, qui se rendent ridicules lorsqu'ils discutent de questions religieuses avec des infidèles. Nicolas de Clamanges s'indigne :

> D'où viennent nos curés ? Ce n'est pas à leurs études ni à leur école qu'on les a arrachés pour leur confier des paroisses, mais bien à leur charrue ou à leurs instruments de travail. Ils ne comprennent guère mieux le latin que l'arabe ; il y en a même, j'ai honte de le dire, qui ne savent pas lire et sont à peine capables de distinguer le *a* du *b*. [...] Que voulez-vous que je vous dise des connaissances littéraires et doctrinales du clergé, alors que presque tous les prêtres, sans comprendre ni les paroles, ni leur sens, sont à peine capables de lire lentement, syllabe par syllabe ? Quel fruit auront-ils pour les autres, eux pour qui ce qu'ils lisent est du barbare ? Comment arriveront-ils à obtenir de Dieu les grâces pour les autres, alors qu'eux-mêmes l'offensent et déshonorent leur ministère par leur ignorance et l'indignité de leur vie[79] ?

Les conciles locaux se lamentent sur leur tenue vestimentaire, leur refus de la tonsure, leur fréquentation des foires, marchés, tavernes, leur concubinage, leur amour du gain, et les moines mendiants les traitent d'« asnes defferrez[80] ». De nombreux prêtres sont mêlés à la vie militaire ; certains font partie des bandes de mercenaires, le plus illustre étant le fameux « archiprêtre », Arnaud de Cervole[81]. En 1368, Urbain V permet à l'évêque de Périgueux d'absoudre les prêtres ayant aidé les Grandes Compagnies. Comment un tel clergé a-t-il pu former et contrôler la croyance des fidèles ?

Aussi la vie paroissiale est-elle irrégulière. L'absentéisme à la messe dominicale est parfois massif. L'expression de « pratique unanime », trop souvent employée au sujet de la vie religieuse médiévale, se révèle erronée au vu des documents. Jamais et nulle part tous les fidèles n'ont été tous les dimanches à la messe. Dès l'époque carolingienne, les évêques, inquiets de ce phénomène, mettent en place des témoins synodaux, qui doivent prévenir les négligents et au besoin alerter les autorités. Au début du Xᵉ siècle, Réginon de Prüm rédige à leur intention un questionnaire : combien de paroissiens ne viennent-ils pas à la messe ? combien ne communient-ils pas aux grandes fêtes ? Un siècle plus tard, Burchard de Worms reproduit le même document.

À la fin du Moyen Âge, des réponses partielles peuvent être apportées à ces questions, grâce à des études de sociologie religieuse. En Flandre, J. Toussaert parle d'un « abstentionnisme perlé à la messe dominicale », d'un « laisser-aller tournant[82] », avec quelques exemples extrêmes : le chef de la révolte flamande de 1328 se vante de n'avoir jamais mis les pieds dans une église. Les évêques d'Angers, de Mende, de Montauban joignent leurs lamentations à celles de Nicolas de Clamanges. Des cas sont cités : un homme n'est pas allé à la messe depuis neuf ans à Grenoble, et deux femmes depuis trois ans dans l'officialité de Cerisy. Un dominicain écrit en 1330 :

> À messes ne vont qu'à matines
> ne n'oient loenges divines.
> Quant ils sont levés par matin,

la première parole de vin
est, et de boire et de mengier.
Et non pas d'aller au moustier[83].

La réception des sacrements est tout aussi fluctuante. Le concile d'Apt remarque au XIVᵉ siècle que « dans de nombreux diocèses il y a beaucoup de gens qui se disent chrétiens et qui ne se soucient guère de confesser leurs péchés ni de recevoir le corps du Christ », et Paul Adam conclut que règne « dans le peuple une certaine indifférence à l'égard des obligations les plus importantes de la religion[84] ». Ceux qui assistent aux offices ne semblent pas en tirer grand profit : on bavarde, on fait circuler les nouvelles, on interrompt le prêtre, on se contente souvent d'assister à l'élévation, pour voir l'hostie, ou d'embrasser une statue, avant d'aller à la taverne. Guillaume Le Maire, évêque d'Angers, se lamente au début du XIVᵉ siècle : « Dieu est blasphémé, le démon vénéré, les âmes se perdent, la foi catholique est foulée aux pieds[85]. »

Dès le XVᵉ siècle, les hommes sont plus éloignés que les femmes de la pratique religieuse. Ils ne veulent pas passer pour bigots, communient rarement, sont mal à l'aise et turbulents à la messe, jurent de façon provocatrice, par une sorte d'invocation à rebours : « Dieu me damne », « je renie Dieu », « ventre de Dieu », « corps de Dieu[86] ».

Certains milieux paraissent tout à fait détachés de la vie religieuse, à commencer par ces troupes irrégulières de mercenaires qui pillent et brûlent églises et monastères, torturent, violent et assassinent à travers l'Europe pendant la guerre de Cent Ans. Le chroniqueur Cuvelier prête à Du Guesclin cette tirade, alors qu'il rencontre les chefs des Grandes Compagnies :

En ce qui me concerne, messeigneurs, je vous le dis franchement,
Je n'ai jamais fait le bien et je m'en repens,
Je n'ai fait que le mal, occire et tuer les gens ;
Mais si j'ai fait du mal, vous devez admettre
Que vous ne valez pas mieux, et même
Vous pouvez vous vanter d'être encore pires.
   [...]
Considérons la vie que nous avons menée :
Violé les femmes et brûlé les maisons,
Tué hommes et enfants et mis à rançon,
Comment nous avons égorgé vaches, brebis et moutons,
Comment nous avons pillé oies, poussins, chapons,
Et bu les bons vins, et massacré,
Violé les églises et les monastères.
Nous avons fait bien pis que ne font les larrons ;
Si les larrons volent, c'est pour nourrir leurs enfants,
Et c'est pour vivre, car celui qui est frappé de pauvreté,
À peine peut-il en ce siècle subsister ;
Nous sommes pires que les larrons, nous qui tuons[87].

Quels pouvaient être les sentiments religieux de ces troupes d'Écorcheurs, Caïmans et autres Grandes Compagnies ? Il y a peu de risques d'erreur à avancer à leur propos le terme d'athéisme pratique. Dieu semble être pour eux un simple mot, utilisé essentiellement dans les jurons. Le soupçon d'athéisme se porte vers ces milieux de la rude fraternité militaire. Lors du procès des Templiers, au début du XIVᵉ siècle, le questionnaire mis au point par les juges comporte plusieurs entrées relatives au reniement de la foi[88].

Les autorités civiles s'inquiètent de la montée de l'impiété populaire à la fin du Moyen Âge. En France, si la première législation à ce sujet remonte à Saint Louis, c'est l'ordonnance du 22 février 1347, plusieurs fois reprise par la suite, qui marque le grand début de la lutte contre les blasphémateurs, prévoyant des peines de carcan, pilori, incision des lèvres et ablation de la langue. Du côté de l'Église, l'Inquisition n'a pas à s'occuper des infidèles, c'est-à-dire de ceux qui sont totalement en dehors de la foi chrétienne. La théorie est que l'on ne peut pas convertir par la force, comme l'avait écrit Tertullien : « Il est de droit humain et de droit naturel que chacun puisse adorer ce qu'il veut. » En fait, depuis saint Augustin, la pratique des conversions forcées est légitimée par le prétexte qu'elles ont pour but le bien éternel du converti ; et, dès lors, la négation de l'existence de Dieu peut devenir un motif de procédure inquisitoriale[89]. Les premières n'apparaîtront cependant qu'au XVIᵉ siècle.

Le monde des excommuniés, athées en puissance

À la fin du Moyen Âge, une autre forme de sanction ecclésiastique peut être à la fois révélatrice et génératrice de conduites athées : l'excommunication. De l'aveu même des autorités morales et religieuses de l'époque, Gerson, Nicolas de Clamanges, Pierre d'Ailly, son emploi est abusif. L'évêque d'Angers Guillaume Le Maire signale des paroisses comptant 400, 500 et jusqu'à 700 excommuniés[90], chiffres confirmés par les registres de l'officialité de Cerisy, en Normandie[91], tandis que dans le diocèse de Grenoble parfois plus de la moitié des paroissiens sont dans cette situation.

Les excommuniés, et parfois leur famille, comme à Angers (statuts de 1314), n'ont pas le droit d'entrer dans les églises, de participer aux offices, de recevoir les sacrements, d'être inhumés en terre chrétienne. Or, ce qui inquiète fort les pasteurs, c'est que la plupart d'entre eux ne cherchent nullement à obtenir leur absolution et mènent une vie normale. C'est là une « erreur nouvelle », constate le concile d'Avignon en 1326, puis en 1337. La question est posée : n'y a-t-il pas là un signe d'indifférentisme religieux ?

Cette inquiétude perce derrière les constats désolés des autorités : « Ils sont nombreux ceux qui, au mépris du nerf de la discipline, se maintiennent un an dans l'excommunication au grand détriment de leurs âmes et au grand scandale de beaucoup de gens », disent les statuts d'Avignon en 1341. « Les hommes méprisent totalement les sentences d'excommunication, ils rendent ridicule le pouvoir des clés, ils prononcent des paroles blasphématoires et scandaleuses contre l'Église et ses ministres, et ils déchirent le nerf de la discipline ecclésiastique », déclare l'évêque d'Angers. « Il est parvenu à nos oreilles qu'un abus abominable se développe dans certaines parties de notre territoire, à savoir que des hommes, fils d'iniquité et objet de malédiction, qui ne craignent ni Dieu ni homme, méprisent les censures ecclésiastiques », se plaint le concile de Lavaur en 1368. Celui d'Apt faisait le même constat en 1365 : « Il y a dans nos diocèses une infinité de gens excommuniés qui ne cherchent nullement à retourner au giron de sainte Mère Église. » Dans le diocèse de Grenoble, on signale, suivant les paroisses, de cinq à quarante excommuniés dont certains le sont depuis plus de dix ans sans chercher de réconciliation.

Les autorités ont beau tonner, menacer, rien n'y fait : « Le mépris affiché par les excommuniés est extrêmement dangereux, parce que l'excommunication entraîne la damnation éternelle », rappelle Pierre d'Ailly dans son *Traité de la réforme de l'Église*, tandis que l'évêque Hugon de Bourges s'émeut : « Persister longtemps dans l'excommunication est dangereux pour les excommuniés et pour ceux qui communiquent avec eux : l'impiété s'accroît, les erreurs pullulent et de nombreux dangers spirituels surgissent. » Pour Jean Gerson, cette attitude montre un « mépris de toutes les choses divines[92] ».

La foi de ces excommuniés endurcis est éminemment suspecte, expliquent les statuts d'Autun en 1323 : « Leur mépris est une raison suffisante pour que leur foi soit jugée suspecte. » Il est donc légitime de les traduire devant l'Inquisition, comme le prévoient les statuts d'Autun, d'Apt, de Bourges, de Paris, d'Orléans. À Bourges, l'évêque demande qu'on lui fournisse la liste de ceux qui sont excommuniés depuis plus de neuf ans. Mais les résistances sont vives et des curés sont menacés par les familles des excommuniés.

L'abus de l'excommunication n'a-t-il pas comme résultat de fabriquer des rebelles, chez tous ces gens qui se sentent injustement frappés, pour des motifs parfois futiles ? En outre, n'aboutit-il pas à accroître le détachement des victimes à l'égard de la foi ? Exclues des offices et des sacrements, celles-ci n'ont plus aucun contact avec la vie religieuse. Enfin, que les excommuniés ne fassent aucun effort pour se réconcilier ne révèle-t-il pas une sorte d'athéisme latent, une indifférence pratique vis-à-vis de la foi ?

Des dizaines de milliers de personnes qui vivent pendant des années hors de l'encadrement religieux nous prouvent qu'il faut réviser sérieusement l'image d'un Moyen Âge unanimement chrétien et croyant. Jean Delumeau a déjà amplement montré la part de légende qui s'attache à l'expression « Moyen Âge chrétien » : cette religion, encombrée de superstitions, de magie, d'astrologie, de restes de croyances païennes, qu'avait-elle à voir avec le « message évangélique »[93] ?

Mais une telle présentation des choses suppose qu'il existe un « vrai » message évangélique, authentique et intemporel, différent de celui que proposait l'Église médiévale. Ce « vrai » visage du christianisme ne pouvait se découvrir que par une exégèse attentive des origines, de l'élaboration des textes primitifs. Or, nous sommes aujourd'hui moins sûrs que jamais de la bonne interprétation de ces textes, moins sûrs que jamais des véritables intentions de Jésus. Combien d'images contradictoires ont pu être présentées, toutes se fondant sur des paroles d'Évangile ? Le « vrai » christianisme, est-ce celui de saint Augustin, celui de Luther, celui de Pie IX, celui de Jean-Paul II, celui de Hus, celui de saint François, celui de saint Bernard, celui du curé d'Ars, celui de Pie X, celui de Louis XIV, celui des jansénistes, celui des mystiques, celui des différentes hérésies ? Y a-t-il un « vrai » christianisme ? Celui de Vatican II, qui dit le contraire de Vatican I ? Celui de Jean XXIII, qui dit le contraire de Grégoire XVI ?

Si, à la fin du Moyen Âge, le christianisme n'a toujours pas montré son vrai visage, ne doit-on pas plutôt penser que le visage qu'il a présenté était le seul possible dans le contexte culturel de l'époque ? « Le » christianisme, immuable et intemporel, est un mythe, fort utile, il est vrai, pour nier toute déchristianisation. Les adversaires de l'Église peuvent ainsi être disqualifiés comme se trompant de cible, s'attaquant à une caricature de christianisme. Il y a eu le christianisme théocratique d'Innocent III, le christianisme conciliaire du xve siècle, le christianisme triomphaliste tridentin, le christianisme réactionnaire du xixe siècle, le christianisme intégriste de Pie IX et Pie X, le christianisme ouvert de Vatican II. Chacun était une expression religieuse inévitable, adaptée aux conditions socio-culturelles de l'époque, sans que l'on puisse en privilégier un au détriment des autres au nom d'un hypothétique et abstrait « vrai » christianisme.

Il y a donc eu une forme médiévale de christianisme, qui n'était ni fausse ni authentique. Et cette forme médiévale était travaillée par une multitude de tendances qui ont fait successivement pencher la balance vers un certain rationalisme dans les milieux savants, du xie au xiiie siècle, à l'époque de la « double vérité », puis vers un certain scepticisme, aux xive et xve siècles, à l'époque des nominalistes.

D'un bout à l'autre du Moyen Âge et de la chrétienté, des courants sceptiques ont existé. Dans l'Empire byzantin, au viie siècle, « les excès de la dévotion n'ont pas manqué de susciter des réactions : la gouaille libératrice de l'homme de la rue, le scepticisme de certains devant trop de miracles et trop de reliques... Les hagiographes donnent souvent l'impression d'avoir à répondre à des sceptiques[94]. » En Occident, au début du XIe siècle, Raoul Glaber parle d'un homme trop savant qui « s'était mis à enseigner avec emphase toutes sortes de choses contraires à la sainte foi ».

Ces formes de scepticisme et d'hétérodoxie peuvent difficilement être qualifiées d'athées au sens strict du terme. Le divin reste presque toujours présent sous une forme ou sous une autre. Mais il n'est pas exagéré de discerner un athéisme latent aux deux extrémités de la culture médiévale. Chez les savants, la tentation rationaliste aristotélicienne et averroïste est assez forte pour que certains acceptent de mettre la foi entre parenthèses lorsqu'ils étudient la nature ; pour leurs adversaires nominalistes, l'attitude est inverse, mais le crypto-athéisme est le même : la raison est incapable de prouver Dieu. Dans le peuple, Dieu apparaît noyé dans un amalgame de superstitions avec parfois de fortes tendances au naturalisme matérialiste ; la vie quotidienne des paysans ne semble pas loin de l'athéisme pratique. Chez tous, la présence divine paraît précaire. Dans la chrétienté de la fin du XVe siècle, des franges non négligeables de la société vivent implicitement un athéisme latent, théorique et pratique.

Le terrain ne pouvait que favoriser les premières attaques conscientes contre la foi au XVIe siècle.

DEUXIÈME PARTIE

L'athéisme subversif de la Renaissance

CHAPITRE IV

Le contexte d'incroyance
de la Renaissance

C'est à l'époque de Rabelais que se pose pour la première fois au sein de la chrétienté la question d'un athéisme conscient de lui-même. Les impertinences de l'auteur de *Gargantua* ont depuis longtemps attiré l'attention, d'abord des autorités religieuses, qui censurent l'ouvrage dès 1542, puis des historiens, qui scrutent les cinq livres de l'Angevin comme une pièce à conviction essentielle. Le débat, instauré depuis au moins le milieu du XIX\e siècle, dépasse bien sûr Rabelais. Il a pour enjeu de savoir si, au temps de François Ier et de Luther, des hommes et des femmes pensaient et agissaient déjà consciemment en athées.

Lucien Febvre et Le Problème de l'incroyance au XVI\e siècle

En 1877, Gebhart voit en Rabelais un sceptique qui se refuse à choisir entre le credo et l'incroyance[1]. En 1922, Henri Busson avance que la première Renaissance, en reprenant les idées antiques, a bel et bien fondé l'athéisme moderne, dont la première affirmation systématique aurait été le discours de Dolet à Toulouse en 1533[2]. L'année suivante, Abel Lefranc reconnaît en Rabelais un authentique incroyant[3]. En 1942, Lucien Febvre jette tout son prestige et son érudition dans la bataille pour démontrer le contraire, dans un livre brillant qui fera date, *Le Problème de l'incroyance au XVI\e siècle. La religion de Rabelais*. Le talent du grand historien semble avoir réglé la question, en dépit de retouches de détail[4], pendant un tiers de siècle.

Puis, en 1975, Henri Weber revient sur le sujet; il insiste sur la « crise de la piété » que connaît alors le peuple chrétien, vivant encore dans un « demi-paganisme », tandis que les humanistes, redécouvrant l'Antiquité, utilisant l'averroïsme padouan, marqués par les changements techniques et sociaux, accentuent la part de la raison et de la religion naturelle[5]. En 1976, François Berriot, dans une thèse soutenue à l'université de Nice, *Athéismes et athéistes en France au xvie siècle*[6], démontre, avec une grande abondance de matériaux, que l'incroyance est présente dès Rabelais, même si son expression est souvent brouillée par les impératifs de la plus élémentaire prudence. Depuis, la plupart des historiens se sont ralliés à cette opinion, à laquelle nous souscrivons également. Mais la situation n'est pas évidente, en raison de l'imprécision des termes, de la dissimulation indispensable à cause de la censure, et des affrontements interreligieux de l'époque.

Reprenons l'argumentation de Lucien Febvre. Pour ce dernier, les plaisanteries et impertinences de Rabelais s'inscrivent dans la ligne de l'époque, dans la tradition des bouffonneries cléricales, parodiant les cérémonies du culte et les paroles de la messe, contrefaisant les gestes et les épisodes sacrés ; les miracles, la résurrection d'Épistémon ne sont que des parodies de romans de chevalerie. D'ailleurs, les contemporains de Rabelais n'ont pas relevé contre lui de charge d'incroyance : ni dans son enseignement à Montpellier, ni dans ses écrits, que la Sorbonne soupçonne plutôt d'être favorables aux réformés.

L'accusation d'athéisme contre Rabelais est lancée en 1549 par frère Gabriel de Puy-Herbault, qui l'associe au terme de « luthérien ». Mais, comme Lucien Febvre le remarque justement, le terme d'« athée » est alors une injure qui désigne un hérétique, un schismatique, un sacrilège, un hétérodoxe, ou toute personne ne partageant pas la foi de la communauté à laquelle elle appartient. C'est bien dans ce sens que l'utilise le calviniste Viret, dans son *Instruction chrestienne* de 1564 :

> Quand saint Paul, en l'Épître aux Éphésiens, appelle les païens *athéistes*, il déclare bien que ceux-là ne sont point seulement sans Dieu qui nient toute divinité, mais ceux aussi qui ne connaissent point le vrai Dieu, mais suivent les dieux étrangers au lieu d'iceluy. [...] On appelle communément de ce nom non seulement ceux qui nient toute divinité, si ainsi est qu'il s'en puisse trouver de tant malheureux entre les hommes, mais aussi ceux qui se moquent de toute religion comme les déistes.

« Athée » est une sorte de superlatif de « déiste » ; plus généralement encore, écrit Lucien Febvre, « "athée" » n'est qu'un gros mot, destiné à faire passer un frisson sur un auditoire de fidèles[7] ». C'est aussi une insulte, comme le rapporte Henri Estienne avec l'anecdote de Pasquin, injurié : « Que t'a-t-on dit, lui demandent ses amis, larron ? menteur ? empoisonneur ? — Bien pis, répond Pasquin. — Sacrilège, alors, ou parricide ? bougre ? athéiste ? — Bien pis... — on m'a appelé pape[8] ! »

Cette insulte, on se l'envoie fréquemment à la figure dans les débats religieux passionnés du xvie siècle. Qui ne s'est pas fait traiter d'athée à cette époque ? Dolet, par Calvin ; Érasme, par Dolet ; Scaliger, par Rabelais ; Castellion, par Conrad Badius ; Ronsard, par

La Roche-Chandrieu[9]... En ces temps de luttes religieuses, on est toujours l'athée de quelqu'un. Pour le protestant Antoine de La Roche-Chandrieu, il n'est pas pire athée qu'un catholique :

> Athée est celuy que la coustume emporte
> Ores croyant ainsi, ores d'une autre sorte,
> [...]
> Athée est qui, mentant, maintient la papauté
> De laquelle il se moque et voit la fausseté[10].

Vu de l'autre camp, c'est Luther qui passe pour athée. L'accusation est lancée par un homme sérieux, le cardinal Du Perron, qui arrive à cette conclusion parce que le réformateur semble plus ou moins accepter l'idée du sommeil des âmes jusqu'au jour du jugement. Pour le père Garasse, Luther atteint « à la perfection de l'athéisme ». Henri Estienne, lui, est appelé par les calvinistes « le Pantagruel de Genève et le prince des athéistes ». Et Lucien Febvre de conclure : « Athée : le mot portait au milieu du xvie siècle. Il n'avait pas un sens strictement défini. [...] Méfions-nous des mots d'autrefois. Ils ont généralement deux valeurs, l'une absolue, l'autre relative. La première est déjà malaisée, souvent, à définir. Quand on a dit que l'athéisme c'est le fait de nier la divinité, on n'a pas dit grand-chose de précis. Mais, par surcroît, la valeur relative du mot a bien changé. [...] Méfions-nous des mots ; méfions-nous plus encore des arguments et des accusations d'autrefois[11]. » Nous tâcherons de retenir la leçon.

Lucien Febvre rappelle d'ailleurs que tous les termes désignant une forme d'incroyance ont été forgés après le xvie siècle, que ce soit *libertin* et *libertinisme* (vers 1600), *déisme* (xviie siècle), *panthéisme, matérialisme, naturalisme, fatalisme, théisme, esprit fort, libre penseur* (xviiie siècle), *rationalisme* (xixe siècle)[12]. Les contemporains de Rabelais manquent donc de concepts, d'outils mentaux essentiels à la compréhension du phénomène de l'incroyance. De plus, pour élaborer une pensée athée cohérente, il faudrait qu'ils puissent trouver des appuis dans la philosophie et la science de leur époque. Or ils vivent dans un monde mêlant naturel et surnaturel, science et magie, sacré et profane, un monde où la notion de nature autonome, soumise à ses propres lois déterministes, n'existe pas. Même les découvertes géographiques, si importantes à l'époque, écrit Lucien Febvre, ne faisaient pas « surgir dans leurs esprits des objections, d'insurmontables objections contre le christianisme », mais uniquement « une étonnante ferveur de prosélytisme[13] ». Les hommes de ce temps, dit-il encore, gardaient une confiance inébranlable dans l'Écriture, d'inspiration divine, même si de rares individus, à partir de 1550, appliquent aux Évangiles les schémas d'explication évhéméristes.

La conclusion de Lucien Febvre est sans appel : « Parler de rationalisme et de libre pensée, s'agissant d'une époque où, contre une religion aux prises universelles, les hommes les plus intelligents, les plus savants et les plus audacieux étaient incapables vraiment de trouver un appui soit dans la philosophie, soit dans la science : c'est parler d'une chimère. Plus exactement, sous le couvert de mots sonores et de vocables impressionnants, c'est commettre de tous les anachronismes le plus grave et le plus ridicule ; c'est, dans le domaine des idées, munir Diogène d'un parapluie et Mars d'une mitrailleuse [14]. » Et encore : « Prétendre faire du XVIe siècle un siècle sceptique, un siècle libertin, un siècle rationaliste, et le glorifier comme tel : la pire des erreurs et des illusions. De par la volonté de ses meilleurs représentants, il fut, bien au contraire, un siècle inspiré. Un siècle qui, sur toutes choses, cherchait d'abord le reflet du divin [15]. »

Il est impossible de ne pas croire à l'époque de Rabelais. Tel est le message central de Lucien Febvre. S'il y a des signes d'incroyance, ils ne concernent que des cas isolés de personnages touchés par le sort, qui se posent des questions sur le mal. Cette incroyance n'est pas celle d'aujourd'hui. Elle n'a rien de systématique, et ne va jamais jusqu'au bout de sa logique, l'athéisme. Ce n'est que vers le milieu du siècle que les choses commencent très lentement à changer.

Après François Berriot, et en utilisant les travaux les plus récents, nous estimons que ces conclusions sont à nuancer fortement, aussi bien en ce qui concerne l'outillage mental permettant d'élaborer un véritable athéisme qu'en ce qui touche la présence de véritables athées, en particulier dans certaines couches sociales.

Padoue et Pomponazzi

Les changements socio-économiques, politiques, religieux et culturels de la première Renaissance rendent possible une conception athée du monde. D'abord, il n'y a pas rupture brutale avec le Moyen Âge. Or, nous avons vu que l'histoire intellectuelle médiévale avait créé les conditions d'un athéisme latent, avec le rationalisme averroïste, le naturalisme de l'école de Chartres, la double vérité, la discussion des preuves de l'existence de Dieu, le nominalisme occamien et la théologie négative. Tout ce débat d'idées laisse des traces, et se poursuit, surtout en Italie. Plus encore qu'à notre époque, les idées circulent — dans la langue commune des savants, le latin — entre les centres intellectuels européens.

Ainsi, en Italie, à Padoue, dans cette université dépendant de Venise et échappant au pouvoir de l'Inquisition romaine, se développent des spéculations très libres et audacieuses, qui prolongent le courant de l'averroïsme latin. On y soutient des thèses niant le miracle et l'immortalité de l'âme, séparant foi et raison. La réputation des Padouans est douteuse dès le XVe siècle, et bien des esprits suspects de l'époque y ont fait un séjour, comme étudiants ou comme enseignants. Dès le XVIIIe siècle, l'érudit allemand J.F. Reimmann, l'un des premiers à avoir écrit une *Histoire de l'athéisme*[16], avait insisté sur le rôle fondamental de Padoue. Pour ce luthérien fervent, superstition et athéisme allaient de pair en Italie au XVIe siècle, à cause des scandales de la papauté, de l'hypocrisie des théologiens romains, du machiavélisme des jésuites, du culte d'Aristote, du caractère dissolu des mœurs, de l'application des Italiens à la philologie plutôt qu'à la théologie. Pour lui, il y a déjà de nombreux athées en Italie au XVe siècle, et leurs idées seraient passées en France au XVIe siècle avec des gens comme Césalpin, Ruggieri, Vanini. De ce côté des Alpes, le terrain aurait déjà été préparé par Pétrarque, Pierre Grégoire, Pierre Firmin. La thèse de l'athéisme des Padouans sera reprise par Renan et Mabilleau au XIXe siècle[17], et par les grands historiens de la libre pensée au XXe siècle, Charbonnel, Busson, Pintard.

Plus récemment, P.O. Kristeller a contesté cette interprétation et soutenu qu'il s'agit d'une lecture orientée de l'histoire de la pensée, relevant du mythe accrédité à la fois par les croyants et les incroyants des XIXe-XXe siècles[18]. Il en veut pour preuve la vie et la doctrine du plus illustre des Padouans de l'époque, Pietro Pomponazzi (1462-1525). L'homme est effectivement représentatif, mais pas dans le sens suggéré par Kristeller.

Que nous dit son œuvre? En 1516, son *Traité de l'immortalité de l'âme* établit que celle-ci ne peut être démontrée par la raison. Pour lui, Thomas d'Aquin a trahi Aristote, qui niait cette immortalité, ainsi que la plupart des philosophes antiques. Cette croyance n'aurait été introduite que pour maintenir les peuples dans l'obéissance, idée qu'il illustre dans le dernier chapitre en plaçant les trois grandes religions sur le même plan. Le livre se situe bien dans la ligne de la double vérité : la lumière naturelle de la raison nous enseigne souvent le contraire de la foi, mais c'est à cette dernière qu'il faut se soumettre. L'œuvre fait scandale. Pour la défendre, Pomponazzi compose deux traités anonymes dans lesquels il revient sur la même idée : les plus grands sages antiques, Simonide, Homère, Hippocrate, Galien, Pline, Sénèque, Alexandre d'Aphrodise, Alfarabius, ont nié l'immortalité de l'âme, et celle-ci n'a été qu'un moyen utilisé par les législateurs pour tenir les peuples. Malgré les protections dont bénéficie l'auteur, le livre est brûlé et mis à l'Index.

Pomponazzi a aussi écrit un traité *Du destin, du libre arbitre et de la prédestination*, et un autre *Des affections naturelles*, publiés de façon posthume, respectivement en 1567 et 1556. Le libre arbitre, y expose-t-il, est inconciliable avec l'idée de providence, et les miracles ont des causes naturelles, que la science expliquera un jour. Certains sont également de faux miracles, dus à notre imagination. Il s'attaque donc à l'une des preuves traditionnelles de la religion, et mène une vigoureuse offensive contre l'action supposée des saints, assimilés parfois à des charlatans. Il fait d'audacieuses allusions aux pseudo-miracles qui marquent la naissance des religions, met en doute la vérité des résurrections miraculeuses, autant d'éléments qui seront maintes fois repris par les libertins. Bien sûr, il y a toujours la pirouette finale : ces pieux mensonges sont utiles pour renforcer la foi des peuples. Quant aux savants, même si la raison les conduit à nier, ils doivent croire aveuglément ce que leur dit la révélation.

Donc, affirmera-t-on, Pomponazzi n'est pas athée. Toutefois, beaucoup l'ont cru. Si, comme le rappelle Kristeller, il est mort paisiblement, professeur dans une université des États pontificaux, inhumé par un futur cardinal, il le doit uniquement à ses puissants protecteurs, les cardinaux Bembo et Jules de Médicis. Et la protection des prélats de la Renaissance n'est pas un gage d'orthodoxie. De nombreux contemporains ont accusé Pomponazzi d'athéisme. Dès 1518, Niphus avait composé un libelle, *De immortalitate*, pour réfuter le *Traité de l'immortalité de l'âme*. Ses disciples eux-mêmes, Paul Giove et un certain Hélidée, ont parlé de son matérialisme athée. Toutefois, comme le remarque François Berriot, il apparaît plus comme un sceptique, voire comme un agnostique, « un homme qui cherche, et cette quête le torture ». Situation inconfortable, il est vrai. Peut-on rester déchiré entre sa foi et sa raison sans pencher d'un côté ou de l'autre ? Le vrai choix de Pomponazzi, comme de beaucoup de ses contemporains, ne nous est pas connu. Ces hommes ne pouvaient s'exprimer en toute franchise, en raison des interdits ecclésiastiques. D'où le caractère sinueux de leur pensée, leurs revirements, leurs repentirs, leurs contradictions. Mais ils agitent bien des idées, et celles-ci secouent durement les certitudes de la foi.

L'usage du doute en Italie

Plus d'un siècle avant Descartes, l'utilisation du doute méthodique se répand dans toute l'Europe comme un moyen d'exprimer prudemment des idées dangereuses. Voilà une autre innovation culturelle dont il faut tenir compte : « Supposons que... » Ainsi peut-on énoncer une thèse incrédule. Mais « supposer que » ne veut pas dire nier. Bien sûr, on procédera ensuite à la réfutation, mais le mal est fait. Les scolastiques, il est vrai, avaient recours à un procédé semblable, examinant le *pour* et le *contre* d'une idée avant de donner leur solution. La pratique universitaire et monastique de la *disputatio*, exercice d'argumentation formelle, pouvait elle aussi prêter à des échanges un peu équivoques. Mais, alors que jusque-là elle était strictement réglementée, contrôlée et limitée, elle devient, en Italie d'abord, un moyen général de remise en cause des croyances. C'est ce qu'avait déjà étudié en 1939 Delio Cantimori[19], et que vient d'approfondir plus récemment Silvana Seidel Menchi : « Les archives inquisitoriales italiennes font au contraire la preuve de la pénétration du doute dans les milieux les plus divers de la dissidence, et de sa tendance à devenir, bien plus qu'un instrument de communication, un *habitus mentis*[20]. »

Typique des dégâts que peut provoquer la méthode est cette déposition en 1559 d'un augustin de Catane, Andrea Ursio, sommé de s'expliquer au sujet des opinions hétérodoxes qu'il a émises sur la présence réelle dans l'Eucharistie. C'est une déformation, dit-il, qui date du temps « où j'étais répétiteur et devais chaque matin, dans les disputes que nous tenions au couvent, argumenter contre le vrai, par exercice[21] ». Dans certains couvents, on organise des colloques au cours desquels deux orateurs s'affrontent en soutenant des thèses opposées sur des passages de l'Écriture, et même sur des dogmes. Ainsi s'insinuent des doutes, que répertorient les archives inquisitoriales — doutes sur les différences de pratiques cultuelles suivant les pays, doutes sur l'au-delà, doutes sur les sacrements : « J'avais toujours cru et soutenu que le [sacrement de l'autel] était le vrai corps et le vrai sang du Christ ; mais, en apprenant qu'il pouvait pourrir, j'ai commencé à douter[22]. »

Dès les années 1530, des laïcs commencent aussi à utiliser la méthode. Les doutes exprimés vont de plus en plus loin. Du doute technique, herméneutique, on passe au doute systématique, substantiel. On remet en question la valeur historique des Évangiles. Et, inévitablement, certains finissent par l'athéisme. Ainsi le moine Giulio Basalù, qui confesse en 1555 : « J'ai lu quelques-unes des annotations d'Érasme et je l'admirai de nier, me semblait-il, la divinité du Christ » ; il en vient à l'idée qu'« avec la mort du corps, l'âme de tout un chacun mourait aussi », que Dieu n'existe pas, « toutes les religions [n'étant qu'une] invention des hommes pour conduire leurs prochains à une vie honnête[23] ». Le frère Marco, un bénédictin de Split, aboutit à peu près à la même conclusion.

Dans la confession de Basalù, Érasme est mis en cause. Non sans raison. Le Hollandais est un grand coutumier de la mise en doute, ce qui lui vaut d'être condamné par la Sorbonne en 1526-1527, pour plusieurs propositions « scandaleuses, blasphématoires et hérétiques » contenues dans les *Colloques* et les *Paraphrases*. Il ose douter de l'attribution de l'Apocalypse à saint Jean, de l'Épître aux Hébreux à saint Paul, du Symbole des Apôtres aux apôtres, ainsi que de l'authenticité des paroles eucharistiques, de l'obligation de la confession auriculaire, de l'efficacité des indulgences, de l'état de l'âme séparée du corps, de la révélation à la Vierge de la nature humaine et divine du Christ. Ces impertinences, ces soupçons blasphématoires ne peuvent que rendre furieux les dogmatiques des deux camps. Lorsque Érasme propose en 1524 de réserver aussi comme douteuses la question du libre arbitre et celle de la Trinité, Luther s'emporte, le qualifie de sceptique et même d'athée, d'après le père Maimbourg. De même, le père Garasse unira Érasme et Zwingli comme « tiercelets d'athéisme ». Depuis l'*Éloge de la folie*, on comparait d'ailleurs Érasme à Lucien, et on lui reprochait d'avoir mis juifs, chrétiens et musulmans sur le même plan, en écrivant : « Les Turcs et les sauvages de leur espèce se prétendent les seuls vrais croyants et méprisent les chrétiens comme adonnés à des superstitions, mais ils sont encore moins curieux que les juifs, qui attendent patiemment leur messie et s'en tiennent mordicus à Moïse [24]. »

Étienne Dolet ne peut supporter l'humour et la désinvolture d'Érasme : « Il rit, il plaisante, fait des jeux de mots à propos du Christ lui-même. » Érasme est un « Lucien », un « sans-Dieu ». Termes évidemment sans justification à l'égard d'un penseur qui a plusieurs fois exprimé son horreur des athées qui, « absorbés dans la matière, ne voient rien au-delà, [...] songent avant tout aux richesses et à leur bien-être ; le soin de leur âme ne vient qu'après, quand ils y croient, bien entendu, car, faute de la voir, la plupart la mettent en doute [25] ».

Le doute : voilà bien l'un des maîtres mots des humanistes, qui indique un nouvel état d'esprit. Face aux dogmatismes crispés des deux camps, catholique et protestant, des penseurs proposent le doute comme remède aux affrontements. À Érasme, dans le premier camp, correspond dans le second Castellion, auteur d'un *De arte dubitandi* dans lequel il fustige « la race de ces hommes qui ignorent le doute, qui ignorent l'ignorance, qui ne savent s'exprimer que par des assertions apodictiques, qui, si tu t'écartes d'eux, te condamnent sans hésitation et qui, non contents de ne jamais douter eux-mêmes, ne tolèrent le doute chez personne [26] ». « Si les chrétiens avaient douté davantage, ils ne seraient pas entachés de tant de crimes funestes [27]. » Déjà apparaît l'argumentation des philosophes contre le fanatisme.

Les Églises ont d'ailleurs bien ressenti le danger que représente l'habitude du doute pour la foi. À partir des années cruciales 1570-1580, le doute, toléré jusque-là, est assimilé à l'hérésie. Un certain Girolamo Biscazza, de Rovigo, est la première victime de ce durcissement d'attitude. Jugé une première fois par l'Inquisition en 1564, il pense de bonne foi pouvoir faire état de ses hésitations : « Quand il exposa ses doutes devant l'office de l'Inquisition, rapporte un informateur, il demanda des solutions ; mais il reçut pour toute réponse l'ordre de se rétracter. » On lui fait savoir qu'« il est mal, voire franchement hérétique, de douter de ces choses que la Sainte Église accepte pour saintes, qu'elle recommande et qu'elle prêche ». Relâché, le naïf gentilhomme s'imagine pouvoir continuer à douter comme autrefois, et il se présente spontanément au tribunal en 1569, en déclarant : « Mes doutes demeurent sur les mêmes articles qu'avant. » Il est livré au bras séculier le 1er avril 1570, et brûlé [28].

Un nouveau contexte socio-culturel moins favorable à la foi

Les changements d'ordre économique et social travaillent dans le même sens. L'essor urbain, industriel et commercial, accélère la montée d'une classe bourgeoise dont la mentalité n'est plus adaptée aux cadres de la piété médiévale. Réaliste, rationnel, pratique, âpre au gain, individualiste, terre à terre, à la recherche des satisfactions terrestres que l'argent lui permet de se procurer, le bourgeois est méfiant, indépendant, moins crédule. En même temps, il lit, d'autant plus que l'imprimerie, toute récente, répand des ouvrages dont la prolifération affole les autorités : ouvrages religieux, mais de toutes tendances, ouvrages littéraires, dans lesquels traînent toutes sortes d'idées, ouvrages techniques et scientifiques, qui élargissent la connaissance du monde et de la nature. Cette brutale ouverture accroît à la fois la curiosité et le relativisme, et donc amène à se poser des questions. La correspondance des grands marchands de l'époque, italiens, allemands, anglais, français, ne concerne pas que les problèmes financiers et commerciaux ; elle mentionne aussi des nouvelles littéraires, de grands débats religieux.

L'homme de lettres acquiert un statut social qui fait de lui, au plus haut niveau, une personnalité. Érasme est le premier auteur à avoir vécu, chichement, de sa plume. Il est reçu et courtisé par les souverains. Les intellectuels laïques indépendants commencent à compter. Autour des rois se développent des cours, foyers de mœurs dissolues, où des centaines de riches nobles vivent dans le luxe, l'insouciance, l'intrigue, la recherche du plaisir immédiat. Tous les austères réformateurs désigneront l'entourage des rois comme des repaires d'athéisme. En 1575, l'historien Louis Régnier de La Planche explique que « l'athéisme et la magie » se sont répandus en France à partir d'Henri II, et un pamphlet de 1579 accuse le courtisan Lignerolles de faire « ouvertement profession d'athéisme [29] ».

C'est qu'aux yeux de ses détracteurs l'athéisme n'a pas que des causes intellectuelles, mais est aussi lié à la décadence morale. Le lien est très fréquemment établi avec la sodomie et la débauche sexuelle. Un cas entre mille autres : en 1592, un professeur au collège de Nîmes, Lachalade, est suspendu pour « estre suspect du vice détestable de sodomie » et pour « estre athée et sans religion ». Un de ses élèves rapporte « avoir ouy dire audit Lachalade, philosophe, qu'il estimoit fadaises et niaiseries une et autre religion, parlant de la religion réformée et de la religion papistique [30] ».

Toute exagération polémique mise à part, il est certain qu'il faut faire une place au désir de libération des mœurs, en particulier sexuelles, dans la montée de l'athéisme que connaît le XVIᵉ siècle. De Jacques Gruet à Vanini et de Noël Journet à Giordano Bruno, les athées et les hétérodoxes se sont faits les défenseurs d'un amour naturel, débarrassé des interdits religieux. Chez d'autres, mais parfois aussi les mêmes, il existe une révolte de type politique et social, encouragée par les désordres du siècle. Chez Jacques Gruet par exemple, l'athéisme anticalviniste est solidement ancré dans la volonté de libérer Genève de la tyrannie des pasteurs.

L'atmosphère de guerre religieuse joue évidemment, et de plusieurs façons. Si, pour certains, l'affrontement des confessions est l'occasion de durcir les positions et d'aboutir au fanatisme, pour d'autres, le spectacle du conflit, avec l'étalage des arguments contradictoires, est un motif de scepticisme. L'attention des historiens s'est surtout portée sur la première attitude, plus dramatique, plus spectaculaire et qui, dans le court terme, a été un facteur essentiel dans le siècle des guerres de religion. Mais dans l'ombre, derrière le vacarme de ces minorités qui s'entre-tuent, le doute, le scepticisme, l'indifférence s'insinuent chez ceux qui réfléchissent ou simplement subissent. À long terme, lorsque les combats s'apaiseront, le véritable vainqueur sera encore le doute. Dans la préface de son *Instruction chrétienne*, en 1563, Pierre Viret a bien senti la montée de l'indifférentisme : « Parmy les differens qui sont aujourd'huy en la matière de religion, plusieurs abusent grandement de la liberté qui leur est donnée de suyvre des deux religions qui sont en different, ou l'une ou l'autre. Car il y en a plusieurs qui se dispensent de toutes les deux, et qui vivent du tout sans aucune religion[31]. »

De plus, les guerres de religion, avec leur cortège d'horreurs, portent un coup à l'idée de providence divine, en dépit des explications traditionnelles des prédicateurs sur la juste punition des péchés des hommes. « La croyance à un Dieu arbitre du monde était ébranlée [...] par la vue de l'injustice triomphante et du mal partout répandu », écrit Jacob Burckhardt[32]. La misère extrême, dans les cantons ravagés par la guerre, où l'on assiste à des scènes d'anthropophagie, amène François Berriot à juger vraisemblable « que le sentiment religieux, au XVIe siècle, ait pu osciller, chez les mêmes individus, entre la superstition la plus exaltée et le blasphème le plus révolté[33] ».

La foi ne peut pas sortir indemne non plus du déchaînement d'anticléricalisme qui marque cette époque. Là encore, le phénomène n'est pas nouveau. Les moines étaient depuis longtemps l'objet d'attaques violentes, et de nombreux mouvements hérétiques s'en étaient pris dès le XIe siècle au clergé, à sa luxure et à sa cupidité. Mais jamais la critique n'a été aussi violente, aussi ordurière, aussi générale qu'au XVIe siècle. Anticléricalisme n'est pas antireligion, certes. Néanmoins, la séparation entre le prêtre et ce qu'il représente n'est pas toujours bien claire.

Au niveau des idées, le retour en force des philosophies antiques joue au moins en faveur d'un relativisme très large, sinon d'un athéisme au sens strict. En fait, sur les plans philosophique et scientifique, qui ne sont alors pas séparés, la Renaissance est plutôt une époque d'éclectisme, voire de confusion. Le recul de l'aristotélisme rationnel, dont le dernier grand bastion est Padoue, se fait au profit d'un retour des conceptions magiques, animistes, irrationnelles, au sein d'un naturalisme panthéiste.

« Pour l'homme de la Renaissance, écrit Robert Lenoble, la Nature prend donc la place de Dieu, parce qu'elle-même a une âme, qu'elle réalise des intentions constantes, qu'elle veille sur l'homme comme une providence. Le merveilleux chrétien se trouve remplacé par un merveilleux magique, un peu comme chez les incroyants d'aujourd'hui par la croyance à la télépathie, aux tables tournantes et à la radiesthésie miraculeuse. Le ciel n'est plus le ciel chrétien, mais il n'est pas vide : les astres ont retrouvé leur divinité [34]. » Pour le même auteur, les mots « Dieu, les dieux, les astres ou la Nature » prennent alors un sens plus ou moins équivalent, dans le langage des astrologues, des alchimistes, des physiciens. Des néo-platoniciens, qui admettent tous les prodiges et les expliquent par l'action de génies, à Paracelse qui attend le retour d'Élie « l'Artiste », c'est-à-dire le chimiste, en passant par Cardan qui écrit : « Si, à la place des anges et des démons, nous plaçons des astres bienfaisants ou contraires, nous pouvons donner les mêmes explications et expliquer les mêmes apparences [35] », nous avons affaire à une vision naturaliste panthéiste du monde.

Ce retour partiel à l'animisme et à la magie traduit un éclatement des conceptions philosophiques et religieuses qui n'épargne pas les plus grands. Léonard de Vinci exprime dans son *Quatrième Traité d'anatomie* un scepticisme à peine voilé : « Quant au reste de la définition de l'âme, je l'abandonne à l'imagination des Frères, pères des peuples, qui, par inspiration, savent tous les secrets. Je laisse de côté les Écritures sacrées, parce qu'elles sont la souveraine vérité [36]. » Découvrant dans la nature un esprit présent à la totalité de l'univers, Léonard semble bien s'inscrire dans un courant panthéiste. Vasari le range clairement parmi les impies : « Il en vint à une conception si hérétique qu'il ne s'assujettissait à aucune religion, estimant d'aventure beaucoup plus être philosophe que chrétien. »

En même temps que les conceptions de type néo-platonicien et animiste, la Renaissance redécouvre l'atomisme démocritéen, épicurien et lucrécien. Épicure, que Dante avait placé en enfer avec « tous ses sectateurs qui font mourir l'âme avec le corps », refait surface, et avec lui la conception d'un monde mécaniste, purement matériel, livré à l'étude scientifique. Cependant, c'est plutôt l'aspect moral qui en est retenu à l'époque de la première Renaissance : la recherche du plaisir, qui trouve de nombreux adeptes dans les milieux de cour.

Avec la philosophie, c'est aussi toute la mythologie antique qui réapparaît, s'étale sur les bas-reliefs, les fresques et les peintures, envahit la poésie et le roman. Thèmes artistiques et littéraires, les mythes païens ne sont évidemment plus acceptés à la lettre. Mais les érudits humanistes commencent à les interpréter, à en donner des explications rationnelles, qui montrent comment et pourquoi les hommes avaient pu créer des dieux [37]. Dès lors, il y a un risque que la méthode allégorique s'étende au christianisme et à toutes les religions. C'est ce que voient bien les défenseurs attentifs des Écritures révélées, qui insistent sur le caractère parfaitement historique des récits bibliques, en particulier de la Genèse et de sa chronologie [38]. Donner par exemple une interprétation allégorique des six jours de la création, comme l'avait fait Origène, c'est ouvrir la porte à toutes les réductions possibles, y compris à la thèse de l'éternité du monde. Un combat multiséculaire naît ici, dont l'enjeu est la désacralisation progressive de la Bible, voie de pénétration de l'athéisme [39].

Un témoignage important sur la réalité du danger est celui du théologien Melchior de Flavin, qui participe au concile de Trente et rédige en 1570 un traité *De l'état des âmes après le trépas*. Retenons d'abord que, pour lui, il n'y a jamais eu autant d'athées en Europe qu'à son époque. L'athéisme a toujours existé, écrit-il, comme en témoignent la Bible, saint Paul, saint Augustin, les écrits des philosophes antiques, mais de nos jours on voit couramment des gens « révoquer en doute s'il n'y a point de Dieu », et qui « nient Dieu contre le sens commun », aussi bien chez les savants que chez « les hommes plus que brutaux ».

Les responsables ? Satan, bien sûr, qui travaille en permanence à diffuser l'incroyance. Mais aussi la médecine matérialiste, « qui nie la providence de Dieu, la création du monde, la vie éternelle et l'immortalité des âmes, l'incarnation de Nostre Seigneur, en un mot qui nie Dieu [40] ». Ces médecins voient dans l'âme un simple « esprit subtil », un « vent subtil », une « complexion du corps », ou même le sang. Autres responsables, les « libertins épicuriens », qui ne s'intéressent qu'à leurs plaisirs et tombent « au très puant et très pernicieux bourbier de l'athéisme ». La multiplication des hérésies a aussi contribué à cette situation. Enfin, il y a ceux qui « desprisent les Escriptures divines » et les réduisent au niveau de fables mythologiques.

Les grands voyages et le problème des peuples athées

Un autre facteur culturel a beaucoup contribué au XVIᵉ siècle à alimenter le débat sur l'athéisme, et sans doute à faire évoluer certains esprits vers l'incroyance : les grands voyages de découverte. Contrairement à ce qu'écrit Lucien Febvre, ceux-ci n'ont pas été vus par les chrétiens d'Europe seulement comme une occasion de prosélytisme, de conversion de nouvelles âmes à la vraie foi. Ils ont aussi fait réfléchir et douter.

D'abord, en mettant à l'épreuve des faits l'affirmation de l'universalité de la foi. D'après cette opinion, prédominante jusqu'alors, tous les hommes ont reçu une révélation naturelle, et il n'existe pas de peuples athées, même chez les plus primitifs. C'est ce que soutient Calvin dans l'*Institution de la religion chrétienne* : « Comme les payens mesmes confessent, il n'y a nation si barbare, nulle gent si sauvaige, laquelle n'ait ceste impression au cœur, qu'il y a quelque Dieu. Et ceux qui aux autres endroitz de la vie semblent ne différer guère des bestes brutes, retiennent néantmoins tousjours quelque semence de religion[41]. » Jean Chassanion de Monistrol reprend l'idée : « Il n'y eut jamais nation si barbare, qui par une certaine persuasion et impression de nature n'ait tousjours fait estat de quelque divinité[42]. » Urbain Chauveton confirme expérimentalement ces déclarations en 1579, rapportant que les peuples de la Floride « confessent l'âme estre immortelle, et qu'il y a un lieu député pour les meschants » ; ils ont des « prestres qu'ils nomment jarvars auxquels ils adjustent de tout foy », et ils pratiquent la monogamie[43]. Un peu plus tard, Marc Lescarbot fait des remarques similaires à propos des peuples de la Nouvelle France[44]. Pierre Le Loyer et Jean de Mendoza louent les peuples de l'Inde, du Japon, de la Chine pour leurs opinions religieuses[45].

Mais il y a également des voyageurs qui rapportent le contraire, qui ont vu des peuples sans religion, des peuples athées. Que ces premiers ethnologues aient été victimes d'illusions ou non n'est pas ici notre problème. Ce qui nous intéresse est l'impact de leur témoignage sur l'esprit des Européens. Ainsi, d'après Jean de Léry, « Jean Leon dit qu'il y a aussi certains peuples en Afrique, qui ne sont mahométans, juifs, chrestiens, ni autres sectes : mais sans foy, sans religion, et sans aucune ombre d'icelle, tellement qu'ils ne font oraison, ni ne bastissent temples, vivans comme bestes brutes ». En 1583, un ouvrage anonyme évoque l'athéisme des Indiens d'Amérique : « Ils vivent sans cognoissance d'aucun Dieu, sans soucy, sans loy et sans aucune religion, non plus que des bestes brutes » ; ils pratiquent la communauté des biens et des femmes. De même, les Noirs au sud de l'Éthiopie n'ont « aucune religion ni aucune cognoissance de Dieu[46] ».

Revenons sur le témoignage le plus marquant, parce que le plus réfléchi : celui du calviniste Jean de Léry (1536-1613) qui, débarqué en 1556 au Brésil, publie en 1578 une *Histoire d'un voyage en terre du Brésil*, dans laquelle il s'intéresse à la religion des Indiens. Son impression prédominante confirme la thèse de l'athéisme des peuples primitifs :

Combien que ceste sentence de Cicéron, assavoir qu'il n'y a peuple si brutal, ny nation si barbare et sauvage, qui n'ait sentiment qu'il y a quelque divinité, soit receüe et tenuë d'un chacun pour une maxime indubitable : tant y a néantmoins que quand je considère de près nos Toüoupinambaoults de l'Amérique, je me trouve aucunement empesché touchant l'application d'icelle en leur endroit. Car en premier lieu, outre qu'ils n'ont nulle cognoissance du seul et vray Dieu, encores en sont-ils là que, nonobstant la coustume de tous les anciens payens, lesquels ont eu la pluralité des dieux [...], ils ne confessent, ny n'adorent aucuns dieux célestes, ny terrestres : et par consequent n'ayans aucun formulaire, ny lieu député pour s'assembler, à fin de faire quelque service ordinaire, ils ne prient par forme de religion, ny en public ny en particulier chose quelle qu'elle soit[47].

Mais, à y regarder de plus près, Jean de Léry croit discerner chez les Indiens une certaine idée de Dieu, qu'ils se refusent à admettre, ce qui ne peut leur être suggéré que par le diable, et c'est pourquoi ils seront sans doute damnés. Il va plus loin, tirant des leçons de son étude d'ethno-religion. Comparant ces athées primitifs aux athées européens, « dont la terre est maintenant couverte par deça », il considère ces derniers comme pires — c'est le diable qui les guide :

Ce que j'ay bien voulu expressément narrer en cest endroit, à fin que chacun entende, que si les plus endiablez athéistes, dont la terre est maintenant couverte par deça, ont cela de commun avec les Toüoupinambaoults, de se vouloir faire accroire, voire d'une façon encore plus estrange et bestiale qu'eux, qu'il n'y a point de Dieu, que pour le moins en premier lieu, ils leur apprennent qu'il y a des diables pour tourmenter, mesme en ce monde, ceux qui nient Dieu et sa puissance[48].

De plus, tout aveuglés qu'ils soient, les primitifs croient à l'immortalité de l'âme ; honte aux athées européens, qui la nient :

Secondement parce que ces athées nians tout principe sont du tout indignes qu'on leur allègue ce que les Escritures sainctes disent si magnifiquement de l'immortalité des âmes, je leur presupposeray encores nos pauvres Bresiliens lesquels en leur aveuglissement leur enseigneront qu'il y a non seulement en l'homme un esprit qui ne meurt point avec le corps, mais aussi qu'estant séparé d'iceluy, il est sujet à félicité ou infélicité perpétuelle[49].

Ingénument, Jean de Léry fait aussi quelques remarques peu flatteuses pour la religion chrétienne. Il parle aux Indiens du Dieu tout-puissant, terrible, qui manie le tonnerre, le Dieu vengeur, le Dieu de la peur du christianisme européen. Alors, rapporte-t-il, « leur résolution et response à cela estoyent, que puisqu'il les espouvantoit de telle façon, qu'il ne valoit donc rien[50] ». Réponse de bon sens, que Léry trouve ridicule. De même, il montre naïvement que la foi est un élément culturel fragile, dépendant de l'environnement et non d'une révélation : plusieurs jeunes Normands, « qui avoyent demeuré huict ou neuf ans en ce pays-là, pour s'accomoder à eux, menans une vie d'athéistes », ont pris les mœurs des Indiens, et ont complètement oublié Dieu[51] !

Pour son propre compte, Léry déclare que son voyage l'a confirmé dans sa foi, car il a pu constater l'immense différence des genres de vie, qu'il attribue tout simplement à la croyance des Européens et à l'incroyance des Indiens. Foi chrétienne et civilisation sont pour lui intimement liées. Il est d'autant plus acerbe à l'égard des athées européens, Rabelais et sa clique (« rabelistes, mocqueurs et contempteurs de Dieu »). Son témoignage est pour nous infiniment plus précieux par ce qu'il révèle de l'Europe que par ses observations brésiliennes. Son intérêt pour le débat à propos des peuples athées montre à quel point le problème de l'athéisme était important pour les intellectuels. De plus, Léry fait bien la différence entre les athées, qui ne croient pas en Dieu, et les épicuriens, selon qui Dieu ne s'occupe pas de nos affaires. Ce qui nous amène à la question du vocabulaire, peut-être évacuée un peu vite par Lucien Febvre.

Le poids du vocabulaire

Que le terme d'« athée » ait servi fréquemment d'injure vague à l'endroit de tout adversaire religieux, et qu'il ait été aussi employé à tort et à travers pour désigner des gens qui étaient en fait des croyants d'une confession différente, est indéniable. Mais cela ne veut pas dire que de véritables athées n'ont pas existé. Une bonne analogie peut être fournie avec le terme contemporain de « fasciste », utilisé comme une insulte à l'égard de toute personne jugée un peu trop autoritaire, même si celle-ci n'a aucun rapport réel avec la doctrine du même nom : cela n'empêche pas qu'il y ait eu et qu'il y a des fascistes authentiques.

Il est frappant de constater que c'est au cours de la première moitié du xvie siècle que fleurit pour la première fois le mot « athée ». Cela ne peut être dû au hasard. Au tout début du siècle, le terme n'apparaît qu'en grec et en latin, dans les glossaires, comme celui de Calepinus, en 1502, à propos des doctrines antiques : « *Atheos*, qui ne croit en nul dieu. *Atheus* et *atheos*, qui n'a ni dieu ni religion (*atheista*). » C'est également en grec que Rabelais utilise le mot en 1532 à l'adresse de Scaliger. En 1552, Guillaume Postel l'emploie en latin, et Du Bellay en français en 1549.

Ceux qui y recourent savent fort bien ce qu'il signifie. Ils en abusent consciemment, prenant parfois le soin de bien en préciser le sens. Dans son *Athéomachie* de 1561, Bourgueville écrit : « *Atheos* est un terme grec lequel tourné en français vault autant dire un homme qui ne cognoist Dieu, infidèle, ignorant ou deniant Dieu, qu'on appelle athéiste ou denie Dieu. » Ailleurs, il parle de « vrays athéistes ne recoignoissans le Dieu éternel ». Hervet dit que les athées « prétendent qu'il n'y a pas de Dieu ». Dupréau, dans son *Dictionnaire alphabétique des hérétiques*, constate : « Il y a les athées, qui croient qu'il n'y a pas de Dieu et qui ôtent des affaires humaines la providence divine, qui pensent que tout est mené par le destin et que les âmes meurent avec le corps. » Dans sa traduction du *Pimandre* en 1579, François de Foix distingue l'impiété, qui est le fait de s'en prendre à Dieu, et l'athéisme qui, lui, « se vient à résoudre qu'il n'y a aucune religion, ny providence, ce que nous appelons athéisme, estimant que tout ce qu'il y a cy-devant cogneu de Dieu, sont fables et impostures, et n'y a Dieu quelconque qui aye bonté, vertu ny puissance, mais toutes choses continuent par ordre et succession, chacune en sa condition, sans auteur, conducteur, ny créateur d'icelles ». Le jésuite espagnol Perpinien fait la même distinction en 1566, et en 1595 Pollot, dans son *Discours contre l'athéisme*, s'adresse à « ceux qui nient le vray Dieu, voire toute divinité ».

Le sens de ce terme est bien connu, ce qui n'empêche pas qu'on l'utilise abusivement. Calvin ne peut ignorer ce qu'est un athée au sens strict, et pourtant il traite d'« athéistes » ceux qui manquent simplement de confiance en la toute-puissance de Dieu, et la plupart de ses adversaires, aussi croyants que lui. Son ennemi Antoine Catalan abuse tout autant du terme, qualifiant les calvinistes d'« épicuriens et athéistes », et englobant dans l'expression « athéistes et sans dieu » les « anabaptistes, zwinglistes, luthériens, mélanchtonistes, calvinistes, zebedeistes et libertins [52] ». Catalan sait très bien que ces gens croient en Dieu, sauf peut-être les libertins. « Athéisme » est un mot commode pour les déconsidérer, ce qui ne signifie nullement qu'il ne correspondait à aucune réalité. Il s'appliquait aux cas extrêmes, devenus source de préoccupation chez les catholiques comme chez les protestants.

Les autres termes désignant l'incrédulité ont un sens tout aussi précis chez les théologiens du XVIe siècle, qui ne les confondent pas. Ils utilisent assez souvent le mot « achriste », d'abord en grec, par exemple dans une lettre d'Antoine Fumée à Calvin en 1542. Gabriel Dupréau le définit ainsi : « Ceux d'aujourd'hui professent que le Christ n'est pas vraiment ressuscité d'entre les morts, mais qu'il a été enlevé par ses disciples durant la nuit », et il ajoute, écrivant en 1559, que ce terme était courant « il y a quelques années ». Sa carrière a donc été courte.

Une destinée beaucoup plus longue attend le mot « déiste », dont le pasteur Viret signale l'apparition toute récente en 1563, en l'opposant à « athée » :

Il y en a plusieurs [libertins] qui confessent bien qu'ils croyent qu'il y a quelque dieu, et quelque divinité, comme les Turcs et les Juifs, mais quant à Jésus-Christ et tout ce que la doctrine des évangélistes et des apostres en tesmoignent, ils tiennent tout cela pour fables et resveries. J'ay entendu qu'il y en a de ceste bande qui s'appellent déistes, d'un mot tout nouveau, lequel ils veulent opposer à athéiste. Car pour autant qu'athéiste signifie celuy qui est sans dieu, ils veulent donner à entendre qu'ils ne sont pas du tout sans dieu à cause qu'ils croyent bien qu'il y a quelque dieu, lequel ils recognoissent mesme pour créateur du ciel et de la terre, mais de Jésus-Christ ils ne savent que c'est, et ne tiennent rien de luy, ne de sa doctrine[53].

Ce mot, qui connaîtra sa grande popularité au XVIIIe siècle, est peu utilisé au XVIe. En 1576, les États de Castres dénoncent « plusieurs hérésies méchantes et condamnables sectes [...] se nommant déistes ».

« Libertin » est plus ancien. Depuis le Moyen Âge, il désigne des adeptes du libre esprit, et c'est encore dans ce sens que Calvin l'emploie en 1545 dans son pamphlet *Contre la secte phantastique et furieuse des libertins qui se nomment spirituels*. Ils prônent une complète licence des mœurs. Geoffroy Vallée, brûlé à Paris en 1574, auteur du *Fleau de la foy*, était sans doute l'un d'eux. Peu à peu, le terme prend le sens d'incrédule avec Viret (1565), Nancel (1583) et La Noue (1587). Quant aux « esprits forts », ils n'apparaissent qu'en latin au XVIe siècle. C'est en 1629 seulement que l'abbé Cotin les définit en français : « Certains personnages se font appeler forts esprits [...] car ils font profession de ne rien croire que ce qu'ils peuvent voir et toucher. »

Pour Henri Busson, si la plupart du vocabulaire concernant l'incrédulité surgit ainsi et se précise brutalement vers 1540, c'est le signe que cet état d'esprit se durcit alors en système conscient, et il en conclut : « Non seulement nous n'acceptons pas ce paradoxe que l'incrédulité est impossible au XVIe siècle; nous dirions plutôt qu'elle a toujours existé[54]. »

Les impuretés de la foi. Sens du blasphème

Que le contexte devienne au XVIe siècle plus favorable à l'incrédulité, nous en avons également des marques à l'intérieur même de la pratique religieuse et du comportement des fidèles. L'impression de déliquescence, déjà forte au XVe siècle, s'accentue. Elle a été constatée par les contemporains comme par les historiens.

L'assistance à la messe est de plus en plus épisodique. En Bretagne, par exemple, Alain Croix en a donné de nombreux exemples : à Vertou en 1554, plus de deux cents personnes n'y vont même pas deux fois par an[55]. À la même date, la situation semble pire encore dans certains secteurs du Périgord, comme en témoigne une lettre adressée au père Broët : « Notre population, en matière de foi, est plus ignorante que les Garamantes. Près de Bordeaux s'étendent des forêts d'une trentaine de lieues, dont les habitants, sans souci des choses du ciel, vivent comme des bêtes de somme. On y trouve des personnes de cinquante ans qui n'ont jamais entendu une messe ni appris un mot de religion[56]. » Lucien Romier rapporte que d'après le maréchal de Cossé, en 1571, le culte n'est plus célébré depuis plus de dix ans dans des paroisses du nord de la France, où les paysans vivent dans une « sorte de sauvagerie[57] ».

Des exemples semblables abondent dans toutes les provinces[58] et dans toute la chrétienté[59]. François Berriot a étudié le témoignage des missionnaires jésuites en Corse des années 1565 à 1615[60]. La situation est telle qu'ils se demandent si l'île a un jour été évangélisée. Les prêtres, concubinaires, ignorants, parfois homicides, sont incapables de célébrer les offices et d'administrer les sacrements. Les fidèles ne connaissent ni *Pater*, ni *Ave*, ni *Credo*, et se livrent à leurs pratiques païennes en toute liberté. Certains croient en plusieurs dieux, d'autres en aucun. On observe là toute la gamme des attitudes superstitieuses, et beaucoup vivent en état d'athéisme pratique, sans aucune référence au divin.

Le cas n'est pas exceptionnel, et l'on signale, dans des diocèses aussi dissemblables que Beauvais et Rodez, de nombreux prêtres qui savent à peine le latin et ne font pas la différence entre les commandements et les sacrements. L'abus de l'excommunication se poursuit et maintient hors de l'Église des dizaines de milliers de personnes, qui ne font aucun effort pour la réintégrer : 10 à 20 par an dans la paroisse avignonnaise de Saint-Genest de 1531 à 1563, et 65 pour la seule année 1520 dans la paroisse voisine de Saint-Agricol ; à Morteau, en Franche-Comté, ils sont 580 en 1570, et à Montivilliers, dans le pays de Caux, il faut un cahier de 270 pages pour les comptabiliser entre 1498 et 1528.

Les superstitions de toutes sortes, toujours aussi vivantes, semblent même progresser, et pas seulement au niveau populaire. La cour d'Henri III en est infestée[61], et le juriste Barthélemy de Chassaneuz croit utile de consacrer une partie de son *Index conciliorum* (1531) à la question de l'anathème des animaux. Certaines superstitions extrêmement tenaces sont présentes d'un bout à l'autre de la chrétienté, comme le culte de la lune, mentionné de la Bretagne à la Pologne et jusque dans le Basilicate[62]. Partout, l'Église doit pactiser, ou assimiler ces pratiques, comme le montre Frantisek Smahel pour la Bohême[63]. Lourde hypothèque pour la foi des générations futures, lorsqu'il faudra, de gré ou de force, s'aligner sur l'esprit rationnel et scientifique, et couper les branches superstitieuses. Celles-ci étant trop bien greffées sur le tronc de la foi licite, leur destruction risque d'entraîner l'arbre entier[64].

Les marques d'irrespect à l'égard de l'Église, qui se multiplient à l'époque de la Réforme, ne viennent pas seulement des protestants. Elles trahissent un détachement croissant vis-à-vis d'une institution qui semble incapable de s'adapter aux nouvelles exigences culturelles, ou qui au contraire, en s'y adaptant trop bien, paraît trahir sa mission. Le phénomène se reproduira aux XIXe et XXe siècles. Plai-

santeries, anecdotes moqueuses, sarcasmes s'alimentent à l'anticléricalisme, et prennent « une familiarité, une liberté de ton qui montrent
que la mentalité populaire, dans ses profondeurs, n'est peut-être pas
autant imprégnée de la foi que certains l'ont dit[65] ». Les défauts du
clergé constituent un réservoir inépuisable pour ces plaisanteries : non
seulement les fautes habituelles, mais aussi les désordres psychologiques que l'on commence à relever dans le clergé régulier
— névroses, scènes d'hystérie, comportements bizarres comme ceux
des jésuites Surin, qui perd la parole et est tenté de se suicider, ou
Arnoux, qui se prend pour un coq.

Les cas de sacrilège et de blasphème augmentent de façon vertigi-
neuse. Sans doute en partie parce qu'on y prête beaucoup plus attention qu'auparavant. Mais il semble bien que le climat de contestation,
de révolte et d'affrontement religieux ait contribué à une réelle inflation. Les chroniqueurs rapportent tous avec inquiétude de nombreux
cas d'hosties piétinées ou percées de coups de couteau, de crucifix
mis en pièces par des gens chez qui il est difficile de faire la part des
sentiments protestants, de la folie, de l'ivresse et d'une révolte antireligieuse. Que ce dernier élément ne soit pas absent, nous en avons
un indice dans une pièce populaire, une « moralité », jouée dès le
début du siècle, la *Moralité des blasphémateurs de Dieu*[66], où l'on
voit parmi les personnages, inspirés par Satan, le blasphémateur, mais
aussi le « négateur de Dieu », qui clame sa volonté de libération et
d'affirmation de l'autonomie humaine :

> Ha je regny Dieu. Se je veisse
> que encore des maulx je luy feisse
> et lurasse à luy corps à corps
> tant que abas tomber je le feisse
> et com victorieux je deisse
> que les hommes sont les plus fors.

C'est bien l'esprit de révolte, contre le ciel et la terre, qui anime ces
personnages, une volonté de libération humaine, de se débarrasser de
la tutelle des dieux, un désir, déjà, de tuer Dieu, afin que l'homme
puisse prendre en main sa destinée :

> Je regny Dieu le créateur
> et aussi bien sa quirielle.

Le théâtre de la Renaissance permet de suivre la montée de cet
esprit de contestation sacrilège qui s'accompagne d'un mépris croissant pour le sacré et d'un progrès général de l'immoralité. L'amplifi-
cation de la répression en est un autre indice. L'inquiétude des autorités grandit, et leur attitude se durcit parallèlement. Pour les casuistes
et les confesseurs, luxure et blasphème sont les deux grands péchés de
l'époque. Les tribunaux civils et ecclésiastiques sont encombrés de
cas de blasphémateurs, punis de plus en plus sévèrement. L'Inquisi-

tion s'en mêle : 644 procès au xvie siècle pour celle de Tolède uniquement, dont 600 aboutissent à une condamnation, chiffre très inférieur
au nombre de cas signalés[67]. En Espagne, en Italie, au Portugal, les
procédures pour blasphème se mêlent désormais à celles qui visent les
cas d'« indifférentisme », c'est-à-dire ces gens de plus en plus nombreux qui affirment que toutes les religions se valent. Les « édits de la
foi » de l'Inquisition espagnole, qui énumèrent les délits à réprimer,
sont de ce point de vue révélateurs, à partir des années 1520-1530[68].

Le sens exact des blasphèmes et sacrilèges varie sans doute selon
les individus. Le fait d'insulter Dieu et de se révolter contre lui est *a
priori* un signe de foi : on ne songe pas à insulter quelqu'un qui
n'existe pas. C'est ce qu'avancent les historiens qui, avec Lucien Febvre, nient la possibilité de l'athéisme dans la première moitié du
xvie siècle. En fait, le sens profond du blasphème est plus trouble. Il
est avant tout révolte contre une situation, contre un état de fait ressenti comme insupportable : la tutelle de la religion et de ses interdits.
Dieu est alors vécu davantage comme le symbole de cette situation
que comme une personne réelle, et le déchaînement verbal contre lui
peut au contraire être le signe du rejet de son existence, conçue
comme un mythe légitimant un état de choses odieux. Le blasphème
conscient peut être un cri de folie désespérée, équivalant à un suicide
spirituel, mais il peut aussi être affirmation provocatrice de l'inexistence de Dieu, ou « adhésion secrète à l'athéisme », comme l'écrit
Jean Delumeau[69].

Le diable et l'athéisme

Pour les autorités du xvie siècle, la montée de l'athéisme est liée à
la grande vague de sorcellerie qui secoue l'Europe. Seul Satan peut
inspirer aux hommes l'insulte suprême : nier l'existence de Dieu, ce
qui, pour le diable, constitue évidemment la grande revanche. C'est
ainsi que dans un curieux texte, *Les Commandements de Dieu et du
Dyable*, Satan, fixant les croyances de sa religion à rebours, demande
à ses fidèles de nier l'existence de Dieu : « Aux saintz escriptz foy ne
donnera », leur ordonne-t-il[70]. Une loi espagnole de 1592 range
l'athéisme dans les instruments du diable :

> Entre aultres grands pechez, malheurs et abominations que ce miserable
> temps nous apporte chacun jour à la ruyne et confusion du monde, sont les
> sectes des divers malefices, sorcelleries, impostures, illusions, prestiges et
> impietez que certains vrays instrumens du diable, après les heresies, apostasies
> et atheysmes, s'advancent journellement mectre en avant[71].

Le démon, le Malin, le maître des illusions et de la fausseté, fait
pénétrer l'incroyance dans l'esprit de l'homme. Voilà ce que disent

les juges des sorciers. Les témoignages sont légion, depuis le célèbre *Marteau des sorcières*, à la fin du xve siècle, dans lequel on décrit l'introduction dans la confrérie démoniaque : « La profession consiste en un reniement partiel ou complet de la foi [...]. Il y a une grande diversité parmi ceux qui renient la foi, certains le faisant de la bouche mais non du cœur, d'autres le faisant de la bouche et du cœur[72]. » On demande à la sorcière « si elle veut bien abjurer sa foi, renier la religion très chrétienne ». Dans la *Démonomanie des sorciers*, Jean Bodin affirme que le diable enjoint à la sorcière de « renoncer à Dieu et à sa foy et religion ». Et il apporte des témoignages, comme celui d'un avocat parisien, « lequel confessa qu'il avoit passé obligation au diable, renonçant à Dieu ». Il cite ses confrères, Lambert Daneau, Claude Deffay, d'après qui « la plupart des sorciers ne se contentent pas de renoncer à Dieu, mais encore ils se font rebaptiser au nom du diable ». Son chapitre sur « ceux qui renoncent à Dieu et à leur religion par convention expresse » est très explicite. La renonciation à Dieu est présente dans presque toutes les minutes des procès de sorcellerie, et Ambroise Paré confirme que les sorciers « renoncent à Dieu créateur et sauveur ». Le juge Nicolas Rémi, en Lorraine, est un bon spécialiste : il envoie au bûcher environ neuf cents sorciers et sorcières, et discerne derrière chacun un plan délibéré de Satan pour faire oublier Dieu[73].

C'est bien aussi ce que pensent les théologiens. « C'est le but où le diable tend, c'est à quoi il travaille de se faire adorer comme Dieu », déclare Pierre Le Loyer, pour qui la sorcellerie contribue d'abord à instaurer l'athéisme, avant de remplacer le vrai Dieu par le diable[74]. Henri Boguet le confirme dans ses *Discours exécrables des sorciers*, publiés à Lyon en 1610. Pierre de Lancre, qui pourchasse les sorciers dans le Pays basque, montre que Satan exige un renoncement à la foi en Dieu, et ses victimes le confessent ; Simon Goulard rapporte des anecdotes à ce sujet[75].

Cette liaison entre satanisme et athéisme pose au moins trois questions dans l'optique de notre sujet. Tout d'abord, la vague de sorcellerie qui touche l'Europe du xve au début du xviie siècle correspond à une psychose collective, à une peur des classes dirigeantes comme du monde paysan face à la montée de périls naturels et surnaturels, réels et supposés, engendrant une mentalité obsidionale qui se fixe sur le diable[76]. Le satanisme de cette époque, avec ses manifestations, sabbats, possessions, envoûtements et autres sortilèges, n'existe que dans l'esprit des juges et des victimes. L'athéisme, qui lui est associé, ne serait-il pas lui aussi une pure psychose, une illusion de clercs affolés ?

Nous ne le pensons pas. Car, outre les témoignages qui n'ont rien à voir avec la sorcellerie et qui confirment le fait, il faut distinguer entre le phénomène supposé du satanisme et ses manifestations.

Celles-ci sont bien réelles : épidémies, guerres, catastrophes, cas d'hystérie et de névrose. L'erreur est de les attribuer au démon. De même pour l'incroyance. Elle a frappé les contemporains, surtout les autorités, qui la rangent avec les autres calamités, hérésies, sacrilèges, etc. Le fait précisément que l'athéisme ait été recensé aux côtés des hérésies — dont personne ne niera l'existence — comme un des fléaux de l'époque milite en faveur de sa réalité.

Par ailleurs, il ressort des procès de sorcellerie que le sorcier ou la sorcière croit non plus en Dieu, mais au diable. D'où nos deux autres questions. L'une, de vocabulaire : croire au diable, mais pas en Dieu, est-ce de l'athéisme ? L'autre, de logique : croire au diable, mais pas en Dieu, est-ce possible ? Le couple Dieu-diable n'est-il pas foncièrement inséparable ? Croire à l'un, c'est automatiquement croire à l'autre. Postuler l'existence de Dieu sans le diable, c'est s'enfoncer dans d'insolubles contradictions à propos du problème du mal ; c'est du reste pourquoi, même en notre fin de xxe siècle, l'Église ne peut toujours pas se débarrasser officiellement de l'encombrant compère, indispensable saboteur expliquant les ratés de la divine création. Dans l'autre sens, la complémentarité est encore plus évidente.

Or, comme le remarque Emmanuel Le Roy Ladurie, on constate au xvie siècle une certaine tendance à la dissociation : « Au grand scandale des prêtres, l'athéisme déjà progresse [...]. Beaucoup d'esprits forts ne croient plus en Dieu. Mais presque tout le monde croit encore au diable[77]. » Situation intenable, et qui ne saurait durer longtemps. Ne plus croire en l'un des deux partenaires, c'est s'exposer à douter de l'existence de l'autre. Ce qui se passe au xvie siècle, c'est justement que sous l'effet des excès de la répression antisatanique, des « esprits forts » commencent à manifester leur scepticisme à l'égard du diable. Ce dernier va entraîner Dieu dans sa chute. L'athéisme débute bien souvent, à cette époque, par une perte de croyance dans le diable : justification paradoxale et inversée du discours des autorités religieuses. Celles-ci affirmaient que le démon, bien réel, poussait les hommes à ne plus croire en Dieu ; et l'on s'aperçoit qu'en réalité c'est plutôt en faisant croire qu'il n'existe pas lui-même que le diable provoque l'incroyance en Dieu. « La plus belle ruse du diable, c'est de faire croire qu'il n'existe pas », dira Baudelaire. Nous en avons ici l'illustration, dans un sens auquel ne pensait peut-être pas le poète : pas de diable, pas de Dieu.

Le clergé pressent d'ailleurs cette ruse, en condamnant ceux qui doutent de la réalité de la sorcellerie. En 1565, lors de l'affaire de la possession de Laon, on reproche aux huguenots leur scepticisme[78]. En 1571, un théologien réformé accuse « les prestres et les moines [...] d'avoir contrefait les esprits et forgé des illusions[79] ». Il est taxé d'incrédulité, comme le médecin Pierre Pigray qui réduit des cas de sorcellerie à l'hystérie, à l'ignorance et à l'imposture, comme son confrère Pierre Belon en 1555, comme aussi Guillaume Bouchet, Jean Wier ou Montaigne. Le temps des sceptiques libertins n'est pas loin. Le terrible Pierre de Lancre consacre du reste tout un livre de son traité sur *L'Incrédulité et mescréance des sortilèges pleinement convaincue* à réfuter le point de vue des incroyants sur la sorcellerie : mettre en doute la puissance active du diable, c'est prendre le chemin de l'athéisme.

Un contexte trouble

Certes, d'autres prennent une route plus directe, et commencent par douter de Dieu lui-même, tout en gardant un certain crédit au diable, mais celui-ci est du même coup condamné à terme. Les contemporains ont vu dans la montée de certains comportements déviants des signes de l'incroyance ambiante.

Outre la sorcellerie, on croit en effet constater une recrudescence de l'homosexualité, de la bestialité, de l'avortement, du suicide, de l'érotisme païen, de l'astrologie, toutes pratiques en contradiction avec la foi. En ce qui concerne l'homosexualité, le scandale vient du fait qu'elle s'affiche davantage, surtout dans les milieux de cour. Qualifiée de « crime contre nature » depuis les débuts du christianisme, elle est considérée par les censeurs comme la marque d'un esprit dépravé, détaché de Dieu, donc athée. C'est sans la moindre hésitation qu'Ambroise Paré, dans son ouvrage sur *Les Monstres et les prodiges*, associe « athéistes et sodomites qui se joignent contre Dieu et nature ». L'accusation de « vice infâme » est le plus souvent accolée à celle d'impiété et d'incrédulité : contre Dolet, Muret, Servet, Vallée.

À propos du crime de bestialité, c'est encore Ambroise Paré qui écrit que les monstres sont « produits des sodomites et athéistes qui se joignent et desbordent contre nature avec les bestes ». Plusieurs livres du xvie siècle abordent ces questions de zoophilie, dont on ne parlait plus guère depuis les manuels de confesseurs du haut Moyen Âge, ce qui traduit aussi une inquiétude relative à la dérive morale de l'époque, attribuée aux progrès de l'incroyance[80]. De même, l'avortement est couramment associé à l'athéisme, à l'ignorance des principes de la foi.

Le cas du suicide est peut-être encore plus révélateur. Certains hommes de la Renaissance ont eu l'impression très nette d'une augmentation du nombre des suicides. Déjà Boccace, dans la seconde moitié du xive siècle, se disait frappé de la fréquence des pendaisons à Florence. Beaucoup plus tard, Érasme, dans ses *Colloques*, se demande quelle serait la situation si les hommes n'avaient pas peur de la mort, en raison de la vitesse à laquelle ils s'y précipitent. Encore un peu plus tard, en 1542, Luther parle d'une épidémie de suicides en Allemagne, et en 1548 l'archevêque de Mayence croit en déceler une autre, tandis que l'on recense quatorze cas à Nuremberg en 1569. Au même moment, Henri Estienne déclare : « Quant à notre siècle, nous avons les oreilles battues d'exemples [de suicides], tant d'hommes que de femmes », et Montaigne rapporte que d'après son père il y eut vingt-cinq suicides en une semaine à Milan[81].

Cette impression, qu'il est difficile de confirmer par des chiffres, inquiète les contemporains, qui pour la plupart y voient soit une mani-festation supplémentaire de l'influence diabolique, soit — et les deux sont très liés — une conséquence de l'incroyance, de l'athéisme et de l'impiété. Il se trouve qu'effectivement, parmi les cas les plus reten-tissants, on trouve des gens dont la foi est suspecte : Cardan, Muret, qui aurait tenté de se laisser mourir de faim, Philippe Strozzi, Walter Raleigh, qui fait lui aussi une tentative. Bonaventure Des Périers, qui se tue en 1544, est un athée authentique, admirateur de Sénèque et des Anciens, esprit original et pessimiste. L'association athéisme-suicide relève évidemment du mythe. Mais l'important est ici de remarquer que l'on a pu l'établir et qu'elle a paru crédible, signe d'une société qui prend conscience de l'ampleur de l'athéisme.

La montée des « mœurs païennes », qui accompagne le renouveau de la culture antique, contribue elle aussi à endormir la foi, à réduire Dieu au silence. Dans l'art et la littérature s'étalent les fables mytho-logiques, auréolées d'un érotisme omniprésent, créant un climat peu propice aux croyances religieuses — surtout, là encore, dans les milieux de cour.

Ajoutons enfin l'extrême popularité de l'astrologie, ressentie par beaucoup de théologiens comme un système matérialiste et naturaliste concurrent de la foi en Dieu et capable de la remplacer. La loi des astres, qui nie le libre arbitre, qui dicte les événements et meut les corps suivant un implacable déterminisme, est destructrice de la loi de Dieu. Les astrologues prennent évidemment soin de protester de leur soumission absolue à la religion. C'est ainsi que Simon de Phares, dans son *Recueil des plus célèbres astrologues*, composé entre 1494 et 1498, rappelle que les astres ne font qu'incliner les tempéraments sans jamais les déterminer, qu'ils agissent sur les corps et non sur les esprits. L'astrologie, affirme-t-il, est une activité purement scienti-fique, qui n'empiète pas sur le domaine religieux, mais qui le complète : Moïse, Daniel, Job auraient aussi été des astrologues[82].

Ces arguments sont peu convaincants pour les autorités ecclésias-tiques, qui s'inquiètent également de voir l'astrologie se répandre en milieu populaire avec l'almanach et ses « pronostications ». Tout cela ne peut que renforcer les vieilles superstitions naturalistes, comme le culte de la lune, et développer l'occultisme au détriment du surnaturel divin. La réputation d'athéisme de certains astrologues de cour comme Ruggieri souligne le lien entre astrologie et incroyance. Pierre Le Loyer, dans son *Discours des spectres et apparitions d'esprits*, établit clairement que l'astrologie est un agent d'athéisme :

> Selon les mesmes astrologues, sont les estoiles tant puissantes qu'elles contendent de parité et de puissance avec Dieu. N'est-ce pas un grand blasphème que cela ? Certes, voilà un beau commencement d'athéisme, et ne faut s'emerveiller si telles gens et les naturalistes se laissent aller bien facilement à l'impiété. Car c'est un degré pour parvenir à l'ignorance de Dieu que de vouloir nier sa providence immense et non jamais lasse et, donnant tant de pouvoir aux astres, priver en se faisant le Père et ordinateur de l'univers de ses opérations ordinaires[83].

Il accuse les grands noms de l'astrologie d'autrefois, réels ou supposés, Simon le Magicien, Ceccho d'Ascoli, Hali d'Abenragel, d'être des « libertins et athéistes », de placer même les événements religieux sous l'influence des astres, de faire de ces derniers de véritables dieux remplaçant le Dieu authentique, et déterminant les âmes aussi bien que les corps.

Ainsi, pour beaucoup de contemporains, le XVIe siècle est une époque favorable à l'athéisme. Derrière les manifestations du diable, de l'hérésie, de l'immoralité, du paganisme, de l'astrologie, ils ont cru discerner un phénomène commun : la montée de l'incroyance, annonciatrice des temps derniers. Le danger est pour eux bien réel : dès 1516, Thomas More, décrivant la cité idéale d'*Utopie*, déclare que l'athéisme y est honni, car une telle attitude ruine tous les fondements de la morale et de la loi. L'athée n'est pas digne du titre de citoyen, ni même de celui d'homme, car il se ravale au niveau de la « basse matérialité animale ». Toutefois, le grand humaniste se distingue ici par un esprit de tolérance qui contraste avec les violences religieuses de son époque : les athées sont méprisés mais tolérés, parce qu'« il n'est pas donné à l'homme de croire ce qu'il veut ». Le passage est révélateur :

> Il [le législateur] interdit toutefois, avec une pieuse sévérité, que personne dégradât la dignité humaine en admettant que l'âme périt avec le corps, ou que le monde marche au hasard sans une providence. Les Utopiens croient donc qu'après cette vie, des châtiments sanctionnent les vices et récompensent les vertus. Celui qui pense autrement, ils ne le considèrent même pas comme un homme, étant donné qu'il ravale la sublimité de son âme à la basse matérialité animale. Ils refusent même de le ranger parmi les citoyens, car sans la crainte qui le retient, il ne ferait aucun cas des lois et des coutumes de l'État. Un homme hésitera-t-il en effet à tourner subrepticement les lois ou à les ruiner par la violence, s'il ne redoute rien qui les dépasse, et qu'il n'a aucune espérance qui aille au-delà de son propre corps ? Celui qui pense ainsi ne doit donc attendre d'eux aucun honneur, aucune magistrature, aucun office public. Ils le méprisent partout où il est, comme un être d'une nature basse et sans ressource, sans toutefois lui infliger aucune peine corporelle, convaincus qu'il n'est pas donné à l'homme de croire ce qu'il veut[84].

Évoluant dans le cadre de la chrétienté, théologiens et juristes du XVIe siècle portent évidemment un regard extrêmement négatif sur l'athéisme, qu'ils associent à tous les maux de leur époque. Que l'incroyance ait ainsi été présente à l'esprit de tous les penseurs est déjà un indice capital. Il reste à vérifier le fait. Nous venons de voir que le contexte favorisait l'idée d'athéisme, sous forme d'une rumeur persistante. Il faut maintenant examiner les témoignages et les cas précis.

Pour cela, il est essentiel d'avoir toujours en tête le fait que l'athéisme reste considéré comme un fléau social, pourchassé. Personne ne peut revendiquer alors le titre d'athée. L'incroyance doit s'exprimer de façon extrêmement souple, sinueuse ; les athées doivent dissimuler, brouiller les pistes, faire des déclarations contradictoires qui nous déconcertent. Sans doute peuvent-ils, entre eux, se laisser aller à plus de franchise. Mais nous n'avons que les témoignages écrits, nécessairement plus prudents.

L'athéisme, dont certaines formes sont latentes pendant le Moyen Âge, devient une réalité consciente au xvie siècle. Consciente, mais inavouable sous peine de mort. Pour le dépister, nous ne disposons donc que de témoignages hostiles et d'écrits pleins de sous-entendus et de déguisements. Le fait que l'athéisme naisse dans des circonstances aussi difficiles contribue à lui donner une teinte particulière. L'athéisme du xvie siècle ne peut pas être un athéisme de système, un athéisme serein, car il n'a aucune possibilité de s'exprimer comme tel, sous forme d'un bel exposé construit. Il ne peut être qu'un athéisme de contestation, d'opposition, de questions. Il ne peut se présenter dans un premier temps que sous un aspect négatif, agressif, comme l'expression d'une révolte.

CHAPITRE V

Les témoignages d'athéisme
au XVIe siècle

Les athées du XVIe siècle, c'est d'abord dans les témoignages de leurs adversaires que nous les trouvons, témoignages à prendre avec précaution, mais dont le nombre, la diversité et le sérieux ne laissent aucun doute quant à l'existence d'incroyants. L'examen des cas jugés au cours du siècle, par les tribunaux protestants aussi bien que catholiques, confirme le caractère flou des doctrines, soit que les impératifs de prudence aient conduit les athées à se contredire volontairement — ou du moins à s'exprimer de façon obscure et pleine de sous-entendus —, soit que véritablement ils n'aient pas eu de doctrine, mais plutôt une attitude de pure révolte contre la tyrannie des credo. Cette dernière forme semble prédominer. Enfin, ne soyons pas surpris de trouver parfois les mêmes personnages parmi les accusateurs et parmi les accusés : cela fait partie de cette confusion religieuse du siècle où, nul ne pouvant revendiquer le titre d'athée pour lui-même, l'athée doit le subir, tout en le contestant.

Calvin, révélateur de l'incroyance

L'un des témoignages les plus décisifs est celui de Jean Calvin. Connaissant le caractère extrémiste de l'homme, il faut évidemment l'examiner avec prudence. Dès 1534, Calvin, dans sa *Psychopannychie*, signale l'existence d'une forme d'hérésie qu'il situe tout près de l'athéisme : la croyance au sommeil de l'âme après la mort. L'âme « ne peut subsister sans un corps, elle meurt et périt ensemble avec le corps, jusqu'à ce que l'homme ressuscite tout entier ». Pour ces hétérodoxes, « l'âme de l'homme n'est autre chose qu'une vertu et faculté de remuement sans substance ». Selon Calvin, c'est là une première forme d'athéisme, celle qui s'attaque à l'âme immortelle, et il l'assimile à une résurgence de l'épicurisme, doctrine de l'« homme sensuel », de celui qui croit que « tout ainsi que les bêtes n'ont plus rien de reste après leur mort, aussi l'homme ne réserve rien après sa mort[1] ».

En 1550, le traité *Des scandales* aborde d'authentiques variétés d'athéisme. L'impiété, qui a jusque-là « estée cachée, se découvre », déplore Calvin. Inspirés par le diable, des hommes, « ennemis de la vérité », s'attaquent à toutes les croyances religieuses, en s'appliquant à « rendre la parolle de Dieu odieuse, [...] ruyner la foy ». Leur méthode est la moquerie, odieuse à l'austère réformateur. Ils « se gabent », ridiculisent la chrétienté, le protestantisme aussi bien que le catholicisme, « se rient bien en plaisantant de la sotise et des badinages des papistes ». Ce sont des épicuriens, « enyvrés de Sathan », des « pourceaux », qui ne cherchent que la satisfaction de leurs sens, qui se persuadent que Dieu n'existe pas et que, « quant à leurs âmes, [...] ils ne diffèrent en rien des chiens et des animaux ». Ils estiment qu'il faut être « bien fol » pour croire que la mort d'un « condamné pendu à un gibet » puisse procurer la vie éternelle à tous les hommes. Les croyants sont à leurs yeux des « sotz et hebetez par dessus tous les idiots du monde », des simples d'esprit, qui acceptent sans examen le contenu de l'Écriture, « chose bien vulgaire », en « langage grossier et simple » : comment croire que Dieu ait pu se joindre à la nature humaine? La « raison naturelle » aussi bien que le « sens humain » interdisent d'ajouter foi à ces balivernes. L'existence du mal ne suffit-elle pas à réduire à néant ces fables, et plus particulièrement la prédestination, qui ferait de Dieu un véritable tyran et rendrait vains tous les règlements et toutes les lois, puisque alors tous les événements se produiraient « par nécessité »? Les religions n'ont été créées que pour maintenir les hommes dans la soumission, en les épouvantant par la crainte de l'enfer. Qui tient ce genre de langage? Essentiellement des nobles de cour, des membres de la haute bourgeoisie, « pronotaires et autres bonnets ronds », « thrésoriers et gros marchans », qui échangent ces propos d'incrédules dans leurs « banquets et compaignies joyeuses » où ils ridiculisent la foi[2].

Neuf ans plus tard, dans l'*Institution chrétienne*[3], outre sa polémique avec l'Église catholique, Calvin examine, dès le premier chapitre, la question de l'incroyance, affirmant qu'« aujourd'huy encores, plusieurs s'avancent pour nier qu'il y ait un Dieu ». Visiblement, cet état d'esprit le dépasse, car Dieu est pour lui une évidence : « La cognoissance de Dieu et de nous sont choses conjointes. » Même « entre les peuples les plus hebetez », l'idée du divin est enracinée en tous les hommes, des plus simples aux plus savants. Cette incompréhension est pour nous un indice de l'existence d'athées : on n'invente pas quelque chose d'inconcevable. Calvin constate que l'invraisemblable existe : les incrédules, que même le contact avec la sainte cène laisse indifférents, « vuides et secs ».

Le réformateur tente d'analyser les voies de pénétration de cette incrédulité. C'est d'abord la concupiscence des sens, qui endort la conscience pour pouvoir se satisfaire sans remords. Les débauchés et épicuriens « s'anonchalissent, nient qu'il y ait un Dieu ». En fait, ils cherchent à vider le ciel, à tuer Dieu afin d'assouvir librement leurs passions. Il y a une autre raison à cet égarement : c'est l'orgueil, qui demande des preuves, qui révoque en doute la foi comme une simple opinion sans fondement sérieux. Derrière ces attitudes se tient bien sûr le diable, qui tente par tous les moyens de « renverser du tout nostre foy » en soulevant des doutes sur la divinité du Christ et sur l'Esprit saint.

Calvin le voit bien : l'attrait pour la pensée antique, la redécouverte de Diagoras et surtout d'Épicure, qui ridiculisaient la foi « en se moquant de toutes les religions du monde », conduisent à « nier Dieu ». Ces Anciens n'étaient que des « mocqueurs » et des « gaudisseurs ». Ils infestent l'esprit par des croyances à la fois panthéistes, naturalistes et athées, enseignant « que c'est la roue de fortune qui tourne et agite les hommes », que le hasard dirige le monde, que Dieu est indifférent et s'est « déchargé du soin de gouverner le monde », que l'univers est animé d'un esprit « espandu en toutes parties, par tout le grand corps », que tout vient de la nature, « laquelle ils font ouvrière et maistresse de toutes choses ». « Ceste peste des épicuriens » prétend que l'univers se compose d'atomes, « petites fanfreluches, qui volent en l'air semblables à menue poussière, se rencontrent à l'aventure ». Quant à Lucrèce, il aboie « comme un chien pour anéantir toute religion », et Horace les révoque toutes en doute. Enfin, Calvin n'oublie pas le rôle des averroïstes, avec leur théorie de l'âme du monde.

Beaucoup, écrit-il, se laissent aujourd'hui séduire par ces mensonges. Ils contestent les autorités civiles et religieuses. Ils accusent le ciel d'injustice, le rendant responsable des pestes, guerres, famines ; ils l'ont en « exécration ». Ils sont désespérés face à la mort. Leur attitude est bien celle d'une « révolte générale », « obstination et fureur désespérée », « mespris et rebellion » : « Aujourd'huy, plusieurs monstrueux et comme faits en dépit de nature, sans honte destournent toute la semence de divinité qui est espandue en la nature des hommes, et la tirent à ensevelir le nom de Dieu. » Sans doute sont-ils prédestinés à l'athéisme.

Ces impudents contestataires posent une foule de questions, dont la liste montre la pérennité des interrogations humaines face au mystère de la vie et du monde, et face à l'insuffisance des réponses apportées par les religions. Que faisait Dieu avant de créer le monde ? Pourquoi a-t-il attendu si longtemps avant de se révéler ? A-t-il prévu le triste sort réservé sur terre à ses créatures ? Quelle preuve avons-nous de l'inspiration des Écritures, de l'existence de Moïse, de la résurrection de Jésus, qui n'est avérée que « par des femmes effrayées » et par « quelques malheureux disciples esperdus de frayeur » ? Pourquoi sacrifier les délices possibles de cette vie pour nous assurer une très hypothétique béatitude future, qui n'est sans doute qu'« une ombre laquelle nous eschappera tousjours » ? Pourquoi Dieu n'a-t-il pas empêché la faute d'Adam, responsable de la damnation de son propre ouvrage ? Pourquoi ne s'est-il révélé qu'à quelques-uns ? Pourquoi ne s'est-il pas manifesté de façon évidente, « en paroles claires et sans aucune figures » ? Pourquoi punit-il des pécheurs prédestinés à faire le mal, se moquant « ainsi cruellement de ses créatures » ? Pourquoi « ceste variété si confuse » de religions, de sectes ? Celle-ci ne montre-t-elle pas que « la religion a esté controuvée par l'astuce et finesse de quelques gens subtils, afin que par ce moyen ils missent quelque bride sur le simple populaire », pour « abuser les simples idiots » ?

Pour Calvin, ces questions révèlent des esprits aveuglés, corrompus, chez qui « l'incrédulité est enracinée ». De fait, elles recouvrent des comportements divers, allant du déisme négateur de la révélation jusqu'à l'athéisme, en passant par un panthéisme naturaliste. Il y a là toute la gamme des attitudes d'« incroyance », mais leur caractéristique commune est, comme le discerne Calvin, la rébellion, l'« apostasie ou révolte ». Ces incroyants du début du xvie siècle ne disposent pas d'un système du monde cohérent qu'ils opposeraient aux constructions théologiques. Le premier athéisme qui s'exprime, oralement, au sein de la chrétienté est un athéisme négatif face à un système de croyances dont les incohérences, d'abord révélées par les pensées médiévales de la double vérité et du nominalisme, sont confirmées et élargies par la redécouverte des pensées antiques. L'athéisme de la Renaissance commence avec le soupçon.

Témoignages sur l'athéisme avant 1570

Bien d'autres témoignages viennent confirmer celui de Calvin. En 1542, Antoine Fumée révèle dans une lettre l'existence à Paris de groupes de libertins[4]. À partir de 1545, Simon Vigor, recteur de l'université de Paris, dénonce à son tour, dans une série de sermons, les progrès de l'athéisme, jusque-là extrêmement rare « parce que trop naturellement cela est enraciné aux esprits des hommes qu'il y a quelque divinité[5] ». Il s'agit bien d'un athéisme au sens strict, affirmant qu'« il n'y a point de Dieu ». Ces athées veulent « esteindre la religion », en s'inspirant des philosophes antiques et en utilisant la « raison naturelle » et le « jugement humain ». Leurs propos sont tranchés : « Dieu ne se voit point, doncques il n'y a point de Dieu » ; « personne n'a veu faire le monde, c'est donc folie de croire à la création du monde ». Il s'agit là de sceptiques qui ne croient que le témoignage des sens.

Dans ses sermons des années 1550 à Saint-Germain-l'Auxerrois, François le Picard affirme aussi qu'en plein Paris « il y a aujourd'huy des gens qui ne cognoissent point Dieu », et même « il y en a de si meschants lesquels disent qu'il n'y a point de Dieu ni providence de Dieu »; « telles gens sont dits *athei*, c'est-à-dire *sine Deo*[6] ». Le Picard attribue cet athéisme à l'orgueil et à la chair, et analyse le processus qui y conduit : à la suggestion de Satan, « on recule d'aller à l'église », puis on cesse de prier, on commence à blasphémer, on poursuit uniquement les biens terrestres, on abandonne toute spiritualité, et l'on tombe dans le matérialisme, ne croyant que les sens. Notons que le Picard décrit aussi un athéisme pratique, celui de ceux qui vivent en « oblivion de Dieu », ne pensant qu'à satisfaire les besoins terrestres.

C'est toujours à propos du milieu du xviᵉ siècle que Le Fèvre de La Boderie écrit en 1568 : « Il y a plus de quinze ans qu'à mon grand regret j'ay esté fait certain que sous semblance humaine il se trouvait de tels monstrueux esprits qui osoyent pleinement dénier Dieu et sa providence[7]. » En 1553, Michel Servet pense que les progrès notables de l'impiété dans le monde sont un signe de l'approche de la fin des temps[8].

Au début des années 1560, les catéchismes opposés des protestants et des catholiques se rejoignent sur le même diagnostic. Le catéchisme réformé de Brentius, traduit en français en 1563, examine les questions posées par les « hommes incrédules » de l'époque : par exemple, comment les ressuscités pourront-ils tenir sur la terre ? dans quel état ressusciteront les infirmes ? avec qui vivront ceux qui se sont mariés plusieurs fois ? Ces curiosités sont d'ailleurs déjà exprimées en partie dans les Évangiles. D'après Brentius, un certain nombre de gens nient la résurrection des corps et l'immortalité de l'âme, ainsi que la divinité du Christ[9]. Il attribue ces erreurs à Satan, qui pousse l'homme à ne plus croire que ses sens, à demander des preuves matérielles de l'existence de Dieu. Cela lui rappelle les épicuriens et les pyrrhoniens. Il distingue les déistes, qui « pensent qu'un chascun sera sauvé en sa religion, moïennant qu'il vive honnestement »; les naturalistes, qui affirment « qu'il n'en chault pas beaucoup de quel nom cest esprit soit appelé : le Monde, la Nature, Jupiter, ou de quelque autre nom que ce soit »; les théistes, selon qui Dieu ne s'occupe pas des destins individuels; les matérialistes, qui nient l'immortalité de l'âme; les achristes, qui ne croient pas à l'Évangile; et les athées, « mechans gens desquels les uns doubtent s'il y a ung Dieu, les autres simplement nient qu'il y ait un Dieu ». Pour ces derniers, la foi en Dieu est une superstition inventée pour tenir « le peuple en devoir »; les écrits de Moïse et des apôtres sont purement humains, leurs auteurs « ont esté hommes qui ont pu et tromper et estre trompés ». Enfin, Brentius confirme que le problème du mal est une pierre d'achoppement pour beaucoup, scandalisés de voir les méchants prospérer, et qui estiment « qu'il n'y a nul Dieu, d'aultant que s'il y avoit quelque Dieu, il ne se pourroit faire qu'il endurast une si grande iniquité ».

Trois ans plus tard, en 1566, le catéchisme du concile de Trente fait la même constatation. Il énumère une série d'objections courantes, qui montrent combien on est loin alors de la foi passive et de la totale crédulité suggérées par certaines études. Ces questions de simple bon sens ont le don d'agacer par leur trivialité les théologiens qui ne possèdent pas les réponses et qui s'en tirent par des considérations spirituelles creuses, par des mots : dans quel état ressusciteront les obèses, les chauves, les culs-de-jatte, les manchots, les aveugles ? comment une vierge a-t-elle bien pu se faire engrosser ? pourquoi le Saint-Esprit n'a-t-il pas de nom ? comment peut-on être fils de Dieu ? comment expliquer la Trinité ? Le *Catéchisme* s'irrite de ces marques de scepticisme, et rappelle les dangers de la vaine curiosité, de l'esprit raisonneur ; Dieu nous a parlé, et ses mystères sont inconcevables. Il faut croire, sans chercher de démonstration, un point c'est tout[10]. Le *Catéchisme* n'utilise jamais le terme d'« athéisme », mais derrière certaines théories « impies » qu'il réfute, on sent la présence d'une telle attitude : négation de la création et de la providence, éternité du monde, problème du mal.

Le protestant Pierre Viret n'a pas de ces pudeurs de vocabulaire. En 1563, dans la préface de l'*Instruction chrestienne*, il explique que la multiplication des déistes et des « athéistes » l'a poussé à modifier son texte, dont la première édition datait de 1556. Il convient en effet, déclare-t-il, de lutter contre ces deux fléaux, qu'il distingue fort clairement. Il décrit les déistes comme des gens instruits, souvent intelligents, assez habiles pour se conformer extérieurement à la religion du pays dans lequel ils vivent, mais qui profitent des oppositions entre protestants et catholiques pour se construire leur propre croyance, laquelle consiste à reconnaître simplement « qu'il y a quelque Dieu », qui a peut-être créé le monde, mais qui depuis est indifférent à son œuvre. Tout est donc livré au hasard et à la liberté humaine, et les Écritures révélées ne sont que « fables et resveries ». Toutes les religions se valent, et en fait ne valent rien. Les déistes nient l'immortalité de l'âme et la divinité du Christ, considèrent tous les croyants comme des simples d'esprit et portent sur le monde un regard sceptique, méprisant et pessimiste.

Quant aux « athéistes », ce sont des « sans Dieu », ou « du tout sans Dieu ». Ils ne se contentent pas de regarder le monde d'un air narquois : au lieu « de périr tous seuls en leur erreur et athéisme, sans en infecter et corrompre les autres », ils font du prosélytisme. Enfin, ils sont très nombreux, au point que « nous sommes venus en un temps auquel il y a danger que nous n'ayons plus de peine à combattre avec tels monstres qu'avec les superstitieux et les idolastres, si Dieu n'y pourvoit ». Ainsi, pour Viret, l'athéisme a connu entre 1556 et 1563 une poussée si spectaculaire qu'il est devenu un danger plus grave que toutes les hérésies !

Deux ans plus tard, en 1565, il revient sur le sujet dans un curieux livre, l'*Interim faict par dialogues*, où, dans le chapitre consacré aux « libertins », deux interlocuteurs, Tite et David, montrent qu'à côté de l'Antéchrist — l'Église catholique — il y a le danger de l'athéisme, qui ronge aussi bien les rangs des protestants que ceux des catholiques. Là encore, Viret prend soin de distinguer les athées des simples indifférents, qu'il appelle les « besaciers ». Ceux-ci mettent toutes les religions sur le même plan et suivent extérieurement celle qui favorise leurs intérêts. De là, ils évoluent vers le stade ultime, l'athéisme, dans lequel ils « se moquent de Dieu », vivent « sans foy, sans loy, sans religion », ne s'occupant « ni d'Évangile ni de messe, ni de prescheur ni de prestre ». Ils ne songent qu'à la satisfaction de leurs besoins matériels et recherchent comme les épicuriens les plaisirs. Ceux qui appartiennent aux catégories sociales dominantes ne craignent pas d'afficher leur incroyance, de se réunir, de se moquer publiquement des « resveries » des croyants, et il s'en trouve ainsi dans chaque ville. D'autres, des intellectuels sans doute, qui sont devenus athées par la lecture des philosophes anciens, sont plus discrets. Enfin, il y a des athées pratiques dans le peuple.

Et pourtant, fait remarquable en cette époque de fanatisme religieux, Pierre Viret est favorable à la tolérance, même pour les athées. Il admire la politique menée par Jeanne d'Albret dans ses États, où règne cette situation d'« interim », « par lequel il est loisible à un chacun de vivre en sa religion, selon que sa conscience le porte, sans point troubler, empescher ni persécuter les uns les autres ». Cette tolérance, constate-t-il, peut certes favoriser la propagation de l'athéisme, mais cela vaut mieux que les persécutions, qui ne peuvent contraindre les consciences : « On ne fait pas les bons chrestiens à l'espée, par feux et fagots [11]. »

Ce témoignage de l'ampleur prise par l'athéisme au tournant des années 1560 est confirmé par d'autres auteurs. En 1563, l'historien luthérien Jean Sleidan, en Allemagne, y voit le phénomène marquant de sa génération : « Plusieurs deviennent athéistes à présent », et beaucoup « ne se soucient plus de choses quelconques et ne croient rien du tout [12] ». En 1559, Gabriel Dupréau-Prateolus rapporte :

> Il y a quelques années que, me rendant à Poitiers pour mes études, je passai par Orléans. Un habitant de cette ville, latiniste et helléniste connu [...] me raconta très confidentiellement que des adeptes très nombreux de cette secte [les athées] en étaient arrivés à ce degré de folie, que non seulement ils avaient sur le Christ des sentiments mauvais, mais qu'ils doutaient de l'existence de Dieu et de sa providence [13].

D'autres ne croient pas au Christ, qu'ils appellent le « suprême imposteur ».

Un phénomène européen

La présence irréfutable d'athées à Paris, à Orléans, dans le Béarn et dans la plupart des régions de France ainsi qu'en Allemagne est donc établie vers 1560. Mais le pays le plus souvent visé est l'Italie, qui a alors une solide réputation d'incroyance, et pas seulement à l'université de Padoue. Dès le début du siècle, Machiavel témoigne de l'irréligion partout répandue à Rome, en particulier dans le clergé :

> C'est donc à l'Église et aux prêtres que, nous autres Italiens, nous avons cette première obligation d'être sans religion et sans mœurs ; mais nous leur en avons une bien plus grande encore qui est la source de notre ruine : c'est que l'Église a toujours entretenu et entretient incessamment la division dans cette malheureuse contrée[14].

> Les cardinaux sont les premiers à étaler leur scepticisme, eux qu'on voit s'abandonner le plus qu'ils peuvent à leurs penchants criminels, parce qu'ils ne craignent pas un châtiment qui ne frappe pas leurs yeux et auquel ils ne croient pas[15].

En 1543, l'humaniste Gentian Hervet, précepteur de la famille d'Aubespine en France et des Pool en Angleterre, fait un voyage en Italie avec un élève. Il est frappé par le nombre d'athées qu'il y rencontre, et il écrit à François Ier dans la dédicace du *De fato* : « Il n'y a pas longtemps qu'est née ou plutôt qu'a été suscitée des enfers cette maudite secte qui a nom d'athées[16]. » En 1540, Étienne Dolet, qui se défend d'être un incroyant, affirme que cet état est particulier aux Italiens :

> Tu as eu l'audace de m'imprimer un stigmate inhérent aux Italiens, mais inconnu des Français, le sentiment de la mortalité de l'âme. Existe-t-il un seul écrit de ma main qui puisse faire naître chez les bons esprits le plus léger soupçon d'impiété (j'appelle impiété l'opinion qui suppose la mort de l'âme)[17] ?

Dans un ouvrage de 1535, Dolet va jusqu'à faire l'éloge de la foi aveugle et condamner l'esprit de libre examen, qui conduit à l'athéisme. En un paragraphe, il retrace l'itinéraire fatal de ces raisonneurs, qui est peut-être le sien :

> À force de discuter les articles de la foi chrétienne, de tout ramener à leur fantaisie, de limer pour ainsi dire et d'affiner la religion, à force de scruter jusqu'au fond des mystères, plusieurs en sont venus à rejeter les choses qu'ils vénéraient auparavant, à mépriser l'institution du Christ, à nier que Dieu s'occupe des affaires de ce monde, à affirmer que tout finit avec cette vie. Telle est la peste qui ravage notre siècle, et qu'a suscitée la damnable curiosité des luthériens[18].

La Suisse est également touchée, comme en témoignent plusieurs cas retentissants, qui révèlent l'existence de noyaux importants d'incroyants. À propos de l'affaire Jacques Gruet, exécuté à Genève en 1547 et dont nous reparlerons, Calvin prend la décision par une lettre de mai 1550 de publier et de brûler publiquement un manuscrit découvert dans la maison du condamné, et qui se présente comme l'énoncé des incroyances de Gruet. Le réformateur hésite à faire connaître des « blasphèmes si exécrables », des « blasphèmes énormes contre Dieu et mocquerie de la religion chrétienne », qui pourraient causer scandale et susciter des imitations, mais il décide de rendre l'affaire publique « pour donner exemple à tous complices et adhérens d'une secte si infecte et plus que diabolique, mesme pour fermer la bouche à tous ceulx qui voudroient excuser ou couvrir telles enormitez et leur monstrer quelle condamnation ils méritent[19] ». Il y a donc, de l'aveu de Calvin, des groupes de libres penseurs à Genève au milieu du XVIᵉ siècle.

Au même moment, dans des écrits de 1547 et 1553, un autre esprit suspect de l'époque, Guillaume Postel, affirme la présence d'athées[20]. Ce mystique libre-penseur, très déroutant, s'en prend très souvent aux « athéistes », « adonnés aux sens », qui « nient la providence et vivent à la manière des bêtes », « âmes rebelles à Dieu et à la raison ». L'athéisme, exposé par les Anciens, en particulier par Pline, revient aujourd'hui en force et plus dangereux que jamais : « Jamais il n'y eut une plus grande scéleratesse, iniquité et mépris de Dieu et de sa loi. »

Autre témoignage essentiel, celui de l'humaniste Henri Estienne, qui consacre deux chapitres de son *Apologie pour Hérodote* aux progrès de l'impiété. Il relève que des intellectuels ne se contentent plus d'attaquer le pape et la religion catholique, mais « passent outre » et en arrivent à « une vraye atheisterie », niant l'existence de Dieu, la providence, la divinité du Christ. Influence de la raison, de la pensée antique et aussi d'une contestation face à l'existence du mal — un vieillard mis en scène dans le livre déclare : « Il m'est souvent advenu de douter s'il y avait un Dieu, pour ce que je voyais des actes si horribles devenus impunis[21]. »

Toutes les nuances sont présentes. Certains, que l'on pourrait qualifier de déistes, « s'efforcent par tous moyens de rejeter tout sentiment de Dieu » et cherchent à profiter de la vie, tout en maintenant un semblant de croyance. D'autres vont jusqu'au bout et « sont du tout athéistes ». En général, ce sont des gens ayant des professions intellectuelles, des nobles, des bourgeois, qui pratiquent l'ironie, la moquerie, les « risées et brocards » contre la crédulité des fidèles des deux religions, et qui déclarent « ne croire de Dieu et de sa providence non plus qu'en a cru ce meschant Lucrèce ». Désabusés, déniaisés, ils se moquent du paradis et de l'enfer ; ce dernier, disent-ils, n'est pas plus réel que le loup-garou et ressemble aux « menaces qu'on faict aux petits enfants ». Ceux qui croient en ces fables sont de « povres idiots ».

Pour Henri Estienne, ces athées sont en fait des désespérés et des révoltés : les uns se suicident et les autres meurent en blasphémant atrocement. Il présente toute une liste de ces malheureux, qu'il considère visiblement comme des hystériques, maudissant le ciel jusqu'au moment de leur exécution : le libraire Jean André, le jacobin De Roma, le seigneur Jean Menier, le lieutenant criminel Jean Morin, les conseillers au Parlement Ruzé et Claude des Asses. En revanche, dans le *Discours merveilleux*, il montre ces « méchants athéistes » épouvantés devant la mort. Henri Estienne accuse d'ailleurs l'Italienne Catherine de Médicis « d'avoir rempli d'athéistes le royaume et spécialement la cour de France ». Pour lui, l'athéisme, qui vient surtout d'Italie, est bien pire que l'hérésie de ceux qui se trompent de foi.

Après 1570, recrudescence de l'incroyance

Henri Estienne écrit en 1566. Au fil des années 1570, le rythme des témoignages s'accélère, venant de toute l'Europe. Simple accroissement des sources, ou réelle propagation de l'athéisme ? Dans l'atmosphère chaotique des guerres de religion, les dénonciations se multiplient, les accusations réciproques prennent de l'ampleur, les mots dépassent parfois la pensée. Malgré tout, on a l'impression que l'une des conséquences paradoxales de ces conflits religieux a été la perte de foi d'une frange de la population ; scandalisée par ces affrontements, elle a perdu toute confiance en la providence et en l'existence de Dieu.

C'est ce que pense le capitaine protestant François de La Noue, chef de guerre réputé, et bien placé pour observer les effets du conflit sur les esprits. Dans ses *Discours politiques et militaires*, en 1587[22], il estime qu'il y a en France « un million d'athées ou d'incrédules » — chiffre imaginaire, sans doute très exagéré, mais destiné à frapper les dirigeants du pays, et qui situe le degré d'alarme de ce croyant sincère et plutôt tolérant. Pour expliquer cette situation, La Noue énumère les facteurs habituels : lectures profanes, en particulier des philosophes anciens, mais aussi de Machiavel, à qui il attribue une grosse part de responsabilité, et de romans licencieux ou simplement stupides, comme *Amadis, Perceforest, Tristan* ; genres de vie déréglés ; mauvaises fréquentations, comme dans le milieu des pages, où l'on jure et blasphème à longueur de temps ; « voyages aux pays estranges », où la vie n'est pas propice à la pratique religieuse ; enseignement universitaire qui favorise le scepticisme ; épicurisme, qui pousse à oublier Dieu pour satisfaire les passions et la débauche. Mais La Noue y ajoute l'influence des disputes et guerres religieuses, qui ont « engendré un million d'épicuriens et libertins ». Les violences et atrocités commises par les croyants ont semé des doutes dans beaucoup d'esprits, sans compter le mode de vie des soldats, dont la devise est : « Mangeons, buvons et prenons toute resjouissance, car peut-estre demain nous mourrons. »

C'est en ville que l'on trouve surtout les athées. La Noue les divise en deux catégories, qui correspondent à notre distinction entre athéisme pratique et athéisme théorique. D'un côté, ces bourgeois qui vivent « sans soucis », dont les préoccupations ne vont pas plus loin que « le vin, le gigot, les quilles » ; ils sont comme des porcs. De l'autre, des individus plus intellectuels, qui réfléchissent, philosophent, raisonnent, et qui sont dangereux parce que grâce à leur éloquence et à leur savoir ils attirent les « âmes simples » par « la subtilité de leurs arguments » ; ils sont nombreux à la cour, jouant les beaux esprits supérieurs et ironisant sur la foi.

Autre nouveauté fin de siècle, qui s'accentuera avec les libertins, et qui exaspère La Noue : ces incroyants n'affichent plus une attitude de révolte ; ils pratiquent un conformisme de façade, qui leur permet « de se posséder soy-mesme sans s'asservir trop à plusieurs choses qui nous arrachent, sans propos, ce peu de liberté que nous avons, qui doit nous estre si chère ». Leur devise est : « Cache ta vie. » Pas de prosélytisme voyant ; ils réservent leurs propos impies pour leurs réunions « en secret, entre ceux qui sont de leur confrairie ». En public, ils suivent les dévotions communes, ce qui leur permet de garder une totale liberté et indépendance.

Cette hypocrisie que dénonce La Noue est sans doute due en partie au durcissement des autorités à l'égard des impiétés et de l'athéisme à cette époque. Pouvoirs religieux et civils prennent conscience de l'ampleur du mouvement. En 1585, le concile d'Aix demande qu'on recherche systématiquement les athées et qu'on les punisse en faisant appel au bras séculier si nécessaire[23]. Les déclarations royales de 1588 et du 6 avril 1594 précisent les peines à infliger pour impiété et blasphème : amende de dix écus à la première offense, de vingt écus à la deuxième, et « punitions exemplaires et extraordinaires » à la troisième. Si l'on tient à sa tranquillité, mieux vaut être discret !

Ces incroyants, que croient-ils ? La Noue hésite à l'exposer, de peur de répandre leurs arguments pernicieux. Mais comme il faut bien que les fidèles sachent de quoi ils doivent se garder, il énumère les principales caractéristiques de ces athées et impies. Si elles ne forment toujours pas de système cohérent, elles commencent d'après lui à s'ordonner autour de l'idée de nature : il faut « suivre les préceptes qui s'accordent à nature », car c'est cette dernière qui par ses lois règle toute la vie du monde. Ce naturalisme semble plutôt matérialiste, et nie l'immortalité de l'âme. C'est aussi un rationalisme : la raison humaine doit être notre guide ; il faut se fonder sur les « escrits prophanes » et rejeter les « imaginations fantastiques » de l'Écriture. La religion, les dévotions « rendent mélancolique » et lâche face à la mort. La peur de l'enfer est une fiction inventée pour tenir les peuples dans l'obéissance.

C'est à peu près le même tableau que nous trouvons chez Innocent

Gentillet, dans son *Anti-Machiavel* de 1576[24]. Le titre indique assez l'accusation lancée contre le Florentin et ses disciples. Pour Gentillet, l'incroyance s'est diffusée à partir de l'Italie, où les écrits de Machiavel « sèment l'athéisme et l'impiété », mais la France compte maintenant de nombreux athées. Comme La Noue, il se demande s'il doit « exposer aux yeux et oreilles des gens de bien parolles si dures à ouïr », et répond par l'affirmative : il faut éclairer le public sur le danger.

Voici donc ce que pensent ces athées. Ils s'inspirent d'Épicure, « docteur des athéistes et maistre d'ignorance », et se délectent des poètes et auteurs antiques dangereux tels que Lucien, Martial, Tibulle, Catulle, Properce, Ovide, Porphyre. À partir de ces maîtres, ils ont élaboré leur doctrine : pas de dieu, un univers éternel, qui pour certains est divin ou travaillé par l'âme du monde ; ce dernier est dirigé par les astres ou par le hasard, d'où résultent les combinaisons d'atomes. Il n'y a évidemment pas de providence ; les hommes doivent composer avec leur « Fortune », faire preuve de « vertu » face au destin, et affronter une mort qui est définitive. La raison est leur seul guide, tandis que les Écritures sont des fables. Ils en veulent à l'Église d'avoir abattu le paganisme et renversé la science antique.

Gentillet insiste donc davantage que La Noue sur la responsabilité de la renaissance du matérialisme antique dans la diffusion de l'athéisme. Mais il n'oublie pas le rôle des disputes religieuses et de l'esprit de jouissance. Sa description de la conduite des athées est déformée par ses préjugés hostiles : ce sont, dit-il, des lâches et des hypocrites qui se cachent, ou alors au contraire des impudents qui blasphèment sans cesse. Son tableau des milieux concernés est plus intéressant. On trouve des athées, écrit-il, d'abord à la cour, où se rassemblent « athéistes et contempteurs de Dieu et de toute religion », dans le monde de la finance, en particulier chez les banquiers, percepteurs et officiers, et même dans l'Église, où des clercs qui n'ont pas les ordres majeurs et qui jouissent de bénéfices sont « imbus d'athéisme ».

Les propos de Gentillet sont confirmés jusque dans les termes mêmes l'année suivante par le conseiller royal Pierre de La Primaudaye, qui en 1577, dans son *Académie françoise*, témoigne de l'existence d'un « grand nombre » d'incroyants, nombre encore accru trois ans plus tard[25]. S'ils sont particulièrement abondants à la cour, qu'il est bien placé pour observer, il y en a également « en tous estats de toutes qualitez ». Les plus intellectuels s'inspirent d'Épicure, Lucrèce, Galien, Pline, Lucien, mais aussi d'Averroès, pour affirmer l'éternité du monde, nier la création et l'immortalité de l'âme. Leurs doctrines apparaissent davantage dans leurs conversations familières que dans leurs écrits, car ils se présentent souvent sous couvert de piété, bien que certains affichent une attitude blasphématoire.

La Bible est une des cibles préférées de leurs attaques : ramassis de « contes », elle contient des choses invraisemblables, comme la création d'Ève, la résurrection et l'ascension du Christ. Tout cela est bon pour les simples d'esprit, tandis qu'eux revendiquent les lumières de la raison et « ne croyent sinon ce qu'ils voyent et de quoy ils ont l'expérience ». Ainsi, ils s'étonnent que personne ne soit encore venu témoigner de la vie future, qui certainement n'existe pas, car l'âme — qui n'est que du « sang », ou un « souffle », ou des « esprits vitaux et animaux » — disparaît avec le corps. Dieu, si par hasard il existe, ne se mêle pas des affaires humaines, qui « sont conduites ou par Fortune ou par Prudence ou par la folie des hommes ». Peut-être Dieu est-il la nature, bien que celle-ci soit cruelle, « marastre », conduisant tout à la mort. Les athées posent les questions habituelles : pourquoi Dieu a-t-il fait le monde à tel moment plutôt qu'à tel autre ? que faisait-il avant ? si la providence existe, pourquoi le mal ? En définitive, les prophètes et patriarches bibliques ne sont que de « vieux resveurs ». Il est clair que la religion est une invention humaine, destinée « aux simples et aux sots » : « Il est bon pour la vie humaine que les hommes soient de ceste opinion, sans laquelle la société humaine ne pourrait estre gardée inviolable, et les hommes ne feroient rien à droit s'ils n'estoient, comme par une bride, retenus par ceste crainte[26]. »

Un athéisme contestataire

Ainsi se confirment les traits de l'athéisme de la fin du XVIᵉ siècle, attitude plus que doctrine cohérente, révolte contre la religion s'appuyant sur la pensée antique et sur des critiques rationnelles, tout en hésitant encore entre panthéisme, déisme et athéisme strict.

Les témoignages augmentent encore entre 1580 et 1600. En 1586, Pierre Le Loyer, déjà cité, écrit que « les athées fourmillent en ce siècle misérable », de la Chine — où « les marchans et les hommes lettrez sont pour la plus grande part athées et sans religion » — à l'Europe chrétienne. Leurs maîtres : Épicure, Démocrite, Lucrèce, Cassius, Celse, Galien, Porphyre, Alexandre d'Aphrodise, Averroès, Machiavel, Pomponazzi, Cardan, qui prennent tous « la nature pour guide[27] ». En 1588, Pierre Crespet, théologien ligueur, compose un livre contre les musulmans, les hérétiques et les « athéistes qui grouillent parmi nostre France[28] ». S'il les regroupe, c'est qu'il considère que tous ces gens ont en commun le désir de se débarrasser de la loi divine pour pouvoir satisfaire leurs appétits charnels. Toutes les hérésies et impiétés aboutissent au rejet intégral de Dieu, car ces malheureux « aiment mieux se rendre tout à fait athéistes, sans plus tant niqueter et croire tantost d'un costé, tantost d'un autre ». Ils s'appuient sur les philosophes anciens et leur « raison naturelle ». La description qu'en donne Crespet correspond à ce que nous avons déjà maintes fois énuméré, et il dépiste les athées plus particulièrement dans trois milieux : l'armée, la cour, les intellectuels. Chez les sou-dards, l'athéisme est pratique, lié à la débauche, aux habitudes de vio-lence et de pillage ; à la cour, il est le fait de gens qui « se gaussent » des mystères chrétiens, de la conception virginale, de la providence, de la Trinité, de la création, qui ironisent lourdement sur la foi et demandent « où estoit Dieu et où il demeuroit » ; quant aux intellec-tuels, s'ils n'osent encore parler en public ou écrire leurs idées, ils s'en entretiennent en privé. De toute façon, dit Crespet, la situation est grave : « L'athéisme a son cours libre, tant les hommes ignorent Dieu et n'ont plus de foy ny de conscience. » Il n'en veut pour preuve que ce Noël Journet, ancien soldat devenu maître d'école, brûlé vif en 1582 pour ses blasphèmes contre Moïse, les apôtres et Jésus.

Un autre observateur des années 1580, qui n'a rien d'un théologien mais qui est un très bon peintre de la société rurale, Noël du Fail, témoigne lui aussi des progrès de l'incroyance dans son *Épître de Polygame à un gentilhomme contre les athées et ceux qui vivent sans Dieu*, composée en 1585[29]. Nous trouvons chez lui la confirmation de ce que nous avons déjà abondamment décrit sur les origines d'un athéisme qui se propage, sur le problème du mal, sur la contestation des mystères, et sur l'accusation lancée contre la religion comme rempart de l'ordre social. Autre observateur non théologien, le maître des eaux et forêts du Bourbonnais, Antoine de Laval, qui s'indigne en 1584 de voir à la cour un étalage d'athéisme, de débauche et de « gausseries » à l'égard de la foi. Dans des ouvrages postérieurs, il se lamente devant la prolifération des « impies, blasphèmes et athéismes[30] ».

Un éclairage différent est donné par le franciscain Jean Benedicti, prédicateur et grand voyageur — du moins en Méditerranée — auteur en 1594 de *La Somme des pechez*[31]. Si l'on retrouve chez lui les thèmes habituels de l'influence néfaste de la pensée antique, des luttes religieuses, du désir épicurien de profiter de l'existence, il relève aussi le rôle de la profonde ignorance religieuse dans laquelle vit le peuple : « En ce pauvre royaume l'ignorance du populat est si grande qu'il vit le plus souvent comme bestes. » Il ne connaît même pas les bases de la foi, et cela le conduit à vivre un athéisme pratique : l'ignorance est « une ouverture à un beau athéisme ». Ce ne sont donc pas seulement les catégories supérieures qui sont concernées. Autre originalité de Benedicti : la liaison qu'il établit entre athéisme et sor-cellerie. Les athées, écrit-il, « adorent à la renverse le grand diable Sathanas, luy faisant l'honneur qui appartient à Dieu. Ils desadvouent leur baptesme et la religion. Ils blasphèment le Créateur. Ils comettent prodigieuses paillardises[32] ».

Nous avons dit le caractère ambigu de cette association entre culte

satanique et athéisme. En fait, Benedicti se sent confronté à une nébuleuse d'attitudes contestataires où se mêlent un vague déisme qui met
toutes les religions sur le même plan, un naturalisme fataliste, le
matérialisme qui considère l'âme comme du « sang », de l'« harmonie », de l'« air » — suivant l'opinion de certains médecins épicuriens
— et dans certains cas un athéisme complet. D'après lui, ces idées
sont couramment formulées dans les propos de table, tandis que chez
le petit peuple l'athéisme coexiste avec les superstitions les plus aberrantes, telles que l'adoration du soleil ou de la lune. Il a connu personnellement un « pauvre homme » qui lui a dit « que le soleil estoit
vray dieu, lequel il appeloit Supreme Lumière, le Supreme
Genius [33] ».

L'approche de l'an 1600 renforce les alarmes. Pour certains, la
multiplication du nombre des athées est un signe de l'imminence de
la fin, de l'arrivée de l'Antéchrist, du jugement. Et de cette multiplication, personne ne doute. Pierre Matthieu écrit en 1597 :

> Cette impiété qui s'est glissée en la religion a formé des âmes véritablement
> athées, qui ne parlent que dédaigneusement de la providence de Dieu, qui la
> nient tout à plat, dont l'âme est ensevelie dedans le corps, sans apprehension
> ny d'une seconde vie, ny d'une seconde mort [34].

En 1599, le réformé Marnix de Sainte-Aldegonde envisage l'effondrement du christianisme en raison des conflits religieux qui ouvrent
la porte à l'athéisme. Devant le lamentable spectacle de ces affrontements, le croyant ne sait plus où est la vérité ; il « demeure flottant en
perpétuelle inquiétude de conscience, dont finalement vient à se précipiter au gouffre d'athéisme et d'impiété » ; il en vient à penser « ou
qu'il n'y a point de Dieu ni de vraye religion, ou bien qu'un chascun
le peut servir à sa fantaisie [35] ».

Pour le magistrat et historien Florimond de Raemond, auteur vers
1600 d'une assez renommée *Histoire de l'hérésie*, les luttes religieuses sont bien à l'origine des progrès de l'athéisme, car elles ont
installé le doute dans les esprits. Mais, pour lui, toute la faute en
revient aux réformés. L'idée de liberté religieuse est pernicieuse,
parce qu'elle conduit nécessairement au relativisme, au nivellement
des croyances : les « nouveletez » aboutissent toujours à l'« exécrable
athéisme ». Puisant dans son érudition d'historien, il en donne des
exemples nombreux, pris dans l'Europe entière au cours du XVIᵉ siècle : en Pologne, dans le Palatinat, en Bohême, en Suisse, en Italie,
dans le Brabant où l'on voit des sectes nier l'immortalité de l'âme,
proclamer le règne de la Fortune et de la nature [36].

En 1607, un religieux toulousain, P. Blancone, atteste lui aussi le
désarroi des credo et le règne de l'incertitude. Entre astrologie, force
du destin, naturalisme, la confusion est extrême, et beaucoup doutent
que la « machine ronde » ait été créée par Dieu [37]. En 1612, le jésuite
Jacques Gaultier écrit que le siècle écoulé a vu de très nombreux

croyants sombrer « en l'abysme d'Épicure ou en l'athéisme[38] ». La même année, le prédicateur Antoine Tolosain dépeint la « bande » des athées « fort grossie et enflée », se moquant de l'enfer à l'instigation de Satan lui-même[39].

De la Méditerranée à l'Angleterre : le scepticisme populaire

Aucun pays n'est épargné. Dans l'Europe méditerranéenne, l'Inquisition, qui jusque-là ne réprimait que les délits d'hérésie, de blasphème ou d'indifférentisme, commence à s'attaquer à l'incroyance et au scepticisme, indice de leur inquiétante progression. À Lisbonne, l'édit de foi du 12 février 1594 introduit pour la première fois le délit de doute sur l'existence du paradis et de l'enfer, et celui qui consiste à affirmer que seules sont réelles la naissance et la mort, délits repris dans les édits de 1597 et 1611. À la même époque, l'Inquisition sicilienne rallonge sa liste des cas condamnables avec des expressions étrangement semblables à celles que nous avons trouvées dans les témoignages des auteurs cités : « le paradis et l'enfer n'existent pas », « il n'y a que naître et mourir », « l'âme d'un homme n'est qu'un souffle », « le sang est l'âme[40] ».

Avec la mise en place de l'Index des livres prohibés par Rome en 1557[41], l'Inquisition entreprend également la chasse aux ouvrages suspects de propager l'incroyance : les édits de Milan (1593), Alexandrie (1595), Ferrare (1596) exigent la présentation des listes de livres détenus par les libraires et les imprimeurs. D'après les historiens espagnols et portugais, cette œuvre de censure a été efficace dans la péninsule Ibérique, mais aussi en Italie où par exemple, en deux siècles (de la mi-xvie à la mi-xviiie), on ne compte qu'une seule édition d'Érasme, à Lucques, en 1568 ; sur vingt inventaires étudiés entre 1555 et 1587, on recense 3 425 volumes confisqués, dont 604 d'Érasme. Même à Venise, où l'Inquisition est autorisée à intervenir dans la censure préventive en 1562 et 1569, 28 libraires subissent un procès, et 1 150 livres sont confisqués[42]. Pour l'historien italien Antonio Rotondo, c'est là l'une des raisons de la faiblesse de l'athéisme en Italie aux xviie-xviiie siècles, ainsi que de sa coupure avec les courants intellectuels européens et de son retard ultérieur[43]. Les statistiques de procès inquisitoriaux pour cause d'athéisme illustrent la rareté des cas : devant l'Inquisition de Venise, 16 procès de 1547 à 1585, 21 de 1586 à 1630, 90 pour l'ensemble de la période 1547-1794 ; seulement 13 pour cette même période devant l'Inquisition du Frioul, et 24 devant celle de Naples. Les cas sont beaucoup plus nombreux en Espagne, mais les statistiques ne permettent pas de distinguer la part de l'athéisme dans les « propositions hérétiques et blasphémies[44] ».

À l'autre bout de l'Europe, dans l'Angleterre d'Élisabeth, où il n'est pas question d'Inquisition, on se préoccupe tout autant de l'athéisme. Certains contemporains parlent même de neuf cent mille athées dans le royaume, ce qui est encore plus fabuleux que le million de La Noue pour la France, étant donné la faible population des îles Britanniques à cette époque : un Anglais sur trois serait en effet incroyant. Qu'un tel chiffre ait pu être avancé indique bien l'importance du problème. Tous les historiens britanniques s'accordent à reconnaître l'incroyable indifférence religieuse qui caractérise le royaume d'Élisabeth derrière les superficielles disputes entre puritains et anglicans, qui ne concernent qu'une petite minorité. L'un d'entre eux écrit même que cette époque fut « l'âge de la plus grande indifférence religieuse avant le xxᵉ siècle [45] ».

Les tribunaux ecclésiastiques regorgent de cas illustrant cette affirmation à peine exagérée, comme ces habitants du Cheshire qui en 1598 déclarent qu'ils donneraient bien de l'argent pour qu'on démolisse l'église, mais certainement pas pour la construire, ou ce boucher d'Ely qui lâche son chien sur les gens qui vont à l'église, ou cet acteur londonien qui soutient qu'on apprend davantage de bien dans une pièce que dans vingt sermons, ou encore cet usurier de Hereford auquel on demande de veiller au salut de son âme et qui répond : « Qu'ai-je à faire de mon âme ? Laissez-moi m'enrichir, et je me moque bien de savoir si Dieu ou le diable aura mon âme [46]. »

Ces quelques exemples sont révélateurs d'un véritable athéisme pratique dans les campagnes et les villes anglaises. Les évêques de Londres, diocèse urbain, et d'Exeter, diocèse rural, se plaignent tous deux en 1600 de ce que chez les fidèles « la question de l'existence de Dieu soit un sujet très fréquent de discussion ». Les opinions les plus variées s'expriment sur les points essentiels de la foi. En 1573, un habitant du Kent « nie que Dieu ait fait le soleil, la lune, la terre, l'eau, et nie aussi la résurrection des morts » ; en 1582, un juge du Surrey déclare que « Dieu n'a rien à voir avec le monde depuis qu'il l'a créé, et que le monde n'est pas dirigé par lui » ; en 1563, un certain Thomas Lovell, de Hevingham, dans le Norfolk, a l'audace de se demander pourquoi « nous croyons au fils de Dieu, puisque nous prions Dieu le père, et que Dieu le fils n'a même pas été cru dans son propre pays, d'où il a été rejeté, et ils ont été plus malins que nous » ; un paysan de Bradwell, en Essex, dit « être de l'opinion que toutes choses viennent de la nature, et qu'il se tient pour athée » ; en 1578, Matthew Hamont est brûlé à Norwich pour avoir nié la divinité et la résurrection du Christ, et pour avoir déclaré que le Nouveau Testament n'était « que stupidités, des histoires humaines, ou plutôt une simple fable ». Les cas sont tout aussi nombreux au début du siècle suivant, et les affirmations d'athéisme toujours plus catégoriques : en 1633, un homme du Rutland se dit certain qu'« il n'y a pas de dieu, et qu'il n'a pas d'âme à sauver » ; en 1635, Brian Walker, à Durham, proclame : « Je ne crois pas qu'il y ait ni dieu, ni diable, et je ne crois que ce que je vois. » Pour lui, Chaucer vaut mieux que la Bible[47].

Cette galerie est d'autant plus étonnante que les cas émanent du petit peuple, de simples paysans et artisans, ce qui infirme les déclarations méprisantes des libertins aristocrates comme quoi eux seuls seraient au-dessus de ces croyances réservées au peuple imbécile, afin de le tenir dans l'obéissance. Si l'on en croit ces exemples, le peuple est beaucoup moins dupe et beaucoup plus critique que l'élite ne le pense. Tous ces cas proviennent d'archives judiciaires, ce qui rappelle aussi que l'expression de ces doutes et de cet athéisme comportait d'énormes risques, allant jusqu'à l'exécution capitale : on peut donc estimer que la prudence élémentaire conduisait la plupart des sceptiques à garder pour eux leur opinion. Les plus clairvoyants des dirigeants ne s'y trompent d'ailleurs pas : dans la seconde moitié du XVIIe siècle, Lord North affirme que ceux qui croient en la vie future sont très peu nombreux, « surtout parmi le vulgaire ».

Certaines sectes mettent en doute tel ou tel point ; l'une d'entre elles, dans le diocèse d'Ely, en 1573, soutient que l'enfer n'est qu'une allégorie. La divinité du Christ est très fréquemment remise en cause. En 1542, un habitant de Dartford déclare que « le corps que le Christ a reçu dans le sein de la Vierge Marie n'est pas monté aux cieux et ne s'y trouve pas » ; en 1556, c'est un prêtre de Tunstall qui traite de fous ceux qui prétendent que le Christ est assis à la droite du Seigneur ; en 1576, un homme du Norfolk affirme qu'il y a plusieurs Christs ; dans les années 1580, Edward Kelly nie la divinité du Christ ; en 1596, un individu est jugé pour avoir dit que « le Christ n'était pas le sauveur et que l'Évangile était une fable ».

Autre signe de la présence constante de l'athéisme dans la société élisabéthaine : le témoignage de nombreux puritains qui avouent avoir été tentés par l'incroyance. Même des hommes comme Richard Baxter et John Bunyan ont confessé avoir parfois perdu la foi. En 1597, Lady Monson « pense que le diable la tente de mettre fin à ses jours et de douter s'il y a un dieu » ; et c'est à un astrologue qu'elle confie cela. En 1574, John Fox raconte qu'un étudiant en droit a été tenté par le diable, qui lui disait qu'on ne souffre pas en enfer, qu'il n'y a pas de dieu, que le Christ n'est pas le fils de Dieu, que les Écritures sont fausses et que c'est la nature qui est à l'origine de toutes choses[48].

C'est une telle situation qui fait écrire à l'ambassadeur d'Espagne en 1617 qu'il y a neuf cent mille athées en Angleterre. Pour exagéré qu'il soit, ce chiffre est symptomatique. L'ambassadeur a sous les yeux les courtisans qui, comme en France, étalent un scepticisme méprisant, en dépit des préoccupations théologiques des souverains. Intellectuels, grands nobles, savants sont réputés pour leur incroyance. Les personnalités les plus en vue sont des mécréants notoires : Christopher Marlowe pense que le Nouveau Testament est

« grossièrement écrit », que Moïse n'est qu'un magicien, que le Christ est un bâtard homosexuel[49]. Sir Walter Raleigh déclare que « nous mourons comme des bêtes et, quand nous sommes partis, il ne reste rien de nous » ; il est au centre d'un cercle d'athées et tente de se suicider en prison[50]. Le comte d'Essex est bien connu pour son incroyance, et lors de son procès le juge Coke tente d'ajouter ce délit à l'acte d'accusation ; il fréquente d'ailleurs des gens qui sont plus que suspects d'athéisme, comme Christopher Blount, Francis Bacon, Thomas Hariot, George Gascoigne, John Caius, Nicolas Bacon, le comte d'Oxford.

Il est donc indéniable que le XVIe siècle a été marqué par la grande tentation de l'athéisme, qui sème le trouble dans tous les milieux. Depuis le détachement désabusé et terre à terre des couches populaires jusqu'au mépris sceptique des grands, ce siècle des passions religieuses déchaînées a aussi ressenti le frisson du grand doute. Et si, après tout, il n'y avait rien ? rien que la matière, rien que la nature, rien que la vie et la mort ici-bas ? La Bible, la création, Jésus, la religion, tout est remis en question, et cette vague de fond pourrait avoir été plus profonde et plus fondamentale que les agitations de surface entre catholiques et protestants, qui ont polarisé jusqu'ici l'attention des historiens. Derrière l'écran de bruit et de fureur que produit la minorité de fanatiques qui s'entre-tuent, on entrevoit un lent processus de détachement, de remise en cause partielle ou totale de la foi. Plus que celui des guerres de religion, le XVIe siècle ne serait-il pas celui du doute ?

CHAPITRE VI

Un athéisme critique
(1500-1600)

François Berriot, dans son étude sur *Athéisme et athéistes au xvi* *siècle en France*, écrit justement

> qu'en l'absence effective d'un athéisme serein et d'un matérialisme scienti-
> fique, cette époque connaît tout de même de profonds mouvements de rupture
> avec le christianisme : blasphèmes, sacrilèges, débauche, culte de Satan... sont
> autant de manifestations d'une sorte de révolte contre la morale et la foi chré-
> tiennes. En même temps, dans les faubourgs des villes, apparaissent des
> couches sociales qui échappent aux lois civiles et religieuses, tandis que des
> régions entières, défavorisées par leur position géographique, vivent véritable-
> ment à l'écart du christianisme. Les mutations historiques exacerbant le senti-
> ment de l'insécurité, la découverte du monde, la renaissance du rationalisme
> ou du matérialisme antiques bouleversent les conditions mêmes de la pensée,
> comme affolée de son propre pouvoir. [...] Nul doute que, parmi les masses
> populaires des villes et des campagnes, ne se soient trouvés des hommes vrai-
> ment irréligieux, animés de mouvements de révolte violente, à défaut d'un
> rationalisme serein dont ils étaient certes bien incapables. On aurait tort de
> négliger ces différentes formes d'« athéisme » présentes chez les êtres frustes
> proches de la terre et des saisons [1].

Le credo des incroyants

Pour Berriot, il n'est donc pas surprenant que dès le xviie siècle on
ait attribué la rédaction du fameux traité impie *De tribus impostoribus*
à un auteur de la Renaissance. C'est vers 1538-1540 que l'on
commence à parler de ce livre mythique, dont beaucoup ont cherché à
percer le secret des origines. Si le texte latin ne date probablement
que des années 1640-1650, il est certain que l'idée centrale correspond au grand mouvement de contestation que nous avons décrit.
L'inspiration en est d'ailleurs plutôt déiste qu'athée, puisque d'entrée
de jeu l'auteur écrit, avec un soupçon de réserve : « N'existe-t-il pas
de Dieu ? Soit, qu'il existe. [...] Mais rien ne dit qu'il réclame

un culte. [...] Quel serait le but de l'adoration ? Dieu a-t-il besoin d'un culte[2] ? » S'il y a un Dieu, c'est donc un Dieu lointain, indifférent, du genre des dieux d'Épicure, ou plus précisément de Celse dans son *Discours véritable contre les chrétiens*, tel qu'il nous est connu par la réfutation qu'en donne Origène. Celse, adepte d'un rationalisme naturaliste, s'en prenait aux fondateurs de religions, qui pour lui sont des faussaires et des imposteurs — en particulier Moïse, habile magicien, Jésus et ses apôtres, qui ont entraîné la lie du peuple par leurs fables. Il ne restait à l'auteur du *De tribus* qu'à y ajouter Mahomet. Ces trois personnages, qui prétendent transmettre une révélation, sont des imposteurs, comme tous ceux qui se font passer pour des inspirés afin de créer une religion :

> Tout fondateur de religion nouvelle devient suspect d'imposture. Qui voudra introduire de nouveaux dogmes, ou seulement une nouvelle réformation, et cela sur l'autorité d'une puissance supérieure, invisible, celui-là devra nécessairement produire ses pouvoirs, s'il ne veut passer pour un imposteur qui vient contredire le sentiment général, du chef d'une révélation spéciale[3].

Ils ont chacun leur méthode : la violence politique pour Moïse et Mahomet, la ruse pour Jésus. Les religions juive et chrétienne sont particulièrement odieuses en ce qu'elles affirment que Dieu a créé l'homme libre et l'a laissé succomber à la tentation, condamnant ainsi sa propre création à la souffrance et à la mort. Aucun père de famille digne de ce nom ne ferait une chose pareille : « Prends un couteau, donne-le à tes enfants, à tes amis, en leur en défendant l'usage, et cela dans la prévision certaine qu'ils s'en serviront contre eux, contre leur postérité innocente. J'en appelle à tes sentiments paternels : le feras-tu ? n'est-ce pas une plaisanterie qu'une pareille défense[4] ? » Mieux encore : pour se rattraper d'avoir laissé se damner des millions de ses créatures, Dieu livre son fils unique à la crucifixion ! Pour l'auteur du *De tribus*, le christianisme est une religion odieuse. Toutes les religions sont d'ailleurs des tromperies, des inventions des puissants qui profitent de l'ignorance des humbles. Ces religions, qui s'affrontent entre elles, se discréditent par leur simple diversité. Le sage doit donc douter et ne suivre que sa raison : « Il faut croire à tous, ce qui est ridicule, ou à personne, ce qui est plus sûr, jusqu'à ce qu'on soit entré dans la bonne voie[5]. » La « lumière naturelle » nous guide vers une croyance en l'éternité du monde et en un dieu qui serait en fait la nature.

Si le texte latin actuel de ce mystérieux traité date des environs de 1650, il est certain que dès le XVIᵉ siècle devaient circuler des manuscrits portant ce titre, manuscrits jamais retrouvés, connus par des rumeurs et des on-dit, entretenant une véritable légende. Dès 1543, Guillaume Postel en parle, puis Genebrard en 1581, et Florimond de Raemond en 1610, et le carme espagnol Geronimo de la Madre de Dios en 1611. Peu après, Campanella affirme que c'est vers 1538 qu'« est venu d'Allemagne le livre *De tribus impostoribus*, conforme à la doctrine d'Aristote et d'Averroès, selon lesquels tous législateurs sont imposteurs, principalement Jésus-Christ, Moïse et Mahomet[6] ». En 1631, Mersenne en cite des passages, que lui a récités l'un de ses amis, mais jusque-là personne n'a mis la main sur le texte lui-même. Élisabeth d'Angleterre, puis Christine de Suède le font rechercher sans succès.

Pour la première fois, en 1642, quelqu'un affirme l'avoir découvert : c'est l'Anglais Thomas Browne, auteur de la *Religio Medici*, qui en donne un compte rendu vraisemblable. Les mentions se multiplient dans la seconde moitié du xviie siècle, puis en 1716 une lettre décisive de Leibniz fait état de la brochure, de vingt-huit pages, qui est en la possession de Jean-Frédéric Mayer, qui lui-même l'a achetée en 1680. François Berriot a retracé l'histoire de ces différents exemplaires, très recherchés au xviiie siècle par des bibliophiles curieux comme La Vallière, qui s'en procure un en 1765 pour 300 livres (une année de revenu d'un curé à portion congrue !), exemplaire passé ensuite à la Bibliothèque royale, puis nationale[7]. Henri Busson a étudié le texte et en conclut que ce « n'est qu'une des versions de ce livre protéiforme. Pendant tout le xvie siècle, et peut-être avant, il y a eu des incrédules qui écrivaient, copiaient, mettaient en circulation de ces pamphlets irréligieux[8] ».

Les exemplaires les plus anciens qui subsistent du *De tribus* datent de la fin du xviie siècle, où l'ouvrage connaît une seconde jeunesse pendant la crise de la conscience européenne. Le texte lui-même a sans doute été rédigé vers 1650, à partir de traditions et de manuscrits très antérieurs et aujourd'hui disparus. Les exemplaires imprimés étaient certainement peu nombreux, puisque la vigilante Congrégation romaine de l'Index n'a même pas jugé utile de porter ce titre sur sa liste des livres prohibés. Il est vrai aussi qu'au xviiie siècle l'athéisme a quasiment pignon sur rue, et que le *De tribus* pouvait sembler relativement modéré dans son expression, même par rapport à des textes du xvie siècle.

Le thème pourtant restait d'actualité, et selon J. Denonain des exemplaires circulaient jusqu'en Pologne. Voltaire s'y est bien entendu intéressé, tandis que d'Holbach et Naigeon rédigeaient en français un *Traité des trois imposteurs*, dûment inscrit à l'Index en 1783. L'idée de l'ouvrage est en tout cas suffisamment audacieuse pour que des érudits aient mis en doute l'existence d'un tel texte au xvie siècle, comme le Dijonnais Bernard de La Monnoie au début du xviiie siècle. Opinion erronée — puisque plusieurs auteurs du xvie siècle ont parlé de l'ouvrage, même s'ils ne l'ont pas trouvé —, mais qui confirme que l'audace des incrédules de la Renaissance pouvait aller très loin, jusqu'à surprendre leurs émules des Lumières.

Les athées dans l'apologétique : Duplessis-Mornay

Les autorités religieuses du XVIᵉ siècle ne s'y trompent pas. Leur réaction est à la mesure des inquiétudes suscitées. La répression contre l'incroyance se durcit notablement à partir des années 1570 et se traduit par des exécutions nombreuses. Les motifs de condamnation sont variés, comprenant toutes sortes d'hérésies, mais on y voit apparaître de plus en plus le terme d'« athéisme ».

Les autorités réagissent aussi par la plume. Les traités de réfutation de l'athéisme se multiplient, et le vieux souci de prouver l'existence de Dieu, qui avait été déconsidéré à la fin du Moyen Âge, resurgit. L'un des premiers ouvrages de ce type est celui de Ramon de Sebonde, au titre révélateur : *La Théologie naturelle de Raymond Sebon, docteur excellent entre les modernes, en laquelle, par l'ordre de nature, est desmontrée la vérité de la foy chrestienne et catholique.* Traduit par Montaigne en 1569, le livre est dirigé contre ce « grand nombre de personnes qui jugent leur âme n'estre rien sans le corps et qui mesurent son vivre et sa durée à la vie et au durer de leurs membres : non chalans, par conséquent, des biens à venir, mesprisant aussi la damnation éternelle et ne se mettant en nul devoir de l'éviter ». La démonstration s'appuie sur un examen à la fois de la nature et de la Bible, c'est-à-dire sur le livre de la création et sur celui de la révélation.

En 1585, Pierre de Dampmartin, conseiller du duc d'Alençon, utilise quant à lui les arguments philosophiques tirés des merveilles de l'univers pour démontrer l'existence de Dieu[9]. On appelle aussi à la rescousse la vieille garde des Pères de l'Église, que l'on traduit pour mettre leur dialectique apologétique à la disposition des non-latinistes et des non-hellénistes : en 1570, Gentien Hervet traduit en français *La Cité de Dieu*. On a même recours à des autorités non théologiques, comme Marsile Ficin, dont *La Religion chrétienne* est aussi traduite en français, en 1578, par Guy Le Fèvre de La Boderie. Ce dernier exprime clairement son intention dans l'épître de présentation : il s'agit de combattre « l'athéisme et l'impiété qui rampe secrètement aux cœurs et espritz de plusieurs voluptueux et depravez[10] ».

Parmi les nombreux ouvrages d'apologétique contre les athées, on remarque ceux de Philippe de Duplessis-Mornay. En 1582, il publie une *Athéomachie*, dont le titre-programme est explicite[11]. Il s'agit de lutter contre l'« athéisme brutal » qui envahit la société. Tout le livre est en effet bâti autour de ce terme obsédant : dans le premier chapitre, on étudie les « causes de l'horrible athéisme » ; dans le second, on prouve l'existence de Dieu face à « l'erreur et stupidité des athées », puis on examine les sources bibliques et néo-testamentaires, pour réfuter « l'aveuglement du monde, obstiné en athéisme ».

Il semble que Duplessis-Mornay englobe sous ce terme, qu'il qualifie d'« insensée opinion de l'homme abruti », à la fois le déisme qui nie la providence et l'immortalité de l'âme, et l'athéisme au sens strict, puisqu'il le définit comme le fait de « nier Dieu, créateur tout-puissant, ou sa providence ». Cette « vaine pensée, ce monstre horrible d'athéisme, avec incrédulité et endurcissement désespéré », a été prévu par Dieu. Il a peut-être même été voulu par ce dernier qui, se servant du diable, a montré sa colère en permettant que se répande l'incroyance par « un arrest secret », ce qui est tout de même assez inquiétant.

Il est pratiquement impossible, note Duplessis-Mornay, de soutenir l'athéisme pendant toute une vie, mais les cas se multiplient de façon alarmante. Précision intéressante : les athées commencent à puiser des armes dans la Bible elle-même, utilisant à la façon des sophistes les passages ambigus, notamment dans les Psaumes ou les livres de Sagesse, pour nier l'immortalité de l'âme. Ils ont en effet beau jeu de tirer de cette littérature désabusée, en particulier d'un livre comme le Qohélet, que l'on appelait alors l'Ecclésiaste, des conclusions telles « qu'il n'y a point d'autre vie que ceste-cy, vaine et tant misérable, et qu'après la mort, il n'y aura aucune différence entre les bons et les meschants, pas mesme entre les hommes et les bestes ». Pour Duplessis-Mornay, il s'agit d'une manœuvre déloyale, car ce genre d'opinion n'a été placé là par le Saint-Esprit que comme un objet de dispute. C'est pourtant un nouveau danger qui se profile, accentué par la pratique protestante du libre examen des Écritures : on commence à s'apercevoir qu'il est possible de trouver dans ce recueil hétéroclite qu'est la Bible absolument tout et son contraire, ce qui sape les arguments apologétiques tirés de l'autorité de la Parole. Déjà, on voit poindre l'esprit philosophique, qui fera ses choux gras des grossières incongruités et immoralités bibliques.

L'Athéomachie relève aussi l'importance accordée par les athées au problème du mal, au triomphe de l'injustice sur terre : Dieu, s'il existait, permettrait-il une chose pareille ? Enfin, ils ne font pas de différence entre l'homme et les animaux, tous allant d'un même pas à la mort totale.

Plus développé est l'autre gros ouvrage apologétique de Duplessis-Mornay, paru en 1581 : De la vérité de la religion chrestienne contre les athées, épicuriens, païens, juifs, mahumedistes et autres infidèles. Dans cette attaque de grande envergure, il consacre plusieurs chapitres aux athées, mais se montre plus nuancé que dans l'Athéomachie. Il distingue soigneusement les déistes, qui refusent d'adhérer à une religion, et les véritables athées, dont il réduit le nombre à quelques cas extrêmes, ceux qui décident de « suspendre leur jugement en choses qu'ils n'entendent point » — ce qui correspondrait d'ailleurs plutôt à une attitude sceptique ou agnostique. Lucide, Duplessis-Mornay reconnaît que de tels hommes ont toujours existé dans l'histoire, mais il ramène leurs motivations à un simple désir de jouissance des biens matériels et de la chair. Étouffés par la sensualité, « ils ne veulent croire ny Dieu, ni eux-mêmes », ils « taschent à persuader à leur âme qu'ils n'ont point d'âme ».

A cette fin, ils soulèvent artificiellement des questions oiseuses qui ne sont que des prétextes pour ne pas croire, des sophismes : si Dieu n'a pas de corps, il ne peut pas agir ; s'il en a un, il est périssable, et il doit subir des tentations, ce qui est contraire à l'idée de Dieu. Pourquoi croire en un Dieu que personne n'a jamais vu ? La création est une fausse idée, car comment expliquerait-on alors que le monde, si récent, soit déjà si peuplé ? Il vaut mieux penser que le monde est éternel, ou à la rigueur que le monde est Dieu ; l'évolution du monde se fait par accidents, influences astrales, hasard. Pourquoi Dieu, après avoir vécu si longtemps seul, en s'occupant on ne sait comment, aurait-il eu l'idée, à un certain moment, de créer le monde ? L'idée que Dieu prenne « soing de tant de choses particulières, en ceste cloaque d'icy bas, en ceste région élémentaire subjecte à tant de mutation », est absurde ; si Dieu dirigeait le monde, il n'y aurait aucune liberté. Quant à l'âme, comment y croire, alors que tout montre que la mort individuelle est totale et définitive ? S'il y a immortalité, « si les âmes vivent, que ne le viennent-elles dire » ? Il ne peut y avoir qu'une « âme sensitive et végétative », qui « périt avec la matière » ; elle est indissolublement liée au corps, souffre avec lui, meurt avec lui. Et comment ajouter foi à la résurrection des corps, quand on a vu des cadavres pourris ?

En ce qui concerne le christianisme, les athées, rapporte Duplessis-Mornay, contestent l'autorité des Écritures, et l'on sent que leurs arguments s'affinent : ces textes grossiers, dont les auteurs classiques n'ont rien dit, comment pourraient-ils être la parole de Dieu ? Peut-on croire qu'autrefois les hommes vivaient de sept cents à neuf cents ans ? que de soixante-dix Hébreux entrés en Égypte il en est sorti six cent mille ? que ces primitifs aient pu entreprendre des ouvrages colossaux comme l'arche de Noé ou la Tour de Babel ? qu'un serpent ait pu parler, et autres fables du même genre ? Moïse n'est qu'un magicien, et les prophéties des illusions. Pour ce qui est du Christ, « qu'a-t-il faict digne de mémoire en toute sa vie » ? Qu'est-il, à côté des grands hommes de l'Antiquité, lui qui « ne nous a rien laissé par escrit, ni de sa vie, ni de sa doctrine » ? Né d'une vierge ? cela est bien « estrange » ! Et puis, fils de Dieu, cela est inconcevable ; et l'on ne voit pas « pourquoi Dieu a envoyé son cher fils au monde plus tost en ce temps là qu'en un autre, et pourquoy non plus tost ou plus tard ». Quant à la résurrection, il est probable qu'« on avoit desrobé le corps ».

Enfin, il y a cette énorme pierre d'achoppement qu'est le problème du mal. Déjà, on ne comprend pas pourquoi Dieu s'est adressé à un peuple plutôt qu'à tous les hommes. Mais, surtout, pourquoi punit-il les enfants d'une faute commise par leur père ? N'est-ce pas le comble de l'injustice ? Pourquoi laisse-t-il faire le mal ? « Pourquoi les maladies, et pourquoi, finalement, la mort ? » Pourquoi les méchants prospèrent-ils ? Duplessis-Mornay, parlant d'« un murmure presque universel », n'est pas insensible à cette question, même s'il se soumet au mystère.

On le voit, l'athéisme des années 1580 se fonde avant tout sur des interrogations, sur une révolte de l'esprit humain face à des croyances qui ne satisfont plus les exigences rationnelles. On y ajoute des arguments empruntés à la pensée antique — Démocrite, Épicure, Lucrèce, Alexandre d'Aphrodise, Julien — et à Averroès, avec la théorie de l'âme du monde. Mais l'armature reste négative, critique. Et Duplessis-Mornay n'oublie pas tous ceux qui vivent sans penser à ces questions, dans une situation d'athéisme pratique.

L'hommage de Charron

Parmi les nombreux autres traités d'apologétique contre les athées rédigés à cette époque, mentionnons ceux du jésuite Antoine Possevin, de 1584 et 1585 [12], et celui de Pierre Charron, *Les Trois Veritez*, de 1593. Nous y retrouvons les mêmes thèmes, avec tout d'abord un essai de classement des différents types d'incroyants. Certains, que Charron qualifie de « déistes, tiercelets d'athéistes », croient en un vague Dieu, « impuissant, nonchalant, sans soing et providence » ; d'autres sont des « sceptiques », qui doutent de tout et refusent de se prononcer ; la troisième catégorie est celle des vrais athées, qui déclarent « n'y avoir point du tout de Dieu », et à leur sujet Charron rejoint curieusement Duplessis-Mornay pour estimer qu'ils sont rares, car ces gens doivent avoir une grande force d'âme. C'est la première fois que nous rencontrons cet hommage — de la part, il est vrai, de quelqu'un dont l'attitude a été jugée ambiguë. Pour Charron, il faut une singulière « roideur d'âme », « une âme extrêmement forte et hardie » pour soutenir avec constance l'athéisme dans un monde hostile, en butte aux attaques et aux critiques, ainsi qu'aux doutes de la conscience, formée dans une société croyante. L'athée, « seul sans appuy », confronté à l'« ennuy et désespoir », a une grandeur tragique.

Le reste est plus conformiste. Les causes de l'athéisme sont toujours les mêmes : sensualité, conflits religieux, esprit de libre examen, pensée antique, règne de l'injustice, punition divine. En exposant les arguments des athées, Charron adopte un ton qui cache mal sa sympathie à l'égard du scepticisme. Ainsi lorsque la religion est présentée comme « une artificielle invention très utile aux grands », lorsque l'absence de providence est dénoncée par le constat qu'il y a bien des choses « qui ne seroyent point ou bien seroyent tout autrement, s'il y avoit un Dieu », lorsque l'impossibilité de prouver l'existence de Dieu est relevée : il n'y a « raison du tout nécessaire et suffisante pour monstrer qu'il y a un dieu et une providence ». Le christianisme est une religion irrationnelle, alors que la raison devrait être notre seul guide.

L'ambiguïté de Pierre Charron, nous la retrouvons à travers tous les cas célèbres d'incroyance qui ont été jugés au XVIᵉ siècle. Il n'est pas étonnant, lorsqu'on les examine, de constater qu'ils ont pu servir à justifier les points de vue les plus opposés. Pour les uns, les Rabelais, Postel, Dolet, Servet, Cardan et autres Des Périers étaient des croyants sincères, tout juste hétérodoxes sur certains points ; pour les autres, leur pensée sinueuse et contradictoire n'était qu'un écran destiné à camoufler leur athéisme ou, pour certains, leur déisme vaguement naturaliste. Il est bien difficile de trancher. Au minimum, disons que ces cas illustrent l'éclatement des croyances qui marque cette époque. Mais parfois cela va beaucoup plus loin.

Nous avons évoqué Rabelais, ce bon chrétien d'après Lucien Febvre. Il faut tout de même rappeler que, pour Henri Estienne, cet auteur n'avait pas plus de foi que Lucrèce : « Qui est donc celui qui ne scait que nostre siècle a faict revivre un Lucien en François Rabelais, en matière d'escrits brocardans toute sorte de religion ? [...] Sçavons-nous pas que le but de ceux-ci a esté, en faisant semblant de ne tendre qu'à chasser la mélancolie des esprits, de donner des coups de becs à la vraye religion chrestienne ? [...] C'est-à-dire de ne croire de Dieu et de sa providence non plus qu'en a creu le meschant Lucrèce[13]. » Benedicti, Dumoulin sont du même avis et, en 1608, F. des Rues parle de « François Rabelais, vray athéiste[14] ». Sa réputation est alors faite, et certains verront même en lui un auteur possible du *De tribus impostoribus*. Remarquons simplement que l'on trouve dans ses œuvres des traits signalés comme des marques d'athéisme par les autorités de l'époque. Mais il est vrai qu'il s'agit de romans et que rien n'autorise à attribuer à Rabelais toutes les idées de ses personnages.

L'incroyance en Italie, de l'Arétin à Bruno

Dans la première moitié du siècle, les Italiens sont particulièrement suspects. Pietro Aretino (l'Arétin) n'est pas en odeur de sainteté. Sa poésie érotique, ses attaques permanentes contre le clergé font de lui une cible privilégiée pour les censeurs, qu'il se permet de narguer grâce à ses puissantes protections : que peut-on contre un homme — fût-il athée — défendu par le pape, Charles Quint, François Iᵉʳ, les Médicis, Titien et d'autres ? Cela lui permet, dans ses comédies, de faire des remarques fort osées sur la religion, le Christ, l'immorta-lité de l'âme. Dans *La Courtisane* (1535), *Talenta* (1542), *Le Philo-sophe* (1546), l'atmosphère est toute antireligieuse et matérialiste.

Le même climat règne dans les œuvres théâtrales de Machiavel : épicurisme sensuel dans *La Mandragore* (1515), où l'on méprise l'enfer et où l'on recommande l'avortement. Que le pape Léon X ait apprécié cette pièce en dit long sur ce qu'on pouvait alors tolérer. Machiavel est encore plus explicite dans ses poèmes et ses contes, comme *L'Âne d'or*, constat réaliste et désabusé sur un monde où les animaux sont à la fois plus forts, mieux adaptés et plus heureux que les hommes, rongés par leurs pensées, par la peur de la mort, par l'ambition, par les désillusions. « Il n'y a que l'homme qui massacre l'homme, qui le crucifie, qui le dépouille. » Seule solution : jouir de l'existence sans réfléchir. « Je vis bien plus heureux dans ce bourbier où je me plonge et me vautre sans me tourmenter de vaines pensées », conclut l'âne : apologie de l'athéisme pratique.

Si les œuvres de fiction sont d'interprétation délicate, la correspon-dance est plus révélatrice de la pensée authentique. Or, les lettres de Machiavel laissent peu d'incertitude ; le Florentin y apparaît comme fataliste et d'un naturalisme épicurien, écrivant à un ami : « Je crois, j'ai cru, et je croirai toujours que Boccacio avait bien raison lorsqu'il disait : il vaut mieux faire et se repentir, que se repentir et ne rien faire. »

L'étude de l'histoire, qui chez d'autres montre partout à l'œuvre la providence, ne fait chez lui que confirmer le règne de la Fortune. La religion n'a jamais été qu'un moyen d'assurer la bonne marche de l'État ; Solon, Lycurgue, Numa, tous les grands législateurs l'ont bien compris : « Où la crainte de Dieu n'existe pas, il faut que l'empire succombe. » Moïse et Mahomet ont su profiter des forces religieuses pour mener leur combat, et Savonarole a aussi utilisé le subterfuge pour faire « accroire qu'il avait des entretiens avec Dieu ». La reli-gion est le meilleur rempart du prince, comme Machiavel le répète dans ses *Discours* :

> Malheur à l'État où la crainte de l'Être suprême n'existe plus ! Il doit périr, s'il n'est provisoirement sauvé par la crainte même du prince qui supplée au défaut de religion ; mais, comme les princes ne règnent que le temps de leur vie, c'est alors pour l'État la dissolution à brève échéance [...]. Rien de plus aisé, au contraire, que de conserver un État composé d'un peuple religieux, par conséquent plein de bons sentiments et enclin à l'union[15].

Lorsque la croyance religieuse s'affaiblit, l'esprit de contestation et de révolte progresse. C'est ce qui s'est passé dans l'Antiquité : « Quand ces oracles commencèrent à parler au gré des puissants, et que le peuple eut reconnu la fraude, alors les hommes devinrent moins crédules, et se montrèrent disposés à se soulever. » Les reli-gions païennes sont donc mortes, remplacées par le christianisme — ce que Machiavel semble bien regretter, car la nouvelle religion, peut-être mal comprise, « a rendu les hommes plus faibles ». Le christianisme est devenu la religion de la soumission, à cause de « la lâcheté des hommes qui ont interprété la religion selon la paresse ». Mais les religions aussi sont mortelles : « L'existence de toutes les choses de ce monde a un terme. Je parle ici des corps composés, tels que les républiques ou les religions. Il est plus évident que le jour que, puisque ces corps ne se renouvellent pas, ils ne peuvent durer. » Voilà bien un point de vue nouveau, en complète opposition avec l'enseignement catégorique de l'Église, selon lequel le christianisme ne passera pas. En introduisant la dimension temporelle et historique au sein de la religion, Machiavel lui inocule un poison mortel, dont l'action pernicieuse va commencer à se développer à partir du xviiie siècle. Faire l'histoire des religions, enregistrer leur naissance, leur vie, leur déclin et leur mort, n'est-ce pas faire le lit de l'athéisme ?

L'histoire comparative n'est guère favorable aux vérités absolues. C'est ce dont on s'aperçoit avec un autre Italien dont la réputation est également douteuse, Jérôme Cardan. Dans son *De subtilitate* de 1550, constatant combien les différentes religions se combattent les unes les autres, il entreprend une comparaison entre « les lois des idolastres, des chrestiens, des juifs, des mahométistes » — il explique en partie leurs différences par l'influence des astres —, mais ne se prononce pas quant à la meilleure d'entre ces religions : « Au hasard de décider la victoire ! » Aussi les censeurs du siècle suivant le compteront-ils parmi les athées. Pour le père Garasse, « Cardan, qui est un des plus téméraires escrivains qui fut jamais, et qui penche partout du côté de l'athéisme, porte deux raisons pour estaller l'éternité prétendue de la mer et, partant, conclud que la mer n'a jamais eu de commencement, ny le monde par conséquent [16]. » Il l'accuse également d'être « d'avis que l'âme de l'homme est de même espèce et même essence que celle d'un cheval : le premier athéiste de nostre temps qui a publié impunément cette maudite doctrine, ça été Hierosme Cardan [17] ». Mersenne, Tomasini, Raynaud sont du même avis : Cardan est un athée, tandis que Naudé, Parker, La Mothe Le Vayer voient en lui simplement un sceptique, ou un impie audacieux.

Les érudits de notre époque sont tout aussi partagés et décèlent chez Cardan de fortes similitudes avec la pensée padouane : rejet du miracle, éternité du monde, doutes sur l'immortalité de l'âme. Dans le *De vita propria*, il se montre tout aussi hétérodoxe, mais sans jamais nier catégoriquement l'existence de Dieu. De même, peut-on qualifier d'athée le Napolitain Telesio, fondateur d'un système hardi, reposant sur les relations matière-force, où l'âme, d'essence matérielle subtile, est logée dans les cavités cérébrales ? Et que penser de cette lettre du 22 juin 1534, retrouvée par l'érudit La Monnoye, dans laquelle l'humaniste Fausto de Longiano annonce à l'Arétin : « J'ai commencé un autre ouvrage intitulé le Temple de Vérité, dessein bizarre que peut-être je diviserai en trente livres : on y verra la destruction de toutes les sectes, de la juive, de la chrétienne, de la mahométane, et des autres religions [18] » ? Nul ne sait si ce projet a été mis à exécution. Il n'en reste en tout cas aucune trace. Et le Florentin Francisco Pucci, que Voetius qualifiait de « sans religion », tour à tour catholique, protestant, à nouveau catholique, et en réalité visionnaire hétérodoxe, n'est-il pas plutôt un simple illuminé [19] ?

Italie toujours : le Siennois Bernardino Ochino, personnalité étrange, publie en 1563 des *Dialogues* entre un juif et un chrétien, à propos de la divinité du Christ [20]. Le procédé, maintes fois repris, permet toutes les audaces et toutes les ambiguïtés. Ainsi, Ochino place dans la bouche du juif tous les arguments classiques contre le Messie, alors que la « réfutation » par le chrétien paraît bien faible, et la conversion du juif à la fin de l'ouvrage peu vraisemblable. Celle-ci ne trompe d'ailleurs personne, et surtout pas les pasteurs zurichois, qui dénoncent la manœuvre :

> Il faisait parler un juif disputant, blasphémant contre la doctrine de Jésus-Christ, et il réfutait faiblement les arguments de ce juif. Il rassemblait toutes les hérésies contre la sainte Trinité et contre la divinité de Jésus-Christ sous le prétexte de les combattre et, bien loin de les blâmer, il paraissait les favoriser en dénaturant les passages de l'Écriture qui prouvent la divinité du Fils de Dieu. Le but de ces trente dialogues était de jeter des doutes sur la doctrine chrétienne, exciter des querelles et causer du scandale [21].

Pour autant, Ochino n'a rien d'un athée. Cependant, dès le XVIIe siècle, certains vont lui attribuer ce qualificatif et voir en lui un auteur possible du *De tribus impostoribus*. C'est ce qui ressort d'une lettre de 1640 écrite par le chevalier Digby :

> Bernardinus Ochinus a esté un athée formé et manifeste, lequel, aïant esté fondateur et patriarche de l'ordre des capucins, d'un zèle fort ardent, est devenu hérétique, et après cela juif, et enfin turc. Après tout cela, il s'est monstré très vindicatif, et a escrit contre tous ces trois, qu'il nommoit les plus grands imposteurs du monde, entre lesquels il a conté Christ nostre sauveur, Moyse et Mahomet [22].

Si Bernardin de Sienne a pu passer pour un athée, on ne sera pas surpris que Giordano Bruno ait pu hériter de la même réputation : « Il attaquoit le fond de la religion même, nioit la révélation, renversoit les fondements les plus solides du christianisme [...]. Ce fut comme athée qu'il fut puni du dernier supplice », écrit J.P. Niceron [23]. Et l'abbé Goujet le confirme : « C'étoit un impie, quoique philosophe. Il fut brûlé en effigie pour son dialogue intitulé *Spaccio*, ouvrage très rare, digne production d'un athée [24]. » Depuis, les études de la pensée de Bruno ainsi que des pièces de ses interrogatoires ont fait découvrir un personnage beaucoup plus complexe, effectivement adversaire des cultes révélés, hostile aux dogmatismes outrecuidants de tous les possesseurs de vérité, mais conservant un profond sens du divin.

Ce dominicain à la vie mouvementée, arrêté en 1592 sur ordre de l'Inquisition, interrogé d'abord à Venise, puis transféré à Rome où il reste en prison pendant sept ans avant d'être brûlé le 16 février 1600, a pris très tôt la dimension d'un symbole — mais d'un symbole encombrant, car sa pensée déroutante recoupe tous les types de croyance et d'incroyance, si bien qu'aucun courant ne peut vraiment se reconnaître en lui : ni la foi dogmatique, ni l'athéisme.

Les chefs d'accusation mêlent d'ailleurs de façon inextricable théologie, science et philosophie, indissociables dans la pensée de Bruno comme dans celle des inquisiteurs. Pour l'ex-dominicain, l'idée de révélation n'a pas de sens, pas plus que celle de péché originel ; à ses yeux, Jésus est un homme qui a reçu une aide divine particulière. Mais ce que lui reproche le Saint-Office touche aussi aux rapports entre le monde matériel et Dieu. Le centre de sa doctrine est de caractère panthéiste : Dieu est immanent au monde, il est la force spirituelle qui anime la matière et se cache en son sein. Bruno situe au niveau des atomes l'intervention de l'Esprit, de l'âme du monde ; l'atome est centre de vie, il est le point dans lequel vient s'insérer l'Esprit et il est coéternel à Dieu. Les atomes, travaillés du dedans, ne se combinent ni par hasard ni de façon désordonnée, mais selon une volonté organisatrice, allant vers des structures de plus en plus complexes et de plus en plus parfaites [25]. Bruno rejette donc en partie Démocrite et Épicure.

Le monde est le Tout, infini. Deux infinis ne sauraient coexister l'un en dehors de l'autre, ou l'un à côté de l'autre. Dieu n'est donc pas séparé du monde, il est en lui, il lui est immanent. Toutefois, les écrits de Bruno permettent de nuancer ce panthéisme. Dans *L'Univers infini*, il suggère une séparation d'ordre logique entre Dieu et le monde, qui ne coïncident pas absolument :

> Je dis que l'univers est tout infini parce qu'il n'a ni borne, ni limite, ni surface ; je dis que l'univers n'est pas totalement infini parce que chacune de ses parties que nous pouvons prendre est finie, et que des mondes innombrables qu'il contient, chacun est fini. Je dis que Dieu est tout infini parce qu'il exclut de lui toute limite, et que chacun de ses attributs est un et infini ; et je dis Dieu totalement infini parce qu'il est tout entier dans le monde et dans chacune de ses parties infiniment et totalement ; contrairement à l'infinité de l'univers, qui est totalement dans le tout, mais non dans les parties que nous pouvons y comprendre, si toutefois, par rapport à l'infini, elles peuvent être appelées parties [26].

Ainsi, Bruno est en 1600 un homme seul, avec qui personne ne veut se compromettre. Ni Galilée ni Descartes n'en parleront. Mersenne le qualifiera de « penseur le plus redoutable des déistes, athées ou libertins », mais ces derniers rejettent également la compagnie d'un homme qui leur semble être un illuminé mystique. D'après le témoignage de l'Allemand Gaspar Scioppius, Bruno, en entendant la sentence, aurait déclaré : « Vous qui me condamnez, ce jugement vous fait peut-être plus peur qu'à moi-même », et sur le bûcher il aurait écarté le crucifix qu'on lui tendait, signifiant par là qu'aucun intermédiaire ne lui était nécessaire pour rejoindre le Grand Tout. Ultime apostasie pour les uns, ultime fidélité à ses convictions panthéistes pour les autres[27]. Ce n'est qu'à notre époque d'éclatement des credo et des frontières entre foi et incroyance que la pensée de Bruno retrouve son intérêt.

Dolet, Gruet et Servet : les martyrs de la libre pensée (1546-1553)

Hors d'Italie, d'autres affaires retentissantes sont venues au XVIe siècle illustrer les difficultés d'expression d'un athéisme pourchassé et qui se cherche encore lui-même. En 1546 est brûlé à Paris l'imprimeur Étienne Dolet, après deux ans de détention et sous les inculpations d'« impiété », « athée relaps », « épicurien et saducéen ». Contrairement à Bruno, Dolet a été adopté par la libre pensée européenne, qui en a fait son précurseur et sa figure de proue[28]. Il est cependant bien difficile de cerner la pensée de cet aventurier de l'édition, et de distinguer chez lui la provocation de la conviction profonde. Né à Orléans en 1509, il est initié à Lucrèce, Pline et Cicéron par l'éditeur Nicolas Bérauld à Paris. À dix-huit ans, il va étudier à Padoue, puis il approfondit la pensée de Cicéron sous la direction de l'humaniste Simon de Villeneuve, et se lie avec Des Périers et Nicolas Bourbon. Plusieurs fois arrêté, à Toulouse puis à Lyon, il ne s'en sort que par la grâce royale ; mais sa réputation d'athée est déjà solidement établie en 1535 — il n'a alors que vingt-six ans —, comme en témoigne cette année-là une lettre de Jean-Angel Odone :

> J'étais fort lié avec lui à Bologne. Je n'ai rien vu de Christ en lui, ni dans ses livres : Dieu sait seulement s'il en avait quelque chose dans le cœur. Il m'a déclaré lui-même que, lorsqu'il s'était enfui en France, il a emporté, pour se consoler dans son infortune, non pas l'Ancien et le Nouveau Testament, mais les *Épîtres* de Cicéron *Ad familiares*. Je ne vous aurais dit sa conduite impie si nous ne savions pas que tous ces singes de Cicéron ont la même dépravation, la même impudence [...]. Nous ignorons si l'université et le parlement de Paris n'ont pas l'intention de lui faire subir la peine capitale. Car il arrive souvent que ces athées soient écrasés par la punition qu'ils méritent (comme il est dit dans l'Épître) au moment où, dans leur joie, ils s'écrient : Paix, paix, mangeons et buvons[29].

En fait, dans ses réactions, ses actes et ses écrits des années 1534-1535, Dolet apparaît d'abord comme un sceptique ou un agnostique, détaché des religions. Lors de l'affaire des Placards, en 1534, il écrit à Guillaume Scève, après l'exécution d'une vingtaine de huguenots : « Pour moi, j'assiste en spectateur à ces tragédies. Sans doute, je plains ces misérables, et j'ai pitié d'eux, mais j'estime qu'ils sont bien ridicules et bien sots de mettre leur vie en péril par leur stupide entêtement et leur insupportable obstination. » Dans son *Dialogue sur l'imitation de Cicéron*, en 1535, il déclare que la théologie est une vaine occupation, qui peut d'ailleurs aboutir à la perte de la foi. Trace d'une expérience personnelle ? « Il arrive que beaucoup, après avoir regardé à fond les mystères qu'auparavant ils révéraient, les méprisent et, les trouvant sans fondement et faux, dédaignent la religion du Christ[30]. » Enfin, dans un magnifique paragraphe, il s'en prend à ces hommes, théologiens en particulier, qui dissertent avec assurance sur des questions dont on ignore tout, comme s'ils avaient, eux, accès au conseil des dieux :

> Rien au monde ne me semble plus grotesque que la folie de ces gens qui, comme s'ils étaient apparentés aux puissances célestes ou faisaient partie avec eux du ciel de Jupiter, ont toujours les dieux à la bouche, et vous enseignent comment on parvient au ciel, ou comment on est plongé dans l'obscurité du royaume ténébreux. Stupide et insupportable race d'hommes ! Comme s'ils étaient à la table de Jupiter et des dieux pour nous communiquer les célestes décrets[31] !

À quoi croit cet agnostique ? Probablement pas à l'immortalité de l'âme, bien qu'il y fasse référence dans un poème écrit lors de la naissance de son fils, mais auquel il ajoute sa préoccupation d'éviter les ennuis et de sauver sa réputation. L'immortalité qu'il envisage, c'est plutôt celle que peut acquérir la gloire terrestre : « Mon désir est de vaincre la mort et, tant que je vivrai, de mettre dans ma vie tant de noblesse et de courage que je puisse m'assurer l'immortalité. »

Il ne croit pas non plus aux miracles, aux prophéties, aux manifestations du surnaturel, à la providence. Le destin est pour lui ce qui dirige le monde : « Tout naît de la puissance souveraine de la nature ingénieuse et de son pouvoir merveilleux. » Naturalisme et fatalisme épicuriens ? C'est en effet ce qui semble le plus proche de sa pensée intime. Du Christ, il n'est jamais question dans ses œuvres. Quant à Dieu, il est vrai qu'il affirme à plusieurs reprises croire en lui, mais cette divinité vague et lointaine s'apparente assez à celle des panthéistes. Tout cela est plus que suffisant pour que les détenteurs de vérités théologiques le rangent sans hésiter dans la catégorie des athées. Pour Visagier, il n'est qu'un « singe de Lucien » :

> Ricane, singe de Lucien, tu ne m'amèneras pas à tes doctrines : nier au ciel l'existence d'un Dieu qui voulut que son Fils mourût pour le salut des hommes ; nier la faute d'Adam qui a livré le genre humain à l'âpre dent de la mort ; nier le jugement suprême et les peines infernales...

Floridus Sabinus rédige contre lui un pamphlet, l'*Adversus Stephani Doleti calumnias*, dans lequel il lui reproche de dissimuler son athéisme : « Tu te gardes bien sûr de manifester ton opinion sur Dieu et sur l'âme. » Calvin partage cet avis, et Castellion écrit que Dolet est un homme « pour qui il n'y a ni Dieu, ni Christ ».

Dolet est brûlé à Paris par les catholiques en 1546. L'année suivante, à Genève, les calvinistes exécutent Jacques Gruet, à peu près pour les mêmes motifs : « séditieux blasphémateur et athée ». Le personnage et le contexte sont toutefois très différents. Secrétaire genevois, Gruet était connu pour ses mœurs douteuses, ses propos dangereux et son esprit d'opposition politique. Il est arrêté à la suite de la découverte d'un placard injurieux contre les ministres réformés de la ville, Calvin en particulier. Les motifs de sa condamnation reposent essentiellement sur le contenu de ses conversations privées, mais deux ans après son exécution l'on découvre dans sa maison un petit mémoire manuscrit en latin, qui est un manifeste de totale incroyance, authentifié, à la demande du Conseil de Genève et par ses propres amis, comme étant de la main de Gruet. Calvin le fait brûler dans un autodafé public, qui a fonction d'avertissement à l'égard des milieux incroyants de la ville. Ce mémoire n'existe plus, mais une analyse en a été donnée dans le registre du Conseil de Genève afin de motiver la condamnation, et au XVIIIe siècle un secrétaire a recopié le contenu d'une lettre intitulée *Clarissime lector* et attribuée à Gruet, dont ce dernier a nié la paternité mais qu'il a reconnu avoir eu en sa possession.

Ces deux documents permettent de cerner la pensée de Gruet, à condition qu'ils soient authentiques. François Berriot a longuement examiné ce point : les circonstances exceptionnelles dans lesquelles se déroule le procès, l'audace extraordinaire des écrits incriminés, qui vont plus loin que ce que nous avons vu jusqu'ici, le caractère suspect des témoignages à charge, qui ont partie liée avec Calvin, tout cela a en effet pu faire croire à une machination destinée à discréditer, en les associant, l'athéisme et l'opposition politique aux ministres. François Berriot conclut cependant à l'authenticité. Que Calvin ait pu inventer de tels blasphèmes lui paraît psychologiquement impossible, et qu'ils aient pu passer pour vraisemblables est le signe de l'existence de véritables milieux incroyants dans cette Genève du milieu du XVIe siècle :

> Il est donc tout à fait raisonnable d'affirmer qu'il y a bien eu, à Genève, durant la première moitié du XVIe siècle, un curieux personnage nommé Jacques Gruet, qui, au fond de sa grande maison du Bourg de Four et durant ses promenades au Mollard, se disait que « ce que Moyse avoit escrit et enseigné, c'estoit seulement pour donner ordre entre les humains », « qu'il y avoit une loi de nature par laquelle il se falloit guider » et que, quant aux mystères de l'univers, si on s'en remettait à Platon et Aristote, on percevrait un peu de « vérité »[32].

Les fragments des deux documents cités par François Berriot sont éloquents. Le christianisme est rejeté avec une outrance remarquable : les prophètes sont des « fous, rêveurs, fantastiques » ; les apôtres, « des maraux et coquins, apostats, lourdaux, escervelés » ; la Vierge, « une paillarde » ; « l'Évangile n'est que menterie ; toute l'escriture est fausse et meschante ; et il y a moins de sens qu'aux fables d'Ésope ; c'est une faulse et folle doctrine ». Quant au Christ,

> Jésus a esté un belitre, un menteur, un folz, un séducteur, un meschant et misérable, malheureux fantasticque, un rustre plein de presumption glorieuse et maligne qui a bon droit a esté crucifié [...]. Il cuidoit estre le fils de Dieu comme les Hireges cuident estre en leur synagogue ; il faisoit de l'hypocrite ayant esté pendu comme il l'avoit mérité, et mort misérablement en sa follie,

follastre insensé, grand yvrogne, détestable traitre et meschant pendu, duquel la venue n'a apporté au monde que toute meschanceté, malheureté et baroche, et tous opprobres et outrages qu'il est possible d'inventer[33].

Mais l'attaque ne se limite pas au christianisme : « Dieu n'est rien », « les hommes sont semblables aux bestes », lit-on dans le mémoire, tandis que la lettre au « Très illustre lecteur » est on ne peut plus explicite :

> Je ne sais ce qu'ont dit et écrit les hommes, mais je crois que tout ce qui a été écrit à propos de la puissance divine est fausseté, songe et fantasme. [...] Quelques sages disent que l'homme a été créé de la substance de la terre et que le premier a été Adam [...].
>
> Vraiment, moi, je pense que le monde est sans commencement et n'aura pas de fin. En effet, quel est l'homme qui a pu décrire véridiquement les choses du commencement du monde ? Aucun autre que Moïse qui décrivit la première génération, et ce même Moïse écrivit sur ce qui s'était passé deux mille ans avant son époque : or, tout ce qu'il écrivait, il l'avait pris dans son esprit, n'ayant nulle autorité que ce qu'il disait lui-même et qu'il disait lui avoir été révélé. Moi, je nie son autorité parce que de nombreux hommes l'ont contestée. [...]
>
> Le même Moïse affirmait, comme je l'ai dit, que ses premiers récits lui avaient été révélés par Dieu, ce que j'ignore. Après lui vinrent d'autres hommes qui inventèrent encore plus et ajoutèrent d'autres fables et les écrivirent, comme Job, Isaïe et les autres anciens. Puis les modernes, comme Jérôme, Ambroise, Bède, Scot, d'Aquin et d'autres barbares qui inventèrent d'autres faussetés. [...]
>
> Cependant, quelle dignité paraît en leur Dieu ? C'est une chose horrible de faire l'homme, de lui donner la vie et puis, après deux heures ou trois jours de vie, de lui donner la mort. C'est une chose invraisemblable de créer l'homme et de le briser. De même, les uns disent que l'âme est dans le corps, les autres disent qu'elle est un esprit : où va donc cet esprit en sortant du corps ? Si tu me réponds : il demeure dans un certain lieu attendant l'avènement ultime, alors pourquoi Dieu ne le laisse-t-il pas dans son propre corps plutôt que de le changer de lieu ? Si tu dis : ils sont en repos glorifiant Dieu et d'autres sont en enfer, s'ils étaient en enfer, quelque essence apparaîtrait, or jamais rien n'a été su de ces choses avec certitude. [...]
>
> Moi, je crois que quand l'homme est mort, il n'y a nulle espérance de vie. [...]
>
> Moi, je pense que les philosophes astrologues sont plus proches de la vérité. Je pense vraiment que rien n'est mû que par le soleil, la lune et les étoiles, avec les quatre éléments. Pourtant, si tu me demandes qui a fait ces choses, puisque nul n'est leur auteur, je ne sais pas ce que je te répondrai[34].

Tout est dit. Jacques Gruet est aussi proche de l'athéisme qu'on peut l'être au XVIe siècle, et les accusations de Calvin ne semblent pas exagérées à son égard, si les deux écrits sont authentiques. On a certes relevé que Gruet était un des principaux opposants politiques à Calvin, ayant probablement participé à une tentative de complot contre lui, et que ce dernier était prompt à qualifier ses adversaires de « libertins et athéistes : c'estoient les communs crimes qu'on attribuait à tous ceux qui contristoyent Monseigneur », écrit Jérôme Bolser[35]. Mais les deux documents cités sont complétés par des témoignages de conversations privées, par des notes manuscrites dans les marges d'un ouvrage de Calvin, et par la présence chez Gruet, qui semble avoir été un grand lecteur, d'ouvrages peu orthodoxes.

Le cas de Michel Servet, plus célèbre, est beaucoup moins net. Servet, que Calvin fait brûler en 1553, n'est certainement pas athée. Il a clairement affirmé sa croyance en la résurrection et en l'immortalité de l'âme :

> En toutes les hérésies et en tous les autres crimes, ne a poynt si grand que de faire l'âme mortelle. Qui dict cela ne croit point qu'il y ayt, ni justice, ni résurrection, ni Jésus-Christ, ni saincte Escripture, ni rien, sinon que tout est mort, et que homme et beste soyt tout un. Si j'avez dict cela, je me condamnerais moy-mesme à mort [36].

Mais sa pensée, proche du millénarisme, est tellement déroutante que ni les catholiques ni les protestants ne s'y retrouvent, et qu'un consensus commode s'établit pour faire de lui un athée, un négateur de toute religion, comme le disent ses juges : « Sachez que ce maudit personnage n'a laissé aucun point de la doctrine à l'abri de ses souillures. Il n'a eu d'autre but sinon d'éteindre la clarté que nous avons par la Parole de Dieu, afin d'abolir toute religion [37]. »

L'incroyance comme révolte existentielle

Révélatrice de la confusion qui règne alors est l'accusation d'athéisme contre Servet, appelé ici Villeneuve, par Guillaume Postel :

> C'est une habitude générale de convaincre les hommes qu'il faut vivre dans l'impiété et, de même que les brutes, se laisser aller à ce qui est défendu. Quelques-uns même ont fait de leur impiété une profession publique. Je n'en veux d'autre preuve que le détestable *Traité des trois prophètes* de Villeneuve, le *Cymbalum mundi*, le *Pantagruel* et les *Nouvelles Indes* dont les auteurs étaient autrefois les chefs du parti luthérien [38].

Or, ce même Guillaume Postel est lui-même suspecté d'être un auteur possible du *De tribus impostoribus*. Là encore, sans fondement. La réputation de Postel est due à son intérêt pour la Kabbale, pour l'Orient, pour la réunion de toutes les religions, ce qui, pour les fanatiques de chacune, équivaut à l'athéisme. Pourtant, il a énergiquement et sans ambiguïté condamné l'incroyance, qu'il considère comme le crime par excellence de son époque, crime inspiré par le diable et qui ne sera pas pardonné. Mais Postel a lui aussi son côté millénariste, qui n'est pas sans rappeler le découpage de l'histoire qu'opérait au début du XIIIᵉ siècle Joachim de Flore. Dans l'*Absconditorum clavis* de 1547, il développe son idée des quatre âges du monde : l'enfance, ère du polythéisme ; la jeunesse, temps de la loi mosaïque ; l'âge adulte, époque de la grâce et du christianisme ; la vieillesse, dans laquelle nous entrons et qui correspond à la « restitution universelle », au cours de laquelle l'accord de la raison et de la foi permettra d'expliquer les mystères. Ce rationalisme chrétien réalisera la concorde théologique universelle. Rien d'athée dans tout cela, mais rien non plus de parfaitement orthodoxe. Cette volonté de rationaliser la foi et de situer le christianisme au sein d'une évolution paraissait suspecte à beaucoup.

Son contemporain Florimond de Raemond prend la défense de Postel et affirme vouloir « venger l'injure faite à cet homme qu'ils marquent comme un athée ». Il le présente comme ayant été dans sa jeunesse une âme « en recherche », comme nous dirions aujourd'hui, un inquiet, qui entreprend la quête de la vérité :

> C'étoit au temps que tant de diverses religions commençoient à troubler le monde, qui étonnèrent tellement cet esprit, à la vérité présomptueux et hardi en la verdeur de sa jeunesse, qu'il ne sçavoit que croire. Il alla donc errant partout, sondant les Turcs, les Juifs, les chrestiens de la Grèce, de l'Allemagne et autres, lisant avec soin leurs livres [39].

Puis, ayant mis au point son système, Postel serait devenu un grand défenseur de la religion catholique. Plus tard, J.P. Niceron exprimera la même opinion, tout en émettant des réserves quant à la prétention rationaliste de Postel :

> Quelques-uns ont été jusqu'à l'accuser d'athéisme et de déisme, accusation entièrement frivole puisqu'il n'y a pas un de ses écrits où il ne suppose la divinité et qu'il reconnaît expressément l'inspiration divine des Écrits sacrés. [...]
> Il prétendait démontrer par la raison et la philosophie tous les dogmes de la religion chrétienne, sans en excepter les mystères. Persuadé que sa raison naturelle était beaucoup au-dessus de celle des autres hommes, il s'imaginait qu'il convertirait, par son moyen, toutes les nations de la terre à la foi de Jésus-Christ [40].

C'est là un jugement du XVIIIe siècle. Deux cents ans plus tôt, l'œcuménisme de Guillaume Postel passait pour suspect. Et, autre ironie, l'un de ses accusateurs est Pierre de La Ramée, ou Ramus, lui-même accusé d'être un lecteur assidu du *De tribus impostoribus* :

> En mon enfance, écrit Florimond de Raemond, j'en vis l'exemplaire au collège de Presle entre les mains de Ramus, homme assez remarqué pour son haut et éminent sçavoir, qui embrouilla son esprit parmi plusieurs recherches des secrets de la religion qu'il manioit avec la filosofie. On faisoit passer ce meschant livre de main en main parmi les plus doctes désireux de le voir [41].

Accusation tout aussi vaine contre un authentique défenseur de la religion, mais qui montre à quel point le soupçon d'athéisme est alors répandu. Un autre humaniste, M.A. Muret, en fait les frais au milieu du siècle. Condamné à Paris, puis à Toulouse en 1554, il enseigne ensuite à Venise et à Padoue. Scaliger dit de lui que « Muret serait le meilleur chrétien du monde s'il croyait en Dieu aussi bien qu'il persuade qu'il faut y croire », et au siècle suivant Henri Ernstius se fait l'écho d'une rumeur lui attribuant aussi la paternité du *De tribus*. En fait, grand amateur de philosophie antique, Muret est surtout victime de sa réputation d'homosexuel, qui est à la source de ses deux condamnations.

Nous avons déjà signalé la fréquence du lien établi par les autorités civiles et religieuses entre la sodomie et l'athéisme. Longue est la liste des accusés soupçonnés de vice contre nature et interrogés dans ce sens : Michel Servet, Geoffroy Vallée, Giordano Bruno, Lucilio Vanini, Jacques Gruet, Étienne Dolet, Des Barreaux, La Chalade. Cet amalgame entre dépravation morale et dépravation intellectuelle est compréhensible du point de vue des accusateurs : à leurs yeux, celui qui nie la vérité fondamentale, l'existence de Dieu, abandonne toute valeur absolue, renonce à l'ordre divin du monde, qui est à la fois cosmique, moral et intellectuel ; il retourne au chaos. Du côté des accusés, si la liaison immoralité-athéisme est une grossière exagération, il n'en demeure pas moins vrai que dans un certain nombre de cas l'incroyance semble liée à une conception vulgaire de l'épicurisme, ce qui renforcerait l'idée d'après laquelle l'athéisme théorique de la Renaissance serait un des éléments d'une révolte plus générale de l'esprit contre le carcan étouffant des dogmes religieux, catholiques et protestants, une revendication de liberté globale face aux pouvoirs civils aussi bien que religieux. Révolte qui s'accentue à la fin du siècle, lorsque les désordres politico-religieux ruinent le prestige de ces pouvoirs.

Le message agnostique du Cymbalum mundi *(1537)*

Nous en donnerons un dernier exemple avec Bonaventure des Périers, qui se suicide en 1544. Fin digne d'un véritable athée, écrit Henri Estienne, qui fustige ses écrits licencieux et surtout le fameux *Cymbalum mundi*, ouvrage anonyme de 1537, dont la paternité avait bientôt été découverte, comme en témoigne une remarque manuscrite de Claude de L'Estoile sur son exemplaire déposé à la Bibliothèque nationale : « L'aucteur, Bonaventure des Périers, homme meschant et athée, comme il apparaît par ce détestable livre[42]. » L'ouvrage, passant pour l'un des plus impies du siècle, établit la réputation du valet de Marguerite de Navarre, qui n'échappe aux poursuites que grâce aux protections dont il bénéficie. Toute une lignée de critiques et de censeurs des XVIIᵉ-XVIIIᵉ siècles, de Garasse et Mersenne à La Monnoye, le classent irrémédiablement parmi les pires athées. C'est la génération voltairienne qui relativisera ce jugement.

Mis à l'Index, condamné par la Sorbonne, le *Cymbalum* a bien failli disparaître : il n'en reste que deux exemplaires originaux. Beaucoup de ceux qui l'ont attaqué n'ont jamais pu le voir, ce qui a contribué, comme souvent, à donner un caractère mythique à cette œuvre et à en faire un symbole, aux yeux des catholiques surtout, tandis que l'entourage protestant de Marguerite de Navarre a gardé là-dessus un prudent silence.

Feuilletons l'ouvrage. Son titre reste mystérieux, évoquant peut-être la vanité humaine. Son sous-titre, *Quatre dialogues poétiques, fort antiques, joyeux et facétieux*, est plus explicite : il s'agit d'un divertissement poétique à l'antique, inspiré de Lucien, Celse et Ovide. En fait, c'est une satire de tous les dogmatismes, de tous les prétendus savants qui depuis l'Antiquité ont affirmé posséder la vérité. Des Périers démystifie les religions antiques, tout comme l'astrologie et l'alchimie. Les moqueries à l'égard de la mythologie sont des critiques voilées contre le christianisme, dont certaines sont transparentes, comme l'imposture des miracles et guérisons, de l'immortalité de l'âme, de la providence, de la création. Toutes ces « bonnes nouvelles » ne sont en réalité que des « fables », des « abuz et tromperies », qui n'ont servi qu'aux puissants et aux riches. Les attaques contre le christianisme sont parfois plus directes : les catholiques sont fous avec leurs jeûnes, leur célibat et leurs indulgences, les protestants avec leur austérité et leur orgueil. Tous ces gens qui prétendent « rendre raison et juger de tout, des cieux, des champs eliséens, de vice, de vertu, de vie, de mort, de paix, de guerre, du passé, de l'advenir », sont des insensés ou d'odieux personnages.

Livre insolent, le *Cymbalum* est émaillé d'impertinences blasphématoires, ponctué de jurons sonores, de « je reny Dieu », « corbieu » et « vertudieu », mais c'est surtout l'ouvrage d'un sceptique amer, pessimiste, qui constate que l'homme, incapable d'atteindre la vérité, gaspille bêtement le temps de sa courte vie à poursuivre des chimères. À quoi bon « perdre ainsi son temps en ce monde icy sans faire autre chose que chercher ce que à l'adventure il n'est pas possible de trouver, et qui, peult-estre, n'y est pas[43] » ? L'anecdote qui clôt le deuxième dialogue reflète bien l'esprit du livre : lorsqu'on demande à Mercure de livrer enfin son secret sur le monde, il s'enfuit en bredouillant à voix basse des paroles incompréhensibles qui font dire à l'interlocuteur : « L'homme est bien fol lequel s'attend à voir quelque cas de cela qui n'est point, et plus malheureux celuy qui espère chose impossible[44]. »

Le plus sage est de se taire. Lorsqu'on ne peut rien savoir de vrai, il vaut mieux ne rien dire, et vivre comme tout le monde : « Il faut faire semblant d'avoir bien couru et travaillé et d'estre hors d'haleine[45]. » Certains y arrivent très bien. D'autres, comme Des Périers, ne peuvent supporter cette farce tragique qu'est la vie humaine, et préfèrent quitter la scène avant la fin du misérable spectacle. Des Périers est un sceptique, ou plutôt un agnostique. Ses autres œuvres, comme *L'Homme de bien, L'Avarice, Le Jeu,* nous montrent un homme qui tente de se raccrocher au seul guide sérieux de l'humanité, la raison. Dans *Les Nouvelles Récréations*, il décharge son amertume contre l'Église, ses vices et la stupidité des théologiens. Il prône une morale épicurienne, fondée sur le respect de la vertu, et abandonnant toute référence surnaturelle.

Si l'homme et son suicide restent un mystère, le message de Des Périers est assez clair. Il exprime un aspect trop souvent occulté de la Renaissance, qui n'a pas été pour tous un âge optimiste. Il incarne l'éveil de ce qu'on peut déjà appeler l'angoisse existentielle au sein de la société occidentale, le mal de vivre de ces hommes qui, insatisfaits des réponses toutes faites qu'apportent les religions, se tournent vers la raison et constatent que celle-ci est à la fois trop et trop peu pour éclairer le sens de l'existence. Trop, parce qu'elle suscite des espoirs inconsidérés de libération et de compréhension des mystères de l'univers, et trop peu, parce que ses limites sont vite atteintes et laissent dans l'esprit une amère frustration. La raison est assez puissante pour ruiner la foi, mais pas assez puissante pour la remplacer ; elle détruit les certitudes, sans pouvoir combler les vides qu'elle crée, laissant l'homme à mi-chemin, conscient d'une seule chose : son ignorance, fardeau qu'il doit porter silencieusement tout au long d'une vie qui n'a plus de sens. C'est ce que découvre Des Périers, et avec lui beaucoup des athées de la Renaissance, athées de la première génération, qui n'ont pas encore tenté la vaine reconstruction d'un système du monde.

Cette évolution ouvre une crise profonde dans la culture européenne. Est-ce un hasard si, comme nous l'avons montré dans un autre ouvrage [46], le suicide devient l'une des grandes préoccupations des intellectuels à la fin du xvie siècle ? Nous ne le pensons pas. Il y a là trop de convergences : les bouleversements économiques, sociaux, religieux, géographiques, scientifiques forment un contexte favorable au développement de l'athéisme et au désarroi des intellectuels. Il ne s'agit évidemment pas d'établir un lien entre athéisme et suicide. Les suicides de l'époque sont beaucoup plus l'œuvre de croyants que d'incroyants. Mais la montée de l'athéisme est corrélative d'une grande interrogation sur le sens de l'existence, et cette interrogation est inséparable pour un esprit honnête de la question shakespearienne : être ou ne pas être ? Question qui marque la première crise de la conscience européenne.

Importance de l'athéisme pratique dans les milieux marginaux

À l'autre bout de l'éventail de l'incroyance, le xvie siècle a aussi vu se développer un athéisme pratique, qui prospère tout d'abord à la cour des rois et des princes. Presque tous les censeurs de l'époque dénoncent l'épicurisme débauché qui s'installe dans cette micro-société où se côtoient les extrêmes : il suffit d'évoquer ici l'atmosphère trouble de la cour d'Henri III, où l'on assiste aussi bien aux flagellations de la piété théâtrale du souverain qu'aux extravagances des mignons. Les Italiens, arrivés en force avec Catherine de Médicis, sont souvent rendus responsables de la décadence morale et de l'incroyance à la cour. Un biographe de la reine les qualifie de « race d'athéistes, nourris en athéisme », ayant « rempli d'athéistes le royaume et spécialement la cour de France[47] ». Quant à la souveraine, elle n'a, selon lui, « point de Dieu ». Beaucoup de jeunes courtisans affectent du mépris pour la religion et pratiquent entre eux le blasphème. La cour d'Henri IV et celle d'Élisabeth et ne sont pas non plus renommées pour leur dévotion.

Le milieu des gens d'affaires est aussi contaminé. Beaucoup de banquiers, financiers, négociants, tout à leur souci d'enrichissement, ne semblent guère s'occuper de religion, comme ce marchand d'Alberstadt qui, rapporte Simon Goulard, déclare que « s'il pouvait toujours passer ainsi le temps en délices, il ne désirerait point d'autre vie ».

Un milieu fréquemment montré du doigt est celui des médecins. D'après Melchior de Flavin, qui écrit en 1595, un grand nombre d'entre eux accordent « plus grande foy à leur Hippocrate qu'à la parole révélée de Dieu ». Il dénonce parmi eux beaucoup d'épicuriens, et voit en eux des matérialistes[48]. Le simple fait qu'ils cherchent des causes naturelles à des maladies que les théologiens ont encore tendance à qualifier de châtiments divins les rend suspects. C'est ce qu'affirme, de façon un peu surprenante, le père Mersenne, qui pourtant est un adepte de la science mécaniste moderne. Il voit parmi les causes d'athéisme « le goût désordonné et le zèle excessif avec lequel certains s'appliquent aux phénomènes naturels et rapportent à des causes naturelles tous les mouvements, effets, propriétés et affections qui en font partie, si bien que rien ne leur semble au-dessus de la nature ; de là vient que les philosophes et les médecins ont du penchant pour l'athéisme et viennent à y tomber[49] ». Particulièrement bien placés pour l'étude délicate des rapports entre le corps et l'âme, les médecins ont souvent tendance à négliger cette dernière, ou à en faire l'émanation du processus physique. André du Breil, en 1580, les qualifie de « desbauchez », « seducteurs », « athéistes[50] ».

Depuis les goliards, les milieux écoliers et étudiants sont également suspects, et le parlement de Paris multiplie les arrêts contre leurs désordres et leurs débauches. Dans la grande ville, les acteurs et comédiens ont aussi une solide réputation de libertinage, fondée sur leur mode de vie aussi bien que sur les impertinences de leurs spectacles. Échappant à tout contrôle, vivant souvent en union libre, ne fréquentant guère les églises, ils sont en marge des croyances traditionnelles.

Larrons, escrocs, brigands, filous, prostituées, marginaux de toutes sortes ne sont pas nécessairement athées, mais leur mode de vie accorde bien peu de place à la religion. Lors des exécutions publiques, certains condamnés refusent tout secours religieux, ainsi qu'en témoigne Pierre de L'Estoile : « Ces gens déterminés moururent résolus, sans aucune appréhension du jugement de Dieu, comme estans hommes sans foi et sans religion[51]. » Tout aussi impressionné est le spectateur anonyme de l'exécution du fameux brigand Carrefour, qui blasphème et refuse tout repentir, « quelques adjurations qu'on luy ait pu faire et remontrance de son père confesseur ». N'avons-nous pas là les cas les plus fermes d'athéisme, un type d'athéisme pratique absolu, qui semble avoir toujours existé, chez des hommes habitués à vivre en dehors de toutes les normes sociales ? Contrairement à l'athéisme théorique des intellectuels, qui gardent malgré tout un fond de doute et restent sensibles à l'argumentation, l'athéisme du brigand, imperméable au discours religieux, atteint l'absolu. Comme il y a la foi du charbonnier, il y a l'incroyance du charbonnier.

De ces athées du sous-monde, de la contre-société, il est rarement question, car leur athéisme n'est pas pensé, il est un mode d'existence. Le monde du brigandage comprend quelques athées absolus, mais aussi beaucoup d'autres dont l'attitude est plus ambiguë. Certes, ce ne sont pas des fidèles exemplaires. Le *Mémoire concernant les pauvres*, qui décrit le sous-prolétariat parisien — qu'il évalue à dix mille individus —, nous le montre vivant dans le blasphème et la totale ignorance de la religion : beaucoup « ont recogneu ne scavoir que c'estoit de confession ne de communion, autre avoir esté quatre ou cinq ans sans eux confesser ny communier et sans avoir assisté à une messe[52] ». Mais la situation spirituelle de certains paysans, excommuniés depuis des années, est-elle plus brillante ? Bien sûr, ils volent, forniquent, insultent les autorités, se moquent du clergé et des sacrements, tuent à l'occasion. Les témoignages venus de toutes les grandes villes d'Europe le confirment : l'immense plèbe urbaine du xvie siècle vit à l'écart de la religion. Pour autant, elle évolue dans un cadre christianisé : croix, calvaires, cimetières, cloches, églises, chapelles, processions, monastères, statues, clercs réguliers et séculiers, fêtes chômées, tout rappelle la présence de l'Église, et donc, théoriquement, de Dieu. Il est impossible, bien entendu, de savoir dans quelle mesure l'existence d'un dieu est inscrite dans les structures mentales de ces marginaux. Qu'il y ait contradiction flagrante entre leur genre de vie et la morale chrétienne n'est pas en soi une preuve absolue d'athéisme. Sans doute y a-t-il chez eux tous les degrés possibles de croyance et d'incroyance, avec une forte dose de superstition.

Le même constat peut être fait des soudards et mercenaires qui sillonnent l'Europe en tous sens. On connaît leur réputation : « gens vagabons, oiseux, perdus, meschans, flagicieux, abandonnez à tous vices, larrons, meurtriers, rapteurs et violeurs de femmes et de filles, blasphémateurs et renieurs de Dieu, precipitez en l'abisme de tous maux, se conduisans plus mal que nuls ennemis, fussent-ils Turcs ou infidèles[53] ». Telle est l'opinion de François Ier à propos de ses troupes. L'avalanche de témoignages sur ce sujet nous dispense de nous y attarder : plaintes des populations, lamentations des autorités, tableaux de Breughel, dessins de Dürer, récits de toutes origines ne laissent aucun doute sur le niveau moral de la soldatesque des Valois et des Habsbourg. Quant aux troupes des guerres de religion, elles se déchaînent, suivant leur camp, contre les temples ou contre les églises, multiplient les pires sacrilèges, au point que le père Crespet considère que les troupes catholiques elles-mêmes sont de véritables bandes d'athées : « Je ne scay quelle racaille de soldats on meine à la guerre contre les hérétiques, car ce sont athéistes, blasphémateurs, voleurs, ruffians, sacrilèges, et qui ont mérité cent fois la hart. Comment seroit-il possible que Dieu donnast la victoire à telles gens[54] ? » Dans les troupes même de la Ligue, un autre texte de 1589 relève la présence d'« athéistes et voleurs assassinateurs, boutefeux et contempteurs de Dieu » ; ces soldats sont « plains d'athéismes : sous ce nom je comprends toutes les impietez qui se peuvent imaginer au monde[55] », et il en énumère les exploits, allant du viol sur les autels au piétinement des hosties consacrées en passant par la défécation dans les bénitiers. Difficile de ne pas acquiescer au jugement de l'auteur, qui accuse ces soldats « catholiques » d'avoir « l'athéisme au cœur ».

Signe révélateur : les ordonnances royales réprimant les actes de blasphème, impiété et sacrilège dans les armées se multiplient au XVIe siècle : 1534, 1537, 1543, 1544, 1546, 1551, 1553, 1557, 1566, 1579, tout cela en pure perte. Les armées ressemblent de plus en plus à d'immenses bandes d'incroyants. Le phénomène prendra encore de l'ampleur au début du siècle suivant avec les énormes troupes de mercenaires de la guerre de Trente Ans. Franco Cardini, dans *La Culture de la guerre*, a bien cerné ce fait sociologique : en absorbant dans leurs rangs une partie des marginaux, brigands, vagabonds, délinquants, désaxés, sadiques, inadaptés, les armées sont des prisons ambulantes, des hôpitaux généraux mobiles, de trente à cinquante mille pensionnaires chacun. Encore faut-il que ces troupes soient permanentes ; si elles se débandent, l'ordre public est menacé. De plus, il faut aussi assurer la solde, assez régulièrement pour éviter la révolte, et assez irrégulièrement pour maintenir l'appât. La troupe vit sur le pays, pille, tue, viole, ravage, torture : voyez les gravures de Jacques Callot. C'est que les glorieuses armées de Wallenstein et de Condé sont formées du rebut d'une société qui n'a pas encore pratiqué le grand renfermement, comme si la future population pénitentiaire, celle des bagnes, des galères, des prisons et des asiles, se promenait dans les campagnes. C'est à ce prix qu'est maintenu un précaire équilibre social[56].

Un effort de conversion de cette soldatesque est tenté avec la création de l'aumônerie militaire. En France, deux ordonnances d'Henri II, de 1555 et 1558, demandaient l'entretien d'un aumônier par régiment. Le Grand Aumônier de France est considéré comme l'évêque des armées, mais il n'a qu'un rôle contentieux, car les évêques ne veulent pas d'un véritable « diocèse des armées » et refusent le système espagnol, qui permet à Rome d'intervenir. En effet, dès 1579, Alexandre Farnèse avait exigé la présence d'un chapelain par compagnie, et le 26 septembre 1644 un bref d'Innocent IV instituait en Espagne des chapelains et vicaires généraux, nommés par le roi et recevant de Rome leur collation canonique. Le vicariat aux armées était né.

Richelieu envisage un moment la formation d'un corps d'aumôniers mis à la disposition des armées, mais on se contente au XVIIᵉ siècle de négocier avec l'évêque du lieu de stationnement, qui désigne des prêtres pour les besoins de la troupe. Pour cette tâche délicate, les prélats choisissent souvent leurs mauvais sujets et leurs cas douteux, ne voulant pas mettre en danger leurs bons éléments au contact des soudards. Le niveau moral de l'ensemble ne pouvait donc guère en être relevé.

Les jésuites qui accompagnent les armées françaises rédigent des manuels de piété qui rappellent leurs devoirs aux soldats : *Instructions pour le soldat chrétien, Le Soldat glorieux, Avis pour les soldats, Le Miroir des soldats, Le Bon Soldat, Manuel du soldat chrétien, Le Guerrier chrétien, Le Soldat chrétien, Le Maître d'armes*. Les pères Auger, Bembo, Le Blanc, Possevin, Grafft, Andrara, Marcel, Sailli tentent de christianiser les mœurs de ces épouvantables brutes que sont les soldats de la guerre de Trente Ans — sans grand résultat, comme le montre le récit fameux de Grimmelshausen[57]. Les chefs sont-ils plus croyants ? Rien ne permet de généraliser. Pour Henri Busson, suivant en cela Henri Estienne, Pierre Strozzi, par exemple, est un véritable athée[58].

D'autres milieux pourraient être mentionnés, comme celui des valets, secrétaires, domestiques, gens de main des grands seigneurs. Pour le catholique Artus Désiré, ces fripons sont d'importants agents d'athéisme :

> Il y a des singes domestiques et privés qui ne bougent de la maison et ne font autre chose que boire et manger, qui sont *nullius religionis*, mais parfaicts athéistes, raillant leur boulle langagere de côté et d'autre pour adhérer et complaire aux seigneurs et dames selon leur religion qu'ils tiennent, ayant toujours la boulle d'athéisme qui les entreine et faict tomber en éternelle damnation[59].

Ainsi, sans aucun doute possible, l'athéisme est présent, sous toutes ses formes, au XVIᵉ siècle. Présence dénoncée, et non revendiquée, il est vrai. Pouvait-il en être autrement dans une Europe où s'exacerbent les passions religieuses ? L'athéisme, nous l'avons vu, n'était pas absent au Moyen Âge, mais il existait plutôt sous une forme latente.

Ce qui change au XVIe siècle, c'est que l'athéisme est reconnu en lui-même et pour lui-même, à travers des attitudes et des propos qui contestent les points essentiels de la foi. Même si le terme a été utilisé abusivement, même si la limite entre foi et incroyance reste souvent indécise, le volume des accusations et des indices, le recoupement des arguments et des témoignages montrent que certains milieux en particulier sont sérieusement touchés par l'incroyance.

Une incroyance qui s'exprime discrètement, en privé ou dans des écrits ambigus ; et non point au grand jour. Elle conteste au nom de la raison, au nom surtout du désir de vivre. Cette première expression consciente de l'athéisme accompagne une multitude de remises en cause de dogmes et d'interdits. La crise profonde qui secoue l'Église avec la Réforme a agi comme un révélateur encourageant à formuler des questions qui jusque-là ne l'avaient jamais été. L'admiration pour les philosophies antiques est venue apporter des arguments aux contestataires. Mais ces athées de la première heure n'ont pas encore de doctrine cohérente. Ils sont un peu des francs-tireurs de la pensée. Entre eux, nulle entente, nul accord ; beaucoup sont encore déistes, panthéistes ; toutes les nuances existent, et leurs négations ne portent pas toujours sur les mêmes points. Ils ont des questions, et bien peu de réponses sérieuses.

Pourtant, les responsables religieux s'inquiètent, contre-attaquent, réfutent, répriment, tentent de répondre aux questions, ou de les étouffer. À la fin du XVIe siècle, alors que les conflits religieux commencent à s'apaiser, l'athéisme émerge comme un fait de société, comme une menace, comme un danger infiniment plus redoutable que les confessions rivales. Car, entre catholiques et protestants, on parle le même langage. L'athéisme, lui, est radicalement différent. Malgré cela, la majorité des théologiens restent obnubilés par les querelles sur la grâce, le libre arbitre, l'Eucharistie, la prédestination, la messe, le pape, et ne mesurent pas encore la gravité de la contestation athée.

Profitant de cette inconscience, l'athéisme, sous des formes diverses, va prendre de la consistance, commencer à ébaucher une vision du monde. Son développement va être favorisé par les deux crises culturelles européennes, celle du début du XVIIe siècle et celle des années 1680-1720. L'athéisme critique et semi-clandestin des années 1600 laissera place à l'athéisme systématique des années 1730.

TROISIÈME PARTIE

D'une crise de conscience à l'autre (1600-1730)

La première crise de la conscience européenne : les sceptiques libertins (1600-1640)

Le début du xviie siècle marque la véritable entrée dans la modernité, c'est-à-dire, sur le plan intellectuel, dans la remise en cause perpétuelle des valeurs. Les certitudes s'usent de plus en plus vite ; elles se combattent et se succèdent, rongées par un esprit critique de plus en plus acide, et leur caractère éphémère favorise la montée du scepticisme. Le processus est d'abord lent et ne touche qu'une élite de la pensée, mais une fois lancé, rien ne l'arrête. De la quasi-unanimité de la foi médiévale à l'extrême dispersion des croyances actuelles, on assiste à une sorte d'entropisme de la pensée religieuse.

Ce que l'on peut appeler la première crise de la conscience européenne a largement été préparé par les réflexions des humanistes et les guerres de religion. Cette crise s'incarne, si l'on peut dire, en 1600, dans les interrogations de Hamlet, le velléitaire anxieux. On n'a d'ailleurs pas assez remarqué jusqu'ici combien Dieu est absent de l'œuvre de Shakespeare, où tout est affaire d'aveugle destinée. L'époque est aux questions, et à ces questions les théologiens ne peuvent opposer qu'un système fragile, fondé sur Aristote, dont la science mécaniste est en train de ruiner les fondements. L'énorme bévue de l'affaire Galilée, en 1633, marque bien le début d'un repli généralisé des grandes religions. Si le recours à l'autorité, l'alliance avec le pouvoir politique dans le cadre de l'absolutisme permettent de maintenir une façade brillante pendant le « grand siècle des âmes », le scepticisme poursuit ses progrès dans l'ombre, et se fait plus structuré, plus systématique, lors de la seconde crise de la conscience européenne, celle des années 1680-1720, que Paul Hazard a magnifiquement décrite. De la première à la deuxième crise, on passe de la contestation sceptique des libertins à l'athéisme rigide, systématique et agressif de l'abbé Meslier. Tout cela n'est encore qu'affaire d'intellectuels, mais les répercussions dans un public plus large se font sentir au xviiie siècle.

Le chemin parcouru entre 1600 et 1730 dans le domaine de l'incroyance est considérable. Les années 1600-1640 sont celles des libertins, terme trompeur, derrière lequel il ne faudrait pas voir une joyeuse troupe de jouisseurs écervelés, cherchant uniquement à profiter de la vie en se donnant pour prétexte l'inexistence de Dieu. C'est là l'image que les censeurs religieux ont évidemment répandue, mais qui est loin de correspondre à la nature profonde de ce groupe.

La pensée libertine

Vers 1600, le terme de « libertin », que Viret avait utilisé dès 1585 comme synonyme de libre penseur, désigne couramment ceux qui refusent les croyances dominantes de leur temps et souhaitent s'en libérer, mais une certaine connotation de dépravation s'y attache en raison des ragots que l'on colporte sur ces esprits indépendants [1]. Au milieu du xvie siècle, une secte hollandaise, qui avait des ramifications au nord de la France, portait ce nom et colportait la croyance panthéiste en un esprit divin qui serait la cause et l'âme de toute chose.

En fait, les libertins des années 1600-1640 n'ont aucune unité de pensée. Tous appartiennent aux cercles aristocratiques ; mais leur seul point commun est leur audace intellectuelle. Leur grande érudition fait d'eux des esprits sceptiques, voire cyniques ; mais ils sont discrets, voire secrets, pour d'évidentes raisons de sécurité, et adoptent fréquemment une attitude publique très conformiste. Souvent même, ce n'est qu'après leur mort que l'on découvre dans leurs papiers des textes impies. Ainsi Joseph Trouiller, né en 1590, qui après des études de médecine s'est installé à Rome en 1614, dans la suite de l'évêque de Béziers, et qui exerce là-bas la médecine près des cardinaux et ambassadeurs : c'est à son décès qu'on trouvera dans sa bibliothèque de nombreux livres antireligieux.

Si certains s'accommodent de cette obligation du secret, d'autres en souffrent, comme l'érudit orientaliste et juriste Guillaume Gaulmin, un des précurseurs de la libre exégèse, un moment envoyé à la Bastille, qui écrit : « On est malheureux de savoir ce que plusieurs ne savent point ; il est même dangereux de savoir ce que tout le monde ignore. »

Les langues se délient dans les réunions informelles que tiennent de petits groupes comme la Tétrade, qui se constitue vers 1630 autour de quatre hommes — Élie Diodati, François de La Mothe Le Vayer, Gassendi, Naudé — et où se rencontrent l'érudit Auger de Mauléon, les avocats Charles Feramus et René de Chantecler, l'orientaliste Jacques Gaffarel, prieur de Saint-Gilles, Étienne Pellault, sieur de Villeroc, François-Auguste de Thou. Mais on parle aussi très librement, semble-t-il, dans certains salons et bibliothèques, comme chez l'abbé de Marolles, chez Bassompierre, chez Mersenne, chez de Thou. Dans ces réunions où règne une « honnête liberté », le pieux évêque Coëffeteau ne paraît pas choqué de discuter avec l'athée de Viau. Toutes les hypothèses sont examinées, entre gens de bonne compagnie. Les sceptiques érudits, qui sont souvent bibliothécaires des princes et bénéficient de très hautes protections, jouissent d'une grande immunité dans la mesure où, se refusant à tout prosélytisme, ils se contentent de se considérer comme des esprits supérieurs qui seuls peuvent se permettre le luxe de l'incroyance, alors que le peuple doit être maintenu dans ses superstitions traditionnelles.

Faire profession d'athéisme ou de déisme est théoriquement passible de la peine de mort pour impiété, et certains malheureux en feront l'expérience, mais on constate parfois une étonnante liberté de discussion dans les cercles intellectuels, comme le montre le *Recueil général des questions traitées es conférences du Bureau d'Adresse*[2]. Un des lieux de discussion les plus célèbres est la fameuse Académie Putéane. Dirigée par les frères Pierre et Jacques Dupuy, elle se tient de 1617 à 1645 dans l'hôtel du président de Thou. Là, médecins, érudits, magistrats, ambassadeurs de toutes opinions se réunissent, mettent en parallèle les systèmes religieux, relèvent les contradictions, examinent les dogmes. En majorité sceptiques ou agnostiques, rejetant les credo particuliers, ils se disent « déniaisés », ou « illuminés », dans le sens d'éclairés et guéris des erreurs populaires. Tandis que la Contre-Réforme s'affirme dans les milieux officiels et dans la vie religieuse ordinaire, la foi est donc l'objet de débats dans les cercles éclairés. La remise en cause des croyances traditionnelles, moins agressive qu'à l'époque des guerres de religion, est devenue une composante de la haute société à la mode.

Les origines de ce libertinage érudit sont à chercher dans l'évolution socio-culturelle de ce début du XVIIᵉ siècle. Dans un ouvrage récent, R.H. Popkin avance une explication paradoxale très contestée[3]. Le scepticisme des années 1600-1640 serait selon lui à la fois la conséquence de la crise religieuse de la Réforme et une réponse élaborée par la pensée catholique à partir d'Érasme pour s'opposer au dogmatisme subjectif des protestants. En ruinant les bases de toute connaissance rationnelle solide, on aurait favorisé un renforcement d'une religion de type fidéiste. La pratique religieuse méticuleuse de certains libertins semblerait aller dans ce sens. En réalité, s'ils prônent l'observance extérieure du culte, c'est que pour eux toutes les religions se valent et que le respect de la religion majoritaire est un facteur de cohésion sociale et nationale indispensable.

Plus convaincante est l'explication de G. Paganini, qui présente le scepticisme des années 1600 comme un mouvement volontaire de libération à l'égard des croyances[4]. La montée du scepticisme serait due à la fois à l'évolution intellectuelle face aux conflits religieux et à l'influence du naturalisme italien. Des hommes comme Jean Bodin (1530-1596) et Pierre Charron (1541-1603) sont de bons témoins de cet esprit sceptique nourri par l'air du temps.

Jean Bodin est un esprit insaisissable, concentrant toutes les contradictions de son époque : économiste et théoricien politique avisé en même temps que partisan convaincu de la chasse aux sorcières ; sceptique rationaliste prônant la tolérance en même temps qu'adversaire de l'athéisme. Alors que dans *La Méthode de l'histoire* il se livre à une étude comparée des religions, soulignant le rôle du climat pour expliquer leurs différences, exigeant dans un esprit relativiste de composer une histoire de l'impiété, il écrit dans *La République* que « peu à peu, du mespris de la religion, est sortie une secte détestable d'athéistes [...], dont il s'ensuit une infinité de meurtres parricides, empoisonnemens ».

C'est dans son *Colloquium heptaplomeres*, rédigé vers 1590, que Bodin le plus complètement ses idées religieuses. Ce curieux livre, que les libertins admireront beaucoup, met en présence sept sages représentant sept attitudes religieuses : un catholique, un luthérien, un calviniste, un juif, un musulman, un déiste, un indifférent. Ils vivent en bonne intelligence et débattent des mérites respectifs de leur position. Unanimes, ils condamnent l'athéisme, qui entraîne l'immoralité et réduit l'homme à l'état de bête. De façon surprenante, ils sont également hostiles aux discussions religieuses, qui affaiblissent la foi et conduisent au doute. Leur propre conversation en est l'illustration, car aucune critique n'est épargnée aux différentes religions, en particulier au christianisme, mis à mal avec une extraordinaire violence par le juif, le musulman, le déiste et l'indifférent. Le personnage de Jésus est âprement contesté : sa conception virginale, sa nature divine, ses miracles, sa tentation par Satan, sa vocation tardive, sa résurrection sont niés avec des arguments dont beaucoup viennent de Celse et de Julien. La Trinité, l'Esprit saint, le péché originel sont considérés comme des défis à la raison et aux lois de la nature. L'anthropomorphisme, les sacrements, les cérémonies, le caractère triste de cette religion : tout est passé au crible d'une impitoyable critique.

Face à cette avalanche, le catholique Coroni, réduit à la défensive, est découragé : « Las, c'est toujours à recommencer », s'exclame-t-il. Sa réponse, d'une pitoyable faiblesse, n'est guère propice à renforcer la foi des fidèles. Quand il allègue comme « preuves » les textes de l'Écriture, on lui demande : « Où sont ces témoins suffisans et ces autorités qui en seront les cautions, et, de ces cautions, qui en seront les certificateurs afin qu'on leur donne une créance ferme et asseurée qui ne laisse aucune incertitude[5] ? » Son interlocuteur déiste Toralbe déclare qu'il lui faut des « arguments convaincants », et qu'il ne se laissera guider que par la raison, « ce rayon de la divinité infus dans l'âme d'un chascun pour voir, juger et connoistre ce qui est bon, ou mauvais, ou vray, ou faux ». Pour lui, seule la raison nous permet de « chercher quelle est la meilleure et la vraye » parmi toutes les religions opposées. En accord avec l'indifférent Senamy, il penche en faveur du scepticisme, car, dit-il, « parmy un si grand nombre de religions, il peut estre de deux choses l'une, ou que ce n'est rien, ou que l'une n'est pas plus la vraye que l'autre[6] ».

La conclusion du livre est nettement déiste et relativiste. C'est d'ailleurs l'indifférent Senamy qui la donne : il ne condamne aucune religion et pense que, dans le doute, il faut pratiquer celle de son pays. Il admet même l'athéisme, à condition que cela n'entraîne pas de désordres sociaux. Les libertins de la génération suivante proclameront leur admiration pour le *Colloquium*. C'est un des livres préférés de Naudé ; Patin et la reine Christine en possèdent un exemplaire. Ce conformisme de façade joint à une grande liberté intérieure s'exprime dans cette phrase attribuée à Malherbe par Tallemant des Réaux : « J'ay vescu comme les autres, je veux mourir comme les autres, et aller où vont les autres. »

La dette des libertins envers Charron n'est pas moins considérable. Nous avons relevé au chapitre précédent l'ambiguïté du personnage, dont la méthode ressemble beaucoup à celle de Bodin : exposer les arguments pour et contre, sans prendre parti, favorisant ainsi le relativisme et une libre pensée de type déiste — toutes les religions se valent, elles ont toutes recours aux mêmes moyens, miracles, révélations, prophéties, ce qui les rend toutes suspectes. Supérieure à la religion est la sagesse, qui obéit à la raison. Telle est la leçon de son traité *De la sagesse*, mis à l'Index dès 1605 et devenu un véritable livre de chevet pour les libertins. L'abbé d'Aubignac par exemple, dans son roman *Macarise*, fonde l'éducation du prince sur cet ouvrage.

Un nouveau contexte culturel trouble

Plus complexes dans la genèse de la pensée libertine sont les liens avec la science moderne et avec le naturalisme italien. Dans quelle mesure la critique des religions révélées utilise-t-elle les découvertes de la science mécaniste, la notion d'univers écrit en langage mathématique, pour reprendre l'expression de Galilée, la théorie copernicienne, les nouvelles conceptions de la physiologie humaine et animale ? En d'autres termes, la science, qui sera l'alliée fondamentale de l'athéisme au XIXᵉ siècle, est-elle déjà perçue comme telle par les libertins du XVIIᵉ ?

Dans une thèse déjà ancienne sur *Pascal et son temps*, M. Strowski répondait par la négative, rappelant que les libertins n'ont pas même cherché à exploiter l'affaire Galilée. D'après lui, leur incroyance ne s'appuie ni sur la science ni sur les développements de la philosophie, mais sur l'épicurisme[7]. De même, il niait toute influence de la pensée italienne sur les libertins français, dont l'attitude serait purement existentielle. Cette position a été contestée dès 1917 par J.R. Charbonnel, dans *La Pensée italienne au XVIe siècle et le courant libertin*[8]. Plus récemment, J.S. Spink a montré que le naturalisme italien, insistant sur l'invariabilité des lois de la nature et sur la présence d'une intelligence diffuse dans tout l'univers, avait certainement influencé la réflexion des libertins, ainsi que l'affirmation, à bien des égards opposée, d'une séparation complète entre Dieu et le monde matériel, qui est un des fondements du matérialisme mécaniste[9]. Pour G. Paganini enfin, le courant libertin se réfère très fréquemment à la science moderne, en particulier chez un auteur comme La Mothe Le Vayer.

En fait, les partisans les plus enthousiastes de la science nouvelle se trouvent aussi bien du côté des libertins que de leurs adversaires. Pascal, Mersenne, Descartes, chrétiens fervents, même s'ils déplorent l'erreur de l'affaire Galilée, sont favorables au mécanisme et au système copernicien ; en face, le chanoine Gassendi est un ardent défenseur des atomes, mais n'en fait pas pour autant une arme contre la religion. À l'inverse, l'érudit libertin Guy Patin défend des conceptions rétrogrades en médecine ; il s'illustre à ses dépens en s'opposant à la théorie de la circulation sanguine. La situation est donc extrêmement confuse. Le plus ferme partisan d'une alliance entre l'Église et la science moderne est même l'un des plus farouches adversaires des libertins, le père Marin Mersenne, qui rêve d'un totalitarisme culturel à base scientifico-religieuse[10]. Pour lui, il ne saurait y avoir désaccord entre science et foi, et par science il entend la science nouvelle, la science mécaniste, celle de Galilée. Jusqu'en 1633, il fait preuve d'un extraordinaire optimisme ; d'après lui, l'Église est prête à renoncer à Aristote, à accepter les atomes, la corruptibilité des cieux et les mouvements de la terre, si on lui montre que tout cela s'accorde avec l'Écriture. C'est ce qu'il affirme en 1623 dans les *Quaestiones celeberrimae in Genesim* :

> Les théologiens ne se soumettent à aucune autorité où la raison fasse défaut, car c'est à Dieu seul, comme auteur suprême de la vérité, qu'ils s'attachent de toutes leurs forces ; [...] et je dirais même qu'ils sont prêts à acquiescer au mouvement de la terre et à l'immobilité du ciel, prêts à reconnaître que les planètes, les étoiles et le soleil sont composés de quatre éléments ou même plus ; que le ciel est corruptible ; qu'il est fluide à la manière de l'air ; [...] que les atomes sont partout répandus et composent tout ; ils renonceront aux substances, à la forme, à la matière, enseignées par Aristote, s'ils jugent que cela s'accorde avec la vérité de l'Écriture sainte.

La science n'est pas seulement source de connaissance, elle est vertu morale. Mersenne est un mystique de la science. Pour lui, le monde est un énorme problème de physique, dont nous ne connaîtrons toutes les solutions qu'au ciel, mais nous devons faire notre possible pour en savoir le maximum ici-bas. La vie vertueuse par excellence est la vie consacrée à la recherche scientifique, car elle nous permet de participer à l'activité du divin Ingénieur, qui a mis toute son adresse à fabriquer les mécanismes.

L'Église n'a pas de meilleur allié que la science, affirme Mersenne, dont l'idée serait que les fidèles soient « aussi bons catholiques que bons mathématiciens ». Oratoriens et jésuites fournissent d'ailleurs à cette époque une pléiade de savants de premier plan, astronomes, physiciens, chimistes, biologistes — les conséquences de l'affaire Galilée au détriment de l'Église ne se feront sentir que beaucoup plus tard. De plus, les autorités religieuses et les libertins ont objectivement un adversaire commun : la magie et la superstition. L'Église post-tridentine a engagé la lutte contre tous les types de contamination du sacré par le profane, et cherche à rationaliser la foi en éliminant les multiples scories animistes héritées des vieilles croyances naturalistes. D'un côté comme de l'autre, on travaille à la désacralisation du monde, qu'il s'agit de réduire à l'état de mécanique. L'entreprise, sans que l'on s'en rende alors compte, n'est pas sans danger pour la foi. L'Église souhaite redonner au divin son caractère transcendant; mais une fois le divin isolé, le contact avec l'esprit humain risque de devenir problématique. Pour les libertins, séparer le sacré du profane, c'est d'abord éliminer le sacré; la lutte contre les superstitions et la magie contribue à chasser du monde toute influence surnaturelle : Dieu, s'il existe, n'intervient pas dans le monde.

Dans son désir de rigueur, l'Église post-tridentine prépare la disparition à longue échéance du divin, qui ne peut se manifester que dans le monde. Les plus assoiffés d'absolu, les partisans les plus radicaux d'une coupure avec le profane, les jansénistes, travaillent inconsciemment à saper les bases de la foi, comme l'a bien vu Sainte-Beuve. Prétendant défendre un christianisme pur, accentuant la séparation profane-sacré, ils préparent les conditions de la Constitution civile du clergé; favorisant un certain christianisme rationaliste dépouillé, ils coupent les liens concrets avec le divin; leur morale individualiste, les conflits qu'ils suscitent dans l'Église, leur attitude de révolte vis-à-vis du clergé ne peuvent qu'encourager à long terme un détachement des fidèles à l'égard de l'Église, prélude fréquent à l'incroyance. Joseph de Maistre, toujours excessif il est vrai, verra en eux des quasi-athées.

Enfin, dernier signe d'une époque intellectuellement troublée : la multiplication des sectes ésotériques. Comme toutes les périodes d'éclatement du savoir et des valeurs, la première crise de la conscience européenne est marquée par un essor de deux tendances inverses, considérées comme des refuges : la rationalisation et l'irrationnel. L'époque a produit René Descartes (1596-1650), mais aussi Jakob Boehme (1575-1624), le premier cherchant à reconstruire sur les ruines de la scolastique une grande synthèse rationnelle du savoir humain, et le second se réfugiant dans une gnose mystique de participation à l'être divin du monde. Tous deux croient en Dieu, et tous deux affaiblissent la religion, sans le vouloir. Car, en engageant Dieu dans leur projet, qui est une impasse, ils préparent des lendemains difficiles pour la foi.

Boehme n'est que le plus illustre représentant du courant théosophique que connaît en particulier l'Allemagne au début du xviie siècle. Gerhardt, Jung, Althusius, Komensky, Schupp, Molanus, Spener, Tschirnhaus, Thomasius, Andreae, les Rose-Croix sont autant d'esprits étranges qui témoignent des divagations de la pensée dans une Europe centrale où pullulent les sectes ésotériques[11]. Leur mystique révèle le désarroi de la pensée religieuse après le siècle de la Réforme et illustre l'éclatement des croyances, prélude fréquent au scepticisme.

Inquiétude devant la montée de l'incroyance : les témoignages

Confusion intellectuelle et bouillonnement des idées, c'est bien ce qui caractérise la culture des années 1600-1640. L'historiographie religieuse classique a longtemps donné de cette époque l'image idyllique d'un merveilleux renouveau après la terrible épreuve des guerres de religion. Saint François de Sales, saint Vincent de Paul, Pascal, Bellarmin constituent une brillante et trompeuse façade, où la mystique, la charité, le renouveau théologique ont rejeté dans l'ombre des réalités beaucoup moins reluisantes. En fait, les responsables religieux sont inquiets. Après le schisme protestant, auquel on commence à se résigner, ils constatent la montée d'un danger beaucoup plus radical : l'athéisme, l'incroyance, qui avance à grands pas.

En 1623, Mersenne lance un cri d'alarme : il y a cinquante mille athées à Paris[12] ! Grossière exagération sans doute, qu'il corrigera plus tard, mais révélatrice de cette inquiétude, partagée par beaucoup. La France est pleine d'« athées, déistes, libertins, hérétiques, schismatiques, jureurs et blasphémateurs du nom de Dieu et autres impies », déplore la Compagnie du Saint-Sacrement. Cotin écrit en 1629 : « Ce n'est plus que de ces libertins dont on parle. » Quant à René du Pont, il constate dans la *Philosophie des esprits* que ses contemporains « se moquent de tout ce qui est ordonné pour le service de Dieu » et mettent en doute « les premiers fondements et principes de la religion ». Pierre Baudin, Raconis, Rebreviettes sont frappés par le nombre des incrédules. Mgr Grillet témoigne qu'à la cour et dans la haute société on trouve couramment des hommes qui

> non par jeu, non par colère, non par aucune passion dont la violence puisse servir d'excuse à leur malice en diminuant leur raison et leur volonté libre, mais de sang froid, à dessein, et par désir délibéré de paroistre, sans aultre fruict, ennemis de Dieu et de toute religion, se publient eux-mesmes pour impies et meschans, et font gloire qu'on croye que Nostre Seigneur Jésus-Christ est pour eux un objet de haine, de raillerie et de mespris[13].

Les prédicateurs sont évidemment en première ligne pour dénoncer cette menace. Voici le cordelier Jean Boucher qui, à partir de 1630, s'en prend à tous ces gens qui remettent en question les vérités religieuses et font profession d'athéisme et d'épicurisme. Le scandale est qu'ils sont partout bien accueillis : « C'est une chose estrange ; il n'y a que pour eux à paroistre, ils ont les oreilles des grands, et sont reçus à bras ouverts dans les plus belles compagnies. » Ces libertins se permettent une curiosité impertinente à l'égard de la foi :

> Vous ne verrez point maintenant une moustache relevée, qui ne vous jette tousjours des Pourquoy ? Pourquoy Dieu a-t-il donné des lois au monde ? Pourquoy la fornication est-elle défendue ? Pourquoy le fils de Dieu s'est-il incarné ? Pourquoy un caresme ? Pourquoy deffend-t-on de manger de la viande ? Voilà les beaux esprits du temps, auxquels il faut que Dieu rende raison de ses actions. Ces épicuriens et libertins sont déjà sur le bord de l'athéisme[14].

Nombreux, ces incroyants forment un groupe hétéroclite. Derodon distingue les « athées raffinez », aux raisonnements subtils, les « athées débauchez », les « athées ignorans ». Le jésuite Caussin évoque les « impies manifestes », les « neutres branlans, défians, qui sont presque sur l'indifférence des religions », les « gens de gueule », provocateurs, les incrédules « couverts », discrets, qui vont à la messe « pour n'estre estimez et recogneus pour athées ». Le père Garasse différencie les « diogénistes », incrédules grossiers et railleurs, des partisans d'un athéisme « furieux et enragé ». Pierre Charron classe ces gens selon les causes de l'incrédulité : il y a ceux qui sont aveuglés par l'orgueil scientifique, ceux qui sont découragés, ceux qui nient la liberté et proclament le déterminisme, ceux qui ne discernent pas l'ordre de l'univers, ceux qui suppriment Dieu pour pouvoir mener une vie libre.

La multiplication des jugements semble confirmer ces inquiétudes. À Paris, on compte 9 condamnations pour impiété, dont 7 exécutions capitales, de 1599 à 1617 ; 18, dont 16 à mort, de 1617 à 1636 ; 22, dont 18 à mort, de 1636 à 1650. Une ordonnance de 1636 signale la recrudescence de l'impiété et la nécessité de durcir la répression. Mais ces chiffres ne sont qu'un très vague reflet de la réalité, car les « impiétés » condamnées concernent surtout des vols de ciboires ou des cas de magie. Parfois cependant l'accusation d'athéisme est mentionnée, comme pour le médecin La Fresnaye. En 1614, à Aix, un jeune homme pendu est décrit comme épicurien, « roidy en son impiété », ne songeant qu'à boire et à manger, et proférant d'« exécrables blasphèmes contre Dieu [15] ». De 1619 à 1625, quelques cas retentissants viennent confirmer les alarmes des censeurs : exécution de Vanini en 1619, de Fontanier — brûlé à Paris — en 1622, bannissement de Théophile de Viau en 1625.

Autre révélateur : la multiplication des ouvrages d'apologétique contre les incroyants. On en compte en France 11 de 1600 à 1622, puis 31 de 1623 à 1640 [16]. Désormais, les auteurs ne cherchent plus à dissimuler le problème ou à cacher les arguments des athées, qui circulent partout. En 1626, Silhon écrit qu'il ne s'agit plus de « taire les raisons des athées pour ne les donner à connoistre, que de les esventer pour les combattre : elles sont si communes, et le mal est rendu si universel qu'il n'est plus question de les cacher, mais de travailler aux remèdes et préservatifs [17] ».

Les ouvrages contre les athées viennent de tous les milieux : théologiens, bien entendu, comme les jésuites Coton, Lessius, Garasse ; érudits, comme Mersenne ; religieux, comme Campanella ; mais aussi philosophes et politiciens, comme le chancelier anglais Bacon, qui dans ses *Essais* accuse l'athéisme de dégrader l'homme en le ravalant au niveau de l'animal, car il n'est plus relié à une nature supérieure. À ses yeux toutefois, la superstition est pire, car elle répand une notion de Dieu indigne de lui.

En 1621, dans son *De atheismo et haeresibus*, Jacques Servet définit avec précision ce qu'est un athée, dans le sens que nous lui donnons aujourd'hui, tandis qu'en 1631, dans l'*Atheismus triomphatus*, Campanella donne à ce terme le sens de machiavéliste. Le jésuite Lessius, quant à lui, répartit les ennemis de la foi en deux groupes : d'un côté, ceux qui contestent la morale ; de l'autre, ceux qui contestent les dogmes et s'en prennent à l'existence de Dieu. Contre ces derniers, il entreprend de défendre l'immortalité de l'âme, la providence, la foi en Dieu. D'après lui, les libertins sont nombreux, mais individuellement peu connus, et vont jusqu'à l'athéisme intégral.

Beaucoup d'apologistes utilisent l'argument classique de l'universalité de la croyance en Dieu, exploitant après bien d'autres les résultats des voyages d'exploration. Pour le père Coton, les Africains, les Indiens, les Juifs s'accordent tous « en l'adoration d'un maistre universel et éternel » ; pour Derodon et Rebreviettes, même les cannibales reconnaissent un Être suprême ; Garasse prend l'exemple des Canadiens, alors que Gamaches cite les croyances des Chinois, des Japonais, des Arabes, des Américains, et que Jean Boucher écrit : « Ceux qui depuis peu de temps ont descouvert un monde nouveau ont trouvé dans iceluy des hommes sans roys, sans magistrats, sans science et sans loix, mais non pas sans religion [18]. »

Mais l'appel à la raison n'est pas négligé. Pour le père Lacombe, il est impossible « qu'un bon esprit qui veut céder à la raison puisse trouver aucune probabilité dans le parti des athées ». Les pères Caussin et Yves de Paris, ainsi que Ceriziers et Abra de Raconis, font également un usage systématique du raisonnement contre l'incroyance. D'autres s'en prennent à la vénération pour les Anciens. Aux yeux du père Jean Boucher, Stace est « le premier des pédagogues de l'athéisme et le premier escolier de Satan », et Lucien « le prophète, le législateur et docteur des beaux esprits de ce temps ».

Parmi les apologistes, trois noms ressortent, par l'importance de leur œuvre et par le témoignage essentiel qu'ils apportent sur le milieu des libertins et leurs idées. Ce sont trois religieux, qui fréquentent les milieux intellectuels et la cour, où l'impiété est devenue une sorte de mode contagieuse. Le père Marin Mersenne, né en 1588, de l'ordre des minimes, est en correspondance avec tout ce que l'Europe compte de savants et d'érudits. Nous avons parlé de son rêve d'union de la foi et de la science, union pour lui naturelle et indispensable pour assurer le triomphe de l'Église. Sans doute perçoit-il dans la séparation des deux domaines la menace d'un conflit futur, et l'affaire Galilée le trouble profondément, d'autant plus qu'il est sincèrement héliocentriste. Les progrès de l'athéisme et des libertins l'inquiètent, et en 1623, dans ses *Quaestiones celeberrimae in Genesim*, il s'attaque à tous les systèmes conduisant à l'impiété : stoïcisme, épicurisme, scepticisme, déisme ; il y réfute les arguments des Padouans sur l'âme et le surnaturel.

Lorsqu'en 1624 paraît *L'Antibigot ou les Quatrains du déiste*, il y répond par un énorme ouvrage en deux volumes, l'*Impiété des déistes, athées et libertins du temps*, où il tâche à nouveau de prouver l'existence de Dieu. Il y attaque en particulier la doctrine de Giordano Bruno, montrant que des concepts comme l'unité de la substance et l'immanence du divin conduisent tout droit à l'athéisme, car ils sous-entendent que tous les êtres sont appelés à la même destinée. L'année suivante, c'est *La Vérité des sciences contre les sceptiques ou pyrrhoniens*. Puis, en 1634, contre l'athéisme des politiques et des philosophes, il élabore une nouvelle démonstration de l'existence de Dieu, toujours à base scientifique, dans les *Questions théologiques, physiques, morales et mathématiques*.

C'est sur un tout autre plan que se situe le père Pierre Coton, jésuite, confesseur du roi Henri IV. Vivant dans les milieux de la cour, il est pour nous un témoin précieux de la dégradation de la foi dans la société aristocratique du début du siècle. Pendant plusieurs années en effet, il accumule les notes sur les conversations et entretiens auxquels il assiste entre courtisans, argumentant pour et contre la foi, et il en fait un livre, *Le Théologien dans les conversations avec les sages et les grands du monde*, qui ne sera publié que longtemps après sa mort, en 1683, par le père Michel Boutauld. Le prologue et le plan de l'ouvrage confirment que la montée de l'incroyance est bien devenue un phénomène de société dans l'élite. L'auteur garantit l'authenticité des entretiens, dont le premier traite des athées, le deuxième de la pluralité des religions, et les suivants des achristes et des antitrinitaires.

L'ouvrage permet de constater l'extrême diversité des libertins et de leurs procédés, qui en fait un milieu insaisissable. Ils utilisent des méthodes insidieuses, glissent leurs arguments au détour des conversations, introduisent subrepticement le doute dans les esprits. Parlent-ils de la chasse ? c'est l'occasion pour eux de faire une remarque sur l'immortalité de l'âme et l'intelligence animale. Y a-t-il dans le cercle des jeunes gens et des dames ? ils flattent, prennent un ton épicurien. Y a-t-il des ecclésiastiques ? ils deviennent plus obscurs, traitent plusieurs questions à la fois et font perdre pied à leurs interlocuteurs. Parfois, ils proposent de tenir le rôle d'un incroyant, tout en protestant de leur bonne foi, ce qui leur permet de développer sans fard leur pensée.

Coton fournit toute une galerie de portraits de ces libertins, d'autant plus dangereux qu'ils sont séduisants : un « jeune seigneur fort estimé pour son courage, son esprit, sçavant même », qui sème partout « des doutes contre les veritez les plus saintes [19] » ; un chevalier « peu réglé dans sa conduite », grand amateur de l'Antiquité, et qui n'accepte rien sans qu'on lui en donne les raisons ; un gentilhomme qui ne cesse pas de poser des questions insidieuses et embarrassantes ; un autre très au fait de la théologie, ancien calviniste revenu au catholicisme, et un peu trop curieux sur l'histoire de l'Église ; un autre encore dont le portrait pourrait convenir à plusieurs libertins que nous évoquerons plus loin : vivant dans l'entourage et sous la protection des grands, fréquentant des réunions secrètes, disciple de Vanini, « maistre d'athées », dissimulant son incroyance derrière un conformisme de façade, et vivant de façon très libre, hors mariage [20]. Tous ont un profond mépris de la « populace », une très haute idée de leur supériorité intellectuelle — « ayant plus d'esprit et de courage » que les autres pour se libérer des croyances traditionnelles — et la conviction que « les plus forts esprits et les plus eclairez ne connaissent point de Dieu [21] ».

En fait, beaucoup d'entre eux sont plus déistes que véritablement athées, puisqu'ils rejettent tout ce qui, dans le christianisme, leur paraît avilir la divinité : l'incarnation, la Trinité, le péché originel, la rédemption, les fables de l'Ancien Testament. La raison ne peut admettre qu'un Dieu à la fois tout-puissant et infiniment bon ait créé le monde en sachant que les hommes tomberaient dans le péché, les condamnant d'avance à l'enfer. Il y a trop de contradictions dans la théologie : mieux vaut suivre la pure raison et se conformer extérieurement à la religion de son pays. Une minorité va plus loin, affirmant que Dieu est « une illusion, un songe », et que tous les signes de sa présence sont des produits de l'imagination ou des tromperies. Ces athées authentiques, déclare Coton, infestent déjà dans l'ombre les milieux de cour.

La pensée des libertins d'après le père Garasse (1623)

Le plus volumineux témoignage sur les différentes formes d'incroyance et leur progrès dans le premier quart du XVIIᵉ siècle est l'œuvre d'un autre jésuite, le père François Garasse. Entré au noviciat de la Compagnie à Toulouse en 1600, cet esprit bouillant, truculent, plutôt brouillon et volontiers outrancier, publie dans les années 1618-1622 plusieurs ouvrages contre les protestants[22]. Puis, en 1622-1623, il compose un énorme livre de plus de mille pages contre les libertins, *La Doctrine curieuse des beaux esprits de ce temps,* publié en août 1623, en pleine affaire Théophile de Viau. La veille, le 19 août, ce dernier a été condamné à être brûlé vif par le parlement de Paris comme auteur présumé d'un écrit anonyme impie, le *Parnasse satirique,* paru en avril 1623. Le livre de Garasse est donc d'actualité, et ce n'est pas une coïncidence. Depuis l'exécution de Vanini en 1619 à Toulouse, les libertins défraient la chronique. Théophile de Viau et ses compagnons font retentir les cabarets parisiens de propos impies; déjà banni en 1619, le poète avait bénéficié de la protection du duc de Montmorency. Rentré à Paris, il se soumet ostensiblement aux exigences de la religion catholique, ce qui ne trompe personne. Décrété d'arrestation le 11 juillet 1623, exécuté en effigie puis à nouveau banni, il meurt en 1625[23].

C'est pour faire face à la menace de l'incroyance, qu'illustrait cette affaire récente, que le père Garasse prend la plume. En quelques mois, il rassemble un gros dossier, grâce à son ami le père Voisin, qui, en tant qu'ancien précepteur du jeune Des Barreaux, autre libertin renommé, connaît bien ce milieu. « Voyant que certains athéistes, sous prétexte d'une beauté imaginaire d'esprit, combattent la religion, comme s'ils estoient gagés ou substituts de Satan, c'est ce que je ne puis souffrir sans m'avancer sur les rangs », écrit Garasse[24].

La première difficulté consiste à définir les libertins. Et, à vrai dire, Garasse ne parvient pas à en cerner les contours : « Par le mot libertin je n'entens ny huguenot, ny un athée, ny un catholique, ny un hérétique, ny un politique, mais un certain composé de toutes ces qualités. » « Athée » est pour lui un terme général, dont il use et abuse, qualifiant par exemple Luther de « parfait athéiste ».

Pourtant, il essaie de faire un effort de classification, conscient des différences qui existent parmi les impies. Pour lui, les protestants constituent l'avant-garde de ces incroyants; ce sont des « tiercelets d'athéistes », qui ouvrent la voie à l'incrédulité en rejetant les dogmes qui leur déplaisent. Dans un dialogue imaginaire entre un huguenot, un athée et le Christ, il fait dire au premier : « Pour moi, Seigneur, je veux bien croire quelque chose, mais non pas tout, d'autant qu'il me semble que vous en inventez », tandis que l'athée déclare : « Je n'en crois rien beau sire, et j'estime que toutes vos nouvelles sont des contes à dormir debout[25]. »

Les libertins, quant à eux, se distinguent en particulier par leur genre de vie :

> J'appelle libertins nos yvrongnets, mouscherons de tavernes, esprits insensibles à la piété, qui n'ont d'autre Dieu que leur ventre, qui sont enroolez en cette maudite confrérie qui s'appelle la *confrérie des bouteilles* [...], jouissant du bénéfice de l'aage, s'imaginant que sur leurs vieux jours Dieu les recevra à miséricorde, et pour cela sont bien nommez quand on les appelle libertins, car c'est comme qui diroit apprentifs de l'athéisme. De cette religion furent Épicure, Apicius et Héliogabale, le plus célèbre docteur qui ait esté jamais en cette doctrine cabalistique[26].

Au-delà, d'après Garasse, on trouve les sceptiques, disciples de Charron, les railleurs, qui tournent les choses saintes en dérision, enfin l'« athéiste furieux et enragé », qui nie l'existence de Dieu :

> J'appelle impies et athéistes ceux qui sont plus avancez en malice ; qui ont l'impudence de proférer d'horribles blasphèmes contre Dieu ; qui commettent des brutalitez abominables ; qui publient par sonnets leurs exécrables forfaits ; qui font de Paris une Gomorrhe ; qui font imprimer le *Parnasse satyrique* ; qui ont cet avantage malheureux qu'ils sont si desnaturez en leur façon de vivre qu'on n'oseroit les réfuter de poinct en poinct, de peur d'enseigner leurs vices et faire rougir la blancheur du papier[27].

Ces véritables athées sont irrécupérables, mais peu nombreux, précise Garasse, car c'est une position très difficile à soutenir avec constance, ainsi que Duplessis-Mornay ou Montaigne l'avaient souligné. On peut nier l'existence de Dieu dans un moment de colère, de passion, d'abattement, mais de là à en faire une conviction stable pendant toute une vie, il y a un fossé. Garasse a du mal à imaginer que l'on puisse vivre sans la moindre foi. Dans un monde imprégné par la religion, la foi semble une catégorie, une structure fondamentale de l'esprit, comme l'est par exemple l'assurance que demain il fera jour. Comment continuer à vivre en l'absence d'une telle croyance ? Ici, Garasse rend un hommage bien involontaire, comme l'avait fait Charron, à la force d'esprit des athées : vivant dans une condition contre nature, ils doivent être continuellement dans l'« inquiétude », le « malheur », l'« amertume[28] ». Sans espoir de vie future, et en plus condamnés à l'enfer, ils sont bien à plaindre. Mais pourquoi ces athées n'ont-ils pas reçu la foi, supposée être un don de Dieu ?

Des libertins aux véritables athées, il y a de nombreuses nuances, et la pente naturelle conduit des premiers aux seconds. C'est pour retenir les premiers que Garasse écrit, comme le fera plus tard Pascal. Le jésuite prévient donc :

De cecy je tire un advertissement pour le lecteur, que si je parle quelques-fois diversement des athéistes ou des libertins, donnant indifféremment quelque cognoissance de Dieu à nos nouveaux dogmatisans, il doit se res-souvenir qu'il y a plusieurs degrez d'athéisme, et que le corps de mon livre vise en général contre toutes les parties de ce monstre, mais nommément contre les libertins, tant à cause que c'est la grande confrérie de ceux que j'appelle les beaux esprits prétendus, comme à cause que n'estant pas encores du tout athéistes, il peut y avoir quelque peu d'espérance à leur conversion, pour laquelle ma conscience m'a obligé de prendre ce travail, qui me sera bien doux s'il leur est profitable[29].

Une fois établies les distinctions nécessaires, le père Garasse tente de cerner la pensée des libertins, qu'il résume en huit points. Ce credo des incroyants correspond assez bien à ce que nous savons par ail-leurs des libertins :

I. Il y a fort peu de bons esprits au monde, et les sots, c'est-à-dire le com-mun des hommes, ne sont pas capables de nostre doctrine. Et partant il n'en faut pas parler librement, mais en secret, et parmy les esprits confidans et cabalistes.

II. Les beaux esprits ne croyent point en Dieu que par bien-séance et par maxime d'Estat.

III. Un bel esprit est libre en sa créance, et ne se laisse pas aisément capti-ver à la créance commune de tout plein de petits fatras qui se proposent à la simple populace.

IV. Toutes choses sont conduites et gouvernées par le Destin, lequel est irrévocable, infaillible, immuable, nécessaire, éternel et inévitable à tous les hommes, quoy qu'ils peussent faire.

V. Il est vray que le livre qu'on appelle la Bible, ou l'Escriture Saincte, est un gentil livre, et qui contient force bonnes choses. Mais qu'il faille obliger un bon esprit à croire sous peine de damnation tout ce qui est dedans, jusques à la queue du chien de Tobie, il n'y a pas d'apparence.

VI. Il n'y a point d'autre divinité souveraine au monde que la Nature, laquelle il faut contenter en toutes choses sans rien refuser à nostre corps ou à nos sens de ce qu'ils désirent de nous en l'exercice de leur puissance et facultez naturelles.

VII. Posé le cas qu'il y ait un Dieu, comme il est bien-séant de l'advoüer pour n'estre en continuelles prises avec les superstitieux, il ne s'ensuit pas qu'il y ait des créatures qui soient purement intellectuelles et séparées de la matière. Tout ce qui est en nature est composé. Et partant il n'y a ny anges, ny diables au monde, et n'est pas asseuré que l'âme de l'homme soit immortelle.

VIII. Il est vray que pour vivre heureux il faut esteindre et noyer tous les scrupules. Mais si ne faut-il pas paroistre impie et abandonné, de peur de for-maliser les simples, ou se priver de l'abord des esprits superstitieux[30].

À lire ces articles, on peut se demander en quoi réside la différence entre libertins et athées. La nature et le destin sont les seules divinités reconnues, ce qui donne une forte teinte panthéiste aux libertins. La nature, présentée comme un guide bienveillant qu'il faut suivre, est faite pour notre bonheur :

Dieu est la nature, disent-ils, et la nature est Dieu [...]. Ce Dieu naturel ou cette nature divinisée aime tout ce qu'elle fait, suivant même ce qui est dit en la Genèse [...]. Cette nature, notre bonne maîtresse, ne nous a mis au monde que pour jouir de ses trésors et des fruits de sa bonté, et par cette règle nous ne devons refuser à nos yeux rien de ce qu'ils désirent voir, à nos oreilles rien de ce qu'elles voudront entendre, à nos sens rien de ce qu'ils désirent en l'exercice de leurs facultés naturelles, et faire au contraire c'est se défaire soi-même, commander tyranniquement et démentir la nature[31].

Pour Garasse, ce naturalisme conduit tout droit à l'athéisme.

Les libertins rejettent l'idée de révélation et se gaussent des absurdités que contient la Bible. Ils n'ont que l'embarras du choix, entre la baleine de Jonas, les neuf cent soixante-sept ans de Mathusalem, les histoires croustillantes de Loth qui engrosse ses filles avec la bénédiction divine, l'ânesse de Balaam, le serpent parleur du paradis terrestre, dont ils se demandent : « Marchoit-il sur la pointe de la queue en sautillant, voloit-il, ou se dardoit-il comme une flêche animée[32] ? » Leur épisode favori de l'Ancien Testament paraît être la queue du chien de Tobie, qui remuait en signe de contentement lors du retour de son maître. Cela exaspère Garasse :

Il semble que cette queue du chien de Tobie soit faite expressément pour entretenir les esprits fainéants des libertins, aussi bien que la queue du chien d'Alcibiade était faite pour entretenir les sots et les fainéants d'Athènes. Car au lieu de songer, de parler, de méditer sur les mystères de leur salut, ils s'amusent à discourir sur la queue du chien de Tobie, comme si c'était une affaire de grande conséquence, et semble que cette queue soit une pierre d'achoppement pour les athéistes, car de cent libertins, quatre-vingt qui se voudront moquer des Ecritures, commenceront par là leurs risées et feront contre le proverbe qui dit qu'il ne faut jamais commencer par la queue[33].

Mais le plus grave est que les libertins utilisent la Bible à leurs propres fins, en y relevant des arguments favorables à l'athéisme : ils n'ont aucun mal à dépister les contradictions, et dans les livres de la Sagesse, de l'Ecclésiaste, ils relèvent bien des expressions qui semblent nier l'immortalité de l'âme. En fin de compte, la Bible n'a pour eux pas plus de valeur que les fables antiques.

L'âme est mortelle ; il n'y a ni ciel ni enfer ; le diable n'est qu'une invention puérile. D'après Garasse, un libertin aurait été particulièrement curieux à ce sujet : « L'un des plus grands désirs dont il se sentoit touché, ce seroit de voir un diable », et pour cela il s'adresse à tous les magiciens. Les libertins sont « achristes », c'est-à-dire qu'ils rejettent toute divinité de Jésus, « homme comme un autre ». Les miracles ne sont que le « meilleur moyen d'entretenir la populace en son devoir ». Le problème du mal est évidemment exploité, comme l'une des objections essentielles à un Dieu qui, s'il « voit tout ce que nous faisons », doit être la cause de nos péchés. Nous sommes en fait dirigés par le destin, et il n'y a aucune différence entre les religions : « qu'il y ait des Turcs, des payens, des chrestiens, des hérétiques », qu'importe ! Que chacun suive la religion de son pays, car la religion n'est qu'une invention politique, destinée à maintenir le peuple dans l'obéissance.

Attitude et origine des libertins selon Garasse

Selon Garasse, les libertins ont le sentiment de constituer une élite libérée. Entre eux, écrit-il, ils distinguent trois catégories : les esprits mécaniques, ou grossiers, que Charron appelait les esprits bas, qui suivent toutes les superstitions ; les esprits nobles, ou communs d'après Charron, qui méprisent les opinions populaires et choisissent leurs croyances ; les esprits transcendants, ou « escartés », ou supérieurs dans la classification de Charron, qui sont au-dessus de tout. L'immense majorité des hommes se compose de sots, alors que les libres penseurs ont un « esprit excellent et par-dessus du commun ».

Ces esprits forts revendiquent une liberté absolue de croyance, une totale autonomie : « L'esprit de l'homme est né libre, affirment-ils, et fuit la captivité[34]. » Tous les hérétiques, jusqu'aux protestants, remarque Garasse, ont ce mot de « liberté » à la bouche. Et cette liberté, ils la veulent pour leurs débauches et leurs impiétés. Le jésuite consacre plusieurs pages à décrire les réunions au cours desquelles les libertins, dans des cabarets ou en la chapelle de l'Isle-du-Pont-de-Bois, à Paris, se livrent à de violentes parodies antireligieuses, sacrilèges, mêlant obscénités et blasphèmes. Se moquant de toutes les pratiques de piété, ils n'hésitent pas à venir en bande rire des sermons dans les églises, ridiculiser l'austérité des huguenots. Mais le plus souvent ils gardent le secret et se conduisent de façon hypocrite, en vrais faux dévots. Le portrait qu'en fait Garasse évoque irrésistiblement Tartuffe :

> S'il est question de dissimuler sa folie, un athéiste s'en ira confesser deux fois aux fêtes de Noël, fera des conversions feintes à trois et quatre divers docteurs, cajolera si bien les seigneurs de la cour et les personnes d'autorité qu'ils prendront sa défense et en parleront en bonne bouche pour le retenir à la cour : « Que c'est un galant homme ! un bon esprit, une personne de bon entretien ! Il a bien à la vérité quelques rencontres en bouche dont il se pourrait bien passer, mais ce ne sont que gaillardises, il dit cela pour rire ; car il se confesse souvent, je l'ai vu communier, j'ai assisté à sa conversion, il entend souvent les sermons, il fréquente chez les religieux. » Oui, mais c'est comme faisait ce maudit Théophile de Constantinople avec les moines et les saints personnages pour couvrir son impiété[35].

Cette attitude leur permet de ne pas « se fermer l'entrée aux compagnies », « l'accès aux charges », et aussi de ne pas « formaliser les simples », de ne pas être « en continuelles prises avec les superstitieux » et avec les « esprits méchaniques qui s'effarouchent quand on leur propose ceste maxime qu'il n'y a point de Dieu ». Pour tromper leur monde, ils procèdent souvent par « bouffonneries », tiennent des propos plaisants, mais pleins d'« ambiguïtés et sous-entendus ». Ils ne se livrent vraiment qu'entre eux, dans leurs réunions secrètes. Même leurs écrits adoptent la forme ambiguë du dialogue, ou présentent des défenses de la foi d'une telle faiblesse qu'elles font encore mieux ressortir les difficultés de l'attitude religieuse. À moins qu'ils ne composent des livres contradictoires pour donner le change.

Qui sont ces libertins ? À quel milieu social appartiennent-ils ? Garasse distingue parmi eux des courtisans et grands nobles, des militaires, et surtout de jeunes intellectuels débauchés, qui composent des écrits impies pour se faire valoir auprès des grands. Certains sortent des collèges jésuites. C'est qu'ils ont suivi de mauvais maîtres : Démocrite, Diogène, Diagoras, Lucrèce, Porphyre, Pline, Julien, Épicure et, parmi les modernes, Pomponazzi, Machiavel, Cardan, Mezentius, Ruggieri, Panat, Vanini. Garasse analyse l'œuvre de ce dernier : il a ridiculisé la Bible, comparant les impostures de Moïse à celles de Romulus et de Mahomet ; il a nié l'incarnation, l'existence du diable et de l'enfer, la création du monde et de l'homme par un Dieu tout-puissant ; il a même suggéré que par un processus naturel d'évolution l'homme pourrait descendre des singes, par « la semence des guenons et des singes laquelle, se cultivant par après, vient à se perfectionner et prendre forme d'hommes[36] ».

Pour Garasse, l'athéisme peut aussi avoir chez certains des causes psycho-physiologiques, en particulier l'hypocondrie. L'humeur noire mélancolique est alors une explication très à la mode pour toutes les conduites déviantes, tel le suicide[37]. Mais la distinction entre l'aspect moral et la dimension physiologique est encore floue. En 1586 par exemple, dans son *Traité de la mélancolie*, Timothy Bright en fait le produit de la vengeance divine et de la tentation diabolique[38]. En 1580, La Primaudaye, dans l'*Académie française*, attribue à la bile noire des effets psychologiques comme le désespoir ; le médecin anglais Peter Barrough confirme cette remarque en 1596[39]. En 1607, Fernel définit l'« humeur mélancolique », apparentée à la terre et à l'automne, comme un suc « épais en consistance, froid et sec en son tempérament[40] ». L'excès de cette humeur dans le cerveau est responsable des sombres pensées qui affectent les mélancoliques et fixent leur attention de façon obsessionnelle sur un objet : « Tous leurs sens sont dépravés par une humeur mélancolique répandue dans leur cerveau », écrit Weyer. Pour Sydenham, cette bile noire pousse certains à se tuer : ils « craignent la mort, laquelle toutefois ils se donnent le plus souvent à eux-mêmes ». Déjà, en 1583, Peter Barrough remarquait que les personnes souffrant de mélancolie « désirent la mort, et, très souvent, envisagent et déterminent de se tuer elles-mêmes[41] ».

Deux ans avant le traité de Garasse, en 1621, Robert Burton avait publié son célèbre livre, *Anatomy of Melancholy*. Ce mal, écrit-il, touche en particulier les gens d'étude, dont les méditations peuvent tourner à la rumination morbide. Sa description du mal est classique : à la fois physiologique et analogique, en vertu des correspondances universelles. Il s'agit d'un excès de bile noire, associée au plus sombre des éléments, la terre, et à la plus sombre des planètes, Saturne. Ce caractère est acquis dès la naissance, et certains hommes sont donc prédestinés à un tempérament sombre. Toutefois, ce dernier peut être corrigé ou aggravé par l'environnement social et le comportement individuel. Curieusement, Burton lie la mélancolie à l'excès de religion : elle peut être provoquée par le désespoir que suscitent les croyances terroristes sur l'enfer. Il rend responsables de ce désespoir religieux à la fois les catholiques et les puritains. Les premiers, par leurs croyances superstitieuses et idolâtres, favorisent l'action du diable. Les seconds sèment la terreur par leurs sermons apocalyptiques. En bon anglican, Burton est homme d'équilibre et de modération. Point trop n'en faut, en religion comme ailleurs. L'athéisme est à éviter, car le diable est alors seul maître. Mais l'excès religieux n'est pas meilleur. L'ascétisme dérègle l'esprit. Le libre examen de l'Écriture peut conduire au désespoir. La prédestination calviniste, en persuadant certains hommes qu'ils sont damnés, quoi qu'ils fassent, est un facteur de désespoir. Les malheureux, à l'esprit fragile, s'imaginant déjà en enfer : « Ils sentent le soufre, parlent avec les démons, entendent et voient des chimères, des ombres menaçantes, des ours, des chouettes, des singes, des chiens noirs, des monstres, des hurlements hideux, des bruits inquiétants, des cris, des plaintes lamentables [42]. »

Le père Garasse a-t-il lu l'*Anatomie de la mélancolie* ? C'est peu probable. Mais il recourt lui aussi à cette explication censée rendre compte de tous les maux individuels, un peu comme notre *stress* contemporain : les « fumées noires et mélancholiques », écrit-il, en troublant le cerveau, peuvent provoquer l'athéisme, à moins que ce ne soit ce dernier qui engendre l'hypocondrie [43]. Une rapide étude des malades mentaux de l'hôpital Passarelli de Rome le convainc en tout cas d'un lien entre les deux phénomènes. Il y ajoute le rôle de l'orgueil et de la paresse d'esprit.

Ce qui est déplorable et inquiétant, poursuit Garasse, c'est que l'athéisme commence à se répandre dans d'autres catégories sociales, comme l'illustrent certains testaments poitevins dont il a eu connaissance : un « vieux athéiste de Poitiers » déclare qu'il n'y a « point d'autre Dieu au monde que l'incorruptibilité du corps » ; un autre, en 1601, demande à être enterré sur la place du marché, afin de profiter des danses villageoises. Garasse mentionne aussi un homme qui a été brûlé à Paris le jeudi saint de 1573 et qui a été identifié comme étant Geoffroy Vallée [44], auteur de *La Béatitude des chrétiens*, un ouvrage déiste, rejetant à la fois l'austérité protestante, la pompe catholique et la négation athée.

Les controverses autour de la Doctrine curieuse

Le livre du père Garasse reçoit un accueil mitigé. Du côté des libertins, cela est compréhensible, on l'accuse de calomnie : les « maximes du P. Garasse », suivant leur expression, ne sont qu'un tissu d'inventions. Du côté des dévots, cependant, ce n'est pas non plus l'enthousiasme, en raison de la forme utilisée. À une époque où, sous l'influence combinée des deux réformes, protestante et catholique, la religion cherche à se purifier de tous les aspects profanes ou trop purement humains, les trivialités de Garasse paraissent choquantes. Nous avons cité le passage sur la queue du chien de Tobie : des digressions de ce genre heurtent le bon goût et sont indignes d'un ouvrage savant, écrit Guez de Balzac au jésuite. Ces bouffonneries et grossièretés sont déplacées lorsqu'il s'agit de défendre la dignité de la religion.

En octobre 1623, le père François Ogier juge même bon de lancer une attaque en règle dans un virulent ouvrage intitulé *Jugement et censure de la Doctrine curieuse de François Garasse*. Ogier, prieur de Chomeil, accuse Garasse d'avoir fait plus de mal que de bien. D'abord, était-il utile d'étaler sur mille pages et en français toutes les insanités des libertins et tous les arguments des athées ? Il y a là un réel problème pour les défenseurs de la foi, qui se posait déjà à Calvin. Garasse s'était lui-même interrogé dans son livre : faut-il reproduire « en plein jour » et « de poinct en poinct » la doctrine des incroyants ? Il avait répondu par l'affirmative, en expliquant que ce n'était plus un secret pour personne. Ogier, dont l'état d'esprit ne diffère pas sur ce point de celui des libertins, pense au contraire que ces débats devraient se dérouler de façon feutrée, entre savants, alors que le style même de Garasse est propre à attirer des lecteurs de bas étage et à leur faire connaître des arguments athées qu'ils ne soupçonnaient même pas : « Garasse écrit en un style et d'une façon trop populaire et des choses capables d'attirer la lie même du peuple à la lecture de son livre[45]. » Il est peu probable que la « lie du peuple » se soit ruée sur les mille pages du père Garasse, même si une seconde édition paraît l'année suivante. Mais la remarque est significative : pour la plupart des responsables ecclésiastiques, le peuple chrétien n'est pas capable de comprendre les vérités de foi, et il doit donc être tenu à l'écart des discussions théologiques, domaine réservé du clergé. Le peuple doit croire sans comprendre ; Ogier donne par là raison aux accusations des libertins. De plus, toute vérité n'est pas bonne à dire : le peuple n'a pas à savoir qu'il y a un peu partout des athées, et que ceux-ci ont des arguments sérieux.

Accusant Garasse d'être un « Rabelais », un « moqueur de Dieu et des hommes », un « maître en bouffonneries et en contes plaisants »,

Ogier lui reproche de ne pas être à la hauteur de son sujet, et de n'avoir pas bien compris par exemple le véritable sens des livres de Charron, auteur sérieux et respectable :

> Garasse, mon ami, les livres de Charron sont un peu de trop haute gamme pour des esprits bas et populaires comme le vôtre. Les astres ne se repaissent pas de toutes sortes de vapeurs et nos esprits ne prennent pas bonne nourriture de toutes sortes de lectures, encore que de bons et excellents auteurs [...]. Entretenez-vous, Garasse, à votre ordinaire, avec vos docteurs authentiques, Marot et Melin de Saint-Gelais, dont vous tirez de si belles preuves, les colloques de Césarius, ce beau trésor d'exemples, Rabelais [...]. Conservez soigneusement en les lisant votre belle humeur; autrement, le monde y perdrait mille bons mots pour rire; et laissez les œuvres de Charron, trop sérieuses, pour des esprits plus forts et mieux rangés que le vôtre[46].

La remarque est déconcertante. Elle montre à quel point les auteurs et les doctrines de cette époque sont flous et susceptibles d'interprétations diverses : Charron est revendiqué à la fois par les libertins et par les dévots.

Garasse n'est pas homme à se laisser ainsi traiter. Dans un mémoire au procureur général Mathieu Molé, il répond à tous ses détracteurs, point par point : aux libertins, aux protestants qui s'offusquaient d'être traités d'athées, et aux dévots qui craignaient le scandale. Contre les partisans de la méthode douce, du camouflage pudique, du silence ou de l'étouffement des problèmes, il proclame la nécessité au contraire de frapper un grand coup contre la menace montante de l'incroyance. Balzac a droit à une verte réplique fustigeant sa préciosité, et Ogier à une *Apologie* de trois cents pages dès janvier 1624, rappelant la vertu de la plaisanterie et du rire dans la défense de la foi. Une religion souriante a plus d'attraits que les faces de carême de beaucoup de ses défenseurs. Quant à Charron, qu'on ne s'y trompe pas, « il étouffe et étrangle doucement et comme avec un cordon de soie le sentiment de la religion et mène son lecteur à une philosophie épicurienne[47] ».

L'année suivante, en 1625, Garasse produit encore un énorme in-folio dans lequel il reprend, avec plus de rigueur et de retenue, les idées de sa *Doctrine curieuse* : c'est la *Somme théologique*, qui est publiée avec l'approbation de la Sorbonne. Charron y est à nouveau désigné comme un auteur pernicieux : « Je ne veux ni bien ni mal à sa mémoire personnelle, mais je fais bien état de vouloir un mal parfait à sa doctrine, je dis un mal parfait tel que David portait aux méchants[48]. » Pour le reste, rien de nouveau, sinon dans la forme. Garasse met en garde : l'athéisme progresse, et son but est d'effacer à tout jamais l'idée de Dieu :

> Les lois, les ordonnances, les édits, les arrêts doivent effacer ce nom de Dieu, comme une chimère peinte et forgée dans une tête creuse. On ne doit apprendre rien de plus soigneusement que cette proposition : il n'y a point de Dieu. Ce doit être l'alphabet des enfants, le discours des hommes, la sagesse des vieillards, la substance de toutes les sciences et la fin de tous les arts[49].

Cette fois, la réplique vient du côté janséniste. Au début de 1626, l'abbé de Saint-Cyran fait paraître anonymement trois volumes intitulés *La Somme des fautes et faussetés capitales contenues en la Somme théologique du P. François Garasse*. Le ton en est extrêmement méprisant. Saint-Cyran n'est pas exactement un boute-en-train. Pour être profond, il faut être ennuyeux, et la plaisanterie est signe d'ignorance, de superficialité et de vulgarité. Garasse n'est qu'un pitre, un pauvre prédicateur égaré dans des questions qui le dépassent : « Vous m'avez fait connaître par expérience ce que j'avais ouï dire quelquefois auparavant : qu'il est bien difficile d'être prédicateur et bien savant tout ensemble[50]. » Saint-Cyran relève tout au long de ses trois pesants volumes les moindres fautes d'interprétation de l'Écriture telle qu'il la conçoit, et, paradoxe, il prend lui aussi la défense de Charron, un des oracles des libertins.

En définitive, ces derniers sont les grands gagnants de ces querelles, auxquelles ils assistent en comptant les coups. Les luttes internes de l'Église catholique, en particulier celles des jésuites contre les jansénistes, ont certainement contribué aux progrès de l'incroyance, et cela de façon durable. En faisant ressortir les défauts et les faiblesses des uns et des autres, en durcissant les positions, en polarisant l'attention sur des questions secondaires de grâce suffisante et de grâce nécessaire, en augmentant le rigorisme des uns et le laxisme des autres, et en offrant le lamentable spectacle de catholiques s'entre-déchirant, molinistes et jansénistes affaiblissent le respect à l'égard de la religion et donnent raison à ses principaux détracteurs. Lorsque Voltaire souhaitera étrangler le dernier jésuite avec les boyaux du dernier janséniste, ou l'inverse, sa boutade ne sera que l'aboutissement logique de ces conflits.

Les principaux milieux libertins

Après avoir vu les libertins par les yeux de leurs adversaires, il convient maintenant de prendre avec eux un contact direct. La tâche est difficile, en raison du relatif secret dont ils s'entourent ; ils ont laissé peu de traces écrites et, pour brouiller les pistes, celles-ci sont souvent ambiguës et contradictoires. De remarquables études, devenues des classiques de l'historiographie, ont heureusement éclairci la connaissance de ce milieu bigarré. Grâce à Charbonnel, Busson, Pintard, Spink, Zuber, Adam, Tocanne, Ostrowiecki, Lecler et quelques autres, nous cernons d'un peu plus près les idées, le comportement et les principales personnalités du mouvement libertin[51].

René Pintard, dont l'étude reste à ce jour la plus complète sur ce sujet, conclut : « On aperçoit, à la fin du règne de Henri IV ou pendant la minorité de Louis XIII, chez les gens du monde, mais aussi chez les gens d'étude, une incrédulité diffuse, qui parfois jaillit et parfois se cache ou s'ignore[52]. » Le caractère diffus du mouvement interdit toute classification trop rigoureuse, mais l'auteur distingue cependant trois catégories principales : des catholiques sincères troublés par les nouveautés scientifiques, qui expriment des doutes, des critiques, et qui sont, comme nous dirions aujourd'hui, « en recherche » : Gassendi, Gaffarel, Boulliau, Launoy, Marolles, Moncony; des protestants émancipés, qui pratiquent la libre spéculation philosophique, quitte à dériver vers l'incrédulité : Diodati, Prioleau, Sorbière, Lapeyrère; de véritables mécréants antichrétiens, comme Le Vayer, Bourdelot, Trouiller, Quillet, Naudé, Bouchard, Luillier. Partisans d'une séparation foi-raison, ils hésitent entre rationalisme et scepticisme, et n'arrivent donc pas à construire un système cohérent. Plutôt tournés vers le naturalisme italien jusqu'au milieu du siècle, ils sont allergiques au surnaturel.

J.S. Spink, lui, distingue deux grands groupes : d'un côté, les sceptiques érudits libertins, hommes d'étude, bibliothécaires, précepteurs, raffinés et discrets, pratiquant un conformisme de façade; de l'autre, les naturalistes radicaux, jeunes gentilshommes rebelles, agités, provocateurs, comme Roquelaure, Romainville, Haudessens, Cramail, Savary. Travaillés par le désir de s'affirmer et par une certaine soif d'absolu, ils proclament, de façon parfois imprudente, leurs idées radicales, au besoin négatives jusqu'au nihilisme, et très souvent obscènes. Cette espèce de rage dont ils font preuve est-elle une expression de désespoir, une forme de protestation juvénile contre le caractère de plus en plus figé de la société? L'« Avertissement » placé par Georges Sorel en tête de son *Histoire comique de Francion*, en 1623, plaiderait en faveur d'une réponse affirmative : « La corruption de ce siècle où l'on empesche que la vérité soit ouvertement divulguée, me contraint d'ailleurs à faire cecy, et à cacher mes principales répréhensions sous des songes qui sembleront sans doute pleins de niaiseries à des ignorans, qui ne pourront pas pénétrer jusques à fond. »

Georges Sorel a un peu plus de vingt ans lorsqu'il publie ce livre, qui est un bon témoignage sur les groupes de jeunes libertins. Dans leurs associations, on trouve des fils de la noblesse, de la robe, du négoce, de la finance : même recrutement que chez les jansénistes, en quelque sorte. Même protestation contre les blocages sociaux, les uns se retirant dans la dévotion austère, les autres dans l'incrédulité? On ne peut que poser la question. Pour ces jeunes gens, c'est le destin qui mène le monde, et les dieux sont des inventions humaines[53].

Les milieux libertins les plus turbulents se situent dans l'entourage immédiat de puissants personnages, capables d'assurer l'immunité de leurs fréquentations, comme le duc d'Orléans, frère du roi. Pour cet écervelé, velléitaire, ennemi mortel du cardinal de Richelieu, entretenir une coterie de blasphémateurs, c'est aussi un moyen de manifester son indépendance. Son hôtel est fréquenté par Brissac, Candale, Bachaumont, Roquelaure, Aubijoux, Fontrailles, La Rivière et le baron de Blot, dont les chansons impies circulent sous forme manuscrite. Elles expriment un athéisme agressif :

> Je suis bougre de vieille roche,
> qui n'auray jamais de reproche
> d'avoir usé de sacrement.
> Morbleu, tous les sept je mesprise,
> pour le monstrer plus hautement,
> je consens qu'on me débaptise.
>   [...]
> Car je sais bien
> que nous ne serons rien
> après notre trépas [54].

Une foule d'autres chansons anonymes du même style sont conservées dans les bibliothèques publiques, et témoignent d'une étonnante violence antireligieuse en pleine époque du catholicisme triomphant. Voici par exemple un « hymne » de Pâques, suivi de deux chansons ridiculisant les mystères chrétiens et niant l'immortalité :

> Voicy ce jour heureux, si l'on en croit l'histoire,
> où notre créateur tout couronné de gloire
> triompha de la mort et sortit des enfers.
> Amy, si tu le crois, que l'aze [âne] te foute !
> Ceux qui le virent pendre avoient les yeux ouverts :
> quand il ressuscita, pas un n'y voyait goutte.

> Qu'on parle de Dieu le Père,
> de toute la Trinité,
> qu'une vierge soit la mère
> d'un sauveur ressuscité
> et que l'esprit en colombe
> descende comme une bombe,
> je me fous de leurs destins
> pourveu que j'aye du vin.

> Pourquoi tant de cloches, de messes ?
> Peut-on ressusciter les morts ?
> Nous devons croire avec sagesse
> que l'âme meurt avec le corps [55].

Autre milieu très concerné par les progrès de l'incroyance : les médecins. Depuis le XVIe siècle, leur réputation d'incrédules ne cesse de croître. Au goût des théologiens, les progrès de leur science leur font accorder un rôle exagéré à la physiologie aux dépens de l'esprit. En 1638, par exemple, un candidat à la thèse de médecine explique les vertus par des causes somatiques. Beaucoup sont dubitatifs au sujet de l'âme spirituelle : La Fresnaye pense qu'elle disparaît à la mort ; l'hostie n'est pour lui qu'un « petit morceau de pain », et il n'a

que mépris pour un Dieu qui fait « le jocrisse en croix ». Louis de
Serres, médecin à Lyon, est théoriquement protestant, mais il déclare
que « qui lui donnera deux cens escus, il est prest d'aller à la messe ;
pour 400 il se fera juif, pour 600, turc, et pour 1000 escus il renoncera
à sa part de paradis[56] ».

Mersenne raconte qu'il a rencontré un médecin « gausseur et bouf-
fon comme Rabelais, mais beaucoup plus meschant que luy », qui
collectionne les écrits contre l'enfer, le paradis, le pape. Le médecin
Huarte a une solide réputation de matérialiste. Son confrère Basin,
possesseur de nombreux livres impies, a fréquenté toutes les religions
et soutient des positions déistes. Pour lui, la Bible est un roman, le
christianisme une fable, et Jésus un imposteur ; Dieu est le premier
principe, qui « ne se mêlait point de nos affaires comme étant au-
dessous de lui, qu'il n'avait que faire de nos cultes ». Ajoutons qu'en
cette période de lutte contre la sorcellerie, les exorcistes sont particulièrement agacés par la présence d'un médecin qui en général nie
les cas de possession et les explique par l'hystérie, ce qui sape la
croyance dans l'action du diable.

La concurrence entre le prêtre et le médecin au chevet d'un malade
mental ou physique avait déjà été exposée au xvᵉ siècle par le médecin Jacques Despars (1380-1458), qui était lui-même chanoine de
Paris. Il s'élevait contre l'assimilation trop souvent faite par les théologiens et le peuple entre folie et possession démoniaque. La « foule
stupide », dit-il, va consulter les saints au lieu du médecin, encouragée par des clercs trop crédules et aux « idées vulgaires » :

C'est l'opinion commune de la foule et de certains théologiens habitués à
dire des mélancoliques et des maniaques qu'ils ont le diable au corps, ce que
souvent les malades croient eux-mêmes et affirment. Ceux qui se fient à ces
idées vulgaires ne recherchent pas, pour le soin de leur maladie, l'aide des
médecins, mais celle des saints réputés avoir le pouvoir, conféré par Dieu, de
chasser les démons [...]. Ils n'espèrent obtenir les suffrages de ces saints qu'en
effectuant des neuvaines dans les églises qui leur sont dédiées et en s'entra-
vant à côté d'autres malades, liés par des chaînes de fer ou d'autre nature. Si,
au lieu de faire ces neuvaines, ils recourent aux conseils des médecins, la
foule stupide estime que les suffrages des saints en sont niés, empêchés ou
retardés ; en effet, la croyance est qu'il faut d'abord éprouver la puissance de
Dieu et de ses saints, et que ces derniers jalouseraient les médecins et leurs
œuvres[57].

Despars s'en prenait aussi aux prédicateurs fanatiques qui détra-
quaient le cerveau des gens. Depuis, le fossé n'a fait que s'élargir
entre médecine et religion.

Enfin, outre les nobles et les médecins, les libertins comptent dans
leurs rangs une quantité non négligeable d'ecclésiastiques incrédules,
précurseurs de Meslier, qui dissimulent : « ecclésiastiques douteux,
écrit René Pintard, qui s'arrangent pour se passer toute leur vie d'une
foi qu'ils n'ont jamais eue. Indifférents ou incrédules, les voilà tout

de même embarqués : s'ils n'ont pas acquis du premier coup l'art du mensonge cynique, ils apprennent à dissimuler et à biaiser ; ils aiguisent, tout au long de leur carrière, une habileté retorse à jongler avec les affirmations insincères. Étrange ascèse, pour ces mécréants en soutane[58] ». Citons par exemple Jean-Baptiste Hullon, aumônier du roi, prieur de Cassan, et Michel de Marolles, abbé de Villeloin, tous deux débauchés sceptiques.

Les milieux de la bourgeoisie intellectuelle fournissent également leur contingent de libertins. On s'accorde en général à attribuer à l'un d'eux, professeur de philosophie, les fameux *Quatrains du déiste*, appelés aussi *L'Antibigot ou le Faux Dévotieux*, long poème didactique composé dans les années 1619-1623. L'auteur, nourri de la pensée antique, développe en six cents quatrains une conception déiste, qui rejette l'idée chrétienne de Dieu comme anthropomorphique. La révélation, le péché originel, les peines de l'au-delà, les cultes particuliers sont considérés comme des inventions humaines sans cohérence et sans logique. La vertu consiste simplement à se conformer à l'ordre des choses, sans qu'il soit besoin d'un système de récompense et de punition, d'ailleurs inique :

> Se peut-il concevoir plus grande impiété
> que celle du bigot qui veut que Dieu punisse
> ceux dont les actions suivent sa volonté
> pour démontrer sur eux sa divine justice[59] ?

L'attrait du stoïcisme est manifeste dans cet ouvrage, comme chez beaucoup de libertins, pour qui Sénèque le dispute à Épicure.

Texte assez indigeste, les *Quatrains*, qui paraissent sous forme manuscrite, seraient sans doute restés inconnus si Mersenne n'avait jugé utile de les réfuter dans un énorme ouvrage de mille trois cent quarante pages, intitulé *L'Impiété des déistes*, leur assurant une publicité inespérée. Comme le montre la même année l'affaire Garasse, la controverse publique a certainement été le plus puissant agent de diffusion des idées des libertins.

Les cas douteux : Gassendi, Patin

L'extrême diversité de leurs positions ressort d'un bref examen des cas les plus célèbres. Il y a d'abord les situations douteuses, comme celle du chanoine Gassendi, l'un des grands érudits de l'époque, considéré avec horreur par les responsables religieux pour avoir tenté de réhabiliter Épicure. La seule évocation de ce nom suffit en effet, nous l'avons vu, à provoquer les foudres de l'Église. La réputation de libertin attachée à Gassendi n'est fondée que sur les dénonciations calomnieuses des jésuites Rapin et Daniel, même si le chanoine, chrétien sincère, a des positions philosophiques très indépendantes.

Né en 1592 près de Digne, entré dans les ordres en 1617, prévôt de la cathédrale de Digne en 1623, professeur de mathématiques au Collège royal à Paris en 1645, mort en 1655, Pierre Gassendi, en correspondance avec les savants de toute l'Europe, est au carrefour de toutes les innovations culturelles. Naturellement sceptique, rejetant la pensée scolastique, il est attiré par l'épicurisme à partir de 1626, encouragé par ses amis, dont Beeckmann. C'est en physicien qu'il aborde cette philosophie, convaincu de la réalité des atomes et de leur capacité à produire la pensée en s'organisant.

Il est bien sûr conscient des difficultés qu'il risque de rencontrer de la part des autorités religieuses qui, en 1624, viennent de condamner les Français Jean Bitaud et Étienne de Claves pour avoir soutenu des thèses atomistes. À cette occasion, la Sorbonne avait interdit comme « fausse, audacieuse et contraire à la foi » l'affirmation d'après laquelle « toutes choses sont composées d'atomes indivisibles ». Ainsi l'atomisme ne pouvait-il guère se développer qu'en Italie, où le Français Jean-Chrysostome Magnan l'enseignait à Pavie. Mais Gassendi, en faisant de Dieu le créateur des atomes et de leurs mouvements, pensait que la conciliation n'était pas impossible.

Il entreprend d'ailleurs de prouver l'existence de Dieu dans le cadre de l'épicurisme. L'idée de Dieu n'est pas innée, et elle ne vient pas non plus entièrement de l'expérience. Dieu, cause première, intelligence suprême, a créé un monde intelligible. Cette création, Gassendi la verrait volontiers à partir d'une matière éternelle, même s'il se rallie à l'idée de la création *ex nihilo* par fidélité à l'Église. Dieu a placé ordre et harmonie dans l'univers, qui est une sorte d'organisme vivant, avec une sensibilité diffuse. Les corps émettent des corpuscules subtils qui impressionnent les êtres.

Tout cela pouvait avoir des conséquences dangereuses pour l'orthodoxie catholique, comme le montrera à la fin du siècle Antoine Arnauld. De son vivant, Gassendi, qui publie en 1649 une présentation de la vie et de l'œuvre d'Épicure en un énorme ouvrage de mille sept cent soixante-huit pages, doit subir des attaques venant d'horizons très divers : les jésuites, mais aussi l'astrologue Jean-Baptiste Morin, qui réclame son exécution comme athée, et Descartes, qui polémique avec lui en privé sur des questions de physique.

Gassendi est suspect aux yeux des théologiens en raison de son épicurisme, mais sa foi personnelle n'est guère contestée. D'autres sont plus ambigus, comme Guy Patin (1600-1672). Ce médecin, doyen de la faculté de médecine à partir de 1652, est un esprit sceptique. Ennemi des jésuites, il se plaît à relever les invraisemblances des croyances populaires, collectionne les passages de Pline, Tacite, Varron, Sénèque ou Cicéron qui affaiblissent la foi, plaisante sur

l'immortalité de l'âme, ridiculise les sermons, relève toutes les impiétés des auteurs du xvie siècle — théoriquement pour les condamner.
Dans sa profession, il est hostile aux nouveautés, déclarant ne croire
qu'à ce qu'il voit, alors qu'en théologie il est prêt à accepter beaucoup de choses de confiance[60]. Il est difficile de cerner la pensée de
ce personnage assez caustique, dont la réputation de libre penseur ne
repose que sur quelques anecdotes douteuses.

Le pessimisme sceptique de Naudé et Le Vayer

Autre médecin et autre cas ambigu, Gabriel Naudé. Ce bibliothécaire de Mazarin est un remarquable érudit, dont l'esprit clair et
ordonné domine une gigantesque culture. Un séjour à Padoue, où il a
suivi les conférences de Cremonini, a renforcé son rationalisme critique, toujours prêt à dépister l'imposture et l'illusion qui séduisent la
crédulité populaire. Reparti pour l'Italie en 1630 dans la suite du cardinal de Bagny, il publie à Rome en 1639 les *Considérations politiques sur les coups d'État*, œuvre d'un réalisme cynique et pessimiste, tirant les conclusions de la stupidité et de l'instabilité
populaires : la religion traditionnelle, alliée à un État tout-puissant,
sert à maintenir la foule dans l'obéissance ; il faut pour cette raison
s'opposer à toutes les nouveautés religieuses telles que protestantisme
et jansénisme.

Son esprit critique repose sur une vaste érudition historique, qui le
conduit à dénoncer toute forme d'occultisme, à détruire impitoyablement mythes et légendes, à attaquer les Rose-Croix, et surtout à élaborer une impressionnante synthèse de la naissance et du déclin inéluctable des religions, y compris le christianisme. Les monarchies,
écrit-il, ont « commencé par quelques-unes de ces inventions et
supercheries, en faisant marcher la religion et les miracles en teste
d'une longue suite de barbaries et cruautez ». En se convertissant,
Clovis n'a utilisé qu'un subterfuge politique, puis les moines ont
forgé de fausses histoires de combats avec les diables. Les religions,
poursuit-il, subissent le même sort que les empires : elles aussi sont
mortelles, les « estats venant à vieillir et à se corrompre, la religion
par les hérésies ou athéismes ».

Pour Naudé, les grands événements récents, invention de l'imprimerie, grandes découvertes maritimes, héliocentrisme, schisme protestant, affaiblissent inéluctablement la religion, qui va vers son
déclin. Il en veut pour signe la multiplication des athées, qui étaient
inexistants avant le règne de François Ier :

> C'est une chose hors de doute, qu'il s'est fait plus de nouveaux systèmes
> dedans l'astronomie, que plus de nouveautez se sont introduites dans la philo-
> sophie, médecine et théologie, que le nombre des athées s'est fait plus

paroistre depuis l'année 1542 [Copernic], qu'après la prise de Constantinople tous les Grecs, et les sciences avec eux, se réfugièrent en Europe et particulièrement en France et en Italie, qu'il ne s'en estoit fait pendant les mille années précédentes. Pour moy je défie les mieux versez en nostre histoire de France, de m'y montrer que quelqu'un ait été accusé d'athéisme auparavant le règne de François premier, surnommé le restaurateur des lettres, et peut-estre encore seroit-on bien empesché de me montrer le mesme dans l'histoire d'Italie, auparavant les caresses que Cosme et Laurent de Médicis firent aux hommes lettrez[61].

La religion va au-devant de crises sans précédent : « J'ay peur que ces vieilles hérésies théologiques ne soient rien à l'esgard des nouvelles. » Tout en prétendant pour la forme mettre le christianisme hors de cause dans ses comparaisons avec les autres religions, Naudé en prédit néanmoins la fin : « Il ne faut donc pas croupir en l'erreur de ces faibles esprits, qui s'imaginent que Rome sera toujours le siège des Saints-Pères. »

De retour à Paris, Gabriel Naudé est l'un des principaux membres de la Tétrade, où il fraternise avec un esprit plus sceptique encore, François de La Mothe Le Vayer (1588-1672). Ancien juriste, ayant abandonné le droit pour se livrer librement aux études, c'est un des grands érudits du siècle, auteur d'ouvrages pédagogiques, politiques et moraux, dont les principaux titres sont assez évocateurs : *De la philosophie sceptique, Le Banquet sceptique, Soliloques sceptiques, De l'ignorance louable, De la vertu des païens, De la diversité des religions, Quatre Dialogues faits à l'imitation des Anciens par Orasius Tubero.* Ce pyrrhonien intégral, au sourire énigmatique, discret, mène une vie simple, ce qui ne l'empêche pas d'être nommé précepteur du duc d'Orléans en 1649 et, plus surprenant, de Louis XIV en 1651. Le Roi-Soleil ne gardera pas trace de son influence, qui va dans le sens d'une critique impitoyable de toutes les religions, inventions humaines destinées à faciliter la vie en société :

> Tout ce que nous apprenons des dieux et des religions n'est rien que ce que les plus habiles hommes ont conçu de plus raisonnable selon leurs discours pour la vie morale et économique et civile, comme pour expliquer les phénomènes des mœurs, des actions et des pensées des pauvres mortels afin de leur donner de certaines règles de vivre exemptes autant que faire se peut de toute absurdité[62].

S'appuyant sur les récits de voyage, Le Vayer conteste l'existence d'un sentiment universel de la vérité et de l'existence de Dieu. Le bien, le mal, le vrai et le faux sont des notions relatives, et la sagesse veut que l'on suspende son jugement, en se cantonnant dans un modeste détachement. Il admire Socrate, Diogène, Zénon, mais son véritable maître à penser est Pyrrhon, dont le scepticisme absolu lui semble convenir à la véritable humilité chrétienne : la philosophie sceptique est

> l'une des moins contraires au christianisme et celle qui peut recevoir le plus

docilement les mystères de notre religion [...]. Notre religion est fondée sur l'humilité, ou sur cette respecteuse abjection d'esprit que Dieu récompense de ses grâces extraordinaires. Et l'on peut assurer que la pauvreté d'esprit bien expliquée est une richesse chrétienne, puisque le Royaume des Cieux est si expressément promis aux pauvres d'entendement. Ce n'est donc pas sans sujet que nous croyons le système sceptique, fondé sur une naïve reconnaissance de l'ignorance humaine, le moins contraire de tous à notre créance et le plus approprié à recevoir les lumières surnaturelles de la foi. Nous ne disons en cela que ce qui est conforme à la meilleure théologie[63].

Dans les *Quatre Dialogues faits à l'imitation des Anciens par Orasius Tubero,* qu'il publie anonymement en 1630, Le Vayer critique radicalement toute croyance en Dieu, qu'il ramène à une attitude irrationnelle fondée sur une fausse interprétation de l'ordre et de la puissance de la nature :

> Les athées néantmoins éludent tous ces arguments, dont ils soustiennent n'y en avoir aucun démonstratif, ce qui leur est rendu assez facile par les règles d'une exacte logique, de sorte que se donnant ensuite libre carrière sur ce sujet, les uns estiment que les merveilles de la nature, les éclipses des astres, les tremblements de terre, l'esclat des tonnerres, et choses semblables ayent donné la première impression à nos esprits d'une divinité[64].

Reprenant les récits de voyage, de Bornéo à l'Afrique et du Mexique à la Chine, il établit que de nombreux peuples n'ont aucune notion de divinité, ce qui ne les empêche pas de vivre vertueusement, alors que l'excès de religion, qui engendre la superstition, est un facteur de fanatisme et de désordre. Le Vayer reprend ici presque mot à mot les *Essais* de Bacon :

> L'athéisme, dit le Chancelier Bacon, dans ses *Essais moraux* anglois, laisse à l'homme le sens, la philosophie, la piété naturelle, les loix, la réputation et tout ce qui peut servir de guide à la vertu : mais la superstition détruit toutes ces choses et s'érige une tyrannie absolue dans l'entendement des hommes : c'est pourquoi l'athéisme ne trouble jamais les estats, mais il en rend l'homme plus prévoyant à soy-mesme comme ne regardant pas plus loin. Et je croy, ajouste il, que les temps inclinez à l'athéisme, comme le temps d'Auguste Caesar, et le nostre, propre en quelques contrées, ont esté temps civils et le sont encor, là où la superstition a esté la confusion de plusieurs estats[65].

Dans *La Vertu des païens*, il insiste sur le fait que le christianisme n'est nullement indispensable à la morale : « tous ceux qui suivent le droit usage de la raison naturelle, fussent-ils mesme réputez athées », sont moraux. Quant à la providence, c'est une chimère : il suffit de constater l'existence de tous les maux naturels, de ces « mille monstres qui font honte à la nature », pour s'en convaincre. Dans l'impossibilité de discerner la vérité, « faisons donc hardiment profession de l'honorable ignorance de nostre bien-aimée Sceptique[66] ». Sur le plan pratique, La Mothe Le Vayer se contente d'un conformisme froid et méticuleux, dont on ne sait jusqu'à quel point il donne le change aux autorités.

Le pessimisme épicurien de Vauquelin, Des Barreaux et de Viau

Philippe Fortin de La Hoguette (1585-1670), précepteur du duc de Longueville, dissimule lui aussi son déisme sous les dehors d'un catholicisme rigoureux, dont il recommande la pratique à ses enfants dans son *Testament* de 1655. René de Chantecler, président du parlement de Metz à partir de 1633, est un indifférent qui pense également qu'il faut rester dans la religion de son pays. Vauquelin des Yveteaux, précepteur du duc de Vendôme en 1604, puis du futur Louis XIII en 1609, écarté de la cour par le parti dévot, a une réputation d'athée. Il mène une existence épicurienne raffinée et tranquille dans sa propriété du faubourg Saint-Germain. « On l'a accusé de ne croire que médiocrement en Dieu, écrit Tallemant des Réaux; on l'accusoit aussi d'aimer les garçons » — les deux choses étant souvent liées dans l'esprit des dévots, comme nous l'avons vu. En 1645, il fait scandale par un sonnet dans lequel il parle de « vivre en Sardanapale ». En réalité, les ragots de débauche le concernant sont injustifiés.

Ils le sont tout autant à propos de Jacques Vallée des Barreaux, ancien disciple de Cremonini à Padoue. En fait, c'est un sceptique d'un pessimisme profond, qui exprime en quelques vers son idéal :

> Avoir l'esprit purgé des erreurs populaires,
> Porter tout le respect que l'on doit aux mystères,
> N'avoir aucun remords, vivre moralement;
> Posséder le présent en pleine confiance,
> N'avoir pour l'avenir crainte ny espérance,
> Font attendre partout la mort tranquillement[67].

Pour Des Barreaux, la raison ne sert qu'à nous faire prendre connaissance de notre misère. Nous sommes entourés par une nature aveugle et cruelle, et par le néant, avec comme seule perspective la mort :

> On pleure, l'on gémit, l'on souffre, et foible et fort,
> Pendant le cours fatal d'une vie incertaine,
> Par quels fascheux chemins au cercueil on nous traîne,
> Pauvreté, maladie, et puis survient la mort.
>
> D'un sommeil éternel la mort sera suivie,
> J'entre dans le néant quand je sors de la vie,
> O déplorable estat de ma condition[68] !

Puisque tout finit à la mort, il faut profiter au maximum de la vie, pense Des Barreaux. Mais la plupart de ces sceptiques n'ont rien de débauchés. Même Théophile de Viau, qui défraie la chronique dans les années 1620 par ses vers licencieux et la fréquentation de la taverne de la Pomme de Pin, et qui souhaite vivre selon les lois de la nature, n'a jamais commis tous les excès qu'on lui a attribués. Né en 1590 près d'Agen, dans une famille protestante, il mène une vie de poète errant, puis sert comme majordome dans la maison du comte de Candale à partir de 1613, et du comte de Montmorency à partir de 1619. Il ne garde rien de son éducation protestante, et laisse apparaître dans ses poésies un naturalisme panthéiste et mystique, croyant à l'existence d'une énergie mystérieuse dans la nature. Pour lui, l'homme naît de la matière et n'est qu'un animal parmi les autres : « Il ne faut recognoistre autre Dieu que la nature, à laquelle il se fault abandonner entièrement et, oubliant le christianisme, la suivre en tout comme une beste. » C'est ainsi que ses juges de 1623 résument sa pensée, qui ne constitue pas un système réfléchi mais s'exprime en des écrits désenchantés, cyniques, empreints d'une exaspération blasphématoire.

Théophile de Viau apparaît comme l'un des membres d'un petit groupe turbulent et devient vite le bouc émissaire des jésuites qui, à cette époque, tentent de pénétrer l'université de Paris et cherchent toutes les occasions de prouver leur zèle dans la lutte contre les hérétiques et les libertins. Aussi, lorsqu'en 1623 paraît le *Parnasse des poètes satiriques*, œuvre collective fortement marquée d'impiété, Théophile et quelques-uns de ses compagnons sont décrétés d'arrestation. Isolé comme meneur, il est condamné à mort par contumace et doit s'enfuir. Retrouvé et jugé, il voit sa condamnation commuée en bannissement, mais sa santé, ébranlée par l'emprisonnement, le trahit et il meurt en 1626.

Cette affaire montre que les libertins sont toujours à la merci des péripéties politico-religieuses. Tandis que certains mènent une existence paisible et éduquent les grands seigneurs, d'autres, dont la pensée n'est pas plus radicale, mais que leur tempérament provocateur met en première ligne, risquent le bûcher. Dans cette situation instable, mouvante, les ragots et calomnies jouent souvent un rôle important. Certaines réputations d'athéisme ne sont fondées que sur des rumeurs, dont Guy Patin se fait fréquemment l'écho, quand il n'en est pas l'origine. Voici par exemple ce qu'il écrit de son ancien maître au collège de Navarre, Claude Belurgey :

> J'ai vu des gens qui ont autrefois connu ce maître de rhétorique, lesquels m'ont dit qu'il ne se souciait d'aucune religion, faisait un état extraordinaire de deux hommes de l'Antiquité, qui ont été Homère et Aristote, se moquait de la Sainte Écriture, surtout de Moïse et de tous les prophètes, haïssait les juifs et les moines, n'admettait aucun miracle, prophétie, vision ni révélation, se moquait du purgatoire [...]. Il disait que les deux plus sots livres du monde étaient la *Genèse* et la *Vie des saints*, que le ciel empirée était une pure fiction[69].

Ce mépris de l'Écriture sainte est un trait répandu chez les libertins, même si certains respectent la Bible en essayant de montrer que l'Église en a confisqué et déformé le sens[70].

Parmi les autres personnages mis en cause par le seul Guy Patin, citons Gui de La Brosse, naturaliste et directeur du Jardin du Roi, mort en 1641, qu'il déteste personnellement et range parmi les pourceaux d'Épicure :

> Le diable le saignera en l'autre monde, comme mérite un fourbe, un athée, un imposteur, un homicide et bourreau public tel qu'il était, qui même en mourant n'a eu non plus le sentiment de Dieu qu'un pourceau, duquel il imitait la vie, et s'en donnait le nom. Comme un jour il montrait sa maison à des dames, quand il vint à la chapelle du logis, il leur dit : « Voilà le saloir où l'on mettra le pourceau quand il sera mort », en se montrant[71].

D'après Guez de Balzac, un autre athée notoire était François Guget (1575-1655), professeur au collège de Bourgogne.

Que ces cas, qui ne sont pas confirmés par ailleurs, soient authentiques ou non, est finalement un point secondaire. Comme l'écrit justement J.S. Spink, « le seul mérite qu'on puisse reconnaître à de tels témoignages, c'est qu'ils donnent une impression générale de l'atmosphère intellectuelle[72] ». Que des accusations d'incroyance aussi nombreuses et aussi graves aient pu être lancées, et donc paraître crédibles, montre assez l'importance prise par l'athéisme dans les cercles intellectuels et aristocratiques français des années 1600-1650.

Mais cet athéisme reste largement une attitude frondeuse, qui n'a pas encore élaboré un système cohérent de pensée. Puisant ses exemples dans l'Antiquité beaucoup plus que dans l'humanisme du XVIe siècle[73], il repose à la fois sur le scepticisme, le pessimisme et l'épicurisme. Scepticisme né du spectacle des guerres religieuses et des bouleversements culturels : même les dogmes sont ébranlés par les querelles entre catholiques et protestants, entre jésuites et jansénistes. Il ne reste qu'un recours : la raison, mais lorsque Descartes meurt, en 1650, sa méthode n'a pas encore eu le temps de pénétrer sérieusement la culture. Ses effets commenceront à se faire sentir dans la seconde moitié du siècle. C'est alors seulement qu'elle fournira une armature aux systèmes critiques. Pour le moment, la raison paraît incapable d'atteindre la vérité. L'histoire de la pensée est d'une certaine façon l'histoire des hauts et des bas de la raison, portée aux nues aux XIIe-XIIIe siècles, décriée aux XIVe-XVe, remise à l'honneur par les humanistes, dévalorisée à la fin du XVIe et au début du XVIIe, replacée sur son piédestal dans le sillage du cartésianisme dans les années 1650-1770, avant d'être à nouveau limitée par le criticisme kantien. Bien sûr, il ne s'agit pas de simples oscillations ; chaque époque profite de l'expérience des précédentes, et les courants se chevauchent. Disons que, d'une façon générale, les libertins français des années 1600-1640 constatent la faillite des grands systèmes dogmatiques, et renoncent à atteindre la vérité.

Presque toujours, cette abdication intellectuelle s'accompagne de pessimisme, et très souvent d'épicurisme. Si nous ne savons où nous allons, la seule chose qui reste certaine est la mort ; dans ces conditions, profitons de la vie. Mais les réjouissances des libertins, moins excessives que ne le disent leurs adversaires, gardent un goût amer.

De plus, le groupe est fragile, instable. Les uns dissimulent, d'autres provoquent ; la réaction des autorités est incertaine. Si les libertins critiquent le christianisme et toutes les religions, les uns sont déistes, d'autres panthéistes, d'autres encore athées, avec de multiples nuances. Enfin, se considérant comme une élite, ils ne pratiquent aucun prosélytisme, méprisent le peuple, prônent un conformisme de façade et soutiennent l'absolutisme pour des raisons d'ordre public.

Le mouvement libertin français ne pouvait gagner une large fraction de la société. Quand s'achève la Fronde, les cercles se dispersent et rétrécissent, en raison des décès, des départs à l'étranger — Déhénault en Hollande, Saint-Évremond à Londres —, et ceux qui restent deviennent plus discrets. Mais les germes d'athéisme jetés à la volée par les libertins vont mûrir pendant de la seconde moitié du Grand Siècle, exploitant le naturalisme italien et le rationalisme cartésien, pour fleurir au cours de la deuxième crise de la conscience européenne. De 1640 à 1680-1690 environ, l'incroyance, derrière les fastes de l'Église post-tridentine triomphante, progresse souterrainement.

CHAPITRE VIII

L'envers incrédule
du Grand Siècle
(1640-1690)

Sainte-Beuve, dans sa monumentale histoire de *Port-Royal*, écrivait :

Le XVIIᵉ siècle, considéré selon une certaine perspective, laisse voir l'incrédulité dans une tradition directe et ininterrompue ; le règne de Louis XIV en est comme miné. La Fronde lui livre un essaim de libres émancipés, épicuriens ardents et habiles, les Lionne, les Retz ; de vrais originaux du Don Juan ; la Palatine, Condé, et le médecin-abbé Bourdelot complotant, en petit comité, pour brûler un morceau de la Vraie-Croix ; Ninon, Saint-Évremond, Saint-Réal ; les poètes Esnault, Lainez et Saint-Pavin ; Méré, Mitton et Des Barreaux ; Madame Deshoulières, que Bayle a pu rattacher par un bout à Spinoza [...]. La jeune cour a des infamies païennes qu'il faut celer. [...] On conçoit donc le cri d'alarme des chrétiens vigilants ; et ce qui m'étonne même dans un autre sens, c'est l'espèce de tranquillité avec laquelle Bossuet, installé dans sa chaire d'évêque à l'époque la plus solennelle du grand règne, et comme au milieu du pont, paraît considérer l'ensemble des choses et l'accepter pour stable, sans entendre dessous (lui prophète !) ou sans dénoncer du moins la voix des grandes eaux.

Dans ses sublimes Oraisons funèbres de Condé et de la Palatine, il fit comme avaient fait les héros vieillissants qu'il célébrait : il recouvrit d'un voile sacré l'incrédulité première et profonde ; il entonna le *Te Deum* de triomphe sur des tombeaux. L'incrédulité suivait son chemin pourtant ; elle allait passer des princes et des grands au peuple. Sous Louis XIV, la liberté d'esprit n'était que dans les hautes classes et un peu dans la haute bourgeoisie ; la populace des faubourgs restait paroissienne jusqu'au fanatisme : on n'était pas assez loin encore de la Ligue ! Patience[1] !

La montée des dangers et l'inquiétude de Bossuet

Le tableau de Sainte-Beuve reste valable dans ses grandes lignes. La façade chrétienne si brillante du Grand Siècle cache en fait un sourd travail de sape, dont le résultat apparaîtra dramatiquement dans les années 1700. Trop longtemps sans doute, une historiographie bienpensante a polarisé l'attention sur Vincent de Paul, Pascal, Bossuet,

Marguerite-Marie, les ors baroques et les missions jésuites, présentant l'époque du Roi-Soleil comme celle du triomphe d'un christianisme pompeux précédant la grande crise religieuse du XVIIIe siècle. Les contemporains eux-mêmes, il est vrai, se sont souvent laissé abuser par les fastes cultuels et l'apparent unanimisme de la pratique paroissiale, affirmant la victoire définitive de la foi. Et pourtant! C'est pendant le règne de Louis XIV, tandis que les cathédrales retentissent des *Te Deum* et des sermons d'apparat, que dans le secret de son presbytère le curé Meslier compose rageusement le plus terrible réquisitoire antireligieux depuis l'apparition du christianisme.

La bombe Meslier n'éclatera qu'au XVIIIe siècle. Mais dès les années 1660, l'incrédulité progresse, de façon discrète et inéluctable. L'évolution des idées conduit à remettre en cause une foi figée par le concile de Trente : exploitant l'héritage du naturalisme italien et du gassendisme, appliquant la machine cartésienne à la recherche de la vérité, discutant les concepts ravageurs de Hobbes et de Spinoza, débattant des mérites de la critique biblique de Richard Simon, La Peyrère et Burnet, le monde intellectuel dérive de plus en plus loin du roc de saint Pierre. Les échos de ces débats parviennent aux oreilles complaisantes de la seconde génération des libertins, celle des faux dévots, qui dissimulent leur épicurisme jusque dans l'entourage du roi et n'attendent qu'un retournement de la piété royale pour se découvrir. Plus grave encore, peut-être : des fissures apparaissent dans la foi populaire, que révèlent les rapports des missionnaires. Le Grand Siècle n'est pas le « Grand Siècle des âmes », expression consacrée par Daniel-Rops dans sa pieuse *Histoire de l'Église*; c'est plutôt le Grand Siècle des apparences et des faux-semblants, le siècle de l'ambiguïté, où, pour la première fois, le décalage entre culture et religion devient sensible aux yeux des observateurs avertis, alors que les voix officielles proclament leur complète osmose.

Contrairement à ce que dit Sainte-Beuve, Bossuet a vu monter les menaces contre la foi et a aussi ressenti toute son impuissance. Car l'Aigle de Meaux est un esprit rationnel et cartésien, qui sent confusément que ce même cartésianisme va devenir un outil formidable contre la foi; il a exprimé cette déchirure dans une lettre du 21 mai 1687 :

> Je vois [...] un grand combat se préparer contre l'Église sous le nom de la philosophie cartésienne. Je vois naître de son sein et de ses principes, à mon avis mal entendus, plus d'une hérésie; et je prévois que les conséquences qu'on en tire contre les dogmes que nos pères ont tenus, la vont rendre odieuse, et feront perdre à l'Église tout le fruit qu'elle en pouvoit espérer pour établir dans l'esprit des philosophes la divinité, et l'immortalité de l'âme.
> De ces mêmes principes mal entendus, un autre inconvénient terrible gagne sensiblement les esprits : car sous prétexte qu'il ne faut admettre que ce qu'on entend clairement, ce qui, réduit à certaines bornes, est très véritable, chacun se donne la liberté de dire : j'entends ceci, et je n'entends pas cela, et sur ce seul fondement, on approuve et on rejette tout ce qu'on veut; sans songer qu'outre nos idées claires et distinctes, il y en a de confuses et de générales

qui ne laissent pas d'enfermer des vérités si essentielles, qu'on renverseroit tout en les niant. Il s'introduit, sous ce prétexte, une liberté de juger, qui fait que sans égard à la tradition on avance témérairement tout ce qu'on pense; et jamais cet excès n'a paru, à mon avis, davantage que dans le nouveau système. [...]

En un mot, ou je me trompe bien fort, ou je vois un grand parti se former contre l'Église; et il éclatera en son temps, si de bonne heure on ne cherche à s'entendre, avant qu'on s'engage tout à fait[2].

Cette lettre est adressée « à un disciple du père Malebranche », lui-même disciple de Descartes. Bossuet voit bien que la méthode cartésienne, appliquée à la religion, va supprimer le surnaturel et le miraculeux : « Par cette voie, quand il me plaira, je rendrai tout naturel, jusqu'à la résurrection des morts et à la guérison des aveugles-nés. »

Bossuet est également bien placé pour constater l'importance des libertins à la cour. Il les dénonce dans un sermon pour le jour de Pâques :

Ne me dites rien des libertins, je les connais : tous les jours, je les entends discourir; et je ne remarque dans tous leurs discours qu'une fausse capacité, une curiosité vague et superficielle, ou pour parler franchement, une vanité toute pure; et pour fond des passions indomptables, qui, de peur d'être réprimées par une trop grande autorité, attaquent l'autorité de la loi de Dieu, que, par une erreur naturelle à l'esprit humain, ils croient avoir renversée, à force de le désirer[3].

Pour l'évêque, les libertins n'ont pas de pensée particulière; tout ce qu'ils veulent, c'est vivre à leur guise, en épicuriens :

D'où est née cette troupe de libertins que nous voyons s'élever si hautement au milieu du christianisme, contre les vérités du christianisme? Ce n'est pas qu'ils soient irrités de ce qu'on leur propose à croire des mystères incroyables; ils n'ont jamais pris la peine de les examiner sérieusement. [...] Que les secrets de la prédestination soient impénétrables, que Dieu en un mot soit et fasse tout ce qu'il lui plaira dans le ciel, pourvu qu'il les laisse sur la terre contenter leurs passions à leur aise[4].

La cour est pleine de libertins qui oublient Dieu. Mais, affirme Bossuet, les véritables athées sont rares : « Il y a en premier lieu les athées et les libertins, qui disent ouvertement que les choses vont au hasard et à l'aventure, sans ordre, sans gouvernement, sans conduite supérieure. [...] La terre porte peu de tels monstres; les idolâtres mêmes et les infidèles les ont en horreur[5]. »

Les témoignages littéraires

Autre témoin privilégié, La Bruyère, observateur impitoyable des défauts de ses contemporains. On n'a pas assez remarqué que le plus gros chapitre des *Caractères* traite des « esprits forts », qu'il condamne sans ménagement. Les trente pages qu'il leur consacre sont un signe de leur importance dans la haute société. Et c'est cet aspect

qu'il nous faut retenir. Car, pour le reste, l'analyse du célèbre portrai-
tiste n'est guère convaincante. En ce qui le concerne, La Bruyère fait
un acte de foi du charbonnier :

> Je sens qu'il y a un Dieu, et je ne sens pas qu'il n'y en ait point ; cela me
> suffit, tout le raisonnement du monde m'est inutile : je conclus que Dieu
> existe. Cette conclusion est dans ma nature ; j'en ai reçu les principes trop
> aisément dans mon enfance, et je les ai conservés depuis trop naturellement
> dans un âge plus avancé, pour les soupçonner de fausseté. — Mais il y a des
> esprits qui se défont de ces principes. — C'est une grande question s'il s'en
> trouve de tels ; et quand il serait ainsi, cela prouve seulement qu'il y a des
> monstres[6].

D'une part, il ne conçoit pas la possibilité d'un athéisme authentique :

> L'athéisme n'est point. Les grands, qui en sont le plus soupçonnés, sont
> trop paresseux pour décider en leur esprit que Dieu n'est pas ; leur indolence
> va jusqu'à les rendre froids et indifférents sur cet article si capital, comme sur
> la nature de leur âme, et sur les conséquences d'une vraie religion ; ils ne nient
> ces choses ni ne les accordent : ils n'y pensent point.

D'autre part, quelques lignes plus loin, il affirme l'existence à la
cour de deux types d'incrédules, les libertins et les hypocrites, et écrit
de ces derniers : « Le faux dévot ou ne croit pas en Dieu, ou se moque
de Dieu ; parlons de lui obligeamment : il ne croit pas en Dieu. »

Le chapitre est plein de ces incohérences. C'est ainsi qu'après avoir
proclamé sa foi de charbonnier, qui n'a pas besoin de justification, il
multiplie les justifications, reprenant tous les poncifs, tous les arguments superficiels et fallacieux en faveur de la foi. Si les Siamois,
écrit-il, venaient chez nous pour nous convertir à leur religion, nous
en ririons ; or, nous, nous allons chez eux pour leur proposer la nôtre,
et ils n'en rient pas : n'est-ce pas la preuve que notre religion est la
vraie ? Le grand La Bruyère nous a habitués à des raisonnements plus
sérieux ! Pêle-mêle, il récupère tous les arguments en faveur du christianisme : les mystères, les miracles, la beauté des cérémonies, le pari
pascalien, l'ordre du monde, les merveilles de la nature, l'ordre
social, l'immortalité de l'âme, prise pour argent comptant, et même
des formules pseudo-cartésiennes : « Je pense, donc Dieu existe ; car
ce qui pense en moi, je ne le dois point à moi-même. [...] Si tout est
matière, et si la pensée en moi, comme dans tous les autres hommes,
n'est qu'un effet de l'arrangement des parties de la matière, qui a mis
dans le monde toute autre idée que celle des choses matérielles ? »

L'incrédulité, d'après lui, s'est beaucoup développée avec les
voyages, pratique néfaste qui nous met en contact avec des religions
différentes et favorise ainsi le relativisme. Qu'avons-nous besoin de
nous informer des croyances des autres ? « Quelques-uns achèvent de
se corrompre par de longs voyages, et perdent le peu de religion qui
leur restait. Ils voient de jour à autre un nouveau culte, diverses
mœurs, diverses cérémonies... »

Parmi les incrédules, beaucoup le sont par simple désir de ne pas
faire comme tout le monde, d'autres par vantardise et tant qu'ils sont

en bonne santé, mais ils changent d'avis en s'approchant de la mort :
« Je voudrais voir un homme sobre, modéré, chaste, équitable, prononcer qu'il n'y a point de Dieu : il parlerait du moins sans intérêt ;
mais cet homme ne se trouve point. » Les athées, note l'écrivain, sont
atomistes en physique : « Je ne m'étonne pas que des hommes qui
s'appuient sur un atome chancellent dans les moindres efforts qu'ils
font pour sonder la vérité. [...] Il est naturel à de tels esprits de tomber
dans l'incrédulité ou l'indifférence, et de faire servir Dieu et la religion à la politique. »

Ce chapitre n'est certes pas le meilleur de La Bruyère, et sa réputation ne sort pas grandie de ce plaidoyer simpliste. Mais à le voir ainsi
perdre le recul nécessaire qui fait la qualité de la plupart de ses
Caractères, et se débattre avec passion et maladresse contre les
« esprits forts », on se dit que ces derniers devaient lui paraître bien
dangereux.

Impression confirmée par un grand nombre d'autres sources littéraires, depuis Pascal, qui juge nécessaire de composer un grand traité
à leur intention, jusqu'à Guy Patin, qui écrit le 11 novembre 1662 :
« On dit que Monsieur de Roquelaure a proposé de beaux moyens
pour envoyer une armée en Italie, savoir, que Monsieur de Liancourt
fourniroit vingt mille jansénistes, Monsieur de Turenne vingt mille
huguenots, et lui, fournira dix mille athées. » Pour Nicole, il y a maintenant plus grave que le protestantisme : « Il faut donc que vous
sachiez que la grande hérésie du monde n'est plus le calvinisme ou le
luthéranisme, que c'est l'athéisme, et qu'il y a de toutes sortes
d'athées, de bonne foi, de mauvaise foi, de déterminés, de vacillants
et de tentés. » Et il écrit ailleurs : « La grande hérésie des derniers
temps, c'est l'incrédulité. » Pour Leibniz, en 1696, le déisme lui-
même est dépassé par l'athéisme radical : « Plût à Dieu que tout le
monde fût au moins déiste, c'est-à-dire bien persuadé que tout est
gouverné par une souveraine sagesse. »

Parmi les gloires littéraires du règne de Louis XIV, tous n'ont pas
la foi simple de La Bruyère. On sait combien La Fontaine, qui ne met
jamais les pieds à l'église, est suspect d'animisme panthéiste, comme
il apparaît dans son discours à Madame de La Sablière, dont le salon
accueille des poètes lyriques épicuriens. Quand à Molière, qui a entrepris une traduction de Lucrèce avant 1659, d'après le témoignage de
Chapelain, il évolue entre pyrrhonisme et épicurisme, selon Grima-
rest. Son *Tartuffe* reste une œuvre ambiguë et suspecte dont il est difficile de cerner la véritable cible : l'hypocrisie ou la dévotion ? De son
côté, Don Juan incarne la révolte humaine contre toute forme de
sacré :

> Tu vois en Don Juan mon maître, dit Sganarelle, le plus grand scélérat que
> la terre ait jamais porté, un enragé, un chien, un diable, un Turc, un hérétique,
> qui ne croit ni ciel ni enfer, un loup-garou ; qui passe cette vie en véritable
> bête brute ; un pourceau d'Épicure, un vrai Sardanapale, qui ferme l'oreille à
> toutes les remontrances chrétiennes qu'on lui peut faire, et traite de billevesées
> tout ce que nous croyons [7].

À moins que Don Juan ne soit tout simplement agnostique, comme pourrait le laisser penser sa façon d'éluder les questions :

> Sganarelle : — Est-il possible que vous ne croyiez point du tout au ciel ?
> Don Juan : — Laissons cela.
> S : — C'est-à-dire que non. Et à l'enfer ?
> DJ : — Eh !
> S : — Tout de même. Et au diable, s'il vous plaît ?
> DJ : — Oui, oui.
> S : — Aussi peu. Ne croyez-vous point l'autre vie ?
> DJ : — Ah ! ah ! ah[8] !

La grandeur et la beauté diabolique de Don Juan ne sont pas sans rapport avec l'attitude de défi de certains libertins qui rejettent les contraintes étouffantes de la religion classique et revendiquent l'autonomie humaine. Le chevalier de Roquelaure, qualifié par Tallemant des Réaux d'« espèce de fou qui est avec cela le plus grand blasphémateur du royaume », en est une illustration extrême[9]. Toujours selon Tallemant, « ayant trouvé à Toulouse des gens aussy fous que luy, il dit la messe dans un jeu de paulme, communia, dit-on, les parties honteuses d'une femme, baptisa et maria des chiens, et fit et dit toutes les impiétez imaginables[10] ». Cela lui vaut une première arrestation, le 17 février 1646. Relâché, il reprend sa vie scandaleuse. Vincent de Paul et les dévots demandent sa tête à la reine, et l'Assemblée du clergé envoie une députation à la cour pour réclamer des sanctions. Roquelaure est mis à la Bastille le 15 avril 1646, mais des voix s'élèvent dans l'entourage de Mazarin : on ne fait pas « arrester un homme de condition pour des bagatelles comme cela » ! Prévenu que dans son procès il aurait Dieu contre lui, Roquelaure réplique : « Dieu n'a pas tant d'amys que moi dans le Parlement. » Il estime cependant plus prudent de s'évader. Tallemant raconte encore que son ami Romainville, « illustre impie », étant très malade, Roquelaure accueille avec un fusil le cordelier venu pour le confesser : « Retirez-vous, mon père, ou je vous tue : il a vescu chien, il faut qu'il meure chien. »

Les *Historiettes* de Tallemant des Réaux abondent de cas semblables qui, même si l'on fait la part des ragots et des exagérations, montrent que la tradition libertine continue jusque dans les années 1660, avec le baron de Panat, disciple de Vanini, Lioterais, qui se suicide froidement, le comte de Cramail, autre disciple de Vanini, qui déclarait : « Pour accorder les deux religions, il ne faut que mettre vis-à-vis les uns des autres les articles dont nous convenons, et s'en tenir là ; et je donnerais caution bourgeoise à Paris que quiconque les observera sera sauvé[11]. » La même attitude déiste se retrouve chez René d'Haudessens, baron de Beaulieu, qui « disoit qu'il y avoit quatre-vingt-une religions, et qu'il les trouvoit aussy bonnes l'une que l'autre[12] ».

Tallemant n'oublie pas dans sa galerie libertine la fameuse Ninon de Lenclos, qui aurait été pervertie par des incrédules comme Miossens et Alexandre d'Elbène : « Elle vit bien que les religions n'estoient que des imaginations, et qu'il n'y avoit rien de vray à tout cela. [...] Elle fait profession de ne rien croire, se vante d'avoir été fort ferme en une maladie où elle se vit à l'extrémité, et de n'avoir que par bienséance reçeu tous ses sacrements [13]. »

Cette dernière remarque témoigne de l'importance nouvelle accordée aux derniers instants de la vie. L'attitude face à la mort devient le test, l'épreuve suprême qui garantit l'authenticité de l'incroyance ou qui, au contraire, marque le revirement final, la victoire ultime de la foi. C'est le moment de vérité, que l'on va guetter des deux côtés avec une certaine avidité. On assistera parfois à de véritables combats au chevet des mourants, dont l'enjeu est de marquer un point contre le camp adverse. Tallemant raconte par exemple qu'« un vieux libertin nommé Bourleroy estant à l'article de la mort, Madame de Nogent-Bautru, car il estoit des amys de son mary, lui envoya un confesseur. "Voicy, lui dit-on, un confesseur que Madame de Nogent vous envoye. — Ha, la bonne dame ! dit-il, tout est bien venu de sa part. Si elle m'envoyoit le turban, je le prendrois." Le confesseur vit bien qu'il n'y avoit rien à faire [14] ».

Le temps des faux dévots

Roquelaure, lui, se convertit et se confesse. Mort en 1660, il est en réalité l'un des derniers représentants des libertins tapageurs de la première époque. Car désormais, avec le retour à l'ordre monarchique, les débordements de conduite ne sont plus tolérés, et l'incroyance entre dans une semi-clandestinité. En 1665, le sieur de Rochement écrit : « L'impiété, qui craint le feu et qui est condamnée par toutes les lois, n'a garde d'abord de se rebeller contre Dieu, ni de lui déclarer la guerre : elle a sa prudence et sa politique, ses tours et ses détours, ses commencements et ses progrès. » L'heure des faux dévots a sonné : « Ils meurent tout comme les autres, bien confessés et communiés », note Bayle. Et l'on en trouve de toutes les conditions, jusque parmi les évêques. D'après Saint-Simon, celui d'Autun, Gabriel de Roquette, aurait servi de modèle à Tartuffe. Promu à l'épiscopat en 1667, « tout sucre et tout miel, lié aux femmes importantes de ces temps-là, et entrant dans toutes les intrigues [15] », on ne sait au juste à quoi il croyait. Autre exemple : Damien Mitton (1618-1690), qui appartient à un groupe d'esprits forts, avec le chevalier de Méré, et à propos de qui Mathieu Marais écrit dans ses *Mémoires* : « Il croyoit en Dieu par bénéfice d'inventaire, et avoit fait un petit *Traité de l'immortalité de l'âme* qu'il montroit à ses amis en leur disant à l'oreille qu'il étoit *de la mortalité* [16]. »

Un témoignage sur cette seconde vague de libertins clandestins des années 1650-1670 est fourni par le manuscrit des *Mémoires* de Pierre Beurrier, curé de Saint-Étienne-du-Mont à Paris de 1653 à 1675[17]. Dans ce document, rédigé après 1681, Beurrier raconte comment il a eu souvent affaire aux incrédules dans sa paroisse, et cite quelques cas flagrants, dont les historiens ont pu vérifier l'authenticité. Vers 1660, apprenant qu'un avocat du Conseil est gravement malade, il tente de lui apporter les sacrements ; on ne le laisse entrer qu'après une vive résistance, et le moribond lui déclare :

> Monsieur, je ne suis pas en estat de me confesser ny de recevoir les sacrements, que vous ne m'ayez auparavant éclaircy les difficultés que j'ay sur la religion chrétienne, que j'ay professé extérieurement pour n'estre pas remarqué et pour sauver les dehors. Mais dans le fond de mon âme, j'ay cru que c'estoit une fable, et je ne suis pas seul de mon sentiment, car nous sommes bien vingt mille personnes dans Paris qui sont dans ces sentiments. Nous nous connaissons tous, nous faisons des assemblées secretes, et nous nous fortifions mutuellement dans nos sentiments d'irréligion, croyant que la religion n'est qu'une politique mondaine inventée pour maintenir les peuples dans la soumission et dans l'obéissance aux souverains par la crainte des enfers imaginaires. Car de bonne foy nous n'en croyons point, non plus que de paradis. Nous croyons que quand nous mourons tout est mort pour nous. Que Dieu, s'il y en a, ne se mesle point de nos affaires, et plusieurs autres blasphèmes qu'il m'advança contre Jésus-Christ, qu'il croyoit un imposteur aussy bien que Moyse et Mahomet. Il m'adjusta que beaucoup de ses camarades d'irréligion ne laissoient pas de fréquenter les sacrements et d'aller à leurs paroisses pour n'estre point découverts, mais que pour luy il n'avoit point voulu estre hypocrite jusqu'à ce point : c'est pour cela qu'il y avoit trente ou quarante ans qu'il n'avoit esté à confesse ny à la communion[18].

Deuxième exemple, celui d'un prêtre incroyant et sodomite qui, troublé par les conférences de Beurrier, vient le trouver et lui avoue :

> C'est, Monsieur, que tel que vous me voyez, je n'ay point de religion, quoyque je sois prestre, et ce qui vous surprendra davantage, c'est mon maistre de théologie, docteur, professeur, prédicateur et compositeur de livres, qui m'a jetté dans ce précipice d'impiété. [...] Il dit donc que son maistre leur avoit enseigné :
> 1. que la religion chrestienne n'estoit qu'une fable, et qu'il n'y avoit que les petits esprits qui creussent ce qu'elle enseignoit, parce qu'elle enseignoit des choses impossibles et extravagantes.
> 2. qu'il estoit vray pourtant qu'il y eût un Dieu, qui est principe de toutes choses, mais qu'il ne se mesloit point de nos affaires, cela estant au-dessous de sa grandeur.
> 3. que nostre âme, à la vérité, ne mouroit pas avec le corps, mais qu'au sortir de son corps, elle s'élevoit dans les astres pour y vivre avec les génies qu'on appelle démons.
> 4. qu'il n'y avoit ny paradis, ny enfer, ny purgatoire.
> 5. que toutes les actions que nous croions péché ne l'estoient point, mais des inclinations purement naturelles, venant de nos inclinations et passions.
> 6. qu'il n'y avoit non plus de péché originel, et que par conséquent toutes les inclinations et passions que nous avions estoient aussy innocentes que la nature mesme.

7. que la police et la religion estoient des inventions des hommes qui vou-
loient se rendre maistres des autres[19].

Troisième cas cité par Beurrier : le médecin Basin, entraîné à
l'impiété par ses camarades d'études de Paris puis de Montpellier.
Après avoir essayé les religions juive, protestante, musulmane, il « se
persuada que toutes les religions n'estoient que des resveries et des
institutions de la politique des souverains pour se soumettre plus facilement leurs sujets par le leurre de la religion et de la crainte de la
divinité ». Il rejette catégoriquement toute révélation : « Votre Bible
est un vray roman, dans lequel il y a mille contes à dormir debout, il y
a plusieurs niaiseries et contradictions, plusieurs choses impossibles,
plusieurs imaginations mal pensées, mal digérées et encore plus mal
écrites. » Son credo se résume ainsi : « Je croy trois articles de ma
religion de philosophe : le premier, que la plus grande de toutes les
fables, c'est la religion chrestienne ; le second, que le plus ancien de
tous les romans, c'est la Bible ; le troisième, que le plus grand de tous
les fourbes et de tous les imposteurs, c'est Jésus-Christ[20]. » Lui aussi
pense que s'il y a un Dieu, il ne s'occupe pas de nous, et qu'à la mort
notre âme retourne dans les astres, idée qu'il aurait empruntée au
médecin naturaliste et mystique Jean-Baptiste Van Helmont (1577-
1644).

Ces témoignages sont presque trop typiques pour être vrais. Beurrier n'aurait-il pas enjolivé, déformé, afin de créer des types conven-
tionnels dans un but apologétique ? C'est ce que suspectait René Pintard. Mais pour Antoine Adam, les personnages au moins ont bien
existé ; et Jeanne Ferté a même retrouvé le testament de Louis Basin,
du 16 janvier 1660. On en retiendra donc quelques points : le grand
nombre de ces incroyants tout d'abord, en rapprochant les
20 000 athées de Paris mentionnés par l'avocat des 60 000 de Mersenne et des 10 000 de Roquelaure, tous chiffres fantaisistes mais
signifiant un groupe non négligeable ; le caractère clandestin de leurs
réunions, confirmé par le père Zacharie de Lisieux en 1658 ; la trans-
mission de l'incrédulité de maître à disciple ; l'appartenance des libertins à l'élite sociale et intellectuelle (un avocat, un médecin, un
prêtre) ; enfin, leur prédilection pour une sorte de déisme naturaliste
beaucoup plus que pour un véritable athéisme.

Le mot « athéisme » reste d'ailleurs galvaudé et employé à tort et à
travers par les dévots, puisque le jésuite Hardouin, dans *Les Athées
dévoilés*, l'applique même à Pascal, ce qui fait dire à Sainte-Beuve :
« Il s'exprimait intrépidement, taxant tous les autres d'athéisme,
c'est-à-dire les accusant de se faire un Dieu qui serait à peu près
comme s'il n'était pas, et qui ne dérangerait plus la nature. Athée !
Athée ! criait le père Hardouin à tous les déistes et théistes de son
temps[21]. »

La vogue d'Épicure

Les libertins de la seconde moitié du XVIIe siècle ont en fait deux maîtres, Épicure et Lucrèce, qu'ils admirent à travers Gassendi. Il est remarquable que les principaux propagateurs de ce renouveau épicurien, après le chanoine de Digne, ont été des prêtres. Dès 1646, l'abbé Charles Cotin chante les louanges d'Épicure dans sa *Théoclée ou la Vraie Philosophie des principes du monde*, tandis qu'en 1650 l'abbé Marolles propose une traduction du *De Natura rerum* de Lucrèce, en prose, avec des notes louangeuses mais prudentes sur l'éternité des atomes. En 1669, le franciscain Le Grand, dans son *Épicure spirituel*, fait du philosophe grec le modèle de la vertu puritaine, imité en cela par le pasteur calviniste Du Rondel, dans sa *Vie d'Épicure* de 1679. En 1685, Jacques Parrain, baron des Coutures, produit une nouvelle traduction de Lucrèce, en recourant à la fausse candeur : tout en approuvant la physique du poète latin, il déclare que la simple foi chrétienne suffit à rendre caducs les plus beaux systèmes matérialistes. Pour la forme, il laisse subsister un Dieu face à un univers matériel autosuffisant et parfaitement organisé, fonctionnant sans aucune intervention extérieure.

Avec Épicure et Lucrèce, Gassendi connaît une nouvelle popularité, illustrée par la publication en huit volumes, de 1675 à 1677, par le médecin Bernier, d'un *Abrégé* (?) *de la philosophie de Gassendi*, en y mêlant des considérations sur l'âme du monde. Fervent gassendiste également est le poète Claude-Emmanuel Chapelle (1626-1678), un débauché tirant vers le matérialisme, à qui Bernier doit rappeler que « nous ne sommes pas entièrement de la boue et de la fange ». Plus orthodoxe, le frère minime Emmanuel Maignan, qui enseigne à Rome de 1636 à 1650, avant de devenir provincial de son ordre à Toulouse : pour lui, la nature et la pensée ont une profonde unité, le monde matériel se fondant par étapes insensibles dans le monde spirituel, par un système d'échelle des êtres.

Pour les esprits poétiques, l'unité de la nature et de la pensée est une idée fort séduisante, alors que le dualisme cartésien peut paraître desséchant par son intellectualisme strict. C'est sans doute pour cette raison que la plupart des poètes de l'époque, à commencer par La Fontaine, sont épicuriens et gassendistes. Ils sont aussi déistes, comme beaucoup de penseurs chez qui l'imagination le dispute à la raison. Ainsi ce curieux ex-moine franciscain, passé au calvinisme et installé à Genève, Gabriel de Foigny, qui publie en 1676 *La Terre australe connue*, sorte d'utopie anarchiste dans laquelle les hommes, vivant en totale liberté, adorent l'Incompréhensible, le « Grand Tout », dont on ne parle jamais et qu'on ne doit pas prier, parce qu'il connaît tout. Le livre vaut de gros ennuis à Foigny, qui repasse en France en 1683 et redevient catholique.

L'époque est riche en utopies : plus de trente au xviiᵉ siècle, soixante-dix au xviiiᵉ, alors que ce type de littérature est presque absent au Moyen Âge. Ces utopies sont bien entendu une contestation du monde réel. De *La Cité du Soleil* de Campanella (1602) au *Télémaque* de Fénelon (1699), elles témoignent du désir d'évasion face à l'absolutisme étatique. La critique politique et sociale y prédomine, mais la critique religieuse est aussi très fréquente. Le trait le plus net est que les religions révélées, rivales et intolérantes, y sont remplacées par un déisme universaliste, dans une conception unifiée de la nature. Deux exemples peuvent illustrer ce point.

En 1657 paraît l'*Histoire comique des États et Empires de la Lune*, de Cyrano de Bergerac, et en 1662 son pendant, l'*Histoire comique des États et Empires du Soleil*. Dans la première, le philosophe lunaire explique que l'univers est un immense être animé, incréé, composé d'atomes éternels. C'est l'émission de corpuscules par les corps qui produit nos sensations, et l'intelligence pure résulte du mouvement des atomes. Toutes les idées viennent des sens. Cyrano, qui a peut-être fréquenté Gassendi, Chapelle, Marolles, Rohault, et qui connaît le naturalisme italien par l'intermédiaire de Campanella ainsi que la philosophie sensualiste de Telesio, conçoit un monde animé par une âme, dans une sorte de panpsychisme universel. Le second ouvrage affirme l'unité de la nature, le monisme le plus strict. Cyrano a été très influencé par *La Cité du Soleil* de Campanella, où les Solariens, déistes, adorent le Soleil comme « image, visage, statue vivante » de Dieu, et s'inspirent des idées religieuses des brahmanes. En 1662, la parution des *Nouvelles Œuvres de Cyrano de Bergerac* montre que ce dernier, mort en 1655, adoptait l'univers gassendiste.

Réfractaire à toute pensée religieuse, il semble bien avoir été un athée authentique : « Cyrano était aussi peu païen que peu chrétien. Il n'y a pas la moindre trace de sentiment religieux dans son œuvre. Il ne remplace pas le christianisme par la religion de la nature[22] », écrit J.S. Spink. Ses œuvres théâtrales et poétiques lui bâtissent une solide réputation de libertin, en particulier sa tragédie sur *La Mort d'Agrippine*, jouée en 1654, où l'on entend parler de « ces dieux que l'homme a faits, et qui n'ont point fait l'homme », et où l'immortalité de l'âme est niée :

> Vivant, parce qu'on est, mort, parce qu'on n'est rien,
> pourquoi perdre à regret la lumière reçue,
> qu'on ne peut regretter, après qu'elle est perdue ?
>
> Estois-je malheureux lorsque je n'estois pas ?
> Une heure après la mort, nostre âme évanouie
> sera ce qu'elle estoit une heure avant la vie.

Dans la satire *Contre le pédant*, dans la lettre *Contre le Carême*, Cyrano livre une pensée ambiguë et, ayant eu avant Pascal l'idée du pari, il opte pour la solution inverse : si Dieu existe, il nous sauvera de toute façon.

En 1675 paraît anonymement à Londres une utopie, *The History of the Sevarites*, et une version française en est donnée en 1677, l'*Histoire des Sévarambes*. L'auteur en est un Français, Denis Veiras (ou Vairasse), né à Allais, ancien soldat devenu avocat, passé en Angleterre en 1665, où il fréquente Locke, puis en Hollande en 1672, enfin revenu à Paris en 1674, et en relation avec le monde intellectuel. Dans son pays imaginaire des Sévarambes, on pratique une religion solaire, exposée par le sage Scroménas : le monde est éternel et infini, et en lui matière et esprit sont unis. L'esprit individuel, émanant du Grand Tout, anime le corps jusqu'à la mort, puis passe en un autre. Le Grand Tout ou Être suprême est adoré sous la forme de son ministre, le Soleil. La religion se réduit à quelques cérémonies manifestant la reconnaissance des hommes envers la nature et ne comporte pas de dogmes. Le sage Scroménas explique aussi combien les confessions particulières, avec leur fanatisme et leurs préjugés, sont néfastes à l'humanité.

L'utopie de Vairasse relate encore l'histoire audacieuse de l'imposteur Omigas : il se dit fils du Soleil, prétend faire des miracles et guérir les infirmes, est capable de rendre son visage lumineux ; il est suivi par un petit groupe de disciples et par des femmes, parce qu'il est très beau. L'histoire d'Omigas est évidemment celle de Jésus, et montre qu'il faut se défier de tous les « prophètes ».

Signification des libertins de la deuxième génération

Denis Vairasse est un libertin, proche de l'athéisme certainement. Il fréquente les réunions semi-secrètes qui ont succédé à l'Académie Putéane. Ces libertins de la deuxième génération se regroupent chez Henri Justel, chez Madame de La Sablière, puis chez l'abbé de Chaulieu. Ce dernier est locataire d'une maison au Temple, mise à sa disposition par le cadet des frères Vendôme. Pendant une trentaine d'années s'y côtoient poètes et seigneurs épicuriens, Chapelle, Malézieux, La Fontaine, Ninon de Lenclos, le chevalier et la duchesse de Bouillon, les abbés de Châteauneuf, Courtin, Servien, le duc de Foix, La Fare, le financier Sonning, Jean-Baptiste Rousseau, et bientôt le jeune Voltaire.

Socialement, le cercle s'élargit. Grande noblesse, médecins et ecclésiastiques sont toujours en nombre, mais rejoints par une quantité croissante de gens de robe, juristes, et de bourgeois affairistes, financiers, agioteurs. Ces gens sont discrets, à quelques exceptions près : Claude de Chauvigny, baron de Blot (1605-1655), poète obscène ; Claude Le Petit (1641-1662), pauvre hère, auteur du *Bordel des*

Muses, exécuté pour « lèse-majesté divine et humaine » ; l'abbé de Choisy, travesti qui défraie la chronique jusqu'à sa conversion en 1683. Ce prêtre androgyne, qui se fait appeler duchesse de Barres et dont les goûts étaient bien connus dès le séminaire, prouve que les critères de moralité dans le recrutement du clergé pouvaient être assez élastiques lorsqu'il s'agissait de personnes de condition[23].

La tonalité qui domine dans les écrits des libertins de cette époque — beaucoup composent des poésies, des essais, des ouvrages d'histoire — est un épicurisme pessimiste paisible. Pour l'abbé de Chaulieu par exemple,

> La mort est simplement le terme de la vie ;
> de peines ni de biens elle n'est point suivie :
> c'est un asile sûr, c'est la fin de nos maux,
> c'est le commencement d'un éternel repos.

François Payot, seigneur de Linières, auteur de chansons et d'épigrammes, est accusé par Boileau de « suivre aveuglément les conseils d'Épicure, [...] croire aveuglément un peu trop la nature ». Jean Dehénault (1611-1682), conseiller du roi, qui ne cache pas son athéisme, traduit avec soin ce passage des *Troyennes* de Sénèque :

> Tout meurt en nous quand nous mourons ;
> la mort ne laisse rien, et n'est rien elle-même :
> du peu de temps que nous durons
> ce n'est que le moment extrême.

Même résignation mélancolique chez les femmes : Madame de Montbel, maîtresse de François Payot, et surtout Madame Deshoulières, véritable femme savante, qui a étudié Gassendi et qui passe pour incrédule, ne faisant baptiser sa fille qu'à l'âge de vingt-neuf ans. Son impiété calme n'est pas sans évoquer le piétisme de Madame Guyon. Il faut vivre sans passion, en attendant une mort définitive, car, écrit-elle dans son poème « Les fleurs »,

> Quand une fois nous cessons d'estre,
> aimables fleurs, c'est pour jamais !

Les extrêmes se rejoignent également chez Saint-Évremond, l'anti-Pascal par bien des aspects, et qui pourtant exprime les mêmes préoccupations que lui. Jeune officier, il a été marqué par la philosophie de Gassendi et est devenu un épicurien apôtre de la volupté, recherchant plaisir, élégance et raffinement. Mais il y a en lui un fond triste et pessimiste. Comme Pascal, il a bien vu l'importance du divertissement dans la vie humaine, mais contrairement à lui il estime que cela est nécessaire et salutaire, pour échapper au sentiment de notre misère et de notre néant. Il envie l'être insensible, qui a le bonheur de ne pas penser.

La libre pensée de la seconde moitié du xviie siècle traduit les mêmes préoccupations que le jansénisme et le quiétisme. Dans les trois courants, les mêmes catégories sociales expriment leur inquiétude. Qu'il s'agisse bien de mouvements d'opposition, en dépit de leurs énormes différences, nous en avons la preuve dans l'amalgame qui est fait par leurs adversaires. Nous avons vu Pascal qualifié d'athée, et aux yeux des jésuites un janséniste ne vaut pas mieux qu'un incroyant. L'anecdote suivante, rapportée par Saint-Simon, montre que pour Louis XIV un athée est préférable à un membre de Port-Royal. Apprenant que le duc d'Orléans emmène avec lui Font-pertuis en Espagne, le roi lui dit :

> Comment, mon neveu ! le fils de cette folle qui a couru M. Arnauld partout, un janséniste ? Je ne veux point de cela avec vous. — Ma foi, Sire, lui répondit M. d'Orléans, je ne sais point ce qu'a fait la mère ; mais pour le fils, être janséniste ! Il ne croit pas en Dieu. — Est-il possible, reprit le roi, et m'en assurez-vous ? Si cela est, il n'y a point de mal ; vous pouvez le mener[24].

Jansénistes, quiétistes et libertins sont ainsi mis sur le même plan par les autorités, car ils expriment, chacun à leur façon, un rejet du catholicisme post-tridentin. Inquiets, pessimistes et obsédés par la mort, ils cherchent une philosophie de la vie qui leur permette de supporter l'existence. Les uns la trouvent dans une foi dépouillée, les autres dans un abandon à l'amour divin, et les troisièmes dans un savant dosage des plaisirs et dans la négation de l'immortalité individuelle. La libre pensée est alors avant tout une réponse à un problème existentiel. Elle se traduit donc par un mode de vie plus que par une doctrine. Chez les libertins, athéisme, déisme, panthéisme restent confusément mêlés.

La mentalité dualiste

Le temps, nous l'avons dit, est à la séparation du profane et du sacré, séparation voulue par les responsables de l'Église eux-mêmes, afin d'intérioriser la foi et de la préserver des contaminations superstitieuses. Même un esprit aussi religieux que Malebranche ne semble pas voir le danger, œuvrant pour la désacralisation de la nature et son étude scientifique. Aux antipodes du naturalisme des libertins, il la regarde en savant et en technicien ; il en exclut toute force occulte ou surnaturelle, toute intervention de type spirituel, réduisant par exemple les cas de possession et de sorcellerie à des perturbations psycho-physiologiques. Par là, écrit Georges Gusdorf, « l'oratorien se trouvait en danger d'annoncer sur sa lancée la fin de Satan[25] »... et même de Dieu, pourrions-nous ajouter, un Dieu coupé de sa création et dont on ne verra bientôt plus l'utilité.

Ce dualisme sacré-profane s'insinue jusque dans le droit. Pour Grotius

(1583-1645), il y a d'un côté le droit naturel et universel, conforme à la raison, et de l'autre le droit divin. Samuel Pufendorf (1632-1694) reprend cette distinction. S'il y a bien harmonie entre les deux droits, chacun doit rester cantonné dans sa sphère. Grotius et Pufendorf sont évidemment croyants, mais ils pensent que Dieu lui-même n'est pas en mesure de modifier la loi naturelle, laquelle est fondée sur la raison.

En poursuivant dans ce sens, on arrive très rapidement à estomper la loi divine et à rallier un vague déisme. Ainsi le juriste allemand Thomasius (1655-1728), qui élimine Dieu de la morale et du droit, pour ne faire dépendre ces derniers que de la raison naturelle. Accusé d'athéisme par l'orientaliste August Pfeiffer, il est interdit de cours à l'université de Leipzig en 1689.

Le cartésianisme, facteur d'incrédulité ?

La mentalité dualiste est donc susceptible d'une dérive dangereuse. Dans le parti dévot, la responsabilité en est attribuée à Descartes, en qui Bossuet voyait l'initiateur d'une pensée hostile à la religion. Ces soupçons sont-ils fondés ? La foi personnelle de René Descartes n'est pas en cause, encore que certains de ses contemporains, comme le protestant Voët, aient trouvé moyen de l'accuser d'athéisme[26]. Le philosophe se plaint à plusieurs reprises de cette calomnie que font courir des théologiens d'Utrecht et de Leyde[27], et dans une lettre à Mersenne du 28 octobre 1640, il peste contre ceux qui confondent l'athéisme et le fait d'expliquer la nature par des figures et des mouvements au mépris de la physique aristotélicienne des qualités[28]. À sa mort encore, Saumaise fils écrit à Brégy le 19 février 1650 qu'on a enterré Descartes dans le coin des enfants morts sans baptême et des pestiférés, car « on l'accuse d'athéisme et d'impiété[29] ».

Accusations sans fondement, mais qui découlent de l'excessive prudence de Descartes et de sa méthode. Celui qui en 1633 préfère renoncer à publier son grand traité *Du monde*, fruit de plusieurs années de travail, quand il apprend la condamnation de Galilée, se définit lui-même comme « un homme qui aime si passionnément le repos qu'il veut éviter même les ombres de tout ce qui pourrait le troubler[30] ». « Le désir que j'ai de vivre en repos, confie-t-il à Mersenne, m'impose de garder pour moi mes théories » ; il va même plus loin, recherchant toujours, avant chaque publication, l'accord de « Messieurs les doyens et docteurs de la sacrée faculté de théologie de Paris », et expliquant dans ses *Entretiens* avec Burman qu'il a tenu à parler de morale dans le *Discours de la méthode* « à cause des pédagogues et de leurs semblables, parce qu'ils diraient autrement qu'il est sans religion et sans foi, et qu'il veut renverser la foi et la religion par sa méthode [31] ».

Tant de précautions pouvaient paraître suspectes, comme le sous-entend Bossuet : « M. Descartes a toujours craint d'être noté par l'Église, et on lui voit prendre sur cela des précautions, dont quelques-unes allaient jusqu'à l'excès [32]. » N'avait-il pas à cacher de secrètes pensées impies ? En aucun cas. Sa correspondance, dans laquelle il se livre plus ouvertement que dans ses œuvres publiques, révèle un homme profondément croyant, rejetant l'athéisme, qu'il ne peut accepter sur le plan intellectuel, et persuadé de posséder la preuve rationnelle de l'existence de Dieu, mais refusant de se lancer dans ces polémiques de peur de ne pas être compris, ce qui ferait le jeu des incrédules. Voici ce qu'il répond à Mersenne, qui lui demande son avis sur un mystérieux « traité anonyme athée » dont il lui a envoyé un exemplaire :

> Je vous ay trop d'obligation de la peine que vous avez prise de m'envoyer un extrait de ce manuscrit. Le plus court moyen que je sache pour répondre aux raisons qu'il apporte contre la divinité, et ensemble à toutes celles des autres athées, c'est de trouver une démonstration évidente, qui fasse croire à tout le monde que Dieu est. Pour moy, j'ose bien me vanter d'en avoir trouvé une qui me satisfait entièrement, et qui me fait savoir plus certainement que Dieu est, que je ne sçai la vérité d'aucune proposition de géométrie ; mais je ne sçai pas si je serois capable de la faire entendre à tout le monde, en la mesme façon que je l'entens ; et je croy qu'il vaut mieux ne toucher point du tout à cette matière, que de la traiter imparfaitement. Le consentement universel de tous les peuples est assez suffisant pour maintenir la divinité contre les injures des athées, et un particulier ne doit jamais entrer en dispute contre eux, s'il n'est assuré de les convaincre...
> Je ne dis pas que quelque jour je n'achevasse un petit traité de métaphysique, lequel j'ai commencé estant en Frize, et dont les principaux points sont de prouver l'existence de Dieu et celle de nos âmes, lorsqu'elles sont séparées du corps, d'où suit leur immortalité. Car je suis en colère quand je voy qu'il y a des gens au monde si audacieux et impudens que de combattre contre Dieu [33].

Mais en refusant de combattre *pour* Dieu et de descendre dans l'arène, par excessive prudence, Descartes se rend suspect d'incrédulité, lui que le cardinal de Bérulle, séduit par ses capacités intellectuelles, avait chargé en 1627 de prendre la plume pour défendre la foi [34].

La méthode cartésienne, tout en faisant de Dieu le garant de la vérité, est elle aussi potentiellement dangereuse pour la foi. C'est bien ce que Pascal craignait : « Je ne puis pardonner à Descartes : il aurait bien voulu, dans toute sa philosophie, pouvoir se passer de Dieu ; mais il n'a pu empêcher de lui faire donner une chiquenaude, pour mettre le monde en mouvement ; après cela, il n'a plus que faire de Dieu [35]. » Et même le très cartésien Malebranche a senti que le dualisme cartésien assure au monde physique une telle indépendance qu'il suffirait de peu de chose pour en éliminer Dieu. Bien sûr, Descartes « prouve » l'existence de ce dernier, en donnant un contenu rationnel à la preuve ontologique de saint Anselme : Dieu est l'« être souverainement parfait », or l'existence est une perfection, donc Dieu existe. Mais le philosophe admet lui-même que cette démonstration n'est valable que pour les philosophes, et que pour le commun des mortels il faut recourir aux vieilles preuves par les effets, toujours sujettes à caution[36]. De plus, faire de Dieu le seul garant de la raison, alors que la raison est le seul garant de l'existence de Dieu, ressemble un peu à une mystification. Gassendi a fort bien vu la faiblesse de Descartes sur ce point : il ne suffit pas, écrit-il, d'avoir l'idée d'un être infini pour que celui-ci existe.

Certains points précis de la philosophie et de la physique cartésiennes pouvaient aussi donner des armes aux athées. Assimiler la substance à l'étendue et les qualités à la disposition des parties, c'est rendre bien difficile la transsubstantiation eucharistique. Faire des animaux de pures machines, sans même une âme sensitive, dont les sensations sont provoquées par la fermentation du cœur, en réservant à l'homme seul l'âme rationnelle, c'est tendre la perche aux athées, écrit Froidmont à Descartes le 13 septembre 1637 : « Si l'on supprime l'âme végétative et sensitive chez les bêtes, on ouvre la porte aux athées, qui attribueront les opérations de l'âme rationnelle à une cause de même nature et nous donneront une âme matérielle à la place de notre âme spirituelle. » Passer de l'animal-machine à l'homme-machine, dans une optique matérialiste, ne sera pas bien difficile. En faisant de l'âme un mode du corps, le Hollandais Regius, disciple de Descartes, franchira bientôt le pas[37]. La méfiance s'installe, chez les jésuites en particulier, et afin de les rassurer Cordemoy rédige une lettre « pour montrer que tout ce que M. Descartes a écrit du système du monde, et de l'âme des bêtes, semble être tiré du premier chapitre de la Genèse ».

En 1684, le cartésien Darmanson, dans *La Bête transformée en machine*, démontre même que Descartes, en déniant aux animaux toute sensibilité, est plus favorable à la foi, car si les animaux souffrent, eux qui n'ont eu aucune part au péché originel, c'est que Dieu fait souffrir des innocents. D'ailleurs, si les bêtes sont conscientes, alors qu'elles n'ont pas d'âme immatérielle immortelle, ne pourrait-il en être ainsi de l'homme ? Incidemment, c'est la raison pour laquelle, à Port-Royal, adepte de l'animal-machine, on pratique sans remords la vivisection. Au contraire, l'abbé Villers, en 1670, suivi par plusieurs auteurs du XVIIIᵉ siècle, attribue aux bêtes une âme immatérielle ; mais alors, qu'est-ce qui l'empêche d'être immortelle ? Gassendi et Maignan ont une troisième solution : les bêtes ont une âme matérielle composée de particules ignées, qui leur donne une forme rudimentaire de pensée. Le sujet est épineux et, en tout état de cause, l'animal-machine est une hypothèse hasardeuse qui contribue à rendre Descartes suspect aux yeux de l'Église.

Chez ses disciples d'ailleurs, la part de la métaphysique se réduit peu à peu au profit de celle de la physique. Pierre-Sylvain Régis

(1632-1707) n'en conserve que le minimum nécessaire pour ne pas tomber dans le matérialisme : l'homme est un être pensant, union d'un esprit et d'un corps ; il a une idée de Dieu et une idée du monde, ce qui suffit à prouver l'existence des deux. Les causes finales sont exclues de la recherche scientifique, ce qui, remarque Leibniz dans une lettre de 1693 à l'abbé Nicaise, élimine la providence et la contemplation de la bonté de Dieu.

Pour toutes ces raisons, dès la mort de Descartes, les condamnations ecclésiastiques s'abattent sur sa pensée. En 1652, des sanctions sont infligées à des professeurs oratoriens qui s'en inspiraient, comme André Martin à Marseille ; en 1654 et 1658, le général de la congrégation des oratoriens demande à tous les enseignants de s'en tenir à la philosophie commune ; en 1661, des thèses cartésiennes sont interdites au Mans ; en 1662, la faculté de théologie de Louvain condamne cinq propositions tirées de Descartes ; en 1663, toutes ses œuvres métaphysiques sont inscrites à l'Index ; en 1675, les bénédictins de Sainte-Geneviève interdisent l'enseignement de Descartes, tout comme l'Oratoire en 1678 ; en 1677, la Sorbonne condamne Peland, professeur à Angers, d'après ses notes de cours ; en 1678, les bénédictins de Saint-Maur défendent « aux professeurs de philosophie d'enseigner les opinions de Descartes » ; ces dernières sont attaquées en 1679-1680 dans les cours de Sorbonne par Jean Coutiller et Jean du Hamel ; en 1680, on interdit à Régis de donner des leçons à Paris sur Descartes, dont les idées sont bannies des collèges jésuites en 1682 et 1696 ; André, préfet à Louis-le-Grand, est révoqué en 1706 pour cartésianisme, interdit d'enseignement en 1713, puis embastillé en 1721 ; en 1713, un autre professeur est interdit ; en 1706 et 1714, les jésuites publient un formulaire interdisant l'enseignement de trente propositions cartésiennes, dont le doute systématique, l'éternité des substances, l'assimilation de la matière et de l'étendue, l'impossibilité d'un ordre universel différent de l'actuel.

Pourtant, les œuvres de Descartes ne sont en elles-mêmes aucunement contraires au contenu de la foi, et c'est un illustre adepte du mécanisme cartésien, Leibniz, qui en 1668 compose en s'appuyant sur elles une *Confessio naturae contra atheistos*. Opposé au déisme, dans lequel il voit une étape vers l'athéisme, Leibniz montre que Descartes pouvait aussi être utilisé au service du christianisme. En fait, le danger que représente Descartes pour la foi n'est pas tant dans ses écrits que dans son état d'esprit. L'indépendance intellectuelle, la recherche de la vérité à tout prix, le rejet des idées non fondées sur la raison, la pratique du doute méthodique, tout cela libère l'individu de la soumission à l'égard des traditions et des autorités.

Le risque est d'autant plus préoccupant pour ces dernières que le cartésianisme touche très vite des catégories sociales beaucoup plus larges que les autres courants de pensée. Dès le milieu du siècle, il devient la philosophie à la mode dans le monde poli et cultivé, ce que nous appellerions aujourd'hui le grand public. Les œuvres de Descartes sont partout disponibles en français ; ses disciples donnent des conférences, suivies par le Tout-Paris mondain ; des extraits et des abrégés des principales œuvres en simplifient et diffusent les idées sous une forme agréable, comme l'*Art de vivre heureux selon les principes de M. Descartes* (1667) : les grands donnent l'exemple, comme Louis de Condé ou le duc de Luynes, imités par leurs flatteurs. Les femmes surtout raffolent de Descartes, qu'elles peuvent goûter à travers la *Fine philosophie accommodée à l'intelligence des dames*, de René Bary, l'*Éducation des dames* (1674), de Poulain de La Barre, auteur également du traité *De l'égalité des deux sexes* (1673), qui s'inspire de Descartes. Madame de Galland, la marquise de Sablé, Mademoiselle de Launay, la duchesse du Maine sont de ferventes cartésiennes, la dernière croyant en Descartes aussi fermement qu'en Dieu, disait-on. Madame de Sévigné ne tarit pas d'éloges, et son ancien secrétaire Corbinelli est subjugué : « Je me suis adonné à la philosophie de Descartes, écrit-il en 1673 à la marquise. Elle me paraît d'autant plus belle qu'elle est facile, et qu'elle n'admet dans le monde que des corps et du mouvement, ne pouvant souffrir tout ce dont on ne peut avoir une idée claire et nette. Sa métaphysique me plaît aussi ; ses principes sont aisés et les inductions naturelles. Que ne l'étudiez-vous ? elle vous divertirait avec Mlles de Bussy. Mme de Grignan la sait à miracle, et en parle divinement[38]. »

Spinoza, Hobbes, Huet : la foi sur la défensive

Si Descartes n'est qu'un danger potentiel pour la foi, Spinoza apparaît dès le départ comme l'ennemi ouvert de la religion, sur qui pleuvent les anathèmes. Le plus souvent, les auteurs bien-pensants du xviie siècle évitent de mentionner son nom, ou l'accompagnent des épithètes de « misérable » et de « maudit ». Comme celle de beaucoup de philosophes honnis, son œuvre est surtout connue par des on-dit, des simplifications abusives et les déformations de ses ennemis. L'*Éthique* de 1677 n'est réimprimée qu'en 1802 : c'est dire que bien peu d'exemplaires devaient circuler. À la fois juif, d'humble condition, et incompréhensible pour la plupart des lecteurs, Spinoza a tout pour être détesté. Il est en fait connu à partir de 1673 à travers le livre du Suisse Stouppe, *La Religion des Hollandais*, qui affirme qu'il « est très méchant juif et n'est pas meilleur chrétien ».

D'après Stouppe, le Dieu de Spinoza n'est que la somme de tout l'univers matériel, ou une sorte d'esprit de la nature répandu en toutes choses, idée avec laquelle les contacts plus fréquents avec l'Extrême-Orient familiarisent alors les Européens. Le *Journal des savants* publie plusieurs articles sur Confucius, qui est aussi l'objet du *Confucius Sinarum philosophus* du jésuite Couplet (1687), tandis que Bernier écrit des lettres sur les Indes, que La Loubère étudie le Siam (1691), et qu'on s'intéresse à la religion des Malabars. L'idée de l'âme du monde est en même temps exploitée par les alchimistes, comme Lémery (1645-1715) et Boulainvilliers dans son *Idée d'un système général de la nature* (1683). Bref, Spinoza serait un avatar de cette conception orientale.

En réalité, son panthéisme est original et complexe. Dieu et le monde sont inséparables, coexistants ; le monde est une substance, en dehors de laquelle rien n'existe ; il est la manifestation nécessaire d'un Dieu qui est cause immanente de lui-même et de l'univers. Dieu et le monde inséparables, c'est évidemment l'inverse de ce qu'enseigne le christianisme. C'est aussi l'inverse du cartésianisme, qui repose sur le dualisme Dieu-monde. C'est pourquoi le premier à attaquer le spinozisme en France est Malebranche, chrétien et cartésien, dans ses *Entretiens de métaphysique* de 1688, où il parle de « cet impie de nos jours qui faisait son Dieu de l'univers » ; pour lui, il s'agit là d'un quasi-matérialisme : « L'Être infiniment parfait, c'est l'univers, c'est l'assemblage de tout ce qui est [...]. Quel monstre, Ariste, quelle épouvantable et ridicule chimère. »

C'est donc décidé, Spinoza est un athée intégral, et c'est en tant que tel que l'on crie haro sur le juif, de Pierre Poiret, pasteur à Amsterdam, dans ses *Fondamenta atheismi eversa* de 1685, au bénédictin François Lamy, dans son *Nouvel Athéisme renversé* de 1696, où l'on trouve des lettres de Bossuet et de Fénelon encourageant son entreprise. Lamy, en tant que cartésien, repousse toute idée de filiation entre Descartes et Spinoza, dont il offre à la fois une réfutation « populaire » et une réfutation « géométrique ».

Du point de vue de l'histoire des idées, il est révélateur de constater que deux systèmes aussi opposés que le dualisme cartésien et le monisme spinoziste ont l'un et l'autre été accusés de conduire à l'athéisme. Tous les chemins semblent mener, non pas à Rome, mais à l'incroyance. Quel que soit le système philosophique mis au point, il est *ipso facto* considéré comme suspect. C'est le signe du climat général d'une époque : une théologie qui s'essouffle à défendre des positions immobilistes, refusant toute nouveauté, et un esprit public qui tend à se libérer des obstacles logiques, épistémologiques et théologiques pour rechercher la vérité en toute indépendance. En cela, cartésianisme et spinozisme participent du même état d'esprit, ce qui ne les empêche pas de s'accuser mutuellement d'athéisme. Lucas, premier biographe de Spinoza, écrit par exemple : « Les partisans de ce grand homme [Descartes], pour le justifier de l'accusation d'athéisme, ont fait depuis tout ce qu'ils ont pu pour faire tomber la foudre sur la tête de notre philosophe. »

Et avec succès. Arnauld, lui, n'a même pas besoin de lire Spinoza pour savoir qu'il est mauvais : « Je n'ai point lu les livres de Spinoza, mais je sais que ce sont de très méchants livres et je suis persuadé que votre ami ferait très mal de les lire. C'est un franc athée qui ne croit point d'autre Dieu que la nature », écrit-il à Vaucel le 30 novembre 1691. Aux Pays-Bas, Jean Le Clerc, dans son traité *De l'incrédulité*, publié à Amsterdam en 1696, affirme que le Dieu de Spinoza n'est que le monde matériel. Isaac Jaquelot, pasteur à La Haye, dans sa *Dissertation sur l'existence de Dieu* (1697), remarque que « ceux qui veulent soutenir Spinoza disent en secret qu'on ne l'entend pas, afin que le prétendu mystère de leur système serve d'asile à ceux qui se plaisent à contredire la religion sans savoir pourquoi ». C'est aussi ce que pense Peter Jens, docteur en philosophie à Leyde (1697). Bayle lui-même, tout en rejetant le système de Spinoza, fait de lui le modèle de l'athée vertueux. Boulainvilliers, quant à lui, revendique le patronage du philosophe dans son *Essai de métaphysique*, où il écrit que « Dieu et l'universalité des choses sont le même ». En 1684, Marana, dans *L'Espion turc dans les cours des princes chrétiens*, comme Gaultier de Niort dans *La Nouvelle Philosophie sceptique* de 1714, fait de la matière la substance universelle unique. Or, Marana sera l'une des références préférées de l'abbé Meslier.

Hobbes constitue un troisième pôle d'incrédulité d'origine philosophique au XVIIe siècle. Mais c'est d'un point de vue historique, sociologique et politique qu'il traite la question religieuse dans le douzième chapitre du *Léviathan*. Il y ajoute une explication de type psychologique : « L'homme, qui regarde trop loin devant lui, se préoccupant du futur, est chaque jour rongé par la peur de la mort, de la pauvreté, et d'autres calamités, et son anxiété ne se calme que pendant son sommeil » ; alors, il cherche la cause de sa condition fragile et, comme il ne voit pas de cause visible, il invente un agent invisible : « C'est dans ce sens peut-être que certains poètes anciens disaient que les dieux avaient été créés par la peur des hommes, ce qui est tout à fait vrai si on parle des dieux des païens [39]. » Le Dieu des chrétiens est bien sûr une exception, mais au-delà de cette réserve formelle, il reste que pour Hobbes les grandes religions s'expliquent par des causes sociologiques et que la différence entre religion et superstition n'est qu'une question d'échelle : « Religion est la peur des puissances invisibles, peu importe qu'elles soient fictives ou admises universellement par des rapports ; mais lorsque les puissances invisibles ne sont pas universellement admises, nous parlons de superstition. »

Quel que soit le chemin emprunté par la pensée libre et rationnelle, celle-ci semble donc conduire au doute, à la remise en cause de la croyance religieuse. Et Pascal lui-même, modèle des croyants, est l'incarnation involontaire de cette crise de la foi, de son incapacité à s'imposer intellectuellement en cette seconde moitié du XVIIe siècle. Le pari pascalien n'est-il pas un aveu flagrant d'impuissance ?

Le Dieu de Pascal est vraiment le Dieu caché, si bien caché qu'il est impossible d'en démontrer l'existence, écrit l'auteur des *Pensées* : « Je n'entreprendrai pas ici de prouver par des raisons naturelles ou l'existence de Dieu, ou l'immortalité de l'âme, ni aucune autre chose de cette nature ; non seulement parce que je ne me sentirais pas assez fort pour trouver dans la nature de quoi convaincre des athées endurcis, mais encore parce que cette connaissance sans Jésus-Christ est inutile et stérile. » Paradoxe : Descartes se vantait d'avoir la preuve de l'existence de Dieu, et Pascal considère qu'une telle démonstration par la raison est non seulement impossible, mais à la limite impie. Dieu ne peut être connu qu'à travers le Christ, et le Dieu prouvé par la raison est une idole : « La vérité hors de la charité n'est pas Dieu. » La foi dépend d'un acte de volonté, d'un choix libre.

Pascal fait donc le pari. Mais la fragilité de cette position a été maintes fois soulignée. D'abord, parier que Dieu existe ne donne pas la foi. Ensuite, il est illogique de faire un pari dont l'objet porte sur l'existence même de l'enjeu, et un pari dont la valeur de la mise (la vie terrestre) dépend du résultat du jeu (existence ou non de la vie éternelle). Pascal évoque bien la situation difficile dans laquelle se trouve la religion au milieu du xviie siècle. En fait, elle commence à être sur la défensive, contrainte d'abandonner le terrain rationnel pour se réfugier dans le fidéisme.

Le cas de Pierre-Daniel Huet, évêque d'Avranches, exégète de renom, en est une autre illustration. Huet, comme Pascal, est anticartésien, et pour ruiner la superbe de la raison humaine, dont le philosophe du *cogito* est le champion, et ainsi sauver la foi, il ne trouve rien de mieux que de défendre le scepticisme. C'est ce qu'il fait en particulier dans un ouvrage posthume, le *Traité philosophique de la faiblesse de l'esprit humain*, publié en 1723. Puisque la raison risque de porter atteinte à la foi, on détruit la raison, on la déclare incapable de connaître la vérité, en philosophie, en physique, en politique, en métaphysique. Au doute méthodique de Descartes, Huet substitue le doute systématique, préférant sacrifier tout le savoir humain pour fonder sur ses ruines la croyance en Dieu, dans un esprit fidéiste. Ce sacrifice, qui n'est d'ailleurs pas du goût des jésuites — tenants d'une foi rationnelle —, montre bien l'inquiétude des croyants du xviie siècle face à la montée de l'incroyance. Pour sauver l'essentiel, certains pratiquent la tactique de la terre brûlée.

Les atomes et l'incroyance

Ils y sont d'autant plus poussés que les menaces surgissent de toutes parts, non seulement en philosophie, mais aussi en physique, avec la théorie des atomes, qui bouscule la synthèse classique de l'aristotélo-thomisme. Dès le début du siècle, la controverse avait commencé en Italie, à Rome même, où les intellectuels contestataires de la prestigieuse Académie des Lincei, fondée par Federico Cesi, entraient en guerre contre la scolastique. Leur projet d'encyclopédie de la nature inquiétait le Saint-Siège, et en 1623, lorsque l'un d'eux, Galilée, dans le *Saggiatore*, présente l'atomisme comme la théorie explicative de tous les phénomènes naturels, l'affaire fait grand bruit. C'est que la théorie développée par Galilée fait ressurgir des spectres du matérialisme : Démocrite, Épicure, Lucrèce, Bruno, Telesio, Hill, et même Guillaume d'Occam. Pour l'historien Pietro Redondi, la véritable affaire Galilée, ce n'est pas la question du géocentrisme, détail secondaire dont la théologie peut fort bien s'accommoder et qui n'est utilisé que comme un paravent pour dissimuler le vrai problème, celui des atomes : « Le *Saggiatore* montrait, sous une forme cachée mais bien visible aux yeux habiles de l'exégèse et au déchiffrement des contemporains, les signes d'auteurs païens en odeur d'athéisme et de catholiques en odeur d'hérésie[40]. »

Le cardinal Bellarmin prend alors la tête du combat contre ces nouvelles et pernicieuses théories, et se met à la recherche de talents scientifiques et philosophiques capables de défendre par la plume la foi traditionnelle aristotélo-thomiste. Il s'agit de concevoir « un programme de recherche actuel en philosophie, et d'érudition et de polémique contre l'athéisme et le naturalisme qui s'étaient infiltrés jusque dans les salons des palais romains[41] ». Il charge d'abord Virginio Cesarini d'écrire un traité sur l'immortalité de l'âme. Mais rapidement le jeune homme se convertit à l'atomisme et produit au contraire un commentaire du *De rerum natura* de Lucrèce, et après son décès prématuré en 1624 son ami Agostino Mascardi célèbre en lui « presque un pur sceptique[42] ». Les cardinaux n'avaient décidément pas la main heureuse dans le choix des champions de l'Église : Bellarmin est tout aussi déçu par Cesarini que Bérulle par Descartes. Les esprits les plus hardis et les plus habiles se dérobent désormais à l'apologétique : signe des temps ?

Les savants de la Compagnie de Jésus sont à l'avant-garde du combat contre la théorie atomique, à laquelle ils reprochent essentiellement de rendre incompréhensible la transsubstantiation, le passage du pain et du vin en corps et sang du Christ, qui ne peut s'« expliquer » selon eux, et comme l'avait montré Suarez, que par la physique aristotélicienne, qui présente la matière comme l'union d'une « substance », ou réalité profonde, et d'« accidents », ou apparence sensible. Par le miracle eucharistique, l'hostie garde les accidents du pain, mais sa substance devient le corps du Christ. Une matière composée d'atomes indifférenciés rendrait impossible la conceptualisation du miracle eucharistique. C'est bien pourquoi, dans sa leçon inaugurale au Collège romain du 5 novembre 1624, le père

Spinola, parlant des partisans de l'atomisme, déclare que « des lettrés de cet acabit portent la religion à la défaite[43] ».

L'atomisme est interdit chez les jésuites en 1641, 1643, 1649. En 1676, ils obtiennent la condamnation d'un atomiste notoire, le père olivétain Andrea Pissini. En 1678, le jésuite Vanni, dans son *Exercitatio*, reprend la réfutation de cette théorie, toujours sous l'angle de la transsubstantiation. De 1688 à 1697, on juge à Naples un groupe d'atomistes « athéistes »; en 1694, le père Giovanni De Benedictis reprend l'histoire de la lutte contre la « nouvelle philosophie », et le père Antonio Baldigiani, consulteur du Saint-Office, écrit à Viviani qu'est envisagée une proscription générale des auteurs de physique moderne, « et parmi ceux-ci on met en tête Galilée, Gassendi, Descartes comme très pernicieux pour la république littéraire et pour la sincérité de la religion[44] ».

Ce sont donc les théologiens qui prennent le risque de lier atomisme et athéisme, ce qui est très imprudent de leur part. Car les partisans de l'atomisme ont beau se proclamer bons chrétiens, le fait qu'ils soient refoulés par l'Église au rang des incrédules, déistes ou panthéistes amènera l'opinion publique à associer le succès de leur physique au progrès de l'incrédulité des scientifiques.

De plus en plus d'intellectuels se rallient en effet à cette théorie. Outre Gassendi, citons David Sennert à Wittenberg (ouvrage de 1618), David von Goorle à Utrecht (1620), Sébastien Basso à Genève (1621), les chimistes Bitaud et Claves (1624), J.C. Magnen (1646), le capucin Casimir (1674), l'abbé J.-B. Du Hamel, le médecin Thomas Willis qui, dans son *De anima brutorum* de 1672, soutient des positions naturalistes panthéistes, et un autre médecin, Antoine Menjot, exilé à Limoges en 1685. En 1677, Gilles de Launay se vante, dans ses *Essais physiques*, de suivre Gassendi : « Je ferai gloire de le suivre et de défendre avec lui les opinions de Démocrite et d'Épicure qu'il a accommodées au christianisme. » Le christianisme de Launay est cependant d'un genre un peu particulier, mélange de naturalisme et de déisme, croyant en une âme du monde séparée de la nature.

Le médecin Guillaume Lamy (1644-1682) va plus loin encore, et fera beaucoup pour accréditer la liaison atomisme-incroyance. Dans ses conférences, il tient des propos très hardis, déclarant sous forme de boutade que Dieu a joué aux dés la création et les qualités de chaque créature : il n'y a donc ni providence ni finalisme. Dans ses *Discours anatomiques* de 1675, il adopte la théorie épicurienne des atomes subtils qui composent l'âme ignée, et la théorie stoïcienne de l'âme matérielle du monde. Quant à l'existence en chacun d'une âme immortelle, il laisse les théologiens s'en occuper :

> Dans l'homme, outre cette âme qui se dissipe dans la mort, comme celle des bêtes, la foi nous enseigne qu'il y en a une immatérielle et immortelle, qui sort immédiatement des mains de la divinité, et qui est unie au corps par le moyen de l'esprit dont j'ai parlé. C'est elle qui est le principe de mon rai-

sonnement, et qui porte en soi-même une inclination naturelle à tous les hommes de connaître une divinité, mais comme elle n'est connue certainement que par la foi, c'est aux théologiens à nous dire de sa nature ce que nous en devons croire[45].

Son confrère Cressé lui ayant fait savoir qu'il n'avait pas l'air très convaincu, Lamy lui répond qu'effectivement il ne croit pas à l'immortalité en tant que philosophe, mais qu'il y croit en tant que chrétien, car la raison doit le céder aux sens, et les sens à la foi. Ce recours à la vieille attitude de la double vérité, condamnée par l'Église dès le XIIIᵉ siècle, n'est pas fait pour rassurer les défenseurs de la foi : « Il est évident que pour lui la foi n'était rien de plus que l'acceptation de ce à quoi personne ne croit », écrit à son sujet J.S. Spink[46].

Les détours de l'incrédulité au xviiᵉ siècle : Vanini

Le cas de Guillaume Lamy est caractéristique de certains aspects de l'incroyance au xviiᵉ siècle : dans un monde massivement imprégné par la foi chrétienne, la remise en cause de celle-ci ne peut se faire que de l'extérieur et indirectement, car il n'existe aucun point d'appui fixe, et la menace constante des autorités oblige à biaiser et à utiliser des moyens détournés, à semer le doute sans en avoir l'air. Accuser ces sceptiques de duplicité serait injuste. D'une part, en l'absence de liberté d'expression, ils n'ont guère le choix ; d'autre part, leurs propos contradictoires reflètent leurs propres hésitations. Dans un monde où la certitude de la damnation éternelle pour les incroyants a acquis depuis des siècles le statut de vérité intangible, on ne conteste pas la foi pour s'amuser. Ces hommes ont leurs moments de doute et d'angoisse. Et si par hasard tout cela était vrai ? Le combat entre leur raison individuelle et les croyances massives des autres n'est pas aisé. Même de nos jours, pour qui a été éduqué dans la foi, l'incrédulité n'est pas confortable. Alors, au xviiᵉ siècle ! Même les esprits les plus forts doutent parfois.

À plus forte raison s'ils sont prêtres, comme Giulio Cesare Vanini (1585-1619), exécuté à Toulouse pour athéisme. Ce moine errant, pédagogue et philosophe, dont le destin tragique n'est pas sans rappeler celui d'un autre religieux, Giordano Bruno, a laissé une réputation contrastée. Athée de la pire espèce pour les uns, authentique croyant pour les autres, il est l'illustration parfaite de la complexité des rapports entre foi et incrédulité à cette époque.

Le côté déroutant du personnage apparaît d'abord dans ses œuvres où, à l'imitation de Cardan, qu'il admire beaucoup, il cultive l'art du paradoxe et de la contradiction, dont Les Livres de la subtilité lui donnaient des exemples[47]. Ainsi, dans L'Amphithéâtre de l'éternelle providence, qu'il dédie au duc de Taurisano, Vanini annonce qu'il va défendre la divine providence contre « les anciens philosophes, les athées, les épicuriens, les péripatéticiens, les stoïciens ». Curieuse défense ! On le voit en effet exposer clairement et en détail l'argumentation des athées contre la création, et pour toute réfutation se contenter de déclarer : « Laissons de côté les objections sans nombre qu'on pourrait opposer à un système si pleinement opposé à la raison [48]. » Ou alors, il rapporte les propos de Machiavel, « assurément le prince des athées », ou d'un anonyme « athée allemand » contre les miracles, et se borne à signaler qu'il a déjà réfuté tout cela dans ses autres œuvres. S'agissant du problème du mal, il veut réfuter les arguments de Diagoras par ceux de Boèce, mais affirme que celui-ci se trompe. Voulant prouver la réalité de la providence par les oracles et par les miracles, il montre au contraire que les oracles sont des « contes » et que « les miracles ont été inventés et forgés par les chefs pour dompter leurs sujets, et par les prêtres pour s'attirer les honneurs et le respect [49] ». Quant aux arguments tirés de la Bible, à quoi bon les mentionner, puisque « les athées font autant de cas de l'Écriture sainte que moi des fables d'Ésope [50] » ? Autre procédé : Vanini met le christianisme en contradiction avec lui-même par le biais d'une critique des stoïciens. En effet, ceux-ci admettent sans preuve la providence, donc ils nient la liberté de l'homme et font de Dieu le responsable du mal ; et d'ajouter candidement : « Leur opinion semble tout d'abord être très vicieuse, et cependant elle s'accorde avec celle des chrétiens [51]. » La providence existe, écrit-il ailleurs, ce qui rend alors parfaitement inutile la prière.

Vanini suggère encore que le christianisme, comme les autres religions, pourrait être déterminé par les astres et être mortel, que les phénomènes tels que les stigmates et les miracles, auxquels croient les « vieilles femmes », ont des causes matérielles, que la vie future et l'immortalité des âmes n'ont rien de certain, que Dieu, s'il existe, est guidé par la nécessité, qu'il est peut-être identique à la nature : « Vous me demandez qu'est-ce que Dieu ? Si je le savais, je serais Dieu, car personne ne connaît Dieu et ne sait ce qu'il est que Dieu lui-même [...]. Il est tout, au-dessus de tout, hors de tout, dans tout [52]. »

Le problème du mal est bien sûr abordé de façon aussi ambiguë que le reste. Vanini rappelle que d'après les athées, « si Dieu prévoit nos actes, il voit nos fautes, donc il les réalise » ; soit « Dieu néglige entièrement les choses d'ici-bas », soit, « s'il s'en occupe, il ne peut apporter aucun remède aux crimes ni aux maux » ; Dieu n'empêche pas le mal, « donc il peut en être regardé comme l'auteur », car, s'il le voulait, il pourrait « anéantir tout le mal jusqu'aux confins du monde ». À cela il faut opposer les raisonnements des théologiens... que Vanini avoue ne pas comprendre [53].

Ailleurs encore, il donne une définition de la providence d'après saint Thomas, puis la qualifie d'absurde ; il évoque les libertins qui font les faux dévots à cause des inquisiteurs, mais qui en secret pratiquent « l'épicurisme avec d'autant plus d'ardeur qu'ils sont plus doctes et plus lettrés [54] ». Lui-même déclare préférer « le courroux d'Horace à celui de nos inquisiteurs », sous-entendant qu'il pourrait réfuter les arguments des croyants mais qu'il s'abstient par prudence [55]. Du reste, il avoue prendre modèle sur Épicure, « qui écrivit quelques livres sur la piété et la religion envers les dieux, en même temps qu'il professait que les dieux n'ont aucun soin des choses d'ici-bas [56] ».

Il y a là de quoi laisser le lecteur perplexe. Dans les *Dialogues de la nature*, de 1616, pompeusement soumis au « jugement de la sainte Église catholique à qui l'Esprit saint a donné pour interprète notre saint Père Paul V », Vanini place les arguments les plus irréligieux dans la bouche d'athées hollandais ou de juifs vénitiens, mais le contenu est encore plus suspect que dans *L'Amphithéâtre*, dont il renie ouvertement quelques idées. Les arguments en faveur de la foi, de la création et de la résurrection sont détruits, les religions sont traitées d'impostures, et le Christ est loué... pour sa duplicité : admirez, dit-il en substance, comment il esquive les questions des pharisiens à propos de l'impôt ou de la femme adultère [57] !

Le livre se présente sous la forme d'un dialogue entre César, qui développe le point de vue athée (Vanini se prénomme Jules César), et Alexandre, qui le réfute. Procédé classique, qui permet d'exposer sans détour les arguments des incrédules — ainsi sur la création de l'homme :

> D'aucuns ont rêvé que le premier homme était né de la pourriture de plusieurs cadavres de singes, de porcs et de grenouilles (matières qui apparemment auraient subi l'influence pratique des astres), car, entre la chair et les mœurs de ces animaux et celles de l'homme, il y a une grande ressemblance. D'autres, plus accommodants, ne donnent qu'aux Éthiopiens les singes pour ancêtres, parce qu'ils ont la peau de même couleur [...]. Les athées nous répètent à cor et à cri que les premiers hommes marchaient repliés sur eux-mêmes et à quatre pattes comme les brutes, et que c'est seulement par des efforts qu'on réussit à changer cette manière, qui peu à peu reprend ses droits dans la vieillesse.

Les réponses du bon Alexandre sont étrangement faibles, et souvent même reprennent des accusations contre la religion :

> Comme je soutenais à cet athée que les chrétiens ne sont pas faibles d'esprit, ainsi que l'attestent les combats de tant de glorieux martyrs, ce blasphémateur rapportait ces luttes à une imagination exaltée, à la passion pour la gloire, et même à une humeur hypocondriaque. Il notait que toutes les religions, même les plus absurdes, avaient eu leurs martyrs ; que les Turcs, les Indiens, et de nos jours les hérétiques, avaient produit des confesseurs que les tourments n'avaient pas arrêtés.

Le tout est agrémenté de remarques perfides, telles que celle-ci :

> Croyons avec humilité aux saintes apparitions grégoriennes, car je ne suis pas de l'avis des athées qui traitent ces choses d'inventions faites par quelque petit prêtre pour soutirer de la monnaie aux dévotes.

Ambigu, Vanini l'est tout autant dans son comportement et son enseignement. Malenfant, greffier au parlement de Toulouse, le décrit dans cette dernière activité, exposant ses idées « d'abord comme des objections des impies auxquelles il vouloit répondre, mais ces réponses, il n'en apparaissoit jamais, ou estoyent si foibles que les clairvoyans jugeoient sainement qu'il vouloit seulement enseigner sans danger sa damnable et réprouvée opinion[58] ». Dans un texte hostile, l'*Histoire véritable de l'exécrable docteur Vanini*, on le voit éduquer les neveux de Cramail, commençant « petit à petit à semer sa doctrine diabolique, toutefois pas tout à coup ouvertement ». Le *Mercure françois* affirme qu'il « glissoit sa pernicieuse opinion » avec beaucoup de ruse. À son procès, il clame d'ailleurs sa foi : « Cette paille me force à croire qu'il y a un Dieu », dit-il en brandissant un fétu, et il marche au supplice avec courage : « Allons, allons allégrement mourir en philosophe », déclare-t-il avant que le bourreau lui arrache la langue, prélude au bûcher.

Quels étaient les vrais sentiments de Vanini ? Aujourd'hui comme de son vivant, les jugements les plus opposés sont portés sur ses convictions. Cela commence avec la publication de ses deux œuvres, l'*Amphithéâtre* et les *Dialogues*, qui obtiennent toutes deux un *imprimatur* très élogieux des autorités ecclésiastiques, avant d'être mises à l'Index en 1623. Pour Garasse et Mersenne, c'est un abominable impie. Pour Grammont, « il tournait en dérision les choses sacrées, attaquait le dogme de l'Incarnation, ignorait Dieu, estimait que tout était l'effet du hasard, adorait la nature qu'il appelait Mère bienfaisante et source de toutes choses[59] ». C'est à peu près l'avis de Gilbert Voët, professeur à Utrecht, alors que Descartes fait remarquer que rien ne justifie l'accusation d'athéisme. En 1712, Arpe publie une *Apologie pour J.C. Vanini*, dans laquelle il montre que le grief d'athéisme n'a pas de valeur, car les jésuites s'en servent de façon indiscriminée contre tous leurs adversaires. Pour Bayle, en 1682, Vanini peut très bien être athée et parfait honnête homme, tandis que l'année suivante Diecmann, théologien luthérien de Wittenberg, déclare que l'Italien n'a rien d'un incrédule, opinion suivie par trois thèses allemandes du début du XVIIIe siècle. Voltaire à son tour, dans le *Dictionnaire philosophique*, disculpe Vanini de l'accusation d'athéisme. En revanche, le ministre protestant Jacques Saurin, de La Haye, lui reproche d'avoir voulu démontrer l'absurdité de la notion de Dieu, et fait de lui un prosélyte de l'athéisme :

> Un homme infâme, qui vivait au commencement du siècle passé, un homme qui avait formé le plus abominable dessein qui fût jamais, qui avait levé avec onze personnes de sa trempe un collège d'incrédulité, d'où il devait répandre ses émissaires dans tout l'univers, pour déraciner de tous les cœurs le dogme de l'existence de Dieu, cet homme, dis-je, se prit d'une façon bien singulière à prouver qu'il n'y a point de Dieu, ce fut d'en donner l'idée. Il crut que le définir c'était le réfuter, et que le meilleur moyen de faire voir qu'il n'y a point de Dieu, c'était de dire que Dieu est[60].

Le curé Meslier voit en Vanini une âme-sœur, un ennemi de la foi, et cite une page où celui-ci énumère les qualités contradictoires de la notion de Dieu[61]. Pour Jean Deprun cependant, « l'interprétation que Meslier donne de cette page est celle d'un lecteur trop bien informé, qui sait que Vanini a été supplicié à Toulouse pour athéisme, et reporte sur l'*Amphitheatrum* la connaissance qu'il a de cet athéisme[62] ».

Sans doute Vanini n'est-il pas un athée au sens strict. Croyant en l'unité de l'Être, il distingue dans celui-ci une hiérarchie en cinq niveaux : Dieu, les Intelligences (astres), les esprits humains ou âmes rationnelles, les âmes sensitives, les âmes végétatives. Dieu est la cause intelligente qui crée des formes identiques à celles qui existent en lui. Le Christ était un homme habile, qui voulait établir le règne de la bonté et de la vertu, mais la plupart des lois morales ont été inventées par des hommes pour maintenir les peuples dans l'obéissance.

Cremonini et l'athéisme italien

Idées confuses, s'inspirant largement de la philosophie enseignée à Padoue, et dont on retrouve les grands traits chez un autre Italien, contemporain de Vanini : Cremonini. En 1626, dans une conversation avec le Grand Inquisiteur à propos de l'impiété du temps présent, le frère Angelo Castellani rapporte que son ami Antonio Rovere lui a confirmé que Cremonini était un professeur très dangereux, car il répand sa doctrine suspecte par des moyens détournés : il se présente en fidèle disciple d'Aristote, montre que ce dernier n'a jamais enseigné l'immortalité personnelle de l'âme, sépare science et foi, pratique la double vérité plutôt que de tenter une conciliation ; avec les autres philosophes padouans, il pense que l'étude de l'âme est une question de science naturelle et non de science divine. L'âme, miroir de la nature, ne dépend que de cette dernière, et la spécificité de l'homme réside dans son âme sensitive. Nos facultés morales et notre liberté, soumises à des données physiologiques, dépendent également de la médecine.

Dès 1611, une enquête avait été ordonnée à Rome au sujet de Cremonini, et en 1613 deux notes montraient l'incompatibilité de la doctrine de son *De coelo* avec celle de l'Église. On lui reprochait d'affirmer l'éternité et la nécessité du ciel, la mortalité de l'âme en raison de son inséparabilité d'avec le corps, de prétendre que Dieu était simplement la cause finale du mouvement céleste et l'agent mécanique du développement universel, supprimant ainsi son caractère personnel et la providence.

Sommé de corriger ses erreurs, Cremonini utilise des faux-fuyants : ces erreurs, dit-il, ne sont pas dans mes livres ; de plus, l'âme n'est mortelle qu'en tant qu'elle informe le corps, c'est-à-dire sous l'angle des sciences naturelles, et non en théologie ; de même, le Dieu impersonnel dont je parle est celui de la physique et non celui de la religion ; l'éternité du ciel ne concerne pas le dogme de la création, mais est une simple question de philosophie naturelle.

Ces subtiles distinctions rassurent d'autant moins le Saint-Office qu'en 1616, dans l'*Apologia de quinta coeli substantia*, Cremonini ne rétracte rien. « C'est une chimère, écrit-il, que d'imaginer une âme qui puisse exister sans le corps dont elle est l'acte, ou qui y réside comme le pilote dans le navire. [...] Pour l'âme du monde, il vaut mieux rester jointe à un corps, sans quoi elle n'existerait pas. » Ce qui, appliqué à l'âme humaine, la rend évidemment mortelle. En fait, l'âme n'est qu'un effort de la matière pour s'organiser. Quant à Dieu, il est la fin vers laquelle tend l'âme du monde ; sa pensée est un acte simple, pure contemplation de soi, qui ne connaît ni le monde, car celui-ci est le domaine du multiple, ni la liberté, car celle-ci implique la nouveauté. Protégé par l'immunité dont jouit Padoue — possession vénitienne — à l'égard de l'Inquisition, Cremonini est assez habile pour échapper aux poursuites et continuer à enseigner son panthéisme naturaliste, en dépit d'un autre avertissement de 1619.

L'incrédulité est cependant loin d'être l'apanage des philosophes de Padoue. Ceux-ci représentent une certaine forme d'athéisme théorique fondée sur Aristote, mais on trouve alors en Italie une foule d'athées pratiques dans les milieux aristocratiques et surtout ecclésiastiques. Les cardinaux et les ambassadeurs, de toutes origines nationales, ont dans leur suite des médecins et des clercs arrivistes, mécréants de tous acabits, qui font de Rome au XVIIe siècle la plus grande concentration d'athées de la chrétienté.

Dès 1576, Innocent Gentillet parlait du « puant athéisme » romain. Trois quarts de siècle plus tard, Guy Patin écrit : « L'Italie est pleine de libertins et d'athées et gens qui ne croient rien », ce que confirment Casaubon et bien d'autres. Parmi les témoignages les plus explicites, celui de Gabriel Naudé, qui dans les *Naudaeana* accumule les remarques sur la tradition impie dans la péninsule, depuis Boccace, l'Arétin, Niccolo Franco, Palingenius, Cardan, Bruno, sans oubier Girolamo Bori, cet « athée parfait » qui prétendait qu'il n'y avait rien au-delà de la huitième sphère, supposée être le monde divin, « si ce n'est un plat de macarons pour M. l'Inquisiteur ».

À Rome, explique Naudé, on peut tout lire et tout écrire, sauf ce qui attaque la puissance pontificale. Il prend l'exemple du propre médecin d'Urbain VIII, Giulio Mancini, chanoine de Saint-Pierre du Vatican, qui méprise la masse crédule et superstitieuse, raille ceux qui respectent le carême et nie l'immortalité de l'âme. Naudé, qui l'a connu, écrit : « Le pape d'aujourd'hui a eu un médecin qui estoit moralement un fort bon homme, nommé Julio Mancini, grand astrologue, fort sçavant dans les bonnes lettres et qui avoit des bénéfices, qui est ainsi mort à Rome, grand et parfait athée. Toute l'Italie abonde en cette sorte de gens qui ne croient qu'en la fortune[63]. » Il a pourtant été enterré en grande pompe, alors que le marquis de Manzoli, qui « estoit athée et homme de fort mauvaise vie », a été décapité en 1637. C'est que, poursuit Naudé, « on pardonne à Rome aux athées, aux sodomites, aux libertins et à plusieurs autres fripons ; mais on ne pardonne jamais à ceux qui mesdisent du pape ou de la cour romaine, ou qui semblent révoquer en doute cette toute-puissance papale de laquelle les canonistes de l'Italie ont tant brouillé de papier[64] ». Naudé mentionne encore Troïlo Savella, décapité à dix-neuf ans, au début du siècle, pour « divers crimes, le moindre desquels estoit d'estre franc et pur athée[65] ».

Hollande et Angleterre : une incrédulité qui s'affiche

L'attitude libertine se diffuse d'ailleurs largement en Europe par l'intermédiaire de ces nobles et intellectuels voyageurs que l'on trouve dans la suite des grands et dont la personnalité devient vite un pôle de développement de l'incrédulité. Ainsi le médecin Pierre Bourdelot, qui vient à Rome en 1634 dans la suite du comte de Noailles, a-t-il également fait partie de l'entourage de la reine Christine de Suède. Auteur d'un *Catéchisme de l'athée*, qu'il envoie au doyen des pasteurs de Stockholm, il affirme que le ciel est vide et qu'en Italie aussi bien qu'en France aucun homme intelligent ne croit en Dieu. Un contemporain écrit à son sujet : « S'il avoit contenu son impiété entre les murs de sa vie privée, je la dissimulerais aussi. Mais ce qu'il a fait sous les yeux de tant de hauts seigneurs de toute la noblesse ne peut être tu[66]. » C'est lui qui, dans l'entourage de Christine, organise des bouffonneries blasphématoires ridiculisant la religion :

> On se moque du clergé luthérien. On invente des bouffonneries sacrilèges. On tend des pièges aux chrétiens sérieux dont l'esprit trop lourd n'évente pas assez vite les malices. Samuel Bochart, entre tous, est pris à partie : un jour, dans la bibliothèque de Christine, quelqu'un l'aborde et lui demande ce qu'il pense « d'un certain livre qu'on nomme la Bible », et le candide ministre d'entamer, sous les risées, une apologie de l'Écriture sainte[67].

La reine Christine de Suède est d'ailleurs elle-même un très curieux personnage, dont l'athéisme provocateur a choqué même les esprits les plus avancés de l'époque, comme Condé, qui l'a rencontrée à Anvers après son abdication de 1654. On parle d'elle, écrit-il, comme d'

> une reine qui ne cognoissoit point de Dieu ni de religion, qui n'avoit pas seu-

lement un ministre de la sienne dans sa suite, qui professoit et preschoit publiquement l'athéisme, qui n'avoit que des discours libertins dans la bouche, et qui auctorisoit mesme en public les vices de toutes les nations et de tous les sexes, et qui ne disoit pas une parolle qui ne fût meslée de blasphème [...]. La mauvaise réputation en laquelle elle se mettoit (quoyque, comme vous sçavés, je ne sois pas scrupuleux) me faisoit peine[68].

Le professeur et bibliothécaire de Christine, Isaac Vossius, est lui-même un esprit fort qui nie la révélation et mourra en athée.

Les Pays-Bas sont l'un des rendez-vous de tous les types d'incrédules européens, en raison de la très relative tolérance qui y règne : « Pour ce qui est de la demeure, elle est libre à toute sorte de religion, ou d'irréligion ou libertinage », note Saumaise à propos de l'université de Leyde, fondée en 1575. Dès 1587, dans ses *Discours politiques et militaires*, Vossius avait pour la première fois esquissé une histoire de l'athéisme. En 1625, Maurice de Nassau, sur son lit de mort, alors que les pasteurs protestants qui l'entourent attendent de lui une confession de foi édifiante, se contente de déclarer : « Je vous dirai seulement en peu de mots que je crois que deux et deux font quatre, et quatre et quatre font huit. Monsieur Tel (montrant du doigt un mathématicien qui était là présent) vous pourra éclaircir des autres points de notre créance[69]. »

En Angleterre se développe à la même époque une forme d'incrédulité qui prend vite des caractères originaux. Dès le début du XVIIe siècle, on y trouve l'équivalent du mouvement libertin français, avec de jeunes aristocrates qui se réunissent chez Lord Falkland au château de Great Tew. Qualifiés de sociniens, ils admirent Bacon et critiquent à la fois le credo catholique et le credo calviniste : « Je me proclamerai non seulement antitrinitaire, mais même turc à chaque fois que je verrai davantage de raison dans ces situations que dans leur contraire[70] », déclare Lord Falkland. Un de leurs auteurs favoris est l'Italien Giacomo Aconcio, qui avait travaillé au service d'Élisabeth, apôtre de la tolérance, du scepticisme et de la liberté de conscience. Car ces « rationalistes » sont en même temps sceptiques, dans la lignée de Montaigne[71]. Ils ne sont pas athées, mais cultivent le doute systématique.

Plus audacieux se révèle le groupe formé autour de Nicolas Hill, sorte de Gassendi anglais, partisan dès la fin du XVIe siècle de l'héliocentrisme, de la pluralité des mondes, et surtout des atomes ; il publie en 1601 la *Philosophia Epicurea, Democritiana, Theophrastica*, sévèrement attaquée par Mersenne comme impie[72].

Le Grand Interrègne de 1649-1660 qui, après la guerre civile, interrompt le fonctionnement ordinaire des institutions de surveillance et de répression des opinions, permet l'expression d'une grande diversité de croyances et d'incroyances. Les idées les plus extrêmes se font jour, dans le domaine religieux comme dans le domaine politique et social. En plein milieu du XVIIe siècle, sous la couverture des religions officielles — ici l'anglicanisme — circulent dans le peuple même des formes variées d'athéisme. En période ordinaire, ces traces d'incroyance sont étouffées, et les sources officielles donnent l'impression fausse d'un unanimisme chrétien. Le retrait momentané du couvercle de la censure et de la culture écrite révèle un incroyable grouillement d'idées. Les uns nient la divinité du Christ, les autres l'immortalité de l'âme, la résurrection, la réalité du ciel et de l'enfer, l'autorité des Écritures. Winstanley, l'un des chefs du mouvement des *diggers*, se moque du ciel, « qui n'est qu'une invention que nos maîtres menteurs vous ont mise dans la tête pour vous contenter pendant qu'ils volent votre bourse[73] ». Pour Richard Coppin, « c'est quand nous avons peur de l'enfer qu'il existe ». Lodowick Muggleton raconte qu'il a connu beaucoup de gens qui niaient l'existence de Dieu et affirmaient que seule la nature existe. C'est le cas de Laurence Clarckson, de William Franklin et de leurs partisans. Ces deux tisserands de Lacock sont accusés en 1656 d'avoir dit que « si on réécrivait la Bible aujourd'hui, Tom Lampire de Melksham serait aussi capable de la rédiger ». Pour eux, « le ciel et l'enfer n'existent que dans la conscience de l'homme ; s'il a de la chance et vit bien dans ce monde, c'est cela son ciel ; s'il est pauvre et misérable, c'est cela l'enfer et la mort, et il meurt comme une vache ou un cheval ». L'un d'eux ajoute qu'il vendrait toutes les religions pour un pot de bière, « que Dieu était en toutes choses, et qu'il était l'auteur de tous les maux et méchancetés qui se commettent ». Pour l'autre, « il n'y a pas de Dieu ni de puissances au-dessus des planètes, pas de Christ autre que le Soleil qui brille pour tous », et « les douze patriarches sont les douze maisons » de l'astrologie.

La prolifération de ce genre d'opinions paraît tellement inquiétante que dès 1648 une ordonnance sur le blasphème prévoit des peines contre ceux qui nient l'immortalité, le Christ, l'Esprit saint, l'existence de Dieu et sa toute-puissance, et qui rejettent l'autorité des Écritures[74]. Mais comme parallèlement l'obligation d'assistance aux offices disparaît de 1650 à 1657, et que le mariage civil est introduit en 1653, on constate une forte baisse de la fréquentation des églises et des sacrements. Les habitudes prises vont se poursuivre après la restauration de 1660. On signale pour certaines églises un office tous les quinze jours, et un non-respect du baptême, de la confirmation et même des enterrements religieux[75].

Les témoignages, très nombreux pour la période 1660-1690, vont tous dans le même sens. En 1673, John Milton écrit : « Tout le monde se plaint de ce que depuis quelques années les vices de cette nation ont augmenté en nombre et en excès ; l'orgueil, le luxe, l'ivrognerie, la prostitution, les jurements, les blasphèmes, l'athéisme audacieux et ouvert abondent partout[76]. » C'est là un sentiment généralement répandu dans les milieux dévots, et les plaintes affluent chez l'archevêque de Canterbury, sur les impiétés et les activités de clubs tels que celui du *Feu d'Enfer*. La loi paraît impuissante à endiguer le mouvement, et le Parlement lui-même est sérieusement contaminé : en 1721, le projet de loi sur le blasphème présenté par l'archevêque de Canterbury est repoussé. Dans les années 1680, Sir Roger L'Estrange, qui dirige les bureaux de la censure, est la cible d'une multitude de pamphlets, l'accusant d'être un crypto-catholique ou d'être associé au diable.

Le catholicisme étant l'ennemi universel, il est curieusement accusé par les uns de favoriser l'athéisme, et par les autres d'encourager la superstition, ce qui paralyse les débats autour de la tolérance. L'écart culturel entre protestants et catholiques apparaît nettement dans les récits de voyageurs anglais en France au XVIIe siècle[77]. Ils considèrent le culte catholique comme un ensemble de superstitions pour lesquelles ils n'ont que mépris. En 1635-1636 par exemple, lors de l'affaire de la possession de Loudun, les touristes anglais font le détour[78]. Flairant la supercherie, déjà marqués par l'esprit baconien, ils réclament des vérifications expérimentales qui déconcertent les exorcistes jésuites. Ainsi le dramaturge Thomas Killigrew, qui assiste aux exorcismes, remarque-t-il ironiquement que, pendant les interrogatoires des possédées, « le prêtre ne parle qu'en latin, le diable en français ». Lorsque l'exorciste demande au démon de vêtir de fer le corps de la religieuse et propose à l'Anglais de toucher, ce dernier note : « Je n'ai senti que de la chair ferme, des bras et des jambes raidis. » Le duc de Lauderdale, qui est à Paris en 1637, vient aussi assister aux exorcismes. « Je commençais à suspecter une fourberie », écrit-il, et lorsqu'on lui montre sur la main de Jeanne des Anges les noms de Jésus, Marie et Joseph « miraculeusement » inscrits, il constate que cela a été fait à l'eau-forte : « Je perdis alors patience et j'allai dire à un jésuite le fond de ma pensée. » Il prie ensuite ce dernier de tenter une expérience : il prononcerait une phrase en langue étrangère et demanderait au démon possédant la religieuse de la traduire. Confusion du jésuite : « Il me répondit : "Ces diables n'ont pas voyagé", ce qui me fit éclater de rire, et je ne pus rien obtenir de plus. » Tour à tour, Lord Willoughby, George Courthop, Robert Montagu, Charles Bertier montrent le même scepticisme, ce qui irrite profondément les exorcistes. Pour John Locke, qui écrit en 1678, toute cette histoire est un coup monté par Richelieu, avec des religieuses comédiennes.

Des incidents éclatent parfois, révélateurs du fossé culturel qui s'est instauré. Ainsi, en 1665, l'Écossais John Lauder, qui visite avec un certain sans-gêne touristique l'église Sainte-Croix de Poitiers, « regardant soigneusement dans tous les coins », comme il le dit lui-même, alors que de nombreux fidèles sont agenouillés en prière, s'attire les foudres d'une dévote qui, « fixant les yeux sur moi et remarquant que je n'avais pas été prendre de l'eau au bénitier, que je n'avais pas fait de génuflexion, me dit dans un excès de zèle : "Ne venez ici pour prophaner ce sainct lieu." Je répondis aussitôt : "Vous estez bien dévotieuse, Madame ; mais peut estre votre ignorance prophane ce sainct lieu davantage que ma présence." Ces paroles ayant été prononcées en public, et en particulier devant un prêtre, je compris qu'il serait meilleur pour ma santé de me retirer, ce que je fis ».

De son côté, l'attitude ouvertement sceptique de John Locke a le don de rendre furieux le clergé de Tarascon : un prêtre lui ayant présenté fièrement les reliques de sainte Marthe pour qu'il les embrasse, le philosophe ne réagit pas ; l'ecclésiastique « n'ayant pas réussi à obtenir un baiser de l'hérétique endurci, il se retourna, furieux, les remit dans le placard, et tira le rideau », raconte malicieusement l'Anglais. De même, à Marseille, en 1681, alors qu'un prêtre vient d'énumérer les miracles accomplis par la Vierge dans un sanctuaire, un compagnon de John Buxton lui pose des questions embarrassantes ; peu habitué à ce qu'on lui demande des preuves, le prêtre « commença au bout d'un moment à se mettre en colère ».

L'incompréhension mutuelle est manifeste. Les voyageurs anglais portent un regard ironique, curieux, tantôt amusé, tantôt sarcastique sur les « superstitions » des papistes français. Libérés de la tutelle de Rome et du clergé, éclairés par les « lumières » de la raison, persuadés de leur supériorité et de leur lucidité, ils se gaussent de la crédulité des catholiques. Dès les années 1660-1680, l'Angleterre est nettement touchée par l'esprit sceptique qui s'exprime ici librement et prépare directement le rationalisme des Lumières.

Face à ces sceptiques, les défenseurs de la foi s'agitent, mais ils ont du mal à cibler l'adversaire. Pour Joseph Glanvill, qui écrit en 1670, c'est parce qu'on a trop décrié la raison que la foi décline : « Autant que je sache, rien n'a fait autant de mal au christianisme que la critique de la raison, sous prétexte de respecter et de favoriser la religion, étant donné que par là les fondements mêmes de la foi chrétienne ont été ruinés, et le monde préparé à l'athéisme [79]. » Pour Ralph Cudworth au contraire, le responsable est l'atomisme démocritéen. En 1677, cet universitaire de Cambridge publie le premier volume d'un énorme ouvrage qui allait devenir un classique de la lutte contre l'athéisme : *The True Intellectual System of the Universe*. Il écrit dans la préface : « Nous avions remarqué que la méthode de nos athées modernes était de s'attaquer d'abord au christianisme, pensant qu'il était le plus vulnérable, et que de là il serait facile de détruire toute religion et tout théisme. » Pour lui, l'atomisme n'est pas mauvais en soi, mais il a été corrompu et intégré dans une conception athée du destin et de la nécessité. Un autre courant antique conduit à l'athéisme : le matérialisme d'Anaximandre, qui place l'origine du monde dans le chaos. Cudworth énumère alors quatorze arguments sur lesquels pourrait se fonder l'athéisme :

1. Personne ne peut avoir une idée de Dieu ; il est donc incompréhensible.

2. Rien ne peut venir de rien ; donc le monde est éternel.

3. Tout ce qui existe est étendu ; Dieu, qui n'est pas étendu, n'est donc pas.

4. Faire d'un esprit incorporel l'origine de tout est faire d'une notion abstraite vide la cause du monde.

5. Un Dieu corporel est impossible, puisque tout être corporel est corruptible.

6. L'esprit vient de la combinaison des atomes au hasard.

7. La raison est purement humaine ; il ne peut donc pas y avoir d'intelligence divine.

8. Tout être vivant est un composé d'atomes sujet à décomposition ; Dieu ne peut donc être immortel.

9. On dit que Dieu est la première cause du mouvement, mais rien ne peut se mouvoir seul.

10. Un être pensant ne peut être à l'origine du mouvement.

11. La connaissance est la mise en forme d'éléments existant hors du connaissant ; donc le monde devait exister avant la connaissance.

12. Le monde est tellement imparfait qu'il ne peut pas être attribué à l'œuvre d'un Dieu.

13. Les affaires humaines sont un tel chaos que la providence est exclue.

14. La capacité de tout ordonner à la fois exclut le bonheur.

Les athées, écrit Cudworth, ajoutent d'autres questions classiques : que faisait Dieu avant la création ? pourquoi a-t-il attendu si longtemps avant de créer ? pourquoi interdit-il les plaisirs ? C'est à cet ensemble que l'apologiste tente de répondre, en rejetant la preuve cartésienne et en utilisant surtout l'argument des causes finales. Sa démonstration nous importe moins que le succès remporté par son livre, qui indique qu'il correspondait bien à un besoin vivement ressenti chez les croyants. Ces derniers, en Angleterre, après les soubresauts de la guerre civile et devant le déclin de la moralité, craignent un vaste complot athée pour renverser l'État, et sont donc opposés à toute tolérance de l'athéisme. Même Locke adoptera cette attitude intransigeante, et jusqu'à la fin du siècle on voit se créer des organismes pour la sauvegarde de la religion, comme la Société pour la propagation du savoir chrétien. Les œuvres apologétiques se multiplient, allant jusqu'à recenser les cas d'intervention providentielle dans l'histoire avec la *Complete History of the Most Remarquable Providence*, de William Turner, en 1697. Pour l'auteur, « rapporter les cas de providence semble être une des meilleures méthodes pour lutter contre l'athéisme envahissant de notre époque ».

L'agnosticisme du XVIIᵉ siècle : le Theophrastus de 1659

Voilà qui ne correspond guère à l'image traditionnelle que nous avons du xviiᵉ siècle. Trop habitués à un découpage schématique qui centre sur le siècle des Lumières les débuts de la grande attaque rationaliste contre la foi, nous avons fait abusivement du siècle de Louis XIV, par contraste, une époque triomphale pour la religion, le passage de l'une à l'autre s'effectuant par une spectaculaire crise de conscience européenne, de 1680 à 1715. En réalité, les mentalités religieuses évoluent beaucoup plus lentement, et, s'il y a bien eu crise, celle-ci a été préparée depuis longtemps. Le xviiᵉ siècle n'est pas le « Grand Siècle des âmes », mais un siècle de fermentation intellectuelle annonçant une décomposition des credo entre libertins, sceptiques, cartésiens, gassendistes, spinozistes, panthéistes, déistes, rationalistes, sociniens et autres.

Cette fermentation touche toute l'Europe, sous des formes et à des degrés divers : cynique en Italie, jusque dans les couloirs du Vatican ; souterraine en France, en raison de la vigilance royale ; plus ouverte dans les pays protestants, Provinces-Unies et Angleterre. Le mouvement n'est ni systématique ni organisé ; il se cherche, il débouche sur des formules très variées, il a ses repentirs, mais globalement il se traduit par un progrès de l'incrédulité dans les classes cultivées, où le véritable athéisme affleure parfois de façon délibérée.

Un texte exprime bien cette hésitation du xviiᵉ siècle intellectuel — un texte anonyme, ce qui est également révélateur d'une certaine crainte : le *Theophrastus redivivus*, d'origine inconnue, dont on s'accorde à situer la rédaction en 1659[80]. C'est un énorme traité de mille cinq cents pages en latin et en six parties, « le genre de livre qui ne semble pas attendre de lecteurs et se contente d'exister[81] », écrit J.S. Spink. L'auteur y déploie une vaste érudition, dont le but est annoncé dans le titre complet : *Théophraste rendu à la vie. Enquête sur ce qui a été dit sur les dieux, le monde, la religion, l'âme, les enfers et les démons, le mépris de la mort, la vie selon la nature. Ouvrage construit à partir d'opinions de philosophes, et présenté, pour démolition, aux très savants théologiens.* Il s'agit donc théoriquement d'un traité *contre* l'athéisme, mais construit de telle façon que depuis le xviiᵉ siècle les critiques s'accordent à y voir une énorme machine de guerre athée. Le procédé est bien connu : l'auteur se présente comme un bon chrétien, qui expose tous les arguments des athées pour qu'on puisse mieux les réfuter. Là-dessus, il noircit des centaines de pages démontrant que les dieux n'existent pas, qu'ils ne sont que l'expression de la peur ou une pure abstraction, que le monde est éternel, que la religion n'est qu'une technique de gouvernement, que l'âme est mortelle et qu'il n'y a rien après cette vie, qu'il faut vivre au jour le jour, en suivant la nature, comme les autres animaux.

Il s'agit bien d'un athéisme matérialiste intégral, exposé d'un point de vue sensualiste : « Toute science est dans l'intellect, or il n'est rien dans l'intellect qui n'ait d'abord été dans la sensibilité [...] grand est donc l'aveuglement de ceux qui affirment l'existence des dieux dont il est clair qu'on ne peut ni les voir, ni les entendre, ni les toucher, ni les percevoir d'aucune manière. »

L'interprétation classique de cet ouvrage[82] a récemment été nuancée par Hélène Ostrowiecki[83]. Œuvre athée ? Ce n'est pas absolument certain : le livre exposerait en fait les faiblesses de l'athéisme en étalant ses contradictions. Il montre ainsi que l'athéisme utilise autant que le christianisme l'argument d'autorité et la tradition, avec une liste de vingt auteurs athées, de Protagoras et Diagoras à Bodin et Vanini, reprenant les mêmes arguments. « Il joue l'athéisme contre la religion officielle, mais un athéisme lui-même trop tributaire de la pensée qu'il renie pour pouvoir être vraiment pris au sérieux[84]. »

S'agirait-il d'« une tentative de refondation de la croyance religieuse, refondation qui exigerait au préalable la mise à bas des croyances existantes » ? Remarquant l'accent pessimiste et janséniste du livre, Hélène Ostrowiecki conclut qu'il est impossible de savoir ce que l'auteur a vraiment voulu faire. En fait, le terme qui conviendrait le mieux serait « agnosticisme » : « À sa manière aussi, le *Theophrastus* témoigne à la fois de l'impossibilité de croire en Dieu, et de l'impossibilité de ne pas croire en Dieu, ne serait-ce que pour rendre raison de la misère humaine[85]. »

L'incrédulité sous-jacente du XVIIe siècle est bien cette hésitation entre foi et athéisme. Croire ou ne pas croire ? La question fait écho à celle de Hamlet, dont elle n'est qu'une version différente. Sous ses pseudo-certitudes, le Grand Siècle cache l'angoisse des questions sans réponse.

À partir de 1680-1690 pourtant, les choses semblent s'éclairer, à la lumière de la raison qui prend conscience de sa force. Mais la réponse qui sort de la seconde crise de la conscience européenne n'est qu'un compromis : ni athéisme ni christianisme, mais déisme. Compromis instable, qui ne peut être que provisoire si, comme le pense Bonald, « un déiste est un homme qui, dans sa courte existence, n'a pas eu le temps de devenir athée ».

La deuxième crise de la conscience européenne : raison et athéisme (1690-vers 1730)

S'il est une époque cruciale pour l'émergence de l'incroyance comme élément culturel, c'est bien le tournant des XVIIe-XVIIIe siècles. Courants souterrains, propos clandestins, critiques cachées, conduites marginales affleurent en plein jour, comme une vague de fond qui menace de submerger l'édifice religieux. Ce constat n'est certainement pas exagéré pour la culture des élites, et d'inquiétantes fissures commencent même à apparaître dans la culture populaire.

Tous les chemins mènent à l'athéisme

Phénomène significatif d'un retournement de la conjoncture spirituelle : alors que jusque-là tous les systèmes de pensée philosophiques s'inscrivaient, au moins pour la forme, dans une optique religieuse, désormais ils sont suspectés *a priori* de conduire à l'athéisme. Montesquieu a bien discerné cette tendance dans *Mes pensées* : « Je ne sais comment il arrive qu'il est impossible de former un système du monde sans être accusé d'abord d'athéisme. Descartes, Newton, Gassendi, Malebranche. En quoi on ne fait autre chose que prouver l'athéisme et lui donner des forces, en faisant croire que l'athéisme est si naturel que tous les systèmes, quelque différents qu'ils soient, y tendent toujours. »

Les illustrations sont légion. Nous avons vu comment le dualisme cartésien a été très vite accusé de conduire à l'incrédulité. D'un côté, l'étude du monde physique pour lui-même favorise le matérialisme ; de l'autre, la métaphysique pure, en isolant le domaine de la pensée, peut amener au sensualisme, plaçant l'origine de nos idées dans les sens et supprimant toute garantie divine.

La même dérive guette la nouvelle théorie triomphante, celle de Newton. L'attraction universelle est en effet une merveilleuse découverte, qui séduit immédiatement le monde savant, mais qui se révèle difficile à intégrer dans la vision religieuse traditionnelle du monde. Le danger le plus net consiste à voir dans cette attraction une propriété de la matière, ce qui supprime le besoin du Premier Moteur et fait de l'univers une machine autosuffisante. Richard Bentley, qui travaille avec Newton, l'a bien vu : « Il est clair que si cette qualité était inhérente à la matière, il n'y aurait pu y avoir de chaos, et que le monde devrait avoir été de toute éternité ce qu'il est aujourd'hui [1]. » Vingt-cinq ans après Bentley, en 1717, Johann Buddeus, dans son *Traité de l'athéisme*, relève à son tour le problème. Pour Newton, esprit profondément religieux, l'univers est pénétré de la présence divine, et l'attraction manifeste son action permanente et indispensable. Mais il est suspecté d'une autre erreur : le panthéisme, comme le remarque Leibniz. Une polémique s'engage entre ce dernier et Samuel Clarke, qui défend la position de Newton et écrit : « Dieu, étant présent partout, aperçoit toute chose par sa présence immédiate [...]. Dire qu'il ne se fait rien sans sa providence et son inspection, ce n'est pas avilir son ouvrage, mais plutôt en faire connaître la grandeur et l'excellence [2]. »

Ce n'est pas le seul problème. Newton est atomiste — non pas d'un atomisme géométrique, mais d'un atomisme dynamique, avec des particules qui sont elles aussi mues par l'attraction. Là encore l'univers est autosuffisant, ce que ne manquera pas d'exploiter Diderot en 1754 dans ses *Pensées sur l'interprétation de la nature*. De plus, Newton distingue espace absolu et espace relatif, ce qui, remarque Berkeley, est « un dilemme dangereux, auquel certains d'entre ceux qui ont consacré leurs pensées à ce sujet s'imaginent être réduits, à savoir, de penser soit que l'espace réel est Dieu, ou bien qu'il y a quelque chose autre que Dieu qui est éternel, incréé, infini, invisible, immuable. Notions qui, toutes les deux, peuvent justement être considérées pernicieuses et absurdes [3] ».

D'une façon générale, Berkeley s'inquiète de la dérive vers le déisme qu'il décèle à travers la mathématisation croissante des conceptions de l'univers, et il se demande « si le fait que certains virtuosi philosophiques de nos jours n'ont pas de religion peut être attribué à leur manque de foi [4] ». Newton pense pourtant, comme il l'écrit à Bentley, que sa théorie sera utile aux apologistes chrétiens [5], et fournit à son ami toutes les précisions nécessaires dans ce sens. Cela n'empêche pas les soupçons de peser sur lui. Au milieu du XVIIIe siècle, l'abbé Laurent François rappelle que certains athées se réclament de Newton, car après tout il reprend les erreurs de Spinoza en présentant un univers où triomphe la nécessité [6]. D'ailleurs, Newton est antitrinitaire, et son ouvrage sur la chronologie contredit les dates fournies par la Bible, ce qui permet une fois de plus à Leibniz de l'associer à l'idée d'un complot athée pour ruiner la culture chrétienne[7]. Du côté catholique, on est également divisé : tandis que le pape Benoît XIV est un grand admirateur de Newton, les jésuites du *Dictionnaire de Trévoux* se moquent encore de l'attraction dans l'édition de 1771.

Leibniz, l'adversaire de Newton, n'échappe pas lui-même aux accusations ; son système est susceptible de dérapages matérialistes. Il a pourtant comme but suprême d'assurer le triomphe du christianisme, et pour cela il cherche à en montrer le caractère rationnel ; il en élimine tout ce qui peut paraître illogique ou scandaleux ; il prouve la compatibilité entre puissance et bonté divines d'un côté, et existence du mal de l'autre, en expliquant que Dieu a créé le meilleur des mondes possibles ; il présente le monde comme une machine parfaite, qui ne peut qu'être l'œuvre d'un architecte suprêmement habile, et où la réalité est hiérarchisée par un système de monades plus ou moins conscientes, avec au sommet l'âme, constituée de monades du troisième degré, sur lesquelles aucune influence extérieure ne peut s'exercer — un monde où règne l'« harmonie préétablie ».

Peine perdue ! Ses monades plus ou moins conscientes contiennent en germe le matérialisme hylozoïque, que son disciple Maupertuis ne tardera pas à développer ; son univers-horloge est tellement parfait que Dieu ne sert plus à rien, comme le remarque Samuel Clarke :

> L'idée de ceux qui soutiennent que le monde est une grande machine qui se meut sans que Dieu y intervienne comme une horloge continue de se mouvoir sans le recours de l'horloger, cette idée, dis-je, introduit le matérialisme et la fatalité, et, sous prétexte de faire de Dieu une *Intelligentia supramundana*, elle tend effectivement à bannir du monde la providence et le gouvernement de Dieu[8].

Enfin, c'est toute l'entreprise de rationalisation de la religion, destinée à la défendre, qui la met en danger. Leibniz est convaincu dès 1703-1704 qu'une révolution culturelle se prépare en Europe. Pour sauver la religion du naufrage, il faut la fonder sur la raison, et non plus sur le livre de la révélation : « Si la religion dépendait du livre, écrit-il, le livre étant perdu, elle se perdrait aussi, lorsqu'elle n'est point fondée en raison. Car en cas qu'elle y est fondée, elle ne saurait jamais périr entièrement, et quoiqu'elle pourrait être corrompue il y aurait toujours moyen de la ressusciter[9]. » L'*Aufklärung* poursuivra largement dans cette direction, avec en particulier Christian Wolff (1679-1754), qui poussera le raisonnement jusqu'au bout : « Il suffit pour la religion révélée que la raison n'affirme rien qui lui soit contraire[10]. » Mais rationaliser la religion, n'est-ce pas, à plus ou moins brève échéance, la tuer en l'intégrant dans le domaine du profane ? Ainsi le christianisme, au xviiie siècle, sera-t-il rongé de l'intérieur par ses plus sincères défenseurs, les chrétiens rationnels, qui doivent beaucoup à Leibniz[11].

Daniel Huet, voyant le danger, avait rompu avec le cartésianisme et écrit dans son *Traité philosophique de la faiblesse de l'esprit humain*, publié seulement en 1723, que la raison est incapable de s'élever aux réalités divines. Mais cette orientation fidéiste n'est pas dans l'air du temps, qui favorise au contraire l'injection à forte dose de la raison dans la religion. En 1704, dans *L'Usage de la foi et de la raison, ou l'Accord de la raison et de la foi*, Pierre-Sylvain Régis, en bon cartésien, maintient la séparation entre les deux domaines, mais montre que la raison sert la foi en renforçant les motifs de croire. Le bénédictin François Lamy va plus loin en 1710, dans *L'Incrédule amené à la religion par la raison*. Dieu est à l'origine de la raison comme de la foi, et les deux ne peuvent que se soutenir mutuellement, même si certains mystères dépassent les capacités de notre raison. Les jésuites du *Journal de Trévoux* sont, au début, un peu réticents devant l'usage massif des philosophies rationalistes au service de la foi : « Le R.P. Lamy, écrivent-ils, eût ôté ces prétextes aux libertins s'il eût entrepris d'amener l'incrédule à la religion par des raisons qui ne fussent point appuyées sur les opinions des nouveaux philosophes, et qui fussent indépendantes de tous les systèmes particuliers [12]. » Mais le mouvement est irrésistible : en 1717, Jean Denyse publie *La Vérité de la religion chrétienne démontrée par ordre géométrique*, s'inspirant de l'ouvrage d'Abbadie, *L'Incrédule amené à la religion par la raison*.

Démontrer que Dieu existe, pour persuader les athées qu'il a parlé par la révélation, pour persuader les déistes qu'il a fondé l'Église sur l'autorité de Pierre, pour convertir les non-catholiques : c'est l'obsession des apologistes du début du XVIIIe siècle. Ce faisant, ils prouvent l'importance prise par les athées, les déistes et les non-catholiques. Mais la méthode utilisée se révèle vite dangereuse : utiliser la raison pour protéger la foi face aux attaques rationalistes, c'est soigner le mal par le mal, et courir le risque de se retrouver dans des contradictions qui font le jeu de l'adversaire. Ainsi, lorsque Lamy, après Malebranche, veut justifier l'Incarnation, il écrit qu'elle était rendue nécessaire par la sagesse divine, car sinon la création aurait été un ouvrage trop banal et indigne de Dieu. À quoi Fénelon rétorque que si l'Incarnation était nécessaire, cela veut dire que le mal l'était aussi, ce qui contredit la sagesse divine et le libre arbitre, et conduit à l'incrédulité [13].

Et d'ailleurs, qu'est-ce qui n'y conduit pas ? Empêtrés dans leurs raisonnements, les apologistes rationnels se contredisent les uns les autres et s'accusent mutuellement de favoriser l'athéisme par une logique défectueuse, de faire plus de mal que de bien à la religion en croyant la défendre. Ainsi, lorsqu'en 1703 Jean Le Clerc publie en français un résumé du grand ouvrage apologétique de Ralph Cudworth, *The True Intellectual System of the Universe*, dans le but de lutter contre l'athéisme atomiste et mécaniste, il se voit accusé par Bayle de donner des armes à ce même athéisme [14]. En effet, Cudworth déclarait vouloir échapper au dilemme classique : soit la nature est livrée au hasard complet, soit elle est dirigée par Dieu, qui s'occupe des moindres détails, jusqu'au fonctionnement d'une patte de mouche, ce qui est incompatible avec sa dignité. Pour cela, il postulait l'existence d'une « nature plastique », qui aurait reçu de Dieu le pouvoir de faire les choses sans posséder la moindre conscience : « Il y a une nature plastique sous les ordres [de Dieu], qui, comme un instrument inférieur et subordonné, accomplit servilement cette partie de son action providentielle qui consiste à mouvoir la matière d'une manière régulière et ordonnée[15]. » Idée confuse, qui va dans le sens du vitalisme : « La nature est une chose qui ne connaît pas, mais seulement agit », écrit-il plus loin. Cette conception, partagée par le botaniste Nehemiah Grew dans sa *Cosmologia sacra* de 1701, conduit tout droit à l'athéisme, remarque Bayle dans sa *Continuation des pensées diverses sur la comète*, en 1704, puisqu'elle prétend que la nature travaille à l'aveuglette, sans savoir ce qu'elle fait. Cette nature plastique ne sert à rien : soit elle est un instrument passif, et l'on en revient au Dieu à l'œuvre dans le moindre détail de l'univers, soit elle a une activité autonome, et alors on peut se passer de Dieu. Le Clerc s'offusque ; les deux hommes échangent des lettres de plus en plus virulentes jusqu'en 1706, où Le Clerc accuse à son tour Bayle d'« excuser les athées » et de les mettre sur le même plan que les croyants.

Mêmes polémiques à propos des ouvrages vitalistes du médecin Georges-Ernest Stahl en 1706-1708, et de ceux de Nicolas Hartsoeker sur l'âme du monde en 1694. Bayle et Leibniz ont tôt fait de voir que ces théories conduisent tout droit au matérialisme, car elles supposent que l'âme agit sur le corps[16]. Les jésuites de Trévoux accusent directement Hartsoeker d'athéisme, ce dont il se défend.

Le même procès sera fait plus tard à l'abbé John Turberville Needham, qui commence à publier les résultats de ses observations microscopiques sur les germes à partir de 1745. Ses théories sur l'épigénèse, reprises par les tenants de la génération spontanée, fournissent des arguments aux athées, qui y voient la preuve que la matière est capable de s'organiser seule. Curieusement, c'est Voltaire qui le fait remarquer à Needham, s'acharnant contre celui-ci en défenseur zélé de l'existence de Dieu : « Ce système ridicule, écrit-il, mènerait d'ailleurs visiblement à l'athéisme. Il arriva en effet que quelques philosophes, croyant à l'expérience de Needham, sans l'avoir vue, prétendirent que la matière pouvait s'organiser elle-même ; et le microscope de Needham passa pour être le laboratoire des athées[17]. » Voltaire revient à plusieurs reprises sur ce point, qualifiant l'athéisme fondé sur la génération spontanée de « honte éternelle de l'esprit humain » dans ses *Singularités de la nature*.

Needham, lui, accuse ses adversaires, les partisans des germes préexistants, de faire davantage le jeu des athées, puisqu'ils doivent expliquer par exemple l'existence des monstres, et « les mettre sur le compte de la divinité, ce qui me paraît ridicule, pour ne pas dire blasphématoire, et donne beaucoup plus de prise au matérialisme que notre système [18] ».

L'ère du soupçon et du doute

Toutes les théories nouvelles, scientifiques et philosophiques, ont beau prétendre justifier la foi, elles sont suspectées de conduire à l'athéisme, tant la montée de ce dernier obsède les esprits. Ces disputes entre apologistes ne font qu'accroître la psychose, et fournissent effectivement des armes aux incrédules, qui n'en demandaient pas tant, et qui n'ont qu'à emprunter les arguments de leurs adversaires.

Se déclare-t-on opposé au finalisme, comme Guillaume Lamy ou Claude Brunet, qui affirme en 1697 que « la cause finale n'est d'aucune considération dans la nature, où tout ce qui a les facultés pour se produire ne manque jamais de paroître, quelque mal qui puisse en arriver [19] » ? On est immédiatement taxé d'épicurisme. Pour Claude Perrault, qui écrit en 1721, « ceux d'entre les philosophes qui soutiennent avec tant d'affectation que nous ne voyons goutte dans les ouvrages de Dieu », c'est-à-dire ceux qui nient les causes finales, « doivent avoir d'autres motifs que le respect qu'ils feignent pour la profondeur impénétrable de la Sagesse éternelle [20] » : ils veulent certainement se débarrasser de Dieu.

Les scientifiques ont beau se proclamer croyants, affirmer que leurs découvertes donnent des preuves de la sagesse divine, leurs œuvres ne font que soulever de nouvelles difficultés. L'esprit mathématique lui-même, si longtemps utilisé en faveur de la foi, se retourne contre elle : certains en sont à calculer le volume de chair nécessaire à la résurrection des morts, et en concluent que cette dernière est impossible, car cela représenterait une masse supérieure à celle de la terre. L'esprit de géométrie ne peut plus accepter le vague des croyances religieuses : « Il y a tant d'années, écrit Tyssot de Patot, que je me promène dans les chemins vastes et éclairés de la géométrie, que je ne souffre qu'avec peine les sentiers étroits et ténébreux de la religion [...]. Je veux de l'évidence ou de la possibilité partout [21]. »

La contestation du fait religieux est de plus en plus ouverte, se fondant sur Descartes, sur Gassendi, sur Spinoza, dont les idées font pénétrer le doute à l'intérieur de la croyance : « Il y a plus de trente ans que je philosophe, très persuadé de certaines choses, et voilà cependant que je commence à en douter », déclare en 1674 François Bernier dans son *Abrégé de la philosophie de M. Gassendi*. Plus je réfléchis à Dieu, plus je trouve la question obscure, ajoute-t-il. Il n'est pas seul. Les certitudes religieuses se désagrègent rapidement dans les milieux intellectuels, rongés par le doute méthodique. En 1686, Jean Chardin écrit dans son *Journal* de voyage en Perse : « Le doute est le commencement de la science. Qui ne doute de rien n'examine rien. Qui n'examine rien ne découvre rien. Qui ne découvre rien est aveugle et demeure aveugle. » Pour progresser dans la connaissance, et même dans la foi, il faut d'abord douter. C'est ce que pense Jean Le Clerc qui, constatant en 1705, dans sa *Bibliothèque choisie*, qu'il y a de plus en plus d'ouvrages de réfutation de l'athéisme, parce qu'il y a de plus en plus d'ouvrages athées, en conclut que cela est une bonne chose, car la remise en cause de la foi aboutit à une foi plus éclairée.

Elle peut aussi aboutir à la disparition de la foi. Lorsque Voltaire accuse Descartes de conduire à l'athéisme, il n'a pas entièrement tort. C'est qu'à l'origine des idées claires et évidentes, à l'origine du *cogito*, il y a le doute, le doute méthodique, dont on ne sort pas aussi facilement que l'avait cru le philosophe. L'Église avait intuitivement senti le danger que représentait la méthode cartésienne. Le doute méthodique devient vite un doute existentiel ; c'est une maladie incurable de l'esprit et, qui plus est, contagieuse. La foi n'en meurt pas nécessairement, mais elle en reste anémiée pour toujours. Même les cartésiens les mieux intentionnés du monde, comme Malebranche, peuvent se révéler dangereux. Bayle, admirateur de l'oratorien, a bien mesuré où pouvait mener son rationalisme, qui enferme Dieu dans les limites étroites des déductions logiques et lui enlève finalement toute liberté pour le soumettre à un déterminisme rationnel implacable. Non seulement Dieu ne pouvait pas ne pas faire ce qu'il a fait, mais encore, en poussant la logique jusqu'au bout, il faut admettre qu'il ne veut pas sauver tous les hommes et qu'il a voulu le péché et la damnation du plus grand nombre[22].

Fontenelle, dans le récit de *La Dent d'or*, tire la leçon de ces paradoxes en une conclusion fort sceptique :

> Je ne suis pas si convaincu de notre ignorance par les choses qui sont, et dont la raison nous est inconnue, que par celles qui ne sont point, et dont nous trouvons la raison. Cela veut dire que non seulement nous n'avons pas les principes qui mènent au vrai, mais que nous en avons d'autres qui s'accommodent très bien avec le faux. [...] Surtout quand on écrit des faits qui ont liaison avec la religion, il est assez difficile que, selon le parti dont on est, on ne donne à une fausse religion des avantages qui ne lui sont point dus, ou qu'on ne donne à la vraie de faux avantages dont elle n'a pas besoin. Cependant on devrait être persuadé qu'on ne peut jamais ajouter de la vérité à celle qui est vraie, ni en donner à celles qui sont fausses.

Si l'esprit cartésien se révèle néfaste pour la foi, le spinozisme, qui sort peu à peu de l'ombre où l'avaient plongé les anathèmes, a des effets encore plus ravageurs, en raison de l'utilisation délibérément antireligieuse qui en est faite. C'est sous son patronage qu'est placé le fameux texte anonyme violemment antichrétien, rédigé vers 1706 et intitulé *De tribus impostoribus ou Traité des trois imposteurs ou l'Esprit de Spinoza.* D'une certaine façon, le spinozisme peut s'interpréter comme une régression, un retour à l'unité originelle, par la négation du dualisme sacré-profane. L'unité de substance, qui est postulée par Spinoza et dont les attributs sont l'étendue et la pensée, aboutit à un système areligieux, plutôt qu'athée, qui fait penser à l'état initial de l'humanité, c'est-à-dire celui du mythe vécu.

Mais cette tentative pour restaurer par l'intelligence, par l'intellect, une vision du monde pré-intellectuelle, est utopique, et inévitablement Spinoza sera tiré dans un sens ou dans un autre par ses interprètes. L'une des idées les plus en vogue à cette époque, celle de l'âme du monde, peut ainsi se réclamer en partie de lui. On en trouve un écho chez Francesco Mario Pompeo Colonna (1644-1726), gentilhomme romain habitant à Paris, auteur en 1725 des *Principes de la nature suivant l'opinion des anciens philosophes.* Ce disciple attardé de Telesio et du vitalisme de la Renaissance présente le monde comme un organisme matériel animé d'une vie intense propre. Il s'inspire des philosophes antiques, qui pour lui étaient tous athées : « Le Dieu des Anciens les plus religieux était un Dieu matériel », écrit-il, et ils étaient tous monistes, ne reconnaissant qu'« un seul être, c'est-à-dire une matière qui était naturellement mobile et connaissante[23] ».

L'âme individuelle est également matérielle. C'est ce que soutiennent de nombreux traités clandestins, comme *L'Âme matérielle,* dont la rédaction remonte sans doute à 1705, qui prétend que c'était là l'opinion de beaucoup de philosophes anciens et de Pères de l'Église, et qui procède à la démonstration de la mortalité de l'âme. La matière, douée de mouvement, est capable aussi de pensée, à partir d'un certain niveau d'organisation.

De telles idées sont de plus en plus répandues dans le milieu médical, dont la réputation se détériore nettement dans la période 1690-1730, au point que des voix s'élèvent pour protester contre cette généralisation abusive : le médecin anglais G. Purshall tente de disculper ses confrères dans un ouvrage de 1707[24] ; il est imité par Le François en 1714[25], tandis qu'en 1733, dans *La Médecine théologique,* Philippe Hecquet se livre à un long plaidoyer : ce n'est pas parce qu'ils parlent toujours de la nature que les médecins sont athées, « car cette nature sur laquelle on fait le procès de la religion des médecins, comme s'ils ne croyaient qu'au matériel des objets qu'elle leur donne à contempler ou à traiter, cette nature, dis-je, n'est autre chose que l'impression d'un doigt créateur, transmis et resté dans tous les corps, et qu'un médecin voit dans le moindre des organes de celui de l'homme[26] ».

Ce n'est pas là l'avis de tous les médecins. Hermann Boerhaave (1668-1738), par exemple, bannit toute intervention métaphysique, et explique mécaniquement les facultés de l'âme rationnelle. Maubec, médecin à Montpellier, dans un livre de 1709, rejette catégoriquement la substance pensante de Descartes, et attribue la pensée à la seule substance étendue, donc à la matière, ce qui ne l'empêche pas d'adopter une attitude fidéiste [27]. Le docteur Gaultier, de Niort, est quant à lui intégralement matérialiste, comme il l'explique dans son ouvrage de 1714, au titre-programme : *Réponse en forme de dissertation à un théologien qui demande ce que veulent dire les sceptiques qui cherchent partout la vérité dans la nature, comme dans les écrits des philosophes, lorsqu'ils pensent que la vie et la mort sont la même chose, où l'on voit que la vie et la mort des minéraux, des métaux, des plantes et des animaux, avec tous ces attributs, ne sont que des façons d'être de la même substance, à laquelle ces modifications n'ajoutent rien.* Nominaliste et pessimiste, Gaultier pense qu'il est impossible de prouver l'existence de Dieu. Il insiste sur l'unité de la substance, ce qui, note un copiste qui composa un résumé de l'ouvrage, le rapproche de Spinoza, que pourtant il combat. Ce n'est pas sa seule contradiction : Gaultier se dit fidéiste, et son livre, bien qu'approuvé par un cordelier et un minime, circule clandestinement.

Même attitude chez le médecin anglais William Coward, qui dans son *Ophtalmoiatria* (1706) rejette la substance pensante de Descartes et attribue la pensée à la matière, tout en se déclarant croyant. Certes, ce matérialisme physiologique n'est pas nécessairement athée, et Jurieu reconnaissait lui-même l'impossibilité de réfuter l'idée de matière pensante [28]. Mais cette position fidéiste de croyant matérialiste est bien inconfortable, comme le montrent les accusations d'impiété portées à l'encontre du docteur Guillaume Lamy qui, dans un *Discours anatomique*, tente d'expliquer les fonctions intellectuelles par la matière [29].

Les voyages forment l'incrédulité

Ainsi, en philosophie, en sciences, en médecine, on découvre vers 1700 que toutes les théories sont susceptibles de fournir des arguments aux ennemis de la foi. La crise culturelle qui en résulte chez les croyants est d'autant plus grave que d'autres disciplines — histoire, géographie, critique biblique — viennent ajouter leurs interrogations à celles des domaines familiers. Des faits difficilement intégrables dans les synthèses religieuses traditionnelles s'accumulent, alimentant les théories déistes dans un premier temps, athées dans une seconde étape.

L'intensification des échanges culturels met en difficulté bien des certitudes religieuses. Après l'impact des grands voyages de découverte, qui ont cessé, vient l'heure des diplomates, des missionnaires, des touristes et des curieux. En nombre croissant, ils racontent, décrivent mœurs et coutumes, comparent, confrontent, s'interrogent et relativisent. C'est l'époque de Gulliver, de Robinson Crusoé, des turqueries et des chinoiseries. On s'aperçoit avec surprise qu'outre-mer il n'y a pas que des sauvages, et que des civilisations très raffinées ont pu se bâtir sur le matérialisme.

Certains en tirent des conclusions hâtives, comme Collins, qui voit dans les centaines de millions de Chinois autant de Spinozas qui s'ignorent :

> Autant que je puis juger des sentiments des lettrés de la Chine par les relations que nous en donnent les voyageurs, et surtout le père Gobien dans son *Histoire de l'Édit de l'empereur de la Chine en faveur de la religion chrétienne*, il me semble qu'ils conviennent tous avec Spinoza qu'il n'y a point d'autre substance dans l'univers que la matière à laquelle Spinoza donne le nom de Dieu, et Straton celui de nature[30].

Boulainvilliers, lui, est trop heureux de trouver une civilisation brillante qui a pu se passer de la révélation :

> Les Chinois sont privés de la révélation ; ils donnent à la puissance de la matière tous les effets que nous attribuons à la nature spirituelle, dont ils rejettent l'existence et la possibilité. Ils sont aveugles, et peut-être opiniâtres. Mais ils sont tels depuis quatre à cinq mille ans ; et leur ignorance, ou entêtement, n'a privé leur état politique d'aucun de ces merveilleux avantages que l'homme raisonnable espère, et doit tirer naturellement de la société : commodité, abondance, pratique des arts nécessaires, études, tranquillité, sûreté[31].

Dans un premier temps, les Chinois sont en effet considérés comme des athées, ce qui balaie le grand argument apologétique de l'universalité de la religion naturelle. Jusque dans les années 1680, cette universalité est acceptée aussi bien par les catholiques comme Bossuet et Thomassin que par les protestants comme Abbadie, qui écrit en 1684 : « Il n'y a que les enfants, les fous, ou ceux qui ne font aucun usage de leur raison, qu'on puisse soupçonner de ne pas reconnaître le consentement universel[32]. »

Ces belles certitudes s'effondrent à la fin du siècle, avec l'arrivée de nouveaux récits de voyageurs et de missionnaires, dont les conclusions sont claires : il y a bien des peuples athées, et même naturellement réfractaires à toute religion. La question, déjà débattue au XVIe siècle lors des grandes découvertes, rebondit grâce à la masse des faits documentaires désormais disponibles. Cela permet en particulier à Bayle d'affirmer l'athéisme d'un grand nombre de peuples insulaires : « Le père Le Gobien, qui raconte toutes ces choses, ne marque quoi que ce soit concernant la religion de ces insulaires ; mais il est facile de deviner juste qu'ils ressemblent parfaitement aux marianites dont il avoue l'athéisme sans aucun détour[33]. » Le père Labat, qui a longtemps essayé de convertir les Caraïbes, finit par admettre leur caractère areligieux : « Je connus que je parlais à un sourd, et que le libertinage où il vivait, joint à l'indifférence naturelle que les Caraïbes ont pour la religion, l'avait rendu incapable de penser à son salut[34]. » Sur les Brésiliens, on peut lire dans l'*Histoire générale des voyages* : « On a dû remarquer, dans ce détail, que la religion a peu de part aux idées des Brésiliens. Ils ne connaissent aucune sorte de divinité ; ils n'adorent rien ; et leur langue n'a pas même de mot qui exprime le nom de Dieu. »

Un moment décontenancés, les défenseurs de la religion se ressaisissent et contre-attaquent. Pour le père Dutertre, le fait que les Brésiliens admirent les beautés de l'univers et craignent les phénomènes cosmiques montre qu'ils ont en eux un sentiment de la divinité[35]. Le père Buffier constate que les sauvages accueillent facilement l'idée de Dieu et en conclut que « cette vérité est naturelle à l'esprit de l'homme[36] ». Le père Joseph-François Lafitau, dans ses *Mœurs des sauvages américains comparées aux mœurs des premiers temps* (1724), écrit que les croyances des peuples américains ont un fonds commun avec le christianisme, mais aussi avec les religions des Mexicains, des Japonais et des peuples de l'Antiquité. Il en tire la conclusion audacieuse que Dieu a imprimé en l'homme une idée de lui-même dès la création.

Sans aller jusque-là, Montesquieu, dans une dissertation à l'Académie de Bordeaux en 1716, déclare, en reprenant Cudworth, que tous les peuples ont une idée de l'Être suprême. En 1712, le pasteur Élie Benoist montre qu'il n'y a rien à tirer de la situation actuelle des sauvages, privés de toute révélation depuis des siècles, ce que l'abbé Prévost confirmera dans son *Histoire générale des voyages* en rapportant l'histoire de ces boucaniers qui, isolés pendant trente ans, ont tout oublié du christianisme, sauf le baptême.

Ainsi la réplique était-elle trouvée. Les jésuites, en particulier, n'hésitaient pas à recourir au sensualisme de Locke pour expliquer que les sauvages aient une idée de la divinité par la simple contemplation des merveilles de la nature. Pourtant, là comme ailleurs, le soupçon ne tarde pas à réapparaître : fonder le sentiment de Dieu sur la seule lumière naturelle, n'est-ce pas s'exposer à un néo-naturalisme dangereux, porteur de matérialisme ? C'est ce que penseront les docteurs de la Sorbonne en condamnant l'abbé de Prades, qui avait soutenu que l'idée de Dieu n'était pas empreinte dans notre âme par le créateur lui-même. La peur de découvrir une source nouvelle d'athéisme ne pouvait qu'anéantir une autre ligne de défense de la foi.

La question chinoise soulève encore d'autres problèmes. Et d'abord, les Chinois sont-ils athées ? Sans aucun doute, affirme Bayle. Vers 1700, la plupart des intellectuels européens pensent que les lettrés suivent une philosophie naturaliste athée. Montesquieu, qui a rencontré un Chinois à Paris, conclut de ses conversations que les habitants de l'Empire du Milieu sont « athées ou spinozistes », ce que confirment Voltaire en 1732 et le marquis d'Argens en 1739. Les jésuites cependant répliquent, par le père Tournemine, et surtout par le père Du Halde qui, dans les *Lettres édifiantes*, présente les Chinois comme spiritualistes et déistes. Voltaire finira par changer d'avis et par trouver chez les Chinois le modèle de la religion raisonnable, tandis que l'abbé Yvon, ne pouvant admettre qu'il puisse y avoir une morale sans religion, minimise l'athéisme supposé des Chinois et l'explique par une erreur de raisonnement de leur part.

Le sujet divise donc les dévots comme leurs adversaires, les premiers se refusant souvent à croire qu'un véritable athéisme soit possible. Pour le père Croiset, il n'y a pas d'athée sincère, mais seulement des gens qui cherchent un alibi pour justifier leurs mœurs libertines. Opinion partagée par l'abbé Yvon et par Legendre de Saint-Aubin pour qui l'« athéisme de conviction » est impossible. Il y a une religion naturelle universelle, dont les germes ont été placés dans tous les hommes. Ce qui n'écarte pas le danger, car, font remarquer les philosophes, à quoi sert alors la révélation? La religion naturelle, qui a permis un tel développement des Chinois, n'est-elle pas suffisante? Ces discussions ont au moins pour effet de relativiser le sentiment religieux[37].

Les contacts avec le monde islamique se déroulent dans un contexte très différent, mais se traduisent par le même résultat. Alors que le monde chinois est envisagé avec une sympathie certaine par les jésuites aussi bien que par les philosophes qui y trouvent chacun des arguments pour leur propre cause, des siècles d'affrontement ont enraciné une double idée de la religion musulmane : celle-ci est à la fois une imposture destinée à disparaître, et un instrument de Dieu pour châtier les chrétiens. Dédiaboliser l'islam apparaît donc comme une entreprise doublement impie et suspecte d'athéisme. Or c'est ce que tente le comte de Boulainvilliers dans sa *Vie de Mohammed*, composée entre 1718 et 1721, publiée en 1730, que Diego Venturino qualifie de « premier texte franchement pro-islamique produit par la culture européenne[38] ». Boulainvilliers puise ses renseignements chez les érudits de la fin du XVIIe siècle, Pocock et d'Herbélot, et fait de la biographie du prophète une arme contre le christianisme. Certes, Mohammed est un imposteur « notoire et reconnu », mais c'est aussi un homme doué de « qualités supérieures ». Ce qu'il faut bien admettre, car sinon on ne pourra expliquer ses succès que par la volonté de Dieu, « que les impies accuseront d'avoir induit en erreur une moitié du monde, et détruit violemment sa propre révélation ». Le cas est effectivement embarrassant pour les chrétiens.

Boulainvilliers donne également une vision positive de la religion musulmane, qui rejette les contradictions du christianisme, comme l'Incarnation, qui serait due tout simplement à une erreur d'interprétation des disciples. L'islam est ainsi présenté comme la religion « la plus simple dans ses dogmes, la moins absurde dans ses pratiques, la plus tolérante dans ses principes », suivant l'expression de

Condorcet. Vanter les mérites de l'islam est ici avant tout un moyen de dénigrer le christianisme et de favoriser le déisme.

Mais le contact avec d'autres civilisations n'a pas que des effets sur l'évolution des idées. Il a aussi des résultats vécus par des hommes. S'il confirme la foi de certains, il provoque chez d'autres scepticisme et incrédulité. Cela est flagrant chez ce grand voyageur qu'est Robert Challe (1659-1721). Élevé dans un esprit religieux, destiné à la prêtrise, il reçoit la tonsure, mais renonce à la vie ecclésiastique pour devenir d'abord soldat. D'une intelligence aiguë et d'un tempérament pessimiste, il réfléchit dès la classe de philosophie sur les imperfections de la religion et sur l'incapacité de l'esprit humain à atteindre la vérité. Bien décidé à « voir avec ses propres yeux, et ne juger que par ses lumières », il voyage, constate la diversité des croyances et la stupidité des foules adorant n'importe quoi, se désole de voir « de grands peuples plus sages que nous, au moins aussi réglés dans leurs mœurs, être également persuadés de mille extravagances dont nous nous moquons [39] ». Dès l'adolescence, il remarquait les puérilités des catéchismes, les « mauvaises raisons des prédicateurs », et « commençait tout de bon à douter et à former le dessein d'examiner ce que c'est que la religion ». La pompe triomphaliste des cérémonies, l'arrogance du clergé, les divagations des Écritures et des apologistes introduisent en lui le doute, accentué par la vie militaire, par le spectacle des luttes entre jansénistes et jésuites, et par son voyage aux Indes orientales. Rassemblant toutes ses objections, il rédige un livre intitulé *Difficultés sur la religion proposées au Père Malebranche*, publié vers 1710, dans lequel, entre autres, il met sur le même plan les superstitions chrétiennes et indiennes : « De bonne foi, mon Père, qui est le plus ridicule ? Est-il plus extravagant d'attendre respectueusement toutes sortes de biens d'une figure à dix visages, avec cent bras, que d'une oublie incrustée dans un vase précieux et rayonnante de pierreries [40] ? » Robert Challe n'est pas athée. Les voyages ont fait de lui un vague théiste. Déçu par le christianisme, il se réfugie dans un déisme nostalgique, comme la plupart des esprits critiques de son temps, qui reculent devant l'athéisme strict. Mais le processus d'incrédulité est en marche.

Histoire comparée et critique biblique :
deux nouveaux agents d'incrédulité

Il reçoit une impulsion supplémentaire avec l'apparition de deux nouvelles sciences critiques : l'histoire comparée et l'exégèse scientifique, dont les liens sont nombreux. Il était classique, depuis certains Pères de l'Église, de récupérer les religions païennes en affirmant l'antériorité de Moïse, à qui elles auraient emprunté les quelques éléments de vérité qu'elles pouvaient contenir. Cette tactique est toujours de mise chez les apologistes vers 1700 : Daniel Huet y recourt sans cesse ; en 1711, le père Bouchet tente de prouver l'origine mosaïque de l'hindouisme. D'autres préfèrent postuler une origine commune et monothéiste à tous les cultes, remontant à une révélation à l'époque de Noé ou même avant : c'est la thèse de Ramsay et du chancelier Rollin par exemple.

Ces fables sans fondement suscitent la réaction des érudits à partir des années 1690. L'histoire des religions fait ses débuts, au grand scandale de certains dévots comme Arnauld. La religion n'est pas que l'affaire des théologiens, mais peut aussi être étudiée sous l'angle sociologique et historique : c'est ce que l'on découvre alors. Les premières investigations ont des résultats catastrophiques pour la foi. Une cascade d'ouvrages clandestins viennent démontrer l'origine purement humaine des religions : la *Lettre d'Hypocrate à Damagette*, vers 1698, explique leur naissance par les inégalités sociales ; le *Traité de la liberté*, brûlé en 1700 sur ordre du Parlement, et les *Recherches curieuses de philosophie*, traduites de l'anglais en 1714, continuent dans la même direction ; la *Suite des pyrrhoniens : qu'on peut douter si les religions viennent immédiatement de Dieu ou de l'invention des politiques pour faire craindre les préceptes de l'homme*, cite de nombreux exemples historiques montrant que les religions sont apparues dans le but de défendre l'ordre social, et affirme que la société peut très bien exister sans religion ; à partir de 1721, les *Lettres de Thrasibule à Leucippe* expliquent l'origine des religions par l'ignorance de l'homme et par son désir d'être favorisé par la nature, le christianisme n'étant qu'une secte supplémentaire, de caractère à la fois polythéiste et monothéiste.

Inévitablement, les textes bibliques deviennent l'objet des investigations des historiens érudits, qui commencent à les disséquer avec les instruments déjà utilisés pour les textes profanes : grammaire, philologie, chronologie, archéologie, numismatique, paléographie. Démarche scandaleuse aux yeux des défenseurs de la foi traditionnelle : comment peut-on se permettre une étude critique d'un texte dont l'auteur est Dieu lui-même ? Lorsque l'oratorien Richard Simon publie son *Histoire critique du Vieux Testament*, en 1678, les gardiens du sanctuaire crient au blasphème : un tel livre ne peut qu'encourager l'impiété. Nicole condamne cet auteur « qui a une hardiesse à avancer ses imaginations sans se mettre en peine du préjudice qu'en peut recevoir la religion. Enfin, je suis antipode de cet auteur. Il me fait haïr les livres et les études. Car, en vérité, c'est de semblables gens dont on pourrait dire qu'il vaudrait mieux qu'ils ne sussent rien[41] ». Bossuet voit dans le livre « un amas d'impiété et un rempart de libertinage », un agent de scepticisme : « Il ne fait que donner des vues pour trouver qu'il n'y a rien de certain, et mener tout autant qu'il peut à l'indifférence. L'érudition y est médiocre, et la malignité dans le suprême degré[42]. » Le but de Simon, affirme l'Aigle de Meaux, est de ruiner la religion : « Je vous assure que son véritable système, dans sa *Critique du Vieux Testament*, est de détruire l'authenticité des Écritures canoniques ; dans celle du Nouveau, sur la fin, d'attaquer directement l'inspiration, et de retrancher ou rendre douteux plusieurs endroits de l'Écriture[43]. » Lorsque Huet, en 1690, pour défendre la Bible contre les attaques des érudits, établit des comparaisons entre les mythes et croyances des Hébreux et ceux des autres peuples du Croissant fertile, il se fait accuser par Arnauld de favoriser l'impiété : « Il est difficile de faire un livre qui soit plus impie, et plus capable de persuader aux jeunes libertins qu'il faut avoir une religion, mais qu'elles sont toutes bonnes ; et que le paganisme même peut entrer en comparaison avec le christianisme. »

Car étudier le texte sacré avec des méthodes profanes, c'est commettre un sacrilège, c'est le profaner. L'Écriture est intangible, elle contient la vérité à l'état pur. Depuis les Pères, il est admis que plusieurs sens peuvent être recherchés dans le texte de la révélation, mais que ces différents sens coexistent, sont simultanés et ne s'excluent pas. Ainsi le même texte aura-t-il un sens allégorique, un sens moral, un sens analogique et un sens historique : tous sont vrais en même temps. Il n'est pas question de nier la vérité du sens littéral historique. Sur le simple plan chronologique, comme le rappelle Bossuet dans son *Discours sur l'Histoire universelle*, il permet de fixer les grandes étapes de l'histoire du monde : création en 4004 av. J.-C. ; déluge 1 656 ans plus tard ; Tour de Babel en 1757 après la création ; vocation d'Abraham en 2083 ; les Dix Commandements 430 ans plus tard, et ainsi de suite.

Ce sont ces belles certitudes que la critique biblique menace de renverser. Déjà, en 1655, le protestant La Peyrère avait utilisé un passage de l'Épître aux Romains pour affirmer qu'il y avait eu des hommes sur terre avant Adam[44], ce qui lui avait valu d'être arrêté et à son livre d'être brûlé. Hobbes s'était également permis des critiques irrespectueuses, et surtout Spinoza avait attaqué de front le texte sacré : la Bible, disait-il, a été écrite par des hommes simples, ayant plus d'imagination que de raisonnement ; leurs écrits sont pleins de contradictions, d'erreurs, de faux miracles. Moïse n'est pas l'auteur du Pentateuque ; les livres de Josué, des Juges, de Ruth, de Samuel, des Rois ne sont pas authentiques. Il s'agit d'une œuvre purement humaine, et le christianisme, qui repose sur elle, n'est évidemment qu'un phénomène historique transitoire.

Venant de Spinoza, l'attaque est normale, pensent les théologiens, habitués aux blasphèmes antibibliques depuis le xvie siècle. Ce qui est beaucoup plus inquiétant, c'est que des croyants sincères, pensant bien faire, entrent à leur tour dans l'arène ; ils commencent à trouver des anomalies et à brouiller les pistes. L'histoire comparative se révèle particulièrement délicate. Que penser par exemple des listes de dynasties égyptiennes ? Celle que rédigea Manéthon, prêtre d'Héliopolis, au IIIe siècle av. J.-C., indiquait des souverains, de façon continue, depuis une époque bien antérieure au déluge, dont il n'était pas dit un mot ; une autre chronique, encore plus ancienne, se déroulait sur plus de trente-six mille ans.

Et ce n'est pas tout : les érudits alignent leurs listes de dynasties assyriennes, babyloniennes, sumériennes, chinoises ; ils s'acharnent à vouloir trouver une concordance avec la Bible, et le sol se dérobe sous leurs pieds. Peut-être les auteurs bibliques ont-ils omis de mentionner les millésimes, suggère le père Tournemine en 1703 ; peut-être les trente dynasties égyptiennes désignent-elles des familles qui ont régné simultanément, et non les unes après les autres, dit John Marsham en 1672. Il y a bientôt autant d'opinions que de chronologistes : le père Antonio Foresti dénombrait soixante-dix datations de la création, entre un minimum de 3 740 et un maximum de 6 984 ans av. J.-C.

Plus grave : certains commencent à se demander si Moïse, loin d'avoir été l'initiateur des civilisations antiques, n'aurait pas été un simple copieur, ou, au mieux, un imitateur de génie. C'est ce qu'affirment les Anglais John Marsham et, en 1685, John Spencer, de Corpus Christi College à Cambridge. Comment, après plusieurs siècles de domination égyptienne, ce petit peuple fruste qu'étaient les Hébreux n'aurait-il pas subi l'influence d'une civilisation stable et dominatrice ? Les rites du Lévitique ne seraient-ils pas des imitations de pratiques égyptiennes ? Thèse qui, pour être impie, n'en est pas moins séduisante, comme l'avoue à regret l'abbé Renaudet en 1702 : l'ouvrage de John Marsham « est parfait dans son genre pour l'ordre, la méthode, la netteté, la brièveté et la profonde érudition dont il est rempli. Mais il est difficile d'excuser l'auteur de ce que, par prévention pour les antiquités égyptiennes, ou pour quelque autre motif, il affaiblit tellement tout ce qui relève l'antiquité et la dignité des Écritures, qu'il a fourni plus de sujets de doute aux libertins que n'ont fait la plupart de ceux qui ont attaqué la religion ouvertement[45] ».

Le drame, c'est que les défenseurs de la Bible qui se lancent dans des études érudites pour répondre aux attaques ne font que fournir des armes à leurs adversaires. Huet, dans sa *Demonstratio evangelica* de 1678, qui prétend apporter la preuve par les faits, en s'appuyant sur les prophéties de Moïse, attire malgré lui l'attention sur les incohérences du Pentateuque, dont Richard Simon démontre la même année qu'il ne peut être l'œuvre du grand législateur : il contient de nombreuses citations, des proverbes, des tournures, un style qui lui sont bien postérieurs, sans même parler du fait que l'on y trouve le récit détaillé de ses obsèques. De plus, les redites, les variantes, les contradictions, les erreurs chronologiques montrent qu'il y a eu plusieurs strates rédactionnelles.

Huet est théologien, Simon philologue, et tous deux sont de fervents chrétiens, dont l'œuvre sincère favorise certainement plus le doute que les attaques de Spinoza. On peut en dire autant du travail colossal accompli par les bénédictins sur les sources chrétiennes. Les bibliothèques sont fouillées, passées au peigne fin ; les manuscrits mis à jour, débarrassés d'une poussière multiséculaire. Travail obscur, ingrat, qui resssuscite tout le passé de l'Église : vies des saints, histoire, polémique, linguistique, iconographie, archéologie, numismatique. Entre 1680 et 1720 travaillent bénédictins et bollandistes, Mabillon, Du Cange, Muratori, Montfaucon, Bentley, Pufendorf, Rymer, Leibniz et bien d'autres. Et plus ils éditent, plus ils entassent les in-folio, plus on doute, plus on se pose des questions, plus on s'enfonce dans le scepticisme.

Bossuet lui-même finit par s'empêtrer dans ces discussions. Aux chapitres XXII et XXIII du *Discours sur l'Histoire universelle*, il admet qu'il y a des difficultés et des problèmes. « Il y en a sans doute qui n'y seraient pas si le livre était moins ancien. » Par cet aveu fatal, il reconnaît que le côté humain de la Bible nécessite des éclaircissements, comme n'importe quel texte ancien qu'il faut, pour le comprendre, restituer dans son contexte. À partir de ce moment, il est perdu, car Richard Simon a de meilleures raisons que les siennes. Pris au piège, il s'enlise dans les débats qu'il voulait éviter. Les laïcs se mettent aussi de la partie, car les traductions de la Bible se multiplient, en dépit des efforts du clergé pour garder le monopole de la lecture du texte sacré, par crainte des interprétations erronées : alors que de 1640 à 1660 les trois quarts des bibles sont encore éditées en latin, on compte 55 éditions françaises sur 60 entre 1695 et 1700.

Et les apologistes s'obstinent dans la mauvaise direction. Dans *La Religion chrétienne prouvée par les faits*, en 1722, Charles-François Houteville se fonde sur les prophéties et miracles bibliques, qui ne peuvent être contestés, écrit-il, car ils sont attestés par des témoins nombreux et dignes de foi[46]. Et cela au moment même où, sous l'influence de la physique nouvelle, l'idée de miracle est de plus en plus discutée. Spinoza les avait exclus. Locke refusait d'y voir des événements surnaturels. Toland les interprète comme des images : dire que Dieu arrête le soleil pour Josué signifie que la nuit tarda à tomber. Woolston y voit quant à lui des allégories. Des traités clandestins comme l'*Examen de la religion*, l'*Analyse de la religion*, l'*Examen et censure des livres de l'Ancien Testament* critiquent le surnaturel des écrits bibliques et esquissent une histoire naturelle des religions. La Genèse et la création sont particulièrement visées, en s'appuyant sur la grande antiquité des Égyptiens, des Chaldéens, des

Chinois. Vers 1710, La Serre écrit une suite à l'*Examen de la religion*, où il dresse une liste des inconséquences et contradictions des livres bibliques, rejette la doctrine du péché originel (comme contraire à la justice) et la Trinité (comme contraire à la raison), et critique la richesse du clergé. Peu après 1722, la *Préface ou Examen critique du livre de l'abbé Houteville* présente les religions comme des créations destinées à maintenir l'ordre public. L'*Histoire critique du christianisme ou Examen de la religion chrétienne,* attribuée à Fréret et écrite après 1733, explique le succès du christianisme par le seul appui des empereurs chrétiens, et nie que la nouvelle religion ait fait progresser la morale. Vers la fin des années 1730, l'*Examen de la Genèse* et l'*Examen du Nouveau Testament*, dont Madame du Châtelet passe pour être l'auteur, utilisent les travaux des érudits pour opérer une critique historique et philologique. Certains de ces ouvrages clandestins ont également été attribués à Jean-Baptiste de Mirabaud (1675-1760), secrétaire de la duchesse d'Orléans et chargé de l'éducation de ses filles.

La critique biblique n'est pas moins vive en Angleterre, où elle s'effectue surtout sous l'angle des sciences naturelles et de la géologie. En 1692, Thomas Burnet, dans ses *Archaeologiae philosophicae*, s'en prend aux écrits du Pentateuque et démontre l'impossibilité de phénomènes tels que le déluge universel : jamais il ne pourrait tomber en quarante jours assez d'eau pour submerger les plus hautes montagnes. Opposant à Moïse des graphiques, des tableaux et des équations, il provoque la fureur des dévots. En 1696, un professeur de mathématiques de Cambridge, William Whiston, dans *A New Theory of the Earth*, tente de réconcilier la Bible et Newton, et s'attire également les foudres cléricales. Robert Hooke, quant à lui, dans ses *Earthquakes and Subterraneous Eruptions* de 1668, avait appelé l'attention sur les fossiles et avancé la théorie de la disparition des espèces, ce qui remettait en cause toutes les idées fixistes et créationnistes. En dépit des efforts des défenseurs de l'orthodoxie et de la révélation biblique, comme le botaniste John Ray et Offspring Blackall, le doute s'insinue.

Pour une religion du Livre, reposant entièrement sur une révélation écrite dans l'histoire, il n'est pas de plus puissant agent de dissolution que la critique biblique et l'histoire, qui, en expliquant le passé, le désacralisent et l'humanisent ; en montrant que la Bible se trompe, que les événements supposés surnaturels sont en réalité très humains, elles portent un coup fatal au christianisme. Il ne s'agit plus de simples blasphèmes ou d'injures gratuites, comme au XVI siècle, mais de faits, de plus en plus difficilement contestables, qui mettent les apologistes dans une situation défensive de plus en plus délicate. C'est entre 1690 et 1730 que l'initiative change de camp. Le progrès des études bibliques et historiques joue en faveur du déisme, et bientôt de l'athéisme.

Bayle et la défense des athées

Cette époque de crise intellectuelle et de remise en cause des valeurs religieuses est propice aux esprits souples, à ceux qui savent s'adapter, nager entre deux eaux, faire les distinctions et nuances nécessaires. Fontenelle est l'un d'eux, lui qui sait si bien utiliser de façon complémentaire soupçon et raison, rationalisme et scepticisme pour ruiner les oracles et les miracles, et saper les forces religieuses sous couvert de s'en prendre à la seule superstition.

Mais celui qui incarne sans doute le mieux la confusion volontaire entre croyance et incroyance, si caractéristique de cette époque, c'est Pierre Bayle (1647-1706), dont la belle biographie par Élisabeth Labrousse a si bien rendu la physionomie[47]. Bayle est-il chrétien ? déiste ? athée ? Poser la question, c'est indiquer la complexité d'un personnage qui, dans les *Réponses aux questions d'un provincial*, se dit chrétien tout en repoussant l'immatérialité de l'âme, le libre arbitre, l'immortalité et la providence, au nom des idées claires et rationnelles. Curieux chrétien donc, qui n'a cessé de prendre le parti des athées. Sainte-Beuve est à peu près le seul à voir en lui une nature religieuse. Pour Jurieu, c'est « un monument d'impiété », et Alphonse-Marie de Liguori cerne assez bien sa position, à la fin du XVIIIe siècle :

> Cet impie de Pierre Bayle est en fin de compte celui qui protège les arrières de tous ces exécrables écrivains : il rassemble toutes leurs impiétés et tantôt il les défend, et tantôt il les conteste ; car son intention n'est autre que de tenir toutes les choses en suspicion — aussi bien les erreurs des incrédules que les vérités de la foi — pour en arriver à conclure qu'il n'y a aucune chose certaine que l'on puisse croire, ni aucune religion que nous soyons tenus d'embrasser[48].

Les historiens et philosophes contemporains confirment : « D'un point de vue strictement historique, l'athéisme virtuel de Pierre Bayle ne fait pas de doute », écrit Henri Arvon[49], tandis que Cornelio Fabro remarque : « On peut reconnaître qu'avec Bayle le problème de l'athéisme entre dans le vif de la pensée moderne et entreprend son œuvre souterraine de corrosion dans la sphère de la religion et de la transcendance[50]. » Bayle, poursuit le même auteur, a fourni des arguments à tous les athées du XVIIIe siècle. Que l'homme qui incarne à bien des égards l'esprit de la fin du XVIIe et du début du XVIIIe siècle soit reconnu comme un athée est très significatif. Que son athéisme soit virtuel et fondé sur le scepticisme l'est tout autant.

Qu'en pense l'intéressé ? Bayle s'est longuement penché sur le phénomène de l'athéisme, d'abord pour savoir s'il était possible, ensuite pour en étudier les conséquences. Il donne de l'athéisme une définition très large : pour lui, on est athée dès que l'on ne reconnaît pas l'intervention de Dieu dans le monde, que l'on rejette la providence, même si l'on admet une existence divine — autrement dit, déisme et athéisme sont équivalents :

> Qu'on reconnoisse tant qu'on voudra un premier être, un Dieu suprême, un premier principe, ce n'est pas assez pour le fondement d'une religion. [...] Il faut de plus établir que ce premier être, par un acte unique de son entendement, connoît toutes choses et que, par un acte unique de sa volonté, il maintient un certain ordre dans l'univers, ou le change, selon son bon plaisir. De là l'espérance d'être exaucé quand on le prie ; la crainte d'être puni quand on se gouverne mal ; la confiance d'être récompensé quand on vit bien ; toute la religion, en un mot, et, sans cela, point de religion[51].

Contrairement à ce que prétendent certains apologistes, écrit Bayle, les vrais athées existent. Ce ne sont pas les « athées de pratique », qui sont souvent des fanfarons débauchés, provocateurs, qui « en disent plus qu'ils n'en pensent ». Les vrais athées, ce sont les athées de système, « qu'une longue suite de méditations profondes, mais mal conduites », ont convaincu de la vanité de la foi. Ils sont réfléchis, graves et discrets ; ils « n'ont découvert à personne, qu'à deux ou trois amis, les sentiments de leur cœur[52] ».

Le phénomène a de l'ampleur : il y a « des milliers d'athéistes et de déistes », « des gens qui croient que toutes les religions sont des inventions de l'esprit humain », et il y a également des peuples entiers qui sont athées, ce qui ruine l'argument apologétique du consensus universel. De plus, les athées ne sont pas nécessairement immoraux, bien au contraire, alors que beaucoup de chrétiens le sont. Prenons les femmes, par exemple :

> Qui est-ce qui oseroit dire que toutes les femmes chrétiennes qui se signalent par leurs crimes sont destituées de tout sentiment de religion ? ce seroit la plus fausse pensée du monde, car sûrement ce n'est point le vice des femmes que l'athéisme. [...] Cependant, il y en a beaucoup dont les mœurs sont très corrompues, ou par la vanité, ou par l'envie, ou par la médisance, ou par l'avarice, ou par la galanterie, ou par toutes ces passions ensemble[53].

Dire que les chrétiens vicieux sont des chrétiens qui n'ont plus la foi, c'est se condamner à une contradiction, puisque d'après les dévots une société composée d'athées ne pourrait se maintenir : « Voilà donc une doctrine qui ne se soutient que par des réponses qui établissent le dogme contraire ; car si les hommes vicieux sont athées, les sociétés, dont la plus grande partie des membres sont athées, se peuvent fort bien maintenir[54]. » La morale naturelle est parfaitement suffisante pour assurer la vertu et la vie sociale. Il n'y a donc aucune raison pour interdire l'athéisme, à condition toutefois que les athées ne fassent pas de prosélytisme, car ils doivent se conformer aux lois de l'État, et celles-ci commandent en général le respect de la religion : « Un athée demeure justement exposé à toute la rigueur des lois, et dès aussitôt qu'il voudra répandre ses sentiments contre la défense qui lui en sera faite, il pourra être châtié comme un séditieux qui, ne croyant rien au-dessus des lois humaines, ose néanmoins les fouler aux pieds[55]. » En fait, écrit Bayle, les pires ennemis de l'État sont les superstitieux et les fanatiques.

Il est ainsi plus tolérant que Locke en ce qui concerne la place des athées dans la société. Pour le philosophe anglais en effet, tous les cultes sont tolérables, à l'exception du catholicisme, mais l'athéisme ouvert doit être interdit :

> Ceux qui nient l'existence d'un Dieu ne doivent pas être tolérés, parce que les promesses, les contrats, les serments et la bonne foi, qui sont les principaux liens de la société civile, ne sauraient engager un athée à tenir sa parole ; et que si l'on bannit du monde la croyance d'une divinité, on ne peut qu'introduire aussitôt le désordre et la confusion générale. D'ailleurs, ceux qui professent l'athéisme n'ont aucun droit à la tolérance sur le chapitre de la religion, puisque leur système les renverse toutes[56].

Locke admet toutefois que l'État ne peut intervenir que sur les marques extérieures de la croyance, ce qui sous-entend que l'individu reste libre au niveau de sa conscience personnelle. Pour lui, la foi est nécessaire, mais elle doit être fondée sur la raison. C'est pourquoi il cherche à fournir une preuve rationnelle de l'existence de Dieu, à partir de l'expérience des sens. En 1695, dans *The Reasonableness of Christianity*, il équilibre foi et raison. Mais sa méthode, reposant sur le témoignage des sens et refusant les idées innées, provoque les soupçons des théologiens, qui l'accusent de s'inspirer de Hobbes. Son assimilation du bien et du mal au plaisir et à la peine, sa séparation cartésienne de la foi et de la raison ne peuvent que le rendre suspect. Comme le remarque Harry Burrows Acton, « il n'est pas douteux que sa doctrine tendant à prouver que nous ne pouvons pas connaître les essences réelles, mais seulement les essences nominales fondées sur des idées en rapport contingent les unes avec les autres, a ouvert la voie au scepticisme de Hume[57] ».

Pourtant, Locke est sincèrement préoccupé par la montée de l'athéisme, comme le montre le contenu de sa bibliothèque et de ses dernières œuvres[58], dirigées contre les arguments athées sur la nature de la matière et l'origine du monde. Dans ses *Discours*, publiés en 1712, il développe la démonstration cartésienne de l'incapacité de la matière à produire un processus de raisonnement et en déduit que l'âme a une origine divine. Il s'en prend à l'idée de hasard et d'éternité du monde, et utilise la raison naturelle pour combattre l'incrédulité[59].

L'Angleterre, patrie de la libre pensée

C'est que l'Angleterre de 1700 est à l'avant-garde du déisme et de l'athéisme. Le mouvement des idées issu du scepticisme de la Restauration, bénéficiant d'une relative liberté d'expression, encouragé par les luttes politiques contre l'absolutisme catholique de Jacques II, pour la défense des libertés fondamentales et la garantie des libertés individuelles par l'Habeas Corpus et la Déclaration des droits, aboutit dans les années 1690-1715 à une totale remise en cause du christianisme et de la religion en général. L'*Enlightenment* commence, dont l'une des composantes essentielles est le scepticisme religieux.

Celui-ci touche tous les milieux, au point qu'en 1708 Jonathan Swift peut écrire : « Je considère que la multitude, la masse du peuple en Angleterre, se compose de libres penseurs, c'est-à-dire de véritables incroyants, autant que dans l'élite[60]. » Dans cette dernière, la grande noblesse de cour est particulièrement atteinte, et certains cas extrêmes sont connus dans tout le pays, comme celui de John Wilmot, deuxième comte de Rochester, athée cynique et débauché, totalement désabusé, estimant que la vie n'est qu'une gigantesque farce et que le mieux est d'en profiter au maximum, sans s'encombrer d'illusions morales et religieuses. Comme Hobbes, il pense que ce que nous appelons la raison ne sert qu'à justifier les désirs et l'intérêt. Aussi la conversion *in extremis* de ce mécréant notoire fit-elle grand bruit, à la satisfaction de l'Église anglicane.

Dans les classes moyennes, l'incroyance est plus discrète, mais dans le petit peuple elle atteint déjà des proportions inquiétantes : blasphème, prostitution, faible fréquentation des églises et des sacrements. Les déclarations alarmées des évêques reviennent de plus en plus souvent sur le sujet. Celui de Londres appelle son clergé à la vigilance en 1699. Un flot de publications vient alimenter le débat sur l'incroyance : biographies de Vanini, de Hobbes, de Spinoza, ouvrages de polémique pour ou contre tel ou tel aspect de la foi. Dans cette inflation, il faut tenir compte du climat général de controverse qui anime le monde des clercs : pour asseoir sa réputation, pour se faire remarquer par les autorités religieuses, pour obtenir un bénéfice ecclésiastique, il est bon de faire preuve de zèle en pourfendant les incrédules réels ou supposés, et d'accuser les concurrents de favoriser l'incroyance. La question de l'athéisme se trouve ainsi artificiellement gonflée, cela est indéniable.

L'explication est cependant insuffisante. Les contemporains ont eux-mêmes recherché les causes de la progression de l'athéisme. Parmi les principales, ils placent les querelles religieuses, qui affaiblissent la crédibilité de la religion. Ainsi, lorsque Whiston, Bull et quelques autres expriment leur désir d'en revenir au christianisme primitif, celui des premiers siècles et des Pères de l'Église, ils sont accusés par les conservateurs d'ignorance et d'athéisme. Les querelles entre catholiques, anglicans et puritains ont évidemment pour effet d'étaler les faiblesses respectives des uns et des autres. La traduction en anglais du *Traité des religions contre ceux qui les estiment toutes indifférentes*, de Moïse Amyraldus, qui remporte un succès certain sous la Restauration, le souligne. Certains considèrent que les polémiques entre dogmatismes opposés ne peuvent que favoriser le scepticisme ; ils lancent des appels à la tolérance, comme l'auteur des *Abus du christianisme ; tentative pour mettre fin aux controverses religieuses* : « Cessons de déifier et d'idolâtrer nos propres interprétations, et de les imposer tyranniquement aux autres[61]. » D'autres y voient au contraire le meilleur moyen d'affaiblir la religion ; un traité de 1685 réclame une Église forte et autoritaire, pour endiguer les progrès de l'athéisme favorisés par la tolérance[62].

Des ouvrages portant sur des points particuliers, mettant en cause des aspects traditionnels de la foi, dans le but de défendre et purifier cette dernière, sont également accusés de semer le doute. C'est le cas des deux livres de Charles Blount, parus en 1683 : *Miracles, no Violations of the Laws of Nature*, et *Religio laici*, contestant la nécessité des miracles et du clergé, prônant une religion naturelle avec un credo minimal. Les œuvres de Burnet sur la Genèse et sur les origines de la terre sont évidemment prises pour cible par l'épiscopat. En 1685, Herbert Croft, évêque de Hereford, écrit que Burnet « fait tant pour magnifier la nature et son action dans le monde matériel, qu'on peut le soupçonner de faire d'elle une déesse égale à Dieu[63] », et il n'a que mépris pour ses « expériences triviales de mathématiques ».

Parmi les débats internes à la religion en Angleterre, l'un des plus dommageables pour la foi est celui qui touche la Trinité. La discussion sur ce sujet délicat éclate à Oxford en 1690, et provoque dans les années suivantes un déluge de pamphlets entre les unitariens ou sociniens et les trinitaires. L'énergie et le talent dépensés dans cette querelle ont pour principal résultat le progrès du scepticisme. Newton, dont les sentiments unitariens sont bien connus, participe à la discussion, qui éclabousse l'archevêque de Canterbury, le docteur Tillotson. En 1695, le polémiste John Edwards taxe les unitariens d'athéisme, et l'archevêque d'arianisme — il l'accuse de nier la révélation, de mépriser Moïse, et lui reproche de fournir des arguments aux incrédules dans son sermon sur l'enfer[64]. En 1697, John Edwards récidive dans *La Foi socinienne, où il est prouvé sa tendance à l'irréligion et à l'athéisme*. Pour d'autres, le socinianisme est une forme d'idolâtrie semblable au papisme.

Ce dernier est, en effet, également accusé de conduire à l'incroyance. En 1688, un simulacre de pétition est envoyé au roi, le félicitant pour sa tolérance, qui libère le peuple de la bigoterie. Le souverain est alors Jacques II, catholique ; si le roi doit avoir une religion, dit le texte, c'est bien le catholicisme, car celui-ci est le plus indulgent pour les vices et mène tout droit à l'athéisme[65]. La même année, un pamphlet intitulé *The Pedigree of Popery* déclare que l'antéchrist qui siège à Rome favorise l'incroyance. Les œuvres de William Chillingworth établissent l'équivalence entre catholicisme et athéisme[66]. D'autres étendent l'assimilation aux musulmans et aux juifs.

De cette confusion générale, où l'athéisme est partout et nulle part, la foi sort très affaiblie. Il n'est pire situation que d'ignorer où se trouve l'adversaire, car chacun se méfie de tous. Le danger non circonscrit devient une psychose collective, dont on cherche partout les causes. Certains les voient aussi, non sans raison, dans le développement des affaires commerciales et la quête du profit : c'est ce que prétend Jonathan Swift. Pour Dorotheus Sicurus, qui écrit en 1684, les progrès de l'athéisme sont liés à ceux de la civilisation, de la paix et du bien-être[67]. Il propose d'y remédier par une éducation morale négligeant les sciences, et inspirant la crainte devant les dangers de l'existence. Bien entendu, on incrimine aussi la propagation de textes épicuriens, ainsi que la mode de l'esprit satirique, qui tourne tout en ridicule. Les écrits de Mandeville, de Shaftesbury ou de Swift, quand bien même ils défendent la religion, créent une atmosphère de dérision peu propice au sérieux de la foi. Les récits de voyage sont également mis en cause, comme toute la littérature favorable à la religion naturelle.

Le désir de mener une vie dissolue passe pour un motif essentiel, qu'on reproche en particulier aux disciples de Hobbes : Scargill, enseignant à Cambridge, est obligé d'abandonner son poste et de lire une rétractation. Le texte établissait un lien explicite entre son immoralisme et ses positions hobbesiennes. Comme sur le continent, tous les chemins sont susceptibles de conduire à l'athéisme. En 1729, un auteur anonyme croit déceler ce dernier dans tous les articles du *London Journal*[68]. En 1730, un autre se plaint qu'on admette dans l'administration toutes sortes de sceptiques. En 1731, un troisième accuse le scepticisme ambiant, la mode de ne rien accepter au-dessus de la raison, la débauche, les conversations légères des cafés[69].

La réputation de ces derniers est détestable. Depuis le Moyen Âge, la taverne est la rivale de l'église. En cette fin de xviie siècle, elle devient le centre d'une contre-culture où se propage l'incroyance. À Londres, près de la Bourse, une rue est surnommée l'allée des Athées (*Atheists lane*). On y trouve la taverne du *King's Head*, lieu de rendez-vous des esprits forts. À Oxford, plusieurs cafés remplissent cette fonction, et en 1680 des clients sont jugés pour propos séditieux et antireligieux. Dans ses sermons, Richard Bentley désigne la taverne comme l'antre des athées.

Collins, Toland et Shaftesbury

On y discute entre autres des auteurs à la mode, les Toland, Shaftesbury, Collins, Coward, Chubb, qui propagent le déisme et le scepticisme. Anthony Collins (1676-1729) peut être considéré comme le véritable fondateur de la libre pensée. Ce gentilhomme de la meilleure société, éduqué à Eton et Cambridge, menant une vie moralement irréprochable, publie en 1713 *A Discourse of Free Thinking*, traduit en français dès l'année suivante, sous le titre de *Discours sur la liberté de penser, écrit à l'occasion d'une nouvelle secte d'esprits forts ou de gens qui pensent librement*. Il établit que la liberté est l'essence de la pensée et qu'elle lui est donc indispensable ; elle est même un devoir d'ordre religieux, et est nécessaire à la perfection de la société. Obliger les gens à partager la même profession de foi est absurde, et les missionnaires devraient se faire les propagateurs de la libre pensée. Celle-ci ne provoque ni la confusion, ni le désordre (comme le montre l'exemple gréco-romain), ni l'immoralité (car elle persuade au contraire que le vice rend malheureux), ni l'athéisme. À propos de ce dernier, Collins remarque qu'il est moins dangereux que le fanatisme, fruit de la contrainte. L'ouvrage se termine sur une liste de quarante libres penseurs, au rang desquels Collins place Salomon, Socrate, Épicure, Érasme, Descartes, Gassendi, Hobbes, Milton, Locke.

Avec John Toland (1670-1722), nous avons affaire à un panthéiste spinoziste que peu de chose distingue du pur athéisme. Dans son *Christianity not Mysterious* de 1696, il s'en prend à l'idée de mystère et montre que l'Évangile doit être interprété par la raison. Le livre est condamné au feu. En 1704, Toland va plus loin encore dans ses *Letters to Serena*, expliquant que l'immortalité de l'âme est une invention de l'Égypte antique et que la matière, douée de « force » ou d'« action », est à l'origine du mouvement et de la pensée. Religions et superstitions ont d'abord été liées aux rites funéraires et se sont développées par l'exploitation qu'en ont faite le clergé et les théologiens, « imposteurs sacrés de toutes les religions, s'efforçant de mener le peuple par le nez en partageant ses dépouilles ». Les tyrans en ont profité pour contrôler les masses et se faire attribuer des pouvoirs divins. On a ainsi pris l'habitude d'interpréter les événements comme la manifestation de la volonté divine. Au contraire, la science montre qu'il n'y a pas place dans l'univers pour un Dieu, un enfer ou un paradis. En 1710, dans les *Origines Judaïcae*, Toland met en parallèle Moïse et Spinoza, déclarant que le second était aussi inspiré que le premier. Dans le *Nazarenus* de 1718, il nie la divinité du Christ, et dans le *Pantheistikon* de 1720 il va au bout de son matérialisme atomiste : le monde est une mécanique, la pensée est un mouvement du cerveau ; nous dépendons des lois naturelles, ce qui doit nous libérer de toute inquiétude, la mort et la naissance étant la même chose[70]. Toland est, avec Collins, l'un des fruits les plus achevés de la seconde crise de la conscience européenne : l'un ouvre clairement la voie du matérialisme athée, et l'autre celle de la libre pensée.

Le comte de Shaftesbury (1671-1713), exact contemporain de Toland, se situe dans une troisième voie, celle du déisme optimiste et souriant. Nul besoin de révélation, ni d'inquiétude métaphysique : Dieu nous a donné une raison qui nous porte vers le beau et le bien. La sérénité et la bonne humeur conduisent à la vraie religion, tandis que la mélancolie mène au fanatisme ou à l'athéisme. À l'égard de ce dernier, Shaftesbury est plutôt indulgent, remarquant que ses adversaires se contredisent. Chez cet auteur, religion et loi naturelle se confondent, bannissant révélation et surnaturel ; la religion surnaturelle et universelle s'oppose à la religion positive et particulière.

De nombreux autres ouvrages traduisent l'engouement des intellectuels anglais pour le matérialisme, comme les *Second Thoughts concerning the Human Soul*, de William Coward, en 1702, qui démontrent que l'âme est matérielle et mortelle, démonstration reprise en 1705 dans *The Just scrutiny*. Ces ouvrages soulèvent des protestations indignées à la Chambre des communes. D'autres auteurs, comme William Whiston, s'en prennent aux miracles, y compris ceux du Christ[71], ou à la providence, comme Thomas Chubb[72].

La lutte contre l'athéisme

Face à cette montée des différents aspects de l'incrédulité et à la psychose de l'athéisme qui se développe en Angleterre, la résistance s'organise chez les intellectuels. L'initiative la plus originale, qui montre combien la situation était jugée sérieuse, est celle de Robert Boyle qui, par son testament, fonde une rente de 50 livres par an destinée à rémunérer un conférencier qui réfuterait les arguments antireligieux. Les « Conférences de Boyle » (*Boyle's Lectures*), qui commencent en 1692, deviennent rapidement un rendez-vous classique pour le grand public croyant, un peu comme le seront les Conférences de Notre-Dame pendant le carême à la fin du XIXᵉ siècle à Paris. Les célébrités s'y succèdent. Le premier conférencier est Richard Bentley, qui vient réfuter les erreurs de Descartes, Hobbes, Spinoza, et qui surtout s'en prend au matérialisme épicurien, dans lequel il voit la forme la plus insidieuse d'athéisme. Bentley accepte les conclusions de la science moderne, les atomes, le vide, l'attraction, mais il conteste l'usage qu'en font les athées. L'attraction, loin d'être une propriété de la matière, est la marque de l'intervention divine.

Le deuxième conférencier, Francis Gastrell, choisit en 1697 le domaine moral pour ses attaques : l'athée est un libertin ; l'athéisme spéculatif n'est qu'un prétexte pour rendre possible la débauche. En cela, Gastrell est d'accord avec Samuel Butler. Le docteur John Harris, lui, prend la parole en 1698 contre la théorie matérialiste de la perception, et en particulier contre Hobbes. Maniant l'ironie, il montre que les hommes les plus intelligents sont ceux qui ont un grand nez et de bons yeux, puisque toutes nos idées viennent des sens.

D'autres, nombreux, réagissent par l'écrit. Les volumes pleuvent. Un des auteurs les plus originaux, John Sherlock, attaque Collins, Tindal et Woolston sous forme d'un procès imaginaire[73]. L'évêque Gibson met en garde les fidèles dans ses lettres pastorales. En 1730, Thomas Stackhouse, dresssant le bilan de la controverse, mentionne des dizaines de livres[74], et le ton est alors devenu très virulent. Un pamphlétaire demande que l'on emprisonne tous les déistes.

Dans ce climat de suspicion générale, défendre la religion n'est pas sans risques. Thomas Wise, qui reprend l'œuvre de Cudworth à partir de 1706, est lui-même accusé de déisme. Il fait partie du groupe des platoniciens de Cambridge, qualifiés de « latitudinaires » à cause de leur conception raisonnable et médiane de la religion. Il s'attaque en particulier au cartésianisme, dont l'effet ambivalent est jugé dangereux : son dualisme et ses arguments en faveur de Dieu sont positifs, mais sa méthode et son matérialisme dans la description du monde, avec les animaux-machines par exemple, sont inquiétants.

Beaucoup plus connue est l'œuvre d'un grand adversaire de l'athéisme au xviiie siècle, l'évêque George Berkeley, dont les sept dialogues de l'*Alciphron*, en 1732, ont pour but de s'opposer au « libre penseur sous les angles variés de l'athée, du libertin, de l'enthousiaste, du désabusé, du critique, du métaphysicien, du fataliste et du sceptique[75] ». Quatre personnages participent au débat : les libres penseurs Lysicles et Alciphron, et les défenseurs de la foi chrétienne Crito et Euphrator. Alciphron, intelligent, ennemi des préjugés, doutant des capacités de la raison, dégoûté des religions à cause de leur diversité, détestant le clergé, estime que l'homme doit avant tout rechercher son bonheur, et cela l'a du déisme à l'athéisme. Lysicles incarne le libertin épicurien léger, et pense qu'il y a plus de vérité dans un verre de porto et une aimable conversation que dans les volumes d'Aristote et de Pline. Crito, leur adversaire, montre que leur absence de principes mène à la ruine de la société, et même au suicide. Pour lui, ces « petits philosophes » font le jeu de Rome et du papisme. Alciphron fait remarquer que la véritable morale n'a pas besoin d'être accompagnée de menaces, et qu'il existe une morale naturelle pour les hommes libres. L'Église anglicane, dit-il, est l'ennemie des libertés anglaises. Par ailleurs, il rejette la tradition, l'autorité de la Bible, les prophéties, et insiste sur les incohérences entre l'Écriture et l'histoire chinoise, babylonienne ou égyptienne.

Enfin, il déclare que les chrétiens utilisent des mots et des signes dont ils ne connaissent même pas le sens. Crito, après avoir réfuté en détail ces arguments, résume l'essence de la libre pensée comme étant la négation de l'existence de Dieu, et démontre l'absurdité de la doctrine de Spinoza.

Le livre de Berkeley, écrit à la fin de la seconde crise de la conscience européenne, est sans doute le meilleur exposé des problèmes posés à ce moment par l'athéisme, dont il présente tous les arguments de façon intelligente. De façon même trop favorable au goût des défenseurs de la religion, qui accusent Berkeley d'être un sceptique, un novateur, un déiste, et même un athée[76]. La forme et le fond de son livre troublent en effet une opinion habituée à une controverse où l'apologiste heurte de front, avec une lourde érudition, les doctrines classiques d'Épicure, de Vanini ou de Hobbes, comme si l'athéisme moderne n'était que la répétition de ces anciennes idées et constituait un ensemble structuré et cohérent, purement intellectuel. Berkeley montre un athéisme tout en souplesse, lié à la vie, à ses instincts et à ses contradictions, où la raison et la passion, les idées et les sentiments se mêlent inextricablement. Et il y répond de la même façon. Les références à Hobbes, Toland, Descartes, Coward, Leibniz, à la science et aux récits de voyage sont bien sûr présentes, mais toujours traitées avec subtilité, avec un talent littéraire certain. La forme du dialogue, plus vivante, laisse la porte ouverte à une poursuite de la conversation, et tout cela déconcerte les apologistes habitués à assener leurs vérités de façon définitive. Sous cet angle, *Alciphron* montre que l'athéisme est en 1732 devenu un fait social, et qu'il entre dans les mœurs, même s'il reste très minoritaire.

Contre ce fléau, les responsables politiques et religieux tentent de réagir. En 1702, à l'initiative du roi Guillaume III, est fondée la Société pour la propagation de l'Évangile, qui collecte des fonds, fait imprimer et distribuer des bibles, mais effectue aussi un travail d'espionnage, de dénonciation devant les tribunaux pour blasphème et impiété. Le Grand Juge, Sir John Gonson, avertit en 1728 les jurys qu'ils doivent s'occuper des « offenses concernant Dieu tout-puissant, et sa sainte religion établie parmi nous » :

> Vous devez donc examiner toutes les infractions contre la loi de la neuvième [année] de Guillaume III pour l'élimination du blasphème et de l'impiété ; et particulièrement de tous les livres et pamphlets écrits contre la religion chrétienne ou l'autorité divine des saintes Écritures ; un certain nombre d'écrivains récents, qu'on appelle déistes, mais qui sont en réalité athées, sans Dieu, niant sa providence et même le Seigneur qui les a rachetés, prétendent juger les vérités spirituelles et surnaturelles de la vie éternelle à partir des idées sensibles ; en réalité, avec leur raison tant vantée, ils ne sont pas capables de donner une idée du souffle de la vie naturelle ni de la composition de la moindre touffe d'herbe ; et malgré cela, ils voudraient, par une démonstration rationnelle, déterminer et juger des choses invisibles qui peuvent seulement être objets de foi en la parole de Dieu[77].

Vaines injonctions ! Nous sommes en 1728, et les jeunes du Club du Feu d'Enfer, appartenant à la meilleure aristocratie, disséminent bruyamment leur athéisme, au grand scandale des clergymen impuissants. L'incrédulité est partout, de la taverne à la cour. Le ton est donné pour le reste du siècle : l'Angleterre, moins d'un siècle après avoir été la patrie du puritanisme, est devenue celle de l'incroyance. Et c'est vers elle que se tournent bientôt les athées du continent, comme d'Holbach, qui fréquente John Wilkes, Hume, Gibbon, Priestley, dont la bibliothèque comprend les œuvres de Hobbes, Locke, Tindal, Toland, Collins, Shaftesbury, et qui traduit Swift, Hobbes, Akenside, Toland[78]. En 1765, Diderot écrit à Sophie Volland : « La religion chrétienne est presque éteinte dans toute l'Angleterre. Les déistes y sont sans nombre. Il n'y a presque point d'athées ; ceux qui le sont s'en cachent. Un athée et un scélérat ne sont que synonymes pour eux. » La distinction est importante, mais plus important est le fait que désormais déisme, panthéisme, athéisme ont acquis droit de cité et sont entrés dans le débat public.

Ainsi, entre 1600 et 1730 environ, le centre de gravité de l'incroyance en Europe s'est déplacé d'Italie en France, et de France en Angleterre. En même temps, ce passage de l'humanisme renaissant italien au classicisme français puis au pragmatisme anglais a modifié profondément les caractéristiques de cette incroyance de l'élite. S'appuyant d'abord sur un naturalisme vitaliste et moniste incarné par Vanini, elle repose ensuite sur une vision dualiste cartésienne et atomiste du monde, avant de revenir à une conception moniste panthéiste inspirée de Spinoza. Variation également dans la forme, dans son mode d'expression face aux réalités religieuses : provocatrice, contestataire et révoltée à l'époque des libertins, dogmatique au temps de Gassendi, Descartes et Hobbes, sceptique, souple et méfiante avec Fontenelle et Bayle.

De 1600 à 1730, l'incrédulité se cherche. Elle gagne du terrain au sein de la culture européenne lors de chaque crise de conscience. Mais, face aux masses organisées des Églises, elle ne peut que se définir par opposition, par négation, ce qui nuit à l'élaboration d'une synthèse constructive. Elle nie la providence, l'immortalité, la création, la nature spirituelle de l'âme, l'enfer, le paradis, Dieu, la Trinité, mais elle a encore du mal à affirmer sa vision du monde. Le système du monde auquel aspire l'athée ne peut être construit que par la science, qui décrit ce qui est, le monde matériel, naturel, en dehors de tout surnaturel. Un tel système est donc tributaire des avancées scientifiques, et, contrairement au contenu de la foi, qui est immuable, le contenu de la science évolue, d'une hypothèse à l'autre. Or, de 1600 à 1730, la science fait d'énormes progrès, mais hésite encore ; de Galilée à Newton et de Descartes à Leeuwenhoek, les théories s'affrontent. Ce n'est qu'à partir du début du xviiie siècle que la conception de Newton semble l'emporter, donnant aux matérialistes des Lumières une base solide pour construire leur système de la nature.

La marque la plus probante des progrès de l'athéisme à l'issue de la seconde crise de la conscience européenne est cette sorte de psychose que nous avons signalée dans le monde des intellectuels, où l'on croit déceler l'incroyance derrière chaque nouvelle théorie, entre les lignes de chaque nouvel ouvrage, fût-il d'apologétique religieuse. La chasse aux sorcières aboutit, comme toujours, à exagérer le danger auquel on s'attaque. Même si certains affirment encore que le véritable athéisme n'est pas possible, le soin que l'on met à le débusquer montre bien que l'on y croit, et que la grande lutte prophétisée par Bossuet se précise.

L'athéisme vers 1730 n'est plus seulement un problème intellectuel, une question débattue entre érudits et théologiens. Depuis la seconde moitié du xviie siècle, le contrôle renforcé des paroisses par le clergé, qui se traduit par une augmentation des procès-verbaux de visites pastorales, révèle que toutes les catégories de fidèles commencent à être touchées, à divers degrés et sous des formes variées, par l'incrédulité. Ce xviiie siècle n'est pas que le siècle des Lumières, c'est aussi celui des incrédules. Cette période s'ouvre dignement en 1729 avec la découverte de l'un des plus grands et des plus systématiques manifestes de l'histoire de l'athéisme, œuvre d'un prêtre de campagne : le « Testament » de l'abbé Meslier.

QUATRIÈME PARTIE

Le XVIIIe siècle incrédule

CHAPITRE X

Le manifeste de l'abbé Meslier
(1729)

À la fin du mois de juin 1729 meurt dans son presbytère le curé de la paroisse rurale d'Étrépigny, près de Mézières, dans les Ardennes. C'est Jean Meslier, originaire de la région, âgé de soixante-cinq ans, qui était à la tête de sa paroisse depuis quarante ans. C'est dire que l'homme a rempli correctement ses fonctions, à la satisfaction de son évêque et de ses paroissiens, qui l'estiment comme un homme de bien.

Le scandale

Sur la table, une lettre, adressée à « Monsieur le curé de... », sans autre précision, et donc destinée au premier confrère qui viendrait rendre visite au défunt. Le contenu intrigue. Jean Meslier y déclare : « Je ne crois plus devoir maintenant faire encore difficulté de dire la vérité », et, parlant d'une seconde lettre, incluse dans la première, il annonce : « Je ne sçai pas bien ce que vous en penserez, ni ce que vous en direz, non plus que ce que vous direz de moi, de m'avoir mis telle pensée en teste, et tel dessein dans l'esprit. Vous regarderez peut-être ce projet comme un trait de folie et de témérité en moi[1]... » Diable !

On ouvre donc la seconde lettre, adressée « à Messieurs les curés de son voisinage », et là, surprise ! Le brave curé qui a administré les sacrements pendant un demi-siècle révèle que la religion n'est qu'« erreur, mensonge et imposture », et exhorte ses confrères à déserter, en se désolidarisant totalement de leur foi :

> Pesez bien les raisons qu'il y a de croire, ou de ne pas croire, ce que votre religion vous enseigne, et vous oblige si absolument de croire. Je m'assure que si vous suivez bien les lumières naturelles de votre esprit, vous verrez au moins aussi bien, et aussi certainement que moy, que toutes les religions du

monde ne sont que des inventions humaines, et que tout ce que votre religion vous enseigne, et vous oblige de croire, comme surnaturel et divin, n'est dans le fond qu'erreur, que mensonge, qu'illusion et imposture[2].

Le ton est donné. Inutile « d'invectiver contre moi », écrit Meslier, qui a prévu les premières réactions de ses confrères. Cherchez plutôt à « savoir si ce que j'ai dit est vrai ». Réfutez-moi, si vous le pouvez. Mais si vous êtes d'accord avec moi, intervenez

en faveur de la vérité même et en faveur des peuples qui gémissent comme vous le voiez tous les jours, sous le joug insupportable de la tyrannie et des vaines superstitions. [...] Et si vous n'osez non plus que moi vous déclarer ouvertement pendant votre vie contre tant de si détestables erreurs, et tant de si pernicieux abus qui règnent si puissamment dans le monde, vous devez au moins demeurer maintenant dans le silence et vous déclarer au moins à la fin de vos jours en faveur de la vérité[3].

Vous êtes des idolâtres, explique-t-il,

vous adorez effectivement des faibles petites images de pâte et de farine, et vous honorez les images de bois et de plâtre, et les images d'or et d'argent[4]. [...] Vous vous amusez, Messieurs, à interpréter et à expliquer figurativement, allégoriquement et mystiquement des vaines écritures que vous appelez néanmoins saintes, et divines ; vous leur donnez tel sens que vous voulez ; vous leur faites dire tout ce que vous voulez par le moïen de ces beaux prétendus sens spirituels et allégoriques que vous leur forgez, et que vous affectez de leur donner, afin d'y trouver, et d'y faire trouver des prétendues vérités qui n'y sont point, et qui n'y furent jamais[5].

Vous vous échauffez à discuter de vaines questions de grâce suffisante et efficace. Et en plus vous vilipendez le pauvre peuple, vous le menacez de l'enfer éternel pour des peccadilles,

et vous ne dittes rien contre les voleries publiques, ni contre les injustices criantes de ceux qui gouvernent les peuples, qui les pillent, qui les foulent, qui les ruinent, qui les oppriment et qui sont la cause de tous les maux, et de toutes les misères qui les accablent[6].

« Votre chef » (le Christ) vous a dit que si un aveugle conduit un autre aveugle, ils vont tous deux tomber dans le fossé. Et vous vous conduisez en aveugles, alors que « c'est à vous d'instruire les peuples, non dans les erreurs de l'idolâtrie, ni dans la vanité des superstitions, mais dans la science de vérité, et de justice, et dans la science de toutes sortes de vertus, et de bonnes mœurs ; vous êtes tous payés pour cela[7] ». Au demeurant, je me moque de ce que vous penserez. Les morts sont hors de portée des vivants ; les morts ne sont rien.

Tout Meslier est dans cette longue lettre pathétique, son ironie amère et son pessimisme nihiliste, son athéisme matérialiste intégral et sa révolte sociale. Athée depuis longtemps, ayant passé sa vie à enseigner des choses auxquelles il ne croit pas, il a accumulé une immense rancœur contre le système politico-religieux qui le contraint au silence, et a préparé sa vengeance posthume, tout en sachant qu'il ne pourrait jamais la savourer. Cette vengeance, ce n'est pas simplement une lettre, c'est un énorme manuscrit, que Meslier déclare avoir déposé au greffe de la justice de la paroisse. Là, on trouve en fait trois exemplaires de trois cent soixante-six feuillets chacun, couverts d'une écriture minuscule et enveloppés dans un papier gris sur lequel est écrit :

> J'ai vu et reconnu les erreurs, les abus, les vanités, les folies, les méchancetés des hommes. Je les hais et je les déteste ; je n'ai osé le dire pendant ma vie, mais je le dirai au moins en mourant ; et c'est afin qu'on le sache que j'écris ce présent Mémoire, afin qu'il puisse servir de témoignage à la vérité à tous ceux qui le verront, et qui le liront si bon leur semble.

Le titre du manuscrit est explicite : *Mémoire des pensées et des sentiments de Jean Meslier, prêtre, curé d'Étrépigny et de Balaives, sur une partie des erreurs et des abus de la conduite et du gouvernement des hommes où l'on voit des démonstrations claires et évidentes de la vanité et de la fausseté de toutes les divinités et de toutes les religions du monde pour être adressé à ses paroissiens après sa mort, et pour leur servir de témoignage de vérité à eux, et à tous leurs semblables.*

Voilà qui est clair, et bien embarrassant. En cette période où l'incrédulité et la contestation montent à l'intérieur de l'Église, il n'est pas question de révéler le scandale. C'est ce que pense le grand vicaire Le Bègue, aussitôt dépêché sur place. Il faut étouffer l'affaire. Meslier est discrètement enterré dans le parc du château d'Étrépigny ; on donne aux paroissiens une vague explication reposant sur la folie et la possession, et dès le 9 juillet un nouveau curé est nommé, l'abbé Guillotin.

Que contient le *Mémoire* ? Très prolixe et d'un style rébarbatif, avec de multiples longueurs et répétitions, il ne représente pas moins de mille deux cents pages imprimées dans l'édition dirigée par Roland Desné. L'ouvrage est divisé en huit parties, dont chacune constitue une « preuve de la vanité et de la fausseté des religions » :

1. Elles ne sont que des inventions humaines.
2. La foi, « croyance aveugle », est un principe d'erreurs, d'illusions et d'impostures.
3. Fausseté des « prétendues visions et révélations divines ».
4. « Vanité et fausseté des prétendues prophéties de l'Ancien Testament. »
5. Erreurs de la doctrine et de la morale de la religion chrétienne.
6. La religion chrétienne autorise les abus et la tyrannie des grands.
7. Fausseté de « la prétendue existence des dieux. »
8. Fausseté de l'idée de la spiritualité et de l'immortalité de l'âme.

Dieu n'existe pas

Nous nous contenterons ici d'exposer les principaux thèmes de cet ouvrage foisonnant, en commençant par ce qui est à la racine de tout le reste : Dieu n'existe pas. S'il existait, cela se saurait avec évidence, cela se verrait :

> S'il y avait véritablement quelque divinité ou quelque être infiniment parfait, qui voulut se faire aimer, et se faire adorer des hommes, il serait de la raison, et de la justice et même du devoir de ce prétendu être infiniment parfait, de se faire manifestement, ou du moins suffisamment connaître de tous ceux et celles dont il voudrait être aimé, adoré et servi[8].

De même, il ferait clairement connaître sa volonté, au lieu de laisser les hommes se disputer à son sujet, alors qu'il y en a tant qui ne demandent pas mieux que de croire en lui. Devant le silence persistant de cette « prétendue divinité », il faut conclure soit que Dieu se moque de nous en nous laissant dans l'ignorance, soit qu'il n'existe pas. Les « christicoles », poursuit Meslier, prétendent que Dieu se fait connaître par une multitude de signes : beauté de la nature, œuvres de ses serviteurs, vie du Christ. Mais si ces signes étaient si évidents, tout le monde croirait.

> Nos pieux et dévotieux christicoles ne manqueront pas de dire ici tout bonnement que leur Dieu veut principalement se faire connaître, aimer, adorer et servir par les lumières ténébreuses de la foi, et par un pur motif d'amour et de charité conçu par la foi, et non pas par les claires lumières de la raison humaine, afin comme ils disent d'humilier l'esprit de l'homme, et de confondre son orgueil[9].

Dans ces conditions, n'importe qui pourrait faire croire n'importe quoi. Si l'homme doit renoncer à sa raison pour croire en Dieu, il n'y a plus de limite à l'imposture. Ce serait un étrange moyen, pour un Dieu infiniment bon et sage, de se faire connaître.

> La première pensée qui se présente d'abord à mon esprit, au sujet d'un tel être, que l'on dit être si bon, si beau, si sage, si grand, si excellent, si admirable, si parfait et si aimable, etc., est que s'il y avait véritablement un tel être, il paraîtrait si clairement et si visiblement à nos yeux et à notre sentiment que personne ne pourrait nullement douter de la vérité de son existence. [...] Il y a au contraire tout sujet de croire et de dire qu'il n'est pas[10].

D'ailleurs, comment un être aussi parfait aurait-il créé un univers aussi minable, plein de maux, de vices et de méchancetés, où les hommes souffrent et meurent ? Comment peut-on parler des « merveilles » de la nature, qui n'est qu'un champ clos dans lequel les espèces vivantes ne survivent qu'en s'entre-tuant ? Et que l'on ne dise pas que cela est la conséquence d'un prétendu péché originel : le mal est structurel à la nature, indispensable, sinon il y aurait bientôt prolifération d'hommes et d'animaux, et la terre ne pourrait pas les contenir.

Meslier s'attache aussi à montrer l'inanité des « preuves » de l'existence de Dieu, en particulier la preuve ontologique, qui part d'une « définition » de Dieu, alors que ce dernier est une notion obscure et contradictoire. La foi est donc une croyance aveugle, qui renonce à utiliser la raison. Les religions

> veulent que l'on croie absolument, et simplement tout ce qu'elles en disent, non seulement sans en avoir aucun doute, mais aussi sans rechercher, et même encore sans désirer d'en connaître les raisons, car ce serait, selon elles, une impudente témérité, et un crime de lèse-majesté divine que de vouloir curieusement chercher des raisons[11].

La foi est un don, déclare l'Église. Alors pourquoi tous les hommes n'ont-ils pas reçu ce don ? « Si c'est qu'ils manquent de foi, pourquoi ne l'ont-ils pas, cette foi ? Et pourquoi ne croient-ils pas, ces maladroits-là ? Puisqu'il leur serait si glorieux et si avantageux de croire, et de faire de si grandes et si admirables choses[12] ? »

Meslier, pour montrer l'inexistence de Dieu, s'appuie en large partie sur le livre de Fénelon, la *Démonstration de l'existence de Dieu*, qu'il a soigneusement étudié et annoté, et dont il détruit les preuves les unes après les autres. Cet ouvrage, rédigé en 1713, avait été publié en 1718, avec un traité du jésuite Tournemine contre l'athéisme, en particulier contre les cartésiens et les spinozistes. Fénelon utilisait à la fois les preuves cosmologiques, sur les beautés de la nature, et les preuves logiques. Meslier a lu ce livre avec passion, et l'on a retrouvé chez lui un exemplaire couvert d'annotations manuscrites, dont il avait sans doute l'intention de faire un *Anti-Fénelon*. Il a probablement travaillé en parallèle son *Mémoire* et ses notes sur Fénelon[13].

On trouve en effet dans ces dernières les mêmes objections à l'existence de Dieu. Partout où Fénelon clame son admiration pour la nature, qui lui révèle Dieu par ses merveilles, Meslier commente froidement : « vains discours ». Il prend plaisir à relever les contradictions de l'évêque de Cambrai, qui à un moment écrit que l'on ne peut penser le néant et à un autre moment évoque « la connaissance que j'ai du néant ». Lorsque Fénelon parle de Dieu comme de l'Être qui est par lui-même, et qui donc surpasse tous les degrés d'être, Meslier commente : « Faux raisonnement : l'être est par lui-même ce qu'il est, et ne saurait être plus être qu'il n'est, mais il ne s'ensuit pas de là qu'il soit infiniment parfait dans son essence[14]. » Pour le curé d'Étrépigny, il y a bien un être nécessaire, mais cela ne veut pas dire qu'il soit infiniment parfait : « Vain raisonnement ; l'auteur confond ici l'être nécessaire avec l'être infiniment parfait. »

Le seul être est la matière

Et le seul être nécessaire, c'est la matière. Le matérialisme de Meslier est intégral. Il repose en partie sur le cartésianisme, que le curé admire globalement, mais dont il rejette certains aspects. Pour lui, les cartésiens « sont les plus sensés et les plus judicieux d'entre tous les philosophes déicoles, car ils ont montré que l'ordre du monde dépend des seules forces de la nature ». Dès lors, comment Malebranche, que Meslier respecte,

> a-t-il pu dire que si Dieu n'avait arrangé tout d'un coup toutes choses de la manière qu'elles se seraient rangées d'elles-mêmes avec le temps, tout l'ordre des choses se renverserait, et que s'il les avait mises dans un ordre différent de celui où elles se fussent mises par les lois du mouvement, qu'elles se renverseraient toutes, et qu'elles se mettraient, par la force de ces lois, dans l'ordre où nous les voyons présentement? Car cet auteur se contredit ici, et se confond manifestement lui-même, car puisqu'il prétend que la matière n'a pu d'elle-même avoir aucun mouvement, et que tout ce qu'elle en a lui vient nécessairement de Dieu, premier auteur du mouvement, il ne pouvait pas dire qu'aucunes choses se seraient rangées d'elles-mêmes avec le temps [15].

Meslier est cartésien par la méthode, par l'esprit de ses démonstrations, cherchant la rigueur et remettant en cause les fausses évidences. Mais il utilise cette méthode pour prouver le matérialisme, et ses commentateurs ont pu le qualifier de « cartésien d'extrême gauche [16] », en raison de sa transposition de la preuve ontologique sur le plan matérialiste. C'est la matière qui est l'être nécessaire et unique. S'inspirant du cartésien Malebranche, Meslier affirme l'existence de vérités éternelles, telles les vérités mathématiques, et il en tire des conclusions sur l'éternité du monde, de la matière, rejetant toute idée de création. Les vérités éternelles sont indépendantes d'une quelconque volonté ; elles sont nécessaires par elles-mêmes.

De même, Meslier détourne le fameux *cogito* cartésien : il est d'évidence que nous pensons, donc il y a de l'être, et cet être est purement matériel.

> Nous ne voyons, nous ne sentons, et nous ne connaissons certainement rien en nous qui ne soit matière. Ôtez nos yeux ! Que verrons-nous ? rien. Ôtez nos oreilles ! Qu'entendrons-nous ? rien. Ôtez nos mains ! Que toucherons-nous ? rien, si ce n'est fort improprement par les autres parties du corps. Ôtez notre tête et notre cerveau ! Que penserons-nous, que connaîtrons-nous ? rien [17].

Au nom de quoi irions-nous supposer, au-delà de cette matière sans laquelle nous ne sommes rien, une autre réalité invisible ? L'être, c'est la matière : « Il est manifeste que l'être matériel est en toutes choses, que toutes choses sont faites de l'être matériel, et que toutes choses se réduisent enfin à l'être matériel, c'est-à-dire à la matière même [18]. »

Cette matière est éternelle. L'idée même de création à partir de rien est absurde. Absurde, l'idée de création du temps, qui doit elle-même se situer dans le temps. Dire que Dieu précède le monde par sa nature et non dans le temps, qu'il enveloppe le monde en quelque sorte, ne sert à rien, car il faut alors supposer que Dieu et le monde sont co-éternels. En outre, combien de temps a-t-il fallu à Dieu pour créer le temps ? Absurde, l'idée de création de l'espace : avant cette création, où était Dieu ? Nulle part, « or ce qui n'est nulle part n'est point, et ce qui n'est point ne peut avoir créé aucune chose [19] ». Absurde, l'idée de création du mouvement : créer le mouvement suppose un changement en Dieu, qui est supposé être immuable. Absurde encore, l'idée de création de la matière : comment un être sans corps peut-il créer quelque chose ?

Si la matière ne possède pas en elle-même la propriété du mouvement, c'est donc que tout ce qui se passe dans le monde est dû à Dieu, y compris le bien et le mal. Le curé Meslier est un métaphysicien, et non un scientifique. Certains critiques ont pu ironiser un peu facilement sur ses lacunes dans ce domaine [20] : Meslier ne connaît sans doute pas Newton, il ne dit rien de Galilée, sa bibliothèque ne semble pas avoir contenu d'ouvrages scientifiques, et il puise toutes ses connaissances dans ce domaine chez Malebranche. Mais cela ne l'empêche nullement de tenir compte des hypothèses qui circulent à son époque. Dans sa septième preuve, où il montre l'infinitude de l'univers, il examine les deux thèses opposées : soit la matière se compose d'atomes insécables, soit elle est divisible à l'infini. Dans le premier cas, chaque ligne infinie se compose d'une quantité infinie d'atomes ; dans le second, chaque portion de matière se compose d'une infinité de parties. Dans les deux cas, la matière est donc infinie.

Matérialiste, Meslier nie évidemment l'existence d'une âme spirituelle. Sur ce point, il se sépare à nouveau des cartésiens. Il y a bien en l'homme une âme, principe vital, mais elle est matérielle. La notion même d'esprit est inconcevable. « Pensez et repensez tant que vous voudrez à ce que pourrait être un prétendu être, qui n'aurait ni corps, ni matière, ni figure, ni couleur, ni étendue aucune, vous ne vous formerez jamais une idée claire et distincte de ce qu'il pourrait être [21]. » Les cartésiens, écrit Meslier, qui soutiennent l'existence d'une âme spirituelle, qui serait une substance immuable, incorruptible et éternelle, se contredisent eux-mêmes, car ils « conviennent que toutes nos pensées, toutes nos connaissances, toutes nos perceptions, tous nos désirs et toutes nos volontés sont des modifications de notre âme. [...] Il faut qu'ils reconnaissent qu'elle est sujette à diverses altérations, qui sont des principes de corruption, et par conséquent qu'elle n'est point incorruptible, ni immortelle [22] ».

D'où viennent alors les sentiments et la pensée ? On ne peut dire que la matière pense ou éprouve des sentiments, « car ce n'est pas précisément la matière qui est la douleur, le plaisir, etc., mais c'est ce qui fait dans le corps vivant le sentiment de la douleur, du plaisir, de la joie ou de la tristesse, par ses diverses modifications[23] ».

Alors, qu'est-ce que l'âme ? C'est

> ce qu'il y a en nous de matière plus subtilisée et plus agitée, que l'autre plus grossière matière qui compose les membres et les parties visibles de notre corps. [...] Et si on demandait ce que devient cette matière subtile et agitée dans le moment de la mort, on peut dire sans hésiter qu'elle se dissout et qu'elle se dissipe incontinent dans l'air, comme une légère vapeur ou comme une légère exhalaison[24].

Meslier reprend donc à son compte l'idée de matière subtile telle qu'il la trouve chez Lucrèce.

Le curé n'oublie pas de relever les inconséquences des cartésiens dans ce domaine. Ainsi, Malebranche disait que la pensée était « la vie de l'âme ». Donc, quand l'âme ne pense pas, elle n'existe pas ? Que devient-elle pendant le sommeil ? Elle continue à penser, affirmait Descartes, mais on ne s'en souvient plus au réveil. Affirmation gratuite. Et l'âme du fœtus, à quoi pense-t-elle ?

> Rien n'a encore passé par les sens de cet enfant, qui est encore dans le ventre de sa mère. Il n'a jamais rien vu, ni ouï, il n'a jamais rien goûté, ni rien touché, ni rien senti ; donc, il n'a encore rien aperçu, c'est-à-dire qu'il n'a encore eu aucune pensée, ni aucune connaissance dans l'entendement, et par conséquent il ne pense encore à rien, et s'il ne pense encore à rien et qu'il ait véritablement une âme spirituelle et immortelle, comme le veulent nos cartésiens, il est clair et évident que l'essence de cette âme ne consiste pas dans la pensée[25].

Non, décidément, il n'y a pas d'âme distincte de la matière. Si c'était le cas,

> elle se connaîtrait elle-même mieux que la matière, et il n'est même pas concevable comment elle pourrait connaître celle-ci. Et, supposé qu'elle puisse connaître la matière, elle saurait aussi certainement se distinguer d'elle que des prisonniers savent se distinguer des murailles de leur prison[26].

Meslier en profite pour rejeter catégoriquement le thème à la mode de la métempsycose, idée « trop ridicule ».

Son *Anti-Fénelon* abordait déjà tous ces aspects matérialistes, de façon peut-être plus brutale, en transférant à la nature toutes les qualités que l'évêque attribuait à Dieu, « main imaginaire » : « Nous voyons manifestement que la nature est partout, qu'elle agit partout et que c'est toujours elle-même qui fait tout, il est beaucoup plus naturel et plus probable de dire qu'elle est d'elle-même ce qu'elle est, que de dire qu'un autre être qui ne [se voit] et ne se trouve nulle part serait de lui-même ce que l'on s'imagine seulement qu'il serait[27]. »

Cela ne signifie nullement que Meslier divinise la nature. Il n'a absolument rien d'un panthéiste. Il n'est pas question pour lui d'attribuer des qualités métaphysiques au Grand Tout, à la manière de Spinoza. Meslier est un pur matérialiste athée. Il repousse d'ailleurs l'idée cartésienne des animaux-machines :

Il est naturel de croire qu'une matière qui n'est pas animée ne peut penser, mais il est fort naturel de croire qu'une matière qui est animée peut penser ; et si les hommes ne peuvent s'empêcher de rire quand on leur soutient que les bêtes sont de pures machines, c'est parce qu'ils ne sauraient croire que les bêtes ne seraient pas animées [28].

Dans son argumentation, Meslier recourt fréquemment à la charge du plus improbable : c'est à celui qui soutient la croyance la plus invraisemblable de faire la preuve de ce qu'il avance.

Où prend-on qu'un Dieu qui serait essentiellement immuable et immobile par sa nature pourrait néanmoins mouvoir aucun corps ? Où prend-on qu'un être qui n'aurait aucune étendue ni aucune partie serait néanmoins immense, et pour ainsi dire infiniment étendu partout ? Où prend-on qu'un être qui n'aurait ni tête ni cervelle serait néanmoins infiniment sage et éclairé ? Où prend-on qu'un être qui n'aurait aucune qualité ni aucune perfection sensibles serait néanmoins infiniment bon, infiniment aimable et infiniment parfait ? Où prend-on qu'un être qui n'aurait ni bras ni jambes et qui ne saurait se mouvoir lui-même serait néanmoins tout-puissant et ferait véritablement toutes choses ? Qui est-ce qui en a fait l'expérience [29] ?

La critique de la révélation

En l'absence d'expérience sensible, qui pour Meslier est le seul critère de formation des idées justes, le croyant ne peut répondre à ces questions qu'en se fondant sur la révélation. C'est l'occasion pour le curé d'Étrépigny de se livrer à une impitoyable critique de la Bible. Visiblement, il ne connaît ni les œuvres de Spinoza, ni celles de Richard Simon sur le sujet, mais il a ses propres arguments.

D'abord, qui nous garantit la véracité des récits bibliques et évangéliques ? Nous ne savons même pas comment ces textes ont été composés, ni qui étaient les évangélistes. Que recouvrent ces quatre noms de Matthieu, Marc, Luc et Jean ? Qui nous assure qu'ils sont dignes de foi ? que leur texte n'a pas été modifié et corrompu au cours des siècles ? Pourquoi accepter le témoignage du premier venu en cette matière, alors qu'on est si exigeant pour les textes de l'histoire profane ? Pourquoi avoir sélectionné ces quatre récits plutôt que d'autres qualifiés d'apocryphes ? Comment expliquer les divergences de leurs témoignages ? « Quelles certitudes donc pourrait-il y avoir dans le récit des choses qui sont si anciennes, et qui se sont passées depuis tant de siècles ? et depuis plusieurs milliers d'années ? et qui ne nous sont rapportées que par des étrangers, par des gens inconnus, gens sans caractère, et sans autorité, et qui nous disent des choses si extraordinaires et si peu croyables [30] ? » C'est l'Église qui a fait le choix de ces textes, mais en fonction de quoi ?

Pour l'Ancien Testament, l'examen est édifiant. À quoi riment ces histoires de fous ? ces carnages et sacrifices orchestrés par un Dieu qui est supposé être la suprême sagesse et la suprême bonté ? ces

miracles ahurissants qui défient les lois de la nature ? Et Meslier de
rappeler les règles élémentaires de la critique historique :

> Pour qu'il y ait quelque certitude dans les récits qu'on en fait, il faudrait
> savoir :
> 1. si ceux que l'on dit être les premiers auteurs de ces sortes de récits en
> sont véritablement les auteurs.
> 2. si ces auteurs étaient des personnes de probité et dignes de foi.
> 3. si ceux qui rapportent ces prétendus miracles ont bien examiné toutes les
> circonstances des faits qu'ils rapportent.
> 4. si les livres ou les histoires anciennes qui rapportent ces faits n'ont pas
> été falsifiés et corrompus dans la suite du temps, comme quantité d'autres
> livres [31].

Meslier n'a que l'embarras du choix pour aligner les incohérences
de la Bible, ces fables grossières de déluge, d'arche dans laquelle on
peut mettre un couple de tous les animaux de la terre, et ainsi de suite.
Et que penser d'un Dieu qui intervient pour empêcher le roi de Gue-
rara de coucher avec la femme d'Abraham, et qui tue soixante-dix
mille personnes pour punir David d'avoir fait recenser son peuple ? Et
qu'on ne s'en sorte pas en alléguant une interprétation spirituelle,
symbolique ou allégorique ! On pourrait alors faire dire n'importe
quoi aux textes, et c'est d'ailleurs bien ce que font les « christicoles »,

> qui forgent comme ils veulent, ou qui ont forgé comme ils ont voulu, tous ces
> beaux prétendus sens spirituels, allégoriques et mystiques dont ils entre-
> tiennent et repaissent vainement l'ignorance des pauvres peuples. [...] Ce n'est
> plus la parole de Dieu qu'ils nous proposent et qu'ils nous débitent sous ce
> sens-là ; mais ce sont seulement leurs propres pensées, leurs propres fantaisies,
> et les idées creuses de leurs fausses imaginations ; et ainsi elles ne méritent pas
> qu'on y ait aucun égard, ni que l'on y fasse aucune attention [32].

Et qui a inventé ces interprétations allégoriques ? « Ce grand mir-
madolin » de Paul. Voyant que les promesses ne se réalisaient pas, il
en a donné un sens symbolique. Et depuis,

> nos christicoles regardent comme une ignorance, ou comme une grossièreté
> d'esprit, de vouloir prendre au pied de la lettre les susdites promesses et pro-
> phéties comme elles sont exprimées, et croient faire bien les subtils et les
> ingénieux interprètes des desseins et des volontés de leur dieu, de laisser le
> sens littéral et naturel des paroles, pour leur donner un sens qu'ils appellent
> mystique et spirituel et qu'ils nomment allégorique, anagogique et tropolo-
> gique [33].

Avec ce système,

> si on voulait de même interpréter allégoriquement et figurativement tous les
> discours, toutes les actions et toutes les aventures du fameux Don Quichotte
> de la Manche, on y trouverait si on voulait une sagesse toute surnaturelle et
> divine [34].

Et Meslier de fournir quarante pages d'anthologie des interprétations les plus ahurissantes données par les Pères de l'Église de certains épisodes bibliques. Les Pères les plus prestigieux n'en sortent
pas grandis, à l'image de saint Augustin, qui livre cette brillante interprétation d'un passage de l'Exode :

> Dieu dit à Moïse qu'il ne verrait point sa face, mais qu'il verrait son der-

rière. La figure est que la face de Dieu signifie la divinité que l'on ne peut voir par les yeux du corps, et son derrière figure la nature humaine en Jésus Christ, laquelle on peut voir ; il dit donc qu'il verrait son derrière, parce que les Juifs qui étaient ici figurés par Moïse ont vu le Fils de Dieu dans son humanité[35].

Quant aux prophéties bibliques, chacun peut constater qu'elles ne se sont pas réalisées, à commencer par la fameuse promesse d'alliance avec le peuple juif,

puisque l'on ne voit maintenant, et que l'on n'a même jamais vu, aucune marque de cette prétendue alliance, et qu'au contraire on les voit manifestement, depuis beaucoup de siècles, exclus de la possession des terres et pays qu'ils prétendent leur avoir été promis et leur avoir été donnés de la part de Dieu pour en jouir à tout jamais[36].

Jésus, l'« archifanatique »

Venons-en au personnage principal, le fondateur du christianisme. Jésus a bien existé, admet Meslier, mais ce fut « un homme de néant, qui n'avait ni talent, ni esprit, ni science, ni adresse, et qui était tout à fait méprisé dans le monde ; un fou, un insensé, un misérable fanatique et un malheureux pendard[37] ». Ce déséquilibré était un « archifanatique »,

pour avoir des pensées et des imaginations aussi vaines, aussi fausses, aussi ridicules, aussi absurdes et aussi extravagantes que celles qu'il a eues ; et quand il reviendrait maintenant lui-même, ou quelque autre semblable personnage, nous dire et nous faire voir qu'il aurait de telles pensées et de telles imaginations dans l'esprit, nous ne le regarderions certainement encore maintenant que comme un visionnaire, comme un fou, et comme un fanatique, ainsi qu'il a passé pour tel dans son temps[38].

Ce fou aux paraboles extravagantes a aussi un côté pervers : il glorifie la souffrance, déclare d'un côté qu'il vient pour sauver tous les hommes, et de l'autre qu'il vient les aveugler, et que la plupart seront damnés. Il proclame fièrement qu'il vient mettre la discorde dans le monde et promet un illusoire royaume.

Sa doctrine est incohérente. Ne vous préoccupez pas de la nourriture et du vêtement, affirmait-il ; faites confiance à la providence, comme les oiseaux du ciel :

Il ferait certainement beau de voir les hommes se fier à une telle promesse que celle-là ! que deviendraient-ils ? s'ils étaient seulement un an ou deux sans travailler ? sans labourer ? sans semer ? sans moissonner et sans faire de greniers ? Pour imiter en cela les oiseaux du ciel ? Ils auraient beau ensuite à faire les dévots, et à chercher pieusement ce prétendu royaume du ciel et sa justice ! Le Père céleste pourvoirait-il pour cela plus particulièrement à leurs besoins[39] ?

Le royaume de Dieu est proche, disait-il aussi : « Depuis près de deux mille ans qu'il est promis, et qu'il est prédit devoir bientôt arriver, si la promesse et la prédiction eussent été véritables, il y a long temps que l'on en aurait vu l'accomplissement[40]. » Quant aux résultats de son passage, ils sont édifiants. Non seulement le mal, le péché, la souffrance sont toujours là, mais ils ne font qu'empirer, et les chrétiens ne sont pas meilleurs que les autres. Le profond pessimisme de Meslier éclate dans ces passages : « Les hommes deviennent tous les jours de plus en plus vicieux et méchants, et il y a comme un déluge de vices et d'iniquités dans le monde. On ne voit pas même que nos christicoles puissent se glorifier d'être plus sains, plus sages et plus vertueux, ou mieux réglés dans leur police et dans leurs mœurs que les autres peuples de la terre[41]. »

Par ailleurs, on prétend qu'il y a toujours autant d'âmes à aller en enfer. Alors, qu'est-ce que cette histoire de rédemption ? De deux choses l'une : c'est un échec lamentable ou une supercherie. Meslier opte pour la seconde solution. Si le Christ avait vraiment été un Dieu, « le premier, le plus beau et le plus admirable de ses miracles aurait été de rendre tous les hommes vertueux, sages et parfaits tant du corps que de l'esprit. Le premier et le principal de ses miracles aurait été d'ôter et de bannir entièrement du monde tous vices, tous péchés, toutes injustices, toutes iniquités et toutes méchancetés[42] ».

De plus, si le Christ est vraiment venu pour sauver tous les hommes, si son sacrifice a vraiment valeur de satisfaction pour tous les péchés du monde, pourquoi exige-t-on encore des pénitences ? pourquoi y a-t-il encore des damnés ? Les christicoles répondent que Dieu ne veut pas agir contre notre liberté et nous sauver malgré nous. Argument scandaleux ! Que dirait-on d'un père de famille qui ne chercherait pas à empêcher par la force ses enfants de se précipiter dans une catastrophe ? Lui reprocherait-on de ne pas respecter leur liberté ? Et Dieu, lui, infiniment bon et infiniment puissant, regarde sans broncher des milliards de ses fils et filles se précipiter en enfer ! Il contemple le naufrage de sa propre création ! A-t-on jamais rien vu de plus absurde ?

> On peut aussi leur dire [aux christicoles] que Dieu étant tout-puissant et infiniment sage comme ils le supposent, il pourrait, sans ôter la liberté aux hommes, conduire et diriger toujours si bien leurs cœurs et leurs esprits, leurs pensées et leurs désirs, leurs inclinations et leurs volontés, qu'ils ne voudraient jamais faire aucun mal, ni aucun péché, et ainsi qu'il pourrait facilement empêcher toutes sortes de vices et de péchés, sans ôter et sans blesser la liberté[43].

Ce n'est pas tout. Cet effroyable gâchis qu'est la damnation de l'humanité a été provoqué par le péché d'un seul, le péché originel. Voilà donc un père infiniment bon qui jette dans les souffrances éternelles des milliards de ses créatures parce qu'une seule a, une fois, commis un péché dont on ne connaît même pas la nature ! Et comment d'ailleurs un Dieu infiniment sage et puissant peut-il se sentir offensé par l'acte d'une de ses créatures, lui l'immuable, le serein, l'inaltérable ?

Et voici le comble : Dieu ne trouve rien de mieux pour racheter une faute humaine que d'envoyer son fils se faire tuer par les hommes, obligeant donc ces derniers à commettre un péché encore bien plus grave que le premier pour être sauvés ! Car, sans la crucifixion, pas de rédemption, et la crucifixion, il faut bien qu'elle soit réalisée par des hommes ! Le salut de l'humanité s'effectue grâce à Judas, Pilate et quelques autres, les Juifs essentiellement, qui n'ont pas fini d'expier ! Supposez que tout le monde ait aimé le Christ, que personne n'ait voulu sa mort : que serait devenu le plan divin de rédemption ? On peut dire que Dieu soigne le mal par le mal ! De l'histoire de la pomme et du déicide, n'est-ce pas le second qui devrait mériter la damnation de l'humanité ?

> C'est comme si on disait qu'un Dieu infiniment sage et infiniment bon se serait gravement offensé contre les hommes et qu'il se serait très rigoureusement irrité contre eux pour un rien et pour une bagatelle, et qu'il se serait miséricordieusement apaisé et réconcilié avec eux par le plus grand de tous les crimes ? Par un horrible déicide qu'ils auraient commis, en crucifiant et en faisant cruellement et honteusement mourir son cher et divin fils[44] ?

Une histoire de fous

« Comment donc a-t-on pu persuader à des hommes raisonnables et judicieux des choses si étranges et si absurdes ? » Le curé ne s'explique pas ce mystère. Que dire aussi de la morale chrétienne, qui met son idéal « dans l'amour et dans la recherche des douleurs et des souffrances », qui déclare bienheureux ceux qui pleurent et ceux qui souffrent, qui place la perfection dans ce qui est contraire aux besoins naturels, qui demande de ne pas résister aux méchants, mais de les laisser faire ? Si les chrétiens appliquaient ce principe, ce serait le chaos. Et le problème du mal ? Que signifient les souffrances de tous ces malheureux ?

> Dire qu'un Dieu tout-puissant, infiniment bon et infiniment sage voudrait leur envoyer ces maux et ces afflictions-là, sous prétexte d'un plus grand bien ? sous prétexte d'exercer leur patience ? et de vouloir les purifier ? et les perfectionner dans la vertu ? pour les rendre ensuite d'autant plus glorieux, et d'autant plus heureux dans le ciel[45] ?

Les christicoles nous parlent des biens de l'autre monde :

> Y ont-ils été voir ? pour en savoir des nouvelles ? qui leur a dit que cela était ainsi ? quelle expérience en ont-ils ? quelle preuve en ont-ils ? certainement aucune, si ce n'est celle qu'ils prétendent tirer de leur foi, qui n'est qu'une croyance aveugle des choses qu'ils ne voient pas, que personne n'a jamais vues et que personne ne verra jamais[46].

Et pourquoi Dieu accorde-t-il sa grâce à quelques-uns et pas à tous ? N'est-il pas juste ? N'est-il pas tout-puissant ? Et qu'est-ce que cette histoire de Trinité ? Et cette idolâtrie à l'égard de morceaux de pain ?

Vous êtes vous-mêmes ce peuple qui croit si sottement faire, adorer et manger son Dieu, en faisant, en adorant et en mangeant pieusement et dévotieuse-
ment comme vous faites des petites images de pâte, que vos prêtres vous font
accroire être le corps et le sang, l'âme et la divinité de Jésus-Christ, votre Dieu
et votre divin Sauveur[47].

Le Christ nous a dit qu'il n'y avait qu'à demander pour recevoir.
Alors pourquoi y a-t-il encore tant de misères, tant de guerres, tant
d'hérésies ? Il nous a dit aussi que son Église durerait toujours. Voire.
« Les hommes ne seront pas sans doute toujours si sots et si aveugles
qu'ils sont au sujet de la religion[48] », écrit Meslier dans un de ses
rares éclairs d'optimisme.

D'ailleurs, aujourd'hui, demanda le curé, les hommes croient-ils
réellement à toutes ces sornettes ? Ne jouent-ils pas une comédie ? La
remarque est intéressante, car on peut penser qu'elle est motivée par
quarante ans d'expérience de confesseur. Qui connaît mieux la foi des
chrétiens qu'un confesseur d'Ancien Régime ? Or Meslier ne semble
guère persuadé de la force des convictions chrétiennes. Les lignes suivantes sont essentielles, car elles amènent à se poser bien des questions sur la christianisation de la société d'Ancien Régime.

Quant au commun des hommes, on voit bien aussi par leurs mœurs et par
leur conduite que la plupart d'entre eux ne sont guère mieux persuadés de la
vérité de leur religion ni de ce qu'elle leur enseigne que ceux dont je viens de
parler, quoiqu'ils en fassent plus règlement les exercices. Et ceux qui parmi le
peuple ont tant soit peu d'esprit et de bon sens, tout ignorants qu'ils soient
d'ailleurs dans les sciences humaines, ne laissent pas que d'entrevoir, et de
sentir même en quelque façon, la vanité et la fausseté de ce qu'on leur veut
faire accroire sur ce sujet, de sorte que ce n'est que comme de force, comme
malgré eux, comme contre leurs propres lumières, comme contre leur propre
raison, et comme contre leurs propres sentiments qu'ils croient, ou plutôt
qu'ils s'efforcent de croire ce qu'on leur en dit[49].

Meslier a un autre grief contre l'Église, qui nous retiendra moins,
mais qui lui tient à cœur : il lui reproche de soutenir la tyrannie et
l'injustice sociale. Les hommes sont naturellement égaux ; or les
nobles ont détruit cette égalité par la force et maintiennent désormais
la majorité du peuple dans la misère. Toute une série de parasites
vivent du travail des pauvres : les ecclésiastiques, les gens de justice,
les intendants de police, les soldats. Et l'Église, au lieu de lutter
contre l'injustice, bénit cette exploitation de l'homme par l'homme.
Au-dessus de tout cela se trouve le tyran, le roi, qui devrait être assassiné[50]. Meslier préconise une réorganisation sociale de type communiste, sur la base de petites unités de production.

Il ne prône pas pour autant la révolution. Demandant à ses
confrères de disséminer ses idées subversives, il semble à certains
moments faire confiance aux progrès de la raison pour améliorer la
situation du monde. Mais son traité se termine par une proclamation
de nihilisme rageur. Dans sa conclusion, il se désespère de la folie des
hommes : « Je voudrais pouvoir faire entendre ma voix d'un bout du
royaume à l'autre ; je crierais de toutes mes forces : vous êtes fous, ô

hommes, vous êtes fous de vous laisser conduire de la sorte, et de croire si aveuglément tant de sottises[51]. » N'écoutez plus vos prêtres, qui d'ailleurs ne croient même pas eux-mêmes ce qu'ils racontent :

> Rejetez donc entièrement toutes ces vaines et superstitieuses pratiques de religion ; bannissez de vos esprits cette folle et aveugle créance de ses faux mystères ; n'y ajoutez aucune foi, moquez-vous de tout ce que vos prêtres intéressés vous en disent. Ils n'en croient rien eux-mêmes, la plupart d'eux. Voudriez-vous en croire plus qu'ils n'en croient eux-mêmes[52] ?

Mais si l'on supprime la religion, dira-t-on, les méchants n'auront plus peur de l'enfer et multiplieront les crimes. Même si elle est un mensonge, la religion est un mensonge utile. À cela Meslier répond qu'il y a bien longtemps que les méchants n'ont plus peur de l'enfer, et que le bien n'a rien à craindre de la vérité.

Surtout, il répond qu'il en a assez, que les hommes croient ce qu'ils veulent, se conduisent comme ils l'entendent, et que lui, il est las de cette maison de fous, de cette comédie humaine, et qu'il s'en va au néant. Les dernières lignes du *Mémoire* expriment dégoût, pessimisme, nihilisme tragique :

> Après cela, que l'on en pense, que l'on en juge, que l'on en dise et que l'on en fasse tout ce que l'on voudra dans le monde, je ne m'en embarrasse guère ; que les hommes s'accommodent et qu'ils se gouvernent comme ils veulent, qu'ils soient sages ou qu'ils soient fous, qu'ils soient bons ou qu'ils soient méchants, qu'ils disent ou qu'ils fassent même de moi ce qu'ils voudront après ma mort ; je m'en soucie fort peu ; je ne prends déjà presque plus de part à ce qui se fait dans le monde ; les morts avec lesquels je suis sur le point d'aller ne s'embarrassent plus de rien, ils ne se mêlent plus de rien, et ne se soucient plus de rien. Je finirai donc ceci par le rien, aussi ne suis-je guère plus qu'un rien, et bientôt je ne serai *rien*[53].

Comment ne pas évoquer Shakespeare : « La vie n'est qu'une ombre qui passe, un pauvre histrion qui se pavane et s'échauffe une heure sur la scène, et puis qu'on n'entend plus ; une histoire contée par un idiot, pleine de bruit et de fureur, et qui ne veut rien dire. » Le *rien* de Meslier fait écho au *rien* de Macbeth.

Pour ce qui est de son cadavre, Jean Meslier ne se fait pas d'illusion, et il nargue d'avance ses juges :

> Que les prêtres, que les prêcheurs fassent pour lors de mon corps tout ce qu'ils voudront ; qu'ils le déchirent, qu'ils le hachent en pièces, qu'ils le rôtissent ou qu'ils le fricassent, et qu'ils le mangent même encore s'ils veulent, en quelle sauce ils voudront, je ne m'en mets nullement en peine ; je serai pour lors entièrement hors de leurs prises, rien ne sera plus capable de me faire peur[54].

La vie et le secret de Jean Meslier

Ce prêtre athée, auteur du plus extrême réquisitoire jamais rédigé jusque-là contre la religion et la foi, sera évidemment l'objet de jugements contradictoires et passionnés. En dehors de son œuvre, nous savons peu de chose sur l'homme, assez toutefois pour deviner une personnalité animée par une volonté exceptionnelle.

Une carrière banale en apparence[55]. Ce fils d'un marchand de toiles, qui a fréquenté l'école paroissiale, où il a été remarqué pour son intelligence et son goût de l'étude, a été orienté par ses parents, sans doute sur le conseil du curé, vers le sacerdoce. Il n'a aucune vocation particulière, mais accepte ce choix sans résister. À l'en croire, il aurait très tôt conçu des doutes sur la foi, comme il le confesse dans son *Mémoire* :

> Dès ma plus tendre jeunesse, j'ai entrevu les erreurs et les abus qui causent tant de si grands maux dans le monde. [...] Quoique je me sois laissé facilement conduire dans ma jeunesse à l'état ecclésiastique pour complaire à mes parents qui étaient bien aises de m'y voir, comme étant un état de vie plus doux, plus paisible et plus honorable dans le monde que celui du commun des hommes. Cependant, je puis dire avec vérité que jamais la vue d'aucun avantage temporel, ni la vue des grasses rétributions de ce ministère, ne m'a porté à aimer l'exercice d'une profession si pleine d'erreurs et d'impostures.

Il fait cinq ans d'études ecclésiastiques au séminaire de Reims, dirigé par le chanoine Jacques Callou, qui a laissé une très bonne réputation. Ordonné prêtre en 1689, il est tout de suite nommé curé d'Étrépigny, à l'âge de vingt-cinq ans. Cette paroisse de paysans, de bûcherons et de vignerons lui vaut, avec celle de Balaives où il est aussi desservant, un revenu confortable.

Le clergé de cette région a une forte tradition d'indocilité envers les autorités, et il n'est pas rare qu'un curé se permette des remarques impertinentes contre les inégalités et injustices sociales, ou en faveur du jansénisme. Cette attitude de fronde latente, qui anime très certainement Meslier dès le départ, aboutit en 1716 à un incident. Cette année-là, l'archevêque de Reims, François de Mailly, nommé en 1710, exprime son insatisfaction à l'égard du clergé rebelle. Le prélat, hautain, autoritaire, imbu des préjugés de la haute noblesse, a tous les défauts requis pour provoquer la rancœur d'un curé de campagne. Même son biographe écrit en 1722 qu'« il fut toujours déterminé à réduire ou à poursuivre tout ce qui ne serait pas entièrement soumis[56] ». Saint-Simon, qui l'a souvent épinglé dans ses *Mémoires* à cause de « son déchaînement forcené pour la Constitution [*Unigenitus*] », le décrit comme « un évêque tout ambition, et persécuteur effréné par ambition et par haine[57] ». L'abbé Gillet renchérit : « Ses procédés sont brusques, ses expressions militantes, ses mesures rapides, ses auxiliaires sont plus des hommes de combat que de conciliation[58] », et Roland Desné achève le portrait : « On ne peut douter que Mgr de Mailly ait été despote, et de l'espèce colérique[59]. »

Or, en 1716, l'évêque est saisi d'une plainte de la part du sieur de Touly, seigneur d'Étrépigny : le curé Meslier a refusé de le recommander au prône parce qu'il avait maltraité des paysans. L'évêque condamne l'initiative de Meslier, et le dimanche suivant le curé déclare en chaire :

> Voici le sort ordinaire des pauvres curés de campagne ; les archevêques, qui sont de grands seigneurs, les méprisent et ne les écoutent pas, ils n'ont des oreilles que pour la noblesse. Recommandons donc le seigneur de ce lieu. Nous prierons Dieu pour Antoine de Touly ; qu'il le convertisse, et lui fasse la grâce de ne point maltraiter le pauvre et dépouiller l'orphelin.

Nouvelle plainte du seigneur. L'évêque convoque Meslier, le réprimande sévèrement, le condamne à un mois de séjour au séminaire, et fait un rapport extrêmement dur sur lui après la visite de sa paroisse. Le curé y est qualifié d'« ignorant, présomptueux, très entêté et opiniâtre, homme de bien, négligeant l'église, à cause qu'il a le plus de dixmes ; il se mesle de décider des cas, qu'il n'entend pas, et ne revient pas de son sentiment. Il est fort attaché aussi à ses intérêts, et d'une négligence infinie avec un extérieur fort dévot et janséniste ». On lui reproche encore d'avoir une église en mauvais état, d'avoir chez lui une servante de dix-huit ans, qu'il prétend être sa cousine, de ne pas tenir les comptes, d'avoir installé dans l'église des bancs pour les bourgeois.

Cet incident est unique dans la vie de Meslier, qui jusque-là avait toujours été bien noté par les évêques, en 1689, 1696 (« Mr le curé a la Sainte Bible et d'autres bons livres »), 1698 (« j'en suis content »), 1703 (« fait bien »), 1704, 1705, 1706. De même, à partir de 1718 les appréciations redeviennent correctes. Le curé a ramassé sa rancœur, mais il rumine sa revanche. Cette affaire a d'ailleurs peut-être joué un rôle de déclic dans sa décision de rédiger le *Mémoire*.

Car des indices prouvent que ce travail n'a pas pu commencer non seulement avant 1718, puisqu'il utilise le *Traité* de Fénelon datant de cette année-là, mais même avant 1724, puisqu'il y parle de « notre fameux duc d'Orléans, ci-devant régent de notre France » ; or, celui-ci est décédé le 6 décembre 1723. Le travail date donc des dernières années de la vie de Meslier. Pourquoi cette décision de rédiger un traité posthume ? Il s'en explique dès les premières lignes :

> Mes chers amis, puisqu'il ne m'aurait pas été permis, et qu'il aurait même été d'une trop dangereuse et trop fâcheuse conséquence pour moi de vous dire ouvertement, pendant ma vie, ce que je pensais de la conduite et du gouvernement des hommes, de leurs religions et de leurs mœurs, j'ai résolu de vous le dire au moins après ma mort, [...] afin de tâcher de vous désabuser au moins tard que ce fût, autant qu'il serait en moi, des vaines erreurs, dans lesquelles nous avons eu tous, tant que nous sommes, le malheur de naître et de vivre ; et dans lesquelles même j'ai eu le déplaisir de me trouver moi-même obligé de vous entretenir ; je dis le déplaisir, parce que c'était véritablement un déplaisir pour moi de me voir dans cette obligation-là. Ce pour quoi aussi je ne m'en suis jamais acquitté qu'avec beaucoup de répugnance et avec assez de négligence, comme vous avez pu remarquer.

À l'en croire, Meslier n'a jamais fait preuve de zèle, ce qui, à part l'incident de 1716, n'a jamais frappé ses supérieurs. Conscient de ce que son attitude peut prêter le flanc à l'accusation d'hypocrisie, il rappelle à ses paroissiens que son manque d'ardeur aurait pu ne pas leur échapper : « Je ne crois pas, mes chers amis, vous avoir jamais donné sujet de penser que je fusse dans ces sentiments-là que je blâme ici ; vous auriez pu au contraire avoir remarqué plusieurs fois que j'étais dans des sentiments fort contraires, et que j'étais fort sensible à vos peines. »

« Je n'ai jamais été si sot que de faire aucun état des mystérieuses folies de la religion », ajoute-t-il, et il confesse avoir eu fréquemment mauvaise conscience d'instruire pendant quarante ans ses paroissiens d'une doctrine qu'il savait fausse. Si Meslier est sincère, son existence n'a pas dû être spirituellement très confortable, comme il l'avoue lui-même :

> J'étais néanmoins obligé de vous instruire de votre religion, et de vous en parler au moins quelquefois, pour m'acquitter tellement quellement de ce faux devoir auquel je m'étais engagé en qualité de curé de votre paroisse, et pour lors j'avais le déplaisir de me voir dans cette fâcheuse nécessité d'agir, et de parler entièrement contre mes propres sentiments, j'avais le déplaisir de vous entretenir moi-même dans des sottes erreurs et dans des vaines superstitions et des idolâtries que je haïssais. [...] Aussi je haïssais grandement toutes ces vaines fonctions de mon ministère et particulièrement toutes ces idolatriques et superstitieuses célébrations de messes et ces vaines et ridicules administrations de sacrements que j'étais obligé de vous faire. [...] J'ai été cent et cent fois sur le point de faire indiscrètement éclater mon indignation, ne pouvant presque plus, dans ces occasions-là, cacher mon ressentiment, ni retenir dans moi-même l'indignation que j'en avais. J'ai cependant fait en sorte de la retenir, et je tâcherai de la retenir jusqu'à la fin de mes jours, ne voulant pas m'exposer durant ma vie à l'indignation des prêtres, ni à la cruauté des tyrans, qui ne trouveraient point, ce leur semblerait-il, de tourments assez rigoureux pour punir une telle prétendue témérité[60].

Meslier n'exagère pas la menace. De son vivant, plusieurs prêtres ont payé de leur vie leurs prises de position antireligieuses. Lefèvre a été brûlé à Reims vers 1700 ; on le surnommait « Vanini ressuscité ». En 1728, à Fresnes, le curé Guillaume est arrêté pour athéisme ; il s'en tire avec un exil au couvent. En revanche, le Napolitain Pietro Gianonne, auteur d'un traité contre l'Église, finit sa vie en prison.

Donc, Meslier a décidé de travailler en secret. À partir de quand ? Ses indications sont vagues. En dépit de ses affirmations sur la précocité de son incrédulité, on peut supposer qu'il a fallu une longue maturation pour en arriver à un athéisme aussi systématique et intégral. Il éprouve en tout cas le besoin de dire qu'il n'écrit pas par désir de vengeance, mais par amour de la vérité, par dégoût devant les injustices et la méchanceté des grands, par volonté de démasquer l'imposture de toutes les religions.

Se pose aussi la question des sources de Meslier. On a pu se gausser de la lourdeur de son style, de ses tournures grossières, de ses phrases interminables. Il n'en reste pas moins qu'il possède une pensée vigoureuse, parfois subtile. Son système est parfaitement cohérent. « Au sens le plus technique du mot, Jean Meslier a été un philosophe », affirme avec raison Jean Deprun[61]. Un philosophe matérialiste athée, qui a une vision personnelle du monde. Il a puisé chez beaucoup d'auteurs, et en particulier chez « le judicieux sieur de Montaigne », comme il l'appelle, où il a trouvé de nombreuses références à Épicure et à Lucrèce. Mais il n'est ni gassendiste ni spinoziste. Sa méthode est avant tout cartésienne, n'acceptant que des idées claires et évidentes. Et c'est à travers Malebranche qu'il saisit Descartes. Il cite fréquemment la *Recherche de la vérité*.

Meslier travaille aussi, on oublie trop de le rappeler, sur la Bible, les Évangiles, les Pères de l'Église. Il a fait cinq ans de philosophie et de théologie au séminaire ; il a relu le Nouveau Testament pendant quarante ans, connaît parfaitement les textes fondateurs du christianisme, et c'est en méditant ces textes qu'il est devenu athée.

Nous l'avons vu, sa principale lacune est scientifique. En fait, sa bibliothèque semble avoir été peu fournie. On a tenté de la reconstituer à partir des citations fournies dans le *Mémoire*. Des œuvres antiques, il est difficile de savoir ce qui provient des emprunts à Montaigne. Des modernes, il possède Rabelais, Malebranche, Fénelon, Naudé, Charron, *L'Espion turc* de Marana. Un petit nombre d'œuvres, qu'il a lues et relues. Nous n'avons par ailleurs aucune preuve de contact avec l'extérieur, avec d'autres athées par exemple : Meslier a sans doute travaillé en solitaire. Il est pourtant persuadé qu'il existe de nombreux athées : « Il y en a même peut-être plus que l'on ne croit », écrit-il dans l'*Anti-Fénelon*. Il cite ceux de l'Antiquité, Diagoras, Théodore, Pline, Tribonien, et pour l'époque moderne il prend comme exemples Spinoza, Jules III, Léon X. On compte parmi eux des gens très intelligents : « L'athéisme n'est pas une opinion si étrange, ni si monstrueuse, et si dénaturée que nos superstitieux déicoles le font entendre[62]. »

Reste le problème matériel de la rédaction et du recopiage de cet énorme ouvrage. L'acharnement et la volonté de Jean Meslier doivent être mesurés au fait que, travaillant pendant des années dans son presbytère, sans jamais s'ouvrir à personne de son projet, il a copié plus de mille pages à la plume d'oie, d'une écriture fine, soit plus de trois mille cinq cents pages imprimées. À deux reprises, il a recopié son ouvrage, pendant les soirées d'hiver, à la chandelle, avec une vue déclinante. Sans doute plus de mille heures de travail au total. Il faut une solide dose de haine froide contre la religion pour accomplir cette œuvre sans fléchir.

Il n'a pas d'illusion. Il sait qu'il sera calomnié après sa mort. Qu'importe ! Il sème une graine, et demande que des esprits plus doués que lui reprennent le flambeau : « Ce serait affaire aux gens d'esprit et d'autorité, ce serait affaire à des plumes savantes, et à des gens éloquents à traiter dignement ce sujet, et à soutenir comme il faudrait le parti de la justice, et de la vérité ; ils le feraient incomparablement mieux que moi[63]. »

La propagation des idées de Meslier au XVIIIe siècle

L'histoire des trois précieux manuscrits après la mort de Meslier est assez mystérieuse. Pendant vingt-trois ans, on perd leur trace, mais ils ne sont certainement pas perdus pour tout le monde : dès 1734, cinq ans après la mort de Meslier, des copies et des extraits circulent à Paris, où l'on se les arrache pour plus de dix louis d'or. On parle d'une centaine de copies dans les années 1740. Copies sans doute réalisées pendant les séjours des originaux chez les officiers de justice et notaires de Mézières, Rethel, Sainte-Menehould, avant leur arrivée chez le garde des Sceaux Chauvelin, où ils sont enregistrés en 1752.

Désormais, rien n'arrête la diffusion : en 1748, La Mettrie, à Berlin, parle de « ce curé champenois dont bien des gens savent l'histoire, homme de la plus grande vertu et chez lequel on a trouvé trois copies de son athéisme ». Frédéric II en possède un exemplaire dans sa bibliothèque. Toute l'Europe le connaît. Milord Keith offre à Rousseau de lui envoyer cet « écrit d'un curé en Champagne dont on a beaucoup parlé ». Grimm constate en 1762 que tous les « curieux » ont une copie ; cela est avéré pour le président de Lamoignon, le président Bouhier, de Dijon, le comte de Caylus, le maréchal de Noailles, les héritiers du cardinal de Fleury. En 1764, Van Swicken, attaché à l'ambassade d'Autriche à Paris, écrit qu'un de ses amis cherche à vendre une copie pour cinquante ducats.

Voltaire fait de la réclame pour Meslier, ou plutôt pour l'*Extrait des sentiments de Jean Meslier*, qu'il diffuse en Europe. Ce petit ouvrage est en réalité une véritable trahison du texte original, amputé des trois dernières preuves et présenté comme un écrit déiste, se terminant par ces mots : « Je finirai par supplier Dieu, si outragé par cette secte, de daigner nous rappeler à la religion naturelle, dont le christianisme est l'ennemi déclaré ; à cette religion sainte que Dieu a mise dans le cœur de tous les hommes, qui nous apprend à ne rien faire à autrui que ce que nous voudrions être fait à nous-mêmes[64]. » Le détournement est bien conscient : Voltaire utilise le nom de Meslier pour diffuser ses propres idées en retirant du texte les passages socialement subversifs et athées. Car le philosophe de Ferney n'éprouve aucune sympathie réelle pour le philosophe d'Étrépigny, qui manque d'élégance d'esprit et de bon goût. Il écrit en 1762 : « Son écrit est trop long, trop ennuyeux, et même trop révoltant ; mais l'extrait est court, et contient tout ce qui mérite d'être lu dans l'original[65]. » Voltaire mentionne le curé Meslier dans cinquante-huit lettres. Pour lui, c'est une arme de choix dans sa lutte contre l'Église : « Je ne crois pas que rien puisse faire plus d'effet que le testament d'un prêtre qui demande pardon à Dieu d'avoir trompé les hommes », écrit-il à Damilaville en 1762. Il a pourtant réfléchi pendant près de vingt ans avant de mettre en circulation son *Extrait*, dont il ne reconnaîtra jamais la paternité, mais dont il vante les mérites à tous ses correspondants. C'est que le vrai Meslier est beaucoup trop dangereux, avec son athéisme matérialiste. Le Meslier déiste de Voltaire se vend bien : il faut effectuer un second tirage au bout de six mois.

Les autres philosophes ne sont pas dupes. Diderot a lu le *Mémoire* intégral, comme en témoigne son *Eleutheromanes*. Helvétius, La Mettrie, Naigeon, d'Holbach également. Ce dernier, qui partage l'athéisme matérialiste du curé, restitue dans *Le Bon Sens* (1775) les passages escamotés par Voltaire. Avec Diderot, il avait déjà publié les écrits matérialistes de Nicolas-André Boulanger en 1761 et 1765. Le *Mémoire* de Meslier inspire aussi à Meunier de Querlou un article en faveur de l'athéisme pour le journal *Les Petites Affiches* en 1773, article finalement retiré sous la pression de la censure.

Il y a même des témoignages de conversion à l'athéisme à la suite de la lecture de Meslier. Un des cas les plus frappants est celui de l'abbé de La Chapelle, censeur royal, auteur des *Institutions de géométrie* en 1746, bon chrétien jusque vers quarante ans, et qui, d'après Jean-Baptiste Suard, aurait dit à d'Alembert : « Je n'avais jamais réfléchi sur la religion ; mais j'ai lu la *Lettre de Thrasybule* et le *Testament de Jean Meslier* ; cela m'a fait faire des réflexions, et je suis devenu esprit fort[66]. »

Le *Mémoire* et l'*Extrait* continuent à circuler. Une note de police de 1743 concerne un certain La Barrière, diffuseur de « l'ouvrage du curé de Trépigny[67] ». Un livre polonais de 1786 le mentionne[68]. Un document récemment découvert par Geneviève Artigas-Menant confirme la précocité et l'ampleur de cette diffusion[69]. Dans les papiers d'un simple bourgeois, Thomas Pichon (1700-1781), installé à Londres puis à Jersey, figure une lettre de 1737 à un correspondant qui lui a demandé son avis sur l'œuvre de Meslier. La réponse montre d'abord qu'il a lu le *Mémoire* complet, puisqu'il parle des huit preuves. Un exemplaire sera d'ailleurs retrouvé dans les deux mille deux cents volumes de sa bibliothèque. Sa réaction est très négative : « C'est un écrit monstrueux, horrible, abominable, et digne seulement de l'enfer qui l'a produit. Plût à Dieu qu'il n'y en eût qu'un seul exemplaire. Le devoir de celui qui l'aurait serait de le brûler sur-le-champ afin de l'ensevelir dans un éternel oubli [...]. Mais malheureusement il y a plusieurs exemplaires de ce pernicieux ouvrage »... dont le sien, qu'il s'est bien gardé de brûler ! Ce

Thomas Pichon, qui qualifie Meslier d'« hypocondre », semble d'ailleurs fasciné par cette littérature. Il possède d'autres écrits clandestins et a même composé un manuscrit intitulé *Notice des écrits les plus célèbres qui favorisent l'incrédulité*. Dans ses lettres, on trouve également une missive autographe du romancier anglais John Cleland, du 10 septembre 1757, qui recherche l'œuvre de Meslier.

Comme il l'espérait, le curé d'Étrépigny a réussi à troubler les consciences. Sans doute n'a-t-il pas touché la masse des fidèles ruraux. En dépit de son style de prédicateur populaire, de sa mentalité paysanne, de certains côtés archaïques de sa pensée, de l'importance accordée à la réaction brute et sentimentale, éléments remarqués par de nombreux critiques[70], son discours est intellectuel, et est exploité par les philosophes, dont il a alimenté la réflexion, même s'ils méprisent un peu son style. Car Meslier, c'est un système, une argumentation, mais c'est aussi, et peut-être surtout, un homme, un prêtre, dont le témoignage pathétique ne peut qu'interpeller les consciences.

On cherche dès le XVIIIe siècle à avoir des précisions justement sur l'homme, qui intrigue et fascine. Vers 1760 est composée une première biographie, sous forme d'un *Abrégé* anonyme, œuvre d'un ecclésiastique qui a utilisé les documents déposés à l'archevêché de Reims. En 1769, Meslier entre dans le *Dictionnaire antiphilosophique* de dom Louis-Mayeul Chaudon, bénédictin de Cluny. Le ton n'est évidemment pas flatteur, et la notice de deux pages se termine par ces mots : « La révolte de cet infidèle contre le christianisme n'était que le fruit d'un cerveau ardent, troublé par la vie solitaire et par l'étude, et animé par le vain espoir d'illustrer après sa mort la navette de son père. »

En 1783, Aubry, curé de Mazerny, une paroisse voisine d'Étrépigny, rédige une notice à la demande de l'archevêché. Il rapporte que, d'après les souvenirs des contemporains, Meslier était un « homme singulier », renfermé, qui, dans sa prédication, s'attachait à ne pas prendre à son compte les croyances chrétiennes, utilisant des formules telles que « les chrétiens disent, les chrétiens veulent, les chrétiens croient », ce qui confirmerait les dires de Meslier dans son *Mémoire* : « Vous auriez dû remarquer... » Aubry y ajoute une touche diabolique : « un sourire dont on ne connaissait pas alors toute la méchanceté ».

En 1822, un autre curé des Ardennes, Labrosse, écrit une note à l'adresse du conservateur des Antiquités du département des Ardennes. Il y suggère pour la première fois que Meslier se serait laissé mourir en refusant toute nourriture. Le suicide supposé de l'athée est destiné à noircir le portrait d'un homme qualifié de « cerveau malade et cœur corrompu ».

Meslier, de la Révolution à l'URSS

La Révolution aurait pu rendre hommage à ce curé qui avait souhaité la mort des tyrans. Le 17 novembre 1793, Anacharsis Cloots, député de l'Oise, dans un discours à la Convention, vante les mérites de son propre ouvrage, *Certitude des preuves du mahométisme* : « Je jette un musulman entre les jambes des autres sectaires, qui tombent les uns sur les autres. » Il termine son allocution par un appel en faveur de l'érection d'une statue de Jean Meslier, que l'on placerait dans le temple de la Raison :

> Il est donc reconnu que les adversaires de la religion ont bien mérité du genre humain ; c'est à ce titre que je demande, pour le premier ecclésiastique abjureur, une statue dans le temple de la Raison. Il suffira de le nommer pour obtenir un décret favorable de la Convention nationale : c'est l'intrépide, le généreux, l'exemplaire Jean Meslier, curé d'Étrépigny en Champagne, dont le *Testament* philosophique porta la désolation dans la Sorbonne, et parmi toutes les factions christicoles. La mémoire de cet honnête homme, flétrie sous l'ancien régime, doit être réhabilitée sous le régime de la nature[71].

La requête n'aboutit pas, et Meslier doit se contenter d'un éloge appuyé dans le *Dictionnaire des athées anciens et modernes*, publié par Sylvain Maréchal en 1800. C'est que le curé fait peur, même aux révolutionnaires, dont les principaux sont fidèles au déisme voltairien.

Jacques-André Naigeon, ami de d'Holbach, qui dirige les volumes de philosophie pour l'*Encyclopédie méthodique* de Panckoucke en 1791-1794, restitue la portée de l'athéisme de Meslier, en montrant que Voltaire l'a volontairement déformé parce qu'il avait besoin d'une religion pour défendre l'ordre social. D'après lui, Voltaire est lui aussi athée. L'homme qui a écrit que « si Dieu n'existait pas, il faudrait l'inventer » ne peut être un croyant. Ses affirmations sur « la matérialité de l'âme, la nécessité des actions humaines, l'éternité de la matière » sont inconciliables avec l'existence de Dieu.

Le nom de Meslier est jugé suffisamment connu sous la Révolution pour qu'en 1791 un éditeur lui attribue la paternité du *Bon Sens* du baron d'Holbach, jusque-là publié anonymement. La supercherie remportera un succès certain, avec plusieurs rééditions aux XIXe et XXe siècles.

Pourtant, Meslier inquiète toujours, même les plus hardis. Au XIXe siècle, les éditeurs n'osent pas le publier, et Ernest Renan, contacté à ce sujet, ne répond même pas. Ce ne sont pas seulement les audaces impies du curé qui poussent les intellectuels à prendre leurs distances, ce sont aussi la lourdeur et le caractère rustique de son style qui rebutent. Ce profond mépris, à la fois pour le « matérialisme grossier » et pour le manque d'élégance dans la forme, est exprimé en 1829 par Charles Nodier :

C'est dans toute sa hideuse sécheresse le matérialisme lourd, diffus, inintelligible de cette coterie d'Holbach, une des plus nulles en talent et des plus pernicieuses en doctrine qui aient influé sur le sort du monde. Certainement, le curé Meslier ne se révoltait pas sans raison contre l'immortalité ; il ne pouvait pas même ambitionner celle d'Érostrate. Je me proposais d'en citer quelque chose, mais la plume m'est tombée des mains, moins encore de dégoût et d'indignation que d'ennui[72].

Opinion que ne partagent pas les libres penseurs et matérialistes. Passons sur les supercheries de Léo Taxil qui, en 1881, publie en trois volumes des œuvres de d'Holbach sous le nom de Meslier. Roland Desné a retracé les difficultés rencontrées par le Hollandais van Giessenburg, qui en 1864 a eu le courage de tirer à cinq cent cinquante exemplaires le *Mémoire* en trois volumes, à Amsterdam[73]. Francmaçon, rationaliste convaincu, van Giessenburg est un des cofondateurs de l'association athée *Dageraad*. En 1859, il avait vainement contacté des éditeurs de Bruxelles, qui ne croyaient pas à la rentabilité d'une telle publication. Effectivement, seulement trois cents exemplaires sont vendus en quatorze ans.

Pourtant, cette édition est à l'origine d'une redécouverte de Meslier au XXe siècle, avec plusieurs traductions. C'est en URSS que le succès est le plus marqué. De nombreux penseurs marxistes ont insisté sur les parentés entre l'athéisme « naïf » du curé et celui de Karl Marx[74]. Les recherches scientifiques sur Meslier ont en fait commencé dès 1876 en Russie, avec Alexandre Chakhov, et en 1918 paraît la première interprétation marxiste, celle de V.P. Volguine. En 1925 est publiée une version abrégée du *Mémoire*, en russe, par A. Deborine, qui voit dans Meslier le « père du matérialisme et de l'athéisme du XVIIIe siècle ». Le texte complet paraît en 1937[75].

L'abbé Meslier a fortement touché les imaginations et marqué l'histoire de l'incroyance. L'acharnement solitaire de cet homme, son courage, satanique pour les uns, magnifiquement humain pour les autres, ont contribué à faire de lui un véritable mythe. Le caractère extrême de sa pensée, qui ne fait pas la moindre concession au spiritualisme et au déisme, contraste avec les timidités des philosophes et libertins de son époque. Poussant la logique matérialiste jusqu'au bout, il parvient aux ultimes limites de l'athéisme, devant lesquelles reculent même les plus audacieux. Écrivant en secret, pour ne révéler sa pensée qu'une fois hors d'atteinte de la justice, il peut se passer des précautions oratoires dont s'entourent les auteurs qui publient de leur vivant. Mais, en même temps, il a fallu à cet homme une force de caractère peu commune pour mener à bien une telle entreprise.

Réfléchissez à ce qu'on vous demande de croire : tel est le cœur de son message. Et sans doute, à part ceux qui, par réflexe conditionné, se bouchent les oreilles et crient au blasphème pour ne pas entendre, a-t-il contribué à déclencher chez certains une recherche personnelle sur la foi.

Les émules de Meslier

Pour un Meslier connu, combien de Meslier cachés? Combien de prêtres du XVIIIᵉ siècle ont-ils secrètement partagé son athéisme, sans jamais oser en faire la confession, même posthume? Il est permis de se le demander, au vu du nombre considérable de clercs incrédules, scandaleux, suspects, d'abbés libertins ou auteurs de livres déistes ou peu orthodoxes qui défilent dans les documents de l'époque. Tous ont reçu la même formation que Meslier; serait-il vraiment le seul à avoir abouti à ces conclusions par une réflexion personnelle, de l'intérieur, sur les textes sacrés? On peut en douter. Certaines des pensées les plus audacieuses et les plus contestataires du siècle sont sorties de plumes ecclésiastiques, celles des Mably, Maury, Sieyès, Prades, Roux, Condillac, Morelly, Galiani, Saint-Pierre, Raynal, Morellet, Prévost, Saury, Baudeau, Roubaud, Coyer, Deschamps, Laurens et une cohorte d'autres athées, matérialistes, libertins, communistes, libres penseurs.

La formation du clergé est en partie responsable de ces dérapages. Depuis la création des séminaires, les prêtres sont éduqués en milieu fermé et aseptisé, sans contact avec la culture profane. Piété avant tout, pureté de mœurs, morale, pastorale, célébration des offices, théologie scolastique, Écriture sainte : c'est tout. Un rudiment de philosophie, pas d'histoire, encore moins de science. Une fois dans leur paroisse, ces prêtres, isolés dans le presbytère, sont surveillés en permanence. Jean Quéniart, qui a étudié leurs bibliothèques dans l'Ouest, écrit très justement : « La tendance des évêques est à terme [...] de limiter chez leurs prêtres la part de la liberté individuelle et de la réflexion sur les grands textes traditionnels. Sans qu'aucun interdit soit jamais jeté, la formation privilégie peu à peu le cours de théologie reçu au séminaire sur saint Augustin et saint Thomas; car il est bon désormais que ces prêtres soient coulés dans le même moule intellectuel[76]. » On trouvera donc chez les prêtres des livres de pastorale, des sermonaires, parfois quelques Pères et les œuvres de saint Thomas, des catéchismes et des livres d'apologétique. La quasi-absence de livres profanes illustre le décalage croissant qui s'installe entre pensée cléricale et pensée profane.

Ces prêtres sont donc totalement désarmés face aux arguments de plus en plus pressants des incrédules. Et s'ils se mettent à réfléchir, c'est toute leur foi qui est en danger. Or, des prêtres qui réfléchissent, il y en a de plus en plus au XVIIIᵉ siècle, même à la campagne. Le ferment janséniste y est certainement pour beaucoup, car il stimule la recherche contestataire chez quantité de prêtres, à commencer par les voisins de Meslier. Dès 1635, David Gondel, curé d'Hannogne-Saint-Martin, se fait remarquer par ses critiques virulentes de la noblesse.

En 1716, les procès-verbaux des visites épiscopales signalent de nombreux cas de prêtres turbulents et raisonneurs dans la région de Sedan[77]. Particulièrement inquiétante est leur propension à se rendre en Hollande, tel Laurent Bruneau, curé de Warcq, peut-être ami de Meslier : « Monseigneur lui a absolument défendu de faire des voyages en Hollande, comme il en fit un d'un mois il y a environ trois ans », peut-on lire dans le procès-verbal. Joseph Jadin, curé de Nouvion-sur-Meuse, à trois kilomètres d'Étrépigny, « s'absente souvent des quinze jours, il va huit ou dix jours l'an à Liège [...], il est haut, résistant, caché, aimant les gens qui résistent aux supérieurs, [...] il est soupçonné de faire entrer les livres défendus d'Hollande, [...] c'est le plus rebelle prêtre et le plus entêté du diocèse ». D'autres sont qualifiés de « résistants » et de « raisonneurs ». Meslier, qui connaît ses confrères, n'est pas très convaincu de leur foi : « Ils n'en croient rien eux-mêmes, la plupart d'entre eux », écrit-il, et l'on a pu émettre l'hypothèse d'après laquelle certains prêtres substituent la prédication morale à l'enseignement des dogmes afin de masquer leur incrédulité[78].

Sans aller jusqu'à l'incroyance complète, certains abbés tiennent des propos très relativistes, comme François Ignace d'Espiard de La Borde (1717-1777) qui, dans *L'Esprit des nations*, en 1752, s'inspirant de la littérature de voyage, montre que la religion varie avec les civilisations. En 1764, un abbé anonyme avance d'étranges idées sociales dans *La Plusiotochie, ou riche pauvreté*. D'autres, plus célèbres par leurs projets, ont laissé une réputation d'athéisme, comme les abbés Dubois et Saint-Pierre. Beaucoup, qui n'ont que les ordres mineurs, forment une plèbe littéraire, tels Terrasson ou Coyer. Le jansénisme encourage chez eux le goût des lectures interdites et de la révolte[79].

D'autres encore répandent des écrits agressivement antichrétiens, comme Guillaume, emprisonné en 1728 pour avoir rédigé un ouvrage ressemblant fort aux *Trois Imposteurs*. Son confrère Leblanc est enfermé à la Bastille en 1749 pour la même offense. Dès 1665, Fléchier signale un prêtre d'Auvergne qui « voulut aussi mal parler de Dieu et, après avoir commencé par des sottises, crut qu'il fallait finir par des impiétés et des blasphèmes, attaquant le ciel et la terre. Il fut arrêté et condamné à un an de bannissement et à quelques réparations[80] ».

Rétif de La Bretonne, dans *La Vie de mon père*, signale plusieurs curés de campagne qui sont plus philanthropes que véritablement chrétiens. Ainsi le curé Pinard, à Nitry, vers 1710, « n'était pas si dévot que le curé de Courgis, qui est presque le seul homme apostolique qui soit encore dans ces environs ». D'Antoine Foudriat, curé de Sacy, Emmanuel Le Roy Ladurie a laissé le portrait suivant :

Athée, matérialiste, disciple de Bayle, Foudriat était un autre Meslier ; mais décontracté, jouisseur et non communiste. Il tolérait, lui aussi, les jeux et les ris de ses paroissiens. Il considérait ses confrères demeurés dans l'orthodoxie comme des m'as-tu-vu, qui trompaient le peuple par leurs cuistreries. Il ne faisait pas mystère de ses opinions anticléricales et même antichrétiennes qu'il étalait librement, au cours de soupers, devant Edme et ses autres amis de Nitry. Le sacerdoce, qu'il continuait à pratiquer, demeurait pour lui un moyen d'éduquer les campagnards et de les former à une éthique, plus que de les enchaîner à une dévotion [81].

Les cas se multiplient à la fin de l'Ancien Régime. Les abbés athées et débauchés pullulent dans les *Mémoires secrets* de Bachaumont, qui nous présentent une société déchristianisée qui a perdu tout repère moral, où certains personnages passent directement de la débauche et de l'incrédulité au jansénisme convulsionnaire. Beaucoup de chanoines désœuvrés composent des écrits antireligieux ou très suspects, comme Sieyès, chanoine de Tréguier, auteur d'un opuscule *Sur Dieu ultramètre et sur la fibre religieuse de l'homme*.

Le clergé régulier est tout aussi atteint. Nombreux sont les abbés, prieurs et simples moines qui perdent la foi, dans un siècle qui leur est hostile et où ils ne se sentent pas à leur place. Les abandons massifs de la vie religieuse au début de la Révolution seront d'ailleurs la révélation de cette crise. Un exemple : dom Mauffret, prieur de la grande abbaye cistercienne de Bégard, en Bretagne, a remplacé la Bible par l'*Encyclopédie* comme son « livre de chevet ». Il refusera du reste de s'en séparer lors de la sécularisation. Athée, il écrit : « Je ne me suis jamais amusé à approfondir ni même à étudier un dogme qui surpasse la capacité de l'homme. » Rendu à la vie civile, il épousera une ex-religieuse dont il sera le troisième mari. Un autre moine de la même abbaye, dom Bourguillot, signera une lettre d'abdication très significative :

> Je soussigné, J.-R. Bourguillot, âgé de trente-cinq ans, ci-devant religieux de l'ordre de Cîteaux, ex-curé de Plémy, faisant jusqu'à ce jour le métier de prêtre depuis dix ans, convaincu des erreurs trop longtemps par moi professées, déclare y renoncer et abdiquer toutes les fonctions de prêtrise publiquement et secrètement, avouant dans la vérité du cœur la fausseté, l'illusion et imposture des maximes religieuses que j'ai professées jusqu'à ce moment [82].

Dom Deschamps et sa « théologie athée »

D'autres ex-religieux prennent la plume, comme Henri-Joseph Laurens (1719-1793), auteur de *Compère Mathieu*, roman dans lequel il attaque l'Église et la religion, qui étouffent la libre pensée. Plus célèbre est dom Léger-Marie Deschamps, bénédictin de Saint-Maur, moine de l'abbaye de Saint-Julien de Tours de 1745 à 1762, puis procureur du prieuré de Montreuil-Bellay jusqu'à sa mort en 1774. Ce curieux religieux, qui n'a jamais cherché à sortir de son ordre, où il jouit d'une grande liberté, se forme un système métaphysique quasiment athée, qu'il consigne dans un manuscrit resté impublié, *Le Vrai Système*. Dans une sorte de préfiguration du positivisme, il distingue trois étapes dans l'évolution de l'humanité : l'état sauvage, groupement mécanique fondé sur l'instinct ; l'état de lois, où les sociétés reposent sur l'inégalité et l'oppression sous couvert de lois humaines et divines (dans cette phase, on se sert de l'idée de Dieu pour fonder la morale de l'inégalité, oppressive et aliénante) ; l'état de mœurs, qui succédera au précédent par destruction de la religion et mutation de la théologie en métaphysique — l'idée de Dieu deviendra, dans cet athéisme éclairé, « Tout », c'est-à-dire la Vérité, et « le Tout », c'est-à-dire un communisme vécu.

Protégé par le marquis de Voyer d'Argenson, qui l'accueille souvent au château des Ormes, dom Deschamps, beaucoup plus audacieux que les philosophes des Lumières, est méprisé par eux. Voltaire se moque de sa métaphysique, et Diderot demande que l'on censure son opuscule anonyme de 1769, *Lettres sur l'esprit du siècle*. Ils lui opposent un « mur du silence », car « ils prenaient garde de ne pas se laisser déborder sur leur gauche », écrit André Robinet[83], et Deschamps les traite d'ailleurs de fanatiques obscurantistes.

Ce religieux est en effet inclassable. Il renie la culture des Lumières — qu'il appelle « demi-lumières » —, la théologie, le théisme, le culte de la raison, et pense que les intellectuels de son époque n'ont pas assez creusé le concept d'athéisme. À l'« athéisme ignorant », à l'« athéisme absurde », à l'« athéisme des philosophes », à l'« athéisme des demi-lumières », il oppose l'« athéisme éclairé », qui rejette à la fois les religions et le matérialisme, pour atteindre la révélation du « néant » face à l'être, à l'existence, dont chacun est une partie.

Son œuvre, qu'il présente comme un « précis d'athéisme », a une parenté certaine avec la théologie négative du cardinal de Cues, qui portait en elle la potentialité de l'incroyance : Dieu étant au-delà de toute affirmation, il se situe au point où les extrêmes s'unissent. On ne peut rien affirmer de lui, on ne peut qu'en nier tous les attributs : « C'est en cela, écrit Deschamps, que consiste la théologie absolument secrète à quoi aucun philosophe n'est parvenu ni n'est capable de parvenir, s'il s'en tient au principe commun de toute philosophie, à savoir que les contradictoires s'excluent. » « Si la pensée cesse d'entendre, elle se situe dans la ténèbre de l'ignorance, et quand elle prend conscience de cette ténèbre, c'est le signe alors de la présence du Dieu qu'elle cherche[84]. » C'est ce que dom Deschamps appelle l'« athéisme vrai ».

À ce point, la recherche extrême de Dieu coïncide avec sa négation, qui seule permet d'échapper à son appropriation par l'homme. André Robinet a montré que la spiritualité de cette époque accorde

justement une large place à ce qu'il nomme les « athées spirituels »,
comme Benoît de Canfeld, avec sa doctrine de l'anéantissement passif et actif. On peut également établir un lien avec la « nuit obscure »
des mystiques. Aboutissement surprenant de cette « théologie athée »,
comme la qualifie Deschamps, qui est beaucoup plus philosophe que
théologien. S'il rappelle certains courants passés, il préfigure aussi
une grande pensée à venir : son « Tout », son « Existence », qui se
réalise peu à peu, n'évoquent-ils pas l'Esprit hégélien ?

Dom Deschamps rejette de toute façon la religion positive, pour
des raisons socio-politiques, annonciatrices quant à elles du communisme : « La religion est à l'appui de l'inégalité morale et de la
propriété, en même temps qu'elle prêche l'égalité et la désappropria-
tion ; c'est qu'il est dans la nature de l'état de lois que cela soit
ainsi. »

En marge du déisme à la mode, mais à la façon des précurseurs, il
fait un peu figure de Meslier dégrossi. Sans doute ce dernier ne se
serait-il pas reconnu dans cette pensée sinueuse, floue, subtile. Mais
ces deux prêtres procèdent de la même démarche intellectuelle : la
revendication d'un athéisme conscient comme base de la réorganisation de la société.

CHAPITRE XI

Irréligion et société

Le curé Meslier affirmait que bien des hommes « ne sont guère mieux persuadés de la vérité de leur religion » que leurs pasteurs, et il ajoutait : « Cela est si vrai que la plupart même de ceux qui sont les plus soumis sentent cette répugnance et cette difficulté qu'il y a à croire ce que la religion leur enseigne, et les oblige de croire. La nature y sent une secrète répugnance, et une secrète opposition. La raison naturelle réclame pour ainsi dire d'elle-même contre ce qu'on veut lui faire croire[1]. »

C'est que, en effet, croire ne va plus de soi. À tous les niveaux et dans tous les milieux, le clergé se rend compte qu'il lui faut persuader, car la foi n'est plus naturelle. Les témoignages sont surabondants. Et pour la première fois il ne s'agit plus seulement des opinions personnelles de certains censeurs et apologistes, mais du résultat des premières enquêtes de sociologie religieuse.

Bilan des visites pastorales : début d'une désaffection

On peut qualifier ainsi les visites épiscopales, ou visites pastorales, qui ne sont pas nouvelles, mais qui deviennent plus systématiques et dont les procès-verbaux sont conservés en nombre croissant depuis le milieu du XVIIᵉ siècle. Le principe de la visite est bien connu : l'évêque ou son représentant font tous les deux ou trois ans la tournée des paroisses, dans le but d'examiner l'état matériel des lieux ainsi que la situation spirituelle des fidèles et la façon dont le curé remplit ses fonctions. Un procès-verbal est rédigé, comprenant les remarques et les recommandations.

L'exploitation scientifique de ces précieux documents doit beaucoup aux *Études de sociologie religieuse* de Gabriel Le Bras[2]. L'auteur a d'abord pris soin de montrer les limites de ses sources : en

raison de la pression sociale, la pratique dominicale est presque unanime, et il est donc difficile d'évaluer le nombre d'indifférents, de
réfractaires, d'athées; combien vont à l'église par contrainte ou par
pur conformisme? Les questionnaires de visites pastorales prévoient
bien, comme à Auxerre en 1664, d'indiquer « s'il y a quelques personnes suspectes d'hérésie, blasphémateurs, usuriers et concubinaires
publics, si quelques-uns manquent à se confesser et communier tous
les ans à la feste de Pâques », mais le dépistage est délicat.

Un des critères quantifiables les plus nets du détachement à l'égard
de la religion est le non-respect de la confession et de la communion
pascales. Dans les campagnes du diocèse d'Auxerre en 1682, le
nombre de cas est très variable : 1 sur 230 à Septfonds, 2 sur 460 à
Saint-Privé, 3 sur 320 à Chastenay, mais 60 sur 550 à Merry-le-Sec,
40 dans le seul hameau de la Chapelle-Saint-André en 1709. Les taux
sont beaucoup plus importants en ville, chez les notaires, sergents,
fonctionnaires, gentilshommes, cabaretiers, et ce sont souvent des
familles entières qui s'abstiennent. La situation se dégrade au
xviiie siècle : à Saint-Pierre-de-la-Vallée d'Auxerre, 500 personnes sur
1 500 ne font pas leurs pâques en 1780, et l'on compte 4 ou 5 personnes de quarante à soixante ans qui n'ont jamais communié. Même
constat dans les diocèses voisins de Sens, Autun, Mâcon, Dijon,
Besançon. Dans celui de Châlons, il y a déjà 8 à 10 % de réfractaires
en 1698 dans certaines paroisses, et beaucoup plus au milieu du
xviiie siècle : 100 sur 588 à Mesnil-sur-Oger, 19 sur 100 à Moëlain,
108 sur 400 à Givry, 90 sur 300 à Villers-le-Sec, 200 sur 600 à
Gigny. Dans le diocèse de Rouen, en revanche, il n'y a que 64 récal-
citrants en 1691.

On ne peut certes faire la part des simples négligents, des concubinaires, des nouveaux convertis, des pécheurs publics et des esprits
forts ou athées parmi ces absents, mais « déjà s'accuse le glissement
vers l'indifférence des classes qui participent en quelque mesure à la
vie de la cité », écrit Gabriel Le Bras[3]. À partir des années 1730, les
curés du diocèse de Châlons notent la montée d'un esprit raisonneur
et contestataire. Celui de La Grange-au-Bois constate en 1731 :
« Bien des gens tiennent souvent un langage qui donne lieu de croire
qu'ils n'ont guère de religion, disans que les chesnes ne vont pas à la
messe ny à confesse et que néantmoins ils ne laissent pas de croître
[...]. Plusieurs, parlant des enfers, disent pour s'autoriser dans le vice,
que les enfers sont pleins et qu'il n'y a plus rien à craindre[4]. » Voilà
des paysans bien émancipés. À Cernon, en 1729, un certain Louis
Racle se moque des sacrements depuis dix ans et déclare « qu'il ne se
soucie pas ny qu'on sonne pour luy ny qu'on dise des prières pour luy
après sa mort, mais qu'on peut l'enterrer sous son hallier avec une
bouteille de vin à sa teste et au son des violons[5] ». Le curé de Vaubé-
court signale que des libertins ne viennent à l'église que pour faire
des indécences avec les femmes; un « scepticisme raisonneur » se

répand, les impertinences se multiplient. En 1747, les curés de Perthes, Possesse et Coole déplorent le recul de la foi, le « peu de religion », voire l'« extinction de religion ». À Sompuis, la même année, « une troupe considérable de libertins s'assemblent régulièrement avant le service divin sur le cimetière et aux portes de l'église et insultent par leur air, leurs gestes, leurs paroles, les personnes d'un autre sexe [... qui] n'osent approcher de l'église pour y entrer[6] ».

Le diocèse semble largement déchristianisé à la veille de la Révolution. En 1772, Mgr de Juigné note après sa visite : « Dans les villes, les offices divins ne sont presque plus fréquentés. Dans les campagnes comme dans les villes, on saisit le plus léger prétexte pour se dispenser d'interrompre pendant ces saints jours le travail ordinaire, ou si on s'en abstient par contrainte ou par respect humain, c'est pour se livrer à des amusements. » Dans le Sud-Ouest, le même phénomène est remarqué, avec une forte dissidence chez les cabaretiers, les valets, les bateliers, les anciens soldats.

Combien d'athées, combien d'incroyants parmi ces abstentionnistes ? Il est rare qu'ils affichent leur incrédulité, comme cet homme en 1762 : « Varin, domestique de M. de Cabrières, est mort constamment obstiné à dire qu'il n'était ny luthérien ny calviniste ny anabaptiste ny romain et qu'il ne vouloit pas se confesser et est mort le 28 mars et sans sépulture en cette paroisse. » Ce qui est sûr, c'est qu'il y a déjà une tradition d'indifférence bien établie dans la seconde moitié du XVIIIᵉ siècle. « La "foi universelle et ardente des anciens âges" m'est toujours apparue comme un mythe[7] », écrit Gabriel Le Bras qui remarque que « les événements de l'époque révolutionnaire, où périt l'unanimité religieuse, dépendent de toute la vie intellectuelle et active du siècle, des siècles antérieurs[8] ». L'athéisme moderne n'est pas une création brutale née de la révolution industrielle et du cerveau de quelques penseurs d'extrême gauche, mais le résultat d'une très longue maturation culturelle dans toutes les classes sociales. Nous avons jusqu'ici parlé surtout de la démarche intellectuelle, fort variée ; les archives concernant la vie des humbles permettent de constater qu'il n'y a jamais eu de véritable unanimité, et que les pratiques déviantes ou conformistes peuvent cacher une incroyance réelle dans une partie du peuple.

Prenons quelques autres exemples. Dans l'archidiaconé d'Autun, étudié par Thérèse-Jean Schmitt[9], l'absentéisme à la messe dominicale est déjà important entre 1670 et 1697. En 1665, l'intendant de Pommereu considère Moulins comme « une ville assez libertine ». Anticléricalisme et blasphème sont choses courantes, et en 1686 une procédure est engagée pour « crime et délit d'irrévérence et d'irréligion pendant le service divin, outrages, violences et blasphèmes du saint nom de Dieu ». On ne se presse pas pour baptiser les enfants, surtout chez les nobles : on signale des baptêmes de filles âgées de trois, cinq et même onze ans. En 1693, les autorités rapportent que « plusieurs curés se plaignent dans leurs mémoires que grand nombre de leurs paroissiens ne satisfont point à leur devoir pascal ». Il s'agit ici de refus caractérisés. Entre 1691 et 1729, on compte des réfractaires dans onze paroisses : notaires, procureurs, officiers, collecteurs. Certains « ne font aucun exercice de religion », se disent « rebelles », comme à Monsol en 1690, ou comme un homme et son fils à Bragny en 1706 ; d'autres se disent fous. En 1691, à Bourbon-Lancy, une mère et sa fille n'ont pas communié depuis trente ans.

Dans le diocèse de La Rochelle à la même époque, Louis Pérouas[10] n'a trouvé que quelques libertins, tel un homme de Xaintrais qui en 1674 ne s'est pas confessé depuis sept ans ; le promoteur épiscopal note en 1695 « la licence effrénée des libertins qui tournent la religion en dérision », comme à La Châtaigneraie, où certains « par une impiété étonnante turlupinent les mystères de la religion ». Dans les Ardennes, les autorités religieuses signalent en 1678 à Rocquigny « un impie nommé B. Le Jeune, [qui] ne fait point de pâques il y a dix ans, corrompt la jeunesse et fait profession d'être athée[11] ». Le curé de Vrigne-aux-Bois, lui, « se raille des cérémonies de l'Église ». En 1680, à Villers-devant-Dun, un manouvrier ne pratique plus depuis dix-huit ans. En 1705, à Nanteuil, le curé indique qu'un officier en place depuis trois mois n'est jamais venu à la messe, qu'il méprise les processions et les prières pour les armées, ce qui provoque « murmures et scandales chez les paroissiens ». Nous pourrions multiplier les exemples.

L'incompréhension des autorités morales : Massillon

Les autorités spirituelles perçoivent la montée de l'incrédulité à partir des années 1720. Jusque-là, la situation était très inégale. Dans les cent soixante-deux missions effectuées par les lazaristes en Haute-Bretagne entre 1645 et 1700, François Lebrun n'a relevé que des cas très rares de libertinage et d'esprits forts, ainsi qu'une opposition face aux exigences d'austérité des missionnaires. Ensuite, les lamentations des autorités deviennent rituelles et reflètent leur impuissance à juguler le mouvement. L'évêque de Clermont de 1717 à 1742, Jean-Baptiste Massillon, constate dans un petit traité *De l'incrédulité* que « le monde est plein de ces hommes insensés à qui tout ce qu'ils ne peuvent comprendre est suspect[12] ». Lui-même ne fait guère d'efforts pour comprendre l'incrédulité, qu'il réduit à la débauche :

> L'incrédule est un homme sans mœurs, sans probité, sans caractère, qui n'a plus d'autre règle que ses passions, d'autre loi que ses injustes penchants,

d'autre maître que ses désirs, d'autre frein que la crainte de l'autorité, d'autre dieu que lui-même : enfant dénaturé, puisqu'il croit que le hasard tout seul lui a donné des pères[13].

L'analyse de Massillon est des plus simplistes. On devient incrédule en s'abrutissant par les plaisirs : « À mesure que ses mœurs se sont déréglées, les règles lui ont paru suspectes ; à mesure qu'il s'est abruti, il a tâché de se persuader que l'homme étoit semblable à la bête[14]. » Tous les athées sont des athées pratiques. L'athéisme théorique n'est qu'une façade pour excuser la débauche, composée de sophismes, de faux raisonnements :

> Si la religion ne proposoit que des mystères qui passent la raison, sans y ajouter des maximes et des vérités qui gênent les passions, on peut assurer hardiment que les incrédules seroient rares. Les vérités ou les erreurs abstraites qu'il est indifférent de croire ou de nier n'intéressent presque personne. On trouvera peu de ces hommes épris de la seule vérité, qui deviennent partisans et défenseurs zélés de certains points de pure spéculation, et qui n'ont rapport à rien, seulement parce qu'ils les croient vrais[15].

Dans un autre traité, *Des esprits forts*, Massillon revient sur ce point :

> En vain les impies veulent nous persuader que la force et la supériorité seule de la raison les a élevés au-dessus des préjugés vulgaires et leur a fait prendre le parti affreux de l'incrédulité : c'est la faiblesse et la dépravation seule de leur cœur[16].

Les arguments des athées sont faibles :

> Lorsqu'on approfondit la plupart de ces hommes qui se disent incrédules, qui se récrient sans cesse contre les préjugés populaires, on trouve qu'ils n'ont pour toute science que quelques doutes usés et vulgaires qu'on a débités dans tous les temps, et qu'on débite encore tous les jours dans le monde ; qu'ils ne savent qu'un certain jargon qui passe de main en main, qu'on reçoit sans l'examiner, et qu'on répète sans l'entendre[17].

C'est justement ce que les incrédules reprochent aux croyants : accepter sans comprendre des dogmes de formulation creuse. Il est surprenant de trouver l'accusation dans l'autre sens. C'est que, pour Massillon, les incrédules français sont trop superficiels pour penser par eux-mêmes. Alors, ils empruntent aux étrangers des systèmes auxquels ils ne comprennent rien, mais qui ont le seul mérite de les justifier, en particulier le système d'« un Spinoza, ce monstre qui, après avoir embrassé différentes religions, finit par n'en avoir aucune, [...] il s'étoit formé à lui-même ce chaos impénétrable d'impiété, cet ouvrage de confusion et de ténèbres, où le seul désir de ne pas croire en Dieu peut soutenir l'ennui et le dégoût de ceux qui le lisent[18] ». Même des femmes, « un sexe où l'ignorance sur certains points devroit être un mérite », se permettent de douter. C'est pour se donner un genre, briller en société, paraître déniaisé, à la mode, en accord avec ses compagnons de débauche. En fait, les incrédules sont de faux braves qui se donnent pour ce qu'ils ne sont pas ; ils se vantent sans cesse de ne rien croire ; et à force de s'en vanter, ils se le persuadent à eux-mêmes. [...] Notre siècle surtout est plein de ces demi-fidèles, qui, sous prétexte de dépouiller la religion de tout ce que la crédulité ou les préjugés ont pu y ajouter, ôtent à la foi tout le mérite de la soumission.

    Souvent, c'est une société de libertinage qui nous fait parler le langage de l'impiété. On veut paroître tels que ceux à qui les plaisirs et la débauche nous lient. On croit qu'il seroit honteux d'être dissolu, et de paroître croire encore devant les témoins et les complices de nos désordres. Le parti d'un débauché qui croit encore est un parti faible et vulgaire : afin que la débauche soit du bon air, il faut y ajouter l'impiété et le libertinage, autrement ce seroit être débauché en novice, un reste de religion paroîtroit se sentir encore un peu trop de l'enfance et du collège [19].

Massillon ne veut pas croire à la vertu des athées : « On nous vante souvent leur probité et les maximes sévères dont ils se piquent ; mais quelles vertus, même humaines, peuvent rester dans ces hommes qui se croient permis tout ce qu'ils désirent [20] ? » Ce sont des hypocrites, qui se rient de la Bible, et des désespérés qui ont perdu tout principe.

Massillon refuse d'accepter que certains puissent avoir, en toute honnêteté intellectuelle, une vision du monde non religieuse. Son attitude bornée n'est guère propice à un regain de confiance dans la religion. Elle est pourtant partagée par presque tous les responsables de l'Église au XVIIIe siècle, du moins par ceux qui ne sont pas eux-mêmes athées.

Faiblesse de l'apologétique : Alphonse de Liguori

À la fin du siècle, voici le témoignage d'une des lumières du catholicisme tridentin italien, Alphonse-Marie de Liguori (1696-1787). L'incrédulité a gagné du terrain par rapport à l'époque de Massillon : autrefois, déplore-t-il, « les athées se cachaient pour ne pas être accusés d'impiété et de folie ». Aujourd'hui, « dans le sein même de notre Italie [...] ils ne font pas de difficulté, pour obtenir la réputation d'esprits forts et sans préjugés, d'émettre leurs sentiments sur la divinité et sur la religion [21] ». Toujours cette idée d'après laquelle l'athéisme n'est qu'une façade, et ne peut pas être pris au sérieux.

Peut-on vraiment être athée ? « C'est encore une question de savoir s'il existe de véritables athées, mais ce qui ne peut pas être un sujet de doute, c'est qu'il y en a beaucoup qui sont athées de volonté [22]. » Pas plus que Massillon, Liguori n'arrive à se mettre à la place d'un athée : « Je ne puis, je ne pourrai jamais croire qu'ils parviennent à se persuader entièrement qu'il n'y a pas un Dieu créateur et gouverneur de l'univers [23]. » Bien sûr, il y a le « monstrueux » Spinoza, « qui serait beaucoup mieux appelé "maudit", puisqu'il a été un athée parfait », mais son système dépasse l'entendement du brave missionnaire, qui le considère donc comme un dément.

N'est-il pas plus simple de regarder la nature ? Toutes ces belles choses peuvent-elles exister par elles-mêmes ? Quant à l'âme, si elle était matérielle, pourrions-nous éprouver des satisfactions de vérités et de spéculations non matérielles ? « La première preuve de l'immortalité de l'âme réside dans le consentement général des hommes. »

Liguori joue également sur les craintes et les angoisses existentielles : « Les mécréants, même leurs efforts pour se persuader l'opposé, ne peuvent pas se délivrer de la crainte qui les tourmente, au milieu de l'aveuglement de leur vie, particulièrement lorsque leurs esprits sont moins obscurcis par les passions, et par l'aiguillon brutal des sens[24]. » Il reprend en fait l'argument du pari : « Dites-moi, de grâce, leur demanderais-je, gageriez-vous votre vie sur la vérité de vos opinions ? Non, sans doute. Et vous hasardez pour elles la vie éternelle[25] ? »

La foi, c'est le bonheur : « L'incrédule ne peut vivre heureux dans son incrédulité ; celui-là seul qui s'en tient aux lumières de la révélation et qui observe la loi divine, celui-là seul peut jouir dans ce monde du bonheur individuel[26]. » Liguori introduit ici l'un des arguments appelés à se développer dans l'apologétique romantique : la religion est consolatrice. « Malheureux incrédules ! ils ne trouvent personne qui puisse leur donner des consolations dans leur adversité, dans leur disgrâce[27]. »

Contrairement à Massillon, Liguori argumente. Signe des temps : il est sur la défensive, face à une incrédulité qu'on ne peut plus traiter par le mépris. Mais la faiblesse de son apologétique est flagrante face à ces déistes et matérialistes qu'il prétend combattre. Comment savons-nous que le christianisme est la vraie religion révélée ? C'est la révélation qui nous le dit ! Comment savons-nous que la révélation est authentique ? C'est l'Église qui nous le dit — l'Église, fondée sur la révélation ! La révélation ne serait-elle pas une création des rois pour tenir les sujets dans l'obéissance ? « Quand même elle ne serait véritablement qu'une tromperie, nous devrions la chérir[28]. » C'est le raisonnement même de Voltaire : « Si Dieu n'existait pas, il faudrait l'inventer ! » De toute façon, cela était peut-être vrai pour le polythéisme, mais non pour le christianisme, bien entendu.

La religion révélée n'est-elle pas un facteur de fanatisme et de guerre ? À qui la faute ? Aux infidèles, qui refusent d'accepter la vérité ! La preuve : dans les royaumes exclusivement catholiques, d'où l'on a éliminé les infidèles, l'ordre et la paix règnent. Ce sont donc les non-catholiques qui sont facteurs de guerre ! L'argument est déconcertant, mais imparable !

Saint Alphonse de Liguori a encore d'autres raisonnements de la même veine. Soit l'objection des athées : si Dieu existait, cela se saurait de façon évidente. Réponse : il ne faut pas que Dieu soit évident, car nous n'aurions pas alors ce bien inestimable, qui peut nous valoir l'enfer éternel : la liberté de ne pas croire. Mais si nous ne croyons pas, nous n'avons aucune excuse, car les signes envoyés par Dieu sont évidents. Dieu est à la fois non évident et évident :

> Il convenait aussi à notre bonheur que les choses de la foi nous fussent obscures ; car si elles étaient évidentes, il n'y aurait plus en nous liberté de les croire, mais nécessité, de manière qu'en y donnant notre consentement nous n'aurions aucun mérite [...].
> D'un autre côté, notre foi est évidente parce que les motifs de sa crédibilité sont si évidents que le grand Pic de La Mirandole disait que c'est non seulement une imprudence, mais une folie de ne pas vouloir l'embrasser [...].
> Et ici nous admirons la divine providence qui a voulu que d'un côté les vérités de la foi nous fussent cachées, afin que nous eussions des mérites à les croire, et de l'autre que les motifs de croire nous fussent évidents, afin que les incrédules n'eussent plus aucun prétexte pour refuser de s'y soumettre[29].

Ce genre d'argument a peu de chance d'être efficace, ce dont ne semble pas se douter Liguori, qui écrit candidement que « les preuves qui seront présentées ici contre le matérialisme et le déisme sont plus que suffisantes pour convaincre tout sectaire de son erreur[30] ». Illusion révélatrice du décalage croissant entre une apologétique dépassée et une incrédulité conquérante. Révélatrice également de la position de repli de la foi : je n'écris pas, dit Liguori, pour ceux qui cherchent des preuves afin de se convertir, mais pour « ceux qui croient déjà, afin qu'ils se consolent dans leur croyance ». Après tout, avoir la foi n'est pas si terrible que cela. En ces années 1780, nous sommes loin de la religion glorieuse et conquérante des siècles passés.

D'ailleurs, Liguori dresse un sombre bilan de son époque :

> Ces derniers temps, il a été publié quantité de livres pestilentiels, remplis d'impiétés et contradictoires les uns des autres. Ces livres ont été écrits en français [...]. Dans tous ces ouvrages, on dit que la religion est née de la raison d'État ou de la crainte des peines ; on nie l'existence de Dieu, et on dit que tout est matière ; on admet Dieu, mais on nie la religion révélée ; on nie la divine providence, en disant que Dieu ne se met point en peine de ses créatures ; on dit que l'âme de l'homme est semblable à celle des brutes, et qu'elle agit nécessairement et sans liberté, que l'âme meurt avec le corps[31]...

Cela ne va pas mieux chez nos vieux ennemis protestants, poursuit Liguori, citant une lettre de l'évêque de Londres, Edmund Gibson : « Il semble que cette grande ville soit devenue le marché de l'irréligion, où l'on achète au prix de l'or l'art de corrompre les mœurs. Entre l'impiété et l'immoralité, la liaison est intime. » Les responsables ? Ces auteurs impies que sont Hobbes, Spinoza, Collins, Tindal, d'Argens, Voltaire, Toland, Montaigne, Woolston, Saint-Évremond, Shaftesbury, Locke, et cet « impie Pierre Bayle », qui sème le doute, « qui rassemble toutes leurs impiétés et qui s'occupe tantôt à les défendre, tantôt à les combattre, de manière que son système n'est autre chose que de douter de tout, des erreurs des incrédules comme des vérités de la foi ».

Pour Liguori, l'espèce la plus redoutable des incrédules est celle des déistes, qui nient la religion révélée. Il les répartit en plusieurs catégories : les sceptiques ou pyrrhoniens, qui doutent de tout ; les hypocrites, qui « n'observent la religion qu'extérieurement et par dissimulation » ; les politiques ou hobbesiens, pour qui la bonne religion est celle du prince ; les naturalistes ou indifférentistes, adeptes de la religion naturelle.

Les jeunes en particulier se laissent séduire par le déisme, constate Liguori, qui assène ses arguments habituels. Toutes les religions se valent ? Non, la nôtre est la meilleure, c'est la seule vraie, la seule révélée, et nous ne devons pas tolérer les autres ; par exemple, « musulman signifie un homme qui appartient à cette religion qui est plus faite pour les brutes que pour les hommes ». La religion naturelle ne suffit pas :

> Nous soutenons que la seule religion naturelle ne suffit pas à l'homme pour le faire parvenir à sa fin dernière ; qu'il doit connaître avec certitude et sans crainte de se tromper la nature de Dieu et ses attributs, la nature de l'âme, sa spiritualité et son immortalité, et tous ses devoirs envers Dieu, et le culte spécial qu'il est tenu de lui rendre. Si l'on manque de ces connaissances, il n'y a ni sainteté, ni salut, ni religion [32].

Le désarroi du clergé de France (1750-1775)

Les réponses dérisoires d'Alphonse de Liguori sont à la mesure du désarroi des autorités religieuses. En France, ces dernières font entendre à partir du milieu du siècle un concert de lamentations impuissantes, par la voix de l'Assemblée générale du clergé. La répétition de ces plaintes, qui s'amplifient au fil des années, est l'écho de la montée de l'incroyance dans le royaume [33].

Le premier cri d'alarme est poussé en 1750 : nous sommes « inondés » des « livres les plus impies et de libelles infâmes, dans lesquels la religion est outragée de la manière la plus sanglante », déclarent les évêques, et ces ouvrages « sont recherchés et lus avidement ». En 1758, le clergé s'inquiète des livres déistes et, dans un *Mémoire au roi*, se plaint de ce que « ces maux [...] sont d'autant plus affligeants qu'ils semblent tolérés ». Nouveau *Mémoire* en 1765 : il faut sévir plus durement, prévenir les fidèles des « dangereux effets de la liberté de penser ». L'Assemblée vise toujours « les mêmes livres qui attaquent la religion jusque dans ses fondements, ébranlant ceux du trône et de l'autorité ».

En 1770, la tension monte d'un cran : « Chaque jour est marqué par quelque nouvelle production de l'impiété. » Il n'est même plus possible d'extraire les propositions condamnables : ce sont les livres entiers qui sont contaminés. Le dernier en date, le *Système de la nature*, fait dire aux prélats : « Il n'est point de bornes que l'impiété n'ait franchies ; et dans une de ses dernières productions, le pur athéisme vient d'être enseigné avec une audace que Hobbes, Vanini et Spinoza n'ont jamais osé se permettre. » Ce livre est la « production la plus criminelle peut-être que l'esprit humain ait encore osé enfanter ».

Il faut contre-attaquer. L'Assemblée lance un appel aux théologiens pour qu'ils prennent la plume en faveur de la religion. Mais encore faut-il trouver des hommes de talent afin qu'ils ne contribuent pas à la ridiculiser. Pour plus de sûreté, on convient de rééditer les apologistes des premiers siècles : aveu de faiblesse d'une Église réduite à appeler la vieille garde à la rescousse, avec ses arguments datant de mille cinq cents ans, contre les attaques des philosophes modernes.

Autre méthode : les prélats décident de rédiger un *Avertissement aux fidèles sur les dangers de l'incrédulité*, texte de trente-trois colonnes in-folio qu'il faudra diffuser dans les diocèses. Si l'expression savante et fastidieuse avait peu de chance de toucher un public populaire, certains arguments ne manquent pas de clairvoyance. Après s'être désolés d'avoir à réexpliquer les fondements de la religion au peuple chrétien mille sept cents ans après le Christ, les auteurs abordent l'argument d'utilité sociale : le peuple a besoin d'une religion ; même les philosophes l'admettent. Lui retirer le christianisme, qui est la meilleure de toutes, n'aboutirait qu'à développer les superstitions, aux conséquences bien pires. Cet argument « éclairé » reflète la conviction d'après laquelle le catholicisme est l'ennemi des superstitions :

> La multitude surtout ne peut être abandonnée à elle-même sans instruction. Lorsqu'elle ignore la vérité, elle invente, ou elle adopte des fables et des mensonges ; si elle ne sait pas la route qu'elle doit tenir, il faut qu'elle s'égare. [...] Si la multitude ne peut être sans religion, est-ce donc la préserver de la superstition que d'affaiblir en elle la croyance de l'Évangile ? Plus un peuple est incertain, plus il est superstitieux.

Autre argument témoignant d'une analyse lucide : les philosophes savent que le peuple est incapable d'atteindre le niveau de raison et de culture nécessaire pour vivre en hommes « éclairés » ; ils visent en fait à réserver le pouvoir à une élite du savoir, tandis que le peuple, privé de la religion, s'enfoncera dans les superstitions. Préfiguration de la technocratie, de la scientocratie en quelque sorte :

> Ils insistent, avec trop de force, sur les préjugés des hommes, sur leur ignorance et leur faiblesse, pour supposer que le peuple incapable d'application et d'étude, ou que l'homme du monde toujours distrait par ses occupations et ses plaisirs, puisse donner le temps nécessaire à la recherche de la vérité et parvenir à la connaître. Elle sera donc réservée à la seule classe des gens savants et instruits. Il faudra avoir reçu du Ciel des talents supérieurs, abandonner les fonctions de la vie civile, se livrer entièrement à l'étude et à la discussion pour savoir ce qu'on doit croire et ce qu'on doit faire.

Troisième attaque : les philosophes nous parlent d'égalité, mais, « aux yeux de la nature, la force, l'esprit, la puissance, la fortune, tout est inégal, et rien ne dédommage de cette inégale répartition celui à qui elle n'est pas favorable ». L'Église, elle, parle de la véritable égalité : celle de chaque homme aux yeux de Dieu. Et elle apporte la consolation aux faibles et aux vaincus de l'existence : « Voilà le contrepoids puissant que la religion oppose à la fougue des passions et à l'inconstance des événements », alors que dans la société philosophique les vaincus sont simplement rejetés, avec tous les risques de désordre social que cela représente. Les philosophes proposent de remplacer la vérité par le doute ; or, « si le doute méthodique mène à la connaissance de la vérité, le doute réel et permanent en éloigne ; et lorsqu'il faut choisir, il est le pire de tous les états ».

L'Assemblée de 1770 renouvelle ses appels au pouvoir royal dans un *Mémoire au roi sur l'impression des mauvais livres*. Elle s'indigne du manque d'énergie du gouvernement : « Comment arrive-t-il donc que le même désordre subsiste encore, que l'impiété continue à braver la religion et les lois, [...] comment le cabinet de l'incrédule, la presse qui en répand les funestes productions, et l'avidité du colporteur qui les débite, peuvent-ils seuls rendre ses soins inutiles ? » L'impiété commence même à gagner les collèges[34].

Du désarroi à la panique (1775-1782)

Ces plaintes sont réitérées en 1772 dans un *Mémoire au roi sur l'éducation dans les collèges*, constatant que « l'impiété s'étend par l'abus qu'on fait des sciences et des lettres ». À l'Assemblée de 1775, c'est presque la panique devant « l'incrédulité qui envahit tous les âges, tous les états, toutes les conditions ; l'impunité avec laquelle elle répand ses sacrilèges productions ; son adresse à infecter de son venin les ouvrages les plus étrangers à la religion ; le monstrueux athéisme devenu le vœu public et l'opinion dominante de ses partisans, l'esprit d'indépendance qu'elle inspire ; sa fatale influence sur les mœurs[35] ».

Il faut traduire et imprimer les anciens apologistes des premiers siècles, qui viendront prêter main-forte aux plumes catholiques du moment. « Le fléau de l'impiété semble s'accroître, [...] l'athéisme, ce système destructeur de toute loi, de toute société, s'y décèle avec audace et sans déguisement. » On rédige une liste des plus mauvais livres, comprenant entre autres la *Lettre de Thrasybule à Leucippe*, le *Système de la nature*, l'*Histoire critique de la vie de Jésus-Christ*, l'*Histoire philosophique et politique du commerce et des établissements des Européens dans les deux Indes*, le *Sermon des Cinquante*, la *Contagion sacrée*, le *Christianisme dévoilé*, livres favorisant ou enseignant l'athéisme, pleins du poison du matérialisme, anéantissant la règle des mœurs, introduisant la confusion des vices et des vertus, capables d'altérer la paix des familles, d'éteindre les sentiments qui les unissent, autorisant toutes les passions et les désordres de toute espèce, tendant à inspirer du mépris pour les livres saints, à renverser leur autorité, à dépouiller l'Église du pouvoir qu'elle a reçu de Jésus-Christ, et à décrier ses ministres, propres à révolter les sujets contre leurs souverains, à fomenter les séditions et les troubles[36].

Dans une *Remontrance sur l'affaiblissement de la religion et des mœurs*, les évêques rappellent qu'au début l'incrédulité s'était dissimulée « derrière des fables musulmanes et païennes pour servir de voile à ses traits », et qu'elle s'étale maintenant au grand jour. Même les femmes, « dont la piété faisait autrefois la consolation de l'Église », perdent la foi. C'est un véritable raz de marée :

> Aussi, avec quelle rapidité l'incrédulité n'étend-elle pas son empire ! Elle a placé dans la capitale le foyer de ses séductions, et déjà ses ravages ont pénétré nos provinces ; elle envahit les villes et les campagnes ; le cabinet de l'homme de lettres et les conversations ordinaires de la société ; les conditions supérieures et les conditions obscures ; tous les âges, tous les états, toutes les classes de citoyens[37].

Une fois encore, le laxisme du gouvernement est mis en cause :

> Si les livres irréligieux ne peuvent obtenir l'approbation du gouvernement, on dirait que cette approbation ne leur est pas nécessaire : on les annonce dans les catalogues, on les expose dans les ventes publiques, on les porte dans les maisons des particuliers, on les étale dans les vestibules des maisons des grands.

Tout cela va mal se terminer : « Ôtez la religion au peuple, et vous verrez la perversité, aidée par la misère, se porter à tous les excès[38]. »

L'Assemblée décide de produire un nouvel *Avertissement aux fidèles sur les avantages de la religion chrétienne et les effets pernicieux de l'incrédulité*, déclarant que le catholicisme, qui avait jusque-là comme ennemis le judaïsme, le paganisme, l'islam et le protestantisme, voit se dresser devant lui une menace bien pire : « L'athéisme veut l'anéantir. » « Aujourd'hui les incrédules forment une secte, divisée, comme cela devait être, dans les objets de sa croyance, unie dans la révolte contre l'autorité d'une révélation[39]. »

Les prélats entreprennent donc encore une fois, de façon plus pathétique, de convaincre les fidèles. Le texte énumère sept avantages de la religion chrétienne, qui apporte à tous le confort de la certitude, garantie par la révélation,

> voie proportionnée aux esprits vulgaires, fondée, à leur égard, sur le sentiment de leur faiblesse, et sur la conviction où ils doivent être que Dieu ne leur en a pas refusé le supplément ; voie nécessaire à tant d'hommes dont les jours sont remplis par les occupations indispensables de cette vie ; voie également désirable pour les génies plus forts et pour les savants : elle fixe leurs doutes, elle les rassure contre leurs propres illusions, ou contre celles d'autrui.

Ainsi, la religion est beaucoup plus égalitaire que la philosophie, car la première distribue des certitudes à tous, tandis que la seconde répand le doute et réserve la connaissance de la vérité à une élite du savoir. Les autres avantages de la religion sont qu'elle récompense la vertu, freine le vice par les remords de conscience, assure le pardon des péchés par la confession, console les malheureux, donne l'espérance de l'immortalité et garantit l'ordre public. Le texte se termine par un appel à ceux qui doutent, à ceux qui ne croient plus, et à ceux qui croient encore.

À lire ce texte, on peut se demander s'il y a toujours des chrétiens dans cette France catholique, « fille aînée de l'Église », terre de « pratique unanime », en cette fin d'Ancien Régime. Le ton dramatique utilisé par les évêques trahit une certaine panique, qui ne relève pas seulement du souci pastoral. Pour eux, incroyance et insubordination sont liées. Tous membres de l'aristocratie, ils redoutent une subversion de l'ordre social, d'où leurs appels pressants à l'autorité royale : il faut agir, sévir, prévenir. La liaison entre la foi et l'ordre social, entre l'athéisme et l'esprit révolutionnaire, qui va devenir l'argument central des classes conservatrices au XIXᵉ siècle, se précise déjà.

Elle est clairement exprimée par l'Assemblée de 1780, qui écrit au roi :

> Oui, Sire, un fléau redoutable menace des plus horribles calamités la vaste étendue de vos États. Des productions antichrétiennes et séditieuses, répandues avec impunité de l'enceinte de la capitale aux extrémités du royaume, font circuler, dans toutes les parties de la monarchie, le poison destructeur de l'irréligion et de la licence[40].

Sans doute les évêques sont-ils sensibles aux accusations d'obscurantisme lancées contre eux. Ils se défendent en effet de vouloir enchaîner la pensée. Nous ne voulons pas, disent-ils, « éteindre la flamme du génie », ni « condamner vos peuples à l'ignorance et à la superstition ». Notre but est d'empêcher la manifestation publique des idées qui mettent en danger « l'heureuse harmonie de l'ordre social ». « L'Église n'impose à ses enfants que le tribut d'une soumission éclairée. »

Dans un *Mémoire au roi concernant les mauvais livres*, les évêques tentent une fois de plus de convaincre l'administration royale de la nécessité d'une étroite collaboration entre les autorités civiles et religieuses : il faut que « les dépositaires des deux puissances s'éclairent et s'appuient réciproquement ». Il ne faut plus accorder de permissions tacites ; il faut choisir avec soin les censeurs, qui devront alerter les théologiens dès qu'un point de religion sera concerné. Il faut sévir contre cet « ancien religieux » qui « est hautement proclamé comme l'auteur d'un écrit semé de blasphèmes les plus révoltants », c'est-à-dire l'abbé Raynal.

Le 21 juin, l'archevêque d'Arles prononce un long discours-réquisitoire contre la législation sur la Librairie, trop disparate, trop dispersée, mal connue et peu appliquée, contre le métier de colporteur, « profession souvent fatale aux mœurs des citoyens », contre la liberté des gravures, contre les permissions tacites, contre la publication d'ouvrages apologétiques trop faibles, qui nuisent à la religion : il faut « empêcher que la lice ne soit ouverte indistinctement à tous les athlètes qui se présentent pour défendre la cause de la foi. Que peuvent en effet dans d'impuissantes mains les armes les plus victorieuses ? Des apologies faibles achèvent et consomment l'apostasie commencée par les séduisantes leçons des chefs de l'incrédulité ». Aveu de faiblesse d'une Église qui voit ses remparts se fissurer sous les coups des incroyants.

À l'Assemblée de 1782, l'archevêque d'Arles poursuit la litanie des catastrophes : les écoles et même les couvents féminins sont touchés par la propagande athée. Les évêques rédigent alors un projet d'édit sur la censure, visant à interdire « de composer, imprimer, vendre ou distribuer aucun livre tendant à attaquer la religion et les principes des mœurs ». Ce projet, dont nous avons donné ailleurs le détail des articles[41], aurait placé toute l'édition française sous le contrôle du clergé catholique. En même temps, on envoie à tous les évêques une lettre leur demandant de faire connaître les noms et les œuvres des auteurs qui, dans leur diocèse, écrivent des livres utiles à la religion, afin de les récompenser. On propose même de créer une sorte de concours, doté d'un prix, sous forme d'une pension, pour le meilleur ouvrage d'apologétique.

Il est également impératif de réformer l'enseignement, pour y renforcer le contrôle de l'Église, car les écoles sont gagnées par l'esprit philosophique[42]. Sept ans avant le déclenchement de la tourmente, les évêques sont affolés par l'apathie du pouvoir royal. Ce n'est pas dans un ciel dégagé que va éclater la crise antireligieuse révolutionnaire. Ces textes le montrent : l'athéisme sous toutes ses formes était déjà ressenti comme une force irrésistible dans la seconde moitié du XVIIIe siècle.

Paris, capitale de l'incroyance : le témoignage de Mercier

Les évêques exagèrent-ils la menace ? Pour répondre à cette question, examinons le témoignage indépendant de Sébastien Mercier, qui scrute l'opinion publique parisienne des années 1770 et 1780[43]. Le *Tableau de Paris* est édifiant ! L'impression prédominante est celle de l'indifférence. Beaucoup de Parisiens ne semblent plus avoir la moindre préoccupation religieuse : « Il y a plus de cent mille hommes qui regardent le culte en pitié. On ne voit dans les églises que les personnes qui veulent bien les fréquenter. Elles sont remplies certains jours de l'année : les cérémonies y attirent la foule ; les femmes composent toujours les trois quarts au moins de l'assemblée[44]. »

La religion semble une affaire d'un autre temps. À certains égards, l'impiété, l'athéisme, le blasphème paraissent même dépassés, et l'on atteint le dernier degré de l'indifférence, ce qui aurait fait dire à un évêque : « Plût à Dieu qu'il y eût de temps en temps quelques sacrilèges ! On penserait au moins à nous ; mais on oublie de nous manquer de respect[45]. » Voilà qui est clair ! On ne se moque même plus des prêtres, « il n'y a plus que les garçons perruquiers qui fassent des plaisanteries sur la messe » ; seules quelques vieilles femmes discutent encore du jansénisme ; on ne fait plus maigre en Carême, et après Pâques « les églises redeviennent désertes » ; les vêpres n'attirent plus que quelques mendiants, et sont couramment appelées pour cette raison l'« opéra des gueux ». Chacun croit ce qu'il veut : « La liberté religieuse est au plus haut degré possible à Paris ; jamais on ne vous demandera aucun compte de votre croyance : vous pouvez habiter trente ans sur une paroisse sans y mettre le pied et sans connaître le visage de votre curé[46]. » Les francs-maçons, « les juifs, les protestants, les déistes, les athées, les jansénistes, les riennistes vivent donc à leur fantaisie ; on ne dispute plus nulle part sur la religion. C'est un vieux procès définitivement jugé ; et il était bien temps, après une instruction de tant de siècles[47] ».

Les Parisiens sont des « riennistes ». Ce néologisme de Mercier rappelle fâcheusement la fin du *Mémoire* de Meslier, avec son insistance lancinante sur le *rien*. Le curé d'Étrépigny aurait-il gagné son procès ? On peut légitimement se poser la question en lisant Mercier. Les Parisiens ne pratiquent plus. Ils délaissent les sacrements, à commencer par l'extrême-onction :

> Le prêtre n'entre plus que chez le petit peuple, parce que cette classe n'a point de portier. Chez tout autre malade, on attend qu'il agonise : alors on envoie en hâte à la paroisse ; le prêtre essoufflé accourt avec les saintes huiles. Il n'y a plus personne ; la bonne intention est réputée pour le fait. [...] Le sage décampe à petit bruit pour l'autre monde ; il y aborde en louvoyant, sans trop choquer les usages de celui-ci, et sans causer de scandale[48].

Le mariage est également en recul. Quant au baptême, il est mûr pour la transformation en acte d'état civil. Pour beaucoup, ce n'est déjà plus qu'une formalité administrative encombrante, une corvée coûteuse dont on se débarrasse à moindres frais. Le père cherche honteusement un parrain et une marraine :

> Il vous sollicite avec un air un peu honteux ; car c'est une petite corvée dont on se passerait bien. On l'impose aux plus proches parents, quand on n'est pas brouillé avec eux [...]. Le parrain donne des dragées à la marraine, et les baptêmes tournent au profit des confiseurs de la rue des Lombards, qui doivent avoir un respect particulier pour ce premier sacrement de l'Église [...]. Plusieurs riches, pour abréger, font aujourd'hui comme les plus pauvres : ils

prennent le bedeau de la paroisse pour parrain, et la mendiante au tronc pour marraine. Un gueux à qui l'on donne un écu va répondre devant le prêtre de la croyance de M. le marquis [...].

Tout parrain doit réciter le Credo. Sur cent, quatre-vingt-dix-huit ne le savent plus. Le prêtre, pour ne pas donner auprès des fonts baptismaux le spectacle journalier de catholiques ne sachant plus leur symbole de foi, permet qu'on le dise tout bas.

Un baptiseur plus difficile exigeant d'un parrain que le Credo fût récité à haute et intelligible voix, le parrain répondit : « J'en ai bien retenu l'air, mais j'en ai oublié les paroles[49]. »

Nous sommes bien au XVIIIᵉ siècle, dans la capitale de la France unanimement catholique !

Le sacrement de pénitence est de moins en moins fréquenté : « L'habitude d'aller à confesse se perd insensiblement ; elle est totalement éteinte dans les classes supérieures. » Qui va encore se confesser ? Le gros des pénitents « est composé ordinairement de quelques bourgeoises hypocrites ou sincères, de plusieurs vieillards qui songent à leur fin, et de beaucoup de servantes qui passeraient pour voleuses aux yeux de leurs maîtresses si elles ne se confessaient pas. On y mène de force les écoliers[50] ». Il faut bien y passer, pourtant, quand on veut se marier. Souvent, le jeune homme n'y est pas allé depuis douze à quinze ans, et il expédie cette formalité à la sauvette : « C'est alors que, rôdant dans une église, il avise du coin de l'œil un confessionnal garni de son prêtre. Il le lorgne, il y entre furtivement avec une sorte d'embarras. » Il ne sait plus ses prières, bien entendu. Néanmoins, les prêtres accueillent favorablement ces clients : étant donné la pénurie, ils ne peuvent faire les difficiles, et « ils les traitent honnêtement, satisfaits qu'ils sont de cette soumission passagère à l'Église ».

Sébastien Mercier n'aime pas les athées, mais il reconnaît qu'ils prolifèrent, surtout dans les classes aisées, même si leur attitude n'est pas réfléchie :

Nous ne le dissimulerons pas ; il [l'athéisme] n'est que trop répandu dans la capitale : non parmi les infortunés, les pauvres, les êtres souffrants, parmi ceux enfin qui auraient peut-être le plus de droit de se plaindre du fardeau pénible de l'existence ; mais parmi les riches, les hommes aisés, qui jouissent des commodités de la vie.

Il faut considérer en même temps que cette déplorable erreur n'est pas raisonnée chez le plus grand nombre, et que c'est plutôt oubli, insouciance, distraction, amour effréné du plaisir. Chez d'autres, l'athéisme est la goutte-sereine [cécité] de l'âme. Leur âme manque de toute espèce de sensibilité. Ceux qui l'affichent ne sont plus dans les sociétés honnêtes que de misérables perroquets, répétant des phrases vieillies et discréditées[51].

On emploie le terme d'« athée » à tort et à travers, ce qui montre là encore qu'il s'agit bien d'un trait culturel obsédant : « Qu'un homme dans sa maison mette son pot-au-feu le vendredi, la dévote, en mangeant son brochet, décide qu'il est athée. » Pour Mercier, les vrais athées sont rares. La plupart sont de simples sceptiques. Le grand public mélange d'ailleurs toutes ces idées et confond les titres d'ouvrages, comme le *Système de la nature* et la *Philosophie de la nature* de Delisle de Sales. « J'aime encore mieux le fanatique que l'athée endurci dans son malheureux système », écrit Mercier.

En revanche, il a la dent dure contre le clergé, ridiculisant les prédicateurs :

> Ici, c'est un gros moine tout bouffi et tout suant, qui s'agite dans sa robe crasseuse ; là, vous verrez un prêtre de paroisse qui, vêtu d'un surplis blanc, dans un élégant costume et frisé *à la déiste*, débite avec prétention, et d'un ton mielleux, des fleurs de rhétorique ; il fait briller sa parasite éloquence devant le curé, les gros marguilliers [...] plus loin c'est un fanatique bourru, qui se déchaîne, écume, et se transporte contre ce qu'il appelle la philosophie et les philosophes. Il veut pénétrer son auditoire de sa pieuse rage : il tonne devant des jansénistes qui sont accourus en foule, et devant quelques hommes de lettres qui sont venus aussi, mais pour rire tout bas des contorsions et du style de l'énergumène[52].

Il critique violemment les séminaires et leurs pensionnaires :

> Le troupeau [des séminaristes] en général est stupide, parce qu'il est composé d'une espèce de paysans qui n'ont reçu qu'une éducation collégiale, et qui accourent des campagnes s'enfermer dans ces demeures, pour aller ensuite se faire sous-diacres, et passer de là à quelque emploi de portefaix ecclésiastique.

Quant aux couvents féminins, « les curiosités excessives, la bigoterie et le cagotisme, l'ineptie monastique, la bégueulerie claustrale y règnent. Ces déplorables monuments d'une antique superstition sont au milieu d'une ville où la philosophie a répandu ses lumières[53] ». Ce sont des restes de la barbarie et des repaires d'immoralité, dirigés par des abbesses perverses.

Les prêtres de Paris sont dépassés par la situation. Ils sont devenus discrets et doivent s'adapter à la présence massive d'incroyants : « Il faut savoir passer à côté de l'incrédule sans le heurter. » Ils ne sont plus les maîtres, et doivent se résigner à subir des affronts. Lorsque Voltaire est venu à Paris, le peuple lui a fait un triomphe, « quoique plusieurs grands et tous les prêtres murmurassent beaucoup de voir un roturier et un incrédule l'objet des attentions et des acclamations publiques ». Les gens assistent encore aux pèlerinages, mais que croient-ils réellement ? Quel est le niveau de leur foi ? L'ignorance est profonde, même dans la capitale, où par exemple beaucoup de fidèles qui viennent au mont Valérien pensent que c'est le lieu où le Christ a été mis en croix.

Progrès de l'incrédulité en Europe centrale

La situation n'est pas vraiment meilleure dans le reste de l'Europe. Dès le début du siècle, on peut lire dans *L'Espion turc* :

> Ces sortes de libertins ne se trouvent pas seulement à la cour de France, mais en général par toute l'Europe. La maladie est épidémique ; l'infection

s'est répandue chez les ecclésiastiques aussi bien que chez les particuliers, chez les nobles aussi bien que chez les roturiers; de sorte qu'un homme qui n'a pas quelque grain d'athéisme ne passe point pour homme d'esprit[54].

La crise de la conscience européenne se fait aussi sentir dans la Rome protestante, à Genève. En 1676, « un nommé Joubard, de Noremberg, luthérien, étudiant en philosophie [...] fait paraître qu'il a de l'esprit, et cependant on le soupçonne d'athéisme à cause des discours qu'il tient ordinairement, disant qu'on ne peut rien tenir de véritable que ce que l'on peut concevoir[55] ». En 1687, on s'inquiète des « semences d'athéisme que l'on découvre en plusieurs ». Déistes, lecteurs de Spinoza et de Bayle sont en nombre croissant, ce qui pousse le Consistoire, le 2 août 1715, à adopter la résolution suivante :

On a examiné une proposition qui avait été faite le 14 décembre 1714, qu'on avait déjà examinée le 7 juin dernier [...] cette proposition concerne l'impiété et le déisme. Sur quoi avisé d'approuver les remèdes proposés le 7 juin dernier. Les voici. 1. Prêcher fortement les vérités de la religion chrétienne et les vérités fondamentales du christianisme, prêcher souvent les vérités particulières de la religion et ne s'attacher pas uniquement à la morale, qui quoique nécessaire ne suffit pas. 2. Parler de la vérité de la religion dans les conversations, selon les occasions. Chaque pasteur doit aussi insinuer aux laïques que lorsqu'ils se trouveront avec des personnes qui attaqueront la religion, il est de leur devoir d'en soutenir les intérêts. 3. Comme il serait nécessaire de faire quelques livres sur ces matières, on a prié Messieurs Pictet, Leger et Turretin, professeurs en théologie, d'y travailler. Enfin on a résolu de faire appeler au vénérable Consistoire ceux qu'on saura parler contre la religion[56].

Dans l'Allemagne voisine[57], à la même époque, les *Freigeister*, ou libres penseurs, forment un groupe non négligeable, bien que méprisé par les autorités religieuses comme un ramassis de libertins, athées, déistes et matérialistes. Leurs penseurs, Stosch, Lau, s'inspirent de Spinoza. Un ouvrage anonyme de 1749, *Freigeister, Naturalisten, Atheisten*, tente de les justifier en distinguant les différentes catégories. Le *Freydenken-Lexicon* de Trinius, en 1759, mentionne de nombreux écrits clandestins athées circulant en Allemagne, dont beaucoup sont en latin ou en français. Entre 1774 et 1777, un écrivain allemand de premier plan, Lessing, prend pour la première fois la défense du libre examen, dans les *Fragments d'un inconnu*, et en 1783 Mendelssohn déplore le positivisme sensualiste qui se développe chez les intellectuels, « le penchant au matérialisme, qui menace de devenir si commun de nos jours, et de l'autre côté l'avidité à regarder et à toucher ce qui, à cause de sa nature même, ne peut venir sous les sens, l'inclination à l'exaltation[58] ».

Plus à l'est, en Pologne, Marian Skrzypek a montré que les historiens, jusqu'à une époque récente, avaient ignoré l'existence d'un véritable athéisme local, en liaison avec les Lumières françaises[59]. Ainsi W. Wasik affirmait-il encore en 1958 qu'au XVIIIᵉ siècle « l'athéisme est ignoré chez nous, car nous ne connaissons dans la littérature polonaise à l'époque des Lumières aucun texte qui représente distinctement une telle attitude, bien que certains auteurs s'en soient peut-être rapprochés. Nous nous distinguons en cela des Français, qui ont été plus conséquents[60] ». B. Suchodolski confirmait : « Nos liens avec la philosophie des Lumières françaises ont été les plus faibles dans le domaine où cette philosophie formait les principes les plus décidés du matérialisme et de l'athéisme. Ni Helvétius ni d'Holbach n'étaient appréciés chez nous[61]. »

En fait, dans les années 1770, la pensée d'Helvétius et surtout celle de d'Holbach — dont la *Morale universelle*, traduite sous forme manuscrite, sert à enseigner la morale sous l'égide de la Commission d'éducation nationale — sont connues en Pologne. Un opuscule intitulé *La Voix de la nature aux hommes*, qui n'est autre qu'une reproduction du dernier chapitre du *Système de la nature*, circule dans le pays. D'autres écrits, comme *La Prière d'un athée*, pénètrent dans les années 1790, et des écrivains comme le jacobin polonais Dmochowski et Batowski s'inspirent largement des matérialistes français. La contrebande de livres athées semble avoir été très importante (les ouvrages étant dissimulés au milieu de livres anodins) et des traités plus volumineux, de d'Holbach, Volney, Boulanger, Raynal, sont traduits au début du XIXe siècle. L'un des principaux traducteurs est J. Sygiert. Si la préférence va aux traités politiques et moraux, en raison des problèmes particuliers de l'histoire polonaise, les ouvrages antireligieux sont malgré tout bien représentés, avec l'*Analyse de la religion chrétienne*, le *Traité des trois imposteurs*, les *Questions de Zapata*, les *Difficultés sur la religion*. Indiscutablement, la littérature athée a des clients en Pologne.

En Hongrie également, où l'on retrouve une traduction de *La Prière d'un athée* datant de 1775, et de l'*Abrégé du code de la nature* en 1794. Le marché russe est encore plus important, et là encore c'est d'Holbach qui est le maître à penser, traduit par Lopoukhine ou Pnine, à l'intention d'une intelligentsia limitée à la noblesse.

L'exemple vient d'en haut :
haute noblesse, haut clergé, haute bourgeoisie

Partout en Europe, c'est d'ailleurs de la noblesse que vient l'exemple. En France, dès la fin du règne de Louis XIV, quelques grands aristocrates se permettent d'afficher leur incrédulité, comme le comte de Gramont (1646-1707), ami de Saint-Évremond. En 1696, il est mourant une première fois ; Dangeau vient de la part du roi pour voir s'il s'est réconcilié avec Dieu, et le comte dit à sa femme : « Comtesse, si vous n'y prenez garde, Dangeau vous escamotera ma conversion. » Scène tout aussi édifiante en 1678 au décès de son frère, le duc de Gramont : « Cela est-il vrai, Madame ? » demande-t-il à sa femme pendant que son confesseur énumère les dogmes, qu'il ignore complètement. Ayant obtenu une réponse affirmative, il déclare : « Eh bien, allons donc ! Dépêchons-nous de croire ! » Saint-Simon donne une autre version, qu'il applique au comte de Gramont : « Étant fort mal à quatre-vingt-cinq ans, un an devant sa mort, sa femme lui parlait de Dieu. [...] À la fin, se tournant vers elle : "Mais, comtesse, me dis-tu là bien vrai ?" Puis, lui entendant réciter le *Pater* : "Comtesse, lui dit-il, cette prière est belle ; qu'est-ce qui a fait cela ?" Il n'avait pas la moindre teinture d'aucune religion[62]. »

Sans doute ne faut-il pas accorder plus d'importance qu'elles n'en méritent à ces anecdotes, mais elles constituent tout de même des indices, que confirment largement les mémorialistes et épistoliers. En 1699, la princesse Palatine constate : « La foi est éteinte en ce pays, au point que l'on ne trouve plus un seul jeune homme qui ne veuille être athée ; mais ce qu'il y a de plus drôle, c'est que le même homme qui à Paris fait l'athée joue le dévot à la cour[63]. » Elle-même a bien du mal à croire, et exprime un surprenant scepticisme dans une lettre du 2 août 1696 :

> À raisonner d'après mon méchant jugement, je croirais plutôt que tout périt quand nous mourons, et que chacun des éléments dont nous sommes composés reprend sa partie pour refaire quelque autre chose, un arbre, une herbe, n'importe quoi, qui sert de nouveau à nourrir les créatures vivantes. La grâce de Dieu, à ce qu'il me semble, peut seule nous faire croire que l'âme est immortelle ; car cela ne nous vient pas naturellement à l'esprit, surtout quand on voit ce que deviennent les gens après leur mort. [...] Ce qui prouve bien encore que nous ne pouvons pas comprendre ce qu'est la bonté de Dieu, c'est que notre foi nous enseigne qu'il a premièrement créé deux hommes auxquels il a donné lui-même l'occasion de faillir. Qu'avait-il besoin, en effet, de leur défendre de toucher à un arbre, et ensuite d'étendre sa malédiction sur tous ceux qui n'avaient pas péché, puisqu'ils n'étaient pas nés ? À notre compte, cela est précisément le contraire de la bonté et de la justice, attendu qu'il punit des gens qui n'en peuvent mais, et qui n'ont pas péché[64].

La Palatine connaît de nombreux libertins et athées, comme le duc de Brissac, ou le duc de Richelieu, « un archidébauché, un vaurien, un poltron qui nonobstant ne croit ni à Dieu ni à sa parole[65] ». Saint-Simon cite quantité d'autres cas, tels le baron de Breteuil, qui ignore même qui a fait le *Pater*[66], ou le marquis de Lévis, dont on s'aperçoit en rédigeant le contrat de mariage qu'il n'a jamais été baptisé et qu'il n'a jamais communié. « Il fallut donc, en même jour, faire au marquis de Lévis les cérémonies du baptême, lui faire faire sa première confession et sa première communion, et, le soir à minuit, le marier à Paris à l'hôtel de Luynes[67]. »

Chez les ecclésiastiques, la situation n'est pas meilleure. Même l'abbé, puis cardinal de Polignac, qui pourtant écrira un *Anti-Lucrèce*, mène une vie plus que douteuse[68]. Quant à Jacques-Antoine Phélypeaux, évêque de Lodève à partir de 1690, il ne croit ni en Dieu ni au diable : il « entretenait des maîtresses publiquement chez lui, qu'il y garda jusqu'à sa mort, et tout aussi librement ne se faisait faute de montrer, et quelquefois de se laisser entendre qu'il ne croyait pas en Dieu[69] ». Il n'est pas le seul ; voici par exemple l'abbé de Chaulieu, « agréable débauché de fort bonne compagnie, qui faisait aisément de jolis vers, beaucoup du grand monde, et qui ne se piquait pas de religion[70] ».

Selon le cardinal de Bernis, l'atmosphère de la Régence est fortement imprégnée d'athéisme dans les milieux de la cour :

> Tous ceux qui pensaient hardiment sur la religion avaient droit de plaire au Régent. Il permit qu'on lui dédiât une nouvelle édition du Dictionnaire de Bayle ; ce livre dangereux passa dans les mains de tout le monde ; on devint par cette lecture savant à bon marché. On apprit des anecdotes scandaleuses ; on vit les objections présentées dans tout leur jour. Les femmes même commencèrent à s'affranchir des préjugés. L'esprit d'incrédulité et le libertinage circulèrent ensemble dans le monde. L'irréligion du Régent et ses débauches trouvèrent facilement des imitateurs dans une nation dont le caractère propre est d'imiter servilement les vertus et les vices de ses maîtres ; la corruption devint presque générale, on afficha le matérialisme, le déisme, le pyrrhonisme ; la foi fut reléguée chez le peuple, dans la bourgeoisie et les communautés ; il ne fut plus du bon ton de croire à l'Évangile[71].

Mais à quoi croyait le cardinal de Bernis, surnommé « belle Babet » par Voltaire, débauché notoire, à en rendre jaloux Casanova, avec qui il échangeait ses maîtresses, lors de son ambassade à Rome, pour des soirées très spéciales ? En 1737, sur les conseils de Polignac, il compose un grand poème contre l'athéisme : « Le cardinal me dit que je pouvais mieux faire, qu'il n'avait attaqué que les matérialistes, mais que dans un même ouvrage je pouvais combattre tous les incrédules. Ce conseil échauffa mon génie ; je commençai dès lors mon poème de la *Religion*[72]. » Quel Bernis croire ? Une chose est certaine : les contemporains ont été plus influencés par la conduite de leurs maîtres, civils et religieux, que par leurs pieux écrits. Pour ce qui est du Régent, le cas est trop connu pour que nous nous y attardions. Quelles qu'aient été ses convictions intimes, le peuple a retenu qu'il était athée, comme en témoignent de multiples pamphlets tels que ce couplet :

> On dit qu'il ne crut pas à la divinité,
> mais c'est une imposture insigne.
> Plutus, Cypris et le dieu de la vigne
> lui tenaient lieu de Trinité.

L'exemple venant de haut, on ne sera pas surpris de trouver de nombreux imitateurs en descendant l'échelle sociale. Ce qui revient à poser le problème de la propagation de l'incroyance. Le phénomène est-il contagieux à partir d'une catégorie sociale dont le comportement servirait de référence ? L'étude exemplaire de Michel Vovelle sur la déchristianisation provençale au XVIIIe siècle peut ici tenir lieu de modèle méthodologique. La question est clairement posée : « Le détachement des pratiques se fait-il par imitation descendante à partir des élites ? Et d'abord y a-t-il un comportement homogène d'élites ? Répondre à ces questions va plus loin qu'un simple commentaire descriptif : c'est aborder le pourquoi par le comment. D'où vient l'exemple[73] ? »

Dans le cadre de la Provence, il vient des grandes villes de l'ouest, en particulier de Marseille, de la grande bourgeoisie négociante surtout, comme le révèle la diminution frappante des dispositions religieuses dans les testaments dès la première moitié du siècle : « C'est l'exemple bourgeois, suivi avec quelque retard, qui commande ici, semble-t-il, les comportements du petit monde boutiquier ou artisanal, môle de fidélité jusqu'aux années 1750, secteur de pratique déclinante ensuite[74]. » Ce modèle n'est cependant pas valable pour les petites villes, où l'on constate que les notables locaux restent plus fervents que le monde des artisans et de la paysannerie : « On est dès lors tenté d'opposer à la mobilité de la bourgeoisie de la grande ville l'inertie relative des notables du bourg ou du village ; et de supposer, dans un microcosme fermé, une réaction défensive[75]. »

Dans la grande bourgeoisie, deux catégories connaissent un déclin religieux précoce, qui commence dès 1700, puis s'accélère après 1750 : négociants d'une part, gens de robe et membres des professions libérales d'autre part. La bourgeoisie boutiquière ne suit que de loin, mais le décrochement est brutal à partir de 1760. Quant aux origines de ce mouvement, Michel Vovelle les situe essentiellement dans le style de vie : la bourgeoisie du négoce, de la justice et des métiers libéraux est ouverte sur l'extérieur et a accès à des informations variées, qui entraînent une relativisation des valeurs. Tous les métiers itinérants — militaires, marins, bateliers, colporteurs, jongleurs — connaissent également un recul religieux précoce. Gabriel Le Bras en faisait déjà la remarque : les insoumis sont « tous les errants : bateliers, rouliers, soldats ; les sédentaires que leur état porte à l'indépendance : commerçants, artisans, vignerons ; quelques notables : gentilshommes, fonctionnaires, chirurgiens[76] ».

Quant aux femmes, partout, elles restent plus longtemps croyantes et pratiquantes. Pour l'Ancien Régime, l'explication la plus plausible est d'ordre socio-culturel : la femme, dans les classes populaires, est soumise, dépendante, et analphabète dans une proportion très supérieure à celle des hommes. L'infériorité culturelle et l'habitude de la dépendance nourrissent un besoin de protection et de recours qu'elles trouvent à l'église. Dans la bourgeoisie, l'éducation exclusivement religieuse lui ferme l'accès à la pensée séculière.

Petits bourgeois, artisans, bateliers, marins

Pour toutes les couches sociales moyennes et inférieures, qui n'ont guère laissé de témoignages explicites sur leurs croyances profondes, se pose aussi le problème des critères de l'incrédulité. La sociologie religieuse en est réduite à inférer cette dernière de comportements extérieurs, de gestes jugés significatifs : recul de la pratique dominicale et pascale, demandes de messes, offrandes, choix de sépulture, formules de testaments. Seule une convergence de ces attitudes permet d'atteindre un degré assez élevé de vraisemblance pour parler de déchristianisation. Or, le phénomène est indéniable pour le XVIIIᵉ siècle, comme le montrent toutes les enquêtes. Il faut insister une fois de plus avec Michel Vovelle sur ce constat : « L'historien voit naître au cours du XVIIIᵉ siècle tout un ensemble d'attitudes nouvelles qui ruinent sans appel l'apparence de discontinuité que la crise révolutionnaire plaçait entre un Ancien Régime chrétien et un XIXᵉ siècle en voie de déchristianisation[77]. »

Comme toujours, ce qui rend difficile l'évaluation du phénomène de l'incroyance, c'est qu'au niveau populaire, il est silencieux. Lorsqu'on ne croit pas à quelque chose, on n'en parle pas. L'incroyant ne suit pas de rites particuliers où l'on pourrait comptabiliser les présents. « Les mécréants sont malaisés à dépister : le sens de la pression sociale joue ici trop fermement pour que l'épanchement ne soit pas rarissime[78] », écrit Michel Vovelle. Suivant sa formule, nous en sommes souvent réduits à mesurer la « convergence des silences ».

Pourtant, il n'y a guère de doute au XVIIIᵉ siècle, où les silences deviennent assourdissants. De tous côtés, les enquêtes confirment le détachement religieux des élites bourgeoises : effondrement des dons, des fondations, de l'appartenance aux confréries, de la pratique dominicale, des demandes de messes, des vocations sacerdotales et religieuses. Partout, on constate un recul des fils de la bourgeoisie dans les séminaires au profit des fils d'artisans. À Rennes, ces derniers passent de 18 à 36 % des effectifs entre 1720 et 1760-1780. Les vocations sont découragées, même en Bretagne : le chanoine Julien Le Sage, né à Uzel, raconte que lorsqu'il fit part de sa volonté de devenir religieux, en 1777, tout son entourage tenta de le dissuader : « Les uns me traitèrent de fou et bien sérieusement ; d'autres de misanthrope atrabilaire, ce qui revient à peu près au même, et les plus charitables me jugèrent dupe d'un accès de ferveur passagère, dont quelques mois d'épreuves ne manqueraient pas de me guérir. »

Globalement, le recrutement des séculiers baisse de 25 % entre 1740 et 1789, avec un décalage régional important : le repli est net dès 1720 dans le diocèse d'Auxerre, dès 1730 dans ceux de Langres et Coutances, dès 1740 dans ceux de Saint-Malo, Toulouse, Aix; il faut attendre 1750 pour ceux de Rennes et Bordeaux, 1760 pour ceux de Reims, Rouen, Gap. Les prêtres sans vocation, voire athées, sont de plus en plus nombreux, jusqu'au plus haut niveau, à l'image de Mgr de Vintimille, archevêque de Paris, qui, sur son lit de mort, interrompt son confesseur : « Monsieur, cela suffit. Ce qui est certain, c'est que je meurs votre serviteur et votre ami. » Chez les réguliers, c'est la débâcle : en 1765, la Commission des réguliers supprime huit ordres religieux et 458 monastères sur 2 966.

Dans cette désaffection massive de la bourgeoisie, toutes les nuances sont présentes, depuis le simple rejet du catholicisme post-tridentin en faveur du déisme, jusqu'à l'athéisme intégral. Certains n'hésitent même plus à afficher leur incroyance, parfois avec une pointe de cynisme, comme Nicolas Boindin (1676-1751), qui profite des querelles autour du jansénisme. Chaudon écrit de lui : « Il échappa à la persécution et au châtiment, malgré son athéisme, parce que, dans les disputes entre les jésuites et leurs adversaires, il pérora souvent dans les cafés contre ceux-ci. De La Place rapporte qu'il disait d'un homme qui pensait comme lui et qu'on voulait inquiéter : "On vous tourmente parce que vous êtes un athée janséniste; mais on me laisse en paix parce que je suis un athée moliniste[79]." »

Boindin est pourtant fiché par les services de police comme athée notoire, et l'inspecteur d'Hémery a collecté de nombreuses épigrammes non équivoques à son sujet[80]. Peut-être est-il simplement un sceptique, toujours prêt à émettre des objections. « Je vois des raisons contre tout », écrit-il à Fontenelle, et Duclos rapporte qu'« il cherchait surtout à combattre les opinions reçues dans les matières les plus graves, ce qui lui avait fait une réputation d'impiété dont il m'avoua un jour qu'il se repentait fort; qu'elle avait beaucoup nui au repos de sa vie; qu'on ne doit jamais manifester de tels sentiments, et qu'on serait encore plus heureux de ne les pas avoir. On sait qu'il est traité d'athée dans les couplets attribués au poète Rousseau[81] ».

Le milieu des artisans est touché par la déchristianisation à partir des années 1760-1770 surtout. Le phénomène est accentué par le nomadisme des compagnons qui font leur tour de France, entrant en contact avec des milieux divers, souvent marginaux, échappant aux contrôles, et colportant ensuite la contestation et l'anticléricalisme. L'un d'eux, le Parisien Jean-Louis Menetra, définit les prêtres comme « ces hommes immoraux qui faisaient une seconde autorité par le moyen de toutes ces chimères inventées par le mensonge et soutenues par l'ignorance, secondées par le fanatisme et la superstition[82] ».

Les cabaretiers forment une catégorie beaucoup plus précocement déchristianisée. Depuis longtemps, ils sont en rivalité avec le curé, lui disputant la clientèle masculine du dimanche matin. Le cabaret constitue une véritable contre-église, systématiquement anathémisée au cours des visites pastorales : « Au cabaret, une société se forme, où se mêlent ceux du bourg et ceux de la terre, indigènes et gens de passage, qui apportent les bruits et les brochures des villes ; la conversation est libre, les idées sont mises en commun : c'est le salon du village, et la censure du maître du logis s'exerce plutôt contre la religion qu'à son service[83]. »

Autre profession visée par les censeurs religieux, celle des bateliers, échappant au contrôle paroissial, indépendants et réputés impies. Dans le diocèse d'Auxerre, un rapport du curé de Coulanges-sur-Yonne, en 1682, les définit ainsi : « La profession de presque tous les habitants de ce lieu est le travail sur les eaux et les ajustements des trains ou flottes qui doivent estre conduits à Paris. On scait assez que les gens de cette profession sont comme prostituez aux blasphèmes et juremens : ils font connaître dans les autres lieux de la route de leurs voyages combien ils sont emportez à ces sortes d'exécration[84]. » Il est vrai que, comme le signale Nicolas Colbert en 1684-1687, beaucoup de bateliers qui ne peuvent pas faire leurs pâques en temps voulu les font plus tard, et que les appréciations négatives portées sur la profession doivent être relativisées[85].

Même débat autour des milieux maritimes. Le métier de marin, surtout à cette époque, comporte des aspects contradictoires à l'égard de la foi : d'un côté, le danger, la fragilité face à une nature à la fois puissante, redoutable et magnifique peuvent inspirer des sentiments religieux ; de l'autre, la liberté, l'indépendance, l'isolement, la fréquentation de mondes différents, la vie dissolue des tavernes portuaires sont des facteurs d'athéisme pratique. Roland Baetens s'interroge à propos de la religiosité des marins des xviᵉ-xviiiᵉ siècles : « Dans quelle mesure le marin, par le souci de la vie quotidienne, [...] peut[-il] disposer de l'attitude et de l'effort requis pour la croyance en Dieu et dans l'au-delà ? Dans quelle mesure le travail dur et l'indigence ne neutralisent-ils pas l'inclination à la croyance en Dieu ; croyance qui serait, en outre, inspirée de façon plutôt négative, par la peur[86] ? » Son étude, qui porte sur les milieux maritimes flamands, montre combien les équipages sont abandonnés à eux-mêmes ; la nomination d'aumôniers sur les bâtiments de la Compagnie des Indes orientales est très irrégulière, et les prêtres se révèlent souvent des sujets douteux dont les évêques sont trop heureux de se débarrasser, comme ce vicaire qui participe à l'assassinat du capitaine en second du vaisseau négrier *Le Comte de Toulouse*, de Dunkerque, en 1721. « Les marins ont été les premières victimes du processus de déchristianisation qui s'était manifesté si rigoureusement dans la société dunkerquoise et ostendaise. Il y a donc lieu d'accepter que cette religiosité par manque de pratique religieuse a remplacé dans pas mal de cas la foi personnalisée du marin[87]. »

Une autre étude insiste sur les habitudes blasphématoires du milieu maritime, pratique pourchassée en vain par le clergé post-tridentin aussi bien que par les pasteurs protestants dans toutes les flottes européennes[88]. Le blasphème n'est pas en soi un indice d'athéisme. Sa persistance, en dépit des interdictions massives et horrifiées du clergé, illustre au moins une indifférence à l'égard de ces dernières. Il est non moins indéniable que le stationnement des grandes flottes, dont les équipages totalisent souvent plus de dix mille hommes, dans les ports de guerre, a été un facteur de désordre moral et de déchristianisation précoce. Brest, enclave anticléricale dans un pays de Léon profondément croyant, en est l'illustration.

Un autre milieu marginal se signale par son détachement à l'égard des croyances officielles, celui des îles et îlots qui bordent les côtes européennes. Les populations y sont souvent abandonnées à elles-mêmes, aucun prêtre ne voulant s'exiler dans ces bouts du monde. Sur l'île de Sein, il n'y a pas de curé pendant la première moitié du XVIIe siècle. Ceux qui y vont sont de piètre qualité, comme le constate en 1725 dom Lobineau : « Il se trouvait des prêtres également ignorants et vicieux qui se laissaient aller eux-mêmes à ces superstitions du peuple, ou du moins qui les toléraient pour en tirer du profit. Ils persuadaient aussi au peuple qu'ils avaient le pouvoir de guérir les maux des hommes et des bêtes, et employaient pour cela des exercices apocryphes[89]. »

Aussi, lorsque les missionnaires jésuites débarquent en 1640 à Ouessant, ils trouvent des populations qu'on pourrait difficilement qualifier de chrétiennes, qui ignorent tout des croyances de base et des prières, qui hésitent entre quatre ou cinq dieux, et qui se rebellent contre les questions indiscrètes des nouveaux venus : « Vous êtes bien curieux, vous autres ; vous en voulez trop savoir », déclarent-ils au jésuite Julien Maunoir[90]. Conservatoires de superstitions multiséculaires, les îles n'ont jamais été à proprement parler christianisées. S'il ne s'agit pas vraiment d'incrédulité, puisque ces populations ont leurs propres systèmes de croyances, l'absence de distinction entre profane et sacré qui les caractérise peut justifier d'un certain point de vue le terme d'athéisme pratique. Nous sommes ici quasiment à un stade préreligieux, celui de la magie et du mythe vécu. Le profane est tellement intégré au sacré qu'il s'y dissout, ce qui est une forme préreligieuse d'athéisme.

L'athéisme : produit du christianisme ?
La séparation profane-sacré

Les missionnaires du XVIIe siècle ont eu la surprise de trouver dans les campagnes continentales bien des cas de ce genre. « En plusieurs endroits, on a été jusqu'à abolir le culte du vrai Dieu, pour se livrer à l'impiété et à la superstition », écrit le père Boschet, qui multiplie les exemples d'ignorance religieuse dans les régions de Basse-Bretagne visitées par le père Maunoir. L'arrivée des missionnaires déclenche d'ailleurs une forte hostilité, et leur vie est plusieurs fois menacée. Boschet parle « de railleries, d'injures, de menaces et quelquefois mesme de coups et de mauvais traitements » ; des attroupements se forment, comme à Bourbriac en 1657 ; à Saint-Thurien, en 1646, l'échec est complet. L'opposition ne vient pas que des paysans : de petits nobles tirent sur les missionnaires ; à Quimper, Concarneau, Landerneau, Douarnenez, bourgeois et militaires refusent de les écouter[91].

Cette opposition, les missionnaires la dissipent en particulier grâce à leurs méthodes pédagogiques actives ; leur don de la mise en scène et du spectaculaire leur permet d'attirer les foules paysannes intriguées[92]. L'utilisation de grandes cartes illustrées frappe les imaginations, et les thèmes développés montrent quels sont les obstacles auxquels entendent s'attaquer les jésuites : impiété, mécréance, idolâtrie, hérésie, sorcellerie, nécromancie, apostasie. Sur une carte employée par le père Nobletz dans le Finistère, une large voie mène en enfer : c'est celle qui consiste à « croire en sa propre sagesse par trop ; [...] croire plus à l'Antiquité que à ce que l'Église nous enseigne ; [...] croire quelques articles de la foy et mescroire les autres ; [...] préférer l'opinion humaine à la foy surnaturelle ».

Les efforts des missionnaires portent essentiellement sur la séparation stricte du sacré et du profane, qui est sans doute la marque principale de l'esprit tridentin. Il s'agit de dégager le sacré de sa gangue profane, de restaurer sa transcendance, de le mettre hors de portée des manipulations et contestations humaines. La tâche est immense, et ses conséquences d'une extrême importance.

Les moyens mis en œuvre sont à la mesure des besoins : prédication, catéchisme, confession, missions, confréries, relayés par les autorités civiles, locales et royales, entreprennent une vaste campagne de révolution culturelle, menée parallèlement dans les pays catholiques et les pays protestants. Un tri est effectué au niveau des croyances et des pratiques entre le « superstitieux », illégitime et condamné, et le sacré authentique, défini par le nouvel idéal d'une piété livresque, intellectualisée et intériorisée. La culture de l'élite s'applique à se distinguer de la culture populaire et à effacer des pans entiers de cette dernière. Robert Muchembled a retracé cette grande œuvre d'acculturation[93].

Le sacré est codifié, isolé, protégé, magnifié jusque dans les détails de la vie cultuelle : expulsion des laïcs du chœur des églises, désormais fermé par une balustrade ; séparation stricte clercs-laïcs dans les processions, elles-mêmes sévèrement réglementées ; réduction des laïcs à l'état de simples spectateurs du culte (dorénavant, on « assiste » à la messe) ; interdiction des fêtes populaires, accusées de favoriser l'impiété; élimination de toute trace de superstition dans la pratique religieuse.

Il faudra deux bons siècles pour mener à bien cette transformation des mentalités. Mais dès le XVIIIe siècle certains résultats se font sentir. Tout d'abord, isoler le sacré, c'est le couper du vécu quotidien qui lui insufflait jusque-là sa vie; c'est donc courir le risque de le voir s'anémier, se réduire à quelques minutes de pratique hebdomadaire, et bientôt disparaître. Car la coupure profane-sacré va aller beaucoup plus loin que ne le pensaient les réformateurs religieux. Dès la seconde moitié du XVIIIe siècle, des voix s'élèvent pour réclamer la séparation de l'Église et de l'État, qui est dans la logique de la réforme tridentine.

D'autre part, la lutte contre les superstitions menée par les autorités religieuses garde ce caractère ambigu que nous avons signalé: interdire aux fidèles de crier au miracle à tout propos et en même temps lui ordonner de croire au miracle permanent de l'eucharistie est un exercice difficile, que la propagation de l'esprit critique va rendre encore plus compliqué. Dans la liste interminable des superstitions que pourfend par exemple Jean-Baptiste Thiers au nom de la piété éclairée en 1679[94], n'y en a-t-il pas qui pourraient être comparées à certains rites religieux orthodoxes, comme les vertus de l'eau bénite, du sel, du saint chrême, d'une simple croix, ou encore le pouvoir miraculeux attribué à certaines formules latines accompagnant les sacrements et les exorcismes? Et ne parlons pas des miracles bibliques qui, eux, doivent être acceptés tels quels. À trop tempêter contre les superstitions, n'est-ce pas tout le surnaturel qui risque d'être englouti? Le clergé devra faire des concessions à ce sujet, d'autant plus que dans sa lutte contre les superstitions il rencontre un allié encombrant: les philosophes, qui, eux, rejettent tout en bloc. D'une certaine façon, le clergé tridentin fait le jeu du rationalisme.

Troisième point: la religion éclairée des XVIIe-XVIIIe siècles s'accompagne d'un contrôle moral tatillon. Les fidèles sont placés sous haute surveillance. Dès 1581 et 1586, les conciles de Rouen et de Bordeaux avaient ordonné la tenue d'un registre des non-pascalisants. Dans la plupart des diocèses, les curés doivent communiquer les noms à l'évêque. Les questionnaires servant de base aux visites pastorales demandent s'il y a dans la paroisse des esprits forts, des gens qui ne fréquentent pas l'église. Dans ses missions, le père Maunoir conseille aux curés de tenir des fiches individuelles, notant la piété des paroissiens de 1 à 5. M.-H. Froeschlé-Chopard a remarqué la montée du soupçon dans les visites pastorales en Provence du XVIe au XVIIIe siècle. En 1551, seule la visite de Grasse requérait de dénoncer « aulcunes personnes, tant ecclésiastiques que layques, en commun ou en particulier, tenant ou publiant paroles hérétiques ou scandaleuses contre noctre sainte foy ». À partir de 1680, tout doit être noté, depuis les distractions de chacun jusqu'à la tenue à la messe[95].

À la fin du xviie siècle, le fichage se concrétise dans beaucoup de paroisses par la tenue de « registres d'état des âmes », où tous les renseignements les plus intimes sur la vie de chaque fidèle sont consignés[96].

La confession devient de plus en plus inquisitoriale, et les manuels de confesseurs recommandent de poser des questions sur les doutes et les éventuelles tentations d'incrédulité. La *Pratique du sacrement de pénitence* de l'évêque de Verdun, datant de 1711, suggère de demander au pénitent :

> N'avez-vous point consenti à des pensées contraires à la foy, croyant que ce que l'Église nous enseigne n'est pas véritable ; que ce n'est, par exemple, que pour nous faire peur qu'elle nous menace de l'enfer ? Combien de fois ? N'avez-vous point douté volontairement des vérités de la foy ? Combien de fois ? Avez-vous exprimé au dehors votre incrédulité, et fait quelques signes, soit par paroles, soit autrement, que vous ne croyiez pas ? Si cela est, le cas est réservé, et accompagné d'excommunication majeure ; encore que personne n'ait remarqué ces signes, il suffit qu'ils ayent été sensibles.
>
> Avez-vous communiqué ces mauvais sentiments à d'autres ? Combien de fois, et à combien de personnes ? Estoit-ce à dessein de leur inspirer votre erreur ? On est obligé de travailler à les désabuser s'ils y sont engagez.
>
> N'avez-vous point loué et approuvé une fausse religion, disant, par exemple, qu'on se peut sauver chez les hérétiques ? Combien de fois, et devant combien de personnes[97] ?

La permanence du soupçon trahit la crainte obsessionnelle du clergé devant la montée de l'incrédulité. Il faudra aussi, indique le manuel, préciser :

> Si on n'a pas voulu croire tout ce qu'enseigne l'Église catholique, ou si on a volontairement douté de quelque article de la foy, et si on a déclaré son doute à quelques personnes ; il faut dire à combien de personnes et combien de fois.
>
> Si, par paroles ou autres signes extérieurs, on a témoigné approuver quelque fausse religion, disant par exemple qu'on s'y peut sauver.
>
> Si on a usé de superstitions, comme ajoutant foy aux songes, croyant qu'il y a des jours heureux et malheureux, consultant les devins, guérissant ou se faisant guérir par des signes, billets, prières non approuvées de l'Église et autres choses qui n'ont aucun rapport à l'effet qu'on s'est proposé[98].

Un tel niveau d'inquisition, qui s'applique au domaine moral, en particulier concernant la sexualité, finit par engendrer un phénomène de rejet. La tutelle étouffante du clergé post-tridentin fournit des armes aux futures générations d'incrédules, qui auront beau jeu de dénoncer ces pratiques. Croyant voir partout le doute, on finit par le susciter pour de bon. En voulant protéger leur troupeau, les prélats ne font souvent que leur montrer la voie de l'incroyance, surtout dans le monde rural. Au fond de la Bretagne, l'évêque de Tréguier se désole dès 1768 des progrès de l'incrédulité et note que la foi est tournée en dérision même chez les paysans. Pour rétablir la croyance, il crée la confrérie du Sacré-Cœur, dont « les associés se croiront plus étroitement obligés à ne jamais rougir de l'Évangile, à ne pas craindre d'afficher une vraie et solide piété. Hélas! que la crainte de passer pour dévots retient en arrière de pauvres âmes[99] ».

Responsabilité des excès dogmatiques et du jansénisme

Barrage d'autant plus dérisoire contre la montée de l'athéisme que cette dernière résulte pour une part de l'attitude des Églises, protestante et catholique, qui par leur rigorisme intransigeant poussent elles-mêmes une partie de leurs fidèles à se détacher de la foi. Révélateur de ce processus est le témoignage de Madame Roland. Jeune fille, elle a reçu une éducation pieuse. Avide de lectures, possédant une intelligence vive et précoce, elle commence à s'éloigner de la foi vers l'âge de quatorze ans, aux alentours de 1772-1775. Sa démarche intellectuelle est typique de celle de bien des jeunes gens de sa génération ; une réflexion sur les excès doctrinaux de la foi post-tridentine l'amène d'abord au doute :

La première chose qui m'ait répugnée dans la religion que je professais avec le sérieux d'un esprit solide et conséquent, c'est la damnation universelle de tous ceux qui la méconnaissent ou l'ont ignorée. Je trouvai mesquine, ridicule, atroce l'idée d'un créateur qui livre à des tourments éternels ces innombrables individus, faibles ouvrages de ses mains, jetés sur la terre au milieu de tant de périls et dans la nuit d'une ignorance dont ils avaient déjà tant souffert. — Je me suis trompée sur cet article, c'est évident ; ne le suis-je pas sur quelque autre ? Examinons. — Du moment où tout catholique a fait ce raisonnement, l'Église peut le regarder comme perdu pour elle. Je conçois parfaitement pourquoi les prêtres veulent une soumission aveugle et prêchent si ardemment cette foi religieuse qui adopte sans examen et adore sans murmure ; c'est la base de leur empire, il est détruit dès qu'on raisonne.
Après la cruauté de la damnation, l'absurdité de l'infaillibilité fut ce qui me frappa davantage, et je ne tardai pas à rejeter l'une comme l'autre. Que reste-t-il donc de vrai ? — Voilà ce qui devint l'objet d'une recherche continuée durant plusieurs années, avec une activité, quelquefois une anxiété d'esprit difficile à peindre[100].

Pour affirmer sa foi, son confesseur lui prête des ouvrages apologétiques, qui produisent l'effet inverse :

Ce qu'il y eut de plus plaisant, c'est que ce fut dans ces ouvrages que je pris connaissance de ceux qu'ils prétendaient réfuter, et que j'y recueillais leurs titres pour me les procurer. Ainsi, le traité de la *Tolérance*, le *Dictionnaire philosophique*, les *Questions encyclopédiques*, le *Bon Sens* du marquis d'Argens, les *Lettres juives*, *L'Espion turc*, les *Mœurs*, l'*Esprit*, Diderot, d'Alembert, Raynal, le *Système de la nature* passèrent successivement entre mes mains[101].

Voilà comment l'Église post-tridentine produit des athées, ou ici des déistes, car Madame Roland ne va pas jusqu'au matérialisme, dont la froideur la rebute :

L'athée n'est point à mes yeux un faux esprit ; je puis vivre avec lui aussi bien et mieux qu'avec le dévot, car il raisonne davantage ; mais il lui manque un sens, et mon âme ne se fond point entièrement avec la sienne : il est froid au spectacle le plus ravissant, et il cherche un syllogisme lorsque je rends une action de grâce[102].

Beaucoup de choses dans la démarche de Madame Roland annoncent celle d'Ernest Renan : dans l'édifice dogmatique si élaboré qu'a érigé l'Église post-tridentine, tout se tient, et le doute sur un point précis met en danger toute la construction, d'où ce souci permanent du clergé d'empêcher toute réflexion personnelle sur le contenu de la foi. Il est certain que la forme figée du christianisme, destinée à être acceptée telle quelle, mise au point aux XVIIᵉ et XVIIIᵉ siècles, est responsable en partie de l'athéisme. Interdire le libre examen, alors que l'évolution culturelle favorise l'essor de l'esprit critique, c'est provoquer délibérément la perte de confiance. Des affirmations aussi outrées que celle de la damnation éternelle de la majorité de l'humanité sont également des erreurs capitales, qui ont poussé bien des fidèles à l'incroyance, alors que le langage de l'Église changera plus tard sur ce sujet, comme sur bien d'autres.

Le jansénisme joue aussi un rôle non négligeable au XVIIIᵉ siècle dans le sens de la déchristianisation. Le lien a été bien établi dans le cadre de l'ancien diocèse d'Auxerre, foyer janséniste très important, où dès 1664 on compte trente et un curés qui refusent de signer le Formulaire, plus le chapitre, des abbés et des religieux. De 1717 à 1754, l'évêque de Caylus fait de cette région le principal bastion de la « secte », et les historiens du XXᵉ siècle sont presque unanimes à reconnaître, comme le faisait dès 1920 l'abbé Charrier, que « le jansénisme est indubitablement, en très grande partie, responsable de la disparition presque totale de la foi dans ce pays de l'Auxerrois, autrefois si chrétien[103] ».

Récemment, Dominique Dinet a repris le dossier et confirmé le fait : le jansénisme a réduit les vocations sacerdotales et religieuses, contribuant au moindre encadrement des paroisses, il a dévalorisé le clergé, jeté le discrédit sur certaines expressions de la foi, concouru au recul de la pratique, perturbé les œuvres éducatives ainsi que la dévotion au Sacré-Cœur, jugée fâcheuse et ridicule, provoqué une surenchère de rigorisme, qui a poussé certains à abandonner les sacrements et la pratique. Les habitants de Montmorin eux-mêmes s'en plaignent à l'évêque en 1741 : « Monseigneur, nous n'avons rien à dire contre Monsieur le curé. Nous nous plaignons seulement qu'il est trop sévère pour la confession ; il remet plusieurs fois les personnes, et cela rebute. Il y en a très peu qui aient fait leurs pâques[104]. »

De plus, la propension janséniste à favoriser les manifestations du surnaturel, miracles, guérisons, convulsions, en plein siècle des Lumières, va contribuer à déconsidérer la religion. Un clergé qui lutte contre les superstitions et qui se montre en même temps trop crédule

perd sa crédibilité. Or, à partir de 1727, date de la mort du diacre
Pâris, les convulsions et guérisons se multiplient, à Saint-Médard
mais aussi dans le diocèse d'Auxerre. En 1732-1733, une domestique
de Seigneulay, à moitié paralysée, a des convulsions à Saint-Médard,
et guérit. L'évêque de Caylus en rend solennellement grâces à Dieu,
en 1734, ce qui lui attire des pamphlets sur la « comédie de Seigneulay », tel celui-ci : « Que prétend notre évêque avec son miracle et
son saint Pâris ? Voilà encore un plaisant saint qui fait faire des folies
aux gens ! Nous n'avons que faire de ce saint-là ! Ô le beau miracle
qu'une sainte fille qui devient folle[105] ! »

Les défections de paroissiens se multiplient dans le diocèse
d'Auxerre dès 1730, et s'accentuent à partir de 1760. Dans la paroisse
Saint-Pellerin d'Auxerre, en 1767, plus personne ne va aux vêpres,
plus de la moitié des habitants ne fait pas ses pâques et n'envoie plus
ses enfants au catéchisme, le quart a totalement abandonné la fréquentation de l'église, ce qui, ajouté à de nombreux autres cas semblables, conduit Dominique Dinet à conclure : « Le jansénisme du
XVIIIe siècle se révèle donc un agent de la déchristianisation dans les
pays de l'Yonne beaucoup plus actif qu'on ne l'avait parfois
pensé[106]. »

Emmanuel Le Roy Ladurie a de son côté insisté sur le fait que le
jansénisme, à longue échéance, prépare un détachement religieux en
incitant les familles à se replier sur elles-mêmes, « vers le cocon
étouffant de l'intimité familiale et ménagère[107] ». N'allant plus à
l'église, décriant le clergé, vivant de façon austère sur une méditation
des textes, le jansénisme se coupe des sources vivantes et collectives
de la foi, qu'il s'expose ainsi à perdre dans le long terme. Massillon
remarquait dès 1724 que les habitudes de contestation que développe
le jansénisme sont un facteur d'incroyance : « C'est ce qui a répandu
l'irréligion, et il n'y a pas loin pour les laïques de la dispute au doute
et du doute à l'incrédulité. »

Les affaires jansénistes ont enfin des conséquences inattendues
jusqu'au parlement de Paris. Cet auguste tribunal comprend plusieurs
conseillers franc-maçons, déistes comme Boulainvilliers, ou matérialistes athées comme Pierre-Achille Dionis du Séjour, qualifié par son
pieux collègue Robert de Saint-Vincent d'« homme athée et irréligieux par caractère ou par principe », ayant « juré d'anéantir le règne
de Jésus-Christ et d'abattre tous les temples consacrés au christianisme[108] ». Or, les deux hommes sont objectivement alliés contre les
jésuites. Le passage du jansénisme à l'athéisme, et inversement, a
d'ailleurs été plusieurs fois constaté. Le conseiller au Parlement Carré
de Montgeron, qui avait perdu la foi dès l'adolescence, la retrouve à
l'occasion des guérisons du cimetière Saint-Médard.

Diffusion de l'incrédulité : cafés, clubs, journaux

La diffusion de l'incroyance s'accélère au xvIIIᵉ siècle avec l'apparition de nouveaux moyens de communication sociale : discussion dans les cafés, les clubs et les salons, journaux, trafic de livres prohibés. Le rôle des cafés a été maintes fois souligné comme relais des discussions de salons, où se diffusent les idées nouvelles, qui peuvent ainsi atteindre un large public, même analphabète : « L'évidence n'interdit pas de supposer que l'irréligion a pu se répandre au-delà des milieux qui recherchaient la libre élégance du salon d'une Ninon de Lenclos, car les honnêtes bourgeois et les ouvriers aimaient à retrouver les discoureurs des cafés, les nouvellistes des jardins publics », écrit E.R. Briggs dans une étude sur la diffusion des idées anglaises en France[109].

Dès le début du xvIIIᵉ siècle, la police s'intéresse de près à ces cafés, suspects d'être des foyers d'athéisme. On lit dans un rapport d'espion : « Il y a à Paris de prétendus beaux esprits qui parlent dans les cafés et ailleurs de la religion comme d'une chimère. Entre autres, M. Boindin s'est signalé plus d'une fois dans le café Conti, au coin de la rue Dauphine, et si l'on n'y met ordre le nombre des athées ou déistes augmentera, et bien des gens se feront une religion à leur mode, comme en Angleterre[110]. » Le fameux Boindin s'échauffe dès qu'il trouve un auditoire, comme le confirme Duclos : « Aussitôt qu'il se voyait au milieu d'un auditoire, comme au café, il ambitionnait les applaudissements que lui attirait son éloquence. À soixante ans passés, il avait encore cette ambition puérile[111]. »

Un autre pilier de café revient régulièrement dans les rapports de police comme propagateur d'incrédulité : l'abbé Bouchard, qui pérore également dans les jardins du Luxembourg. Le 12 septembre 1728, un espion rapporte :

> M. l'abbé Bouchard ne discontinue pas ses conversations sur la religion, il dit hardiment que toutes les religions sont bonnes, qu'il est permis à chacune de former une divinité ainsi que la connaissance le permet ; que comme le culte que l'on rend à Dieu est de l'invention de l'homme, il lui est permis de se former une divinité à sa fantaisie ; il a pareillement tenu ce discours dans le Luxembourg au scandale de ceux qui l'ont entendu[112].

Le 10 novembre, un autre espion a suivi

> la conversation de M. l'abbé Bouchard, qui continue d'être un atéiste [*sic*] et de parler avec peu de respect des mystères les plus sacrés.

Autre rapport, le 14 avril 1729 :

> M. l'abbé Bouchard n'est pas meilleur qu'il était ci-devant [...] il dit naturellement que les mystères que l'Église solennise dans ce saint temps [Pâques] sont absurdes et que la fable est bien controuvée. Il convient cependant qu'il y a un dieu, mais que ce dieu a toujours été impassible. »

D'autres abbés se font remarquer par des propos similaires :

On croit devoir aussi rapporter qu'il y a certaines gens qui se mêlent de philosopher et de révoquer tout en doute, ils disent entre autres choses qu'il n'y a nulle histoire sacrée ni profane auxquelles on soit obligé d'ajouter foi ; un abbé qui se nomme Bertier dit que l'Assomption de la Vierge est une pieuse invention[113]. (4 octobre 1736.)

Ces trop brefs aperçus de l'oralité dans un monde que nous ne voyons habituellement qu'à travers l'écrit montrent que l'on pouvait alors exprimer en public des idées très audacieuses sur la religion. Les critiques et la libre discussion de la foi vont bon train et sont certainement plus généralisées que ce que nous en ont transmis les livres. Des opinions que l'on pourrait croire limitées aux in-folio sont discutées par tout le monde :

On dit assez communément, et nommément des ecclésiastiques, que la religion catholique est sur le penchant de sa ruine en France [...]. D'autres disent que la religion n'est plus qu'un trait de politique pour contenir le vulgaire ignorant, que néanmoins on ne peut pas parvenir à en imposer à ce même vulgaire, attendu qu'il voit parfaitement que la cause de tous les désordres qui règnent dans le siècle présent n'est occasionnée que par la dépravation des mœurs des ecclésiastiques. (27 mai 1737).

Ces propos circulent au café Conti, au café Gradot, et surtout au café Procope, rendez-vous des mécréants :

On y a parlé de l'opéra nouveau, où l'on a trouvé par rapport au poème plusieurs vers qui soufflent le pur athéisme ; tel est celui-ci : « La nature produit ses effets d'elle-même[114]. » (22 octobre 1728.)
On croit devoir rapporter qu'il y a un nommé M. Dumont qui est portemanteau chez le roi qui va journellement dans le café de Procope vis-à-vis la Comédie-Française, qui tient des conversations qui sentent infiniment l'athéisme. (9 janvier 1738.)

Au Luxembourg, un certain Gautier, habitant rue des Orfèvres, tient en 1729 des propos dignes des *Trois Imposteurs* et de Meslier :

On a eu plusieurs fois la conversation d'un particulier, tant dans le Palais le matin que dans le Luxembourg les après-midi. On croit être obligé en confiance d'en rendre compte, parce qu'elle est des plus atéistes [*sic*]. Il dit en premier lieu que la religion n'est qu'un ouvrage humain, que Moïse était un tyran qui a su s'assujettir les peuples de son temps par la tyrannie, qu'il a inventé un culte pour leurrer ce même peuple, que les potentats de la terre suivent son exemple[115].

Que l'on puisse entendre en plein Paris, au début du règne de Louis XV, de pareils propos en dit long sur l'opinion publique et l'accoutumance des esprits à l'athéisme. Certains habitués du café Procope se retrouvent aussi dans les milieux plus feutrés des salons : Conti, Fréret, Boulainvilliers, Duclos se rencontrent chez Bolingbroke, chez Madame de Caylus. Il y a là également un savant, Dortous de Mairan, et le comte de Plélo, qui forme vers 1725 « une espèce de concile spinoziste pour étudier un ouvrage impie du curé Guillaume ».

Au fameux club de l'Entresol, dans des discussions secrètes, on s'occupe beaucoup de Spinoza, mais aussi de la pensée anglaise, dont l'un des introducteurs en France est l'abbé italien Antonio Conti. Le club comprend un magistrat rationaliste et sceptique, membre du Grand Conseil, passionné de science et de philosophie, de formation cartésienne, mort en 1735 : Antoine-Robert Pérelle. Admirateur de la pensée anglaise, il recopie de longs passages du *Treatise of Human Reason*, de Martin Clifford, de 1674, condamné par toutes les Églises. Lui aussi est attiré par Spinoza. Dans ses *Remarques*, il écrit : « Est-il en effet rien de plus ridicule que conclure hardiment la distinction de l'âme et du corps, et l'existence d'un Dieu, des idées que nous avons de ces substances [...]. Ce système, à la vérité, est un peu spinoziste, mais qu'importe ? »

Sa correspondance révèle un esprit sceptique, qui réfute toutes les preuves classiques de l'existence de Dieu. À propos de « la preuve vulgaire de l'existence de Dieu tirée du bel ordre et de l'arrangement de la nature, [...] cet argument banal des prédicateurs », il affirme :

> Cet arrangement qu'on remarque dans l'univers [...] n'est pas une si grande merveille. Car ce n'est autre chose qu'une poussière divisée à l'infini qui, étant agitée circulairement, fait une infinité de tours autour du centre de son mouvement [...]. Qu'est-il besoin d'intelligence ? [...] Quant à la création, outre qu'on ne la conçoit guère, il est aisé de prouver à un cartésien que la matière a dû toujours exister et qu'elle existera toujours.

Si le mouvement est une propriété de la matière, il n'y a plus besoin de créateur, et alors « je crois que tous les philosophes qui regardent le bel ordre comme une preuve incontestable de l'existence de Dieu s'avoueraient vaincus ». Cette preuve est donc sans valeur, et il faudrait l'abandonner, ce que refusent de faire les dévots :

> Sitôt que quelqu'un attaque un auteur dont la conclusion est : donc, il y a un Dieu, fût-elle mal tirée, il crie à l'athée ! Je consens cependant qu'on ne décrédite point cette preuve, elle donne lieu aux prédicateurs de faire d'amples énumérations et de magnifiques descriptions. Elle fait une grande impression sur l'auditoire, plus touché ordinairement d'un discours pathétique et bien prononcé qui souvent ne prouve rien, que d'une preuve géométrique sèche mais démonstrative.

La preuve ontologique de Descartes séduit davantage Pérelle, mais si l'on peut la détruire, on détruit *toutes* les preuves : « Si l'existence nécessaire est possible, il y a un être nécessaire, et quiconque peut démontrer qu'elle est impossible peut démontrer qu'il n'y a point de Dieu. » Raisonnant comme Meslier, il déclare que prouver qu'un être est nécessaire, ce n'est pas prouver qu'il soit nécessairement parfait, et que de plus cet être peut être la matière. Telles sont les questions dont on discute ferme au club de l'Entresol.

Les journaux, qui se font l'écho de ces problèmes, contribuent largement à diffuser les idées du déisme et de l'athéisme, à travers notamment les recensions d'ouvrages parus en France et surtout à l'étranger. Quand bien même les commentaires sont hostiles — ce qui est presque toujours le cas pour les ouvrages athées —, le fait de divulguer les titres peut inciter les amateurs à se procurer les volumes sur le marché clandestin, ce qui ne semble pas poser beaucoup de difficultés si l'on est prêt à payer.

La diffusion des journaux concourt fortement à la formation d'une opinion publique éclairée. On a pu recenser jusqu'à mille deux cents titres en France entre 1614 et 1789, et dans la seconde moitié du XVIIIe siècle la pratique de la lecture publique démultiplie leur influence. Des sociétés d'amateurs de journaux apparaissent vers la fin des années 1750; en 1761 est créé le premier cabinet littéraire de Paris; un peu partout naissent des chambres de lecture. Celle de Rennes par exemple, en 1775, s'adresse à une clientèle aisée, avec un droit d'entrée de 27 livres et une cotisation annuelle de 24 livres.

À travers les recensions effectuées dans ces journaux, on constate dès la fin du règne de Louis XIV l'importance prise par les parutions déistes et athées. Pierre Clair a comptabilisé cinquante fois le mot « déisme » et cent quarante fois « athée » et « athéisme » dans la presse de la fin du XVIIe et du début du XVIIIe siècle [116].

Les journaux abordent la question de la tolérance et du libre examen, mais s'attardent beaucoup plus sur le rôle de la raison dans la religion, sur la religion naturelle, la superstition, la crédulité, le fanatisme, les ouvrages de critique de l'Église, du culte et du clergé. Le problème de l'athéisme est vu à travers des livres sur Spinoza et sur Bayle. La bibliographie, fournie et critique, illustre l'importance des débats sur l'incrédulité dans la république des lettres dès les années 1680.

Les manuscrits clandestins athées et déistes

Ce dont les journaux ne parlent pas, c'est de la circulation souterraine et parallèle des manuscrits clandestins antireligieux. Des études récentes ont révélé l'ampleur de ce commerce illégal, qui ouvre des perspectives nouvelles sur la diffusion de l'athéisme dès le début du XVIIIe siècle [117]. Entre 1700 et 1750, des milliers de manuscrits, allant du petit pamphlet de quelques feuilles jusqu'au gros traité matérialiste, circulent dans toute l'Europe. Miguel Benitez en a retrouvé cent trente titres actuellement dispersés dans les grandes bibliothèques [118].

Ces manuscrits sont alors recherchés avec avidité et peuvent atteindre des prix astronomiques. Quelquefois, ce sont même des ouvrages manuscrits, que l'on a préféré recopier à la main en raison de leur coût exorbitant. Ainsi pour l'*Examen de la religion*, texte de cent trente pages à propos duquel on lit dans *La Spectatrice danoise* : « La licence des presses de Hollande et d'Angleterre a enfanté plusieurs ouvrages contre le christianisme. Ces livres sont lus avec avidité. Il en court dans cette ville un, qui s'est vendu si cher que quelques personnes ont mieux aimé le copier de leur propre main qu'en donner une vingtaine d'escus [119]. »

La reproduction de ces manuscrits est assurée de façon artisanale, dans de véritables ateliers de copistes, tel celui de Le Couteux, à Paris, arrêté en 1725, qui faisait travailler neuf commis. Cela permet de reproduire certains textes jusqu'à cent exemplaires, comme les *Trois Imposteurs* en 1721 à Francfort. Certains traités circulent en même temps sous forme manuscrite et imprimée, comme les *Nouvelles Libertés de penser* (1743) ou *L'Histoire naturelle de l'âme* (1745). À partir de 1750, les imprimés supplantent largement les manuscrits.

Ces derniers subissent fréquemment des remaniements lors des recopiages, qui vont jusqu'à en dénaturer le sens originel. Frédéric Deloffre l'a bien montré à propos des *Difficultés sur la religion*, livre composé par Challe vers 1710 [120]. Un premier remaniement, entre 1732 et 1750, accentue les attaques contre le clergé, précise les orientations déistes et supprime les passages contre les athées. Puis l'ouvrage passe entre les mains de Naigeon et d'Holbach, et en ressort en 1767 sous le titre du *Militaire philosophe* comme un pur traité matérialiste.

D'Holbach est coutumier du fait. C'est ainsi qu'il remanie en 1770 un manuscrit intitulé *Histoire critique de Jésus, fils de Marie, tirée d'ouvrages authentiques, par Salvador, juif*, pour en faire une *Histoire critique de Jésus-Christ*. Roland Desné, qui a retrouvé le manuscrit original à Berlin, a montré comment, là encore, le baron avait transformé un ouvrage de tendance déiste en un livre matérialiste [121]. Il ressortait du manuscrit que Jésus avait été un aventurier ambitieux et exalté, qui avait habilement exploité la crédulité populaire. Tous les miracles étaient soit niés, soit expliqués par des subterfuges, tels que le stockage de pains et de poissons, camouflés avant de procéder à la distribution « miraculeuse ». On notera que l'auteur du manuscrit, qui écrit vers 1755, se dit certain de trouver beaucoup de lecteurs, « cette sorte de lecteurs dont le nombre s'est prodigieusement accru de nos jours, à cause de la politesse et de l'air de vérité que l'esprit d'irréligion répand dans tous les ouvrages [122] ».

Il y a donc une vaste clientèle pour les ouvrages d'incroyants. Et les ecclésiastiques ne sont pas les derniers à se les procurer. La collection de l'abbé Sépher (1710-1781), qui comprend 6 993 titres, est l'une des plus riches en manuscrits clandestins.

Les diffuseurs forment le maillon fragile de la chaîne. Surveillés par la police ou victimes de dénonciations, ils sont parfois arrêtés. Le 9 août 1729, la police parisienne reçoit un billet dénonçant « M. Mathieu ou Morléon, qui loge dans un café au coin de la rue Saint-

Dominique, du côté de la Charité, débite et vend des copies de plusieurs ouvrages remplis d'impiétés et de maximes contraires à l'existence de Dieu, à la divinité et à la morale de Jésus-Christ. Bien des gens, abbés et autres, lui achètent fort cher des copies de ces ouvrages [123] ». L'inspecteur Haymier se rend sur les lieux, découvre de nombreux ouvrages impies, et le vendeur lui affirme « qu'il n'y avait pas un officier du parlement qui n'eût ces manuscrits chez lui ». Plusieurs revendeurs se retrouvent à la Bastille : La Barrière en 1741, un professeur au collège de la Marche en 1747, un moine franciscain de Versailles qui avait essayé de vendre *Le Tombeau des préjugés sur lesquels se fondent les principales maximes de la religion* [124]. Des cargaisons de manuscrits sont saisies, comme ces quarante-quatre paquets de livres « contre la religion et la morale », à Avignon, en 1766. Mais l'immense majorité est écoulée sans difficulté.

Ces traités manuscrits sont anonymes, mais le public avance des noms : Nicolas Fréret (1688-1749), Jean-Baptiste de Mirabaud (1675-1760), César Chesneau-Dumarsais (1676-1756). L'érudition contemporaine a quelquefois permis de rectifier de fausses attributions, comme celle de l'*Examen critique des apologistes de la religion chrétienne*, ouvrage savant composé après 1733, accumulant les références pour ruiner la crédibilité des apologistes chrétiens des premiers siècles et, du même coup, montrer que le christianisme ne repose que sur des suppositions, des incertitudes, voire des mensonges. La conclusion est que « ce sera toujours le parti le plus sûr de n'admettre aucun système de religion qu'après s'être convaincu qu'il est fondé sur des preuves évidentes [125] ».

L'ouvrage était attribué à Fréret. Or, la critique moderne a montré que cette attribution était due à une opération délibérée de la coterie athée de d'Holbach, qui récupérait systématiquement les noms célèbres de personnages décédés, secrétaires perpétuels de l'Académie française, comme Mirabaud, ou de l'Académie des inscriptions, comme Fréret, pour en faire des auteurs de leur parti, couvrant ainsi les véritables auteurs vivants. En fait, il s'agirait ici de l'œuvre des frères Lévesque, déistes convaincus, dont la correspondance révèle d'ailleurs combien cette tendance était alors répandue [126].

On redécouvre aujourd'hui le rôle de certains auteurs moins connus, qui ont été surtout des intermédiaires entre les cercles novateurs — où s'élaborent les idées audacieuses — et le grand public, exprimant de façon moins choquante pour ce dernier les ouvrages antichrétiens des premiers. C'est le cas de Boureau-Deslandes, auteur en 1717 d'une *Histoire critique de la philosophie*, et en 1741 d'un ouvrage matérialiste, *Pygmalion ou la Statue animée*.

Les manuscrits clandestins se répartissent en deux catégories. D'abord, ceux qui, d'un point de vue culturel et historique, s'en prennent à la religion considérée comme une invention humaine, fondée sur des préjugés, bloquant les progrès de la pensée et de la science, favorisant le fanatisme ; souvent d'inspiration déiste, ces traités prédominent largement au début. Puis se multiplient les manuscrits matérialistes, plus philosophiques et scientifiques, s'attaquant à la base même de la foi : la croyance en l'esprit.

Un exemple précoce du premier type est fourni par l'*Examen de la religion dont on cherche l'éclaircissement de bonne foi*, dû semble-t-il à la coterie Boulainvilliers-Mirabaud-Dumarsais [127]. On peut aussi placer dans cette catégorie les ouvrages qui s'attaquent à la divinité du Christ, tels ceux que l'on fait circuler sous le nom du Juif espagnol Orobio de Castro, comme l'*Israël vengé* ou *La Divinité de Jésus détruite*, et une *Dissertation sur le Messie* [128].

Les ouvrages athées débattent de la matérialité de l'âme. Les uns, dans la tradition épicurienne, pensent que l'âme est composée de particules ultra-fines, qui circulent dans le corps et l'animent ; les autres attribuent à la vie animale et humaine un haut degré de complexité dans l'agencement de la matière. C'est ce qu'explique l'auteur de *L'Âme matérielle*, qui ne prend pas parti entre les deux thèses, et qui revendique l'autorité de Malebranche en faveur des esprits animaux et de la conception mécaniste et déterministe des fonctions de l'âme. Une fois de plus, l'héritage cartésien pèse lourdement dans la formation du matérialisme [129].

La conception de l'homme comme une pure mécanique aboutit, on le sait, au livre de La Mettrie, *L'Homme machine*, qui pousse le raisonnement à son terme, déclarant que « toutes les facultés de l'âme dépendent tellement de la propre organisation du cerveau et de tout le corps, qu'elles ne sont visiblement que cette organisation même.[...] L'âme n'est donc qu'un vain terme, dont un bon esprit ne doit se servir que pour nommer la partie qui pense en nous ». Pour en arriver là, La Mettrie a bien entendu utilisé ses connaissances médicales, se situant ainsi dans la tradition sceptique de cette profession, qui pense que la compréhension de l'homme doit venir de la physiologie plus que de la métaphysique. Mais sa dette à l'égard de la littérature clandestine est indéniable, comme l'a bien montré Ann Thomson [130] : références au *Mémoire* de Meslier, au *Telliamed*, à l'*Examen de la religion*. Ce dernier ouvrage a en particulier influencé sa conception de la morale, du bien et du mal, qui nous vient de l'éducation et qui ne se justifie que par rapport à la société. La Mettrie reconnaît clairement cette source d'inspiration dans l'*Anti-Sénèque* de 1748 [131].

Les manuscrits clandestins matérialistes répandent encore des théories relatives à l'origine du monde, niant toute possibilité de création. C'est le cas par exemple de deux écrits attribués à Thomas Brown : la *Dissertation sur la résurrection de la chair* (1743) et la *Dissertation sur la formation du monde* (1738), qui affirme la primauté de l'expérience sur le raisonnement et conclut : « Des principes que nous avons établis, et des conséquences que nous pouvons raisonnablement en tirer, il est facile de concevoir la cause du monde dans le monde même [132]. » L'auteur avance une démonstration mathématique de l'impossibilité de la création et fait référence aux *Lettres à Serena* de Toland pour expliquer que la matière seule est à l'origine du mouvement, ce qui revient à « ôter à Dieu la création et l'entretien du monde ».

D'autres traités discutent de l'hypothèse de la pluralité des mondes, dans une optique panthéiste, comme les *Méditations philosophiques sur Dieu, le monde et l'homme*, et le *Traité de l'infini créé* [133]. Partant de la cosmologie copernicienne, les auteurs, tel celui du *Jordanus Brunus redivivus*, pensent que « cette hypothèse, bien démontrée, comme elle l'est, prouve invinciblement la fausseté de la religion. L'opinion du mouvement de la terre conduit droit à celle de la pluralité des mondes », et ruine le christianisme, mais pas nécessairement le déisme [134].

On va encore souvent puiser des arguments dans l'Antiquité païenne, qui offre l'avantage de rejeter l'idée de création, qui postule l'éternité de la matière, et qui lui assigne le principe de vie. Mirabaud surtout utilise cette source, dans des manuscrits qui lui sont attribués, comme les *Opinions des Anciens sur le monde* et les *Opinions des Anciens sur la nature de l'âme*. Cette voie commence certainement à faire sentir ses limites, car en regardant vers le passé Mirabaud s'enferme dans une conception du matérialisme qui est dépassée à son époque [135].

Signalons aussi dans cette littérature clandestine une œuvre audacieuse d'un auteur allemand peu connu en France, Lau, dont les *Meditationes philosophicae de Deo, mundo et homine*, éditées en 1717, soutiennent un matérialisme athée, qu'on pourrait à la rigueur qualifier de panthéiste, ne faisant aucune différence entre Dieu et la nature. Si Lau parle encore de création, c'est dans l'ordre logique plutôt que chronologique : c'est le passage de l'existence potentielle à l'existence actuelle. La mort est une union naturelle avec le monde-Dieu. L'orientation générale est épicurienne : il s'agit de dissiper la crainte de la mort, les préjugés de la religion, les peurs engendrées par l'anthropocentrisme. À bien des égards, Lau, comme Meslier, va plus loin que ses successeurs plus célèbres [136].

Enfin, quelques utopies se mêlent à cette littérature clandestine, comme l'*Histoire de Calejava*, œuvre d'un avocat de Dijon, Claude Gilbert (1652-1720), qui s'inspire à la fois de l'épicurisme, de Descartes et de Hobbes pour développer un déisme antichrétien. Ce récit, écrit en 1700, se situe dans l'esprit de la mode déiste suscitée par les récits de voyage [137]. Un seul exemplaire subsiste, l'œuvre ayant été détruite, semble-t-il, par son auteur lui-même.

Ainsi, dès la première moitié du XVIIIe siècle, toutes les catégories sociales sont pénétrées par l'incroyance. Depuis les paysans réfractaires à l'office dominical jusqu'au magistrat déiste et au noble athée, un ferment de déchristianisation est à l'œuvre dans les années cruciales 1680-1720. On discute, on raisonne, on conteste, on lit des manuscrits clandestins, on écoute les orateurs de cafés et de clubs. Les dévots s'inquiètent, contre-attaquent, multiplient les apologies, déplorent la baisse de la moralité et la dégradation des mœurs qu'ils attribuent au recul de la foi. Et tout ce bruit ne fait qu'amplifier la rumeur montante de l'athéisme.

Ce dernier est par exemple tenu pour responsable de l'augmentation supposée du nombre de suicides : « De nos jours, l'abus de la philosophie a été porté jusqu'à vouloir faire l'apologie de ce crime », écrit l'abbé Bergier dans l'article « suicide » de l'Encyclopédie. Bachaumont, dans ses Mémoires secrets, ne manque pas une occasion d'enfoncer le clou : « Depuis deux mois, on compte plus de dix personnes connues qui ont été les victimes d'une telle frénésie. Ce taedium vitae est la suite de la prétendue philosophie moderne, qui a gâté tant d'esprits trop faibles pour être vraiment philosophes » (21 mai 1762). En Angleterre, où le suicide est alors devenu une mode aristocratique, les censeurs accusent directement l'athéisme.

Il est vrai que certains traités matérialistes et certains cas de mort volontaire pouvaient justifier ces critiques. Ainsi, en 1732, un noble piémontais exilé à Londres, Radicati, publie une Dissertation philosophique sur la mort, d'esprit épicurien. Le monde, affirme-t-il, est dirigé par les seules lois de la matière et du mouvement, et la mort est simplement la transformation d'une forme d'être dans une autre. La nature a disposé le monde pour assurer notre bonheur ; dès que nous ne pouvons plus atteindre celui-ci, nous avons « une entière liberté de quitter la vie lorsque celle-ci nous est devenue un fardeau ».

Quelques semaines plus tard, en avril, un relieur londonien, Richard Smith, et sa femme Bridget tuent leur petite fille âgée de deux ans et se pendent dans leur chambre. Ils laissent trois lettres, dont l'une, adressée à leur cousin Brindley, explique leur geste, dans une optique déiste :

> Nous avons conclu que le monde ne saurait être sans un premier moteur, c'est-à-dire sans l'existence d'un être tout-puissant ; mais, en reconnaissant la puissance de Dieu, nous ne saurions nous empêcher d'être persuadés qu'il n'est point implacable, qu'il ne ressemble point à la race perverse des hommes, qu'il ne se fait point un plaisir du malheur de ses créatures. Dans cette confiance nous remettons nos âmes entre ses mains, sans être saisis de terribles appréhensions ; et nous nous soumettons de bon cœur à tout ce qui lui plaira[138].

L'incrédulité est donc accusée de tous les maux, ce qui traduit une peur des responsables religieux, politiques, moraux, face à l'ébranlement d'une valeur jugée fondamentale pour l'équilibre social : la croyance en Dieu, en un Dieu juge, garant de la séparation du bien et du mal. Si la façade religieuse reste imposante, l'édifice est rongé par le doute. La multiplication des ouvrages d'apologétique suffirait à le prouver. Mais leur inefficacité est patente. Jean Ehrard a montré combien l'apologétique par les causes finales par exemple, utilisée aussi bien par Fénelon que par l'abbé Pluche, aboutit « plus à rassurer les âmes sensibles qu'à éveiller chez les libertins quelque inquiétude religieuse[139] ». Et bientôt les philosophes découvrent que la nature n'est pas si parfaite qu'on voulait le faire croire, depuis les deux doigts inutiles de la patte de cochon mis en valeur par Buffon, jusqu'à la querelle des monstres. Dans *L'Homme machine*, La Mettrie établit que l'œil n'a pas été fait pour voir, mais que son organisation est telle que la vision en résulte. De plus, quand bien même on refuserait de laisser au hasard le rôle directeur, Dieu n'en serait pas nécessairement le bénéficiaire : « Détruire le hasard, écrit La Mettrie, ce n'est pas prouver l'existence d'un Être suprême, puisqu'il peut y avoir autre chose qui ne serait ni hasard, ni Dieu, je veux dire la Nature, dont l'étude par conséquent ne peut faire que des incrédules, comme le prouve la façon de penser de tous ses plus heureux scrutateurs[140]. » Dès 1675, le médecin Guillaume Lamy avait montré que l'homme, loin d'être « le chéri de la nature », n'était que le résultat d'un arrangement fortuit d'atomes et de la sélection naturelle.

De même, l'apologétique fondée sur l'interprétation symbolique des croyances des autres religions, qui vise à les assimiler aux dogmes chrétiens, se retourne très vite contre le christianisme, la Bible étant elle-même susceptible d'interprétation symbolique, et l'ensemble pouvant très bien être inclus dans une synthèse déiste, comme le fait le chevalier de Ramsay dans ses dernières œuvres[141].

La nouveauté essentielle du XVIIIe siècle dans le domaine des croyances religieuses est peut-être la découverte de la relativité : il n'y a plus d'absolu dans les dogmes, tout est susceptible d'être interprété dans le sens de l'incroyance, la foi ne s'impose plus d'elle-même, d'autres attitudes sont possibles, défendables, respectables. Comme le constatera bientôt avec amertume le chanoine Louis-Augustin Robinot :

> La défiance a remplacé la simplicité chrétienne ; sans être plus savants ils sont devenus plus raisonneurs, plus présomptueux, moins confiants en leurs pasteurs, moins disposés à les croire sur parole. Il ne suffit plus de leur exposer les vérités de la foi ; il faut les leur prouver[142].

Mais les preuves sont contestées. L'incrédulité est partout, latente ou explicite. Elle est multiforme, car elle cherche encore son expression. Deux grandes tendances s'affrontent chez les adversaires de la foi traditionnelle : le déisme et le matérialisme athée, sans que l'on sache encore à la fin du siècle laquelle l'emportera sur un christianisme devenu stérile.

CHAPITRE XII

La remise en cause des fondements du christianisme et les hésitations du déisme

En 1796, à l'extrême fin du siècle des Lumières, paraît en Allemagne un étrange roman, *Siebenkäs*, œuvre de Johann Friedrich Richter (1763-1825), connu sous le nom de Jean-Paul. Dans une grande scène lyrique, on voit le Christ, dans un cimetière, pressé par les morts dans l'attente du salut, auxquels il doit révéler la terrifiante nouvelle : « Christ, n'est-il point de Dieu? — Il n'en est point. » Après avoir cherché dans tout l'univers, Jésus doit se rendre à l'évidence et reconnaître en pleurant : « Nous sommes tous des orphelins, vous et moi, nous n'avons pas de Père[1]. »

Le déisme ou la peur du vide

D'un seul coup s'ouvre l'angoissante perspective : une éternité sans Dieu, une éternité de vide, que Richter évoque dans une vision de style apocalyptique :

> Je vis les anneaux dressés du serpent gigantesque de l'éternité, qui s'était enroulé autour de l'univers; et les anneaux tombèrent, et il enserra l'univers dans une double étreinte; puis il s'enroula de mille façons autour de la nature; et il écrasa les mondes les uns contre les autres; et il pressa et broya le temple infini qu'il réduisit à la taille d'une église de cimetière; et tout se fit oppressant, sinistre, angoissant[2].

Cette révélation est en même temps celle de l'absurdité de l'existence, qui engendre un désespoir sans fin. Richter exprime l'angoisse existentielle qui saisit l'homme découvrant l'athéisme. Et, en bon romantique, il en fait une preuve de l'existence de Dieu.

Son roman est révélateur de la grande hésitation des intellectuels du xviiie siècle face à la perspective désormais crédible d'un monde sans Dieu. Face au gouffre, beaucoup ont un mouvement de recul. Une chose est de démontrer par la raison qu'il ne peut pas y avoir un être tel que Dieu, une autre est d'en assumer les conséquences existentielles. C'est bien là l'un des problèmes centraux du siècle des Lumières, qui a tout fait pour ruiner l'idée de Dieu, mais qui hésite à entrer dans l'ère nouvelle de l'athéisme. Beaucoup s'y refusent, et s'arrêtent à mi-chemin, au stade du déisme. Reste à savoir si ce dernier est une position durable, ou s'il ne peut être qu'une phase transitoire sur la pente qui conduirait inéluctablement à l'athéisme, comme beaucoup le croient. Certains philosophes, et non des moindres, tel Diderot, suivent d'ailleurs l'évolution jusqu'à son terme.

Son itinéraire personnel n'est pas clair. Il établit en plus une distinction entre « déiste » et « théiste » : « Le déiste, écrit-il, est celui qui croit en Dieu, mais qui nie toute révélation; le théiste, au contraire, est celui qui est prêt d'admettre la révélation, et qui admet déjà l'existence d'un Dieu[3]. » D'après lui, la phase théiste précède la phase chrétienne, et la phase déiste vient après, lorsqu'on a compris que la révélation n'est pas nécessaire. Voltaire, qui distingue également les deux termes, préfère nettement celui de « théiste », qu'il revendique pour lui-même : « Le théiste est un homme franchement persuadé de l'existence d'un Être suprême aussi bon que puissant, qui a formé tous les êtres étendus, végétants, sentants, et réfléchissants; qui perpétue leur espèce, qui punit sans cruauté les crimes, et récompense avec bonté les actions vertueuses. Le théiste ne sait pas comment Dieu punit, comment il favorise, comment il pardonne, car il n'est pas assez téméraire pour se flatter de connaître comment Dieu agit, mais il sait que Dieu agit, et qu'il est juste[4]. » Lefranc de Pompignan est d'accord : le théiste a des croyances plus précises que le déiste, et son Dieu est mieux défini : « On a donné le nom de théistes à ceux qui croient non seulement à l'existence de Dieu, mais encore à l'obligation de lui rendre un culte, la loi naturelle dont il est la source, le libre arbitre de l'homme, l'immortalité de l'âme, les peines et les récompenses d'une autre vie. On a conservé le nom de déistes à ceux qui, se bornant à l'existence de Dieu, mettent tout le reste au rang des erreurs ou des problèmes[5]. »

Cette terminologie laisse entrevoir une multitude de positions intermédiaires. C'est là l'une des faiblesses du déisme, dont l'axe central, l'affirmation d'une loi naturelle placée par Dieu dans le monde et dans le cœur de l'homme, est sérieusement mis à mal à partir de 1750 par la déroute du finalisme et le sentiment du caractère irréductible du mal dans le monde. Les déistes sont alors en position difficile : refusant l'« explication » chrétienne par le péché originel, ils en sont réduits à utiliser l'argument chrétien de l'impénétrabilité des desseins de la providence, et ainsi à rejoindre l'Église, ou à accepter l'athéisme. C'est pour cette raison que le déisme ne survivra guère au XVIIIe siècle.

Le déisme est en fait une position d'attente, pour des hommes qui ne peuvent plus accepter un christianisme dont tous les fondements ont été remis en cause, mais qui, pour des motifs variés, ont encore besoin d'un Dieu. Un Dieu dont on renonce d'ailleurs à prouver rationnellement l'existence. Dès la première moitié du siècle, l'idée même de la preuve cosmologique est réfutée dans les écrits anonymes, comme l'*Essai sur la recherche de la vérité*, qui montre le caractère très relatif des notions de beauté et d'ordre de l'univers. En 1738, la *Dissertation sur la formation du monde* préconise le doute sur tout ce qui n'est pas « mathématiquement vrai », et ébauche une théorie transformiste ruinant l'idée de providence : « Les premiers hommes ne pensaient pas plus qu'une huître. L'étendue de leur génie n'a pas dû aller au-delà de leurs besoins, et ils n'en avaient pas nombre. » En 1743, les *Réflexions sur l'existence de l'âme et sur l'existence de Dieu* rejettent catégoriquement la substance immatérielle de Descartes ; chaque peuple crée un Dieu à son image et à son avantage, mais la notion de Dieu pose une foule de questions : pourquoi n'a-t-il pas fait un monde plus parfait ? pourquoi a-t-il créé ? que signifie qu'il a créé « pour sa gloire » ? Mais le traité reconnaît que le peuple a besoin d'une religion, dont seuls les « honnêtes gens » peuvent se passer.

D'autres, plus radicaux, voient en Dieu une invention inutile et incompréhensible : pourquoi reculer jusqu'à lui la série des causes ? pourquoi supposer un ordre spirituel en dehors du monde naturel ? L'idée d'un Dieu bon et tout-puissant est contredite par la chute et le péché, et la croyance en un ordre divin, en privilégiant l'imagination au détriment de l'expérience, retarde le développement des sciences. D'où vient ce besoin de Dieu ? À l'explication par le calcul politique s'ajoute de plus en plus la motivation psychologique. Pour Diderot, « tout le fétichisme, tout le polythéisme s'explique par l'homme ignorant, l'homme malheureux, l'homme peureux ». Pour Helvétius, l'homme insatisfait s'invente un au-delà merveilleux pour répondre à son besoin de bonheur. Sade et d'Holbach y voient davantage le résultat de la fourberie.

Dieu indémontrable, mais présent : Hume, Kant et la philosophie allemande

De toute façon, il n'est plus question de prouver Dieu : les « signes » de son existence n'ont de valeur que pour ceux qui croient déjà ; la preuve cosmologique est détruite par les erreurs de la nature ; l'argument de l'accord universel est discuté et n'a pas vraiment valeur de preuve. Quant à la preuve logique, métaphysique, elle tombe sous les coups de l'empirisme de Hume et du criticisme de Kant.

Pour David Hume, toutes nos idées venant de l'expérience concrète du monde, nous ne saurions avoir un concept de l'infini, donc de Dieu. De plus, l'existence ne se prouve pas, elle s'éprouve, elle se constate. Les mots « existence nécessaire » n'ont pas de sens :

> Il y a une absurdité évidente à prétendre démontrer une chose de fait, ou la prouver par des arguments *a priori*. Rien n'est démontrable, à moins que le contraire n'implique contradiction. Rien de ce qui est distinctement concevable n'implique contradiction. Tout ce que nous concevons comme existant, nous pouvons aussi le concevoir comme non-existant. Il n'y a donc pas d'être dont la non-existence implique contradiction. En conséquence, il n'y a pas d'être dont l'existence soit démontrable[6].

On ne peut définir Dieu que par analogie, donc en le limitant, sans respecter son infinité, et si l'on refuse l'analogie, comme les mystiques qui pratiquent la théologie négative, en définissant Dieu par tout ce qu'il n'est pas, en quoi se distingue-t-on des athées ? « En quoi, vous autres mystiques, qui affirmez l'incompréhensibilité absolue de la divinité, différez-vous des sceptiques et des athées qui prétendent que la cause première de toutes choses est inconnue et inintelligible[7] ? »

Nous sommes ainsi conduits au scepticisme, que Hume expose dans deux ouvrages simultanés de 1750-1751, l'*Histoire naturelle de la religion* et les *Dialogues sur la religion naturelle*. Pour lui, la religion n'est pas une donnée immédiate et primitive. La première forme de religion, populaire, polythéiste et théiste, chargée de superstitions, ne pourra jamais déboucher sur la religion raisonnable, savante et naturelle. Entre la forme « superstitieuse » et la forme « philosophique » de la religion, Hume ne prend pas parti. Toutes deux sont victimes d'une illusion, croyant déceler dans l'univers l'application d'un dessein, d'une volonté. Le mal ruine également les deux formes de la religion : « La vraie conclusion, c'est que la source originelle de toutes choses est entièrement indifférente à tous ces principes, et ne préfère pas plus le bien au mal que la chaleur au froid, la sécheresse à l'humidité, ou le léger au lourd. »

Des trois personnages qui discutent dans les *Dialogues*, Cléonthe défend un vague déisme moral, Déméa la religion traditionnelle, et Philon l'attitude sceptique, qui est celle de Hume. Montrant que la matière pourrait très bien s'organiser toute seule, l'auteur conclut :

> Tous les systèmes religieux sont sujets à de grandes et insurmontables difficultés. Chaque controversiste triomphe à son tour, tant qu'il mène une guerre offensive et expose les absurdités, les barbarismes et les pernicieuses doctrines de son adversaire. Mais tous préparent, en somme, un complet triomphe pour le sceptique, qui leur dit que nul système ne doit jamais être embrassé touchant de tels sujets, pour cette claire raison que nulle absurdité ne doit jamais recevoir notre assentiment touchant un sujet quelconque. Une totale suspension de jugement est ici notre seule ressource raisonnable.

À en croire Hume, le scepticisme n'est cependant qu'une étape nécessaire vers la véritable croyance : « Être un sceptique philosophe est, chez un homme de lettres, le premier pas et le plus essentiel vers l'état de vrai croyant et de vrai chrétien[8]. » La démarche est typique de l'hésitation déiste : on détruit la certitude de Dieu, mais on s'accroche à sa possibilité, car on ne peut se résoudre à sa disparition totale.

Nous retrouvons la même démarche chez Kant. Sa critique des preuves de l'existence de Dieu est impitoyable. L'esprit humain ne saurait concevoir l'idée de création, pas plus que celle de nécessité inconditionnelle, ce qui raie les preuves physico-théologiques et cosmologiques. Quant à la preuve ontologique, Kant montre que si le fait de poser la notion de Dieu implique bien l'affirmation de l'existence, il est aussi tout à fait possible de ne pas poser cette notion : « Si vous dites : "Dieu n'est pas", ni la toute-puissance, ni aucun autre de ces prédicats n'est donné, car ils ont été supprimés tous ensemble avec le sujet, et il n'y a plus la moindre contradiction dans cette pensée. » L'existence ne peut être établie que par la perception.

Il est donc impossible de prouver que Dieu existe. Et pourtant, Kant est persuadé qu'il existe, et ce que sa « raison pure » ne peut atteindre, sa « raison pratique » le restitue. L'exigence morale est la seule approche crédible de Dieu. L'homme, irrémédiablement voué au mal, dans une perspective luthérienne très pessimiste, aspire à un souverain bien, et ne peut s'en approcher que par la morale. Kant a une vision très sombre de l'humanité ; pour des raisons mystérieuses, l'homme est foncièrement mauvais : le spectacle du monde le prouve mieux que tous les raisonnements. Toutefois, il reconnaît la valeur de l'exigence morale, et celle-ci requiert que l'existence de Dieu ne soit pas évidente. Si on pouvait la prouver, notre conduite ne serait plus morale, mais mécanique, ce que Karl Jaspers, commentant Kant, a ainsi expliqué : « Si nous pouvions ici posséder un savoir, notre liberté se trouverait paralysée. Tout se passe comme si la divinité avait voulu créer pour nous ce qu'il y a de plus élevé, l'être par soi de la liberté, mais que, pour le rendre possible, elle ait été forcée de se cacher elle-même[9]. »

Détruire les preuves de l'existence de Dieu pour mieux montrer que cette existence est nécessaire à la morale : la dialectique kantienne illustre à sa façon les subterfuges d'un siècle qui ne peut se résoudre à perdre l'idée de Dieu. « Kant réinvente Dieu pour que la vie ait un sens », écrit Jean-Marie Paul[10]. Pour lui, l'athée vertueux, s'il existe, est un idiot : il n'a aucune justification pour s'abstenir de faire le mal.

La plupart des philosophes allemands adoptent eux aussi une attitude moyenne, relativisant Dieu, mais refusant de s'en séparer complètement. Christian Wolff (1679-1754) est accusé par ses adversaires de spinozisme, voire d'athéisme. En fait, il ne met pas en doute l'existence d'un Dieu transcendant et d'une âme spirituelle, mais son Dieu est indifférent et solitaire. Les hommes se débrouillent seuls. La morale est une question de loi naturelle, qui dépend de la raison, et dans cette perspective le mal n'est qu'une erreur de jugement. Wolff trouve chez Confucius des principes moraux proches de ceux du christianisme, qui n'est plus qu'une religion parmi d'autres.

Reimarus (1694-1765) pense qu'il faut simplement abandonner tout ce qui n'est pas rationnel à l'intérieur du christianisme. C'est aussi l'opinion de Lessing (1729-1781), dont les véritables croyances restent incertaines. Ce théologien de formation estime que la révélation est maintenant dépassée, car la raison a atteint un stade de développement qui lui permet d'obtenir les mêmes résultats. Nous arrivons à une situation où les vérités révélées doivent se transformer en vérités de raison. Quant à Dieu, c'est un autre nom pour l'idéal, une idée symbolique. L'homme n'a plus besoin des religions positives, qui d'ailleurs se valent toutes, et peut agir de façon rationnelle, en faisant le bien pour le bien, et non en vue d'une récompense. Mais, comme Richter, Lessing est saisi de panique devant le vide infini qui s'ouvre à la mort de l'athée. Il le comble par le recours à la métempsycose, qui permet à chacun d'atteindre la perfection au cours de multiples réincarnations. La perpétuation est également collective grâce à une organisation sociale du type de la démocratie autoritaire sur le modèle de la fourmilière : le salut de l'individu est conditionné par le salut de l'ensemble. C'est l'idée développée dans les *Dialogues maçonniques* de 1780.

Ainsi, la mort de Dieu apparaît dans sa dimension existentielle.

> Elle creuse un vide, écrit Jean-Marie Paul, que le penseur s'efforce immédiatement de combler comme s'il était saisi par l'angoisse de s'y perdre. La vie n'a pas de sens si elle s'achève à tout jamais avec la mort. [...] La métempsycose est la fuite angoissée de la mort ou la tentative désespérée de redonner un but à la vie. [...] Pour qui se refuse à admettre que la grandeur consiste à assumer consciemment le vide de l'existence, il ne reste que le choix entre l'utopie anthropologique individuelle et l'utopie collective d'une zoologie emblématique. Lessing les a toutes deux proposées. [...] D'emblée, la mort de Dieu change la vie[11].

Hamann (1730-1788) illustre la même angoisse du déiste face au risque du vide, dans un itinéraire à rebours de celui de ses contemporains : sceptique et rationaliste, il se convertit en 1757 et adopte dès lors une position fidéiste, seule capable d'apaiser son pessimisme foncier. Pour lui, qui pense qu'il vaudrait mieux n'être jamais né, l'athéisme conduit au désespoir. Son ami Herder (1744-1803) partage ses peurs, et s'oppose à l'*Aufklärung* destructrice de la religion. Le relais de Dieu sera pris par l'humanité, idée appelée à de beaux développements au XIXe siècle, et qu'il explique dans son opuscule de 1774, *Une autre philosophie de l'histoire pour aider à former l'humanité*.

Cette idée est aussi celle d'un philosophe beaucoup plus célèbre, Fichte (1762-1814), qui s'acharne à démontrer que Dieu n'existe pas, et qui pourtant rejette le titre d'athée. La réalité essentielle, c'est le moi, le sujet, entièrement libre : « Tout homme est libre par nature, et

personne n'a le droit de lui imposer une loi que lui-même. » Toutes
nos actions doivent tendre à ce que l'homme « devienne absolument
et totalement libre, autonome et indépendant vis-à-vis de tout ce qui
n'est pas la raison », et le destin de chacun est lié au destin collectif
de l'humanité, qui n'a pas besoin d'un Dieu. Ce concept, « en tant
que substance particulière, est impossible et contradictoire ». Dieu,
c'est l'ordre moral du monde, c'est l'idéal, c'est ce qui assure la perfection de chacun et de l'ensemble : « Cet ordre moral vivant et agissant est Dieu lui-même ; nous n'avons besoin de nul autre Dieu et ne
pouvons en concevoir nul autre[12]. »

Dès lors, les véritables athées, ce sont les chrétiens. Ils se mettent à
la place de Dieu, en faisant de celui-ci le serviteur de leur désir de
félicité éternelle ; leur Dieu est une « funeste idole », au service de
leur égoïsme. Ce qu'il faut réaliser, c'est l'humanité idéale, qui n'a
rien à voir avec l'humanité présente, la masse, la foule, le troupeau.
Cette humanité transcendée par une morale supérieure, c'est l'élite,
comme ce sera le cas pour Renan un siècle plus tard. Le moi se retrouve alors dans l'être divin, sorte d'humanité divinisée qui permettra son accomplissement. Qu'il s'agisse là d'une forme d'athéisme,
c'est indubitable. Ce n'est pourtant pas l'athéisme intégral à la Meslier, car le divin est transféré sur la vie intérieure de l'individu.

Nous avons là déjà les racines du surhomme, de l'homme divinisé
appelé à remplacer le Dieu chrétien. Lessing aurait un jour confié à
Jacobi qu'« il était peut-être lui-même l'Être suprême et à présent en
état d'extrême contraction[13] ». Il n'est pas certain que ce soit là une
boutade. Le culte du génie, l'exaltation du grand homme et du souffle
créateur de la nature préparent la naissance du successeur de Dieu,
l'homme maître de son destin, le surhomme. Car pour beaucoup de
penseurs du XVIIIe siècle, les Allemands en particulier, la place de
Dieu ne saurait rester vacante. Si Dieu est mort, vive l'Homme !

Le refus de l'anéantissement

En fait, il s'agit de trouver une solution au problème de l'anéantissement de l'individu, que l'on se refuse à envisager. Certains
pensent encore que le véritable athéisme est même psychologiquement impossible. Ainsi Montesquieu, qui se déclare mentalement
incapable de s'imaginer sans immortalité :

> Quand l'immortalité de l'âme serait une erreur, je serais fâché de ne pas la
> croire. J'avoue que je ne suis pas si humble que les athées. Je ne sais comment
> ils pensent ; mais pour moi je ne veux pas troquer l'idée de mon immortalité
> contre celle de la béatitude d'un jour. Je suis charmé de me croire immortel
> comme Dieu même. Indépendamment des idées révélées, les idées méta-
> physiques me donnent une très forte espérance de mon bonheur éternel à
> laquelle je ne voudrais pas renoncer[14].

La grande étude de Robert Favre sur *La Mort au siècle des Lumières* a admirablement montré ce besoin obsessionnel de la littérature, et donc de la société, de refuser l'anéantissement dont, pour la première fois, on sent confusément la probabilité. On parlera de « repos », de « paix », de « sommeil », d'« asile », d'« oubli », de « port », d'« insensibilité », subterfuges du vocabulaire pour camoufler l'épouvantable réalité. Diderot, d'Holbach et les athées ont beau parler de l'« abîme », du « néant éternel », l'imagination frémit, la raison se cabre. « On ne veut pas mourir, écrit Montesquieu. Chaque homme est proprement une suite d'idées qu'on ne veut pas interrompre. »

Même les athées ont du mal à supporter cette idée : « Ô homme, ne concevras-tu jamais que tu n'es qu'un éphémère ? » s'interroge d'Holbach, et le sensible Diderot, évoquant « l'horreur que nous avons tous pour l'anéantissement », estime qu'il vaudrait encore mieux aller en enfer : « N'est-il pas bien doux d'être, et de retrouver son père, sa mère, son amie, son ami, ses enfants, tout ce que nous avons chéri, même en enfer ! »

Et pourtant, le néant est le lot de chacun. Mais n'est-il point d'autres façons de se survivre ? La métempsycose est une solution tentante, très à la mode au début du siècle. Le bon sens de la princesse Palatine, il est vrai, a du mal à suivre : « Tout ce qu'on nous dit de l'autre monde est incompréhensible. J'aimerais mieux la métamlicose [*sic*], si l'on pouvait se rappeler ce qu'on a été ; car ce serait, en mourant, une grande consolation que de voir qu'on ne meurt pas tout à fait. Mais la manière dont les choses sont arrangées n'est pas très agréable » (juillet 1696) ; « Il m'est impossible de comprendre ce que c'est que l'âme, et comment elle peut passer dans un autre corps » (2 août 1696). Mais les philosophes sont moins raisonnables : pourquoi pas ? Après tout, Pythagore, Platon, Ovide, Virgile y ont cru ; les Indiens y croient toujours. Le marquis d'Argens, Mirabaud, Voltaire, Delisle de Sales, Mercier, Dupont de Nemours flirtent avec l'idée, et Sylvain Maréchal n'hésite pas à mettre les « métempsycosistes » dans son *Dictionnaire des athées*, déclarant que « la métempsycose est le véritable système de la nature ». Senancour cependant, s'il reconnaît que cette croyance peut faciliter la vie, la qualifie d'« opinion ridicule ». Pour Diderot, c'est même un « dogme monstrueux au fond », et d'Holbach acquiesce.

Une immortalité de consolation se peut-elle trouver dans la survie de l'espèce ? Helvétius le laisse entendre, et Diderot écrit dans l'article « Encyclopédie » de l'ouvrage du même nom : « L'individu passe, mais l'espèce n'a point de fin. » Pourtant, il admet ailleurs, comme d'Holbach, que les espèces se transforment. Il affirme aussi que l'on « devient éternel » par la participation à la raison universelle, qui nous permet d'embrasser le passé et l'avenir.

Autre façon de se survivre : la filiation. « Un père de famille est éternel », écrit l'athée Sylvain Maréchal, qui assure que l'exemple, le modèle, les exhortations permettent de transmettre, par l'éducation, le souvenir de l'individu. Le très hétérodoxe abbé Rémi tient le même raisonnement :

> Pères de famille, éloignez ces funèbres pensées ; la mort n'a nuls droits sur vous. Les jours qui s'échappent de vos mains retombent sur vos enfants ; votre âme passera de vous à eux comme vos emplois et vos domaines ; votre nom sera transmis à leurs fils qui le confieront à d'autres, par qui vous voyagerez triomphants à travers les siècles, sous les auspices de la nature [15].

Les œuvres, littéraires ou autres, la rédaction de mémoires ou souvenirs, tout ce qui nous rend utiles sert à perpétuer notre mémoire, alors que, comme l'écrit d'Holbach, « l'homme inutile meurt tout entier ». La sépulture peut aussi remplir en partie cette fonction.

Mais l'aspect dérisoire de ces substituts d'immortalité n'échappe à personne. Pour Robert Favre, le génie du XVIIIᵉ siècle s'est investi dans une « recherche en tout sens d'une nouvelle immortalité qui fût bien de ce monde et ne tînt rien d'une religion révélée [16] ». Et finalement ces écrivains incroyants placent leur espoir dans leur œuvre littéraire, ce qui rejoint par un autre chemin l'élaboration du surhomme par la philosophie allemande. Le « génie », écrit Chamfort en 1767, est « comme Dieu » : « Comme son action n'a point de bornes dans la durée, elle n'en a point dans la sphère de son étendue. » Résultat : la vie éternelle est réservée à la petite élite des grands intellectuels ; tous les autres sont voués à la mort : « Rentrez, esprits communs, dans la nuit éternelle », leur lance Voltaire, dans un style de jugement dernier où il prend la place de Dieu le Père [17]. Diderot est encore plus explicite : « L'homme médiocre vit et meurt comme la brute. Il n'a rien fait qui le distinguât pendant qu'il vivait ; il ne reste de lui rien dont on parle quand il n'est plus ; son nom n'est plus prononcé, le lieu de sa sépulture est ignoré, perdu parmi les herbes. » Par son œuvre, le génie littéraire, le philosophe est immortel : « Cette espèce d'immortalité est la seule qui soit au pouvoir de quelques hommes, les autres périssent comme la brute [18]. »

Pathétiques et odieux, les philosophes monopolisent les embarcations dans le sauve-qui-peut du grand naufrage de l'immortalité. Certains mesurent pourtant la vanité et l'illusion de ces rêves de perpétuation. Senancour, athée sensible, pense que la seule solution consiste à guérir l'homme de cette maladie qu'est le désir d'immortalité : « Comme elle est sinistre cette idée de destruction totale, d'éternel néant ; elle fatigue, elle travaille tout notre être, elle le pénètre d'un frémissement de mort. Comme tout génie, toute vertu se sèchent et s'éteignent sur sa froide horreur [19] ! » On ne peut calmer cette angoisse qu'en investissant toute son énergie en cette vie.

C'est un peu ce que pense aussi le marquis de Sade dans sa

« volonté de mimer l'immortalité dans l'espace d'une vie d'homme [20] », par la répétition insatiable du paroxysme des sens, par la jouissance répétée de la souffrance et même de la mort, qui permet de triompher de cet instant fatal. Cela sans aucune concession à la « folie de l'immortalité », dérisoire aspiration d'une race humaine méprisable.

Sade est une exception. L'Église ne manque pas d'exploiter ce point sensible dans la position des philosophes. D'une part, en stigmatisant l'élitisme extrême de ces écrivains qui voudraient se réserver l'immortalité. Dans son *Avertissement*, l'Assemblée du clergé de 1775 relève que dans cette optique

> la réputation qui doit subsister dans les fastes de l'Histoire est interdite à la plupart des hommes : ils n'y prétendent pas ; et cependant ils ont tous d'importantes obligations à remplir : preuve certaine que l'espérance de cette réputation, motif subsidiaire et subordonné pour un petit nombre d'hommes, ne peut être, pour la multitude, un motif véritable, ni, pour qui que ce soit, un principal motif de vertu [21].

D'autre part, constatant à quel point le désir d'immortalité est ancré dans l'esprit humain, le clergé en fait une preuve du caractère originel et surnaturel de l'idée d'éternité. Dieu a placé en nous cette trace d'immortalité.

Mort de l'athée et mort du croyant

C'est au moment de la mort que chacun est confronté à la perspective ouverte par sa croyance ou par son incroyance. Laquelle est la plus rassurante, ou la plus terrifiante ? Cette question devient un point essentiel dans la dispute entre croyants et incroyants, si bien que l'on se livre à une guerre de statistiques destinée à prouver le caractère terroriste de la position adverse. On recense les cas, on les décrit ; l'apologétique catholique recourt largement au thème de la mort épouvantable de l'athée. L'abbé Gros de Besplats publie en 1759 sur ce sujet *Le Rituel des esprits forts, ou le Tableau des incrédules modernes au lit de la mort* ; en 1756 étaient parus les trois volumes de *La Main de Dieu sur les incrédules*, de l'abbé Touron, qui ajoutait en 1758 le *Parallèle de l'incrédule et du vrai fidèle, ou l'Impie en contraste avec le juste pendant la vie et à la mort*. Encore plus ambitieux est l'anonyme *Recueil de la mort funeste des impies les plus célèbres depuis le commencement du monde jusqu'à nos jours*.

La mort de l'athée donne lieu à de nombreux morceaux de bravoure, dont voici un spécimen typique, œuvre du père Pierre Lallemant :

Ces athées, qui bravaient la mort pendant qu'ils la croyaient éloignée, sont mille fois plus faibles que les autres quand elle s'approche d'eux. Les remords de leurs crimes commencent à leur déchirer le cœur ; mais leurs oreilles sont fermées aux plus saintes instructions ; ils n'écoutent que ce que l'on dit de leur maladie ; ils se plaignent de l'impuissance des remèdes, et querellent tous ceux qui les approchent ; leurs yeux sont égarés, et étincelants de rage ; et leur bouche vomit encore des blasphèmes. En cet effroyable état tout le monde les abandonne ; leur maison est au pillage de leurs héritiers et de leurs domestiques : on ne songe qu'à s'assurer de leurs biens pendant que l'on laisse leur âme à la cruauté des démons ; et bien souvent, de toutes les richesses qu'ils ont possédées sur la terre, il ne leur reste plus de quoi les ensevelir après leur mort[22].

Les témoignages s'accumulent. En 1734, Le Maître de Claville affirme que d'après son expérience « il n'est personne qui ne désavoue à l'agonie, et qui ne regrette infiniment cette prétendue force d'esprit ». Selon le père Touron, « comme on ne connaît point de fidèle qui veuille se ranger parmi les impies à la mort, il n'est point aussi de libertin, s'il n'est dans le délire, qui ne voulût alors avoir vécu en chrétien et pouvoir mourir en vrai fidèle ». En 1774, le père Alletz confirme qu'à l'heure de la mort l'impie « se rend justice en s'avouant coupable, et il abjure avec larmes son incrédulité ». En 1776, l'archevêque de Lyon Montazet admet qu'il y a quelques exceptions par orgueil, mais qu'en règle générale l'incrédule a une mort horrible. Bayle lui-même avait décrit dans son *Dictionnaire* des cas de morts repentantes d'incrédules, et il citait les paroles désabusées de l'athée Sainthibal, qui s'estimait trahi par ses congénères : « "Ils ne nous font point d'honneur", disait-il, "quand ils se voient au lit de la mort : ils se déshonorent ; ils se démentent, ils meurent tout comme les autres bien confessés et communiés". Il pourrait ajouter qu'ils passent jusqu'aux minuties de la superstition[23]. » En fait, Bayle distingue entre les faux athées, qui ne font que douter, n'ont pas de convictions personnelles et perdent contenance face à la mort, et les véritables athées, qui restent fermes.

Ce qui pose aussi la question de la valeur de la conversion de dernière minute. Pour Bayle, celle-ci ne vaut rien. Pour le marquis d'Argens, qui est déiste, les plus fragiles face à la mort sont les athées, qui retournent beaucoup plus facilement à la foi traditionnelle, tandis que les déistes sont plus rationnels, plus logiques avec eux-mêmes : « C'est là la coutume ordinaire des athées. Pendant qu'ils jouissent d'une santé parfaite, ils refusent de croire l'existence d'une divinité, au moins font-ils ce qu'ils peuvent pour en venir à bout, parce qu'ils se figurent pouvoir se plonger avec plus de tranquillité dans tous les vices. Mais dès qu'ils sont prêts à sortir de la vie, leur fausse philosophie s'évanouit[24]. » Et l'Église accepte ce repentir, ce que d'Holbach trouve scandaleux, puisque cela « suffit pour effacer les crimes les plus noirs et les plus accumulés ».

L'Église peut montrer qu'elle a le dernier mot en affichant comme autant de victoires sur l'athéisme les morts édifiantes d'athées et de déistes célèbres. Dans son *Catéchisme philosophique* de 1773, Feller présente ainsi la conversion de dernière heure de La Mettrie, Boulainvilliers, Chesneau-Dumarsais, Boulanger, d'Argens. Celle de Maupertuis, dont Voltaire s'est moqué parce qu'il est mort entre deux capucins, est également exploitée.

Quant à Voltaire, le déiste, l'incrédule le plus célèbre du siècle, dont on attendait avec une hâte indécente les derniers moments, le bruit fait autour de sa mort emblématique est à la mesure des enjeux. Le parti dévot orchestre à cette occasion une odieuse campagne destinée à frapper l'opinion, montrant comment l'impie obstiné était mort de rage impuissante. Le très pondéré et érudit Robert Favre en est encore indigné. Parlant de l'« intoxication » à laquelle se livrent quelques esprits « bornés mais probablement honnêtes », il déplore « qu'un siècle de littérature édifiante sur les terreurs de la mort et de la damnation s'achève dans l'ignominie avec les commérages orduriers de quelques dévots imbéciles[25] ».

Particulièrement visés par ce trait, l'abbé Harel, auteur en 1781 de *Voltaire. Recueil des particularités curieuses de sa vie et de sa mort*, ouvrage ordurier, et l'abbé Blanchard, qui dresse ce tableau édifiant :

> Quel exemple plus frappant que celui que notre siècle vient d'avoir dans la personne du chef de nos impies ! Quels accès affreux de trouble, de rage et de fureur n'a-t-il pas eus peu de temps avant de mourir ! Je voudrais, écrivit le jour même de sa mort à une personne le premier médecin du roi M. Tronchin, que ceux que ses ouvrages ont séduits eussent pu en être les témoins : il n'en faudrait pas davantage pour les détromper. On l'a entendu déjà plus d'une fois moribond s'écrier : Dieu m'abandonne ainsi que les hommes. Qu'il est malheureux de n'avouer son erreur que quand on sent le bras du Tout-Puissant qui s'appesantit sur soi ! Qu'il est triste de ne reconnaître un Dieu qu'à ses châtiments[26] !

Mais le plus odieux est encore Mozart, alors à Paris, et qui écrit : « L'impie, le maître fourbe Voltaire est crevé, pour ainsi dire comme un chien, comme une brute [...] voilà la récompense » (lettre du 3 juillet 1778).

La rétention d'urine, le café, l'opium expliquent suffisamment la souffrance et l'agitation du moribond, comme l'a montré René Pomeau, et s'il n'est pas mort exactement comme Horace, ainsi qu'il en avait l'intention, « ce qu'on est en droit d'assurer, c'est que Voltaire mourut paisiblement avec la résignation et le calme d'un philosophe qui se rejoint au Grand Être », écrit l'abbé Duvernet.

Pour les dévots, un incrédule se doit de mourir soit dans le repentir, soit dans l'épouvante. Sans perspective de survie ou de salut, il se doit d'être accablé et désespéré. Tous les apologistes en conviennent. Le protestant Necker y ajoute même curieusement une autre raison d'effroi : l'athée qui meurt dans une nature aveugle peut imaginer que toutes sortes de supplices viendront torturer son corps pour l'éternité, dans une espèce d'enfer naturel :

> Rien ne pourrait nous garantir que les flammes dévorantes des astres de feu suspendus dans le firmament ne fussent peuplées d'êtres susceptibles du senti-

ment du malheur ; rien ne pourrait nous garantir que la partie sensible de nous-mêmes, cédant à quelque force inconnue, ne fût à son tour entraînée dans ces lieux de douleur et de lamentation ; enfin, et l'on ne peut prononcer sans frémissement de semblables paroles ! rien, non, rien ne pourrait nous garantir que, par l'une des lois ou des révolutions d'une aveugle nature, des tourments éternels ne devinssent notre cruel, notre épouvantable partage [27].

De leur côté, les athées accusent le christianisme de faire mourir les gens dans la terreur d'avoir à comparaître devant le tribunal suprême qui risque de les condamner à l'enfer éternel. Dans son *Dictionnaire des athées*, Sylvain Maréchal présente ainsi le chrétien agonisant : « Au lit de mort, semblable à un criminel, il tremble à l'approche du juge suprême. L'idée d'un Dieu rémunérateur ou vengeur l'empêche de se livrer aux dernières effusions de la nature. Il écarte froidement sa famille, ses amis, pour se disposer à paraître devant le tribunal suprême. » Au contraire, l'athée, « n'ayant de compte à rendre à personne qu'à sa conscience », meurt dans la fermeté ou l'indifférence, comme Socrate, Cicéron, Caton, Sénèque. Dans ses *Réflexions sur les grands hommes qui sont morts en plaisantant* (1712), Boureau-Deslandes offre en exemple la mort de Pétrone, fin voluptueuse d'un épicurien raffiné. Aux cas d'incrédules repentis *in extremis* avancés par les dévots, il oppose une liste de morts paisibles ou « intrépides », celles de Bayle, Saint-Évremond, Hobbes, Ninon de Lenclos, auxquelles Voltaire ajoute Bernier, Chaulieu, Saurin et bien d'autres. Le philosophe de Ferney se montre en revanche bien dur à l'égard de Maupertuis, de Boureau-Deslandes lui-même, accusé de revirement, de Chesneau-Dumarsais, qui s'est soumis à des « simagrées », de La Fontaine, qui est mort « comme un sot ». Diderot, qui dépeint la mort modèle de l'incroyant à travers celle de l'aveugle Saunderson, dans la *Lettre sur les aveugles*, sera finalement inhumé « chrétiennement », comme d'Alembert, sans avoir fait la moindre concession, à la demande des autorités civiles.

L'exploitation par le clergé de la peur de mourir est vivement dénoncée par les philosophes. Pour Fleuriot de Langle, les prêtres, avec leurs simagrées, font « mourir de peur de mourir » : « Il faut désormais écarter de nos lits ces hommes noirs, ces rabats, ces surplis, ces images, ces torches, ces apprêts funèbres, qui conjurent, évoquent, appellent la mort, qui doublent, triplent, centuplent l'horreur qu'elle cause, le mal qu'elle fait, et qui souvent enfin font mourir de peur de mourir [28]. » Pour d'Holbach, c'est là une politique délibérée, qui profite de l'affaiblissement des esprits dans ces instants difficiles : « Ils vous font frissonner aux mots terribles de mort, de jugement, d'enfer, de supplices, d'éternité ; ils vous font pâlir au seul nom d'un juge inflexible dont rien ne peut changer les arrêts ; vous croyez voir autour de vous ces démons qu'on a fait les ministres de ses vengeances sur ses faibles créatures [29]. »

Pourtant, la mort n'a en soi rien de redoutable, répètent les athées, d'Holbach en tête, qui s'efforce, dans les *Réflexions sur les craintes de la mort*, de dissiper les peurs. « La mort n'est rien », affirme Glénat dans son livre *Contre les craintes de la mort*, en 1757, dénonçant l'exploitation chrétienne qui en est faite. C'est aussi ce que pense Radicati, dans sa *Dissertation sur la mort* de 1733.

Croyants et incroyants unis dans le pessimisme

Les « consolations » apportées par les philosophes ne sont pas dénuées de pessimisme. La mort nous délivre des maux de la vie, et c'est pourquoi, écrit d'Holbach, « il est bon d'établir quelques principes propres à diminuer notre attachement pour la vie, et par conséquent à nous faire regarder la mort avec indifférence ». Mépriser la vie aide sans doute à supporter la mort. Diderot, Voltaire, Rousseau, Boureau-Deslandes ont tous des passages amers sur le malheur de vivre, constat qui permet à Diderot d'affirmer qu'« il n'y a qu'une vertu, la justice ; qu'un devoir, de se rendre heureux ; qu'un corollaire, de ne pas se surfaire la vie, et de ne pas craindre la mort ». On retrouve ici des accents déjà remarqués chez les libertins du xviie siècle, qui soutenaient un pessimisme tranquille.

Avec Chamfort, on franchit un pas supplémentaire. Pour lui, il ne s'agit pas seulement de dénigrer les inconvénients de l'existence pour rendre la mort moins pénible. C'est l'existence elle-même qui est mauvaise : « Vivre est une maladie, la mort est le remède. » Sa vision de la vie humaine est radicalement négative : « Les fléaux physiques et les calamités de la nature humaine ont rendu la société nécessaire. La société a ajouté aux malheurs de la nature. Les inconvénients de la société ont amené la nécessité du gouvernement, et le gouvernement ajoute aux malheurs de la société. Voilà l'histoire de la nature humaine[30]. » À ce stade, le désespoir est irrémédiable ; il conduira Chamfort au suicide.

L'immense majorité des philosophes ne va pas jusque-là, mais le pessimisme est fréquemment présent dans leurs œuvres, contrairement à l'idée communément répandue de leur confiance supposée dans les progrès de la société. Ils ont des doutes sérieux sur la bonté de la nature humaine : « Quel animal dans la nature est plus féroce que l'homme ? » demande Diderot, faisant écho à l'*homo homini lupus* de Hobbes. Parcourant, après Voltaire, l'histoire de l'humanité, il constate que « de tous les temps le nombre des méchants a été le plus grand et le plus fort, [...] qu'il est rare qu'un être passionné, quelque heureusement qu'il soit né, ne fasse pas beaucoup de mal quand il peut tout ; que la nature humaine est perverse ; et que, comme ce n'est pas un grand bonheur que de vivre, ce n'est pas un grand malheur que de mourir[31] ». La leçon à tirer du panorama de l'histoire humaine, c'est que « le monde a beau vieillir, il ne change pas ; il se peut que l'individu se perfectionne, mais la masse de l'espèce ne devient ni meilleure ni pire ; la somme des passions malfaisantes reste la même ».

On trouverait des constats aussi désabusés chez Duclos et Helvétius, lequel pense que « l'homme de la nature est son boucher, son cuisinier. Ses mains sont toujours souillées de sang ». L'éducation le polit un peu, tandis que l'homme du peuple reste proche de la bête sauvage avec ses instincts sanguinaires, se délectant des exécutions capitales : « L'homme heureux est humain : c'est le lion repu. » Dans ces conditions, le seul gouvernement efficace est celui qui sait épouvanter la bête, comme le préconise le marquis d'Argens, car « on ne peut nier que les hommes ne soient plus portés au mal qu'au bien ».

Il y a même là un surprenant point de convergence, en ce XVIIIᵉ siècle finalement si trompeur, entre croyants et incroyants : le dégoût de la vie terrestre. « Vallée de larmes » pour les uns, songe absurde pour les autres, la vie ne vaut pas la peine d'être vécue, et le plus grand bien que nous puissions souhaiter, c'est la mort. C'est le refrain bien connu d'une certaine spiritualité chrétienne qui fait du « passage » de la mort le principal événement de l'existence ; mais c'est aussi un leitmotiv chez certains philosophes. Robert Favre en a fait l'éloquente démonstration [32]. Du volumineux dossier qu'il présente sur ce sujet, nous retiendrons ces lignes significatives de Diderot, qui résume ainsi dans une lettre à Sophie Volland sa conception de la vie :

> Naître dans l'imbécillité, au milieu de la douleur et des cris ; être le jouet de l'ignorance, de l'erreur, du besoin, des maladies, de la méchanceté et des passions ; retourner pas à pas à l'imbécillité ; du moment où l'on balbutie jusqu'au moment où l'on radote, vivre parmi des fripons et des charlatans de toute espèce ; s'éteindre entre un homme qui vous tâte le pouls et un autre qui vous trouble la tête ; ne savoir d'où l'on vient, pourquoi l'on est venu, où l'on va : voilà ce qu'on appelle le présent le plus important de nos parents et de la nature, la vie [33].

La mort, c'est donc l'apaisement tant désiré. D'Holbach ne cesse de le répéter. Et pourtant, le néant effraie. Voltaire se fait difficilement à cette idée. Rousseau la refuse avec l'énergie du désespoir ; il veut croire à l'immortalité, et tente de s'en persuader dans un style incantatoire : « Non, j'ai trop souffert en cette vie pour n'en pas attendre une autre. Toutes les subtilités de la métaphysique ne me feront pas douter un moment de l'immortalité de l'âme, et d'une providence bienfaisante. Je la sens, je la crois, je la veux, je l'espère, je la défendrai jusqu'à mon dernier soupir [34]. » Mais les mots sont-ils suffisants ? Pour La Mettrie, il n'y a pas le moindre doute : la fin de l'homme-machine, c'est le néant : « La mort est la fin de tout ; après elle, je le répète, un abîme, un néant éternel ; tout est dit, tout est fait ; la somme des biens et la somme des maux est égale : plus de soins, plus de personnage à représenter : la farce est jouée[35]. » Faut-il s'en désoler ? La mort n'est ni à craindre ni à désirer, mais à accueillir comme un grand sommeil. Médecin au régiment des gardes françaises en 1742, La Mettrie a vu mourir beaucoup de monde, et d'après lui la mort est le plus souvent douce, elle « qui vient pas à pas, qui ne surprend ni ne blesse ». C'est l'imagination qui fausse tout, une imagination déréglée par les prédicateurs qui présentent une image épouvantable des moments qui suivent : jugement et enfer. La pastorale de la peur est directement mise en cause, alors que chacun devrait travailler à rendre la mort paisible, comme Cabanis. D'après lui, l'« euthanasie », ou art de rendre la mort douce, pourrait être obtenue par une étude sur « l'état moral des moribonds », afin de les accompagner dans leurs derniers instants[36].

En somme, les incrédules du XVIIIe siècle hésitent toujours sur le seuil de la mort. Le néant est-il vraiment préférable à l'enfer ? La question est posée, et les réponses varient suivant les tempéraments. Voltaire a exprimé ces hésitations, et la résignation nécessaire qui s'ensuit, dans Le Songe-creux : en rêve, il visite l'enfer, et s'enfuit de ce lieu épouvantable ; puis le paradis, et s'écarte de sa « froide beauté » ; il voit alors arriver le Néant, « plein de fumée et tout empli de vent », et se jette dans ses bras, « puisque en [son] sein tout l'univers se plonge ». Ce n'est pas l'enthousiasme, mais c'est le destin le plus vraisemblable. Alors, mieux vaut s'y faire. En réalité, la leçon est qu'« il faut savoir mourir, mais il faut savoir conserver la vie ».

Le front désuni des défenseurs de la foi

Nul doute que la pensée incrédule soit plus à l'aise dans les débats classiques d'ordre exégétique et éthico-social. La critique biblique multiplie les attaques, déconsidère les textes sacrés au nom du rationalisme[37]. Voltaire accuse la Bible de faire plus d'athées que la propagande philosophique, en racontant des histoires qui discréditent Dieu :

> S'il y a des athées, à qui doit-on s'en prendre [...] ? Des hommes engraissés de notre substance nous crient : « Soyez persuadés qu'une ânesse a parlé ; croyez qu'un poisson a avalé un homme et l'a rendu au bout de trois jours sain et gaillard sur le rivage ; ne doutez pas que le Dieu de l'univers n'ait ordonné à un prophète juif de manger de la merde (Ézéchiel), et à un autre prophète d'acheter deux putains, et de leur faire des fils de putains (Osée). » [...] Ces inconcevables bêtises révoltent des esprits faibles et téméraires, aussi bien que des esprits fermes et sages. Ils disent : « Si nos maîtres nous peignent Dieu comme le plus insensé et comme le plus barbare de tous les êtres, donc il n'y a point de Dieu[38]. »

En face, la défense est massive, mais maladroite : une vingtaine d'ouvrages apologétiques paraissent chaque année entre 1760 et

1770; les *Discours, Réfutations, Mémoires*, traités de *La Foi vengée,
La Foi justifiée* s'accumulent. Les dix-huit volumes de *Démonstrations évangéliques* rassemblés par l'abbé Migne regroupent plus de
cent soixante-quinze ouvrages datant du xvIIIᵉ siècle[39]. Des plus
modestes aux plus grands, tout le monde met la main à la pâte, y
compris des personnages inattendus, comme Choiseul, auteur d'un
*Mémoire en faveur de la religion, contre les athées, les déistes et les
libertins*, Lefranc de Pompignan, qui écrit *La Religion vengée de
l'incrédulité par l'incrédulité elle-même*, Bernis, qui compose *La
Religion vengée*, Melchior de Polignac, qui publie l'*Anti-Lucrèce* en
1745. Mais quelle pouvait être l'efficacité de ces douze mille vers
latins péniblement assemblés?

L'un des plus ardents apologistes est l'abbé Bergier, dont les douze
volumes du *Traité historique et dogmatique de la vraie religion*,
publiés à Paris en 1780, seront huit fois réédités en un siècle. Son idée
est qu'il y a eu une révélation primitive faite à l'humanité, dont
découle la religion naturelle, mais que celle-ci, en s'écartant du donné
révélé, a produit les religions païennes et exotiques, comme celle des
Chinois, où l'on ne retrouve plus que des bribes de la vérité. Pour ce
qui est de la Bible, il maintient intégralement la position de Bossuet,
un siècle plus tôt : tous les livres en sont authentiques, tout le Pentateuque est de Moïse, tout le contenu littéral est vrai. L'adversaire est
méprisé plus que réfuté : « Que prouvent contre un corps d'histoire
suivie des remarques grammaticales sur certains mots, de prétendues
contradictions entre un verset et un autre, quelques difficultés de
concilier la chronologie, quelques versets ajoutés à un livre par
l'auteur du livre suivant[40]? »

Cet immobilisme dans la défense de la Bible fait le jeu des philosophes : Bergier réaffirme justement la vérité historique de ces histoires dont ils se gaussent[41]. Autre cause de faiblesse : les dissensions
entre les défenseurs de la foi. Un exemple flagrant est fourni par la
condamnation de l'*Émile* en 1762, en raison de ses positions déistes.
Une querelle surgit à propos du péché originel entre les jansénistes et
l'abbé Bergier, chargé par l'archevêque de Paris, Christophe de Beaumont, de réfuter Rousseau. L'abbé est violemment attaqué par les jansénistes, qui l'accusent de présenter un « Dieu trop bon ». Et pendant
que se poursuit la polémique, les lecteurs lisent l'*Émile*[42].

Car les ouvrages antireligieux profitent aussi des hésitations de la
censure. Il est surprenant de constater la faiblesse du nombre des
œuvres philosophiques condamnées sous le règne de Louis XV : 8 %
du total, alors que l'on s'acharne sur les livres jansénistes : 64 % des
titres interdits[43]. Une première explication tient au fait que les
condamnations et réfutations contribuent souvent plus à faire
connaître les œuvres qu'à les détruire[44]. Les condamnations pour
impiété avant 1740 ne concernent que les *Lettres philosophiques* de
Voltaire et *Les Princesses malabares* de Longue (1734).

En 1746, dans son réquisitoire au Parlement pour la condamnation comme « contraires à la religion et aux bonnes mœurs » des *Pensées philosophiques* de Diderot et de l'*Histoire naturelle de l'âme* de La Mettrie, l'avocat général explique qu'il vaut mieux laisser dans le silence la plupart des productions athées, pour se concentrer sur quelques grandes œuvres, comme c'est encore le cas en 1748 avec *Les Mœurs* de Toussaint, apologie de la religion naturelle.

Les condamnations pour motif d'irréligion augmentent brusquement à partir de 1750, mais leur efficacité est réduite par la concurrence entre les différents organismes de censure. Même un livre comme *De l'esprit*, d'Helvétius, paru en 1758, fortement matérialiste et qui va faire l'unanimité des dévots contre lui, paraît avec l'approbation du censeur royal, particulièrement distrait pendant sa lecture. En dépit des rectifications apportées par Malesherbes, directeur de la Librairie, les théologiens de la Sorbonne accusent les autorités civiles d'un laxisme coupable. Helvétius doit signer une rétractation impitoyable :

> Je reconnais enfin que toute la doctrine contenue dans mon livre n'est qu'un tissu de maximes erronées, de propositions fausses dont plusieurs portent l'empreinte de l'hérésie, d'impiétés et de blasphèmes, qu'elle conduit au matérialisme et à la corruption des mœurs. Que cette doctrine attaque la liberté de l'homme et son immortalité, les notions du juste et de l'injuste gravées dans tous les cœurs [...]. En un mot, je regarde mon livre *De l'esprit* comme une production de ténèbres que je voudrais pouvoir anéantir et que je supplie tous les hommes de condamner à un mépris éternel[45].

En 1770, nouvel exemple des désaccords entre les autorités morales : l'Assemblée du clergé dresse la liste de sept ouvrages particulièrement agressifs contre la religion, dont six de d'Holbach et un de Voltaire. Au Parlement, l'avocat général Séguier prononce contre eux un violent réquisitoire... que les magistrats décident de ne pas publier, afin de ne pas paraître à la remorque du clergé. Et pendant trois ans le Parlement va rester silencieux sur ce sujet, prétextant que l'incrédulité recule, et ne reprenant les condamnations qu'en 1774, contre *Le Bon Sens* et *De l'homme*. La consommation de livres irréligieux ne cesse pourtant de progresser. Parmi les commandes d'ouvrages prohibés que les libraires adressaient à leurs fournisseurs, et qu'a étudiées Robert Darnton, les livres de critique religieuse forment le plus gros contingent : 29,4 % du total, et les auteurs les plus recherchés sont, dans l'ordre, Voltaire, d'Holbach, Pidansat de Mairobert et, plus loin, Raynal, Rousseau, Helvétius[46].

Pour l'Église, l'incrédulité, sous sa forme déiste, représente un danger d'autant plus redoutable qu'elle commence à s'insinuer dans la forteresse théologique. En 1748-1751, un prêtre d'une trentaine d'années, Jean-Marie de Prades, soutient à Paris les quatre parties de sa thèse de théologie[47]. Dès janvier 1752, la Sorbonne censure dix propositions extraites de cette thèse, qui soutenaient que les connais-

LE XVIIIe SIÈCLE INCRÉDULE

sances viennent des sensations, que le théisme l'emporte sur toutes

sances viennent des sensations, que le théisme l'emporte sur toutes les religions révélées sauf la chrétienne, que les miracles du Christ ne sont pas supérieurs à ceux d'Esculape, que l'autorité des Pères et des théologiens médiévaux n'est pas supérieure à la raison, que Moïse n'est pas l'auteur de tous les textes qu'on lui attribue, et que les religions sont comparables : « Quelle peut donc être cette religion à laquelle Dieu aura confié le dépôt de sa révélation ? Ici se présentent le paganisme, le mahométisme, le judaïsme, en un mot le christianisme. Toute religion se vante avec ostentation d'avoir ses miracles, ses oracles, ses martyrs. »

Christophe de Beaumont, archevêque de Paris, dans son mandement de 1752, s'inquiète : « Si une raison fière et hautaine introduisait une fois dans ces célèbres écoles le dégoût et le mépris pour l'autorité [...] bientôt la nouveauté profane y prévaudrait sur la saine et respectable antiquité. » Il dénonce dans la thèse « un plan d'incrédulité réfléchi, combiné, soutenu, une infinité de traits qui décèlent et annoncent l'irréligion ».

L'affaire est donc grave : le déisme tente de pénétrer dans la faculté de théologie par le biais de l'exégèse. Décrété de prise de corps, l'abbé de Prades s'enfuit sur les terres du marquis d'Argenson, puis en Hollande et en Prusse. Le lieutenant de police fait alors une enquête au fameux café Procope, d'infâme réputation, là où le libertin Boindin a l'habitude de pérorer sur « M. de l'Être et Jacotte », c'est-à-dire Dieu et la religion : n'y aurait-il pas complot contre la foi ? L'idée est dans l'air. Séguier la reprendra en 1770.

En juin 1752, l'évêque de Montauban, Michel de Verthamon de Chavagnac, aborde à son tour l'affaire, dans un mandement qui ne s'embarrasse pas de nuances :

> Jusqu'ici l'enfer avait vomi son venin, pour ainsi dire, goutte à goutte : aujourd'hui, ce sont des torrents d'erreurs et d'impiétés, qui ne tendent à rien moins qu'à submerger la foi, la religion, la vertu, l'Église, la subordination, les lois, la raison. Les siècles passés ont vu naître des sectes qui attaquaient certains dogmes, mais qui en respectaient un grand nombre ; il était réservé au nôtre de voir l'impiété former un système qui les renverse tous à la fois, système affreux qui porte l'esprit de blasphème jusqu'à comparer l'aveuglement des païens sur la pluralité des dieux et le fanatisme de Mahomet avec le christianisme... »

Les responsables, poursuit l'évêque, ce sont les épicuriens, qui « ont frayé la route aux autres déistes [48] ». Visiblement, le prélat ne distingue pas le déisme de l'athéisme, et il n'est pas le seul. Parmi les responsables de l'Église, l'amalgame est de règle, englobant dans un même opprobre tout ce qui s'écarte de la stricte doctrine. Cette attitude n'a pas varié depuis le XVIe siècle. On la retrouve dans tous les grands débats de l'époque.

L'âme, la morale, la nature : hésitations et problème politique

L'un des thèmes centraux de ces débats reste la nature de l'âme, dont dépend son sort après la mort. Dans le camp des incrédules, on est très divisé sur la question. D'Argens et le marquis de Lassay pensent qu'elle est insoluble. Voltaire hésite. En 1734, il penche pour la solution matérialiste, tout en soulignant que matérialisme ne veut pas nécessairement dire athéisme : Dieu a très bien pu faire une matière pensante. Diderot est pendant longtemps aussi très incertain. On ne manque pas de relever que l'Ancien Testament est plus que discret sur le sujet, et que les écrits attribués à Moïse ne mentionnent jamais l'immortalité. Certains, comme Maubert de Gouvest dans les *Lettres iroquoises*, dénoncent l'absurdité des démonstrations de cette immortalité.

Les médecins jouent un rôle croissant dans le débat. Leurs rapports avec la pensée philosophique ne sont pas toujours excellents : Astruc, Tissot, Tronchin, Hecquet, Haller lui sont même globalement hostiles, tandis qu'il subsiste chez les philosophes un reste de méfiance à l'égard de la médecine, intervention artificielle sur la personne humaine. Mais dans l'ensemble les médecins les plus novateurs, à commencer par La Mettrie, penchent du côté de l'âme matérielle, propriété de la matière organisée. À la fin du siècle, Vicq d'Azyr (1748-1794), fondateur de la Société royale de médecine en 1776, rejoint lui aussi les combats de l'opinion éclairée, parlant « de l'abus que l'on a fait de la religion, de la médecine et de l'astronomie, [d'où] ont résulté trois grandes sources de maux : le fanatisme, le charlatanisme et la superstition [49] ».

De la multiplication des traités sur la nature de l'âme, prenons un seul exemple, caractéristique des enjeux et des hésitations : les *Dialogues sur l'âme*, texte clandestin composé vers 1755 [50]. L'ouvrage comprend deux parties : d'abord sept dialogues fictifs entre un pharisien et un sadducéen, de tendance matérialiste, puis un traité systématique, sans titre, de tendance déiste.

Dans les deux premiers dialogues, on insiste bien sur l'absence d'allusion à l'immortalité dans les écrits mosaïques, et à l'enfer dans l'ensemble de l'Ancien Testament. Incidemment, les interlocuteurs remarquent combien, à la différence de l'Italie où l'Inquisition veille, on est libre de discuter de ces choses en France : « On leur avoit dit que depuis un demi siècle on y pensoit assez librement ; qu'on n'y brûloit ni ceux qui admettoient, ni ceux qui nioient l'immortalité de l'âme, pas même ceux qui avoient pendu Jésus, pourvu qu'ils ne s'applaudissent point de cette action. » Affirmation à nuancer : en 1698, Bonaventure de Fourcroy avait été embastillé après la découverte chez lui de trois essais dont un sur la matérialité de l'âme. Mais ces temps sont révolus, pense l'auteur du traité. Le caractère matériel et mortel de l'âme est établi par de nombreux ouvrages tels que *L'Âme matérielle, L'Âme mortelle, De l'âme et de son immortalité, Opinions des Anciens sur la nature de l'âme, Sentiments des philosophes sur la nature de l'âme*, et il ne sert à rien d'invoquer le poids de la tradition : « On peut tout au plus, de l'ancienneté d'une tradition, conclure que l'erreur qu'elle transmet est très ancienne. »

Puis les dialogues dérivent vers d'autres sujets. Le quatrième démontre que la religion chrétienne n'est pas d'origine divine et a été instituée par la force ; il juge trois dogmes particulièrement choquants : eucharistie, enfer et paradis. Le cinquième dialogue passe à la grande question des rapports entre religion et morale. Un chrétien vient défendre l'idée classique de la nécessité d'une religion pour préserver la cohésion sociale, car l'homme sans religion « en viendra bientôt au point de se permettre tout ». En dépit des arguments de Bayle, l'idée de l'athée vertueux ne convainc ni le chrétien ni le déiste. La liaison entre croyance en Dieu et ordre social est clairement établie par le Clerc :

> D'ailleurs, il est reconnu généralement qu'il est impossible que la société subsiste, si l'on n'admet une puissance invisible qui gouverne les affaires du genre humain. La crainte et le respect qu'on a pour cet être produit plus d'effet dans les hommes pour leur faire observer les devoirs dans lesquels leur félicité consiste sur cette terre, que tous les supplices dont les magistrats les puissent menacer. Les athées même n'osent le nier, et c'est pourquoi ils supposent que la religion n'est qu'une invention des politiques pour tenir plus facilement la société en règle[51].

De la même façon, Du Voisin affirme :

> Les athées se dénoncent donc eux-mêmes comme ennemis et perturbateurs de l'ordre social. Car, en supposant même leur doctrine appuyée sur des preuves incontestables, il serait de l'intérêt public de dérober aux hommes la connaissance d'une vérité qui tendrait à rompre les liens de la subordination, et à renverser l'autorité des lois[52].

Il y a donc là un sérieux point de divergence entre déistes et athées. Les premiers, conduits par Voltaire, estiment qu'une religion est nécessaire pour maintenir le peuple dans l'obéissance, et que de toute façon il est inutile de déranger les habitudes de pensée qui font le bonheur des naïfs. Avis que partage l'auteur des *Dialogues sur l'âme*, qui exclut tout prosélytisme athée : il ne faut, selon lui, « jamais tirer de l'erreur ceux qui y trouvent leur félicité ».

Mais justement, peut-on vivre heureux dans l'erreur ? Non, répondent la plupart des athées : « J'avoue que mon système serait de cacher aux hommes des vérités que je leur croirais dangereuses ; je souhaiterais à mes semblables plus de bonheur que de lumières, si ces deux choses ne marchaient pas communément d'un pas égal », écrit Boulanger[53]. Et pour Diderot, il faut délivrer les hommes de la morale chrétienne, antisociale, qui fait leur malheur ; il faut diffuser les lumières et en particulier le matérialisme, qui les rendra plus heureux. Il faut donc lutter contre les prêtres, qui représentent la supercherie.

De plus, la morale chrétienne est accusée d'être contre nature, argument capital au XVIIIᵉ siècle, où l'idée de nature est magnifiée, voire déifiée[54]. D'une certaine façon, les athées sont ici d'accord avec les chrétiens extrémistes que sont les jansénistes, pour affirmer l'opposition entre morale chrétienne et nature ; mais, alors que les seconds s'en font gloire, parce que la nature humaine est mauvaise, les premiers s'en indignent, parce qu'elle est bonne. C'est une des raisons pour lesquelles l'apologétique chrétienne commence à assimiler naturalisme et athéisme, et à leur adjoindre le qualificatif de « grossier ». Dans un ouvrage latin de 1717, traduit en français en 1740, le *Traité de l'athéisme et de la superstition*, J. Buddeus écrit que « le naturalisme le plus grossier est celui qui ne reconnaît point d'autre Dieu que la Nature ou plutôt l'Univers. Tel est le panthéisme, ou le spinozisme, parce que Spinoza en a été le principal restaurateur et a tâché de le farder de belles couleurs. Il n'y a point de doute que le naturalisme pris en ce sens ne soit un véritable athéisme[55] ».

Déistes et athées soulignent l'unité de la nature, ce qui n'exclut pas une grande diversité d'opinions sur celle-ci. Si l'on excepte Sade, qui voit en elle les forces de destruction et du mal à l'œuvre, les avis sont plutôt positifs, André Chénier célébrant la nature « bienfaisante et pure » jusque devant l'Etna. Tout le problème est de pouvoir expliquer, dans cette conception unitaire, le passage de la matière inerte à la pensée. On peut comme Deschamps accorder un embryon de pensée et de sentiment aux pierres et aux végétaux, ou comme Diderot supposer une sensibilité sourde consubstantielle à toute molécule, ou encore comme Robinet voir dans la matière le résultat de germes vivants, qui font de l'univers un ensemble organique. Cabanis, dans ses *Mémoires sur les rapports du physique et du moral*, se situant dans la lignée de l'homme-machine, recherche à partir de quel niveau de complexité la matière devient vivante puis pensante, et aboutit à une conception déterministe de la pensée comme « sécrétion » du cerveau. Tous excluent les idées innées et reprennent à leur compte l'affirmation de Locke : « Toutes nos idées viennent par les sens », suivant un processus déterministe de type culturel d'après Helvétius — qui dans *L'Esprit* accorde le rôle primordial à l'éducation, formatrice de notre expérience sensible —, ou suivant un processus déterministe de type physique d'après Diderot. Quel que soit le processus, l'homme est un être naturel, situé dans un enchaînement de causes et d'effets, ce qui exclut la notion de morale chrétienne fondée sur le péché originel.

Pour l'homme, animal social, la seule action vertueuse est celle qui sert la collectivité. Selon d'Holbach, « l'éducation, la loi, l'opinion publique, l'exemple, l'habitude, la crainte » doivent former la sociabilité de l'individu et le persuader que son intérêt coïncide avec celui de la communauté.

C'est poser là également le problème politique et social, autre facteur de désaccord entre différents courants athées et déistes. Une minorité peu influente prône le collectivisme, comme l'abbé Deschamps, peut-être influencé par sa formation religieuse, ou comme Sylvain Maréchal, qui fait dire à la nature : « Je n'aime pas les rois, j'aime encore moins les riches. » Pour Sade, la propriété privée ne fait qu'accroître les inégalités et le mal naturels. D'une façon générale, les déistes du type Mably, Rousseau, Morelly sont plus avancés socialement que les matérialistes athées, défenseurs de la propriété privée, et dont s'inspirent les bourgeois girondins et les idéologues du Directoire. Pour Destutt de Tracy, il faut fonder la morale populaire sur l'interdiction de la superstition et des préjugés, ainsi que sur la propriété privée.

Comment déraciner l'esprit religieux dans le petit peuple imbécile soumis aux prêtres ? Certains, nous l'avons vu, pensent que cela n'est pas nécessaire, et que l'on peut laisser coexister une morale populaire fondée sur les préjugés religieux, et une morale de l'élite fondée sur la raison. D'ailleurs, tout le monde n'est pas capable, du fait de l'inégalité naturelle, d'assimiler les principes moraux éclairés, comme l'explique d'Holbach :

> La diversité qui se trouve entre les individus de l'espèce humaine met entre eux de l'inégalité et cette inégalité fait le soutien de la société [...]. En conséquence de la diversité des hommes et de leur inégalité, le faible est forcé de se mettre sous la sauvegarde du fort ; c'est elle qui oblige celui-ci à recourir aux lumières, aux talents, à l'industrie des plus faibles, lorsqu'il les juge utiles pour lui-même ; cette inégalité naturelle fait que les nations distinguent les citoyens qui leur rendent des services[56].

Cette inégalité est véritablement naturelle. Les hommes « diffèrent essentiellement tant par le tissu et l'arrangement des fibres et des nerfs, que par la nature, la qualité, la quantité des matières qui mettent ces fibres en jeu, et leur impriment des mouvements[57] ».

Peut-on rectifier ces inégalités naturelles par l'éducation ? Certains le pensent, et élaborent des manuels matérialistes simples, à destination du peuple, comme *Le Bon Sens* ou la *Théologie portative*. Helvétius, le plus optimiste dans ce domaine, suggère la rédaction d'un catéchisme matérialiste dont il donne un exemple dans un chapitre du traité *De l'homme*[58]. Encore faudrait-il que les autorités politiques acceptent de prendre en main cette rééducation. Il faudra attendre la Révolution pour assister aux premières expériences, qui prendront trop souvent une allure dictatoriale intolérante.

Dérive quasiment inévitable, à partir du moment où toute foi religieuse est considérée comme un mal en soi, un facteur de fanatisme à éliminer : « L'univers ne sera jamais heureux à moins qu'il ne soit athée », avait écrit La Mettrie dans *L'Homme-machine*. Une telle affirmation justifie implicitement à l'avance toutes les persécutions antireligieuses par les généreux réformateurs qui voudront imposer le bonheur aux hommes. Ils trouveront la même justification chez Diderot, selon qui « la croyance d'un Dieu fait et doit faire presque autant de fanatiques que de croyants ». Dès lors, comment s'étonner de l'accusation de Saint-Just contre les hébertistes, coupables de vouloir « ériger l'athéisme en un culte plus intolérant que la superstition » ?

Robespierre se situe dans la même logique, lui qui réclamera en l'an II l'institution du culte de l'Être suprême comme religion obligatoire du peuple français, avec élimination physique des « scélérats » athées. L'absence d'analyse en profondeur de la nature du phénomène religieux conduit les philosophes du xviiie siècle à en chercher l'éradication pure et simple, mais creuse aussi le fossé entre les deux branches de l'incrédulité des Lumières, le déisme et l'athéisme.

Déisme, athéisme et anticléricalisme : Morelly

Les rapports entre les deux sont d'ailleurs au cœur des *Dialogues sur l'âme*. Leur auteur est favorable aux « matérialistes dogmatiques, c'est-à-dire ceux qui ont été conduits à leur opinion par un enchaînement de conséquences justes, tirées d'un principe certain[59] ». D'après lui, la logique devrait mener les déistes au matérialisme, car leur divinité ne sert à rien, sinon « à remuer la matière ; elle est éternellement occupée à faire pleuvoir sur le champ de son dévot, et à lui rendre une vache pour un veau qu'il lui a offert ».

Il pense du reste que « le sadducéen n'avoit point tort quand il pensoit qu'un chrétien pouvoit passer plus facilement à l'athéisme qu'un déiste [...]. Les extrêmes sont faciles à atteindre, et à force d'avoir trop cru, on en vient à ne plus rien croire[60] ». Il en veut pour preuve que « les pays où la Réforme s'est faite ont embrassé une espèce de déisme : dans ces provinces, peu d'athées. L'Italie, qui le croirait ? en contient plus, au centuple, que l'Angleterre et la Hollande[61] ».

Qu'on nous apporte enfin des preuves irréfutables de l'existence de Dieu, et alors nous ne demanderons pas mieux que de croire, conclut-il :

> Croyez, au reste, que s'il étoit des preuves claires de l'existence de la divinité, ceux qu'on nomme athées deviendraient les plus zélés partisans de cette opinion, qui ne peut que flatter l'amour-propre et la paresse. Ils n'attendent rien que la démonstration ; et par quelle fatalité s'obstine-t-on à la leur refuser, si elle est possible, ou à les persécuter si le fait n'est pas vrai[62] ?

Les rapports entre déisme et athéisme sont très confus au xviiie siècle, et cette confusion est accrue par les jugements divers émis sur les ouvrages de leurs partisans. Un cas typique est celui de l'abbé Morelly, personnage au demeurant fort mystérieux, lié à la ville de Vitry-le-François, sans doute un scribe recherchant la faveur des

grands pour gagner sa vie. Il est si mal connu que son dernier biographe se demande même s'il ne s'agit pas de deux personnages[63].

En 1743, il publie un *Essai sur l'esprit humain*, au contenu très
éclectique, puis, en 1745, un *Essai sur le cœur humain*, où il développe les thèmes de l'égalité naturelle, de la primauté des sentiments,
du besoin de bonheur. Déjà il s'élève contre la domination cléricale
sur la société, mais il n'est pas athée. Il revient sur la religion dans *La
Basiliade* de 1753, l'une de ses œuvres majeures, où il expose un
déisme fondé sur l'expérience sensible, acceptant l'immortalité de
l'âme, mais excluant tout châtiment éternel. Ses attaques contre le
clergé se précisent. Sa haine du prêtre, qui le rapproche de Voltaire
beaucoup plus que de Rousseau, a même été présentée comme la
caractéristique essentielle de son déisme[64]. Pour lui, le matérialisme,
auquel il s'oppose, vient d'un excès de douleur et de désespoir. Les
matérialistes sont des gens « tristes », « lugubres », mais droits et
honnêtes.

Son *Code de la nature* de 1755 porte l'anticléricalisme à des som-
mets : les « vils eunuques » forment une « odieuse cabale » qui tient
sous sa coupe la famille royale par « mille momeries ». Morelly s'en
prend aussi à la charité et aux aspects sociaux de la religion ; il
s'indigne contre l'imposture religieuse, et refuse les limites de la
condition des mortels, suggérant l'apparition future d'un véritable
surhomme ou homme-dieu. Des similitudes de titres et d'idées font
longtemps attribuer ce livre à Diderot. Mercier remarquera d'ailleurs
dans son *Tableau de Paris* combien la multiplication des ouvrages sur
la nature a introduit la confusion dans l'esprit du public :

> Ces titres de *Système de la nature*, de *Code de la nature*, de *Livre de la
> nature*, *De la nature*, de Robinet, de *Philosophie de la nature*, de *L'Inter-
> prétation de la nature* ; ensuite des noms ressemblant à M. de Lisle, de M.
> l'abbé de Lille, ont formé un chaos dans l'esprit de plusieurs provinciaux, qui
> confondent également le nom et les ouvrages. Il faut débrouiller ce chaos ;
> l'auteur du *Code de la nature* est anonyme[65].

En tout cas, le *Code* suscite des réactions sans nuances, qui en font,
contre toute logique, une œuvre athée. En 1760, dans *La Religion
vengée*, J.-N. Hayer tente surtout de défendre la propriété, l'inégalité
des fortunes, et son correctif, la charité, qui étaient l'objet d'attaques
virulentes de Morelly. Tout cela est dû au péché originel ; un auteur
qui nie ce dernier ne peut être qu'athée.

Les réactions des défenseurs de l'Église sont toujours beaucoup
plus violentes lorsque l'impie ne se contente pas d'attaquer les dogmes et les croyances spirituelles, mais s'en prend aussi à l'organisation sociale, qui touche cette fois personnellement les auteurs. En
1762, l'abbé Gauchat, dans les *Lettres critiques*, se déchaîne contre ce
« code infernal », « code monstrueux », « code des pourceaux »,
« code matérialiste » : « Jamais les matérialistes les plus décidés n'ont
poussé leurs monstrueux paradoxes aussi loin que le *Code*. C'est en

fait de ténèbres, de volupté, d'orgueil, de séduction, passer toutes les bornes ; c'est n'avoir écrit que pour laisser aux hommes des monuments de ravage et de mort[66]. » Pour Gauchat, Morelly est un pur athée ; d'ailleurs, le déisme n'est qu'un mot : dès que l'on quitte le sein de l'Église, on est athée. Cette réaction fortement émotionnelle a peut-être une autre cause, à savoir que Morelly s'attaque à *son* Dieu, son Dieu terrible, qui a disposé toutes les puissances célestes et terrestres : « Longtemps encore, écrit Nicolas Wagner, le *Code* terrorisera tous ceux qui possèdent, tous ceux qui se sont approprié un dieu. En ce sens, le texte de Gauchat est un passionnant document d'histoire du sentiment religieux[67]. »

Après le décès de Morelly, les jugements restent contrastés : pour Barbier, c'est un esprit déiste, mais très religieux ; pour les historiens marxistes au contraire, il est à rapprocher de Meslier[68] ; pour Bernard Plongeron, son œuvre est typique de la volonté subversive de la bourgeoisie moyenne du XVIIIe siècle. Ces divergences illustrent la difficulté de cerner le déisme des Lumières, qui est une réalité fluctuante, liée au besoin de renouvellement spirituel, hors des cadres déconsidérés des Églises établies, affaiblies par la propagande philosophique. Les déistes se refusent à franchir le pas décisif qui serait la négation de Dieu, et cela pour des raisons variées : peur du néant, crainte du chaos social, refus de la mort, sentiment authentique du divin à travers la nature. Les déistes ne peuvent plus croire au Dieu chrétien, mais ils ont besoin de croire en un Dieu. Il y a parmi eux aussi bien des rationalistes que des enthousiastes sentimentaux. Leur quête d'une foi nouvelle, consolante et rationnelle à la fois, dans un monde où s'effritent les fondements du christianisme, préfigure d'une certaine façon les recherches religieuses des foules de la fin du XXe siècle. Ce besoin de Dieu hors des Églises et de leurs rites contraignants, qui animait une élite intellectuelle au XVIIIe siècle, est devenu mouvement de masse deux siècles plus tard.

Les bénéficiaires en sont, alors comme aujourd'hui, soit des mouvements irrationnels fondés sur l'ésotérisme, l'occultisme, le spiritisme — Mesmer et Swedenborg sont des produits typiques de cette époque —, soit des mouvements rationalistes plus sécularisés, fondés sur l'humanisme et le progrès social, comme la franc-maçonnerie.

La dérive antirationaliste et sceptique

On sait que, née au sein du protestantisme anglo-saxon au début du XVIIIe siècle, la franc-maçonnerie spéculative moderne, si elle s'écarte des dogmes religieux traditionnels, est totalement opposée à l'athéisme. Les premières Constitutions, dites d'Anderson, remaniées en 1723 et 1738, ont été rédigées par une équipe de protestants, James

Anderson lui-même étant un pasteur presbytérien. L'article premier est explicite :

> Un maçon est obligé, par son engagement, d'obéir à la loi morale et, s'il comprend correctement l'Art, il ne sera jamais un athée stupide ni un libertin irréligieux. Mais quoique, dans les temps anciens, les maçons fussent obligés, dans chaque pays, d'être de la religion de ce pays ou nation quelle qu'elle fût, il a été considéré comme plus commode de les astreindre seulement à cette religion sur laquelle tous les hommes sont d'accord, laissant à chacun ses propres opinions, c'est-à-dire d'être des hommes de bien et loyaux ou des hommes d'honneur et de probité, quelles que soient les dénominations ou croyances religieuses qui aident à les distinguer, par suite de quoi la maçonnerie devient le centre de l'union et le moyen de nouer une amitié fidèle parmi des personnes qui auraient pu rester à une perpétuelle distance[69].

L'orientation est donc nettement déiste, tout en laissant à chacun une totale liberté de croyance religieuse. C'est justement ce qui rend la franc-maçonnerie suspecte aux yeux de l'Église. On compte pourtant près de deux mille ecclésiastiques dans ses rangs au XVIIIᵉ siècle[70]. Le pape Clément XII, qui craint que le contact avec des déistes et des athées ne favorise le syncrétisme, l'indifférentisme ou la morale naturelle, condamne la maçonnerie en 1738. Les évêques belges lui emboîtent le pas la même année. Les réactions sont également hostiles dans le monde protestant : condamnation en Hollande en 1735, à Genève en 1736, en Suède et à Hambourg en 1738.

Au sein de la maçonnerie apparaissent très vite des loges dissidentes ou marginales, qui cherchent à approfondir les mystères et sombrent vite dans l'illuminisme, illustrant encore ce besoin de renouveau spirituel si important à la fin du siècle, qui pousse même certains souverains vers l'occultisme : Alexandre Iᵉʳ est un mystique, Frédéric-Guillaume II de Prusse un Rose-Croix visionnaire. « Les sciences occultes exercent leur fascination sur des esprits écœurés par le scepticisme et l'intellectualisme de la philosophie des Lumières », écrit Georges Gusdorf[71].

L'Allemagne est particulièrement touchée par le mouvement. En Bavière, Adam Weishaupt, disciple des encyclopédistes, d'abord tenté par la franc-maçonnerie, entre dans une loge de Munich. Puis, s'inspirant à la fois du maçonnisme et des jésuites, il crée sa propre organisation, l'ordre des Perfectibilistes, en 1776. Devenu l'ordre des Illuminés, fondé sur l'anticléricalisme et le matérialisme, il revendique deux mille cinq cents membres en 1784, dont plusieurs princes et grands seigneurs, les ducs de Saxe-Weimar et de Saxe-Gotha, les comtes Poelffy et de Metternich, le baron van Swieten, mais aussi Goethe et Herder. Le succès provoque l'inquiétude des Rose-Croix et des milieux spiritualistes, qui dénoncent les Illuminés comme propagateurs des idées matérialistes françaises. En mars 1785, l'électeur de Bavière Charles-Théodore interdit la secte. Quelques années plus tard, le dramaturge Zacharias Werner, un adepte de l'ésotérisme, présente les Illuminés comme les représentants des puissances mauvaises du matérialisme et de l'athéisme, dans *Les Fils de la vallée*. Épisode parmi bien d'autres, caractéristique de la décomposition du paysage religieux à la fin du xviiie siècle, décomposition dont l'athéisme n'est pas le seul vainqueur. Les sectes occultistes et ésotériques qui prolifèrent alors n'ont en effet rien à envier aux Églises sur le plan de l'obscurantisme, du fanatisme et de l'intolérance. À l'affrontement bipolaire Église-athéisme, où les adversaires respectaient une pensée rationnelle, succède une mêlée confuse, une cacophonie, une Tour de Babel où toutes les divagations s'expriment et où personne ne peut espérer convaincre personne. Du combat de la croyance contre l'incroyance il ne sort pas de vainqueur, mais toujours un grand vaincu : la raison.

C'est que cette dernière finit par s'épuiser à force de servir vainement des causes opposées. Parfois, elle se retourne contre ses utilisateurs, qui virent alors au scepticisme. Ainsi, la raison est l'arme principale des athées du xviiie siècle pour détruire la science et le système du monde aristotélo-thomistes, mais très vite on s'aperçoit qu'elle ne peut pas plus accepter la conception statique du monde épicurien, dont la stabilité est contredite par les marques de l'évolution, qui pourrait justifier un certain finalisme. Avant que ne s'élabore la synthèse transformiste, c'est l'heure du scepticisme, qui contraste avec les belles certitudes du mécanisme cartésien. C'est pourquoi Jacques Roger propose, dans le domaine des sciences de la vie, de qualifier le xviiie siècle de « siècle sceptique », un scepticisme qui envahit tous les protagonistes : « Le scepticisme peut être chrétien, à la manière de Réaumur ou de Haller, déiste à la manière de Fontenelle, déiste encore, quoique différemment, à la manière de Voltaire, athée enfin, à la manière de Diderot, mais il est toujours un scepticisme. Et cette ambiguïté de l'attitude sceptique, capable d'être religieuse ou naturaliste, mérite elle aussi de retenir notre attention[72]. »

Voltaire et la « guerre civile entre les incrédules »

Le grand témoin et acteur de ce scepticisme issu de l'affrontement entre croyance et incroyance est Voltaire. Ses rapports avec le christianisme et avec les philosophes athées sur la question de la foi sont complexes et illustrent l'extrême réticence des déistes, qui forment une sorte de tiers parti, à franchir le pas du matérialisme, au point qu'on a pu parler de « guerre civile philosophique[73] ». Voltaire luimême a employé le terme : « Voilà une guerre civile entre les incrédules », écrit-il à d'Alembert en 1770, lors de la parution du *Système de la nature* de d'Holbach.

Dans cette affaire, qui provoque les cris d'épouvante du clergé, le philosophe de Ferney prend le parti des dévots, ce que commente ironiquement l'abbé Galiani : « C'est bien plaisant qu'on soit parvenu à un point que Voltaire paraisse modéré dans ses opinions, et qu'il se flatte d'être compté parmi les protecteurs de la religion et qu'il faille, au lieu de le persécuter, le protéger et l'encourager [74]. » Pour une fois, Voltaire ne juge pas cela drôle : « Je ne trouve pas ces messieurs adroits : ils attaquent à la fois Dieu et le diable, les grands et les prêtres », écrit-il à propos des athées. Son déchaînement contre ces derniers éclate en 1765, lorsque Damilaville, sans doute à l'instigation de Diderot, vient lui montrer comment les nouvelles théories scientifiques sur la génération spontanée et les fossiles conduisent tout droit à l'athéisme. Il accumule alors les écrits de toutes sortes contre ces théories, « honte éternelle de l'esprit humain », et atténue ses attaques contre le christianisme, tentant de récupérer le Christ pour en faire un déiste, et parlant même avec une certaine affection du bon prêtre, qui après tout est « un homme qu'on doit chérir et respecter ».

À vrai dire, Voltaire s'est toujours opposé à l'athéisme, bien que de façon plus modérée au départ. En 1749, il avait protesté contre le matérialisme de Saunderson dans la *Lettre sur les aveugles* de Diderot, et ce dernier l'avait rassuré : « Je crois en Dieu, quoique je vive très bien avec les athées. » L'année suivante, nouvelle alerte avec l'*Anti-Sénèque* de La Mettrie. Voltaire s'insurge : « Un roi athée est plus dangereux qu'un Ravaillac fanatique », et « la croyance des peines et des récompenses après la mort est un frein dont le peuple a besoin ». On le voit, ce sont plus les conséquences pratiques de l'athéisme qui l'inquiètent que les principes métaphysiques. Son Dieu est celui qui garantit l'ordre établi, le Dieu des bourgeois du XIXᵉ siècle, qui lui fait énoncer son célèbre adage : « Si Dieu n'existait pas, il faudrait l'inventer. »

Sans doute Voltaire a-t-il apporté sa contribution à la destruction de l'idée de Dieu, dans le domaine de la philosophie de l'histoire. Son *Essai sur les mœurs* est l'exacte antithèse du *Discours sur l'histoire universelle*, commençant avec la Chine et abordant l'Inde, la Perse, l'Arabie et Rome avant d'en venir au christianisme, véritable révolution copernicienne de l'histoire, relativisant le rôle de la religion révélée tout comme Micromégas ridiculise la prétention de l'homme à être le centre de l'univers.

Mais, là comme en sciences, Voltaire refuse d'aller jusqu'au bout de ses idées. S'il porte des coups à l'Église, il préfère les attaques indirectes, et fait confiance au pouvoir pour décider des réformes nécessaires. En fait, à partir d'un certain niveau d'investigation, il avoue son embarras. Décidé à approfondir le problème de l'existence de Dieu, il écrit à Madame du Deffand : « Je me suis mis à rechercher ce qui est. » Le résultat, c'est *Le Philosophe ignorant*, qui rejette tous les systèmes prouvant le pour ou le contre, et qui se rallie à l'idée d'un Dieu et d'une morale universelle.

Ce scepticisme, nous le retrouvons dans le *Dictionnaire philosophique* de 1764, en particulier à l'article « Âme ». La Bible n'en parle pas ; les philosophes en parlent beaucoup, mais sont peu convaincants : « On n'a pas fait moins de systèmes sur la manière dont cette âme sentira quand elle aura quitté son corps avec lequel elle sentait ; comment elle entendra sans oreilles, flairera sans nez, et touchera sans main ; quel corps ensuite elle reprendra, si c'est celui qu'elle avait à deux ans ou à quatre-vingts. » L'âme est probablement immatérielle, mais en fait personne n'en sait rien : « Nous appelons âme ce qui nous anime. Nous n'en savons guère davantage, grâce aux bornes de notre intelligence. Les trois quarts du genre humain ne vont pas plus loin, et ne s'embarrassent pas de l'être pensant ; l'autre quart cherche ; personne n'a trouvé ni ne trouvera. » De même qu'on n'a pas trouvé si la matière est créée ou éternelle, si le mouvement lui est essentiel ou non, ce qui produit la pensée, etc. Pour ce qui est de la foi, la définition est lapidaire : « La foi consiste à croire les choses parce qu'elles sont impossibles. »

Venons-en à l'article « Athée, athéisme ». Voltaire concède qu'il y a eu dans l'Antiquité des athées parfaitement moraux : les sceptiques, les épicuriens, « les sénateurs et les chevaliers romains étaient de véritables athées ». Une société formée d'athées est possible ; ceux qui le nient et traitent les Chinois d'athées se contredisent eux-mêmes. Les Chinois ne sont d'ailleurs pas athées, pas plus que « les Cafres, les Hottentots, les Topinambous ». Si ces derniers n'ont pas de dieux, ils n'en nient pas l'existence : « Ce sont de vrais enfants ; un enfant n'est ni athée ni théiste, il n'est rien. » Dans l'Antiquité déjà, le terme a été galvaudé : « Tout philosophe qui s'écartait du jargon de l'école était accusé d'athéisme par les fanatiques et par les fripons, et condamné par les sots. » Ce fut le cas d'Anaxagore, d'Aristide, de Socrate. Plus récemment, l'odieux Garasse voyait des athées partout, et son confrère Hardouin a traité de la même manière Descartes, Arnauld, Pascal, Nicole, Malebranche. Quant à Vanini, c'était « un pédant étranger sans mérite », mais il n'était certainement pas athée.

L'athéisme est cependant une « abominable et révoltante doctrine », c'est « un monstre très pernicieux dans ceux qui gouvernent ; il l'est aussi dans les gens de cabinet, quoique leur vie soit innocente, parce que de leur cabinet ils peuvent percer jusqu'à ceux qui sont en place ». Sans doute l'athéisme vaut-il mieux que le fanatisme, mais il est plus nocif que la superstition : « Il est indubitable que, dans une ville policée, il est infiniment plus utile d'avoir une religion, même mauvaise, que de n'en avoir point du tout. »

Les vrais athées ne sont pas les voluptueux qui, eux, ne pensent même pas à la religion ; ce sont « pour la plupart des savants hardis et égarés qui raisonnent mal, et qui, ne pouvant comprendre la création, l'origine du mal, et d'autres difficultés, ont recours à l'hypothèse de l'éternité des choses et de la nécessité ».

La croyance en Dieu est nécessaire en politique : je ne voudrais pas d'un roi athée, dit Voltaire, il me ferait tuer ; et si j'étais roi, je ne voudrais pas de courtisans athées, ils m'empoisonneraient. « Il est donc absolument nécessaire pour les princes et pour les peuples que l'idée d'un Être suprême, créateur, gouverneur, rémunérateur et vengeur soit profondément gravée dans les esprits. »

Mais Dieu merci, l'athéisme, qui est dû aux impostures des prêtres qui nous avaient présenté une divinité absurde à partir des fables de l'Ancien Testament, est en recul :

> Il y a moins d'athées aujourd'hui que jamais, depuis que les philosophes ont reconnu qu'il n'y a aucun être végétant sans germe, aucun germe sans dessein, etc., et que le blé ne vient point de pourriture. Des géomètres non philosophes ont rejeté les causes finales, mais les vrais philosophes les admettent ; et, comme l'a dit un auteur connu, un catéchiste annonce Dieu aux enfants, et Newton le démontre aux sages.

Optimisme de courte durée. Deux ans plus tard, *Le Christianisme dévoilé*, de d'Holbach, montrait à Voltaire que l'athéisme était bien vivant. Sa réaction violente dans plusieurs petits ouvrages lui vaut alors d'être traité de « capucin » par la « secte holbachique ». Injure suprême, à laquelle il répond dans les *Colimaçons du R.P. Escarbotier*, dans les *Singularités de la nature*, et dans l'*A.B.C.*, où il réaffirme avec un entêtement fort peu philosophique : « Oui, têtebleue, je crois en Dieu ! » En fait, son ami d'Alembert le sent fléchir, et lui écrit à propos de l'*A.B.C.* :

> L'auteur soupçonne qu'il pourrait bien y avoir un Dieu, et qu'en même temps le monde est éternel ; il parle de tout cela en homme qui ne sait pas trop bien ce qui en est. Je crois qu'il dirait volontiers comme ce capitaine suisse à un déserteur qu'on allait pendre, et qui lui demandait s'il y avait un autre monde : « Par la mort-Dieu, je donnerais bien cent écus pour le savoir[75]. »

D'Alembert voit certainement juste. Il tente de pousser un peu plus loin, en écrivant à Voltaire que finalement le juif Spinoza semble avoir eu raison : la matière paraît bien être la seule chose existante, et le patriarche est prêt à céder aux athées : « Je suis de leur avis, pourvu qu'ils reconnaissent que ce pouvoir secret est celui d'un être nécessaire, éternel, puissant, intelligent. »

Pourtant, Voltaire ne franchira jamais le seuil de l'athéisme, du moins en public. Mais il reste possible qu'il l'ait admis en privé, comme le laisserait entendre une anecdote rapportée dans les *Mémoires* de Du Pan. Voltaire reçoit ses amis à Ferney en septembre 1770 :

> Je l'ai vu un soir à souper, écrit Du Pan, donner une énergique leçon à d'Alembert et à Condorcet, en renvoyant tous ses domestiques de l'appartement, au milieu du repas, et en disant ensuite aux deux académiciens : « Maintenant, Messieurs, continuez vos propos contre Dieu ; mais comme je ne veux pas être égorgé et volé cette nuit par mes domestiques, il est bon qu'ils ne vous écoutent pas[76]. »

Vraie ou fausse, l'anecdote illustre bien le souci primordial de Voltaire : un souci pratique avant tout, celui de maintenir l'ordre social, en utilisant tous les moyens exigés par la situation concrète, sans se soucier des conséquences logiques. D'Holbach, esprit plus systématique que pratique, considère cette attitude comme proche de la superstition : « Il n'y aura jamais qu'un pas du théisme à la superstition », écrit-il. Du côté des athées, on couvre le vieux Voltaire de sarcasmes : « Il est bigot, c'est un déiste », dit-on dans les salons, selon Walpole[77]. John Priestley, lui, l'a entendu traité de faible d'esprit, et Diderot le qualifie de « cagot ».

« Bigot », « cagot », « capucin » : il fallait que Voltaire fût bien persuadé de la nécessité de sa religion naturelle pour encaisser de telles insultes. Mais le fait qu'il passe pour un fossile dépassé aux yeux de toute une frange avancée de l'opinion éclairée montre bien le déclin du déisme dès cette époque, face à un athéisme conquérant. Maintenir l'existence d'un Dieu en lui retirant toutes les protections dogmatiques élaborées au cours des siècles par les Églises, c'est le rendre bien fragile, et l'exposer aux coups directs portés par le matérialisme athée, qui peut alors penser avoir l'avenir pour lui.

CHAPITRE XIII

L'affirmation du matérialisme athée

Le mythe du complot athée

Dès 1759, l'avocat Joly de Fleury, plaidant au sujet du livre d'Helvétius, *De l'esprit*, pose la question : « Peut-on dissimuler qu'il y ait un projet conçu, une société formée pour soutenir le matérialisme, pour inspirer l'indépendance et la corruption des mœurs ? » L'idée du complot athée est lancée. Reprise par de nombreux auteurs antiphilosophiques, elle prend une ampleur nouvelle en 1770, à la parution du *Système de la nature*, de d'Holbach, lorsque le chancelier Séguier déclare devant le Parlement :

> Il s'est élevé au milieu de nous une secte impie et audacieuse ; elle a décoré sa fausse sagesse du nom de Philosophie ; sous ce titre imposant, elle a prétendu posséder toutes les connaissances. Ses partisans se sont élevés en précepteurs du genre humain. *Liberté de pensée*, voilà leur cri, et ce cri s'est fait entendre d'une extrémité du monde à l'autre. D'une main, ils ont tenté d'ébranler le Trône ; de l'autre, ils ont voulu renverser les Autels. Leur objet était d'éteindre la croyance, de faire prendre un autre cours aux esprits sur les institutions religieuses et civiles ; et la révolution s'est pour ainsi dire opérée. Les prosélytes se sont multipliés, leurs maximes se sont répandues : les royaumes ont senti chanceler leurs antiques fondements[1].

Ainsi, il y aurait un projet concerté et clandestin de subversion culturelle, visant à éliminer la religion, à imposer le matérialisme athée. Le centre du complot serait la « secte holbachique », ou « coterie holbachique » — comme l'appelle Rousseau —, qui se réunit dans le salon du baron, rue Saint-Honoré, et dans son château de Grandval. On sait que de là partent une multitude d'écrits athées, composés par le baron lui-même, qui anime également une vaste entreprise de traduction d'œuvres matérialistes anciennes et modernes.

Comme d'habitude, cette idée du complot ne résiste pas à la critique. Pas plus que de complot maçonnique ou de complot juif, il n'y eut de complot matérialiste. Le livre d'Alan Charles Kors l'a suffi-samment montré[2]. Un complot dont tout le monde connaîtrait le chef, le lieu de réunion et les membres ne paraît pas très sérieux. D'ailleurs, le salon de d'Holbach est très éclectique. On y trouve des esprits très avancés, dont beaucoup d'abbés, Raynal, Galiani, Morellet, mais on y voit aussi de temps en temps l'abbé Bergier, des esprits modérés, des académiciens, des fermiers généraux, ainsi que des espions de la police. Ce qui distingue ce salon des autres, c'est qu'on y pratique plus qu'ailleurs cette liberté de penser qui scandalise tant Séguier et les évêques. On y entend des propos audacieux, dans tous les domaines. Et pourtant, tous ces beaux esprits ont un comportement social conformiste.

Situation troublante, que l'honnête Robespierre fustigera bientôt :

> Cette secte, en matière politique, resta toujours en deçà des droits du peuple ; en matière de morale, elle alla beaucoup au-delà de la destruction des préjugés religieux. Ces coryphées déclamaient contre le despotisme et ils étaient pensionnés par le despote ; ils faisaient tantôt des livres contre la cour, et tantôt des dédicaces aux courtisans ; ils étaient fiers de leurs écrits et rampaient dans les antichambres[3].

Comment interpréter cette « double conscience qui fait vivre dans le conformisme et penser dans l'audace », suivant la formule de Daniel Roche[4] ? Cette apparente duplicité ne peut se comprendre que si on la joint au double langage du pouvoir, qui interdit et censure officiellement tout en tolérant une certaine contestation de salon, qui arrête libraires et colporteurs sans toucher aux auteurs. Le salon de d'Holbach est une sorte de vitrine du matérialisme, tolérée, surveillée, circonscrite, une sorte de soupape de sécurité permettant une certaine expression critique dont la virulence est atténuée par l'esprit mondain.

Il n'empêche : dans l'opinion publique, la diffusion croissante d'œuvres matérialistes athées commence à susciter commentaires et réactions, car jamais auparavant de telles opinions n'avaient été aussi massivement et aussi franchement émises. Finis les précautions de langage, les déguisements, le jeu du double sens qui depuis le XVIe siè-cle accompagnaient cette littérature. On revendique désormais le titre de matérialiste et d'athée. Le mot de « matérialisme » remonte à 1702, et entre progressivement dans le dictionnaire. Celui de Tré-voux, en 1752, en donne une définition très hostile : « Dogme très dangereux suivant lequel certains philosophes, indignes de ce nom, prétendent que tout est matière, et nient l'immortalité de l'âme. » Celui de l'Académie, en 1762, est neutre : « Opinion de ceux qui n'admettent pas d'autre substance que la matière. »

Pourtant, ses propres défenseurs utilisent peu le terme de « matéria-lisme », considéré comme trop polémique, et chargé déjà d'une forte connotation péjorative. Il est davantage employé par ses adversaires, comme une accusation, voire une insulte, et pendant très long-temps on lui adjoindra le qualificatif méprisant de « grossier ». D'Holbach l'a plusieurs fois noté : « On nous objecte que le matéria-lisme fait de l'homme une pure machine : ce que l'on juge déshono-rant pour toute l'espèce humaine » ; « Le matérialisme est, dit-on, un système affligeant fait pour dégrader l'homme, qui le met au rang des brutes ». Aussi préfère-t-il les termes de fatalisme, de naturalisme, de système de la nécessité, et surtout d'athéisme.

Origines et traits généraux du matérialisme

Le matérialisme des Lumières a fait l'objet récemment d'excel-lentes études, qui ont mis en valeur ses caractéristiques générales[5]. Les liens avec les formes antérieures d'athéisme sont indéniables, mais indirects. De Gassendi, qu'on ne lit plus guère, on a retenu quel-ques thèmes, liés à l'atomisme. Hobbes n'est utilisé que par inter-mittence, en raison de son absolutisme politique. Spinoza est davan-tage en faveur, mais on le connaît surtout à travers la polémique suscitée par son œuvre. Descartes est un peu déconsidéré à cause de son dogmatisme métaphysique, mais ses disciples Fontenelle et Male-branche fournissent encore des idées. Le sensualisme de Locke donne le cadre général de la théorie de la connaissance : toutes nos idées viennent des sens, ce qui motive un certain scepticisme à propos des concepts : les connaissances de l'esprit humain s'arrêtent aux phéno-mènes. Le reste, les concepts abstraits, dépend d'une logique formelle destinée à rendre compte des apparences — c'est le retour du nomina-lisme, dont la première victime est évidemment la connaissance reli-gieuse : si toutes nos idées viennent des sensations, toute connais-sance du surnaturel est exclue.

L'héritage libertin dans le matérialisme des Lumières est loin d'être négligeable[6]. Comme l'a montré Olivier Bloch, la polémique autour des libertins du XVIIe siècle a fourni une véritable mine biblio-graphique. Mersenne, qui avait prévu le danger, avait lui-même sup-primé la liste d'ouvrages impies d'abord incluse dans ses *Quaestiones celeberrimae in Genesim* de 1623. En 1662, Guy Patin énumérait les livres lus par Naudé ; les matérialistes s'abreuveront largement aux mêmes sources. En 1754, dans *L'Art de désopiler la rate*, dont nous avons retrouvé des exemplaires dans des bibliothèques de chanoines, figure une « Notice des écrits les plus célèbres, tant imprimés que manuscrits, qui favorisent l'incrédulité, ou dont la lecture est dange-reuse aux esprits faibles » : ils vont de Démocrite à Meslier, en pas-sant par Hobbes et Spinoza.

Des libertins, certains ont également gardé la vieille manie de la dissimulation : écrits anonymes, pseudonymes, fausses dates et faux lieux d'édition, recours aux subterfuges : défense de la religion avec des arguments volontairement plus faibles que les objections, comme *La Religion prouvée par les faits*, de l'abbé d'Houteville, *De l'incrédulité, où l'on examine les raisons qui portent les incrédules à rejeter la religion chrétienne* ; condamnation de l'athéisme au début et à la fin d'ouvrages dont le contenu est entièrement athée, comme dans la *Parité de la vie et de la mort*. Ces précautions se retrouvent jusqu'à la fin du siècle, puisqu'en 1795 encore, Dupuis, dans son *Origine de tous les cultes*, dont l'athéisme est évident, fait une préface équivoque : « Existe-t-il un Dieu, ou une cause suprême, vivante, intelligente, souverainement puissante, éternelle et incompréhensible à l'homme ? C'est ce que je n'examine pas et que je crois inutile d'examiner. » Elles sont cependant beaucoup plus rares à partir des années 1750, car les auteurs, cherchant à diffuser largement leurs idées et à les vulgariser, s'expriment directement, parfois même sur le ton de la propagande.

L'élitisme qui caractérisait tant les libertins n'a pas disparu, avec ses corollaires : individualisme et parfois cynisme. Les auteurs, intellectuels, membres d'académies, érudits, hommes de bibliothèques, méprisent le peuple, à quelques exceptions près. Le cercle des lecteurs s'est toutefois élargi. Pour d'Holbach, c'est à la bourgeoisie qu'il faut maintenant s'adresser, aux « gens qui lisent et qui pensent », entre les grands, parasites inutiles, et le petit peuple, incapable de recevoir les enseignements de la philosophie :

> Ainsi, tout écrivain doit avoir en vue la partie mitoyenne d'une nation, qui lit, qui se trouve intéressée au bon ordre, et qui est, pour ainsi dire, une moyenne proportionnelle entre les grands et les petits. Les gens qui lisent et qui pensent dans une nation ne sont point les plus à craindre. Les révolutions se font par des fanatiques, des grands ambitieux, par des prêtres, par des soldats, et par une populace imbécile, qui ne lisent ni ne raisonnent[7].

La diffusion efficace des idées athées nécessiterait l'action du gouvernement, ce qui pose le problème politique et justifie la lutte contre l'absolutisme, lié à l'Église. Mais le despotisme éclairé n'est pas pour autant une solution, écrit le baron : « Le despotisme ne peut pas être regardé comme une forme de gouvernement ; il est bien sûr l'absence de toutes les formes, l'anéantissement de toutes les règles. »

La thèse centrale du matérialisme des Lumières est évidemment l'affirmation d'un strict monisme : il y a une seule réalité, la matière, douée de mouvement, et dont les différentes combinaisons rendent compte de tous les aspects de l'univers, inerte, vivant, pensant. La grande question est d'expliquer comment la matière peut produire ces différentes formes. Plusieurs modèles sont en présence : biologique, chimique, physiologique, la tendance générale étant au vitalisme plutôt qu'au pur mécanisme. L'homme est au centre du débat, non plus comme substance pensante, mais comme matière organisée, dans une nature dont il reste à déterminer si elle est bonne ou si elle est mauvaise, ce qui pose le problème moral : les matérialistes refusent toute idée de transcendance des valeurs, toute idée de divinité, et veulent démystifier le phénomène religieux, attribué à l'« imposture sacerdotale ». Les valeurs morales ne peuvent avoir qu'un fondement utilitaire, accordant le désir individuel de bonheur et la satisfaction de l'intérêt général, les uns, comme La Mettrie, insistant plutôt sur l'aspect individualiste, et les autres, comme Helvétius et d'Holbach, sur l'aspect collectif.

Les uns et les autres doivent beaucoup à Condillac et à sa théorie des « sensations transformées », selon laquelle toutes les opérations cognitives viennent des sensations et sont étagées en systèmes de plus en plus complexes, jusqu'aux mathématiques les plus abstraites. Élaborant une théorie génétique de l'esprit, Condillac enracine la spiritualité — même la plus haute — dans le corps, et s'il conserve le principe d'un Dieu distinct de la matière, ce Dieu n'est plus guère qu'un fantôme[8].

À partir de ces idées générales, chaque auteur apporte son originalité. Les divergences sont parfois profondes à l'intérieur d'un mouvement qui a les défauts de sa jeunesse : un enthousiasme qui peut tenir lieu de raisonnement et qui masque l'insuffisance des bases scientifiques et psychologiques. Ses affirmations tranchées simplifient quelquefois à l'excès les problèmes, ce qu'aggrave l'atmosphère de polémique dans laquelle le matérialisme s'élabore. Cela peut expliquer le mépris avec lequel les penseurs du XIXᵉ siècle, même athées, traiteront leurs prédécesseurs : Victor Cousin en minimise l'importance[9] ; Hegel, qui récupère tout dans sa grande synthèse, dissout plus ou moins le matérialisme des Lumières dans l'empirisme et le spinozisme[10] ; Marx et Engels lui accordent peu de place, et le réduisent au mécanisme[11] ; Lange en fait un accident de parcours issu du sensualisme de Condillac[12]. Bref, le matérialisme des Lumières n'aurait qu'un intérêt purement historique et n'apporterait pas grand-chose à la connaissance philosophique. Sentiment sans doute injuste, dû peut-être au discrédit des thèses trop radicales de certains penseurs. Un bref rappel des personnalités marquantes doit permettre de restituer toute la richesse du mouvement.

Athéisme sceptique (d'Alembert) et athéisme pratique (Helvétius)

Certains, comme le polygraphe Jean-Louis Carra (1742-1793), le poète André Chénier (1762-1794), le médecin Pierre-Jean Cabanis (1757-1808), le futur sénateur Destutt de Tracy (1754-1836), le capucin puis militaire Jean-Henri Maubert de Gouvest (1721-1767), Jean-André Naigeon (1738-1810), ami de Diderot et de d'Holbach, le marquis Marc-René de Voyer d'Argenson (1722-1782), disgracié en 1757 et dès lors retiré dans son château des Ormes — qui devient un foyer d'idées subversives —, Volney (1757-1820), futur sénateur qui a de solides connaissances en médecine, ne sont concernés que par un aspect particulier de leur œuvre, ou ne seront connus que plus tard. Cette simple liste montre la variété des secteurs professionnels touchés, ainsi que la prépondérance des bourgeois et des nobles. D'autres noms plus illustres ne nous arrêteront pas davantage, en raison du caractère incertain de leur athéisme. Ainsi Buffon, dont Diderot a pu écrire qu'il est de ceux

> dont l'intolérance a contraint la véracité et habillé la philosophie d'un habit d'arlequin, en sorte que la postérité, frappée de leurs contradictions dont elle ignorera la cause, ne saura que prononcer sur leurs véritables sentiments. [...] Ici Buffon pose tous les principes des matérialistes, ailleurs il avance des propositions tout à fait contraires.

Moins connu mais tout aussi douteux, le Rennais Jean-Baptiste René Robinet (1735-1820), polygraphe, dont le traité *De la nature*, en 1761, laisse les commentateurs perplexes, comme celui du *Journal encyclopédique* du 1er juillet 1762 :

> Cet ouvrage qui paraît fait pour saper les mystères de la religion, sous prétexte de développer les secrets de la nature, nous disons qui paraît fait ; d'autres sans hésiter taxeront l'auteur d'athée et de matérialiste ; mais il faut prendre garde de donner ces noms avec trop de légèreté ; il y a dans son livre plusieurs passages qui semblent prouver qu'il est chrétien. [...] Des lecteurs raisonnables douteront de sa religion, d'autant que les passages qui semblent la prouver sont courts et rares, et que ceux au contraire dont on peut tirer des conséquences fâcheuses sont étendus et en grand nombre.

Le livre est effectivement typique de l'ambiguïté dont s'entourent encore certains matérialistes en raison des menaces de la censure. Mais le procédé ne trompe pas. Lorsqu'il s'agit de réfuter un argument athée, l'auteur déclare, soit que l'erreur est tellement évidente que le lecteur n'a pas besoin qu'on la lui montre, soit qu'il l'a déjà réfutée ailleurs, ce que l'on cherchera vainement, soit qu'il est nécessaire d'approfondir l'objection, ce qui ne fait que la rendre plus solide. À quoi l'éditeur ajoute dans une postface que les erreurs de cet ouvrage se détruisent elles-mêmes, et qu'il serait donc profitable qu'on le lise pour conforter la vérité. Robinet conserve un Dieu, mais à la façon d'Épicure, un Dieu absent, qui n'est qu'un nom. Pourtant, vers 1778, il reviendra à une position religieuse et sera même censeur[13].

Les plus grands ne sont pas exempts de ces hésitations. D'Alembert, modèle de prudence, écrit en 1764 à la tsarine : « Je me moquerais, comme Votre Majesté impériale m'y exhorte, des clameurs des sots, si les sots ne faisaient que crier et si, par malheur, un grand nombre d'entre eux n'avaient pas le pouvoir en main. » Lorsque paraît le *Système de la nature* de d'Holbach, en 1770, il critique cette attaque frontale de la foi. Pour lui, c'est une erreur tactique. Il faut au contraire « user de finesse et de patience, attaquer l'erreur indirectement et sans paraître y penser » ; il faut éviter de « braquer le canon contre la maison, parce que ceux qui la défendent tireraient des fenêtres une grêle de coups de fusil ». D'Alembert cesse d'ailleurs alors de fréquenter le salon de d'Holbach.

Quelle est sa pensée intime ? À certains moments, il adopte un ton déiste, écrivant qu'après tout Jésus-Christ était « une espèce de philosophe », détestant les prêtres et la persécution, et que « le christianisme dans son origine n'était qu'un pur déisme ». C'est saint Paul qui aurait tout changé.

> Je pense donc qu'on rendrait un grand service au genre humain en réduisant le christianisme à son état primitif, en se bornant à prêcher au peuple un Dieu rémunérateur et vengeur, qui réprouve la superstition, qui déteste l'intolérance, et qui n'exige d'autre culte de la part des hommes que celui de s'aimer et de se supporter les uns les autres [14].

À d'autres moments, d'Alembert se dit spinoziste. En définitive, il semble bien sceptique, comme il l'écrit à Voltaire : « À foi et à serment, je ne trouve dans toutes ces ténèbres métaphysiques de parti raisonnable que le scepticisme ; je n'ai d'idée distincte, et encore moins d'idée complète, ni de la matière, ni d'autre chose. » Finalement, Montaigne avait raison :

> Nous sommes donc réduits, avec la meilleure volonté du monde, à ne reconnaître et n'admettre tout au plus dans l'univers qu'un Dieu matériel, borné et dépendant ; je ne sais pas si c'est là son compte, mais ce n'est sûrement pas celui des partisans zélés de l'existence de Dieu ; ils nous aimeraient autant athées que spinozistes, comme nous le sommes. Pour les adoucir, faisons-nous sceptiques, et répétons avec Montaigne : « Que sais-je [15] ? »

Claude-Adrien Helvétius (1715-1771) n'a pas de ces hésitations, mais son approche du matérialisme athée n'est en rien spéculative. C'est par le biais pratique, celui de la morale, qu'il aborde la question, dans l'un des livres les plus retentissants du siècle, *De l'esprit* (1758). La forme en est déconcertante, avec une grande dispersion des idées derrière une volonté pesamment démonstrative. Un usage habile des notes permit de tromper la vigilance — sans doute un peu assoupie — du censeur, ce qui n'empêcha pas un scandale énorme d'éclater, provoquant une avalanche de condamnations et aboutissant à une humiliante rétractation. La réponse d'Helvétius viendra dans un traité posthume de 1772, *De l'homme, de ses facultés intellectuelles et de son éducation*.

Pour l'avocat Joly de Fleury, *De l'esprit* « est le code des passions les plus honteuses et les plus infâmes, l'apologie du matérialisme et de tout ce que l'irréligion peut dire pour inspirer la haine du christianisme et de la catholicité ». En fait, Helvétius n'aborde guère la question de l'existence de Dieu, mais il concentre ses attaques sur le rôle institutionnel et moral de la religion, accusée d'être antinaturelle, d'encourager le mépris des affaires du monde et de s'opposer au bonheur. La morale religieuse est déshumanisante, et l'existence des peuples athées, comme les Caraïbes, les Mariannais, les Chiriguanes, les Giagues, prouve qu'elle n'est pas nécessaire à la société ni à la vertu individuelle. Le contenu du livre a été ainsi résumé en quatre paradoxes par Diderot :

> La sensibilité est une propriété générale de la matière ; apercevoir, raisonner, juger, c'est sentir : premier paradoxe [...]. Il n'y a ni justice ni injustice absolue, l'intérêt général est la mesure des talents et l'essence de la vertu : second paradoxe [...]. C'est l'éducation et non l'organisation qui fait la différence des hommes ; et les hommes sortent des mains de la nature, tous presque également propres à tout : troisième paradoxe [...]. Les derniers buts des passions sont les biens physiques : quatrième paradoxe [16].

C'est donc surtout pour ses conséquences existentielles que la religion est condamnée.

De l'homme-machine à l'athée ordinaire

L'approche du médecin Julien Offroy de La Mettrie (1709-1751) est bien différente. Cet élève de Boerhaave, maître de la méthode expérimentale et de l'iatromécanisme, est lui aussi voué au scandale, dès son *Histoire naturelle de l'âme* (1745). Il s'exile d'ailleurs à Leyde, d'où il publie en 1747 *L'Homme-machine*, titre provocateur s'il en fut. La violence des attaques le pousse à s'en aller encore plus loin, à Berlin, où il fréquente Maupertuis et Voltaire dans l'entourage de Frédéric II. Il persiste dans la même ligne et durcit même les traits avec *L'Homme-plante* (1748), l'*Anti-Sénèque* (1748), *Les Animaux plus que machines* (1750), le *Système d'Épicure* (1750), *L'Art de jouir* (1751).

Contrairement au prudent d'Alembert, La Mettrie est un provocateur qui, loin de dissimuler son matérialisme et son athéisme, les revendique : « Écrire en philosophe, c'est enseigner le matérialisme ! Eh bien ! Quel mal ! Si ce matérialisme est fondé, s'il est l'évident résultat de toutes les observations et expériences des plus grands philosophes et médecins [17]. »

Son système matérialiste, cohérent et intégral, repose sur une assertion tirée de l'étude expérimentale et médicale de l'homme : « Le corps humain est une machine qui monte elle-même ses ressorts », mais une machine d'une extraordinaire complexité, capable de produire vie, sentiment, pensée. Ce que nous appelons l'âme est le résultat d'une combinaison complexe de la matière, et les cartésiens se sont lourdement trompés : « Ils ont admis deux substances distinctes dans l'homme, comme s'ils les avaient vues et bien comptées. » La longue démonstration de La Mettrie le conduit au contraire à cette affirmation définitive : « Concluons donc hardiment que l'homme est une machine, et qu'il n'y a dans tout l'univers qu'une seule substance diversement modifiée. »

Les conséquences morales de ce fait sont capitales. Bien loin de détruire la vertu et l'amour des autres, la conception de l'homme-machine nous rapproche de nos semblables, qui ne peuvent être accusés de méchanceté. Savoir que nous sommes une machine rabaisse notre vanité, nous aide à mieux comprendre les autres : « Savez-vous pourquoi je fais encore quelque cas des hommes ? C'est que je les crois sérieusement des machines. Dans l'hypothèse contraire, j'en connais peu dont la société fût estimable. Le matéria-lisme est l'antidote de la misanthropie. » La morale de l'homme-machine se fonde sur la nature, et n'a qu'un but : assurer le bonheur de l'individu, alors que la morale sociale issue de la religion ne fait qu'exprimer l'intérêt des gouvernants et ne vise qu'à maintenir l'ordre. Elle nous est imposée par un clergé qui assène des vérités sans aucun fondement, sinon quelques vieux textes datant de deux mille ans et plus, dont on nous affirme gratuitement qu'ils viennent de Dieu :

> Les prêtres déclament, échauffent les esprits par des promesses magni-fiques, bien dignes d'enfler un sermon éloquent ; ils prouvent tout ce qu'ils avancent sans se donner la peine de raisonner, ils veulent enfin qu'on s'en rap-porte à Dieu sait quelles autorités apocryphes et leurs foudres sont prêtes à écraser et réduire en poudre quiconque est assez raisonnable pour ne pas vou-loir croire aveuglément tout ce qui révolte le plus la raison[18].

La vraie morale est celle de la nature, et la nature nous pousse à rechercher le bonheur dans la satisfaction de nos besoins. Aimer la vie, jouir de la vie : voilà l'idéal hédoniste que propose La Mettrie. Cela n'est pas du goût de la plupart des autres matérialistes, qui craignent que La Mettrie ne donne des armes à ceux qui prétendent que l'athéisme, c'est l'immoralisme. D'Holbach le traite de « vrai fré-nétique » et le cite au nombre de ceux « qui ont prêché la débauche et la licence des mœurs ». Diderot est tout aussi injuste, qualifiant La Mettrie d'« auteur sans jugement, [...] qui semble s'occuper à tran-quilliser le scélérat dans le crime, le corrompu dans ses vices, dont les sophismes grossiers mais dangereux [...] décèlent un écrivain qui n'a pas les premières idées des fondements de la morale[19] ».

Voilà qui illustre à nouveau le manque d'unité du mouvement matérialiste athée au XVIIIᵉ siècle, dans lequel La Mettrie reste un cas particulier. Comparé à Maupertuis par exemple, autre matérialiste intransigeant, La Mettrie accorde beaucoup moins d'importance aux spéculations sur des problèmes qui sont hors de portée de l'esprit humain : « Il nous est absolument impossible de remonter à l'origine des choses. Il est égal d'ailleurs pour notre repos que la matière soit éternelle ou qu'elle ait été créée, qu'il y ait un Dieu ou qu'il n'y en ait pas. Quelle folie de tant se tourmenter pour ce qu'il est impossible de connaître, et ce qui ne nous rendrait pas plus heureux, quand nous en viendrions à bout ! »

Peu de spéculation également chez l'avocat Charles-François Dupuis (1742-1809), membre de l'Académie des inscriptions en 1788, futur député à la Convention. Dans son *Origine de tous les cultes ou Religion universelle*, dont on fera en 1793 un *Abrégé* très répandu, il fonde son matérialisme sur le spectacle de la nature, au front de laquelle est écrit : « Je suis tout ce qui est, tout ce qui a été, tout ce qui sera, et nul mortel n'a encore percé le voile qui me couvre. » Personne n'a vu naître l'univers : pourquoi recourir à une série indéfinie de causes et s'arrêter à une hypothétique cause spirituelle de la matière ?

C'est aussi dans le spectacle de la nature que Nicolas-Antoine Boulanger (1722-1759), ingénieur des Ponts et Chaussées, collaborateur de l'*Encyclopédie*, auteur de *L'Antiquité dévoilée*, va chercher son athéisme, expliquant l'origine des religions par l'impression produite sur l'esprit humain par les cataclysmes naturels.

Avec Sylvain Maréchal (1750-1803), avocat au Parlement, sous-bibliothécaire à la Mazarine, renvoyé en 1784 et emprisonné en 1788 pour avoir publié l'*Almanach des honnêtes gens*, dans lequel il remplace le nom des saints par celui des grands hommes, nous avons aussi un athéisme pratique et sûr de lui, écartant la question métaphysique dans son *Poème moral sur Dieu* :

> L'univers est la cause ; il n'est rien hors de lui ;
> C'est vouloir l'obscurcir que le mettre en autrui.
> La matière est partout ; où Dieu pourrait-il être ?
> Hélas ! nous chercherions en vain à le connaître ;
>   [...]
> Ou Dieu n'existe pas ; ou bien son existence
> Est un fruit défendu pour notre intelligence.

En 1781, dans sa traduction de Lucrèce, qui reste la référence de ces athées avant tout pratiques, il place en exergue cette parodie de la Genèse :

> L'homme dit : faisons Dieu ; qu'il soit à notre image ;
> Dieu fut ; et l'ouvrier adora son ouvrage.

Dieu a fait son temps. Ce n'est plus qu'une image qu'on se transmet. Contre ceux qui le croient encore nécessaire pour assurer la soumission du peuple, Sylvain Maréchal s'insurge : « un bon tribunal correctionnel suffirait », et « la contre-police des prêtres ne vaudra jamais l'active surveillance des espions » :

> On réclame un Dieu pour le peuple. Le peuple en a besoin pour apprendre à être docile à ses chefs ; et ses chefs ne sauraient s'en passer pour soulager leur administration.
> Répondons.
> Dieu n'est utile ni aux gouvernés, ni aux gouvernants. Depuis bien des années, il ne fait presque plus d'impression sur l'esprit des premiers. Le peuple n'est point assez brut pour ne pas voir que Dieu ne saurait être un frein

pour ceux qui le tyrannisent. Une expérience journalière ne l'a que trop détrompé
à cet égard.

D'ailleurs, sur une population de cent mille têtes, il n'en est peut-être pas cinquante qui se soient donné la peine de raisonner leur croyance. Le peuple la reçoit
sur parole. Il est catholique, comme il serait athée si ses ancêtres l'eussent été.
Dieu ressemble à ces vieux meubles qui, loin de servir, ne font qu'embarrasser,
mais que l'on se transmet de la main à la main, dans les familles, et que l'on garde
religieusement, parce que le fils l'a reçu de son père, et son père de son aïeul[20].

Le prêtre, « ignoble et coupable », qui continue à colporter les
fables de la religion alors qu'il sait pertinemment que tout cela est
mensonge, est particulièrement odieux :

Il aveugle la mère, endoctrine les filles,
Des fils plus clairvoyants fait avorter l'esprit,
Puis derrière l'autel va se cacher et rit[21].

En 1800, Sylvain Maréchal publie à Paris son *Dictionnaire des
athées, anciens et modernes*, en tête duquel il place un discours préliminaire intitulé : « Qu'est-ce qu'un athée ? » D'une certaine façon, ce
texte fait date dans l'histoire de l'athéisme, car, pour la première fois,
on y voit s'afficher l'athéisme comme un fait banal. Ce n'est plus le
libertin provocant, l'érudit prudent, l'intellectuel ambigu, le révolté
traqué, le grand seigneur méprisant, le curé au double visage, le philosophe sceptique ou dogmatique. Non, l'athée de Maréchal, né il y a
tout juste deux siècles, est un homme ordinaire, simple, vertueux et
naturel, humble et sage, libre et droit, qui n'a de leçon à donner à personne, et qui n'entend pas en recevoir. Bon citoyen, mais se tenant à
l'écart des affaires, respectueux des droits et des devoirs. L'athée,
c'est un homme qui ne met pas en avant ses convictions, qui vit
dignement dans la société, côtoyant d'autres hommes aux opinions
différentes des siennes. Il déplore les maux de la société et les mauvaises institutions, mais il s'y soumet. L'athée de Maréchal est un
homme résigné, qui ne cherche plus à changer le monde. La déception de l'ancien babouviste est manifeste dans ce portrait un peu
triste. L'athée vit sa vie, tout en sachant qu'il n'y a rien à attendre que
la mort. C'est un sage, certes, mais la condition de sa sagesse, c'est
qu'il ne se pose pas de questions. C'est un athée pratique, tel que le
monde contemporain en connaît tant. En cela aussi, le portrait de
Maréchal fait date : il décrit ces millions de citoyens ordinaires qui
vivent l'incroyance sans même y penser ; l'athée n'est plus l'exception curieuse.

Autre trait intéressant de ce portrait : Maréchal présente cet
athéisme au quotidien comme un retour au « temps fortuné où l'on ne
soupçonnait pas l'existence divine » ; autrement dit, selon notre
schéma de départ, un retour à la conscience mythique, pré-intellectuelle, de pleine harmonie avec la nature, à la phase pré-religieuse et
donc pré-athée. Retour illusoire, bien entendu : dans le domaine psychologique, dans celui des mentalités et des croyances, on ne revient
jamais en arrière ; le passé ne s'efface pas. Il peut être nié, mais il est

toujours là, et pèse de tout son poids sur le présent. L'athée de Maréchal est d'une certaine façon une illusion, croyant pouvoir faire l'économie des combats du monde moderne.

Mais, tel qu'il est, il fixe un modèle, que tenteront par exemple d'incarner les libres penseurs ; en cela, il reflète bien l'un des aspects de l'athéisme des deux derniers siècles. C'est pourquoi, en dépit de sa longueur, le « portrait du véritable athée » mérite de figurer ici.

« *Qu'est-ce qu'un athée ?* » *(Sylvain Maréchal, 1800)*

Eh bien ! un véritable athée est cet homme du siècle d'or. L'athée est celui qui, se repliant sur lui-même et se dégageant des liens qu'on lui a fait contracter malgré lui ou à son insu, remonte à travers la civilisation à cet ancien état de l'espèce humaine et, faisant dans le forum de sa conscience main basse autour de lui des préjugés de toute couleur, approche de plus près de ce temps fortuné où l'on ne soupçonnait pas l'existence divine, où l'on se trouvait bien, où l'on se contentait des seuls devoirs de la famille. L'athée est l'homme de la nature.

Cependant, placé aujourd'hui dans une sphère plus compliquée et plus étroite, il remplit ses obligations de citoyen, et se résigne aux décrets de la nécessité. Tout en gémissant sur les bases vicieuses des institutions politiques, tout en frappant de son mépris ceux qui les organisent si mal, il se soumet à l'ordre public où il se trouve. Mais on ne le voit pas se faire chef de parti ou d'opinion. On ne le rencontre jamais sur la route banale qui mène aux emplois utiles ou brillants. Conséquent à ses principes, il vit au milieu de ses contemporains corrompus ou corrupteurs, comme ce voyageur qui, ayant à traverser des plages fangeuses, se garde du venin des reptiles. Il en est quitte pour être assourdi par leurs sifflements. Il chemine parmi ces êtres malfaisants, sans prendre leur allure tortueuse et rampante.

Le véritable athée n'est donc pas ce sybarite qui, se donnant pour épicurien, tandis qu'il n'est que débauché, ne craint pas de se dire dans son cœur usé : « Il n'y a point de Dieu, donc il n'y a point de morale, donc je puis tout me permettre. »

Le véritable athée n'est point cet homme d'État qui, sachant que la chimère divine fut imaginée pour en imposer aux hommes-peuple, leur commande au nom de ce Dieu dont il se moque.

Le véritable athée ne se trouve pas au nombre de ces héros hypocrites et sanguinaires qui, pour s'ouvrir une route à la conquête, s'annoncent aux nations qu'ils se proposent de dompter pour les protecteurs du culte qu'elles professent, et s'amusent, au sein de leurs familiers, de la crédulité humaine.

Le véritable athée n'est point cet homme vil qui, flétri depuis de longues années du caractère indélébile d'imposteur sacerdotal, change d'habit et d'opinion, quand ce métier infâme cesse d'être lucratif, et vient impudemment se ranger parmi les sages qu'il persécutait.

Le véritable athée n'est point cet énergumène qui va brisant dans les carrefours tous les signes religieux qu'il rencontre, et prêche le culte de la raison à la plèbe, qui n'a que de l'instinct.

Le véritable athée n'est point l'un de ces hommes du monde, ou gens comme il faut, qui par ton dédaignent l'usage de la pensée, et vivent à peu près comme le cheval qu'ils montent, ou la femme qu'ils entretiennent.

Le véritable athée n'est point assis non plus sur les fauteuils de ces sociétés savantes, dont les individus mentent sans cesse à leur conscience, et consentent à dissimuler leur pensée, à retarder la marche solennelle de la philosophie, par ménagement pour de misérables intérêts personnels ou pour de pitoyables considérations politiques.

Le véritable athée n'est pas ce demi-savant orgueilleux, qui voudrait qu'il n'y eût que lui d'athée dans le monde ; et qui cesserait de l'être, si le plus grand nombre le devenait. La manie de se singulariser lui tient lieu de philosophie. L'amour-propre est son dieu. S'il le pouvait, il garderait pour lui seul la lumière ; à l'entendre, le reste des hommes n'en sera jamais digne.

Le véritable athée n'est pas encore ce philosophiste timoré et sans énergie, qui rougit de son opinion comme d'une mauvaise pensée ; lâche ami de la vérité, il la compromettra plutôt que de se compromettre. On le voit hanter les temples, afin d'écarter de sa personne le soupçon d'impiété ; égoïste circonspect jusqu'à la pusillanimité, l'extirpation des plus antiques préjugés lui semble toujours précoce : il ne craint pas Dieu ; mais il redoute les hommes. Qu'ils se détruisent dans des guerres religieuses et civiles, pourvu qu'il vive, à l'abri et en repos !

Le véritable athée n'est pas encore ce physicien systématique qui ne rejette un Dieu que pour avoir la gloire de fabriquer le monde, tout à son aise, sans autre secours que son imagination.

Le véritable athée n'est pas tant celui qui dit : « Non ! je ne veux pas d'un Dieu », que celui qui dit : « Je puis être sage, sans un Dieu. »

Le véritable athée ne raisonne pas avec le plus d'argutie contre l'existence divine. [...]

Le véritable athée est un philosophe modeste et tranquille qui n'aime point à faire du bruit, et qui n'affiche pas ses principes avec une ostentation puérile, l'athéisme étant la chose du monde la plus naturelle, la plus simple.

Sans disputer pour ou contre l'existence divine, l'athée va son droit chemin, et fait pour lui ce que d'autres font pour leur Dieu ; ce n'est pas pour plaire à la divinité, mais pour être bien avec lui-même, qu'il pratique la vertu.

Trop fier pour obéir à quelqu'un, même à un Dieu, l'athée ne prend d'ordres que de sa conscience.

L'athée a un trésor à garder, c'est son honneur. Or, un homme qui se respecte, sait ce qu'il doit se défendre ou se permettre, et rougirait, sur ce point, de prendre un conseil ou de suivre un modèle.

L'athée est un homme d'honneur. Il aurait honte de devoir à un Dieu une bonne œuvre qu'il peut produire de lui-même et en son propre nom. Il n'aime pas être poussé au bien, ou détourné du mal : il cherche l'un, et évite l'autre, de son plein gré ; et on peut s'en reposer sur lui.

Combien de belles actions ont été attribuées à Dieu, et qui n'avaient pour principe que le cœur du grand homme qui les produisait !

Le plus parfait désintéressement est la base de toutes les déterminations de l'athée. Il sait qu'il a des droits, et des devoirs : il exerce les uns sans morgue ; il remplit les autres sans contrainte. L'ordre et la justice sont ses divinités ; et il ne leur fait que de libres sacrifices : le sage, seul, a le droit d'être athée [22].

Les dérives : athéisme nihiliste allemand et athéisme sadique

De l'athée ordinaire de Sylvain Maréchal à l'athée exacerbé du marquis de Sade, il y a tout le précipice qui sépare deux conceptions antagonistes de la nature. L'athéisme vertueux repose sur un présupposé de type métaphysique : l'affirmation gratuite de la bonté de la nature, à laquelle il faut se conformer. Mais si, par hasard, la nature est foncièrement mauvaise ? Est-il si extravagant de l'envisager en regardant le spectacle du monde ?

Nous l'avons constaté : le pessimisme est très répandu chez les croyants comme chez les incroyants des Lumières. Mais d'un côté comme de l'autre on le surmonte généralement, par les promesses de salut pour les uns, par les promesses de progrès pour les autres. Mais on peut aussi ne pas croire aux promesses, et alors la vision est désespérée. Plusieurs écrivains du xviiie siècle ont emprunté cette voie, mais leur pensée est le plus souvent occultée, écartée du chemin, car elle dérange aussi bien les croyants que les incroyants. Sa conclusion logique extrême devrait en effet être le nihilisme, le suicide collectif de l'humanité, et cela répugne à l'instinct de conservation, qui s'abrite derrière cet axiome — indémontrable comme tous les axiomes — qu'être vaut mieux que ne pas être, et que la vie à n'importe quel prix vaut mieux que le néant.

Tout un courant de l'*Aufklärung* allemande s'est ainsi tourné vers un matérialisme radical et désespéré, dans lequel la mort de Dieu n'est suivie de rien : aucun messianisme terrestre, aucun espoir, rien à attendre d'un monde qui est le mal absolu. L'un de ses principaux représentants est le romancier et essayiste Johann Carl Wezel, auteur de *Belphegor* en 1776[23]. Dans cette version noire de *Candide*, l'homme, pure machine physico-chimique, est évidemment emporté dans un déterminisme absolu, qui rend illusoires tous les idéaux : « Qui peut s'opposer à la nécessité qui fait pousser les événements humains les uns à partir des autres ? » L'histoire humaine est celle de l'affrontement perpétuel, de la guerre de tous contre tous, dans laquelle « le vainqueur a toujours raison, du Gange à la Spree, et jusqu'aux mers du Sud ». Tous les idéaux ne sont que des masques. Se battre pour l'opprimé ? vous récoltez la défaite ou l'ingratitude. Se révolter au nom de la liberté ? c'est couvrir d'une fumée idéologique une lutte qui ne vise qu'à remplacer un rapport de force par un autre. Et puis, pour qui ? pour quoi ? La mort arrive pour tous ; rendre le monde meilleur pour que des générations futures y passent quelques années avant de disparaître à leur tour ? Quelle satisfaction ! De toute façon, regardez le monde depuis l'origine : « Une partie de l'humanité est maltraitée à en mourir pour que l'autre bouffe à en mourir. » Alors, laissons-nous glisser au gré du hasard et de la nécessité, jusqu'au gouffre final : « Qu'importe ! comme de légers copeaux nous flottons sur le fleuve de la Nécessité et du Hasard : sombrons-nous ? bonne nuit ! nous avons fini de nager. »

Les chefs de l'*Aufklärung*, en quête de respectabilité, ne se demandent pas un instant si Wezel a raison. Le matérialisme athée a besoin de penseurs positifs, pas de nihilistes. Wezel et ses congénères sont donc relégués au rang de monstruosités.

C'est aussi dans cette catégorie que l'on rejette un autre matérialiste athée notoire, le marquis de Sade. Personnage bien encombrant,
dont personne ne veut accepter la paternité ni la filiation, et qui s'est
pourtant toujours réclamé de la philosophie de d'Holbach. Jean
Deprun a exactement situé le problème en écrivant que le marquis de
Sade est un produit de la contradiction du rationalisme des Lumières,
qui « mentionnait au départ, puis estompait à l'arrivée une dimension
tragique de l'existence humaine sur laquelle Sade a au contraire mis
l'accent, amplifiant et gauchissant des faits très réels. Un rationalisme
complet devrait, semble-t-il, la regarder simplement en face, sans
l'affadir ni l'exalter romantiquement [24] ».

Sur le plan métaphysique, Sade réaffirme en effet les idées matérialistes courantes de son époque. L'athéisme intégral est énoncé par la
Durand, dans l'*Histoire de Juliette* :

> Plus on étudie la nature, plus on lui arrache ses secrets, mieux on connaît
> son énergie, et plus on se persuade de l'inutilité d'un Dieu. L'érection de cette
> idole est, de toutes les chimères, la plus odieuse, la plus ridicule, la plus dan-
> gereuse et la plus méprisable ; cette fable indigne, née chez tous les hommes
> de la crainte et de l'espérance, est le dernier effet de la folie humaine.

Au sujet de l'âme, Sade adopte la conception plus archaïque de la
matière subtile :

> L'âme de l'homme n'est autre chose qu'une portion de ce fluide éthéré, de
> cette matière infiniment subtile dont la source est dans le soleil. Cette âme,
> que je regarde comme l'âme générale du monde, est le feu le plus pur qui soit
> dans l'univers.

Jusque-là, rien que de très respectable. Les choses se gâtent
lorsqu'on en vient à la conception de la nature, que Sade voit dans la
ligne pessimiste, comme beaucoup d'intellectuels de son époque,
mais dont il tire des conséquences morales très audacieuses. Retenant
la leçon de l'échec des hommes depuis les origines à éliminer les
maux naturels et sociaux, il en conclut — comment le lui reprocher ? — que la nature et l'homme sont mauvais. Les théologiens
seraient en tout cas malvenus de contester ce point, eux qui font ce
même constat depuis des siècles. Mais Sade pousse le raisonnement :
la nature, mauvaise, nous enseigne à faire le mal. D'abord, elle est
avant tout une force de destruction :

> Plus j'ai cherché à surprendre ses secrets, plus je l'ai vue occupée unique-
> ment de nuire aux hommes. Suivez-la dans toutes ses opérations : vous ne la
> trouverez jamais que vorace, destructive et méchante, jamais qu'inconsé-
> quente, contrariante et dévastatrice. Jetez un instant les yeux sur l'immensité
> de maux que sa main infernale répand sur nous en ce monde. À quoi servait-il
> de nous créer pour nous rendre aussi malheureux ? Pourquoi notre triste indi-
> vidu, ainsi que tous ceux qu'elle produit, sortent-ils de son laboratoire aussi
> remplis d'imperfections ? Ne dirait-on pas que son art meurtrier n'ait voulu
> former que des victimes [...] que le mal ne soit son unique élément, et que ce
> ne soit que pour couvrir la terre de sang, de larmes et de deuil qu'elle soit
> douée de la faculté créatrice ? que ce ne soit que pour déployer ses fléaux
> qu'elle use de son énergie [25] ?

Cette nature marâtre nous enseigne la cruauté, elle l'inscrit en nous :

> La cruauté, bien loin d'être un vice, est le premier sentiment qu'imprime en nous la nature. L'enfant brise son hochet, mord le téton de sa nourrice, étrangle son oiseau, bien avant que d'avoir l'âge de raison. [...] Il serait donc absurde d'établir qu'elle est une suite de la dépravation. Ce système est faux, je le répète. La cruauté est dans la nature ; nous naissons tous avec une dose de cruauté que la seule éducation modifie ; mais l'éducation n'est pas dans la nature. [...] La cruauté n'est autre chose que l'énergie de l'homme que la civilisation n'a point encore corrompue : elle est donc une vertu et non pas un vice. Retranchez vos lois, vos punitions, vos usages, et la cruauté n'aura plus d'effets dangereux, puisqu'elle n'agira jamais sans pouvoir être aussitôt repoussée par les mêmes voies ; c'est dans l'état de civilisation qu'elle est dangereuse, parce que l'être lésé manque presque toujours, ou de la force, ou des moyens de repousser l'injure ; mais dans l'état d'incivilisation, si elle agit sur le faible, ne lésant qu'un être qui cède au fort par les lois de la nature, elle n'a pas le moindre inconvénient.

La dérive vers la morale du surhomme est ici manifeste, mais avec cet accent proprement « sadique » qui fait consister le bonheur individuel dans le malheur des autres. L'homme en conformité avec la nature est l'homme méchant. D'ailleurs, c'est la nature qui engendre les criminels :

> Les meurtriers, en un mot, sont dans la nature, comme la guerre, la peste et la famine : ils sont un des moyens de la nature, comme tous les fléaux dont elle nous accable. Ainsi, lorsqu'on ose dire qu'un assassin offense la nature, on dit une absurdité aussi grande que si l'on disait que la peste, la guerre ou la famine irritent la nature ou commettent des crimes.

Diderot, athée inquiet, et d'Holbach, athée serein

Dans l'œuvre de Denis Diderot (1713-1784), nous trouvons toutes les formes possibles du matérialisme déiste et athée, de façon successive et parfois même simultanée, car l'homme n'est pas un dogmatique et ne peut se satisfaire d'une position unique. Sensible à la complexité des choses, il voit les faiblesses des différentes opinions et il évolue sans cesse. La forme même de ses œuvres, souvent dialoguée, rend plus difficile encore la saisie d'une pensée tout en nuances et en circonvolutions, qui n'a jamais été systématisée dans un ouvrage majeur. Il présente les différents aspects du matérialisme, note J.-C. Bourdin, « en spéculatif et poète, et non en prépositiviste[26] ». C'est que Diderot est trop fin pour adhérer totalement à telle ou telle position ; il a trop conscience des déficiences de l'esprit humain pour cela. Bien sûr, il a des opinions, mais il n'en fait pas des vérités intangibles : « Nous nous promenons entre des ombres, écrit-il, ombres nous-mêmes pour les autres, et pour nous. »
Sans doute a-t-il d'abord été déiste. Quelle autre signification don-

ner à ses *Pensées philosophiques* de 1746, où il se laisse aller à son enthousiasme pour une nature qui fait éclater les mérites de son divin organisateur ?

> C'est à vos lumières, c'est à votre conscience que j'en appelle : avez-vous jamais remarqué dans les raisonnements, les actions et la conduite de quelque homme que ce soit, plus d'intelligence, d'ordre, de sagacité, de conséquence que dans le mécanisme d'un insecte ? La divinité n'est-elle pas aussi claire-ment empreinte dans l'œil d'un ciron que la faculté de penser dans les ouvrages du grand Newton [27] ?

Diderot admire ce dernier, et se sert à plusieurs reprises de l'idée d'attraction comme « force intérieure » de la matière [28]. Mais c'est un autre savant, Buffon, qui le fait évoluer semble-t-il vers l'athéisme, à partir de la *Lettre sur les aveugles*. « Pour Diderot, écrit Jacques Roger, passer du déisme à l'athéisme, cela a d'abord voulu dire pas-ser de Nieuwentyt à Buffon, de la nature ingénieusement créée et artistement ordonnée à l'univers chaotique où l'ordre n'est qu'un équilibre précaire entre des forces anarchiques [29]. » Opinion partagée par Aram Vartanian [30].

Dès lors, plus de Dieu, à commencer par « le Dieu des chrétiens, [qui] est un père qui fait grand cas de ses pommes, et fort peu de ses enfants ». La divinité est une invention humaine qui n'a déjà fait que trop de dégâts :

> Si un misanthrope s'était proposé de faire le malheur du genre humain, qu'aurait-il pu inventer de mieux que la croyance en un être incompréhen-sible, sur lequel les hommes n'auraient jamais pu s'entendre, et auquel ils auraient attaché plus d'importance qu'à leur vie ?

La morale ne doit donc pas reposer sur la croyance en une divinité :

> Un peuple qui croit que c'est la croyance d'un Dieu et non pas les bonnes lois qui font les honnêtes gens ne me paraît guère avancé [...]. La croyance d'un Dieu fait et doit faire presque autant de fanatiques que de croyants.

D'ailleurs, l'homme n'est pas libre, sa conduite s'inscrit dans un processus déterministe rigoureux :

> Quoi, je ne suis pas le maître de me jeter par cette fenêtre ? — Non. — Et si je m'y jette ? — Vous me prouverez que vous êtes un fou, et non un homme libre.

La morale chrétienne est contre nature. Elle affaiblit les liens humains familiaux au profit d'un chimérique amour de Dieu. C'est « la morale la plus antisociale que je connaisse », qui en outre crée des devoirs chimériques au détriment des devoirs essentiels :

> Demandez à un prêtre s'il y a plus de mal à pisser dans un calice qu'à calomnier une honnête femme. « Pisser dans un calice ! un sacrilège ! » vous dira-t-il. Et puis nul châtiment public contre la calomnie. Le feu contre le sacrilège. Et voilà ce qui achève de renverser toute vraie distinction des crimes dans une société.

L'incrédulité est la première étape, nécessaire, vers la vraie philo-sophie, qui requiert l'affirmation de l'unité de la nature, exclusivement matérielle, et la conviction que « naître, vivre et passer, c'est changer de forme ».

Pour terminer, nous évoquerons celui qui apparaît comme le plus constant, le plus ferme et le plus intransigeant défenseur du matérialisme athée, le baron d'Holbach (1723-1789). Sa formation est cosmopolite. Né dans une famille catholique allemande, éduqué à Paris, anobli à Vienne, résidant en Hollande de 1744 à 1749, il s'installe ensuite définitivement en France. Ayant obtenu la nationalité française, il tient à Paris un célèbre salon, centre de réunion très éclectique.

Tous ceux qui l'ont connu le disent aimable, discret, vertueux, généreux, bon père et bon mari. Possesseur d'un office de conseiller secrétaire du roi, il mène une vie rangée, et sera enterré en 1789 dans l'église Saint-Roch. On sait que cet érudit, curieux de tout, a composé des dizaines de volumes et près de quatre cent quarante articles de l'*Encyclopédie*, et pourtant il n'a signé aucune de ses œuvres. Officiellement, il n'a rien écrit.

Ses ouvrages sont à l'image de ses manières : il y affiche une tranquille assurance, jusque dans les proclamations d'un matérialisme extrême, qui jamais ne doute de lui-même. Les critiques distinguent bien chez lui une phase plutôt antireligieuse et anticléricale, une phase d'affirmation du matérialisme athée, et une phase politico-morale, mais c'est là simple question d'accent, car le fond de la doctrine est invariable : un strict matérialisme mécaniste, ayant pour conséquence un athéisme intégral et une morale naturaliste. Un fatalisme et un stoïcisme sereins, dont il est la vivante illustration, imprègnent ce personnage énigmatique, persuadé que le libre arbitre est un mythe et que nous sommes tous conduits par la nécessité — nécessité que *Le Bon Sens* conseille d'accepter avec grâce.

Cela n'est pas toujours facile, car nous sommes entourés par les religions et les croyances. Il faut avoir le courage d'examiner celles-ci en face, de les rejeter, de combattre les réponses toutes faites du clergé, de mépriser les préjugés et la pression sociale. Il faut avoir le courage de ne pas croire et de suivre la raison. Or, « les hommes préfèrent toujours le merveilleux au simple, et ce qu'ils n'entendent pas à ce qu'ils peuvent entendre : ils méprisent les objets qui leur sont familiers et n'estiment que ceux qu'ils ne sont point à portée d'apprécier ; de ce qu'ils n'en ont que des idées vagues, ils en concluent qu'ils renferment quelque chose d'important, de surnaturel, de divin. En un mot, il leur faut du mystère pour remuer leur imagination, pour exercer leur esprit, pour repaître leur curiosité, qui n'est jamais plus au travail que quand elle s'occupe d'énigmes impossibles à deviner, et qu'elle juge dès lors très dignes de ses recherches[31]. »

Il est vrai que la raison est moins excitante, moins enthousiasmante, plus sobre que l'imagination. Mais le tempérament de d'Holbach convient tout à fait à ce rationalisme.

C'est de ce goût pour le merveilleux et de cette primauté de l'imagination chez l'homme qu'est née la religion, que certains « créateurs de chimères », comme Platon, ont rendue respectable en nous faisant croire que ce que nous voyons n'existe pas, et que la seule réalité est ce que personne ne peut voir :

> Tout nous prouve que la nature et ses parties diverses ont été partout les premières divinités des hommes [...]. [L'homme] se figure du merveilleux dans tout ce qu'il ne conçoit pas ; son esprit travaille surtout pour saisir ce qui semble échapper à ses égards, et au défaut de l'expérience il ne consulte plus que son imagination, qui le repaît de chimères.
>
> En conséquence, les spéculateurs, qui avaient subtilement distingué la nature de sa force, ont successivement travaillé à revêtir cette force de mille qualités incompréhensibles ; comme ils ne virent point cet être, ils en firent un esprit, une intelligence, un être incorporel, c'est-à-dire une substance totalement différente de tout ce que nous connaissons. [...]
>
> Platon, ce grand créateur de chimères, dit que ceux qui n'admettent que ce qu'ils peuvent voir et manier sont des stupides et des ignorants qui refusent d'admettre la réalité et l'existence des choses invisibles. Nos théologiens nous tiennent le même langage : nos religions européennes ont été visiblement infectées des rêveries platoniciennes, qui ne sont évidemment que les résultats des notions obscures et de la métaphysique inintelligible des prêtres égyptiens, chaldéens, assyriens[32].

La puissance des préjugés et de l'habitude est telle que ces erreurs se sont perpétuées, en dépit des hommes lucides qui ont tenté de ramener les foules à la raison. Ils ont toujours été écartés par les responsables politiques et religieux, tandis que les théologiens s'efforçaient de prouver l'existence d'un Dieu. Preuves illusoires :

> On parle sans cesse de Dieu, et jamais personne n'est parvenu jusqu'ici à démontrer son existence ; les génies les plus sublimes ont été forcés d'échouer contre cet écueil ; les hommes les plus éclairés n'ont fait que balbutier sur la matière que tous s'accordaient à regarder comme la plus importante : comme s'il pouvait être nécessaire de s'occuper d'objets inaccessibles à nos sens, et sur lesquels notre esprit ne peut avoir aucune prise[33] !

Parmi ceux qui ont prétendu prouver l'existence de Dieu, Descartes est l'un des plus vains. Sa démonstration atteint l'inverse de ce qu'elle cherchait : ce n'est pas parce que nous avons l'idée de quelque chose que cette chose existe, et l'on ne peut de toute façon avoir la moindre idée ni d'un esprit, ni de la perfection, ni de l'infini : « C'est donc avec raison que l'on a accusé Descartes d'athéisme, vu qu'il détruit très fortement les faibles preuves qu'il donne de l'existence d'un Dieu. »

« Qu'est-ce qu'un athée ? » (d'Holbach, 1770)

Les athées existent ; ils sont même nombreux, et le seraient encore plus si les hommes se servaient de leur raison. Mais qu'est-ce au juste qu'un athée ? Trente ans avant Sylvain Maréchal, d'Holbach en fait lui aussi le portrait type. On mesurera la différence entre ces deux portraits, qui est la différence entre l'athéisme pratique et l'athéisme théorique. L'athée de Maréchal vit en athée ; celui de d'Holbach pense en athée. Tous deux sont sûrs d'eux, sereins et résignés, sans illusions ni enthousiasme. Tous deux semblent dire : le monde existe, nous sommes dedans pour quelques années, un point c'est tout. Tous deux refoulent inconsciemment, on le sent bien, l'irrépressible : pourquoi ?

> Qu'est-ce en effet qu'un athée ? C'est un homme qui détruit des chimères nuisibles au genre humain pour ramener les hommes à la nature, à l'expérience, à la raison. C'est un penseur qui, ayant médité la matière, son énergie, ses propriétés et ses façons d'agir, n'a pas besoin, pour expliquer les phénomènes de l'univers et les opérations de la nature, d'imaginer des puissances idéales, des intelligences imaginaires, des êtres de raison, qui, loin de faire mieux connaître cette nature, ne font que la rendre capricieuse, inexplicable, méconnaissable, inutile au bonheur des humains. [...]
>
> Si par athées l'on entend des hommes dépourvus d'enthousiasme, guidés par l'expérience et le témoignage de leurs sens, qui ne voient dans la nature que ce qui s'y trouve réellement ou ce qu'ils sont à portée d'y connaître, qui n'aperçoivent et ne peuvent apercevoir que de la matière, essentiellement active et mobile, diversement combinée, jouissant par elle-même de diverses propriétés, et capable de produire tous les êtres que nous voyons ; si par athées l'on entend des physiciens convaincus que, sans recourir à une cause chimérique, l'on peut tout expliquer par les seules lois du mouvement, par les rapports subsistant entre les êtres, par leurs affinités, leurs analogies, leurs attractions et leurs répulsions, leurs proportions, leurs compositions et leurs décompositions ; si par athées l'on entend des gens qui ne savent point ce que c'est qu'un esprit et qui ne voient point le besoin de spiritualiser ou de rendre incompréhensibles des causes corporelles, sensibles et naturelles, qu'ils voient uniquement agir, qui ne trouvent pas que ce soit un moyen de mieux connaître la force motrice de l'univers que de l'en séparer pour la donner à un être placé hors du grand tout, à un être d'une essence totalement inconcevable, et dont on ne peut indiquer le séjour ; si par athées l'on entend des hommes qui conviennent de bonne foi que leur esprit ne peut ni concevoir ni concilier les attributs négatifs et les abstractions théologiques avec les qualités humaines et morales que l'on attribue à la divinité, ou des hommes qui prétendent que de cet alliage incompatible il ne peut résulter qu'un être de raison, vu qu'un pur esprit est destitué des organes nécessaires pour exercer des qualités et des facultés humaines ; si par athées l'on désigne des hommes qui rejettent un fantôme, dont les qualités odieuses et disparates ne sont propres qu'à troubler et à plonger le genre humain dans une démence très nuisible ; si, dis-je, des penseurs de cette espèce sont ceux que l'on nomme des athées, l'on ne peut douter de leur existence, et il y en aurait un très grand nombre, si les lumières de la saine physique et de la droite raison étaient plus répandues ; pour lors, ils ne seraient regardés ni comme des insensés ni comme des furieux, mais comme des hommes sans préjugés, dont les opinions, ou si l'on veut l'ignorance, seraient bien plus utiles au genre humain que les sciences et les vaines hypothèses qui depuis longtemps sont les vraies causes de ses maux. [...]
>
> Un athée est un homme qui ne croit pas à l'existence d'un dieu ; or personne ne peut être sûr de l'existence d'un être qu'il ne conçoit pas, et que l'on dit réunir des qualités incompatibles[34].

Au point même, ajoute d'Holbach, qu'on pourrait en fait qualifier d'athées tous ces croyants qui adorent un fantôme, un être tellement incompréhensible qu'il est un pur néant. Une fois de plus, athéisme et théologie négative semblent bien se rejoindre dans un néant de l'être spirituel. Athées, ceux qui sont « forcés eux-mêmes d'avouer qu'ils n'ont aucune idée de la chimère qu'ils adorent »; athées, ceux « qui ne peuvent jamais s'accorder entre eux sur les preuves de l'existence, sur les qualités, sur la façon d'agir de leur dieu; qui, à force de néga-tions, en font un pur néant »; athées, ces « théologiens qui raisonnent sans cesse de ce qu'ils n'entendent pas, [...] qui anéantissent leur dieu parfait à l'aide des imperfections sans nombre qu'ils lui donnent »; athées, « ces peuples crédules qui, sur parole et par tradition, se mettent à genoux devant un être dont ils n'ont d'autre idée que celles que leur en donnent leurs guides spirituels ».

Mais ce n'est pas là le véritable athéisme, l'athéisme conscient, réfléchi. Celui-ci est inaccessible à la multitude : « Quant au vulgaire qui jamais ne raisonne, les arguments d'un athée ne sont pas plus faits pour lui que les systèmes d'un physicien. » Mais que l'on ne dise pas que la religion est nécessaire pour la morale du peuple :

> Voyons-nous que cette religion l'empêche de se livrer à l'intempérance, à l'ivrognerie, à la brutalité, à la violence, à la fraude, à toutes sortes d'excès ? Un peuple qui n'aurait aucune idée de la divinité pourrait-il se conduire de façon plus détestable que tant de peuples crédules, parmi lesquels on voit régner la dissolution et les vices les plus indignes des êtres raisonnables ?

Avec d'Holbach, l'athéisme est devenu adulte. Sûr de lui, confiant, il a une philosophie, le matérialisme, une science, le mécanisme, une morale, la loi de nature. Les Églises ont maintenant devant elles un adversaire armé, prêt pour le grand combat décisif, la lutte finale contre Dieu, dont Nietzsche proclamera un siècle plus tard le résultat : « Dieu est mort. Nous l'avons tué. »

Le XVIIIᵉ siècle a été celui des incrédules, des sceptiques surtout. Il a vu les premières affirmations de l'athéisme intégral, de Meslier à d'Holbach, mais de façon encore semi-clandestine. Il a surtout vu une dernière tentative pour sauver Dieu : le déisme. Le XIXᵉ siècle, lui, va voir le grand affrontement direct avec la mise en place des systèmes idéologiques athées. Ce devait être le siècle de la mort de Dieu.

CINQUIÈME PARTIE

Le siècle de la mort de Dieu
(XIXe siècle)

CHAPITRE XIV

La déchristianisation révolutionnaire : irruption de l'athéisme populaire

En dix ans, de 1790 à 1800, le rapport de force entre croyance et incroyance change brutalement en France, et les répercussions de toute nature ne vont pas tarder en Europe. Le phénomène de l'incrédulité, sous ses deux composantes principales, déisme et athéisme, sort des livres semi-clandestins et des conversations de cafés et de salons, et entre brusquement dans les faits. Cette irruption d'une incroyance agressive et conquérante dans la vie publique, avec l'appui sporadique de l'État, est un phénomène majeur de l'histoire moderne.

L'anticléricalisme

Le mouvement est désigné sous le terme générique de déchristianisation révolutionnaire, car le catalyseur de toutes les énergies antireligieuses de la période est la volonté d'éliminer le christianisme. Mais au-delà, on décèle dans une fraction de l'opinion la volonté d'en finir avec toute forme de foi religieuse. La violence du mouvement amène à s'interroger sur ses origines, ses modalités et ses résultats, ces trois points ayant fait l'objet de débats passionnés depuis deux siècles.

Une évidence, tout d'abord : un pareil déchaînement de fureurs antichrétiennes au sein du premier royaume catholique d'Europe, sans transition, révèle un niveau de détachement religieux déjà ancien et profond dans de nombreux secteurs de la population. Sous le conformisme imposé par l'obligation de pratiquer sous l'Ancien Régime, l'indifférence était beaucoup plus répandue que ne le laissaient supposer les visites pastorales. À peine la liberté religieuse est-elle proclamée que l'on voit fondre les effectifs de pratiquants. À La Garde-Freinet, dans le Var, par exemple, « à voir la facilité et, pour ainsi dire, la sérénité avec laquelle ils rompent avec le catholicisme, on est amené à se demander si la population de ce gros village du Sud-Est n'était pas déjà laïque d'esprit et de mœurs à la fin de l'Ancien Régime[1] », écrit H. Labroue.

Mais on ne se contente pas de ne plus croire, on s'en prend aux ministres du culte. L'anticléricalisme est le côté le plus voyant de la déchristianisation révolutionnaire. Si l'on s'attaque au prêtre, c'est qu'il représente à la fois un système de croyances et un système politique et administratif. En lui, on rejette le censeur impitoyable de la religion post-tridentine, celui qui interdit les danses et le cabaret, celui qui pourchasse les faiblesses humaines, celui qui est l'agent du pouvoir royal, par la publication des monitoires, mais aussi celui qui a retiré au peuple ses croyances superstitieuses pour imposer une religion intellectuelle à coups de formules de catéchisme apprises par cœur et sans prise sur la vie réelle. L'anticléricalisme révolutionnaire révèle, au niveau du peuple, le fossé qui s'est creusé entre un clergé intellectualisé et la masse des fidèles restée dans une profonde ignorance religieuse. L'évêque d'Amiens, Desbois de Rochefort, le reconnaît lui-même en 1795 : « Est-il étonnant que tant de chrétiens aient dans ce moment abandonné les voies de Dieu, aient paru renoncer à une religion qu'ils ne connaissoient pas, se soient trouvés si peu en état de répondre aux plus légères difficultés qu'on s'est plu à multiplier sur leurs croyances[2] ? »

Le rejet du prêtre dans les années 1790, alors qu'il n'est plus un élément menaçant, l'acharnement avec lequel parfois on le persécute, c'est le rejet d'une religion dont on ne veut plus. Mais l'agressivité avec laquelle on le pourchasse laisse supposer d'autres motifs que le refus d'une croyance. Et d'abord la haine qu'engendre le sentiment d'avoir été trompé pendant si longtemps. C'est ce qui ressort par exemple du pamphlet des patriotes de Tréguier à leur évêque en septembre 1789 :

> Vous prêchez saintement à vos ouailles de s'entr'égorger pour vous conserver ces brillants avantages dont vous ont gratifiés jadis un peuple d'ignorants, d'idiots et de fanatiques. Vous commandez à de bons curés, qui n'entendent rien aux affaires, et qui sont vos complices sans s'en douter, de débiter votre doctrine dans tout votre diocèse[3].

Il faut aussi tenir compte des haines accumulées contre un personnage devenu odieux par son omniprésence, par ses interventions continuelles dans la vie privée, par la confession notamment, et dont l'influence sur les femmes est ressentie comme une intolérable violation, une sorte d'adultère, par les hommes de la paroisse. Richard Cobb a pu parler à ce propos d'un « anticléricalisme de cocus[4] ». Le terme a parfois son sens habituel, les curés concubinaires n'étant pas rares au XVIIIe siècle[5], mais plus généralement on dénonce l'emprise des prêtres sur les femmes par l'intermédiaire du confessionnal. C'est ce que veut dire le représentant en mission dans le Gers, Dartigoëyte, dans son langage un peu rude : « Et vous, foutues garces, vous êtes toutes leurs putains [des prêtres], et principalement celles qui allez à leurs foutues messes et qui assistez à leurs momeries. » À peine plus poli, *Le Grand Voyage du cousin du Père Duchesne*, à Lyon, invective les prêtres : « Comment, Jean Foutres, vous n'êtes pas las de tromper les hommes, d'engueuser les femmes et de leur faire des bâtards ? Plus de prêtres, nom d'un Dieu, soyons frères [...], plus de menteurs, plus de paresseux. » Et le commissaire civil Hugueny, de Toulouse, en visite au Bec-du-Tarn, « a tonné contre le fanatisme et notamment contre les femmes qui sont plus susceptibles de séduction à cet égard ; il a dit que les hommes ayant fait la Révolution, ce n'était pas à elles de la faire rétrograder ».

La féminisation de la religion, si marquée à partir du XIXe siècle, est déjà très nette à la fin de l'Ancien Régime, et la liaison entre antiféminisme et anticléricalisme en est le corollaire. La femme, dominée par l'homme au sein de la famille traditionnelle, trouve refuge et consolation près du curé, ce qui ne fait qu'accroître la fureur masculine contre ce dernier. Le patriote Mazuel, à Beauvais, déclare à sa troupe : « C'est le fanatisme et la superstition que nous allons combattre ; des prêtres menteurs, dont le dogme n'est qu'imposture, dont l'empire n'est fondé que sur la crédulité des femmes [...] voilà nos adversaires [6]. »

À un niveau plus élevé, l'anticléricalisme apparaît comme un préalable nécessaire pour éliminer la religion. Fouché écrit dans l'*Instruction aux départements du Rhône et de Loire* en septembre 1793 :

> Les prêtres sont la seule cause du malheur de la France [...]. Le républicain n'a d'autre divinité que sa patrie, d'autre idole que la liberté ; le républicain est essentiellement religieux, car il est bon, juste, courageux, le patriote honore la vertu, respecte la vieillesse, console le malheureux, soulage l'indigence, punit la trahison. Quel plus bel hommage pour la divinité !

Dans une adresse à l'Assemblée nationale, en 1790, Naigeon déclare que l'état sacerdotal est comme une seconde nature, qui marque le prêtre de façon indélébile, même s'il n'est pas vraiment croyant. Attaché à son intérêt et à sa caste, il acquiert une mentalité cléricale qui toujours le pousse à imposer les vues de l'Église :

> Sa robe produit à son insu, dans ses idées et dans son caractère, une révolution très marquée, et dont, même avec un bon esprit, il se ressent le reste de sa vie. J'ai connu un grand nombre de prêtres ; je les ai observés avec soin et dans des circonstances où les hommes se montrent à peu près ce qu'ils sont, et je n'en ai jamais rencontré un seul, quelque incrédule qu'il fût d'ailleurs, qui dans ses discours, dans ses opinions ou dans sa conduite, ne conservât encore quelque chose du prêtre. Il ne faut point se faire d'illusion ; le véritable Dieu du prêtre, c'est son intérêt. Il ne tient à son état que par ce seul lien [7].

Naigeon va plus loin. Ces prêtres, animés du même réflexe apologétique, sont eux-mêmes des sceptiques, voire des athées, qui agissent par esprit de corps et constituent une sorte d'État dans l'État :

La plupart ne croient pas un mot de ce qu'ils enseignent; ils cherchent à faire des dupes; mais ils ne le sont pas. Celui qui a dit qu'« il n'y a guère de gens moins persuadés que ceux qui emploient le plus de temps à disputer et à enseigner dans les écoles », a parlé d'après l'expérience, et la remarque se trouve confirmée par celle d'un philosophe moderne qui avait fait autrefois sa licence à Paris, et qui regardait la faculté de théologie comme une excellente école d'incrédulité. « Il n'y a guère de sorbonnistes, dit-il, qui ne recèlent sous leur fourrure ou le déisme ou l'athéisme; ils n'en sont que plus intolérants et plus brouillons; ils le sont ou par caractère, ou par intérêt, ou par hypocrisie. Ce sont les sujets de l'État les plus inutiles, les plus intraitables et les plus dangereux[8]. »

Curés rouges et prêtres athées : les émules de Meslier

Naigeon touche ici un point qui n'a pas été encore suffisamment relevé : le nombre impressionnant d'ecclésiastiques incroyants. La Révolution révèle la présence de milliers de curés Meslier en France, dans les villes et les campagnes. Longtemps occultée par une historiographie bien-pensante, cette réalité éclate dans les chiffres fournis par les enquêtes de Michel Vovelle et quelques autres[9]. Au total, 20 000 prêtres renoncent à la prêtrise en 1793, soit 66 % des prêtres en fonction cette année-là. Il s'agit bien d'un mouvement massif. Dans vingt et un départements du Sud-Est étudiés par Michel Vovelle, on compte 4 500 abdications, soit plus de 200 par département, dont 60 % de curés et 16,5 % de vicaires. Ce ne sont pas des jeunes à vocation chancelante — la moyenne d'âge est de quarante-neuf ans et demi —, mais des produits typiques des séminaires d'Ancien Régime, ayant derrière eux vingt-cinq ans de sacerdoce. Villes et campagnes sont aussi touchées les unes que les autres : dans le Vaucluse, 121 abdications sur 171 ont lieu en milieu rural; en revanche, Marseille représente 142 des 250 abdications des Bouches-du-Rhône, se décomposant de la façon suivante : 70 vicaires, 24 réguliers, 14 curés, 7 aumôniers, 5 bénéficiers, 2 chanoines. À Paris, on compte 410 abdicataires sur 1 500 prêtres, soit 27 % du total; la proportion est de 70 % dans le district de Provins (81 sur 116) et dans l'Allier, 55 % en Haute-Garonne, 42 % dans le district d'Alès, 35 % dans celui de Corbeil.

Que valent ces chiffres ? Que cachent ces abdications ? Il est bien évident que les conditions dans lesquelles elles ont été obtenues, par des pressions, par des menaces, par l'entraînement, par la peur, excluent toute sincérité pour un grand nombre de cas, en particulier chez ceux qui se contentent de remettre leurs lettres de prêtrise sans commentaires, ou en groupe, comme ces 48 prêtres de Marseille qui abdiquent le même jour. Mais dans 10 à 15 % des cas, soit environ 2 500 individus, l'abdication a précédé les mesures de déchristianisation, et elle s'est accompagnée de gestes ostentatoires volontaires, comme la lecture publique d'un acte d'apostasie plus ou moins enthousiaste. Certains revendiquent la précocité de leur geste et participent ensuite activement et librement à la déchristianisation.

Parfois, un texte tout préparé est présenté à la signature des abdicataires, comme celui qui est rédigé dans l'Ain par le représentant Albitte :

> Je soussigné..., faisant le métier de prêtre depuis... sous le titre de..., convaincu des erreurs par moi trop longtemps professées, déclare en présence de la municipalité de... y renoncer à jamais ; déclare également renoncer, abdiquer et répudier comme fausseté, illusion et imposture tout prétendu caractère et fonction de prêtrise.

Mais très souvent l'abdicataire compose un texte de son cru, expliquant les raisons de son geste et l'accompagnant de formules d'apostasie enthousiastes. Sur les 162 déclarations personnelles retrouvées, beaucoup évoquent les « préjugés », « superstitions », « erreurs », « sottises », « momeries », fondées sur la crédulité du peuple. Pancrace Robert, prêtre à Manosque, écrit que « le peuple français, trop longtemps abusé par les momeries religieuses, ouvre les yeux » ; Bouchet, curé dans le Gard, invective : « Mort aux fauteurs de tous les préjugés et à toutes les erreurs prétendues religieuses » ; Riquelmi, à Nice, parle des dogmes comme d'un « fatras qui peut être contraire à la liberté de l'esprit » ; Jean-Baptiste Fretault, dans la Nièvre, se débaptise solennellement ; Dauthier de Saint-Sauveur, chanoine du Puy, « regardant avec horreur comme indigne et destructrice de l'existence d'un créateur toute opinion qui en ferait un être bizarre, inconséquent, injuste et méchant », en appelle à l'Être suprême ; Bérenger, curé de Laverune, dans l'Hérault, exprime son enthousiasme : « Le fanatisme est sur le point de rendre le dernier soupir. Son agonie est entourée de remords, et il restitue à la raison ce qu'il avait arraché à la crédulité. Nous vous apportons ses dépouilles. » D'autres parlent de leurs « chiffons de prêtrise ».

Certains font une véritable confession, avouent leur duplicité passée, admettent qu'ils ont trompé le peuple, qu'ils n'ont jamais cru à ce qu'ils enseignaient, et demandent pardon. Ainsi Béchonnet, prêtre à Gannat, dans l'Allier :

> Citoyens, je suis prêtre depuis six ans ; par une fatalité inconcevable, je suis devenu le ministre du mensonge, moi qui suis né avec une âme sensible, faite pour la vérité [...]. Aujourd'hui, pour mettre le sceau à ma régénération, je vous déclare que je crois de toute mon âme que le culte intérieur est le seul qui plaise à l'Être suprême et qu'il suffit de la patience, de l'honnêteté des mœurs, de la bienfaisance, pour être agréable à ses yeux. Je déclare en outre que j'abjure le sacerdoce, et que je déserte l'armée fanatique du pieux tyran de Rome, pour ne servir désormais que la vérité, dont je veux être le soldat et l'apôtre [10].

Marfaing, prêtre dans l'Allier, « demande qu'on excuse la faute qu'il a faite de s'engager dans l'état sacerdotal » ; Guillard, curé de Montagny dans la Loire, avoue : « Citoyens, je vous ai trompés longtemps en vous annonçant ce que je ne croyais pas moi-même, mais je n'osais vous dire la vérité parce que j'étais seul [...]. J'abjure, je demande pardon à la terre, je déchire ma soutane et je tombe aux genoux du peuple. »

D'autres encore cherchent des excuses. Estournel, dans le Gard, explique qu'il n'était resté prêtre « que pour être mieux à même de combattre le fanatisme », en rendant service au peuple ; Béchonnet, dans l'Allier, déclare : « Je ne m'approchais de l'autel que très rarement, avec une répugnance qui s'est fortifiée de jour en jour. » Beaucoup affirment n'être entrés dans les ordres que sous la pression familiale : Blanc, à Salon, dit que « sa prêtrise n'était qu'un effet de la contrainte que son feu père a exercée sur lui » ; Guillard, dans la Loire, prétend avoir été le « jouet d'une éducation superstitieuse » ; Meilheurat, du district de Moulins, a exercé trente-huit ans, « d'abord par contrainte, ensuite par habitude ». Les autorités ne sont pas dupes, et les remarques portées sur les dossiers des abdicataires ne sont pas toujours flatteuses : « débauché en tous genres », « aime les femmes », « libertin », « a toujours suivi la loi avec finesse ».

À Paris, des membres du clergé viennent abjurer devant la Convention, derrière l'évêque Gobet. Déposant leurs lettres de prêtrise, ils accompagnent leur geste de petits discours, dans lesquels ils invoquent la raison et l'Être suprême. Le conventionnel Coupé, de l'Oise, rappelle que lui-même a été curé de campagne et a toujours œuvré pour la justice. Dans la hiérarchie, sur 85 évêques constitutionnels, 24 abdiquent et 23 apostasient.

Le mouvement touche aussi les cultes non catholiques : des rabbins abdiquent dans le Sud-Est, en Lorraine, en Alsace, de même que 51 pasteurs protestants dans le Gard. Le pasteur Julien, de Toulouse, déclare devant la Convention qu'il a consacré son temps à « rendre justice à l'Être suprême en prêchant que la même destinée attendait l'homme vertueux qui adorait le Dieu de Genève, celui de Rome, de Mahomet ou de Confucius[11] ». Puis Julien et l'ex-prêtre Coupé viennent s'embrasser devant l'Assemblée « en riant comme deux augures et convenir l'un et l'autre, avec toute la franchise de la bonne foi, que le culte de chacun d'eux ne s'était soutenu que par le charlatanisme presbytéral[12] ».

Il ne s'agit donc pas de quelques individus isolés, mais d'un mouvement collectif, sur lequel on a longtemps jeté un voile pudique, en se concentrant sur les persécutions dont fut victime le clergé réfractaire, gloire de l'Église, qui fournissait de nouveaux martyrs. Le prêtre abdicataire, brebis galeuse, était l'exception sans signification. Les sources démentent cette interprétation. Si l'on n'assiste pas à un départ véritablement massif, le mouvement n'est cependant pas négligeable, et ces prêtres ne reviendront pas au sacerdoce. Beaucoup se marient — entre 4 500 et 6 000, estime-t-on —, des mariages authentiques, qui produiront des enfants. Dans le Sud-Est, sur 129 prêtres mariés, 41 sont devenus enseignants, 47 administrateurs, et d'autres négociants, militaires, artisans, cultivateurs.

Ou bien ces prêtres abdicataires volontaires sont athées, comme cet ex-curé de Gap qui ne « veut suivre de culte que de la raison », ou comme Baret, de Vitrolles, qui « abdique tout culte et ne veut plus prêcher que celui de la liberté et de l'égalité » ; ou bien ils déclarent croire en l'Être suprême et être fidèles à une « religion naturelle », à un « culte intérieur ».

Preuve de la sincérité de ces abandons : certains ont commencé dès 1790, alors qu'aucune pression ne s'exerçait sur eux. Le nouveau climat politique, la liberté proclamée suffisent pour que des prêtres franchissent le pas : le premier mariage, celui du curé d'Herbisse, Remi Vinchon, date du 11 mai 1790 ; en septembre, c'est celui du curé de Saint-Étienne-du-Mont. « La pratique du mariage, explique S. Bianchi, touche des centaines de prêtres bien avant la déchristianisation. Elle n'est pas liée à une répression [13]. » Autre cas, celui de François Parent, curé de Boissise-le-Bertrand depuis 1787. Instruit, il participe d'enthousiasme au début de la Révolution, écrit dans un journal « antifanatique » et anticlérical, *La Feuille villageoise*. Athée, il attaque violemment les superstitions et la bêtise des paroissiens : « Ils veulent que je leur parle de neuvaines, de sacrements et de dix mille dieux, ce n'est pas plus mon goût que le vôtre. » « Raison, philosophie, vérité, morale » : voilà les formes de la vertu.

Beaucoup de prêtres, abdicataires ou non, participent activement à la déchristianisation, dirigeant parfois des comités ultra-révolutionnaires, comme à Arles où, lit-on dans un rapport, « les hommes qui se mirent à la tête de cette faction furent Farmin, Lardenol [Firmin Lardeyrol], ci-devant prêtre ; Ripert, ci-devant prêtre ; Paris, ci-devant grand vicaire du ci-devant évêque d'Angoulême ; Couston et Jacquet, ci-devant abbés [14] ». Les autorités révolutionnaires semblent même un peu déconcertées par le zèle antireligieux de ces ci-devant prêtres. Le rédacteur du *Journal révolutionnaire de Toulouse* écrit par exemple : « La plupart des prêtres de cette commune ont tout à fait abandonné les fonctions sacerdotales qu'ils remplissoient avec beaucoup de zèle et de ferveur. Cet abandon a précipité leur marche dans la carrière politique. Des emplois civils et militaires sont aujourd'hui l'unique objet de leur ambitieuse cupidité [15]. »

D'autres prêtres, sans être personnellement athées, exercent leurs fonctions en luttant de l'intérieur contre le « fanatisme », comme Adrien-Louis Ducastelier, curé de Fourqueux, qui écrit au comité de surveillance de Saint-Germain : « Je crains plus le fanatisme que l'athéisme le plus outré [...]. En faisant mon culte, je détruis le fanatisme futur, comme mon œil ouvert à tout l'univers a pulvérisé le fanatisme de dix-sept siècles [16]. »

Particulièrement actifs sont ceux que l'on a surnommés les « curés rouges », expression apparue dans les travaux de Lichtenberger à la fin du XIXe siècle, et qui a été utilisée dans des sens différents. Selon Albert Soboul, le terme désigne strictement des prêtres restés croyants, menant le combat à la fois en patriotes et en chrétiens. Âgés de trente-cinq à cinquante ans, ils ont été curés de paroisses rurales et sont révoltés par l'injustice sociale. Ils préfigurent en quelque sorte la théologie de la libération. Le plus célèbre, Jacques Roux, curé de Cozes, puis de Saint-Thomas-de-Conac, dans le diocèse de Saintes, vicaire de Saint-Nicolas-du-Chardonnet, membre du Club des cordeliers et de la section des Gravilliers, est un des principaux Enragés. Il n'a jamais rendu ses lettres de prêtrise et critique les « athées sanguinaires ». Arrêté en septembre 1793, il se suicide en prison en février 1794. De même, Dolivier, curé de Mauchamps, reste croyant. En revanche, Germain Métier, secrétaire des Jacobins de Melun, qui préside un comité extraordinaire et procède à de nombreuses arrestations, a abdiqué la prêtrise en novembre 1793.

Comment expliquer cette proportion élevée de prêtres parmi les déchristianisateurs, acharnés à détruire leur propre Église ? Sans doute faut-il tenir compte d'une certaine proportion de vocations forcées, mais plus généralement il s'agit d'hommes qui poussent les principes évangéliques jusqu'à leur conclusion logique. Cultivés, formés à la philosophie des Lumières, ils sont aussi au contact de la misère quotidienne de leurs paroissiens et de l'arrogance des nobles locaux. La contradiction entre les bases égalitaires théoriques de la morale chrétienne et la pratique inégalitaire de l'Église, soutien du pouvoir et des privilégiés, les conduit à rejeter une religion considérée comme hypocrite. De plus, ces hommes qui ont sacrifié vingt ou trente ans — toute leur vie, en fait — au sacerdoce ont accumulé haines, rancœurs, frustrations de toutes sortes ; ils ont le sentiment d'avoir perdu leur vie pour une croyance fausse. Ils ont une revanche à prendre contre l'Église ; d'où la virulence extrême de certains d'entre eux.

Déjà, sous l'Ancien Régime, nous avons remarqué le grand nombre de clercs intellectuels gagnés au rationalisme des Lumières, et devenus déistes ou athées. La Révolution révèle qu'ils avaient de nombreux émules dans le bas clergé. Et parmi les chefs les plus acharnés à faire disparaître toute trace de religion, on trouve encore d'anciens religieux, comme Fouché, ex-oratorien. Représentant en mission dans la Nièvre en septembre 1793, il y ordonne la destruction de toutes « les enseignes religieuses ; interdiction aux prêtres de paraître dans leurs costumes sacerdotaux hors des églises. Les lieux d'inhumation seront isolés, plantés d'arbres, avec une statue du sommeil et une inscription : "La mort est un sommeil éternel" ». Il décrète que tout prêtre pensionné devra se marier, adopter un enfant ou nourrir un vieillard indigent ; il annonce sa volonté de créer le culte de la République et de la morale naturelle ; il fait baptiser sa fille sur l'autel de la patrie, et la prénomme Nièvre.

Les missionnaires de l'athéisme

D'autres représentants en mission parmi les athées les plus convaincus sont aussi d'anciens religieux, comme l'ex-bénédictin Laplanche, dans le Cher, qui donne le signal de la déchristianisation et laisse agir les athées locaux, ou l'ex-oratorien Joseph Lebon, dans le Pas-de-Calais, ou encore les ex-séculiers Albitte, Ysabeau ou Châles, ancien chanoine de Chartres qui, dans le Nord, utilisant les athées enthousiastes de Lille — tels Nivet, Target, Dufresse, Calmet-Beauvoisins —, lutte contre la religion dans son journal-affiche, *Le Révolutionnaire*. Au niveau local, les déchristianisateurs les plus acharnés sont fréquemment des ex-prêtres : Lanneau, Mérandon, Parent en Saône-et-Loire, Menu dans le Rhône, le curé d'Espalion dans l'Aveyron, Tollet dans l'Ain, Chedin dans la Nièvre. À Arles, l'ex-chanoine Athanase Paris et l'ex-curé Firmin Lardeyrol sont parmi les chefs du mouvement. Même chose à Bourg-Saint-Andéol. Leur connaissance du peuple, leurs dons d'orateurs populaires, leur fougue, leur expérience intime de l'Église, leur foi inversée, investie dans l'idée humanitaire, égalitaire, patriotique, font d'eux les agents les plus redoutables de l'antireligion, qui, au niveau des principes comme au niveau de l'application, doit beaucoup au clergé.

Avec lui, on trouve dans les principaux rôles des avocats, des gens de loi, des hommes de lettres, des médecins, hommes cultivés de la moyenne bourgeoisie, qui ont été parmi les premiers à déserter l'Église et la foi. Ils forment les gros bataillons des représentants en mission. Hommes mûrs, d'une quarantaine d'années en moyenne, ils agissent par principes réfléchis et systématiques, même lorsque cela prend des allures provocatrices, comme Latour, représentant dans les Basses-Alpes, qui fait toujours cirer ses chaussures avec les saintes huiles, ou Vauquoy, dans la région de Crémieu, qui boit dans les calices en défiant Dieu de le châtier s'il existe.

Les représentants en mission font souvent figure de missionnaires de l'athéisme, tel André Dumond, dans la Somme, qui a peut-être été le premier déchristianisateur. Il faut leur ajouter les commissaires civils aux armées, comme Chain, dans la Nièvre, qui déclare que « Dieu étoit trop vieux et qu'il falloit le changer pour un autre ». À Bazoches, le jour du décadi, il monte en chaire et prêche l'athéisme :

> Vous allez entendre la vérité pour la première fois en cette tribune [...]. On vous persuadoit ici qu'il y avoit un Dieu, un enfer et un paradis ; n'en croyez rien, ce sont les calotins qui l'ont inventé, vous ne les avez pas vus, ni moi non plus ; je n'en crois rien ; vous avez un calotin, chassez-le de chez vous, vous n'en avez pas besoin [17].

Près de là, à Clamecy, l'agent national Parent effectue la même prédication et écrit à Fouché :

Aujourd'hui, la société populaire ayant paralisé le diseur de messes le moins incommode que j'avois associé, pour cette partie, à mon œuvre, je me suis concerté avec nos braves sans-culottes de l'armée révolutionnaire, et avec les trois députés des trois sociétés de Vézelay, Varzy et Clamecy ; et nous avons, sans prêtre, célébré le mariage d'un couple sans-culotte, avec toute la gaieté et la solennité républicaines [18].

À Andressin, dans l'Ariège, le commissaire civil Allard et le chef du détachement Picot-Belloc

prêchoient de premier abord devant le peuple simple et ignorant qu'il n'y avoit ni Dieu, ni diable, de paradis ni d'enfer, que Jésus-Christ étoit un Jean-Foutre, un vérolé, et sa mère une putain, qu'il falloit exterminer les prêtres, brûler leurs saints, sériner leurs églises et abattre les cloches à coups de canon [19].

Même son de cloche, si l'on peut dire, à Seix, où Picot prêche l'athéisme,

disant que Jésus-Christ étoit un bâtard, un Jean-Foutre, un homme sans pouvoir et qui enfin, en fréquentant la Magdeleine, en avoit pris le gros lot, que la vierge étoit une putain, le Christ son bâtard, et saint Joseph un cornard, ajoutant que s'il y avoit un Jean-Foutre de Dieu, il n'avoit qu'à faire voir sa puissance en venant l'écraser [20].

L'ancien maire de La Réole, Sabatier, officier de santé, est présenté comme

soufflant partout le feu du véritable fanatisme et de la discorde, en prêchant hautement qu'il n'existoit pas de Dieu ni de Vierge, ayant opéré fortement à la ruine de l'église de la paroisse, en renversant les autels, foulant aux pieds les images exposées depuis des siècles à la vénération [21].

D'autres se placent à un niveau plus élevé, s'inspirant des philosophes et cherchant à faire passer des principes. Après Thermidor, en germinal an III, le Nivernais Socrate Damour déclare :

Quant au matérialisme qu'on m'accuse d'avoir enseigné, je réponds que mes leçons sur les erreurs des connaissances humaines rouloient sur Locke, Condillac, Helvétius, ce qui étoit convenu avec le représentant Fouché, et ceux de la morale sur Helvétius et Jean-Jacques [22].

C'est dans cette ligne des philosophes que travaillent certains intellectuels, comme Dupuis, qui sous la Terreur rédige l'*Origine de tous les cultes*, réduisant Jésus à un mythe astral :

De même que le soleil, passant au sortir de l'hiver sous le signe de l'Agneau, répare le mal introduit dans le monde par la froide saison, ainsi le Christ-lumière est représenté sous l'emblème de l'agneau réparateur du péché, qui ressuscite en prenant au printemps une vie nouvelle. Les douze apôtres sont les douze signes du zodiaque.

Les athées de village

Représentants en mission et commissaires civils n'auraient jamais pu se livrer à leurs violentes diatribes antireligieuses s'ils n'avaient trouvé sur place un petit noyau d'athées convaincus, au sein du peuple, souvent regroupés en sociétés populaires. Là encore, il n'y a pas de génération spontanée : il faut bien admettre que ces milliers d'athées de village existaient avant la Révolution, témoignant, de façon plus ou moins discrète, de leur hostilité à l'égard de la foi ainsi que du début de décomposition de l'Église unanimiste. Foule anonyme d'athées pratiques, de matérialistes illettrés, qui sentent d'instinct l'absurdité de la foi en un au-delà, ces réfractaires à l'« opium du peuple » révèlent bruyamment leur présence en relayant les initiatives des représentants en mission. « Il existe dans la France de l'an II, écrit Richard Cobb, des milliers de gens, de toutes les conditions, minorité remuante et bruyante, qui profitent de l'occasion pour faire ce qu'ils voulaient probablement faire depuis longtemps, déchristianiser, fût-ce à tort et à travers. Ils y ont trouvé une grande satisfaction personnelle[23]. »

À la campagne, « chaque village a son enragé et l'athée rural est l'allié du sans-culotte urbain ; dans les départements, comme autour de Paris, les révolutionnaires urbains sont souvent appelés par ces minoritaires villageois qui, en l'an III, paieront cette témérité de leur vie ou de leur tranquillité[24] ». Ce sont ces « athées de village, galochiers, cordonniers, maréchaux, qui ont prêché la raison, à leurs risques et périls, dans les petites communes du plat pays[25] ».

En ville, ils sont regroupés en sociétés populaires, dont la composition sociale, étudiée pour 84 d'entre elles, portant sur 15 000 jacobins, révèle la prédominance des classes moyennes : 57 % d'hommes de loi, d'ecclésiastiques et de professions libérales, mais aussi 32 % d'artisans et de militaires, et 11 % de paysans. À Marseille, par exemple, les jacobins locaux sont pour 69 % des « travailleurs », 28 % des bourgeois, 12 % des boutiquiers, 2 % des membres de professions libérales, 2 % des paysans ; à Compiègne, 17 membres de professions libérales et intellectuelles voisinent avec 16 artisans et commerçants, 5 cultivateurs, 18 militaires, 4 ecclésiastiques.

Ce sont le plus souvent ces groupements de base qui prennent l'initiative de la déchristianisation : sur 760 adresses à la Convention provenant de 21 départements du Sud-Est et demandant des mesures antireligieuses, 50 % émanent des sociétés populaires, 25 % des municipalités, 15 % des départements et districts, et seulement 2,5 % des représentants en mission. Ces adresses ont un caractère plus radical que les textes émanant des autorités : seulement 161 se réfèrent à l'Être suprême, dont le petit peuple n'a que faire. Pour Albert Soboul,

« si l'athéisme conscient était étranger à la sans-culotterie, dans sa grande majorité tout au moins, le déisme ne lui était pas moins inconnu[26] ». Les sans-culottes, comme les membres des sociétés populaires de la campagne, ne théorisent pas ; leur athéisme est pratique, et lié à l'anticléricalisme. Beaucoup, tel le commissaire Groslaire, en veulent à Robespierre pour « son foutu décret sur l'Être suprême » ; et, se demande Albert Soboul, « que pouvait bien signifier, pour bien des sans-culottes, la statue de l'athéisme à laquelle Robespierre, armé du "flambeau de la vérité", mit le feu[27] » ? Ce qui n'empêche pas d'en voir pleurer pendant le discours de l'Incorruptible contre l'athéisme et pour l'Être suprême ; pour eux, culte de la raison et culte de l'Être suprême se mêlent dans l'exaltation des vertus civiques.

Dans les sections parisiennes, ce sont bien les dirigeants des sociétés populaires qui prennent l'initiative de la déchristianisation : le musicien Sarrette dans la section de Brutus, Léonard Bourdon dans celle des Gravilliers, Desfieux dans celle de Lepeletier, et l'ensemble du comité dans celle de Marat.

Dans les départements, c'est aussi la base qui lance le mouvement, comme le comité de surveillance de Billom, dans le Puy-de-Dôme, relayé par les représentants Couthon et Moignet. Les sociétés populaires de Brie-Comte-Robert et de Provins sont des noyaux d'athéisme farouche. Les mascarades religieuses ont un caractère athée très prononcé ; la procession de l'âne mitré, parfois accompagnée d'autodafés des ornements du culte, est un geste parodique à forte connotation matérialiste. À Ugine, elle est suivie d'une proclamation des sans-culottes : « Notre curé capucin a renoncé au charlatanisme et abjuré ses erreurs. Nous envoyons les ornements, linges et ustensiles du fanatisme. Nous ne voulons désormais d'autre culte que celui de la raison. » Dans ces mascarades, on voit resurgir beaucoup de traits de l'ancienne fête des fous : parodies de bénédictions, messes fictives, croix renversées, ce qui amène à se poser rétrospectivement la question du véritable sens de la fête médiévale : puisque le peuple retrouve spontanément ces formes de dérision dans un contexte ouvertement athée, ne peut-on penser qu'autrefois elles exprimaient inconsciemment un rejet spontané, fruste, de la foi ? La fête des fous n'aurait-elle pas été la fête du bon sens matérialiste, l'expression déguisée, symbolique, d'un athéisme pratique toujours latent ?

Il est d'ailleurs frappant de constater que la Convention et le Comité de salut public réagissent de la même façon que les évêques d'hier. Les mascarades antireligieuses engendrent les mêmes inquiétudes sourdes des autorités, chrétiennes ou antichrétiennes. Danton demande qu'on y mette fin ; Robespierre, dans un discours du 21 novembre 1793 aux Jacobins, déclare que « l'athéisme est aristocratique ; l'idée d'un grand Être qui veille sur l'innocence opprimée et qui punit le crime triomphant est toute populaire » ; le 6 décembre, la Convention interdit les manifestations contraires à la liberté des cultes.

Que l'athéisme révolutionnaire soit d'origine populaire est confirmé par les déclarations rationalistes de certaines municipalités et sociétés populaires, dans le Gard par exemple : « La raison emmaillotée par les préjugés les plus honteux secoue de toutes parts les entraves dont les prêtres et les rois l'avaient accablée. Son brillant flambeau, en dissipant les nuages épais que l'erreur et le mensonge avaient amoncelés sur les crédules humains, nous trace la route que nous devons suivre. » Pas question ici de sentiment, de cœur ou d'Être suprême : la pure raison doit être le guide. C'est ce que pense le petit groupe d'une trentaine de patriotes, artisans et commerçants pour la moitié, d'une moyenne d'âge de trente-huit ans, qui mène la déchristianisation à Arles.

L'armée révolutionnaire, organe populaire s'il en fut, contribue également à la déchristianisation. Certes, Richard Cobb, à la fin de sa grande étude, peut écrire que « les quelques excès individuels que nous avons notés ne justifient pas la réputation qui lui est faite de grand moteur de l'athéisme[28] ». Il n'en reste pas moins qu'il a bien montré dans son livre comment le passage des régiments, en s'appuyant sur les sociétés locales, a pu consolider ou susciter des mouvements de déchristianisation. La question a fait l'objet de débats dès la période révolutionnaire, au point que le Comité de salut public s'inquiète du zèle intempestif de certains officiers et hommes de troupe, comme ces soldats de Vernon qui, de passage à Saint-Pierre-lès-Bitry, dans l'Oise, « ont fortement brutalisé le citoyen curé sur son ministère concernant la religion catholique, apostolique et romaine, disant par leurs paroles grossières et injurieuses qu'il n'étoit qu'un aristocrate touchant son ancien ministère[29] ».

Comme le montre ce rapport, il est difficile de faire la part de la haine politique et de l'antireligion. L'ivrognerie, la volonté iconoclaste, la provocation, le désir de vengeance, les réactions de peur jouent aussi leur rôle dans ce comportement de la troupe. Il n'en reste pas moins qu'une authentique volonté de déchristianisation habite de nombreux militaires. Leur passage, dans le Nord, le Morbihan, la Nièvre, l'Allier, l'Isère, la Drôme, l'Ariège, la région toulousaine, laisse des traces sans ambiguïté. Dans la région d'Auxerre, un détachement de Paris et de Lyon, responsable de la « furie d'Auxerre », laisse derrière lui un sillon de destruction et de vandalisme. Le recrutement de l'armée, à la limite entre petit peuple d'indigents et de journaliers, ouvriers, et petits bourgeois commerçants et artisans, correspond bien aux milieux les plus déchristianisés.

Les soldats ne sont pas motivés par un athéisme abstrait ; leur incroyance se traduit dans l'action iconoclaste, exprimant une volonté

de choquer, un défoulement issu de haines refoulées depuis longtemps, comme on le voit dans les actes sacrilèges qui accompagnent
le sac des églises et cathédrales : « La déchristianisation est une manifestation symptomatique de la violence collective des foules », écrit
Richard Cobb[30]. La provocation, le défi font partie de cette attitude :
« S'il y a un Dieu, qu'il me foudroie tout de suite, ici, devant vous »,
s'écrie Vauquoy dans l'Isère, alors qu'il boit dans un calice. Les soldats interviennent parfois pour interrompre des orateurs accusés « de
traiter des questions abstraites et théologiques », ainsi que le dit l'un
d'entre eux. Mais, comme celle des représentants en mission, l'action
de la troupe n'aurait aucun effet si elle n'était relayée par celle des
athées locaux.

Toujours le dilemme athéisme-déisme chez les dirigeants

La déchristianisation, surtout sous sa forme athée, trouve donc un
large écho dans les couches populaires. Les autorités et l'élite bourgeoise, au contraire, sont profondément divisées. Le fait peut surprendre : les chefs révolutionnaires, fils des Lumières, ont été formés
par une philosophie largement antichrétienne. S'ils hésitent, c'est
qu'ils prennent brutalement conscience du danger de subversion
sociale que représenterait à leurs yeux l'athéisme.

Les bourgeois de l'Assemblée constituante ont encore en tête les
avertissements de Voltaire, et les discussions sur la liberté religieuse
se soldent par des décisions très restrictives. Dans son discours du 23
août 1789, le député du Tiers de Nîmes, Rabaut de Saint-Étienne,
réclame en ces termes la liberté religieuse : « Que tous ceux qui
adorent un Dieu, de quelque manière qu'ils l'adorent, doivent jouir de
tous les droits de citoyen [...]. Tout homme est libre dans ses opinions ; tout citoyen a le droit de professer librement son culte, et nul
ne peut être inquiété à cause de sa religion[31]. » Et ceux qui n'ont pas
de religion du tout ? Le cas n'est même pas envisagé, et la Déclaration
des droits de l'homme se contente d'affirmer que « nul ne doit être
inquiété pour ses opinions, même religieuses ».

Silence normal pour une assemblée de grands bourgeois, pensera-
t-on. Mais la Convention est tout aussi réticente quant aux projets de
déchristianisation. Aux Jacobins, des débats épiques ont lieu sur ce
sujet, beaucoup craignant que la lutte antireligieuse ne déclenche des
mouvements hostiles à la Révolution dans le peuple. C'est ce que
Laveaux écrit dans le *Journal de la Montagne* le 17 brumaire an II :
« Je ne veux point qu'on dise à un enfant ce que c'est que Dieu, mais
je veux qu'on développe dans son âme l'idée de son existence ; je
veux qu'on lui fasse sentir qu'il existe une intelligence éternelle qui
meut cet univers immense. » Le lendemain, Hébert lui reproche

« d'avoir ouvert sur Dieu, un être inconnu, abstrait, des disputes qui ne convenaient qu'à un capucin en théologie ». À quoi Laveaux répond que ce n'est pas lui qui a commencé la « dispute sur l'athéisme », et il accuse *Le Père Duchesne* d'avoir dit que l'athéisme convenait aux républiques.

En fait, l'opinion d'Hébert n'est pas très nette. On lit certes dans *Le Père Duchesne* que le « sans-culotte Jésus » a été « le jacobin le plus enragé de toute la Judée », « fondateur de toutes les sociétés populaires » — ce qui est d'ailleurs pour lui un compliment —, et cette affirmation : « Je ne crois pas plus à leur enfer et à leur paradis qu'à Jean-de-Vert. S'il existe un Dieu, ce qui n'est pas trop clair, il ne nous a pas créés pour nous tourmenter mais pour être heureux », mais il refuse de se présenter comme un athée, expliquant aux Jacobins le 21 frimaire : « Quant aux opinions religieuses qu'on m'accuse d'avoir émises dans mon journal, je nie formellement le fait [de l'athéisme] et je déclare que je prêche aux habitants des campagnes de lire l'Évangile. Ce livre de morale me paraît excellent, et il faut en suivre toutes les maximes pour être parfait jacobin[32]. »

Même flou chez Chaumette, le violent procureur de la Commune, dont les sentiments religieux restent incertains. Il a été franc-maçon, confusément déiste, invoquant l'Être suprême, sentimental à la Rousseau, puis il évolua vers une sorte d'athéisme ayant pour divinité la nature et la raison. Sylvain Maréchal lui dédie son poème contre *Dieu et les prêtres*; mais, pour Albert Soboul, « l'athéisme de Chaumette semble bien se réduire, comme celui des sans-culottes, à l'anticléricalisme[33] ».

Dans les hésitations des chefs révolutionnaires face à l'athéisme, les considérations politiques et sociales sont bien entendu très importantes. Mais les motivations psychologiques ne sont pas absentes non plus, en particulier le vieux réflexe de recul face au néant. On a beau être un farouche montagnard, grand patriote et ennemi du clergé, la mort est une grande dame dont il n'est pas facile de soutenir le regard. La froide rigueur matérialiste de Fouché n'est pas à la portée de tout le monde. « La mort est un long sommeil », veut-il faire graver à l'entrée des cimetières. Mais beaucoup penseront avec Hamlet : « Mourir, dormir... rêver peut-être ! C'est là le hic ! Car, échappés des liens charnels, si, dans ce sommeil du trépas, il nous vient des songes... halte-là ! Cette considération prolonge la calamité de la vie. »

C'est cette crainte que le représentant Lequinio s'efforce d'apaiser dans un discours prononcé dans le temple de la Vérité à Rochefort en l'an II :

> Non, citoyens, il n'est point de vie future, non. La musique céleste des chrétiens et les belles houris des mahométans, la majestueuse face de l'éternel et la puissance de Jupiter, le tartare des anciens et l'enfer des nouveaux, notre paradis et les Champs Élysées des Grecs, Satan, Lucifer, Minos et Proserpine, ce sont autant de chimères également dignes de mépris de l'homme qui réflé-

chit [...]. Jamais il ne restera de nous que les molécules divisées qui nous for-
maient et le souvenir de notre existence passée[34].

Est-ce vraiment plus rassurant ? François de Neufchâteau a beau
dire que « le ciel est dans la paix de l'âme et l'enfer est dans le
remords », et Chantreau déclarer calmement que ceux qui sont morts
ne sont plus, tout simplement, certains chefs révolutionnaires, athées
de raison, pensent qu'il faut malgré tout réorganiser le cérémonial de
la mort, pour l'adapter à l'incroyance. Des projets en ce sens sont éla-
borés en l'an X, avec aménagement paysager des cimetières et cérémonies destinées à honorer régulièrement les défunts. Girard, dans
Des tombeaux et des pratiques funéraires, propose des moyens pour
atténuer l'horreur du néant :

> La superstition prit naissance au milieu des tombeaux : des fantômes en
> sortirent pour épouvanter le vulgaire et faire trembler les rois [...]. Mais un
> danger plus grand encore, c'est celui d'un matérialisme humiliant et glacé, qui
> détruirait l'influence de la morale sur l'action du gouvernement, et paralyse-
> rait un de ses principaux moyens de puissance. Les jeux du hasard remplacent
> les lois de la sagesse ; et l'homme, loin de s'endormir heureux en rêvant son
> immortalité, court se perdre, en désespéré, dans l'horreur du néant.

Cela, Robespierre ne peut l'accepter : « Non, Chaumette, non, Fouché, la mort n'est point le sommeil éternel, [...] la mort est le
commencement de l'immortalité. » Robespierre, fidèle au déisme,
tente de persuader (et de se persuader ?) de l'existence d'un Dieu et
de l'immortalité de l'âme :

> Quel avantage trouves-tu à persuader à l'homme qu'une force aveugle pré-
> side à ses destinées, et frappe au hasard le crime et la vertu ; que son âme n'est
> qu'un souffle léger qui s'éteint aux portes du tombeau ? L'idée de son néant
> lui inspirera-t-elle des sentiments plus purs et plus élevés que celle de son
> immortalité ? [...] Eh ! comment ces idées ne seraient-elles point des vérités ?
> Je ne conçois pas du moins comment la nature aurait pu suggérer à l'homme
> des fictions plus utiles que toutes les réalités, et si l'existence de Dieu, si
> l'immortalité de l'âme, n'étaient que des songes, elles seraient encore la plus
> belle de toutes les conceptions de l'esprit humain[35].

L'Être suprême est nécessaire, aussi bien au repos de l'âme qu'à
l'ordre social. Une politique de déchristianisation athée et brutale ris-
querait d'aliéner le peuple. Il faut donc se contenter de lutter contre
les superstitions : Robespierre retombe dans la même ambiguïté que
l'Église catholique. Entre la croyance en Dieu et les superstitions, où
est la limite ? que suppose exactement la croyance en un Être
suprême ? si on lui rend un culte, comment éviter qu'il ne soit entaché
de superstition ? Robespierre n'aura pas le temps d'examiner le problème, mais il inspire au Comité de salut public une lettre circulaire
demandant aux sociétés populaires de procéder avec modération à la
déchristianisation :

> Pénétrez-vous bien de cette vérité : qu'on ne commande point aux
> consciences.
> [Le peuple] est superstitieux de bonne foi, parce qu'il existe des esprits
> faibles [...].

Sociétés populaires, voulez-vous anéantir le fanatisme, opposez aux miracles de la légende les prodiges de la liberté ; aux victimes de l'aveuglement, les martyrs de la raison [...].

Jusqu'à ce jour, tout culte fut une erreur enfantée par l'ambition de quelques imposteurs et consacrée par le penchant inné de se rapprocher, de se réunir, pour demander au ciel, par des vœux unanimes, et nos besoins et des secours surnaturels dans les grandes calamités publiques [...].

Nos fers sont brisés. Achevez ce grand œuvre, profitant de la bonne disposition des esprits [...].

Que du lieu de vos assemblées jaillisse la lumière, donnez à l'opinion sa vraie direction[36].

Des religions de substitution ?

Le culte de l'Être suprême proposé par Robespierre est dans la droite ligne du déisme des philosophes. Il est loin de faire l'unanimité chez les jacobins, on le sait, et les sarcasmes vont bon train contre cette nouvelle religion, qui avait peu de chances de survivre à son fondateur. Mais, si elles ne vont pas jusqu'à l'apparition d'une religion, certaines formes de culte — spontanées ou organisées — témoignent du besoin ressenti par beaucoup de révolutionnaires de remplacer le christianisme, au nom du principe suivant lequel on ne supprime bien que ce qu'on remplace. Derrière ces tentatives se pose le problème de fond : l'homme, individu et être social, a-t-il besoin d'une religion ? La dimension religieuse est-elle congénitale, indispensable ?

Sans approfondir pour le moment ce problème, constatons que la Révolution y a été confrontée pour la première fois dans l'histoire de façon pratique. Pour Richard Cobb, deux attitudes sont en présence :

Les déchristianisateurs sentent bien ce besoin de remplacer le catholicisme par un culte nouveau, mais ils ne sont plus d'accord sur le choix. Les plus optimistes sont de simples athées ; d'autres, dominés encore par la mentalité catholique [...], voudraient imposer au peuple de France une nouvelle religion, exclusive et universelle comme la précédente. Les athées sont des individualistes et des anarchistes, hommes sympathiques qui se trouvent à la pointe du mouvement révolutionnaire spontané ; mais les tenants de la religion civique ne sont autres que des catholiques déguisés ou encore des disciples de Jean-Jacques, des hommes qui ont une mentalité religieuse et se méfient de l'individu. Les vrais déchristianisateurs athées représentent sans doute les révolutionnaires les plus authentiques, les plus purs et les plus courageux de toute cette période optimiste et naïve de la terreur anarchique[37].

Parmi les chefs révolutionnaires, Robespierre n'est pas seul à penser qu'une religion de substitution est nécessaire au peuple. Lindet, ci-devant évêque de l'Eure, demande le remplacement des fêtes religieuses par des fêtes nationales, car, dit-il, les paysans ont besoin de ces célébrations. C'est aussi l'avis de Fréron, qui déclare à Marseille en novembre 1793 :

Considérant la nécessité de remplacer par des fêtes nationales dignes de la majesté du peuple français et de ses hautes destinées les cérémonies puériles d'un culte qui, rétrécissant les âmes et les façonnant à l'esclavage, servait de pierre angulaire au trône des despotes écroulé sous nos mains vertueusement régicides...

Les fêtes se multiplient en l'an II : fêtes de l'Être suprême d'une part, fêtes de la raison d'autre part. Ces dernières, organisées avec faste à Paris, Nancy, Rochefort et Le Mans le 10 novembre 1793, sont avant tout urbaines, mais elles s'étendent parfois à la campagne : dans le Gard, on compte 233 temples de la Raison — un dans deux communes sur trois. « Le culte de la raison est ambigu. Fut-il athée ? Dans l'ensemble, il n'y paraît pas », écrivent les auteurs de *La Pique et la croix*[38]. En fait, la plus grande confusion semble avoir régné dans les esprits, entre Dieu, déesse Raison et Être suprême[39]. De même pour le culte des martyrs de la liberté, dont la forme emprunte au christianisme, récupérant le « sans-culotte Jésus ». « Nous ne sommes point athées », écrit Jean-Baptiste Louvet dans *La Sentinelle* du 2 germinal an IV, « l'existence d'un Dieu rémunérateur de la vertu et vengeur du crime est, à nos yeux, une croyance raisonnable, utile au maintien des sociétés ».

Ces nouveaux cultes se dotent aussi d'une morale, diffusée par des catéchismes, formule reprise au catholicisme. En l'an II, Volney présente à la Convention sa *Loi naturelle ou Catéchisme du citoyen français*, affirmant que l'« ordre naturel » tend à « la conservation et la perfection de l'homme dans la société ». La forme est calquée sur celle du catéchisme romain :

D : Qu'est-ce qu'un péché dans la loi naturelle ?
R : C'est tout ce qui tend à troubler l'ordre établi par la nature pour la conservation et la perfection de l'homme et de la société [...].
D : Qu'est-ce que la vertu selon la loi naturelle ?
R : C'est la pratique des actions utiles à l'individu et à la société [...].
D : Qu'est-ce que le bien selon la loi naturelle ?
R : C'est tout ce qui tend à conserver et perfectionner l'homme.
D : Qu'est-ce que le mal ?
R : C'est tout ce qui tend à détruire ou à détériorer l'homme.

Avec la théophilanthropie, on assiste même à la tentative de recréation d'une religion structurée sur les ruines de l'ancienne et sur les principes républicains. À l'origine, un libraire, Chemin, ancien franc-maçon, républicain modéré qui, dans son *Manuel des théoanthropophiles* de septembre 1796, prône une religion simple et naturelle, affirmant l'existence de Dieu et l'immortalité de l'âme, demandant le respect des vertus morales et civiques, et des pratiques simples. Le nouveau culte débute en janvier 1797, réunissant une bourgeoisie intellectuelle de républicains modérés comme Sébastien Mercier. L'État voit d'abord la tentative d'un bon œil, et dix-neuf temples sont ouverts à Paris. Mais Bonaparte, restaurateur du catholicisme, exclura bientôt les théophilanthropes des édifices nationaux, et la nouvelle religion déclinera rapidement après 1801.

Échec de l'Être suprême, échec de la déesse Raison, échec de la théophilanthropie : voilà qui tendrait à montrer l'impossibilité d'une solution moyenne à grande échelle entre le christianisme et l'incroyance matérialiste. De plus en plus, on se rendra compte que le choix est entre les grandes religions traditionnelles et l'athéisme. On crée une secte, un mouvement hérétique, une dissidence, une organisation séculière, mais pas une religion. Moïse, Bouddha, Zoroastre, Jésus, Mahomet n'ont pas à proprement parler créé une religion. Ils ont été des catalyseurs, au carrefour d'aspirations préexistantes sans lesquelles leur prédication n'aurait eu aucun effet. Aucun d'eux n'a eu l'intention explicite de fonder une religion ; celle-ci s'est formée peu à peu, après leur mort, en récupérant, voire en déformant leurs paroles. Une religion ne se décrète pas — ce que Robespierre et le libraire Chemin n'ont pas compris. C'est pourquoi la Révolution, en choisissant d'abattre le christianisme, ne pouvait que favoriser l'athéisme. Elle a ouvert la grande brèche par laquelle vont s'engouffrer les prophètes de la mort de Dieu.

Il y a une autre façon de voir les choses, c'est celle de Michelet qui écrira : « Rien ne fut plus funeste à la Révolution que de s'ignorer elle-même au point de vue religieux, de ne pas savoir qu'en elle-même elle portait une religion. » Pour l'historien romantique, la Révolution a été un phénomène de type religieux, ce que trahiraient ses symboles, ses serments, ses discours ; religion de la patrie, de la nation, à la place de la religion chrétienne. Idée reprise récemment par Jean-Louis Vieillard-Baron [40]. Les grands chefs révolutionnaires seraient des esprits religieux : Robespierre, bien sûr, mais aussi Saint-Just, dont l'éloge de l'homme révolutionnaire ressemblerait beaucoup à l'éloge de la charité par saint Paul : « Un homme révolutionnaire est inflexible, mais il est sensé, il est frugal ; il est simple sans afficher le luxe de la fausse modestie ; il est l'irréconciliable ennemi de tout mensonge, de toute indulgence, de toute affectation. » De même pour le portrait de l'athée par Sylvain Maréchal, que nous avons cité.

Plus surprenant, on apprend que l'athée Danton serait un être religieux : il a la religion de la Révolution et de la loi ; il a même déclaré : « Je suis un prêtre de la vérité. » Est-ce suffisant pour justifier une expression telle que « la conscience religieuse athée de Danton », et pour affirmer que « la conscience révolutionnaire est une conscience religieuse » ? Il nous semble qu'il y a là abus de langage. On peut évidemment voir du religieux et du sacré partout si l'on donne à ces termes un sens suffisamment vague, qui leur retire toute leur signification. Ce n'est pas parce qu'on accorde une haute valeur à une notion ou à un être qu'on est pour autant un esprit religieux, ni parce qu'on emploie des expressions rappelant la liturgie ou les Écritures. Le fameux texte anonyme *Qu'est-ce qu'un sans-culotte ?* pourrait dans ces conditions évoquer lui aussi les textes pauliniens sur la charité.

Certes, Roger Caillois a donné une définition du sacré qui semblerait recouvrir le cas des révolutionnaires :

> Telle est en effet la pierre de touche décisive qui, dans le cas de l'incroyant, permet de faire la démarcation entre sacré et profane. Est sacré l'être, la chose ou l'idée à quoi l'homme suspend toute sa conduite, ce qu'il n'accepte pas de mettre en discussion, de voir bafouer ou plaisanter, ce qu'il ne renierait ni ne trahirait à aucun prix. Pour le passionné, c'est la femme qu'il aime ; pour l'artiste ou le savant, l'œuvre qu'ils poursuivent ; pour l'avare, l'or qu'il amasse ; pour le patriote, le bien de l'État, le salut de la nation, la défense du territoire ; pour le révolutionnaire, la révolution.
>
> Il est absolument impossible de distinguer autrement que par leur point d'application ces attitudes de celle du croyant vis-à-vis de sa foi : elles exigent la même abnégation, elles supposent le même engagement inconditionnel de la personne, un même ascétisme, un égal esprit de sacrifice[41].

Mais dans ces conditions, est-il possible d'être incroyant ? Chacun croit en quelque chose, chacun a la religion de quelque chose, ne serait-ce que de lui-même : on parle bien d'égoïsme sacré. Mais si l'on réserve les termes de « sacré » et de « religion » à des réalités ou à des notions d'ordre surnaturel, on ne peut voir une quelconque manifestation d'ordre religieux dans la Révolution. Ce qui reste vrai, en revanche, c'est que la Révolution a permis à l'esprit religieux de se manifester sous une multitude de formes. Elle a permis l'expression publique du déisme et de l'athéisme, mais aussi d'une foule de cultes divers[42].

Bilan de la déchristianisation

Reste à examiner la portée, la signification de la déchristianisation révolutionnaire dans l'histoire des relations croyance-incroyance. Comme l'a bien montré Bernard Plongeron, cet épisode a longtemps été minimisé par la tradition contre-révolutionnaire mise en place dès l'émigration et accentuée sous la Restauration, présentant la Révolution comme une parenthèse superficielle qui n'aurait rien changé en profondeur. Or, la déchristianisation a été, en premier lieu, le révélateur d'une profonde crise interne de la foi populaire. Bien des catholiques de nom étaient devenus indifférents ou incroyants de fait avant la Révolution, même s'ils continuaient à pratiquer, sous la pression sociale. La liberté religieuse s'est soldée par un abandon plus ou moins massif des églises, traduisant une désaffection déjà ancienne. Abandon très significatif et précoce dans l'Allier, la Saône-et-Loire, le Cher, la Nièvre, l'Ain, les régions d'Aix, de Rodez, de Mende, de Tanargue ; plus tardif mais très marqué dans l'Hérault, le Gard, le Vaucluse, la Drôme, les Bouches-du-Rhône. Dans tous ces départements, « il existe une particularité révolutionnaire qui a agi comme détonateur ou comme révélateur d'aspirations ou de rejets en latence dans la psychologie collective[43] ».

De nombreux témoins de l'époque ont constaté cette hémorragie et ont bien vu qu'il ne s'agissait pas d'un recul du seul culte, mais de la religion elle-même. Un prêtre réfractaire écrit dans le *Courrier de Londres* du 30 septembre 1801 :

> Je demande si des communes qui, depuis dix ans, n'ont pas entendu parler de l'Évangile ; si des communes où, depuis dix ans, il ne s'est pas fait de première communion : en deux mots, si des communes sans évangiles et sans sacrements doivent s'appeler des communes *sans religion* ou des communes *sans culte* [...]. C'est le culte, nous dit-on, qui est à rétablir et ce n'est pas la religion. Distinction subtile, spécieuse peut-être pour quelques instants, mais qu'un examen sérieux va faire disparaître [...]. Qu'on me réponde. L'enseignement de la vérité, des dogmes, de la morale, des devoirs de la religion, le catéchisme qui les apprend, la prédication qui les conserve, sont-ce les apanages du culte ? Voici qu'à une autre extrémité de la France je trouve des villages qui au lieu de la religion sans culte ont le culte sans religion. Là les paysans vont à l'église tous les dimanches, chantent au lutrin le matin et le soir, mais aucun n'approche du confessionnal [...]. Sans confession, point de communion ; sans sacrements, point de religion[44].

Le texte met le doigt sur le deuxième aspect de la déchristianisation : pendant presque dix ans, la vie paroissiale est complètement désorganisée, les offices, les sacrements, le catéchisme sont interrompus. L'évêque de Seine-Inférieure, Gratien, écrit en 1797 : « Les enfants grandissent sans instruction, sans confession, sans première communion : ils se marient par conséquent sans bénédiction nuptiale. » Les interdits religieux s'effondrent : baisse de la natalité et des vocations, augmentation des mariages et enterrements civils ainsi que des divorces. À l'hôpital de Moscou, tous les soldats agonisants de la Grande Armée refusent les derniers sacrements. Une génération grandit dans l'oubli de la religion. En 1925, François-Alphonse Aulard, frappé par l'indifférence des masses face à la déchristianisation, en tirait la conclusion que la christianisation était finalement beaucoup plus superficielle qu'on ne l'avait cru, et que si cela avait continué encore quelques années, « il n'est pas bien sûr qu'on n'eût pas extirpé de la conscience paysanne une religion qui n'y avait peut-être que des racines courtes[45] ».

Pour ce dernier auteur, la déchristianisation n'avait pourtant été qu'un expédient de défense nationale. Pour Albert Mathiez, ce fut un moyen utilisé par les hébertistes et les dantonistes pour lutter contre le Comité de salut public robespierriste, tandis que pour Daniel Guérin il s'agissait d'une diversion hébertiste contre les possédants. Ces interprétations sont aujourd'hui récusées : la déchristianisation, d'après l'ouvrage récent de Bernard Cousin, Monique Cubells et René Moulinas, a bien été un mouvement de fond : « Ce n'est pas un phénomène artificiel, jailli d'on ne sait trop où, de la folie de quelques-uns. C'est l'expression de la volonté antireligieuse d'un petit nombre, héritée des évolutions de fond du xviiie siècle[46]. »

Mouvement d'ailleurs durable, et c'est le troisième point. Pour s'en tenir au clergé, 45 % des ecclésiastiques d'Ancien Régime ne reprendront jamais de charges sacerdotales. D'après une enquête de 1808, 25 % de ce clergé ne vit plus dans l'état de prêtrise. Pour ce qui est des ex-fidèles, ceux qui ont quitté les églises n'y reviendront pas. Une nouvelle mentalité apparaît sous la Restauration, dans laquelle le culte et la croyance sont dissociés. Sous la pression sociale et politique, certains pratiquent pour de pures raisons de carrière professionnelle, car « en ce moment les curés ont le bras long », dit un personnage du *Conscrit de 1813* d'Erckmann-Chatrian. Le règne de l'hypocrisie commence, surtout dans la bourgeoisie.

Enfin, la déchristianisation révolutionnaire inaugure de nouveaux rapports entre croyance et incroyance. Depuis la Révolution, tout le monde a pu constater que l'incroyance n'a pas à être cachée comme une maladie honteuse, que l'on peut même la revendiquer, vivre publiquement en athée tout en étant un homme ou une femme ordinaire. Chacun peut donc mettre sa conduite en accord avec son incroyance, sans se sentir coupable. De plus, les incroyants peuvent se compter, se soutenir, s'entraider. On hésitera donc moins à se dire athée.

L'heure n'est plus vraiment à la persécution d'un camp par l'autre, mais plutôt à la confrontation, qui va marquer tout le XIXe siècle. Le mythe de l'unanimité est brisé, et si les deux camps sont numériquement très inégaux, la troisième voie semble exclue : croyant ou athée, telle est l'alternative, comme l'écrit Saint-Martin à Garat en 1795 : « Le monde entier n'est composé que de deux classes d'hommes : l'une, de ceux qui sont religieux [...], l'autre, de ceux qui sont l'opposé, ou qui sont impies et athées ; car les indifférents et les neutres ne sont tels que parce que leur sens moral est engourdi ; et pour peu qu'il se réveille de son assoupissement, il prendra sur-le-champ parti pour ou contre[47]. »

Pendant quatorze cents ans, de Théodose à la Révolution française, les Églises ont en Europe refusé toute expression d'incroyance. Cette dernière, qui a toujours existé, a mené pendant tout ce temps une vie souterraine. Pensée et pratique clandestine, l'incroyance a inévitablement hérité d'une connotation subversive. Avec la Révolution, elle fait irruption dans la vie légale, brutalement, violemment, sous sa forme non réfléchie, pratique, fruste, au sein du peuple et de la petite bourgeoisie. Elle n'est pas liée à une classe sociale, puisqu'il y a des athées dans toutes les couches de la société, mais les circonstances politiques de son avènement ne peuvent que provoquer des haines réciproques.

Il n'est pas indifférent de constater que l'athéisme n'a pu gagner sa place au soleil que par le combat, et qu'il est d'abord reconnu sous sa forme pratique, et non point sous la forme de l'athéisme cérébral, intellectuel, des Lumières. C'est un athéisme de combat qui s'installe, un athéisme d'hommes d'action. Dans *Les Diaboliques*, Barbey d'Aurevilly a dépeint ces athées de la Restauration, « absolus et furieux », qui se réunissent pour le repas du vendredi, dans sa nouvelle *À un dîner d'athées* :

> C'étaient des impies, des impies de haute graisse et de crête écarlate, de mortels ennemis du prêtre, dans lequel ils voyaient toute l'Église, des athées — absolus et furieux — comme on l'était à cette époque, l'athéisme d'alors étant un athéisme très particulier. C'était, en effet, celui d'une période d'hommes d'action de la plus immense énergie, qui avaient passé par la Révolution et les guerres de l'Empire, et qui s'étaient vautrés dans tous les excès de ces temps terribles. Ce n'était pas du tout l'athéisme du xviiie siècle, dont il était pourtant sorti. L'athéisme du xviiie siècle avait des prétentions à la vérité et à la pensée. Il était raisonneur, sophiste, déclamatoire, surtout impertinent. Mais il n'avait pas les insolences des soudards de l'Empire et des régicides apostats de 93. Nous qui sommes venus après ces gens-là, nous avons aussi notre athéisme, absolu, concentré, savant, glacé, haïsseur, haïsseur implacable ! ayant pour tout ce qui est religieux la haine de l'insecte pour la poutre qu'il perce. Mais, lui, non plus que l'autre, cet athéisme-là, ne peut donner l'idée de l'athéisme forcené des hommes du commencement du siècle, qui, élevés comme des chiens par les voltairiens, leurs pères, avaient, depuis qu'ils étaient hommes, mis leurs mains jusqu'à l'épaule dans toutes les horreurs de la politique et de la guerre et de leurs doubles corruptions [48].

Pendant tout le xixe siècle, l'athéisme pratique va conserver sa tenue de combat.

CHAPITRE XV

La montée de l'athéisme pratique
et ses combats

« N'entendez-vous pas résonner la clochette ? À genoux ! On porte les sacrements à un Dieu qui se meurt[1]. » C'est en 1834 que Heinrich Heine (1797-1856) lance ce cri. Ce juif allemand, passé au protestantisme par nécessité administrative, a l'impression, en entrant formellement dans le christianisme, de pénétrer dans un édifice en ruine, une société dont le chef, « le vieux baron du Sinaï et le monarque de Judée », est « un vieux monsieur » qui semble avoir « perdu la tête ». Pour lui, le Dieu de la foi, disparu au XVIIIᵉ siècle, a été remplacé par le Dieu de la raison, auquel Kant a porté à son tour un coup mortel : la *Critique de la raison pure* « est le glaive qui tua en Allemagne le Dieu des déistes ». Heine a conscience d'assister à l'agonie de Dieu. Déjà, constate-t-il, la plupart des Européens sont pratiquement athées, même si beaucoup n'en ont pas encore conscience. Il faudra sans doute plusieurs siècles pour que la mort de Dieu soit connue et acceptée : « Cette nouvelle funèbre aura peut-être encore besoin de quelques siècles pour être universellement répandue [...]. Mais nous avons, nous autres, pris le deuil depuis longtemps. »

Tour de France de l'irréligion

Nous devons maintenant vérifier sur le terrain les affirmations de Heine. Avec les débuts de l'histoire quantitative, la multiplication des sources et des enquêtes sociologiques, les éléments de réponse ne manquent pas. Un bref tour de France dans la première moitié du XIXᵉ siècle suffit à nous convaincre du recul considérable de la foi et des progrès de l'indifférence religieuse.

Commençons par la région parisienne. En 1826, l'évêque de Versailles comptabilise dans son diocèse 45 bonnes paroisses, 87 assez bonnes, et 103 complètement indifférentes. En 1834, dans le doyenné de Corbeil, sur 10 600 habitants, 300 font leurs pâques ; dans celui de Dourdan, ils sont 600 sur 12 210, et toute la bourgeoisie est fidèle à Voltaire.

Passons dans le diocèse de Rouen, et suivons les visites pastorales de l'évêque, Mgr de Croy, entre 1823 et 1844[2]. On lit dans les procès-verbaux qu'à Bois-Guillaume, près de Rouen, « excepté les enfants des deux sexes, quelques femmes et les deux conseils, il n'y avait personne à l'église ». À Saint-Laurent-en-Caux, « les cafés abondent et sont fréquentés particulièrement le dimanche à cause du marché de la matinée ». À Darnétal, l'évêque écrit : « Paroisse dépravée et pourrie, la fabrique détruisant toute religion [...]. J'ai dû appuyer sur le défaut de foy, l'absence totale de l'église d'un très grand nombre et les mauvais exemples. » Le système des manufactures du textile est ici directement mis en cause : les patrons, bourgeois voltairiens anticléricaux, font travailler les ouvriers le dimanche matin, et la classe ouvrière est l'une des plus précocement déchristianisées du pays. Et, là encore, le phénomène est beaucoup plus ancien que la révolution industrielle, car, note P. Join-Lambert, « dès la fin du xviie siècle, les pauvres cauchois [...] qui viennent chercher du travail dans la manufacture en pleine croissance échappent à l'action du clergé [...]. [Il y a] constitution d'un groupe en marge de la vie de l'Église, et plus tôt qu'on ne l'imagine communément[3] ». Les autorités ecclésiastiques accusent, pêle-mêle, les cabarets, les marchés, la vente des mauvais livres, les journaux libéraux, le colportage de l'irréligion par les marchands, comme ces trois merciers de Longuerue qui « fréquentent les marchés et négligent les commandements de l'Église ».

Une incursion dans le diocèse d'Orléans révèle une situation similaire. L'évêque, Mgr Dupanloup, écrit : « Quand je suis arrivé, 20 000 à 25 000 pâques sur 360 000 habitants. Il y avait des paroisses où il n'y avait plus de pâques. » En 1865, il envoie une lettre circulaire à ses curés, leur demandant de lui faire connaître

les principales causes de la démoralisation croissante et de l'irréligion des campagnes, soit parmi les ouvriers, soit parmi les agriculteurs : les cabarets et les estaminets, les mauvais journaux, les mauvais livres, la police des cabarets et des salles de danse, les relations et les suites malheureuses des relations des jeunes gens et des jeunes personnes, les bibliothèques communales, les inconvénients et les périls, s'il y en a, des livres et des bibliothèques scolaires[4].

Les réponses sont éloquentes : à Lorry, sur 740 habitants, 30 femmes vont à la messe, et pas un homme ; il y a 40 communiants à Pâques. À Courtenay, « il y a plus d'un siècle que les habitants de nos contrées n'ont presque aucun principe religieux ». À Baccon, à l'ouest de la Beauce, les hommes, nourris de Voltaire par les colporteurs, sont « sceptiques, ricaneurs », critiquent l'Évangile, croient en l'Être suprême ou au « Grand Éther ».

Ces témoignages de curés sont confirmés par ceux de voyageurs, comme le Bavarois Ringseis, catholique et piétiste, qui passe dans la région de Montargis en 1815 :

> Je dois avouer que la situation a l'air très mauvaise. En Allemagne, les chrétiens catholiques sont encore attachés aux œuvres et aux cérémonies de l'office divin ; ici, on ne s'en préoccupe guère. Les églises sont vides, visitées seulement par quelques femmes. Quant aux prêtres avec lesquels je me suis entretenu, la plupart honorent Bossuet plutôt que Fénelon[5].

Abordons les campagnes de l'Ouest, étudiées par André Siegfried puis par Paul Bois[6]. Le sud-est du département de la Sarthe est largement déchristianisé. L'inspecteur d'académie Tarot écrit en 1856 :

> Le sentiment religieux, assez tiède dans une grande partie de la Sarthe, est presque éteint dans le sud-est, dans l'arrondissement de Saint-Calais et une partie des cantons de Mamers. Les crises politiques, la propagande révolutionnaire et antireligieuse qui avait eu au Mans un de ses plus détestables organes, le journal *Le Bonhomme sarthois*, ont augmenté dans des proportions alarmantes un mal déjà ancien[7].

L'inspecteur primaire de Saint-Calais confirme : « On remarque, dans la plupart des communes, une indifférence à peu près complète. » C'est encore à un inspecteur de l'enseignement primaire en tournée que nous devons cette description des populations misérables de charbonniers et bûcherons des landes et forêts sarthoises en 1873 :

> La lande de Vaugautier, qui commence à 2 kilomètres de la commune proprement dite et qui s'étend sur 3 ou 4 kilomètres, compte une soixantaine de maisons disséminées dont la plupart sont de véritables huttes habitées par des sauvages : on est là en présence des mâles et des femelles de La Bruyère. Un de ces troglodytes m'a dit avec un sourire hébété avoir sept enfants (bien entendu il n'a pas été marié) dont il ignore absolument le sort. Il sait pourtant qu'une de ses filles, âgée de 25 ans, va sur les trottoirs du Mans avec les soldats, ce qui ne lui cause aucune espèce de soucis. Un enfant de 10 ans vêtu de haillons m'a conduit chez sa grand-mère. Dans un bouge éclairé par la porte, j'ai trouvé une pauvre vieille accroupie devant deux tisons, qui m'a dit avoir eu douze enfants de beaucoup d'hommes. Deux petits-fils abandonnés par leur mère sont venus se réfugier là ; ils couchent près de la cheminée ou plutôt près du foyer, sur des brins de bruyère comme des chats sur des copeaux. On voit encore çà et là, dans les sapinières, des enfants et des femmes qui cherchent aventure. Le *roi* du pays est un vieux de 92 ans, ex-cabaretier, qui pendant de longues années a fait office de maire et de prêtre. Quand un homme et une femme voulaient vivre ensemble, ils se présentaient à lui, il faisait boire le couple, trinquait, puis, cassant la bouteille, les déclarait unis provisoirement[8].

Visiblement, ces populations n'ont jamais été christianisées et vivent dans un athéisme presque intégral.

André Siegfried comme Paul Bois ont souligné le contraste entre le nord-ouest du département, très croyant, et le sud-est, indifférent, contraste déjà remarqué pendant la Révolution, et qui est encore frappant en 1929 : 2,5 % de la population du canton de Pontvallain, 2,6 % de celui de Bouloire, 4 % de celui du Grand-Lucé vont à la messe le dimanche. Il y a là des permanences qui demandent explication.

Mais poursuivons d'abord la tournée de l'incrédulité. En pays de vignoble, certains secteurs sont complètement déchristianisés : le canton de Chablis, les Charentes, le Bordelais, l'Aude, l'Hérault[9]. Dans l'Yonne, la partie ouest est farouchement anticléricale, ce qui donne lieu à des affrontements sérieux lors des missions sous la Restauration, comme à Avallon et Villeneuve-sur-Yonne en 1819, à Auxerre en 1824. Mêmes incidents en milieu rural, où « les manifestations impies prouvent que l'on a affaire ouvertement à une hostilité à l'égard de la religion[10] ». Plus loin de Paris, à Cahors, il n'y a plus qu'un seul bourgeois à faire ses pâques, et les professions libérales sont indifférentes.

Un exemple : la Bretagne

Pénétrons dans la pieuse Bretagne. Des régions entières y sont déjà passées dans l'incrédulité. Dès 1802-1803, l'évêque de Saint-Brieuc, Mgr Caffarelli, avait lancé une enquête sur l'état spirituel de son diocèse et obtenu ce genre de réponse : « peu de religion et de piété, pays perdu » (canton de Lézardrieux); « paraît indifférent à la religion » (Penvenan); « froid pour la religion et ne voulant pas se gêner pour la pratiquer » (Coatreven); « peuple ignorant et grossier, et n'a guère que des idées fausses de sa religion et de ses ministres » (Trézeny); « les dix douzièmes des hommes n'approchent pas les sacrements. Les jeunes gens du commun sont libertins et jureurs[11] ». Il est vrai que la déchristianisation avait été très active dans cette région, le directoire du département ayant donné pour consigne en 1794 :

> Profitez donc de toutes les occasions que les circonstances vous offriront pour démontrer à vos concitoyens l'absurdité d'une croyance que des imposteurs ont répandue sur la terre pour le malheur du genre humain. Faites-leur sentir qu'ils ont été trop longtemps la dupe des plus ridicules et des plus honteux préjugés et qu'il est temps que la raison reprenne enfin son empire.

Dans le Trégor, l'indifférence religieuse est déjà ancienne. Nous en avons fait ailleurs la démonstration[12]. Région définitivement perdue pour la foi. Depuis deux siècles, les constats d'indifférence se succèdent : « Que va devenir la basse Bretagne ? se lamente l'évêque de Saint-Brieuc en 1811; plus je m'occupe du pays breton, plus je me trouve dans l'affliction, l'état de cette partie du diocèse m'accable de douleur. » En 1814, il renchérit :

> Les peuples y vivent dans l'ignorance, la grossièreté, y sont ivrognes, adonnés à une infinité de désordres, et les crimes les plus affreux que les juges ont à punir ont toujours été commis par des Bas-Bretons. La religion seule peut ramener ces hommes aux principes de la morale. Mais il n'y a pas de religion sans ministres [...]. Déjà la campagne tombe dans la barbarie. Si on y laisse la religion s'éteindre, elle deviendra bientôt un vrai repaire de brigands, et à la place d'un seul curé dont l'autorité prévient les désordres, il faudra dix gendarmes pour les réprimer[13].

En 1903 eut lieu à Tréguier, place de la cathédrale, un événement symbolique, qui résume mieux que des discours et des statistiques l'état d'esprit de la population : Émile Combes en personne, incarnation de l'anticléricalisme militant, inaugura, face à l'église où saint Yves avait été official, une statue d'Ernest Renan éclairé par la déesse Raison, devant une foule enthousiaste qui scandait « À bas la calotte ! » et chantait un couplet du cru :

Viens, père Combes, viens,
Ah ! viens à Tréguier,
Pour chasser les curés !

Les élections législatives montrèrent qu'il ne s'agissait pas là d'une manifestation accidentelle de quelques agités : alors que chacun était conscient de la valeur de test antireligieux du scrutin, c'est le candidat combiste qui fut élu par toute la côte.

Prolongeons jusqu'en 1954, où une enquête constatait encore :

En sortant du Léon vers l'est, si vous gagnez la zone agricole et côtière du Trégor, d'aspect fort semblable, vous passez aussitôt dans un pays de nette indifférence religieuse, qui se rapproche à cet égard des diocèses de la Beauce et de l'Yonne. Dans bon nombre de paroisses se trouve à peine une dizaine de familles dont tous les membres sont pratiquants réguliers du dimanche[14].

Sous la Restauration, on découvre même dans cette contrée reculée des nostalgiques de la philosophie des Lumières, comme ce « bonhomme Système » qu'évoque parle Ernest Renan dans ses *Souvenirs*. Mystérieux, ne parlant à personne,

il n'allait jamais à l'église et évitait toutes les occasions où il eût fallu manifester une foi religieuse matérielle. Le clergé le voyait de très mauvais œil ; on ne parlait pas contre lui au prône, car il n'y avait pas scandale ; mais, en secret, on ne prononçait son nom qu'avec épouvante. Une circonstance particulière augmentait cette animosité et créait autour du vieux solitaire une sorte d'atmosphère de diaboliques terreurs.

Il possédait une bibliothèque très considérable, composée d'écrits du xvIII^e siècle. Toute cette grande philosophie qui, en somme, a fait plus que Luther et Calvin, était là réunie. Le studieux vieillard la savait par cœur et vivait des petits profits que lui rapportait le prêt de ses volumes à quelques personnes qui lisaient. C'était là pour le clergé une sorte de puits de l'abîme, dont on parlait avec horreur. L'interdiction de lui emprunter des livres était absolue. Le grenier de Système passait pour le réceptacle de toutes les impiétés[15].

En fait, le bonhomme est déiste. À sa mort, en 1830, le clergé achète sa bibliothèque et la brûle.

Le Trégor n'est pas la seule région d'indifférence religieuse en Bretagne. En 1815, Jean-Marie de Lamennais était effrayé par la situation spirituelle de la région de Dinan. L'est de la Cornouaille, le Haut-Léon, le nord du Morbihan sont dans le même état. Mais, même dans les secteurs globalement croyants, des contrastes existent entre les catégories socio-professionnelles. Gabriel Le Bras a déjà bien montré le contraste entre les très pieux agriculteurs du Léon, dont la pratique est presque unanime au xixe siècle, et leurs voisins goémoniers, navigateurs et retraités de la marine, très déchristianisés[16].

Dans le centre et l'est du diocèse de Saint-Brieuc, l'enquête épiscopale de 1846-1849 indique la présence minoritaire mais active de quelques esprits forts. À Pordic, une cinquantaine de jeunes hommes ne vont pas à la messe, et il y a « un impie remarquable » qui travaille deux fois plus le dimanche que le reste de la semaine, lit Meslier et « ne reconnaît d'autre dieu que le soleil ». Comme le bonhomme Système de Renan, « il a voulu faire de la propagande, mais il n'a réussi qu'à se faire rire au nez et traiter de fou ». À Binic, le recteur compte huit « méchants », tous fonctionnaires, et trente-cinq blasphémateurs qui ne viennent plus à la messe, et il désigne les responsables : l'école, qui met « plus de soin à cultiver l'esprit des jeunes gens qu'à faire germer dans leur cœur les vertus chrétiennes », et la pêche à Terre-Neuve, « tombeau de l'innocence », pour laquelle les jeunes gens partent très tôt et échappent ainsi à toute formation religieuse. À Plévenon, l'impiété progresse chez les hommes : « Si un homme, dit-on, a besoin d'un prêtre pour le conduire, il ne mérite pas de porter le nom d'homme : les prêtres ne sont que nos domestiques, et ils ne devraient pas se permettre de nous donner des leçons. » À Lanfains, une paroisse de l'intérieur, les enfants sont placés en ville et en reviennent irréligieux. Les marchands répandent des idées impies[17].

Dans ce secteur pourtant, les efforts de reconquête religieuse ont été intenses, menés avec un zèle de croisé par le vicaire général Jean-Marie de Lamennais (1780-1860), qui ne recule pas devant les méthodes les plus odieuses. À la mission de Pordic, trois hommes ayant refusé de se confesser, il les désigne à la vindicte publique et les fait mettre au ban de la paroisse, ce qui pousse l'un d'eux à se suicider. Le permis d'inhumer est refusé. Animé d'une véritable haine — que certains qualifient de zèle apostolique — à l'égard des ex-prêtres constitutionnels, il fait déclencher les censures ecclésiastiques contre Le Cornec, curé de Paimpol, vieillard aveugle, en 1818[18].

Les excès de ce fanatique ne sont pas uniques. Ils provoquent des résistances. Des missionnaires reçoivent des lettres de menace. L'heure est à l'affrontement, surtout dans les villes, où les initiatives cléricales sont ressenties comme de véritables provocations. Mais on aurait tort de voir dans l'opposition aux missions une simple marque d'anticléricalisme. Cela va beaucoup plus loin. Lorsque par exemple deux négociants, un notaire et un avocat s'en prennent en 1816 au vicaire de Ploemeur qui porte le saint sacrement, en l'insultant violemment — « gredin, bougre de calotin, passe ton chemin et va-t-en au diable avec ton bon dieu » —, on a bien affaire à une manifestation antireligieuse, par des athées[19].

À Brest, il ne s'agit pas de quelques individus isolés, mais de groupes sociaux entiers. La présence de troupes, de marins, d'une bourgeoisie libérale d'origine récente crée des conditions peu favorables à la reconquête religieuse. Sous la Restauration, les incidents se multiplient, en raison surtout des nombreux refus d'inhumer opposés par un clergé offensif. Aussi, lorsqu'en 1819 l'évêque décide d'organiser une mission dirigée par les jésuites avec une cinquantaine de confesseurs, c'est l'affrontement. Devant les manifestations hostiles, il faut annuler la mission. Même les processions de la Fête-Dieu deviennent impossibles, et l'évêque parle d'« une véritable fédération antireligieuse[20] ».

À la mission de 1826, c'est l'épreuve de force. Pendant la prédication de la retraite, un tumulte éclate, que la version du secrétaire de l'évêque tente de minimiser : « Il faut vous dire qu'hier un rien jeta l'épouvante et l'alarme parmi le nombreux auditoire qui était venu entendre le célèbre abbé Guyon, c'est-à-dire parmi les dames et demoiselles, car les hommes conservèrent un calme et un silence qui aurait dû rassurer les femelles[21]. » Les « femelles », en effet, sont aussi méprisées par les uns que par les autres. Les jours suivants, la mission se poursuit, émaillée de bagarres et d'incidents en tous genres : pétards, pendaison du mannequin d'un prêtre, vociférations, intervention de troupes étrangères pour protéger les missionnaires.

L'évêque de Quimper, Mgr de Crouseilhes, est bien décidé à faire face, avec le soutien des ultras : « Cet acharnement des athées l'honore aux yeux des honnêtes gens », déclare le comte de Plessis-Parscau. Parmi les causes d'affrontement, la question de la sépulture des incroyants. La position du prélat est de faire constater par des témoins le refus du moribond de recevoir les sacrements, afin de motiver l'interdiction d'inhumer en terre consacrée. Un exemple : en 1821, le curé de la paroisse de Recouvrance, Inizan, a affaire à un mécréant qui, « s'assimilant à la brute, voulait mourir comme elle ». Il envoie son vicaire, Habasque, qui s'entend dire que les sacrements ne sont rien et que l'existence de Dieu est douteuse. Il menace de refuser la sépulture ; le moribond répond qu'il s'en moque, et finalement la famille refuse l'entrée au prêtre[22].

Brest est, dès le début du XIXᵉ siècle, un solide bastion de l'athéisme. Dans les écoles de la marine, on enseigne fréquemment l'irréligion en même temps que les mathématiques : c'est le cas pour Duval Le Roy (1731-1810) qui, depuis 1762, répand impunément scepticisme et athéisme parmi les officiers. Ces derniers n'aiment pas avoir un aumônier à bord, toujours prêt à jouer le rôle de censeur, et ils s'en passent dès qu'ils le peuvent.

Brest, ville de garnison, de matelots, c'est aussi les cabarets, les prostituées, le bagne. En 1830, l'aumônier de l'hospice civil se plaint du directeur :

C'est un homme tout à fait sans religion et sans mœurs, qui ne cherche qu'à entretenir le libertinage, et à augmenter tous les jours le nombre des prostituées par la protection et les conseils qu'il ne rougit pas de leur donner dans l'exercice même de ses fonctions. Lorsqu'une fille publique entre au dispensaire, il commence par la prémunir contre les conseils et les sages avis qu'elle pourrait y recevoir de la part des religieuses qui en sont chargées[23].

Les alarmes des autorités religieuses

Brest est certainement un cas extrême. Il n'empêche que dès la première moitié du XIXᵉ siècle toutes les sources indiquent, en Bretagne comme ailleurs, et à des degrés divers suivant les régions, la présence souvent combative d'athées conscients ainsi que d'un groupe assez large d'indifférents. Les lettres pastorales des évêques, derrière leur paternalisme arrogant, laissent du reste pointer une sourde inquiétude. Mgr David, évêque de Saint-Brieuc, a beau affirmer en 1863 : « Nous le disons avec un saint orgueil, dans notre diocèse, la foi est universelle. Le nombre de ceux qui ne croient pas est à peine assignable », les enquêtes démentent cette assurance. Lui-même, en 1867, note qu'il y a un peu partout des esprits supérieurs qui se moquent des sermons. En 1868, il s'inquiète de la montée du matérialisme, et dans un passage de sa lettre pastorale du 5 février, qui ne devait pas être lu en chaire, il s'oppose à la création de cours publics pour les filles, craignant « que, sous le couvert de la science, on ne vienne semer le doute et le matérialisme au sanctuaire même de la famille ».

Car ces femmes, ces « femelles », traditionnellement méprisées depuis des siècles, regardées avec crainte et suspicion comme agents de Satan par un clergé dressé à fuir leur commerce, sont l'avenir de l'Église. La féminisation de la religion s'accentue depuis la Révolution et va s'accélérer avec l'urbanisation : plus sensibles à l'esthétique des cérémonies, qui satisfont un besoin d'épanchement, les femmes trouvent à l'église une compagnie, un contact social qui leur permet d'échapper à l'isolement dans lequel elles sont confinées au foyer. Et pour le mari, c'est une sécurité supplémentaire : il a moins de chances d'être cocu avec une épouse bigote.

Le clergé le sait : les choses ne seront plus jamais comme avant la Révolution. Désormais, il faut convaincre en permanence un troupeau qui risque de se laisser séduire par l'athéisme. En 1846, un autre évêque de Saint-Brieuc, Mgr Le Mée, interdit à ses diocésains de converser avec des incrédules : sans doute ressent-il la fragilité de ses ouailles face aux arguments conquérants des athées, mais l'avertissement est bien dérisoire.

C'est d'ailleurs un prêtre breton, Félicité de Lamennais, frère de Jean-Marie, qui en 1817 lance un vibrant cri d'alarme devant la montée de l'incrédulité. Son *Essai sur l'indifférence en matière de reli-*

gion, dont les quatre volumes paraissent jusqu'en 1823, avaient pour but de réveiller la conscience chrétienne. Le constat est amer : l'Europe sombre dans l'indifférence religieuse.

> Cette indifférence léthargique où nous la voyons tomber, ce profond assou-pissement, qui l'en tirera ? [...] Religion, morale, honneur, devoirs, les prin-cipes les plus sacrés, comme les plus nobles sentiments, ne sont plus qu'une espèce de rêve, de brillants et légers fantômes qui se jouent un moment dans le lointain de la pensée, pour disparaître bientôt sans retour[24].

Le bouillant défenseur du catholicisme ne peut supporter le relati-visme religieux qu'il constate chez ses contemporains, qui consi-dèrent que toutes les religions se valent, qu'il est donc inutile de les examiner et qu'il faut toutes les tolérer. On tolère tout, même Dieu ! c'est cela qui est intolérable. Cette « indifférence systématique » est le signe de la décrépitude des nations, et annonce leur fin. Elle est encouragée par les ennemis de l'Église : « Luthériens, sociniens, déistes, athées, sous ces divers noms qui indiquent les phases succes-sives d'une même doctrine, ils poursuivent, avec une infatigable per-sévérance, leur plan d'attaque contre l'autorité[25]. »

L'indifférence n'est qu'une phase transitoire, qui conduit inévi-tablement à l'abîme, à l'athéisme, qui est la mort de la société, comme l'a montré l'expérience révolutionnaire : « Il est donc prouvé, par le fait, qu'un peuple athée ne saurait subsister, puisque la seule tentative de substituer l'athéisme à la religion a bouleversé de fond en comble la société en France[26]. » L'athéisme est le mal par excellence, « le désespoir d'une raison aliénée, et le suicide de l'intelligence ». L'athée est un véritable monstre qu'aucune barrière morale n'arrête. À l'occasion, il devient cannibale : « A-t-il faim de son semblable, il peut, s'il en a la puissance physique, manger sa chair et boire son sang, avec aussi peu de scrupules qu'il mange un morceau de pain et s'abreuve de l'eau des fontaines[27]. » Est-il possible d'atteindre un tel état de monstruosité ? « Y a-t-il de vrais athées ? Peut-être, car, hélas ! qui connaît les bornes de la perversité humaine[28] ? »

Et après tant d'autres, Lamennais reprend la démonstration des preuves de l'existence de Dieu, réaffirmant l'universalité de la croyance originelle. Ce sont les systèmes philosophiques qui ont récemment perverti l'esprit humain. Même en Chine, l'incrédulité est toute récente. Le choix est simple : le catholicisme ou « cet assem-blage d'opinions incohérentes qu'on a nommées philosophie et qui, par une pente plus ou moins rapide, viennent se perdre dans l'athéisme ».

Lamennais est à cette époque un jeune légitimiste ultra-catholique, doté d'un tempérament entier, qui le conduit à des jugements exces-sifs. L'atmosphère romantique dans laquelle il s'inscrit le porte à dra-matiser la situation de façon manichéenne, au lendemain du trauma-tisme révolutionnaire. Il a, comme beaucoup de ses contemporains intellectuels, le sentiment d'une rupture historique. Une époque nouvelle commence; reste à savoir si c'est une aube ou un crépuscule.

Du côté de la jeunesse bourgeoise des lycées et collèges, l'avenir semble plutôt sourire à l'athéisme. « Combien étions-nous de jeunes chrétiens dans les collèges les mieux famés? se demande Montalembert. À peine un sur vingt. Quand nous entrions dans une église, est-ce que la rencontre d'un de ces jeunes gens des écoles ne produisait pas autant de surprise que la visite d'un voyageur chrétien dans une mosquée d'Orient[29]? » Lamennais lui-même raconte en 1823 dans *Le Drapeau blanc* comment, dans un collège, trente élèves faisaient semblant d'aller communier et récupéraient les hosties consacrées pour cacheter leurs lettres. Gratry (1805-1872), futur restaurateur de l'ordre de l'Oratoire en France, écrit dans les *Souvenirs de ma jeunesse* que toute la classe de seconde du lycée Henri-IV avait perdu la foi à la lecture de l'*Origine de tous les cultes*, de Dupuis. Au collège Sainte-Barbe, on avait mis aux voix l'existence de Dieu, pendant une étude, et le Créateur n'avait sauvé sa tête qu'à une voix de majorité. Le 15 juin 1830, neuf aumôniers des collèges de Paris avouent dans un rapport être

> dans un abattement profond et dans un dégoût qu'aucun terme ne saurait exprimer [...]. Entre 14 et 15 ans révolus, nos efforts deviennent inutiles. Les classes réunies de mathématiques, philosophie, rhétorique et seconde comptent à peine, sur 90 ou 100, 7 ou 8 élèves qui remplissent leur devoir pascal. Parmi ceux qui sortent de rhétorique ou de philosophie, faut-il dire combien il en est dont la foi se soit conservée et qui la mettent en pratique? Il en est chaque année un par collège[30].

Les variations sociales de l'incroyance

Ces jeunes gens déchristianisés sont des fils de la bourgeoisie. Car l'athéisme au XIXe siècle est avant tout un phénomène bourgeois, encore qu'il soit bien difficile de faire la part entre agnosticisme, déisme, matérialisme et anticléricalisme dans cette catégorie sociale qui dissimule ses vrais sentiments derrière une façade d'indifférence et de conformisme saisonnier occasionnel. Le bourgeois est baptisé, marié à l'église et inhumé religieusement. Il envoie sa femme et ses filles à la messe; il fréquente les sermons de carême, événement mondain et intellectuel parisien à partir de 1835. Il est donc officiellement « croyant ».

Pourtant, son milieu de vie est totalement déchristianisé. Adeline Daumard, qui a étudié la bourgeoisie parisienne du XIXe siècle, l'a bien montré : les inventaires après décès révèlent une complète absence de signes religieux — pas de crucifix, pas de missel, pas de référence religieuse dans les testaments la plupart du temps; en revanche, des bibliothèques pleines d'ouvrages des philosophes du

XVIIIe siècle. Le bourgeois parisien a le culte de Voltaire, et comme son idole il voit dans la religion un facteur d'équilibre social, un rempart contre la subversion, une garantie d'ordre, une organisation honorable et bienséante assurant la bonne conscience par quelques gestes de charité bien ordonnée. Et Dieu, dans tout cela ? Certes, écrit Adeline Daumard, « Dieu n'était pas mort. Il s'était éloigné. Il ne tenait pas de place dans la pensée, dans le comportement habituel des bourgeois parisiens. [...] On ne peut parler d'athéisme ; interrogés, beaucoup d'hommes, en dehors des milieux populaires, auraient sans doute répondu qu'ils croyaient en l'existence d'une divinité aux attributs mal définis[31] ».

Le bourgeois de province ressemble à son confrère parisien, avec un anticléricalisme peut-être plus virulent et un esprit de corps plus poussé. Dans une petite ville comme Vannes, on compte deux cercles littéraires, dont l'un est maçonnique. En 1817, l'inventaire après faillite d'un notable révèle une bibliothèque dans laquelle trônent Voltaire et Rousseau, avec 72 et 37 volumes sur 190[32].

L'expression de la foi, ou de l'incroyance, du petit bourgeois au milieu du XIXe siècle a été immortalisée par Gustave Flaubert, dont le personnage du pharmacien Homais est devenu le symbole d'un esprit voltairien étriqué :

> J'ai une religion, ma religion, et même j'en ai plus qu'eux tous, avec leurs momeries et leurs jongleries ! J'adore Dieu, au contraire ! Je crois en l'Être suprême, à un créateur, quel qu'il soit, peu importe, qui nous a placés ici-bas pour y remplir nos devoirs de citoyen et de père de famille ; mais je n'ai pas besoin d'aller, dans une église, baiser des plats d'argent et engraisser de ma poche des tas de farceurs qui se nourrissent mieux que nous ! Car on peut l'honorer aussi bien dans un bois, dans un champ, ou même en contemplant la voûte éthérée, comme les anciens. Mon Dieu, à moi, c'est le Dieu de Socrate, de Franklin, de Voltaire et de Béranger ! Je suis pour la *Profession du vicaire savoyard* et les immortels principes de 89 ! Aussi, je n'admets pas un bonhomme de bon Dieu qui se promène dans son parterre la canne à la main, loge ses amis dans le ventre des baleines, meurt en poussant un cri et ressuscite au bout de trois jours : choses absurdes en elles-mêmes et complètement opposées, d'ailleurs, à toutes les lois de la physique ; ce qui nous démontre, en passant, que les prêtres ont toujours croupi dans une ignorance turpide, où ils s'efforcent d'engloutir avec eux les populations[33].

Monsieur Homais est traditionnellement présenté comme l'illustration péjorative d'un anticléricalisme borné de boutiquier de province, et le portrait a bien servi l'apologétique catholique, pour laquelle il s'agit là d'une variante de l'athéisme vulgaire et d'un grossier matérialisme. Ce mépris traduit en fait un profond dépit, un sentiment d'impuissance face à un dogmatisme rival, celui de l'incroyance voltairienne, qui rassemble une grande partie de la bourgeoisie du XIXe siècle : boutiquiers, gens de loi, professions libérales, négociants, ainsi qu'une partie des classes moyennes montantes.

Comparativement, la classe ouvrière, à la lumière des enquêtes récentes, paraît moins déchristianisée qu'on ne l'a longtemps cru.

Pour la France, rappelle Gérard Cholvy, il faut éviter de généraliser les cas de Paris et de Lyon — où les canuts sont « frénétiquement antireligieux », suivant l'expression de G. Duveau. Jusqu'à la fin du siècle, les mineurs du Pas-de-Calais demeurent très attachés aux sacrements, de même que la plupart des ouvriers du Nord : « Parler de déchristianisation brutale du fait de l'industrialisation serait pour Aubin et le bassin minier une erreur. Le comportement, la pratique, les mentalités montrent que la population reste attachée à l'Église [34]. »

En Angleterre, le recensement national sur la pratique religieuse de 1851 révèle qu'à cette date 5 288 294 individus ne vont pas aux offices religieux du dimanche, avec une proportion particulièrement élevée dans les régions industrielles. En fait, comme l'a souligné E.P. Thompson, les ouvriers demeurent attachés à la religion. Ils sont au début du siècle marqués par le méthodisme, et cela a peut-être évité à l'Angleterre une révolution.

La théorie jusqu'ici dominante dans l'historiographie anglaise était celle d'une sécularisation progressive, continue, de la classe ouvrière à partir du xviiie siècle, phénomène irréversible marqué par quelques « réveils » religieux n'ayant qu'un sens limité et provisoire, « quelque chose qui va à contre-courant de l'inévitable : la déchristianisation. Pour cette raison, "réveil" a une connotation négative, impliquant des gens souvent pauvres, sans instruction, qui, en affrontant soudain une crise économique, se tournent vers des offices religieux empreints d'un évangélisme révolté (généralement) pour y trouver un soulagement au milieu d'une tragédie, d'une détresse personnelle [35] ». Ces « réveils » seraient, pour les historiens marxistes, un « succédané de lutte de classe », dans un climat d'hystérie religieuse, ou « le chiliasme des vaincus et des désespérés [36] ».

Partant du présupposé de l'unanimisme religieux au xviiie siècle, suivi d'un déclin régulier sous l'effet des progrès scientifiques et de la critique, cette vision des choses est aujourd'hui remise en cause. Les historiens se seraient laissé trop impressionner par les lamentations du clergé du xixe siècle, alors que l'athéisme était relativement peu implanté dans la classe ouvrière : « L'analyse de la composition sociale, la technique de recherche la plus fondamentale et la plus précise sur cette question, n'a pas repéré la grande hémorragie ouvrière qui aurait été subie par les Églises au xixe siècle [37]. »

Une fois admis ces rectificatifs, il n'en reste pas moins qu'en se situant dans la longue durée et à une échelle globale, les Églises traditionnelles, la catholique surtout, ont raté leur entrée dans l'ère industrielle. Les conclusions de Pierre Pierrard sur le prolétariat lillois au milieu du siècle peuvent être généralisées : « Deux courants avaient tenté de canaliser la masse grandissante du prolétariat lillois : le paternalisme catholique et le socialisme anticlérical. Le paternalisme échoua, malgré les efforts sincères des catholiques fervents [38]. » Cette remarque d'un curé de Lille en 1840 en dit long sur le détachement religieux des masses ouvrières : « On pourrait les croire de quelque secte dissidente, tant ils sont étrangers à nos sacrements. » Pour ces masses déchristianisées, les penseurs utopistes élaborent des mondes où la seule religion sera celle de l'humanité, ce qu'Henri Desroche a pu appeler une « religion de l'irréligion[39] ».

Dans les classes populaires, certains autres milieux sont particulièrement touchés par l'incroyance. Ainsi cette population, très répandue au XIXe siècle, qui forme l'artisanat rural du textile. La dépendance à l'égard des marchands de la ville voisine, qui distribuent la matière première et achètent le produit fini, contribue à relâcher les liens de la solidarité paroissiale, à introduire l'individualisme, la concurrence, les idées nouvelles. Les mentalités de ce groupe apparaissent à travers le folklore et les contes qui circulent pendant les veillées où l'on file le lin et le chanvre. En Bretagne, les contes des teilleurs de lin révèlent un monde fortement anticlérical et même antireligieux. Dans ces histoires, les saints sont ridiculisés, au même titre que le diable ; on se moque de l'au-delà, du ciel et de l'enfer ; lorsque le paradis est offert à Jean-Yves, il le refuse et le tourne en dérision avec un jeu de mots en breton sur le *bara dous* (pain non beurré) et le *baradoz* (paradis). Vision cynique, inquiétante, désabusée et angoissée du monde. Le succès sourit aux astucieux, aux malins, aux filous qui ne se préoccupent pas de la morale. Les forces magiques et les éléments surnaturels ressurgissent ; le vent, le soleil, l'eau reprennent le contrôle de l'univers : le « roi de Lannion » ne peut être guéri que par l'eau de la fontaine du soleil. Éléments païens et chrétiens indifférenciés se mêlent : la bête, le serpent à sept têtes, les sorcières, le diable sont des personnages fréquents ; les saints ne sont plus que ces devins auxquels on offre des crêpes pour connaître l'avenir. C'est là un monde déconcertant, inattendu, d'une surprenante agressivité anticléricale et antireligieuse. Certes, il faut distinguer entre le conte et la véritable mentalité du conteur. Mais l'insistance et la répétition des thèmes sont frappantes, ainsi que la morale qui s'en dégage. L'Église est du côté du mal ; elle est méprisable et sans pouvoir ; les forces mystérieuses de la nature sont les plus puissantes, et le héros est celui qui sait les utiliser au mieux de ses intérêts égoïstes : « Bils, le fin voleur », est plus digne d'admiration que saint Yves[40].

Dans les campagnes, colporteurs, cabaretiers, rouliers, bateliers continuent à être montrés du doigt, ainsi que bûcherons et mineurs, populations mal encadrées, indépendantes, souvent athées. Le cas des gens de mer, déjà remarqué sous l'Ancien Régime, se précise. À Paimpol, à la grande époque des terre-neuvas, le monde des marins est divisé en deux. Le *Journal de Paimpol*, organe des incrédules et des anticléricaux, se moque du pardon des navires organisé à la veille de chaque campagne à Terre-Neuve : « Beaucoup, affranchis de toute religiosité, se sont dit avec raison qu'un coup de goupillon de plus ou de moins ne peut avoir aucune influence sur la campagne [...]. Si la pêche a été bonne, [les marins] associeront dans leur esprit religion et fumisterie, et iront grossir le flot sans cesse montant des incrédules[41]. » En 1908, le journal critique à nouveau « cette archaïque et théâtrale cérémonie de la bénédiction des navires », et demande aux marins de ne se fier qu'à eux-mêmes : « Pauvre Mathurin, ouvre l'œil et veille au grain, cela vaudra mieux que d'implorer la providence[42]. » Un contre-pardon laïque est d'ailleurs organisé avec succès, et *Le Réveil des Côtes-du-Nord* constate : « Il y a quelque chose de changé à Paimpol. La légende respectueuse se dissipe [...]. Comme Tréguier pour Renan, Paimpol en laïcisant son pardon donne le signal de l'affranchissement de l'esprit breton[43]. » Les journaux se font aussi l'écho des propos sceptiques des marins qui, ayant parcouru le monde, en ont tiré une leçon de relativisme, comme le capitaine Le Dru, qui a « vu à la surface du globe la poussière des religions, n'ayant qu'un point commun, l'orgueil et la cupidité du clergé[44] ».

Dans le Sud-Finistère, la déchristianisation des marins-pêcheurs est également rapide à la fin du xixe siècle. Au Guilvinec par exemple, en 1909, il n'y a que 1 700 pascalisants, dont 1 200 femmes, pour 1 000 abstentions, presque toutes masculines[45].

Le rôle de l'anticléricalisme

Le constat est net. Globalement, l'incroyance progresse de façon massive au cours du xixe siècle. C'est là une évidence reconnue. D'autre part, elle progresse plus vite dans certaines régions et dans certaines classes sociales. Les historiens et sociologues des mentalités religieuses s'interrogent depuis longtemps sur les causes de ce phénomène. Quelques raisons d'ordre général sont bien connues : progrès de l'explication scientifique du monde, rejet d'une morale trop rigoureuse et de dogmes désespérants comme celui de l'enfer, anticléricalisme dû aux liens trop étroits entre le clergé et un ordre sociopolitique contesté depuis la Révolution. Et de l'anticléricalisme à l'incroyance, la distance est bien courte, comme l'indiquait André Siegfried, parlant de ces gens qui

arrivent tant bien que mal à faire ce difficile départ qui consiste à écouter le curé dans son église et à l'ignorer quand il en sort : opération bien délicate et qui n'est pas sans risque pour l'intégrité de la foi : un chef partiellement discuté cesse en effet d'être intangible et son ascendant faiblit quand on lui résiste impunément [...]. J'aboutis donc à cette idée très simple que le cléricalisme va de pair avec un catholicisme fortement enraciné, tandis que l'anticléricalisme, même s'il coïncide avec certains sentiments religieux, marque plutôt l'état d'une société où l'Église, ayant perdu son action politique, ne jouit que d'une autorité morale restreinte[46].

L'anticléricalisme, lorsqu'il n'est pas antireligieux dès le départ, le devient très vite, suivant une pente quasiment naturelle. « De proche en proche, écrit René Rémond, par l'approfondissement spontané de ses présupposés ou par l'élargissement inévitable de ses objectifs, l'anticléricalisme est conduit à bousculer la ligne de partage qu'il se fixe initialement entre la dénonciation du cléricalisme et le respect de la religion authentique[47]. » Si, dans la première moitié du XIXe siècle, l'anticléricalisme est plutôt déiste et philosophique, il va très vite se greffer sur des courants plus radicaux et devenir athée. La radicalisation de l'affrontement entre Église et incroyance ne laisse pas vraiment le choix. Dès 1836, Lamennais rend l'Église responsable de la montée de l'anticléricalisme en raison de sa compromission avec le pouvoir, de son oubli des vertus évangéliques et de son incompréhension du mouvement des idées.

Effectivement, l'anticléricalisme se développe dans les pays latins restés massivement catholiques, où l'État a lié son sort à celui de l'Église, et où la liberté de penser ne peut être conquise que par une lutte contre cette Église : en France, Italie, Espagne, Portugal, Amérique latine. La carte de l'anticléricalisme n'est pas du tout le négatif de celle de la pratique religieuse, bien au contraire. C'est souvent dans les régions où le clergé est le plus puissant qu'apparaissent, logiquement, les réactions de rejet, comme en Bretagne. Ou encore dans les régions jansénistes, et dans celles qui étaient jusqu'à la Révolution dominées par de puissantes abbayes, la tutelle des moines ayant laissé de mauvais souvenirs.

Socialement, l'anticléricalisme est solidement implanté dans les professions rivales du clergé : juristes et enseignants, tandis que la bourgeoisie est divisée sur le sujet et que la noblesse, anticléricale sous l'Ancien Régime, effectue un revirement spectaculaire pour des raisons politiques. C'est à la fin du XIXe siècle que les passions se déchaînent, donnant lieu à des débordements verbaux d'une extrême violence dans les œuvres de Gabriel-Antoine Jogand-Pagès, plus connu sous le nom de Léo Taxil : *La Chasse aux corbeaux* (1879), *Les Bêtises sacrées* (1880), *Calotte et calotins* (1880), *Les Amours secrètes de Pie IX* (1881). Dans *La Marseillaise anticléricale*, qu'il compose en 1881, l'antireligion se confond avec l'anticléricalisme :

> Aux urnes, citoyens, contre les cléricaux !
> Votons, votons, et que nos voix dispersent les corbeaux !
>
> Citoyens, punissons les crimes
> de ces immondes calotins ;
> n'ayons pitié que des victimes
> que la foi transforme en crétins (*bis*).
> Mais les voleurs, les hypocrites,
> mais les gros moines fainéants,
> mais les escrocs, les charlatans...
> pas de pitié pour les jésuites.

Autre parodie, celle de l'*Internationale* qui, sous la plume de Montéhus, devient en 1904 la *Marche anticléricale* :

C'est la chute finale
de tous les calotins ;
l'anticléricale,
voilà notre refrain.
C'est la chute finale
de tous les foutus chrétiens,
l'anticléricale
fera le mond'païen (*bis*).

Contre les vendeurs de bêtises,
contre ceux qui faussent le cerveau,
contre les tenanciers de l'Église,
de la raison levons le drapeau.

La même année, J. Lermina, dans *Les Crimes du cléricalisme*, récapitule les crimes de l'Église contre les hommes et contre la science, et en 1906 paraît le premier numéro de *La Calotte*, journal spécialisé dans l'anticléricalisme. De leur côté, les anarchistes se déchaînent. Dans son *Chant de la guillotine*, Ravachol proclame :

Si tu veux être heureux,
    nom de Dieu,
pends ton propriétaire,
    nom de Dieu,
fous les églises par terre,
    nom de Dieu,
et l'bon Dieu dans la merde
    nom de Dieu.

Pourtant, dès la fin du XIXᵉ siècle, certains penseurs socialistes estiment que les campagnes anticléricales détournent les masses de la lutte essentielle, la lutte contre le capitalisme et la propriété privée. C'est le cas de Jules Guesde, à la tête du Parti ouvrier français. Quant à Ferdinand Buisson, l'une des personnalités marquantes de la laïcité française, il s'interroge en 1903 sur la légitimité de la poursuite d'un combat contre un ennemi d'ores et déjà vaincu. Le clergé n'a plus de pouvoirs : pourquoi le combattre encore ? L'Église est toujours là, bien sûr, mais elle n'a plus d'influence que sur ses fidèles. La morale, la politique, l'économie, les relations sociales lui échappent désormais complètement.

Que reste-t-il donc à l'Église ? Une seule attribution, celle-là même que l'on ne peut raisonnablement lui enlever : la religion. La religion toute seule ; car même la morale, si longtemps unie à la religion, s'en est séparée ; nos lois, nos règlements, nos écoles mêmes ne connaissent plus qu'une morale laïque.
Et de là la force apparente du raisonnement où l'on nous enferme :
Puisque l'Église n'exerce plus son action que dans l'ordre des choses de l'âme, laissez-là tranquille, s'il est vrai que vous ne vouliez faire la guerre qu'à l'omnipotence cléricale désormais abattue. Mais vous continuez à l'attaquer. Avouez donc que ce n'est pas le cléricalisme qui était l'ennemi, c'est la religion. [...]
Qu'est l'Église aujourd'hui auprès de ce qu'elle était avant 89 ? On lui a

tout enlevé, semble-t-il, de ce qui faisait sa force : titres, privilèges, richesses, honneurs, monopoles. Or elle tient incontestablement dans la France d'aujourd'hui une place qu'elle n'avait pas jadis : elle a développé son action bienfaisante, charitable, philanthropique ; elle a aujourd'hui, par ses « œuvres » de toute espèce, une popularité plus grande que jamais et de meilleur aloi. Par là, et aussi par son mode de recrutement, par la disparition des prélats aristocrates, par la modestie de sa situation matérielle faite à son clergé depuis un siècle, par les prodiges de zèle, de générosité et de dévouement qu'elle a suscités chez les laïques jadis si tièdes, elle s'est rapprochée de la démocratie[48].

Texte intéressant au moins à deux points de vue. D'une part, Ferdinand Buisson constate la défaite cléricale. À lire ces mots, on prend conscience du chemin parcouru en un siècle : l'incroyant prend possession du terrain, parle en vainqueur, évalue l'ampleur de sa victoire. D'autre part, il se montre magnanime : si l'incroyance veut mériter sa victoire, il lui faut respecter la croyance, en faisant le partage strict entre l'anticléricalisme et l'antireligion, et ne pas tomber dans les abus de l'Église d'autrefois.

Dans le recul de la foi au XIXᵉ siècle, l'anticléricalisme a joué un rôle moteur en cristallisant l'hostilité diffuse à l'égard de l'Église, en matérialisant l'obstacle, en fixant sur des personnes concrètes un malaise métaphysique. L'atmosphère de combat — de guerre, peut-on même dire — contre les représentants qualifiés de la foi durcit les positions et transforme les doutes en certitudes. L'anticlérical est ainsi poussé par la logique même de guerre à rejeter toute forme de foi pour lui-même, comme l'antimilitariste rejette toute forme de violence organisée. L'anticlérical peut être tolérant dans la mesure où il accepte que le croyant continue à croire ; mais pour son compte personnel, on voit mal comment il pourrait longtemps adhérer à une foi dont il combat les représentants qualifiés. La pente naturelle de l'anticléricalisme le conduit à l'athéisme. Les luttes anticléricales du XIXᵉ siècle ont accéléré le processus de l'incroyance.

Les facteurs d'incrédulité. La foi post-tridentine

Les historiens ont également cherché au recul de la foi d'autres explications, plus contestées. C'est le cas des « personnalités ethniques », chères à André Siegfried. C'est la vieille idée des peuples naturellement religieux et des peuples allergiques à la religion. Cette explication teintée de romantisme ne tient pas devant le constat des contrastes entre micro-régions, telle l'opposition entre Léonards et Trégorrois par exemple, groupes celtes absolument identiques. Gabriel Le Bras rejetait déjà ces généralisations de type « âme bretonne » : « Mysticisme breton, positivisme normand, que signifient ces généralités ? Comme si les Bretons de Machecoul et de Tréguier, ceux de la côte et ceux des bois offraient le même type d'âme ! Écartons ces fantasmes, dont les biographies sont infestées[49]. » Mais, à quelques pages d'intervalle, le grand sociologue ne tombait-il pas dans le même « fantasme », lorsqu'il écrivait :

> La psychologie collective fournit une première suggestion. Champenois, Bourguignons, Tourangeaux, Gascons, Provençaux et Languedociens évoquent scepticisme, ironie, béatitude terrestre, plutôt que foi grave et tendue vers le ciel. Les pays qu'ils habitent ont généralement un sol généreux qui porte la vigne, et que, vers le Midi, réchauffe le soleil. Une vie facile rend moins utile l'au-delà. Chaque population doit être examinée sans diagnostic préalable, sans préjugé littéraire. *Le certain, c'est qu'il y a des peuples quasi insensibles au surnaturel* : on pourra rechercher l'origine de cette indifférence[50].

Nous revoilà donc face au déterminisme ethnique, agrémenté d'un facteur bio-climatique, qui fait parler Gabriel Le Bras de « pays prédestinés par la géographie et par l'ethnographie ». Les pays rudes, sauvages, seraient plus propices à la foi : « Dans un pays de brumes ou de neiges, l'église est un refuge ; une terre ingrate et dure peut donner à l'homme le désir du ciel. Tandis qu'une belle lumière, des jardins plantureux, le dispensent mieux des retraites et des supplications[51]. » Ou encore : « Le Breton, le Basque, le Rouergat ont un sentiment de la mort et de l'au-delà qui les différencie de leurs voisins des plaines grasses[52]. »

Il y a sans doute une part de vérité dans tout cela, mais une part très relative. Même constat pour les explications de type socio-économique. À la campagne, les régions de moyenne et de grande propriété, assurant l'indépendance et développant l'individualisme, se détachent plus tôt de la religion que les régions de précarité rurale. De même, l'esprit d'indépendance des petits vignerons propriétaires, avec une sociabilité de type semi-urbain et une forte organisation de type coopératif, contribuerait à expliquer un détachement précoce à l'égard de la foi. Mais ces généralisations doivent elles aussi être nuancées, car il y a un peu de tout dans le monde viticole[53].

Au total, il faut l'admettre, il n'y a pas d'explication vraiment probante et qui soit partout vérifiée, au niveau de la géographie humaine et physique, pour rendre compte de l'incrédulité plus grande de telle ou telle région. Il n'y a ni un type d'homme ni un type de région propice à l'incroyance. Les explications par l'histoire sont-elles plus probantes ? Elles fournissent, il est vrai, des indices : les pays de grandes abbayes, les pays touchés par les hérésies, par le jansénisme, les pays de contact, de circulation intense sont dans l'ensemble déchristianisés plus tôt. En revanche, des facteurs tels que l'implantation maçonnique ou la fréquentation de l'école laïque donnent des résultats très décevants : « Force est de conclure que l'action des instituteurs laïcs ou religieux n'apporte pas la moindre lumière sur la répartition régionale des pratiques religieuses (et des tendances politiques qui leur seraient liées), pas plus à la fin du XIXe siècle que dans la première moitié du XXe », écrit Paul Bois[54].

Il est donc extrêmement difficile de rendre compte des inégalités du sentiment religieux d'une région à l'autre, en raison de l'interaction de multiples facteurs historiques et géographiques. Et aussi parce que le sentiment religieux, plus qu'un autre, se situe au carrefour de l'individuel et du social. L'intensité de la croyance ou de l'incroyance est impossible à connaître, comme l'idée que chacun se fait de Dieu ou du néant. Quelle est la part exacte du collectif et du personnel dans ce domaine ? Pour P. de Grandmaison, « si l'on veut prendre les mots à la rigueur, il faut contester qu'il existe une religion personnelle [...]. Notre vie personnelle, au sens fort du mot, est après tout fort restreinte [...]. L'homme adore, implore, sacrifie ordinairement avec, dans et par son groupe[55] ». L'influence de ce dernier est donc primordiale. Pourtant, chaque conscience est en même temps une cellule hermétique, qu'aucun psychologue, sociologue ou historien ne peut forcer, et qui garde son secret. L'incroyance, comme phénomène de conscience, reste hors d'atteinte de l'historien.

Il est pourtant un facteur de recul de la foi qui peut être collectivement accepté et qui est la conséquence directe des réformes protestante et catholique. Ces dernières sont en effet fondées sur la séparation stricte du profane et du sacré, à l'inverse des conceptions syncrétistes populaires médiévales. Cette coupure ne peut qu'aboutir, avec les progrès scientifiques, à une sécularisation totale du monde, et à un reflux du sacré à l'intérieur de chaque individu et entre les mains du clergé. Dieu est progressivement refoulé de l'univers matériel ; la foi, intériorisée, devient une question de culte et de relation personnelle avec Dieu. Elle se coupe de la réalité quotidienne. C'est au XIXᵉ siècle que cet esprit post-tridentin atteint son apogée. Le domaine du sacré est réduit comme une peau de chagrin, collectivement à l'assistance à la messe, individuellement à la prière. Afin d'éviter toute contamination par le profane, toute croyance ou pratique « superstitieuse » ou « sacrilège » mêlant Dieu à la vie quotidienne est pourchassée. Il s'agit de ne pas donner prise aux sarcasmes voltairiens et aux accusations de crédulité. Dieu est donc confiné au ciel, c'est-à-dire dans le for intérieur de chaque croyant. Chacun a *son* Dieu, *son* Jésus, coupé des réalités et des combats du monde. Cette présence intérieure peut suffire à certains mystiques et contemplatifs, qui vivent à l'intérieur d'eux-mêmes. Elle ne peut satisfaire l'homme ordinaire, qui s'accomplit dans l'action. L'Église post-tridentine aurait voulu faire du monde un vaste monastère contemplatif ; en tentant d'imposer une piété de carmélite, elle a engendré une sainte Thérèse de l'Enfant-Jésus et des millions d'incrédules qui ont cherché ailleurs leur accomplissement — parce qu'ils pensaient qu'il y avait autre chose à faire sur terre que de préparer le ciel. L'athéisme du XIXᵉ siècle est largement un produit du christianisme post-tridentin.

Un seul exemple suffira pour le moment, celui de Proudhon qui,

jeune chrétien, perd la foi en 1832, à vingt-trois ans, après avoir lu les
théologiens de l'Église post-tridentine, Bossuet, l'abbé Bergier et
leurs émules, de Maistre et Bonald. Il écrit en 1840 :

> J'ai cru longtemps que le catholicisme pourrait se réformer, et se mettre au
> niveau de la science, des mœurs et des besoins du siècle : je suis entièrement
> revenu de cette opinion. Je ferai ma première escarmouche contre l'Église
> dans mon traité de la propriété. Après quoi, tous mes efforts tendront aussi à
> l'extirpation radicale du christianisme romain. C'est lui qui est la lèpre du
> monde, c'est lui qui fait encore tout notre mal. Il faut qu'il périsse[56].

Proudhon constate que l'Église de son siècle renonce à l'action
humaine en faveur de la justice sociale, qu'elle se complaît dans le
sentiment et la prière. Comme l'écrit G. Hourdin, « le cheminement
de sa pensée, ce qui le mène au positivisme et au matérialisme, c'est
toujours la même opposition à la liaison faite par les chrétiens entre
deux plans qu'il faut maintenir séparés[57] ». Proudhon doit à l'Église
sa conversion à l'athéisme, et il n'est pas le seul.

La libre pensée, fer de lance de l'incroyance

Signe des temps, les incrédules passent à l'offensive au XIXᵉ siècle.
Les plus convaincus se regroupent en associations dont le but est de
propager leurs idées et de lutter contre les religions, ce qui va beaucoup plus loin que le simple anticléricalisme dont nous avons parlé.
De cette incrédulité agressive, de ce rationalisme de combat, le fer de
lance est la libre pensée, dont l'histoire vient d'être brillamment retra-
cée pour la France par Jacqueline Lalouette[58].

Si le terme de « libre penseur » apparaît dès le XVIIIᵉ siècle, il est
encore peu utilisé dans la première moitié du XIXᵉ, et il faut attendre
1848 pour voir naître la première société de libres penseurs, présidée
par Jules Simon, spiritualiste et déiste, entouré de philosophes partageant cette orientation. Deux autres sociétés sont créées à Paris sous
la Seconde République, dont l'une est composée surtout de médecins,
autour de Paul Broca. À Lyon, où l'anticléricalisme est très virulent,
ce sont les carbonari qui prennent la tête du mouvement hostile à
l'Église, rassemblant de façon ostentatoire des milliers de personnes
pour les enterrements civils. En Angleterre, la libre pensée compte
déjà de nombreux clubs, autour de personnalités comme George
Holyoake, puis Charles Bradlaugh. En Belgique, le mouvement se
développe rapidement avec l'afflux de réfugiés français à la suite du
coup d'État de Louis-Napoléon Bonaparte.

À ce stade apparaît déjà au sein de la libre pensée la division entre
déistes et athées, ces derniers renforçant leurs positions au sein des
premières tentatives de fédérations internationales, comme l'Association internationale des libres penseurs (1862). Les liens avec l'Inter-

nationale socialiste développent cette orientation, avec Varlin, pour qui « Dieu a fait son temps ». L'athéisme agressif est nettement affirmé dans les statuts de l'Association française des libres penseurs, proposée par Henri Verlet sous la Commune :

> Considérant que l'idée de Dieu est la source et le soutien de tout despotisme et de toute iniquité ; considérant que la religion catholique est la personnification la plus complète et la plus terrible de cette idée ; que l'ensemble de ses dogmes est la négation même de la société, l'Association des libres penseurs de Paris s'engage à travailler à l'abolition prompte et radicale du catholicisme, et à poursuivre son anéantissement par tous les moyens compatibles avec la justice, en comprenant au nombre de ces moyens la force révolutionnaire qui n'est que l'application à la société du droit de légitime défense[59].

Il s'agit bien d'une déclaration de guerre à la religion, que la répression qui suit la défaite de la Commune ne permet pas de mettre en application.

La libre pensée ne se reforme vraiment qu'au début des années 1880. L'essor est alors rapide jusqu'à la guerre de 1914, profitant de la montée de l'anticléricalisme et des combats autour de la laïcité et de la séparation de l'Église et de l'État : 207 sociétés de libre pensée sont représentées au congrès anticlérical de Lyon en 1884 ; 540 sont recensées dix ans plus tard par la Fédération française de la libre pensée ; il faut y ajouter 307 créations entre 1901 et 1914.

Il est cependant difficile de préciser les effectifs, en raison du caractère éphémère de beaucoup de sociétés et des rapides fluctuations dans l'organisation. En 1890 naît la Fédération française de la libre pensée, représentant 6 000 ou 7 000 sociétaires, mais qui décline vite, au profit de l'Association nationale des libres penseurs de France, apparue en 1902, et qui correspond à l'apogée du mouvement, avec 25 000 membres en 1905 et une direction comprenant les principales personnalités anticléricales et antireligieuses du moment : Marcelin Berthelot en est le premier président d'honneur, suivi par Anatole France puis Ferdinand Buisson. Dans le bureau, on trouve Édouard Herriot, Jean Allemane, Aristide Briand, Marcel Sembat, Paul Reclus, Paul et Victor Margueritte, et d'autres représentants du monde des arts, des sciences, de la philosophie, de la politique. Le but affirmé de l'Association est de « protéger la liberté de penser contre toutes les religions et tous les dogmatismes, quels qu'ils soient, et assurer la libre recherche de la vérité par les seules méthodes de la raison ». En 1913, la Fédération et l'Association décident de fusionner, formant l'Union fédérative de la libre pensée de France, qui revendique 12 000 membres. D'autres organisations existent, comme l'Union des libres penseurs et des libres croyants, ou des groupes éphémères, rongés par l'opposition interne entre athées et spiritualistes.

La libre pensée est un phénomène massivement masculin, pour 92 % des membres, et même dans la plupart des cas franchement hostile aux femmes, considérées — dans l'esprit du Code civil — comme des mineures, des êtres inférieurs, responsables de la propagation des idées religieuses. À la fin du Second Empire, André Lefèvre écrit dans *La Démocratie* que « si la femme a été tenue en lisière, c'est que sa nature le réclamait. L'histoire des femmes est l'œuvre de leur sexe [...], responsable des expansions religieuses[60] ». Le libre penseur belge Napoléon Navez se fonde « sur le volume inférieur du cerveau féminin, sur le moindre développement des circonvolutions cérébrales, enfin sur le sentimentalisme de la femme », pour affirmer son infériorité naturelle. Esprits faibles, non rationnels, religieux — la méfiance à l'égard des femmes est aussi forte chez les athées militants que dans l'Église, mais pour des raisons inverses : symbole du sentimentalisme crédule et religieux pour les uns, de l'emprise de la passion charnelle sur l'esprit pour les autres, elle n'a de place qu'au lit, à la cuisine ou à l'église.

La grande majorité des libres penseurs, hommes de trente à cinquante ans, se recrutent dans les classes moyennes : petits commerçants, dont bien sûr les aubergistes et les cabaretiers, métiers du bâtiment, vignerons, instituteurs, en rivalité directe avec les curés pour l'éducation de la jeunesse. Quelques médecins, députés, sénateurs, écrivains et scientifiques relèvent un peu le niveau intellectuel assez médiocre de l'ensemble. Jacqueline Lalouette a signalé le décalage existant dans la libre pensée entre, « d'un côté, la foule, les agitations bruyantes de la place publique et les simplifications outrancières du militantisme ; de l'autre, la pensée, son intériorité, ses cheminements secrets et subtils[61] ». Tout le raisonnement de la foule semble tenir dans le slogan : « À bas la calotte ! », ce qui provoque la remarque agacée d'Anatole France : « Ils pensent comme nous, [...] ils ont nos idées avancées. Mais c'est préférable de ne pas les rencontrer[62]. » Cette coupure entre la masse et l'élite pensante est un autre trait commun avec l'Église de cette époque.

La libre pensée, une contre-Église ?

Les similitudes ne s'arrêtent pas là. Dans leur désir de supplanter la religion, les libres penseurs, obsédés par leur haine de l'Église, sont guidés à leur insu par un véritable mimétisme : mise en place de baptêmes, de mariages et d'enterrements civils, organisation de fêtes et d'anti-sermons. Toutes ces cérémonies ne sont pas sans suggérer un phénomène d'inversion, une volonté de créer une anti-Église qui illustre plus une dépendance à l'égard de cette dernière qu'une vraie liberté.

Ainsi, le rituel du baptême civil est calqué sur celui du baptême chrétien, avec parrain et marraine qui s'engagent à élever leur filleul ou filleule dans le culte de la raison. En 1881 est créée la Société du mariage civil, et la cérémonie nuptiale à la mairie évoque parfois l'engagement religieux. Quant à l'enterrement civil, il est l'un des chevaux de bataille de la libre pensée et l'un des objectifs essentiels des sociétés, qui possèdent chacune leur drap mortuaire et leur bannière, et qui organisent les funérailles des membres défunts. La place excessive prise par le culte des morts inquiète d'ailleurs certains dirigeants, comme Charles Cazalat qui, en 1880, dans *La Pensée libre*, proteste contre l'importance quasiment superstitieuse accordée aux restes mortuaires. Là encore, la libre pensée rejoint, pour des raisons inverses, les préoccupations de l'Église, qui demande aux fidèles de se détacher du culte de la dépouille mortelle. Pour mettre fin à ce culte, des libres penseurs s'engagent dans la lutte en faveur de la crémation des cadavres, avec la création en 1880 de la Société pour la propagation de la crémation, pratique immédiatement condamnée par l'Église, le 19 mai 1886, sous peine d'excommunication, parce qu'elle est assimilée à « une profession publique d'irréligion et de matérialisme ».

Dans les cimetières, laïcisés par la loi de 1881, les libres penseurs élaborent également une symbolique destinée à orner le tombeau des membres défunts : lettres L et P gravées sur un livre ouvert, avec parfois une devise en quatre mots, « Vérité, justice, science, progrès », et une représentation du triangle et du niveau.

Certaines pratiques à caractère provocateur illustrent encore la dépendance à l'égard de la religion, comme celle du banquet du vendredi saint, à l'imitation de celui qui fut donné le 10 avril 1868 par Sainte-Beuve, réunissant ses amis Ernest Renan, Gustave Flaubert, Edmond About, le prince Napoléon, Hippolyte Taine, et qui causa un épouvantable scandale. Dès 1869, plusieurs banquets du même type sont organisés à Paris, puis dans les principales villes de France. Le vendredi saint devient la date essentielle du calendrier libre-penseur. On y chante *La Carmagnole des curés, Notre-Dame de Lourdes* ; on y célèbre la mort de Dieu : « Citoyens, je m'associe à votre fête. Les dieux sont morts », télégraphie le poète Clovis Hugues aux libres penseurs de Dijon le 15 avril 1881. Léo Taxil y boit « au péché mortel », et l'on assiste parfois à de lourdes parodies comme la crucifixion d'un cochon de lait à Paris en 1895.

On est ici tout proche de l'esprit de l'ancienne fête des fous, ce qui invite à se poser des questions sur la véritable nature de cette fête. Sous la Commune se déroulent en effet des parodies de processions religieuses, du même type que les mascarades révolutionnaires, semblables aux cérémonies inversées de ces fêtes médiévales. Ces dernières n'auraient-elles donc pas été des manifestations d'un athéisme profond et inconscient, prenant symboliquement sa revanche sur une religion oppressive ? À moins que les parodies des libres penseurs soient de leur côté l'expression d'un besoin religieux inconscient? Sociologues et psychanalystes discutent de ce point. La permanence de ce rite d'inversion témoigne au moins de l'obsession religieuse, sous forme d'un rejet violent, qui peut traduire, au Moyen Âge comme au XIXe siècle, une volonté humaine de se rendre maître des dieux, et donc du destin, dans une explosion paroxysmique des contraires, amour et haine. L'Église, traumatisante, oppressante et maternelle à la fois, en la personne de son clergé, engendre chez ses fidèles comme chez ses ennemis une sorte de complexe d'Œdipe, une volonté de posséder cette mère et d'éliminer ce père abusif, craint et détesté qu'est Dieu. Car les libres penseurs sont fils de cette Église, fils révoltés, comme leurs ancêtres du Moyen Âge : une telle obsession de la « calotte » le montre amplement.

Leurs rapports ambigus avec Satan en sont un autre signe. Le diable devient dans certains discours une sorte de Prométhée libérateur du genre humain : « Sa cause se confond avec celle de l'humanité humiliée, avec celle du peuple surtout, maintenu en sujétion par les représentants sur terre du Dieu-tyran », écrit Max Milner[63]. En 1877, Calvinhac déclare dans un discours : « Dieu, c'est le mal, Satan, c'est le progrès, c'est la science, et si l'humanité était mise en demeure de reconnaître et d'adorer l'un de ces deux entêtés, elle ne devrait plus hésiter un seul instant à se décider en faveur de Satan[64]. » Nous sommes là dans la droite ligne de Milton et de son *Paradis perdu*. Lucifer-Satan, c'est le révolté, dont la grandeur et la beauté fascinent, rejetant un Dieu-tyran. Mais dans la bouche d'un athée matérialiste, cet héritage peut surprendre. À force de se dire ennemi de Dieu, le libre penseur pourrait bien finir par croire en son existence. Le danger n'échappe pas au journal *L'Athée*, qui rappelle en mai 1870 : « Ennemis de Dieu ? Non, nous ne le sommes point [...]. S'il existait même, nous serions ses plus grands amis, ses plus intrépides défenseurs [...]. Mais Dieu n'existe pas [...]. Nous ne sommes pas les ennemis de Dieu, mais, ce qui vaut mieux, les plus implacables adversaires de l'idée d'un Dieu sous quelque forme qu'elle se présente. »

La libre pensée prend également des allures de contre-Église par certaines fêtes telles que celle de l'adolescence, candidement conçue comme « une fête laïque ayant pour but de remplacer la première communion catholique », ainsi que l'annonce en 1892 le bulletin de la Fédération française de la libre pensée. Citons encore la célébration de Noël, « la Noël humaine de la libre pensée », à partir de 1902. Plus tard, dans les années 1930, il y aura aussi la tentative de recréer un calendrier, dans lequel on célébrerait les héros de la libre pensée (7 femmes pour plus de 350 hommes, dont Pierre Curie, mais pas son épouse !).

Parmi les héros et martyrs proposés au culte des libres penseurs,

Étienne Dolet occupe une place prééminente, avec une statue érigée place Maubert en 1889 et une cérémonie commémorative chaque premier dimanche d'août. L'idée de commémorer le supplice de Michel Servet et d'ériger des monuments à Voltaire ou à Renan s'inscrit dans cette même volonté de créer ses propres mythes et de relire l'histoire à la lumière de la raison.

Le risque de dérive vers une nouvelle religion n'échappe pas aux dirigeants. En 1896 figure dans l'ordre du jour du congrès national de la libre pensée le point suivant : « Entente entre les groupes pour éviter la création d'une religion nouvelle. » C'est là une difficulté permanente pour les incroyants, qui ne peuvent se définir en tant que tels que par opposition aux croyants. Tous les termes servant à les désigner sont fondés sur cette opposition. Les incroyants qui tentent de se réunir autour de l'idée d'incroyance prêtent le flanc à l'accusation de contre-Église, car il n'y a en soi aucune raison de s'organiser autour d'une absence, d'une non-existence. À la limite, le seul athéisme logique et cohérent est l'athéisme silencieux : il n'y a rien à dire de rien.

« Guerre à Dieu » (Paul Lafargue)

Or, la plupart des libres penseurs sont athées. Ce qui n'est pas nécessairement une évidence si l'on s'en tient au sens strict du terme. Les déistes constituent d'ailleurs une forte minorité, au moins jusqu'aux années 1860. S'inspirant de Kant et de Rousseau, ils voudraient établir une « foi nouvelle » réconciliant sentiment et raison. C'est ce que souhaitent François Huet et Léon Richer ; Félix Pécaut va même jusqu'à proposer le terme de « théisme chrétien », opposant le Dieu de Jésus à celui de l'Église. Dans l'esprit de la théophilanthropie, il suggère de créer des cérémonies, dans un local décoré de fleurs, et dénonce le caractère mutilant de l'athéisme.

Ce dernier prédomine toutefois, et l'emporte sans partage à partir des années 1870, dans une atmosphère de « guerre à Dieu », suivant le cri de bataille de Paul Lafargue en 1865. Dans un article de *La Libre Pensée* du 12 mai 1870, intitulé « Athéisme pratique », Gustave Flourens écrit : « L'ennemi, c'est Dieu. Le commencement de la sagesse, c'est la haine de Dieu, cet épouvantable mensonge qui, depuis six mille ans, énerve, abrutit, asservit la pauvre humanité. » Le titre du nouveau journal libre-penseur, *L'Athée*, est sans ambiguïté. Le 8 mai 1870, il présente clairement l'alternative : « Dieu ou la matière ! il faut choisir », faisant écho au journal *L'Horizon* du 1er octobre 1867 : « Dieu ou la matière ! celle-ci ou celui-là ! pas d'hypocrisie ; tôt ou tard, l'un ou l'autre. » C'est le rejet du compromis déiste par des penseurs sûrs d'eux, s'appuyant sur des fondements scientifiques renforcés par des contacts avec la pensée allemande d'Ernst Haeckel (1834-1919), qui est pourtant panthéiste, de Büchner, Vogt, Virchow, Moleschott. La thèse de médecine de Jules Grenier, *L'Étude médico-psychologique du libre arbitre*, niant ce dernier, corrobore le déterminisme matérialiste.

La lutte entre déistes et athées fait rage au sein de la libre pensée dans les années 1850-1880. Pour les déistes, le matérialisme est une conception vulgaire du monde ; ces « messieurs de la table rase », obsédés par la chimie du cerveau, réduisent tout à une grossière satisfaction de leurs besoins naturels. Le mot « athée » fait peur à beaucoup. En 1903 encore, Ferdinand Buisson parle de « ceux qui, au fond, ont encore peur des mots, et qui, sans savoir pourquoi, ne prononcent pas le mot "athéisme" comme un autre mot [65] ». Mgr Dupanloup, en 1863, pensait que « personne n'oserait accepter les noms flétris de matérialistes et d'athées [66] ». C'est pourquoi le titre du journal *L'Athée* sonne comme une provocation, violant une sorte de tabou, ce dont se réjouit son confrère *L'Horizon* le 15 novembre 1867 : « Un tel mot, jeté sincèrement dans la polémique, sera, il faut le reconnaître, d'un grand poids en ce sens qu'il ouvrira les yeux de beaucoup de personnes sur la possibilité qui existe de le prononcer sans crainte. » Aujourd'hui encore, « athée » reste un titre que l'on ne revendique pas à la légère et devant lequel reculent bien des incroyants, qui se réfugient derrière les termes plus doux d'incrédules, agnostiques ou sceptiques. Cette crainte, peut-être un peu superstitieuse, a sans doute valu au mot « athée » d'être moins galvaudé que d'autres, ce qui lui a conservé sa force. En tout cas, lorsqu'en 1886 est fondée la Ligue nationale contre l'athéisme, on compte dans ses rangs des libres penseurs spiritualistes tels que Camille Flammarion et Jules Simon.

De leur côté, les athées accusent les déistes d'inconséquence. Le problème du mal reste un obstacle insurmontable à l'affirmation de l'existence de Dieu : « Non, citoyennes et citoyens, Dieu n'existe pas et ne peut exister, car, suivant la parole du grand philosophe Schopenhauer : si un Dieu a fait le monde, je n'aimerais pas être ce Dieu, car la misère du monde me déchirerait le cœur », peut-on lire dans *Le Flambeau* en 1903. La vieille question de l'universalité de la croyance est un autre pôle des débats. Ethnologie, médecine, psychologie sont scrutées. Pour le docteur Coudereau, non seulement la religiosité n'a rien d'universel, mais « l'observation démontre qu'elle n'est ni un caractère humain, ni un caractère de race, ni même une phase de l'évolution intellectuelle [67] ».

Au mépris des déistes — tel Victor Hugo — pour le caractère grossièrement matérialiste des athées, ces derniers répondent par le mépris à l'égard des « salmigondis » spiritualistes des premiers, de leur attachement à « la corde moisie de la métaphysique », suivant l'expression de Vermorel. Pour les athées, les déistes ne valent pas mieux que les catholiques, car il ne saurait y avoir de solution intermédiaire. C'est ce qu'on peut lire dans *La Pensée nouvelle* du 2 juin 1867 :

> Il y a aujourd'hui deux camps, les deux camps définitifs de la lutte engagée au sein de l'humanité, le camp des entêtés et le camp de l'expérience. [...] Le premier de ces camps renferme ou groupe aux environs de ses vieilles fortifications scolastiques des sectes nombreuses, ennemies apparentes, mais réunies sous la bannière commune du spiritualisme et du sentiment religieux. [...] Au centre du camp religieux, la citadelle cléricale dresse ses clochers et ses croix. [...] Aux pieds et quelque peu en avant de la tribu de Lévi, mais toujours sous le même drapeau, quoi qu'ils en aient, s'étagent les divers groupes spiritualistes, plus ou moins amis de la liberté d'esprit. [...] Nous avons contre eux un grief plus grave que de banales récriminations : c'est leur complicité, sans doute involontaire, avec les gens de la citadelle, avec les mystiques, avec les adversaires avoués des idées nouvelles.

Plus nettement encore, Ferdinand Buisson écrit en 1903 :

> Il n'y a plus que deux groupes : bloc contre bloc. D'un côté, tous les croyants, depuis le catholique, déplorant la chute du pouvoir temporel du pape, l'établissement du mariage civil et la dispersion des congrégations, jusqu'au déiste qui voit déjà le monde perdu si la foi au Dieu personnel ou à l'immortalité personnelle venait à s'éclipser. De l'autre, tous les esprits émancipés de la foi et de la peur, bien décidés à connaître toute la vérité [...]. Il faut se ranger dans l'un ou dans l'autre camp. Il n'y a place entre eux que pour les traînards, les indécis et les suspects [68].

Les relations entre athées et déistes deviennent tellement mauvaises au sein de la libre pensée que certains athées ne veulent plus porter le même nom de libres penseurs que leurs adversaires, qu'ils accusent en outre sur le plan politique d'avoir tous été les alliés objectifs des gouvernements absolutistes, alors que la liberté requiert l'athéisme.

Les gros bataillons de la libre pensée sont largement gagnés à ce point de vue à la fin du siècle. Dans certaines sociétés, l'athéisme est même obligatoire. Le mot d'ordre de celle de Poligny, dans le Jura, est « Propage l'athéisme » ; celle des Deux-Sèvres se fixe pour tâche de « propager par l'action sous toutes ses formes [...] l'athéisme et le matérialisme ». À Paris, dans les années 1880, la Société des antidéistes a pour objectif « de faire supprimer le mot Dieu dans toutes les langues du monde », puisque ce mot ne signifie rien.

Des brochures et petits livres à bon marché diffusent l'essentiel des idées athées chez les membres de base. Et, une fois de plus, on ne trouve rien de mieux que de reprendre la formule éprouvée du catéchisme : *Petit Catéchisme de l'athée* (1903), *Petit Catéchisme populaire du libre penseur* (1902), *Catéchisme du libre penseur* (1877), *Contre-catéchisme élémentaire* d'Antoine Serchl (1913), dans lequel on lit :

> D. Êtes-vous chrétien ?
> R. Non, je suis libre penseur.
> D. Qu'est-ce qu'un libre penseur ?
> R. Le libre penseur est celui qui ne croit pas et n'admet que l'autorité de la science.

[...]
D. Est-ce que Dieu n'a pas seul le pouvoir de créer et de détruire ?
R. Je ne crois pas à Dieu.
D. Pourquoi ?
R. Parce que pour croire à Dieu, il faut le situer dans le temps et dans l'espace et qu'alors il est matériel, c'est-à-dire qu'il n'est plus Dieu.
D. Les chrétiens ne font-ils pas Dieu immatériel ?
R. Impossible, et la preuve c'est qu'ils disent que les méchants seront privés de la vue de Dieu, tandis que les bons seront assis à sa droite [...].
D. Croyez-vous à l'âme immortelle ?
R. Non, je ne crois pas à l'âme immortelle.
D. Pourquoi ?
R. Parce que, pour croire à l'âme, il faut la situer dans le temps et dans l'espace et qu'alors elle n'est plus immatérielle.

Les dogmes chrétiens sont ridiculisés, en particulier l'incarnation, la Trinité, la transsubstantiation, l'immaculée conception. La Bible est une source inépuisable de plaisanteries, qui donne lieu à la rédaction de nombreux petits livres inspirés de la *Bible folichonne* et de la *Bible amusante pour les grands et les petits enfants*. Le culte et les pratiques sont tournés en dérision ; la vie des saints, et surtout des saintes, est prétexte à plaisanteries pornographiques. Lorsque Benoît Labre (1748-1783), l'ascète du XVIIIe siècle, qui avait vécu dans la plus complète pauvreté et la plus totale saleté, est canonisé en 1881, c'est un déchaînement, un immense éclat de rire dans toute la presse de la libre pensée, à propos du « pou canonisé », de l'« illustre crasseux », du « vénérable salaud », de l'« honorable saligaud », du « traîne-savate », de l'« ignoble fainéant », de l'« immonde lazzarone », du « nouveau Daniel tombé dans la fosse aux poux », du « mendiant couvert de vermine », de la « boule de crasse, table d'hôte à poux, garde-manger des punaises, miasme volontaire, fumier odorant » ; on compose des prières d'invocation, du genre : « Seigneur, qui avez accordé à Votre serviteur Benoît Joseph Labre la grâce insigne de vivre comme un porc, faites que nous puissions toujours entretenir sur nos corps une nombreuse société de petites bêtes dégoûtantes qui nous conduiront à la vie éternelle [69]. » Jacqueline Lalouette, à qui nous empruntons ces citations, fournit de nombreux autres exemples savoureux [70]. L'occasion est en effet trop belle de fustiger l'obscurantisme clérical érigeant en modèle de chrétien ce défi aux règles élémentaires de l'hygiène. On imagine combien les mystiques, surtout les religieuses, vierges et amantes de Jésus, ont pu stimuler la verve des humoristes de la libre pensée.

Les différents aspects du combat

« Tuons-les par le rire », disait Léo Taxil, reprenant la tactique voltairienne. De petites pièces de théâtre comiques, comme *Un calotin dans l'embarras*, ou *La Soutane*, ridiculisent le clergé. Des conférences sont organisées pour un public populaire, au cours desquelles la trivialité remplace les arguments, afin de faire rire des mystères de la religion. Parfois, les conférences sont contradictoires, mettant en présence un champion de la religion face à un champion de l'athéisme. La formule connaît un certain succès, et des orateurs se spécialisent dans ces joutes. On se lance des défis, et des prêtres de tempérament s'y distinguent souvent, comme l'abbé Garnier, redouté par les athées, qui préfèrent souvent ne pas l'inviter. L'abbé Naudet est un autre gladiateur redoutable, qui ne recule pas devant les « expressions populacières », comme l'en accuse en 1903 *Le Flambeau*, qui voudrait sans doute réserver l'usage de la trivialité aux athées. Certaines réunions sont épiques, et dégénèrent en pugilat général, avec intervention de la police pour faire évacuer la salle. L'abbé Desgranges, autre valeureux combattant, ne craint pas d'affronter les publics hostiles ; il organise en 1905 à Bègles une rencontre contradictoire au cours de laquelle les deux adversaires se mettent « mutuellement au défi de prouver soit l'existence, soit l'inexistence de Dieu ». Des affiches annoncent les matches plusieurs jours à l'avance. Les mêmes orateurs sont amenés à se rencontrer fréquemment, car les sociétés font appel aux meilleurs, et une certaine connivence, voire une certaine estime, s'établit parfois entre eux, entre celui qui croit et celui qui ne croit pas, chacun défendant loyalement et sainement son point de vue.

Les violences anticléricales n'ont pas toujours cet aspect sympathique. Les accusations de dépravation sexuelle contre les prêtres et les religieuses, dénoncés comme des tempéraments sadiques, ne sont pas sans effet sur l'opinion publique. Un climat de véritable haine s'installe en bien des régions, alimenté par de nombreux sujets de dispute, des plus mesquins aux plus sérieux. Dans la première catégorie figurent les querelles à propos des sonneries de cloches ou de l'entretien des églises, avec des actes de provocation comme la transformation d'un ancien clocher de Vendôme en latrines publiques. Ou encore les débats à propos de la soutane, certains libres penseurs voulant en exiger l'interdiction, d'autres au contraire l'estimant indispensable pour repérer l'ennemi. La question des signes religieux a déjà plus ampleur. Certaines municipalités votent le retrait des croix, calvaires et statues à caractère religieux, comme à Carcassonne (1881), Arles (1901), Lunel (1904). Des destructions sauvages ont lieu. Les libres penseurs font campagne pour le retrait des croix et tableaux à caractère religieux dans les tribunaux, ce qui est accordé par circulaire ministérielle en 1904. Ils réclament également la fin de l'observance du vendredi saint dans la marine, et l'interdiction d'activités religieuses dans les casernes. Dans les hôpitaux, ils protestent contre la présence de religieuses, accusées d'incompétence, de

manque d'hygiène, et d'exercer des pressions sur les malades. La laïcisation des hôpitaux publics est totale à partir de 1908. Dans la justice se pose la question du serment demandé aux jurés et aux témoins,
devant le crucifix. Le chef du jury déclarait en effet : « Vous jurez et
déclarez devant Dieu et devant les hommes... » ; les protestations se
multiplient à ce sujet, mais ce n'est qu'en 1972 que la loi sera modifiée, avec le retrait de la référence à Dieu.

L'école est bien entendu un enjeu de première importance, auquel
les lois de 1881 apportent une solution globale. Certains libres penseurs souhaitent cependant aller plus loin et créer un enseignement
qui ne soit pas seulement neutre, mais délibérément athée. C'est ce
que tente de mettre en œuvre en 1905 Sébastien Faure avec l'institution de « La Ruche » à Rambouillet, pour « en finir avec le troupeau
bêlant et résigné que, au gré de leur ambition ou de leur cupidité, les
mauvais bergers conduisent aux abîmes ». Mal gérée, La Ruche doit
fermer en 1917.

En 1882 est fondée la Ligue pour la séparation de l'Église et de
l'État, au sein de laquelle les libres penseurs jouent un rôle important : ils protestent contre le fait que les athées, par leurs impôts,
contribuent à salarier le clergé. Mais c'est autour des moribonds que
se livrent les combats les plus âpres, comme au XVIIIe siècle, en raison
du poids symbolique de l'inhumation, qui scelle le sort définitif du
défunt : un enterrement religieux, c'est une victoire pour Dieu ; un
enterrement civil, c'est une victoire du matérialisme. Les batailles
sont parfois d'une violence inouïe. Il n'est pas rare de voir des
hommes insulter des convois mortuaires d'enterrements civils, qualifiés d'« enterrements de chiens », tandis que de l'autre côté des
familles interdisent au prêtre d'approcher du mourant. Le cas le plus
célèbre en ce sens est celui de Victor Hugo, gardé avec vigilance par
Édouard Lockroy, qui empêche Mgr Freppel et Mgr Guibert de pénétrer dans la chambre du poète. Félicité de Lamennais, lui, résiste
jusqu'au dernier souffle aux pressions de son entourage qui voulait
faire entrer un prêtre.

Le cas de Littré, en 1881, est à l'origine d'une polémique d'une
rare violence. L'intellectuel athée finit par céder à sa femme et à sa
fille, qui le baptisent et lui font administrer l'extrême-onction par
l'abbé Huvelin, événement célébré comme une grande victoire par les
catholiques, tandis que L'Anticlérical du 11 juin 1881 publie un
article intitulé : « Encore un cadavre volé. Encore une infamie que les
prêtres viennent de commettre. » On peut y lire : « Voilà comment
Littré l'athée est mort muni des sacrements de l'Église. Quelle ignominie ! et en même temps quelle scélératesse ! Les prêtres ont eu
l'aplomb de dire que le cadavre leur appartenait. Ils l'ont emporté
dans leur tanière, et là, ils l'ont arrosé de leurs sales eaux bénites. »

Ce « vol de cadavre » par la « prêtraille » pose la question de la
psychologie du mourant. Pour beaucoup de libres penseurs, les

prêtres profitent de l'affaiblissement des facultés mentales dans les derniers moments de la vie, sous l'effet en particulier de la souffrance, pour faire renaître des doutes et des peurs enracinés par des siècles de civilisation chrétienne : et si, après tout, il y avait tout de même quelque chose ? Pour se prémunir contre une éventuelle défaillance *in extremis,* des libres penseurs prennent leurs précautions, comme François Rousseaux, qui stipule dans son testament en 1889 :

> Ce jour, sain de corps et d'esprit, craignant par-dessus tout que mon corps ne devienne la proie des voleurs de cadavres, je déclare que ma volonté expresse et réfléchie est d'être enterré sans l'assistance d'aucun culte religieux [...] quand bien même j'aurais pendant mon agonie des défaillances dont je ne serais plus responsable [71].

C'est bien une lutte à mort que l'athéisme pratique, dans le cadre de la libre pensée, mène contre la religion dans la seconde moitié du XIXᵉ siècle. Le but ultime est, sinon de tuer Dieu, qui n'existe pas, du moins de tuer la foi. Tâche utopique, avons-nous tendance à penser aujourd'hui, mais qui, il y a un siècle, pouvait paraître à certains réalisable, en fonction de l'évolution déclenchée par la Révolution. La situation est très variable suivant les régions, avec une forte implantation de la libre pensée dans le Nord, le Midi méditerranéen et certaines régions du Centre-Est comme l'Yonne. La continuité est frappante avec la carte du détachement religieux sous l'Ancien Régime et avec celle de la déchristianisation révolutionnaire. Dans la Sarthe, les sociétés de libre pensée se situent exactement dans ce secteur sud et sud-est dont André Siegfried et Paul Bois ont tour à tour décrit l'état de déchristianisation avancé, tandis que dans l'Yonne on retrouve le contraste entre l'arrondissement de Sens, avec 75 % de mariages religieux, et le canton d'Auxerre-Ouest, où la proportion descend à 30 %. Des traditions multiséculaires d'anticléricalisme, mué en hostilité à la religion, imprègnent le tissu social de ces régions jusqu'au XXᵉ siècle.

Ces bastions de l'athéisme militant ne sont encore, vers 1900, que des taches isolées sur la carte de France. Mais désormais l'incroyance pratique ne peut plus être réduite au silence. Elle s'affirme haut et fort ; elle revendique sa place au soleil et, derrière son combat pour la liberté de conscience, elle fait preuve d'un dynamisme prosélyte qui inquiète les autorités catholiques, confrontées à des oppositions internes avec le courant libéral, à des défections nombreuses dans le monde intellectuel, à l'attrait pour les phénomènes occultes et ésotériques ainsi que pour le déisme. En dépit des bilans triomphalistes romains de 1900, l'Église est consciente des dangers que représente pour elle la montée de ces croyances de substitution, qui ouvrent la voie, croit-elle, à l'athéisme. C'est pourquoi le vieux réflexe d'un appel au bras séculier, fût-il celui d'une république laïque, fonctionne encore. En 1887, le sénateur Chesnelong, d'accord en cela avec les matérialistes purs et durs, déclare qu'il n'y a plus que deux camps, celui de la foi et celui de l'athéisme, et que l'État ne peut rester indifférent devant ce conflit : il y va de l'avenir de la civilisation. Qu'il soit ainsi obligé de requérir l'intervention séculière montre à quel point l'athéisme est alors ressenti comme une force montante, et à quel point la foi a perdu son attrait :

> Je suis loin assurément, dit Chesnelong, de vouloir appeler la contrainte légale au secours de la foi ; je ne demande aucune mesure contre la liberté d'aucune conscience. Mais je dis qu'un État qui reste indifférent entre la croyance en Dieu et l'athéisme matérialiste, que surtout un État qui a pour l'athéisme des prédilections particulières trahit son mandat et abdique sa mission. La loi ne peut rester indifférente entre la croyance en Dieu et l'athéisme. Elle doit protéger et honorer la religion[72].

CHAPITRE XVI

De la croyance à l'incroyance : les credo de substitution

Le XIXe siècle est l'époque des grands assauts contre les religions. Au niveau pratique, nous venons de le voir. Mais aussi au niveau théorique et intellectuel. Dans un essai qui se voulait prophétique, Chateaubriand se demandait dès 1797 combien de temps le christianisme avait encore devant lui. « Quelques années », répondait-il. « Il expirera en Angleterre dans une profonde indifférence », se traînera encore quelque temps en Allemagne. Mais il posait aussi la question : « Quelle sera la religion qui remplacera le christianisme[1] ? »

Il n'envisage donc pas un instant la possibilité d'une victoire de l'athéisme. Les historiens ont en effet remarqué que le XIXe siècle combine l'assaut contre les grandes religions établies et la diffusion d'une religiosité vague et sentimentale, deux tendances qui brouillent considérablement les rapports entre foi et incroyance. On peut certes estimer avec Bonald qu'« un déiste est un homme qui n'a pas encore eu le temps de devenir athée », mais ce stade provisoire peut se prolonger assez longtemps. Il mérite donc qu'on s'attarde sur lui dans le cadre d'une histoire de l'incroyance.

L'Église en rupture avec le monde moderne

La transition de la croyance à l'incroyance n'est pas seulement chronologique, elle est aussi logique : autre raison de s'intéresser à ces credo de substitution qui prolifèrent alors. Le fait de base est le suivant : au XIXe siècle, les grandes religions traditionnelles, catholicisme en tête, ont perdu leur dynamisme en Europe. La montée des sciences exactes, puis des sciences humaines, les place dans une position défensive où prédomine l'immobilisme. Repliées frileusement sur les dogmes, elles refusent la moindre concession aux nouveautés culturelles, qu'elles anathémisent. La rupture avec la culture moderne est flagrante, et cette situation de blocage entraîne le départ de nombreux intellectuels, qui perdent la foi en constatant le caractère réactionnaire de l'Église — que ce soit dans le domaine politique, tel Lénine, social, tel Proudhon, ou exégétique, tels Renan, Turmel ou Alfaric. Le xixᵉ siècle est largement un siècle de conversions à l'incroyance. Mais cette incroyance est multiforme, allant d'un vague déisme romantique dans le cas de Lamennais à un matérialisme athée intransigeant dans celui de Marx.

L'Église catholique au xixᵉ siècle, traumatisée par la Révolution, se transforme en une citadelle défiant la culture ambiante. La phobie de la nouveauté y devient une obsession dans tous les domaines, et son expression culmine dans la paranoïa de l'encyclique *Quanta cura* et du *Syllabus* de 1864, condamnation formelle des fondements de la culture moderne, et dont tous les articles ont été depuis reniés par la même Église. Comme dans une guerre de tranchées, les autorités catholiques multiplient les lignes de défense en précisant à l'extrême chaque point du dogme, du culte, de la morale, qu'on ne peut transgresser sans encourir l'anathème.

Le concile du Vatican, en 1870, consacre solennellement cette attitude, en anathémisant tranquillement plus de la moitié de l'humanité en la personne des athées, des déistes, des panthéistes et des positivistes, par la constitution *Dei Filius* :

> Anathème à qui nierait le seul vrai Dieu, créateur et seigneur des choses visibles et des choses invisibles.
> Anathème à qui ne rougirait pas d'affirmer qu'il n'existe rien en dehors de la matière.
> Anathème à qui dirait que la substance ou l'essence de Dieu et de toutes choses est une et la même.
> Anathème à qui dirait que les choses finies, soit corporelles, soit spirituelles, ou que du moins les spirituelles sont émanées de la substance divine; que l'essence divine, par la manifestation ou l'évolution d'elle-même, devient toute chose; ou enfin que Dieu est l'être universel et indéfini qui, en se déterminant, constitue l'universalité des choses en laquelle se distinguent les genres, les espèces et les individus.
> Anathème à qui dirait que le Dieu unique et véritable, notre créateur et seigneur, ne peut être connu avec certitude par la lumière naturelle de la raison humaine, au moyen des êtres créés.

Aveuglement et inconscience d'une Église fière de son isolement superbe et qui n'a gardé de sa grande époque qu'une arrogance dérisoire. Car le monde continue à tourner. Qui se soucie désormais des anathèmes de quelques vieillards mitrés? Nulle part en Europe l'Église ne peut compter en 1870 sur l'appui du bras séculier. Les dernières interventions de ce dernier — loi sur le sacrilège sous Charles X, renvoi de Michelet et de Quinet du Collège de France, emprisonnement de Lamennais, retrait de la chaire de philologie sémitique à Ernest Renan — ont été balayées par les révolutions. Même l'Inquisition a fait son temps, après avoir brillé de ses derniers feux en Espagne contre la franc-maçonnerie au xviiie siècle, au Portugal et au Mexique au début du xixe. En 1809, les protocoles adoptés à Lisbonne avaient pour la première fois placé l'incroyance et l'impiété en tête des délits à réprimer ; au Mexique, en 1815, ses attaques se concentraient sur les disciples des philosophes[2].

Tout cela est révolu. Désormais, si l'Église n'accepte pas le monde moderne, le monde moderne se passera de l'Église. Les seuls dommages qu'elle puisse causer concernent ses propres fidèles, dont certains, parmi les plus brillants, désertent et passent à l'incroyance en raison du fossé de plus en plus large qui se creuse entre leur intelligence et leur foi. Entre l'Église et la science, ce n'est plus un fossé, c'est un gouffre sans fond. Nous avons étudié ailleurs ce divorce lourd de conséquences[3]. Même si quelques eccésiastiques et chrétiens tentent de maintenir le contact avec la science moderne, leur attitude se heurte au sein de l'Église à une pénible suspicion, qui décourage les meilleures volontés. C'est ainsi que l'expérience des congrès scientifiques catholiques, mis sur pied à l'initiative de Mgr d'Hulst à partir de 1888, se termine dès 1900 en raison des pressions exercées contre les organisateurs. Pour la grande majorité du clergé, la source de la science se trouve dans la Bible. L'astronomie, la géologie, la biologie ont reçu toutes leurs réponses dans le Pentateuque, proclame en 1863 le père Félix du haut de la chaire de Notre-Dame de Paris : « Nous pouvons défier le génie de l'homme de donner à Moïse racontant les créations de Dieu des démentis scientifiques. La cosmogonie mosaïque, au lieu d'être en contradiction avec ces trois sciences, se trouve au contraire en tracer les grandes lignes et en illuminer les grandes faces[4]. »

La matière est inépuisable. Aussi nous contenterons-nous d'un seul exemple représentatif. En 1845, l'abbé J.-B. Glaire, qui n'est rien moins que le doyen de la faculté de théologie de Paris, publie *Les Livres saints vengés, ou la Vérité historique et divine de l'Ancien et du Nouveau Testament défendue contre les principales attaques des incrédules modernes et surtout des mythologues et des critiques rationalistes*. L'intention est claire : montrer l'exactitude scientifique des épisodes bibliques dont se gaussent les athées. L'abbé ne va pas au plus facile : ainsi Jonas qui passe trois jours dans le ventre d'un poisson et en ressort vivant, « toutes choses impossibles, disent les incrédules ». Rien de plus vraisemblable, au contraire. Démonstration :

> En supposant que ce poisson fût un requin, toutes les difficultés disparaissent. Il est indubitable que Dieu par sa puissance peut suspendre pour un temps la pénétration et la voracité des acides qui sont dans l'estomac le plus carnassier et le plus chaud. [...] Jonas était plein de vie, et ne demeurait pas sans mouvement dans le ventre de ce poisson. Il ne donnait pas prise à l'acide digestif. Quant à l'impossibilité pour Jonas de respirer, Dieu tout-puissant put mettre le sang de Jonas dans un si grand repos qu'il n'eut pas besoin de respirer si fréquemment, de même que les animaux qui demeurent plusieurs mois

sous terre ou au fond des eaux sans respirer ou comme il arrive aux enfants dans le sein de leur mère où ils sont sans respiration. En rigueur, il n'y a rien dans tout cela d'impossible, rien d'incompatible avec les lois de la nature, quoique, régulièrement parlant, tout cela dans les circonstances dont il s'agit ici soit au-dessus des lois ordinaires et connues et par conséquent miraculeux[5].

On imagine l'effet de ces inepties répandues à pleins volumes dans les milieux incroyants. L'Église, qui fournit à ses adversaires ravis des brassées d'arguments, est bien la première responsable de son abandon par beaucoup d'intellectuels. Elle ne rate pas une occasion de se mettre dans l'erreur. Le darwinisme lui en donne une : elle s'y précipite. Le savant anglais avait d'ailleurs conscience de la gravité de ses découvertes pour la foi de ses contemporains : « Je me fais l'effet d'avouer un meurtre », écrit-il en 1844. Dès cette époque, il est lui-même probablement incroyant, comme le révèlent certaines formules de ses carnets de 1837-1839 : « éviter de montrer à quel point je crois au matérialisme » ; « l'esprit est fonction du corps ». Petit-fils de déiste, fils de libre penseur, Charles Darwin poursuit l'évolution familiale en s'affirmant agnostique : « Le tout est une devinette, une énigme, un mystère inexplicable. Le doute, l'incertitude, la suspension de jugement semblent les seuls résultats de notre examen le plus attentif sur ce sujet. Mais, telle est la fragilité de la raison humaine que nous aurions peine à maintenir jusqu'à ce doute délibéré[6]. »

Sa théorie, publiée en 1858, produit l'effet prévu : un rejet horrifié de ces « fictions répugnantes », suivant l'expression du père de Scoraille, dans l'immense majorité de l'opinion catholique — même si certains, comme Kirwan, pensent que « c'est une mauvaise défense que de poser en objection définitive le seul fait qu'une théorie scientifique a été acceptée avec enthousiasme par les matérialistes et les libres penseurs "comme un système propre à ruiner la révélation et le dogme catholique"[7] ».

Pour beaucoup de catholiques, ce ne sont pas seulement quelques théories qui sont contraires à la foi, c'est toute la démarche scientifique qu'on soupçonne de mener à l'athéisme. C'est ce que disait déjà Chateaubriand : « Ne doit-on pas craindre que cette fureur de ramener nos connaissances à des signes physiques, de ne voir dans les races diverses de la création que des doigts, des dents, des becs, ne conduise insensiblement la jeunesse au matérialisme[8] ? » C'est ce que répète Joseph de Maistre : « Aujourd'hui, on ne voit que des savants [...]. De toutes parts ils ont usurpé une influence sans borne ; et cependant, s'il y a une chose sûre dans le monde, c'est, à mon avis, que ce n'est point à la science de conduire les hommes [...]. Il appartient aux prélats, aux nobles, aux grands officiers de l'État d'être les dépositaires et les gardiens des vérités conservatrices[9]. »

Le résultat, c'est la rupture consommée entre l'Église et la science.

Il y a encore des savants catholiques, bien sûr, tels que Cauchy, Gauss, Fresnel, Le Verrier, Thenard, Ampère ou Pasteur, mais ce sont tous des laïcs. La coupure entre société ecclésiastique et société scientifique est un fait. La science est affaire de spécialistes ; la recherche, très complexe, échappe au contrôle des autorités extérieures. L'Église n'est plus en mesure de contester directement les conclusions de la science : elle en est réduite à opposer des savants à d'autres savants, les « vrais » aux « faux ». L'idée de science catholique se développe donc. Lamennais l'appelle de ses vœux dans *L'Avenir* du 30 juin 1831 : « La science catholique est donc à créer, et c'est elle qu'attend l'esprit humain, fatigué de l'insuffisance et du désordre de la science actuelle. » Le 10 janvier 1834, l'abbé Maret, dans *L'Univers*, reprend le thème : il faut que l'Église tienne compte des résultats scientifiques, pour élaborer une vue catholique renouvelée du monde : « Alors on pourra montrer l'accord parfait de la science et de la foi, l'harmonie du monde physique et moral, et constituer ainsi la science catholique. »

L'un des buts de cette science catholique, ce sera de renouveler le problème des preuves de l'existence de Dieu. Déjà, le cardinal Gerdil (1718-1802) avait écrit une *Démonstration mathématique contre l'éternité de la matière*, démonstration approfondie par Cauchy (1789-1857), qui alignait les équations au service de Dieu. L'abbé Moigno se fera une spécialité de ces mathématiques apologétiques, dans *Les Splendeurs de la foi. Accord parfait de la révélation et de la science, de la foi et de la raison*, écrivant que « l'athéisme est la négation de l'évidence mathématique ». Il en administre la preuve en 1863 dans *L'Impossibilité du nombre infini et ses conséquences. Démonstration mathématique du dogme de la récente apparition du monde* : il y prouve de façon infaillible que l'homme a été créé il y a 6 000 ans, et que le déluge a eu lieu il y a 4 205 ans. En 1902 encore, René de Cléré publie la *Nécessité mathématique de l'existence de Dieu*, avec des calculs tout aussi fiables.

En face, la science athée se développe dans le même climat de lutte. Dès 1848, Renan, dans *L'Avenir de la science*, fixe à celle-ci comme but de remplacer la religion : « Organiser scientifiquement l'humanité, tel est donc le dernier mot de la science moderne, telle est son audacieuse mais légitime prétention. Je vois plus loin encore [...]. La raison, après avoir organisé l'humanité, organisera Dieu. » Dans une lettre à Berthelot, il précise que ce Dieu qui est « en voie de se faire » sera « synonyme de la totale existence ». Dans les années 1870, J.W. Draper, professeur à l'université de New York, conclut son étude sur *Les Conflits de la science et de la religion* en déclarant « que la science et le christianisme romain se reconnaissent mutuellement incompatibles ; qu'ils ne peuvent coexister ; que l'un doit céder la place à l'autre et que l'humanité doit faire son choix [10] ».

En 1895, les tenants du scientisme affichent avec éclat leur ambition de supplanter la religion par la science : Ferdinand Buisson, Louis Liard, Jean Jaurès, Émile Zola et tout le gratin de la laïcité militante organisent un banquet en l'honneur de Marcelin Berthelot, incarnation de la science anticléricale. L'exergue du menu était : « Hommage à la science, source d'affranchissement de la pensée. » Le héros du jour prononce un violent réquisitoire contre l'obscurantisme religieux. Pendant des siècles, dit-il en substance, la science a été opprimée par l'Église ; la Révolution l'a libérée ; elle seule peut parvenir à la connaissance et fonder la morale.

Carences de la théologie et de l'exégèse

Bousculée de l'extérieur par la science, la religion doit encore affronter des défis internes, qui seront cause du départ de certains croyants. Cela vaut surtout pour la France, où la théologie est bloquée, dans une attitude de combat. Le contraste est frappant avec la situation allemande, où les études théologiques sont intégrées dans la culture générale : « Je ne comprends pas, écrivait Herder, pourquoi on n'aborderait pas la théologie d'une intelligence aussi libre et d'un esprit aussi éveillé que toute autre discipline. La théologie est dans une certaine mesure la plus libérale de toutes ; elle est le libre don de Dieu à l'espèce humaine, qu'elle a aidée à acquérir le bienfait libéral de la raison [11]. » Outre-Rhin, tous les intellectuels reçoivent une formation théologique, et les autorités ecclésiastiques n'ont plus guère de contrôle sur celle-ci : « En Allemagne, on est théologien de naissance », note Gutzkow [12].

Ce fait explique en partie le décalage dans la diffusion de l'athéisme entre les deux pays. Charles de Villers (1765-1815), qui a étudié à Göttingen, constate que « la théologie catholique repose sur l'autorité inflexible des décisions de l'Église, et dès lors interdit à celui qui étudie tout usage libre de la raison. Elle a conservé le jargon et l'appareil barbare de la scolastique. La théologie protestante au contraire repose sur un système d'examen, sur l'usage illimité de la raison [13] ».

C'est bien ce qui épouvante le clergé français. Tout cela ne peut que conduire à l'athéisme, déclare Lamennais en 1817 dans son *Essai sur l'indifférence* :

On semble avoir pris spécialement à tâche dans l'Allemagne protestante de détruire toute l'Écriture, sans néanmoins cesser de la reconnaître en apparence pour l'unique règle de foi [...]. À l'aide de ce qu'on appelle l'exégèse biblique, c'est-à-dire d'une critique sans frein, on nie les prophéties, on nie les miracles [...]. C'est ainsi qu'on arrive au « christianisme rationnel » si vanté en Allemagne et en Angleterre. On élague de la religion [...] tous les mystères, tous les dogmes. Que reste-t-il de ce déisme ? Mais on ne s'arrête même pas au déisme ; le principe entraîne au-delà[14].

Lacordaire partage ce point de vue. En 1834, il écrit à Falloux : « Ce sont les universités qui perdent l'Église d'Allemagne ; ce sont nos séminaires qui sauvent l'Église de France. »

Étrange aveuglement de cette génération cléricale qui ne semble pas voir qu'en coupant la théologie de la culture ambiante elle forme des clercs en complet décalage avec le milieu laïque, incapables de répondre aux défis de la modernité, de satisfaire les aspirations de leurs contemporains, qui ne parlent plus le même langage qu'eux. Non seulement cette coupure est responsable d'une recrudescence de l'incroyance chez les fidèles, mais elle provoque aussi l'abandon des meilleurs parmi les clercs, lorsqu'ils se rendent compte de l'erreur et de l'impossibilité de faire bouger l'édifice. Lamennais en fera lui-même l'amère expérience quand évoluera vers une position libérale.

Analysant cette situation, Georges Gusdorf en conclut :

> L'Église catholique, malgré une vitalité incontestable, se trouve en état d'arriération intellectuelle, de par la volonté d'une hiérarchie qui, en dépit de certaines rémanences gallicanes, se soumet aux impulsions venues de Rome. Confrontés avec une chrétienté différente, d'une indéniable supériorité intellectuelle, les catholiques allemands étaient obligés de faire face. Pour dialoguer avec l'autre, il fallait se mettre à son école afin de pouvoir prétendre à la même compétence que lui. Le malheur des catholiques français fut de se trouver en situation de monopole, ce qui excluait toute émulation ; avec les incrédules de tout acabit, la seule attitude possible s'inspirait de l'esprit de croisade ; on n'entre pas en composition avec le mal, on s'efforce de l'anéantir[15].

Évoquant « la nullité des études théologiques et des sciences religieuses en France au cours du XIXᵉ siècle », l'historien illustre son propos par un examen de la faculté de théologie de Paris, où l'abbé Maret, professeur de dogmatique, publie en 1840 un *Essai sur le panthéisme*. Il ressort de cette étude que « du point de vue de la recherche théologique, la France du XIXᵉ siècle jusqu'en 1886 est un désert d'ignorance et d'incuriosité[16] ». Pourquoi 1886 ? Parce que c'est à ce moment que la théologie est prise en main par l'École pratique des hautes études, où est créée une section de sciences religieuses.

Cette situation déplorable se retrouve évidemment au niveau de l'exégèse. Nous en avons eu un aperçu avec le poisson de Jonas. De rares intellectuels catholiques s'inquiètent d'ailleurs de la médiocrité des études bibliques en France, tels Duilhé de Saint-Projet, Alfred Baudrillard, l'abbé Mangenot. Comme en théologie, le contraste est frappant entre l'exégèse française, crispée sur le maintien du sens littéral, et la critique protestante allemande, centrée sur l'idée de mythe, qui permet de dépasser les incongruités apparentes du récit biblique. L'idée de mythe a le mérite de lier intimement histoire humaine et histoire religieuse au sein d'une culture collective. Encore faut-il accepter pour cela, comme l'écrit Littré en 1856, que « s'il n'y a pas eu d'histoire sans religion, il n'y a pas eu non plus de religion qui ne fût assujettie à toutes les lois générales de l'histoire [17] ». Il n'y a pas d'antériorité de la religion par rapport à la société ; les deux sont interdépendantes et soumises aux lois du développement historique. Cela conduit David Strauss en 1835 à montrer dans sa *Vie de Jésus* comment les récits évangéliques avaient projeté sur le personnage historique les traits du Messie attendu, construisant véritablement un mythe.

Le résultat n'est évidemment pas rassurant pour la crédibilité de la religion, et contribue à durcir le refus d'ouverture de l'exégèse française. Le dilemme est cruel : soit accepter la critique biblique à l'allemande et faire de la Bible un objet d'étude ordinaire entrant dans le cadre de l'histoire des religions, au risque de tuer l'élément surnaturel en le dissolvant dans l'humain, ce qui conduit à l'incroyance ; soit maintenir le caractère sacré et inspiré du texte biblique dans toute sa rigueur, en refusant d'y voir la moindre erreur humaine, y compris au niveau de chaque épisode concret, et alors assumer toutes les incongruités au mépris de la raison et de l'intelligence, au risque de décourager les esprits ouverts et brillants qui ne pourront se résoudre à faire le sacrifice de leur raison, et ainsi de les pousser eux aussi à l'incroyance.

C'est le second parti qui est adopté dans les séminaires français, avec les conséquences catastrophiques que l'on sait. La tâche des professeurs n'est pas facile. Ainsi Antoine Garnier, érudit remarquable, qui enseigne l'hébreu et l'Écriture sainte à Saint-Sulpice — dont il devient le supérieur en 1836 —, tente-t-il d'introduire une exégèse « rationnelle » tout en rejetant fermement la critique rationaliste allemande. Son mérite sera reconnu par Renan. Rejetant l'attitude bornée de Victor de Bonald, qui méprise la science, il pense que les récits historiques de la Bible doivent être interprétés, tout en conservant leur vérité littérale. Il est alors confronté à d'insurmontables difficultés qui l'obligent à recourir à d'invraisemblables explications. Pour lui, le recours au mythe, c'est simplement la reprise du « naturalisme » ou du « rationalisme » des Lumières, une méthode impie qui ferait de Dieu un menteur, car la fable est un mensonge.

Cette attitude illustre les limites de la méthode française, que l'on retrouve avec le successeur de Garnier à Saint-Sulpice, Le Hir, « un homme à l'immense érudition, condamné à une apologétique maladroite, presque enfantine, par la rigidité de son orthodoxie catholique », écrit François Laplanche [18]. Or, Le Hir est le maître de Renan : voilà qui en dit long sur les résultats d'une méthode qui est conduite à bafouer en permanence l'intelligence pour maintenir à tout prix la vérité littérale de la Bible, d'une chronologie qui fait tenir toute l'histoire humaine en six mille ans, jusqu'au récit de déluge universel et de l'arche de Noé. Et si d'aventure se présente une trop grande difficulté, il y a toujours le recours au miracle : ainsi Dieu a-t-il très bien pu envoyer ses anges pour aider Noé à rassembler les animaux dans l'arche.

De la foi à l'incroyance par le séminaire et la Bible : Renan, Turmel, Loisy, Alfaric

Ce défi permanent à la raison a conduit plus d'un chrétien à l'incroyance. L'itinéraire d'Ernest Renan est exemplaire. Il s'en est longuement expliqué lui-même dans ses *Souvenirs d'enfance et de jeunesse*. Au séminaire de Saint-Sulpice, il est pris en main par un étrange corps professoral : « Un mot les caractérise, écrit-il : la médiocrité ; mais c'est une médiocrité voulue, systématique. Ils font exprès d'être médiocres [19] », à l'image du professeur de philosophie, Gottofrey, qui « s'ingéniait à s'anéantir lui-même » en détruisant sa discipline et en reprochant à son élève d'être trop studieux : « Il me parla avec éloquence de ce qu'a d'antichrétien la confiance en la raison, de l'injure que le rationalisme fait à la foi. Il s'anima singulièrement, me reprocha mon goût pour l'étude. La recherche !... à quoi bon ? Tout ce qu'il y a d'essentiel est trouvé. Ce n'est point la science qui sauve les âmes [20]. » Même attitude chez le professeur de mathématiques, Pinault, qui « ne dissimulait pas son mépris pour les sciences qu'il enseignait, et pour l'esprit humain en général. Quelquefois il s'endormait presque en faisant la classe. Il détournait tout à fait ses adeptes de l'étude [21] ». Le professeur d'Écriture sainte, c'est Le Hir, d'une foi absolument inébranlable, imperméable au doute, à qui « le surnaturel ne posait aucune répugnance intellectuelle ». En lui, toutes les objections se brisaient sur une « cloison étanche » qui entourait ses certitudes. Mais, écrit Renan, « comme je n'avais pas en mon esprit ces sortes de cloisons étanches, le rapprochement d'éléments contraires qui, chez M. Le Hir, produisait une profonde paix intérieure, aboutit chez moi à d'étranges explosions [22] ».

Ses professeurs ne comprennent pas ces « explosions ». Lorsqu'il leur communique ses premiers doutes, on lui répond : « Tentations contre la foi ! n'y faites pas attention ; allez devant vous ! » Comment est-il possible que le récit de la mort de Moïse se trouve dans un livre attribué à Moïse ? Réponse : il y a des questions qu'on ne doit pas poser. Comment expliquer que Sara ait pu inspirer du désir au pharaon alors qu'elle était septuagénaire ? Réponse : Ninon de Lenclos avait le même âge que des hommes se battaient encore pour elle. Et ainsi de suite.

Dans les exercices oraux d'apologétique, les séminaristes devaient présenter les arguments des philosophes et les réfutations en faveur de la religion. À ce jeu dangereux, Renan perdit la foi. Son esprit brillant donnait des sueurs froides aux professeurs lorsque dans les exercices publics il développait les critiques philosophiques avec une telle habileté que les arguments contraires paraissaient d'une faiblesse ridicule. Un jour, le professeur dut interrompre la conférence, qui tournait à la confusion de la religion : toute la classe souriait de la pauvreté des arguments que Renan présentait en faveur de l'Église.

On connaît le résultat : ces « quatre années de torture intellectuelle et morale » lui font perdre la foi. En est-il responsable? Certains le pensent encore. Pour Claude Tresmontant par exemple, Renan aurait dû se montrer capable de faire la différence entre la véritable orthodoxie, le véritable esprit chrétien, qui est en accord avec la raison, et ce qu'on lui enseignait au séminaire : « Le tort de Renan, et d'autres après lui, a été de croire ceux qui opposaient ainsi l'idée qu'ils se faisaient de l'orthodoxie à la science. Renan était assez cultivé pour trouver tout seul que cette opposition était factice, et qu'elle reposait sur des analyses philosophiques et théologiques mal faites[23]. » En quelque sorte, Renan a été un trop bon élève : il n'aurait pas dû croire ses professeurs. C'est la reconnaissance directe de la responsabilité des séminaires du XIXe siècle dans la propagation de l'incroyance.

Renan a une autre interprétation : pour lui, c'est la structure même du christianisme qui est en cause, les dogmes formant un tout tellement cohérent que l'édifice s'effondre si l'on touche à un seul élément. C'est tout ou rien :

De très bons esprits m'ont quelquefois fait entendre que je ne me serais pas détaché du catholicisme sans l'idée trop étroite que je m'en fis, ou, si l'on veut, que mes maîtres m'en donnèrent. Certaines personnes rendent un peu Saint-Sulpice responsable de mon incrédulité et lui reprochent, d'une part, de m'avoir inspiré pleine confiance dans une scolastique impliquant un rationalisme exagéré; de l'autre, de m'avoir présenté comme nécessaire à admettre le *summum* de l'orthodoxie; si bien qu'en même temps ils grossissaient outre mesure le bol alimentaire et rétrécissaient singulièrement l'orifice de déglutition. Cela est tout à fait injuste. Dans leur manière de présenter le christianisme, ces messieurs de Saint-Sulpice, en ne dissimulant rien de la carte de ce qu'il faut croire, étaient tout simplement d'honnêtes gens. Ce ne sont pas eux qui ont ajouté la qualification : *Est de fide*, à la suite de tant de propositions insoutenables. Une des pires malhonnêtetés intellectuelles est de jouer sur les mots, de présenter le christianisme comme n'imposant presque aucun sacrifice à la raison, et, à l'aide de cet artifice, d'y attirer des gens qui ne savent pas à quoi au fond ils s'engagent. C'est là l'illusion des catholiques laïques qui se disent libéraux. Ne sachant ni théologie ni exégèse, ils font de l'accession au christianisme une simple adhésion à une coterie. Ils en prennent et ils en laissent. Ils admettent tel dogme, repoussent tel autre, et s'indignent après cela quand on leur dit qu'ils ne sont pas de vrais catholiques. Quelqu'un qui a fait de la théologie n'est plus capable d'une telle inconséquence. Tout reposant pour lui sur l'autorité infaillible de l'Écriture et de l'Église, il n'y a pas à choisir. Un seul dogme abandonné, un seul enseignement de l'Église repoussé, c'est la négation de l'Église et de la révélation. Dans une Église fondée sur l'autorité divine, on est aussi hérétique pour nier un seul point que pour nier le tout. Une seule pierre arrachée de cet édifice, l'ensemble croule fatalement.
Il ne sert non plus de rien d'alléguer que l'Église fera peut-être un jour des

concessions qui rendront inutiles des ruptures comme celle à laquelle je dus me résigner, et qu'alors on jugera que j'ai renoncé au royaume de Dieu pour des vétilles. Je sais bien la mesure des concessions que l'Église peut faire et celles qu'il ne faut pas lui demander. Jamais l'Église catholique n'abandonnera rien de son système scolastique et orthodoxe ; elle ne le peut pas ; [...] le vrai catholique dira inflexiblement : « S'il faut lâcher quelque chose, je lâche tout ; car je crois à tout par principe d'infaillibilité, et le principe d'infaillibilité est aussi blessé par une petite concession que par dix mille grandes. » De la part de l'Église catholique, avouer que Daniel est un apocryphe du temps des Macchabées serait avouer qu'elle s'est trompée ; si elle s'est trompée en cela, elle a pu se tromper en autre chose ; elle n'est plus divinement inspirée [24].

Pour Claude Tresmontant, c'est là un « présupposé monophysite », qui affirme faussement que dans un livre divin tout est vrai. Or, l'exégèse chrétienne d'aujourd'hui admet une foule de choses dont elle ne voulait pas entendre parler au siècle dernier ; on pourrait ajouter qu'il y a bien d'autres domaines dans lesquels, sans le dire, elle a renié ses positions passées. Ce qu'elle enseignait au XIXe siècle n'était donc pas l'« orthodoxie » ; Renan aurait dû le voir. C'est là faire peu de cas de la structure unitaire et hiérarchique de l'Église. Affirmer son désaccord eût conduit Renan à l'excommunication, comme Lamennais. Quelle Église faut-il croire : celle du XIXe siècle, ou celle de la fin du XXe ? celle de Grégoire XVI, qui qualifie les droits de l'homme d'« opinions perverses », ou celle de Vatican II, qui appelle à la libération ? celle de Pie IX et du *Syllabus*, ou celle de Helder Camara ? Et quelle sera l'orthodoxie dans un siècle ? Dieu seul le sait. Reprocher à Renan d'avoir perdu la foi au séminaire de Saint-Sulpice, c'est l'accuser de n'avoir pas été en avance sur son temps.

L'itinéraire de l'abbé Joseph Turmel n'est pas sans rappeler celui de Renan. Breton comme lui, né à Rennes en 1859, ordonné prêtre en 1882, puis professeur au grand séminaire de Rennes, il perd la foi par les Écritures. Lui aussi a raconté son parcours, dans *Comment j'ai donné congé aux dogmes*. Les doutes l'assaillent dès son passage à la faculté catholique d'Angers. En 1884, dit-il, « l'Église m'apparaissait comme un éteignoir et les exégètes catholiques me semblaient condamnés au charlatanisme. Ma foi vivait encore [...] mais un ver intérieur commençait à la ronger ». Pour lui, il est trop tard. Il choisit la solution de Meslier, gardant secrète son incroyance, pour ne pas faire de peine aux siens, mais publiant anonymement des ouvrages antireligieux. Très suspect, il est relégué au poste de simple prêtre habitué, puis, en 1930, suspendu, excommunié et frappé de dégradation canonique. Il collabore jusqu'à sa mort à une société de libre pensée rennaise.

Autre victime célèbre des variations de l'exégèse catholique, l'abbé Loisy, qui tente de montrer que les énoncés de la Bible étaient valables pour le temps où ils ont été écrits, Dieu parlant aux hommes dans le langage de leur époque : « La théorie de l'inerrance absolue ne satisfait pas l'esprit. Un livre absolument vrai, pour tous les temps, dans tous les ordres de vérité, n'est pas plus possible qu'un triangle carré. » Titulaire de la chaire d'hébreu et d'Écriture sainte à l'Institut catholique de Paris, il fait exactement ce que Claude Tresmontant reproche à Renan de n'avoir pas fait : il s'applique à prouver que la Bible peut garder son caractère sacré même si l'on admet que ses déclarations scientifiques et historiques sont relatives. Résultat : il est destitué dès 1892, pour des positions qui sont aujourd'hui unanimement acceptées dans l'Église. Il dérive alors de plus en plus loin de la foi. Le ministère de l'Instruction publique lui attribue une chaire à l'École pratique des hautes études, et il multiplie les articles et ouvrages d'exégèse. Excommunié en 1908, il est professeur au Collège de France à partir de 1909. Son journal intime révèle ses négations progressives : immortalité de l'âme, divinité de Jésus, Trinité, Dieu transcendant et personnel. Le jeune et brillant exégète est devenu un incroyant. L'Église catholique, dirigée de 1903 à 1914 par l'un des papes les plus rétrogrades de l'époque moderne, Pie X, et qui est alors secouée par la crise moderniste, est en grande partie responsable de cette défection, comme de beaucoup d'autres.

C'est aussi à cette époque qu'un autre prêtre, autre professeur de séminaire, Prosper Alfaric (1876-1955), quitte l'Église pour l'incroyance, à la fois sous l'influence de ses lectures philosophiques, comme celle de Herbert Spencer, et à cause de l'intransigeance des autorités ecclésiastiques dans les rapports entre science et foi. Ainsi que l'écrit Georges Hourdin, depuis la crise du modernisme, un certain nombre de croyants ont perdu la foi « parce qu'il leur apparaît que les livres qui contiennent la révélation de la Parole de Dieu ne sont pas historiquement exacts ou parce qu'ils rapportent des faits qui ne sont pas historiquement vrais [25] », comme ce personnage du roman de Roger Martin du Gard, *Jean Barois*, qui passe à l'athéisme lorsqu'il découvre que les Évangiles sont en réalité l'expression de la foi des premières communautés chrétiennes.

L'histoire des religions, école d'incroyance

C'est dire l'importance de l'histoire des religions dans la genèse de l'athéisme moderne. L'un des premiers à en avoir découvert l'usage est Charles Dupuis, dans l'*Origine de tous les cultes ou Religion universelle*, publiée en 1795. Systématisant les études des philosophes, il entreprend une recherche anthropologique sur l'origine des religions, qui aboutit à en démontrer le caractère purement humain. Mythes et religions sont une proto-science, qui donne à l'homme une première interprétation du monde, d'où toute idée de révélation est exclue : « Nous n'examinerons pas si la religion chrétienne est une religion révélée : il n'y a plus que les sots qui croient aux idées révélées et aux revenants. La philosophie de nos jours a fait trop de progrès pour que nous soyons encore à disputer sur les communications de la divinité avec l'homme, autres que celles qui se font par les lumières de la raison et par les lumières de la nature[26]. »

Il ne s'agit pas de détruire la religion, mais de l'absorber dans le savoir humain par la médiation de la raison, de dissoudre la religion en niant le surnaturel. Traduit en anglais, en allemand et en espagnol, Dupuis est vulgarisé sous la Restauration par Destutt de Tracy et les idéologues. La science des religions connaît au XIXe siècle un succès foudroyant, marqué par les œuvres chocs de Strauss, Feuerbach, Renan. Cette époque découvre que la foi est soluble dans l'histoire. Faire de la religion un objet d'étude historique, c'est la descendre de son piédestal pour lui ouvrir le ventre avec les scalpels de l'historien, et il est rare qu'elle sorte indemne de l'opération ; c'est aussi constater que toutes les religions sont terriblement humaines dans leur origine et dans leur évolution. Passée entre les mains de l'historien, l'histoire « sainte » devient une banale histoire humaine ; tout comme les sciences exactes désacralisent le cosmos, les sciences humaines désacralisent les religions.

Cela peut conduire à des excès, comme avec Bauer, vers 1850, et Kalthoff, en 1903, qui font du Christ une pure invention de l'Église, ou avec Drews, qui en fait un mythe astral. Mais dans l'ensemble les travaux sont sérieux. Œuvre d'universitaires, la science des religions se développe en France d'abord avec les travaux de Burnouf et de Victor Cousin. Ce dernier, un des chefs de file du spiritualisme, admire la pensée allemande et regrette le caractère borné de la théologie française. Il voudrait à la fois spiritualiser la philosophie française et éviter de redonner au catholicisme son importance passée. Dans un article de 1868, le philosophe Vacherot se félicite du succès de la science des religions, qui met ces dernières sur un pied d'égalité et les soumet aux lois de l'esprit humain. Dans un livre publié en 1858[27], il tentait de recréer une théodicée, de reconstruire un Dieu sur les ruines du Dieu des religions. Perfection et réalité, écrivait-il, sont incompatibles ; le Dieu parfait n'est qu'un idéal, un être de raison, l'idée du monde, et le monde est la réalité de Dieu. Dans ce sens, la science des religions peut, d'après lui, éviter de tomber dans l'athéisme.

Pour le clergé français, la science des religions est une entreprise qui conduit à l'incroyance, quelles qu'en soient les modalités. Le résultat est qu'elle se développe dans le cadre d'institutions séculières, laïques, avec la création en 1880 de la chaire d'histoire des religions au Collège de France, attribuée à un protestant libéral, Albert Réville, et en 1886 de la cinquième section de l'École pratique des hautes études (sciences religieuses). Lorsqu'on sait que ces deux initiatives sont dues à l'action de Paul Bert, on ne peut qu'en deviner l'esprit. Ce dernier, en effet, avoue son intention de créer une « paléontologie morale », pour « retrouver dans les dogmes morts et fossiles les ancêtres des dogmes vivants[28] ». Ayant obtenu la suppression de la faculté de théologie, par la loi de finances de 1885, il y substitue la section « sciences religieuses » de l'Institut des hautes études, dans les mêmes locaux. Ajoutons que vingt-cinq ans plus tard une chaire d'histoire des religions est créée à l'université de Lyon, dont le maire est Édouard Herriot, membre de l'Association des libres penseurs. Le but affiché est de mettre toutes les religions sur le même plan, dans une perspective purement humaine.

La menace surgit en même temps d'un autre secteur : la sociologie, nouvelle science ambitieuse, qui prend à son tour la religion comme objet d'étude. Dans *Les Formes élémentaires de la vie religieuse*, Émile Durkheim n'ignore pas les réticences que cela provoque, mais, écrit-il, « cette dernière barrière finira par céder et la science s'établira en maîtresse dans cette région réservée ». La religion doit se résigner à devenir objet de science ; celle-ci ne vise pas à la remplacer, mais à l'expliquer :

> Des deux fonctions que remplissait primitivement la religion, il en existe une, mais une seule, qui tend de plus en plus à lui échapper : c'est la fonction spéculative. Ce que la science conteste à la religion, ce n'est pas le droit d'être, c'est le droit de dogmatiser sur la nature des choses, c'est l'espèce de compétence spéciale qu'elle s'attribuait pour connaître de l'homme et du monde. En fait, elle ne se connaît pas elle-même. Elle ne sait ni de quoi elle est faite ni à quels besoins elle répond. *Elle est elle-même objet de science !* Et comme, d'un autre côté, en dehors du réel à quoi s'applique la réflexion scientifique, il n'existe pas d'objet propre sur lequel porte la spéculation religieuse, il est évident que celle-ci ne saurait jouer dans l'avenir le même rôle que dans le passé.
> Cependant, elle paraît appelée à se transformer plutôt qu'à disparaître[29].

Se transformer de quelle façon, Durkheim ne le sait pas, mais il a conscience de vivre une époque de transition :

> Si nous avons peut-être quelque mal aujourd'hui à nous représenter en quoi pourront consister ces fêtes et ces cérémonies de l'avenir, c'est que nous traversons une phase de transition et de médiocrité morale. Les grandes choses du passé, celles qui enthousiasmaient nos pères, n'excitent plus chez nous la même ardeur, soit parce qu'elles sont entrées dans l'usage commun au point de nous devenir inconscientes, soit parce qu'elles ne répondent plus à nos aspirations actuelles ; et cependant il ne s'est encore rien fait qui les remplace [...]. En un mot, les anciens dieux vieillissent ou meurent, et d'autres ne sont pas nés. C'est ce qui a rendu vaine la tentative de Comte en vue d'organiser une religion avec de vieux souvenirs historiques, artificiellement réveillés : c'est de la vie elle-même, et non d'un passé mort, que peut sortir un culte vivant. Mais un état d'incertitude et d'agitation confuse ne saurait durer éternellement. Un jour viendra où nos sociétés connaîtront à nouveau des heures d'effervescence créatrice au cours desquelles de nouveaux idéaux surgiront, de nouvelles formules se dégageront qui serviront, pendant un temps, de guide à l'humanité[30].

D'un côté, « il n'y a pas d'évangiles qui soient immortels » ; de l'autre, « il y a dans la religion quelque chose d'éternel ». L'esprit religieux est appelé à se perpétuer à travers des formes variées. Mais le sociologue qui reconnaît que les dieux se succèdent peut-il ne pas être athée ? Comment croire en des dieux qui vieillissent et meurent ?

Les voies de l'athéisme, ou comment on perd la foi au XIXᵉ siècle

Ainsi, la conjonction des sciences exactes et des sciences humaines, ajoutée au refus de dialogue d'une Église catholique bloquée sur ses positions scolastiques, engendre un décalage croissant entre la foi religieuse traditionnelle et la culture moderne, décalage responsable de nombreux abandons. Le siècle est riche en exemples de personnages ayant perdu la foi à cause de l'attitude intransigeante de l'Église et de son immobilisme intellectuel. Et d'abord beaucoup de prêtres, dont l'affaire est soigneusement étouffée pour éviter le scandale et ne pas ternir l'image triomphaliste entretenue par la hiérarchie. Il y aurait par exemple un millier de défroqués en France en 1907. Quelques cas sont retentissants : ceux de prêtres passés directement à la libre pensée. Ainsi l'abbé Jules Claraz, né en 1868, ordonné en 1892 et quittant l'Église en 1912, à la suite de ses réflexions personnelles ; il parcourt alors la France au service des sociétés de libre pensée. L'abbé Victor Charbonnel, né en 1860, partisan de l'œcuménisme, est inquiété par ses supérieurs pour cette raison ; il renonce à la prêtrise en 1897, entre chez les francs-maçons, lance le journal *La Raison* en 1902, et devient secrétaire général de l'Association des libres penseurs de France. L'abbé René Lorimier, né en 1879, prêtre à Dijon, abandonne aussi la soutane et se convertit à la libre pensée, comme les abbés Duhamel, Harrent, Junqua, Russacq, le séminariste Barodet, le novice Sébastien Faure.

Chez les laïcs, certains perdent la foi au bout d'une douloureuse évolution intellectuelle. Par exemple Marcelin Berthelot, élevé dans une famille très chrétienne, pratiquant, et qui traverse une crise spirituelle lorsqu'il commence, à partir de 1845, à confronter ses connaissances scientifiques avec ses croyances religieuses. Son amitié avec Renan achève de le conduire à l'athéisme. Même évolution, à la même époque et pour les mêmes raisons, du protestant Broca. Dans les deux cas, la crise spirituelle se complique de la tristesse d'avoir à décevoir un entourage profondément croyant. L'itinéraire de Taine semble moins douloureux et plus volontaire : il rejette sa foi lorsqu'il prend conscience qu'elle bride sa raison. Chez lui, l'athéisme est venu d'une revendication orgueilleuse de la liberté de l'intelligence : « La raison apparut en moi comme une lumière. [...] Ce qui tomba d'abord devant cet esprit d'examen, ce fut ma foi religieuse. [...] J'estimai trop ma raison pour croire à une autre autorité que la sienne ; je ne voulus tenir que de moi la règle de mes mœurs et la conduite de ma pensée. L'orgueil et l'amour de ma liberté m'avaient affranchi[31]. »

D'autres passent à l'athéisme par révolte face à une Église socialement et politiquement réactionnaire. Nous avons vu l'itinéraire de Proudhon. Celui de Lénine est typique. Élevé dans la foi, il abandonne celle-ci à l'âge de seize ans : l'exécution de son frère, le spectacle des malheurs de la société russe sous le régime tsariste avec la bénédiction de l'Église orthodoxe ont joué un rôle déterminant.

Pour Engels, le passage est douloureux. Luthérien sincère, il est touché par le doute à la suite de son adhésion à l'hégélianisme et en éprouve une vive tristesse. Mais on ne peut revenir en arrière. Il écrit à un ami : « Je prie chaque jour. Je prie même pendant presque toute la journée pour connaître la vérité. Je l'ai fait depuis que j'ai commencé à douter et je ne puis pourtant retrouver votre foi. [...] Les larmes me montent aux yeux tandis que j'écris cela. » Les choses sont plus faciles pour Marx, qui n'a jamais vraiment adhéré au christianisme.

Révoltés, certains le sont contre l'éducation reçue ; d'autres, contre des faits de société qui à leurs yeux sont des preuves de l'inexistence de Dieu, à commencer par la guerre de 1914-1918. C'est ce qu'écrit un libre penseur répondant à un questionnaire de *La Calotte* : « Le plus grand exemple de l'inexistence de Dieu et de l'inefficacité des prières est celui qui nous fut donné de 1914 à 1918 ! La grande boucherie est la preuve irréfutable que le christianisme, en un mot, le mercantilisme céleste, n'est qu'un mythe, qu'une grossière et néfaste plaisanterie[32]. »

La révolte, ce peut être aussi, comme pour H.G. Wells, la découverte du décalage entre le comportement des parents et les valeurs religieuses qu'ils essaient d'imposer : Wells rejette la religion au moment de sa confirmation. Pour beaucoup, naturalistes, historiens et surtout médecins, la foi est perdue le jour où les résultats de leur discipline entrent en conflit avec certains aspects du dogme religieux : Clemenceau, Jules Grenier, Paul Bert, Paul Lafargue. Croire à l'immortalité n'est pas facile dans un amphithéâtre de médecine, comme l'écrit en 1868 Pierre Boyer :

> Tous les préjugés s'écroulent un à un sous la terrible évidence, et les intelligences saines et courageuses s'habituent bientôt — dans ce milieu où les rêves mystiques ne sont plus possibles — à se passer des espérances d'une vie future. Sur la pierre de la fontaine, quatre ou cinq cerveaux, montrant à nu leurs circonvolutions, macéraient dans de grands pots de grès ; on voyait en noir leurs artères gonflées et comme congestionnées par des injections de suif ; la pensée est une fonction dont le cerveau est l'organe ; l'organe se décomposant là, il était bien difficile de prouver que la fonction survécût ailleurs[33].

Ludwig Büchner (1824-1899), fondateur en 1880 de l'Union mondiale des libres penseurs et en 1881 de l'Association allemande des libres penseurs, est médecin à Darmstadt.

À côté de ces parcours tourmentés, certains esprits semblent installés naturellement dans l'athéisme. Félix Le Dantec, fils d'un médecin voltairien, biologiste, a toujours été athée. En 1906, dans *L'Athéisme*, il écrit : « Je ne vois pas du tout la nécessité que quelqu'un ait créé le monde. Si on me demande au contraire quelle a été l'origine du monde, je répondrai humblement : je ne sais pas ; je ne vois même pas de raison pour que le monde ait une origine, un commencement. [...] Lorsque je me déclare athée, j'entends seulement dire que je ne suis nullement satisfait par l'hypothèse dans laquelle ces lois de la nature tireraient leur origine d'un Dieu dont on pourrait parler comme on parle d'un homme[34]. » Esprit aussi peu métaphysique que possible, il déclare tranquillement : « Si je ne crois pas en Dieu, c'est parce que je suis athée ; c'est là la seule bonne raison que je puisse donner de mon incrédulité[35]. »

Esprit différent, mais tout aussi installé dans l'athéisme, Michel Bakounine montre en 1871, dans *Dieu et l'État*, comment les croyants ont tout simplement assigné à un être qu'ils appellent Dieu les caractères de la matière, qu'ils qualifient de vile : « Ils ont attribué toutes ces forces, propriétés et manifestations naturelles à l'être imaginaire créé par leur fantaisie abstractive. » Mais voici ce qui le révolte :

> L'idée de Dieu implique l'abdication de la raison et de la justice humaines ; elle est la négation la plus décisive de la liberté humaine et aboutit nécessairement à l'esclavage des hommes, tant en théorie qu'en pratique [...].
> Si Dieu est, l'homme est esclave ; or l'homme peut, doit être libre ; donc Dieu n'existe pas.
> Je défie qui que ce soit de sortir de ce cercle, et maintenant qu'on choisisse [...].
> Est-il besoin de rappeler combien et comment les religions abêtissent et corrompent les peuples ? Elles tuent en eux la raison, le principal instrument de l'émancipation humaine, et les réduisent à l'imbécillité, condition essentielle de l'esclavage[36].

Et, prenant le contre-pied de Voltaire, Bakounine déclare : « Si Dieu existait réellement, il faudrait le faire disparaître. »

Les nostalgiques de Dieu

Cet athéisme viscéral n'est pas le plus répandu au XIXe siècle chez les intellectuels. Nombre d'entre eux, même totalement incroyants, gardent une certaine ambiguïté dans leur rejet de la foi, au point de refuser pour eux-mêmes le terme d'« athée ». Chez beaucoup subsiste une nostalgie de Dieu, comme chez Ferdinand Buisson, qui écrit que « croire en Dieu, ce n'est pas croire que Dieu est, c'est vouloir qu'il soit » ; homme d'une « foi laïque », selon l'expression de Jean-Marie Mayeur, il aspire à un monde où régnerait un amour charitable de type chrétien. De son côté, Georges Séailles, athée, évite toute déclaration sur le sujet, souhaitant seulement « qu'on puisse être athée sans être traité de scélérat, et croire en Dieu sans être traité d'imbécile ». Même discrétion chez Marcelin Berthelot.

Ceux qui ont perdu la foi en gardent bien souvent les traces et le souvenir, comme s'ils ne pouvaient se consoler de la mort de Dieu.

Typique à cet égard est le philosophe de langue anglaise George Santayana. Né en 1863, il abandonne délibérément la foi à la fin de ses
études à Harvard, écrivant dans un poème : « Je t'abandonne, mon
fardeau. Je ne porterai plus le poids désespérant de ma foi tant aimée.
Je poursuivrai mon chemin d'un pas libre et léger[37]. » Athée, Santayana l'est certainement, mais c'est un athée qui ne s'est jamais
débarrassé de la notion de Dieu, qu'il cherche à réemployer
constamment, au point que le père McNicholl le qualifie d'« athée
religieux[38] ». Si pour lui les dieux sont « imaginaires et littéralement
absurdes », il affirme que « le mot Dieu, si nous l'utilisions encore,
devrait signifier pour nous, non l'univers, mais le bien de l'univers[39] », et il ne refuse pas à la religion une place dans la recherche de
la rationalité.

Le cas le plus ambigu est peut-être celui d'Ernest Renan, qui
jamais ne pourra couper les liens avec une religion en laquelle il ne
croit plus. Ce tempérament mystique ne peut renoncer à l'idée de
Dieu, qu'il qualifie de « résumé transcendant de ses besoins supra-
sensibles [de l'humanité], la catégorie de l'idéal, c'est-à-dire la forme
sous laquelle nous concevons l'idéal ». Plus de Dieu personnel, bien
sûr, mais à la place un profond sentiment du divin : « Renan, écrit
Laudyce Retat, transfigurant la science en approche du divin, n'a
jamais totalement renoncé à l'idée d'un Dieu, se faisant à travers une
humanité de nature et de vocation transcendantes[40]. »

Contrairement à Auguste Comte, Renan n'a pas la religion de
l'humanité ; il garde au divin sa spécificité, et pour lui le divin est
sécrété par l'humanité. S'il rejette le surnaturel, le miracle, il a cependant le culte du supra-sensible. Il a en horreur l'athéisme, qui à ses
yeux n'est qu'une autre forme d'anthropomorphisme, qui nie Dieu
parce qu'il ne peut le saisir comme un être défini : « L'athéisme est
en un sens le plus grossier anthropomorphisme. L'athée voit avec justesse que Dieu n'agit pas en ce monde à la façon d'un homme. Il en
conclut qu'il n'existe pas. »

Au début, la pratique de la science des religions conduit Renan à
une tentative de religion de la science, une mystique et un ascétisme
scientifiques. La science lui semble capable de reproduire le mouvement de la foi et de donner un sens au monde, y compris en fondant
une morale. C'est ce qu'il affirme en 1848 dans *L'Avenir de la
science*, et qu'il répète en 1890 : « Ma religion, c'est toujours le progrès de la raison, c'est-à-dire de la science. » Pourtant, à cette époque,
il se rend compte que l'absence de dogmatisme scientifique rend la
science incapable de produire une religion. « Le lien de Renan à la
religion peut sembler complexe jusqu'à l'ambiguïté », conclut très
justement Laudyce Retat[41]. Il y a chez lui à la fois rupture et nostalgie. Il se réserve le droit et la « possibilité de rêver » à « Dieu le
Père », au moins comme hypothèse : « Renan ne sera jamais un théo-

ricien de la mort de Dieu », constate encore Laudyce Retat, qui ajoute : « Affirmer Dieu, le nier, ne sont peut-être pas, après tout, deux attitudes contraires ; elles s'opposent dans leur contenu positif, leur refroidissement en formules, mais peuvent naître toutes deux d'une même origine : le déchirement intérieur, le tragique[42]. »

Renan éprouve une tendresse particulière pour Jésus, qu'il désacralise et qu'il humanise magnifiquement, romantiquement, mystiquement. S'il ne perçoit pas en Jésus de dimension transcendante, il voit en lui, de manière touchante, l'ami, l'âme sœur, anticipant par là d'une certaine manière sur le catholicisme libéral du xxᵉ siècle. Beaucoup de lecteurs favorables de sa *Vie de Jésus* (1863), rationalistes, athées, se rendent d'ailleurs bien compte que Renan n'a fait le travail qu'à moitié, comme à regret, avec timidité, un peu comme s'il avait le sentiment de tuer son père. Pour Sainte-Beuve, ce livre s'adresse à la « masse flottante, considérable, indécise[43] ». Théophile Gautier lui reproche « l'entortillage de ce Dieu qui n'est pas Dieu et qui est plus que Dieu[44] ». Guizot note avec perspicacité : « En coupant tout le volume, rien ne m'a frappé qu'un air de timidité et de câlinerie dans le travail de démolition. Il voudrait bien qu'on ne le crût pas l'auteur des ruines qu'il fait[45]. » Mérimée est du même avis : « Avez-vous lu la *Vie de Jésus* de Renan ? C'est peu de chose et beaucoup. Cela est comme un grand coup de hache dans l'édifice du catholicisme. L'auteur est si épouvanté de son audace à nier la divinité, qu'il se perd dans des hymnes d'admiration et d'adoration[46]. » Et Michelet écrit : « Il a beau discuter, ce livre, il croit, fait croire. Il a beau dire qu'il doute, on s'attendrit[47]. »

Rien n'illustre mieux l'ambiguïté de Renan, suspendu entre croyance et incroyance, que les virulentes attaques dont il est l'objet de la part des deux camps ennemis. Les rationalistes lui reprochent durement sa timidité, comme P. Larroque en 1863[48]. *La Libre Pensée* le classe parmi ces philosophes indécis, qui cherchent à gagner « la sympathie de tous les gens qui ont du vague à l'âme et qui, tour à tour audacieux et timides, se bercent dans le doute comme dans une balançoire[49] ». Du côté catholique, c'est le déchaînement, accru par l'énorme succès du livre, auquel contribuent d'ailleurs les anathèmes : cinq tirages en deux mois, et des traductions immédiates. Dans le diocèse d'origine de Renan, à Saint-Brieuc, l'évêque oscille entre l'invective contre ce « blasphème audacieux », ce « rêve impie », et le mépris, parlant de « conception digne de pitié, dont la pauvreté est encore plus notoire que l'impiété », de « mensonge si grossier que le premier enfant venu en aperçoit l'impossibilité », et concluant : « Il y a un athée de plus en France, voilà tout[50]. » Pour Mgr Dupanloup, Renan est effectivement un athée. La presse cléricale et religieuse déverse contre le livre un flot d'attaques. Renan devient odieux aux chrétiens les plus extrêmes et les plus sectaires, comme Léon Bloy, qui le traite de « vieille vache pourrie », et Paul Claudel, qui le qualifie de « satan », « cochon », « défroqué en chef » et le compare à Judas « crevant par le milieu du ventre ».

Il est un autre aspect de la pensée de Renan qui provoque la polémique, c'est la liaison qu'il établit entre conceptions religieuses et race. Pour lui, les Sémites ont eu l'intuition du monothéisme et ont préparé la civilisation morale, tandis que les Grecs ont annoncé la civilisation supérieure par la science. Mais parmi les religions sémitiques, il éprouve un mépris instinctif à l'égard de l'islam :

> Il y aurait injustice à oublier le service de premier ordre que le peuple juif et le peuple arabe ont rendu à l'humanité en tranchant d'un coup de ciseau hardi l'écheveau inextricable des mythologies antiques ; mais c'est là un service négatif qui n'a eu sa pleine valeur que grâce à l'excellence des races européennes. L'islamisme, qui n'est pas tombé sur une terre aussi bonne, a été en somme plus nuisible qu'utile à l'espèce humaine ; il a tout étouffé par sa sécheresse et sa désolante simplicité[51].

L'intuition de Renan sur l'avenir religieux se révèle particulièrement judicieuse. Pour lui, le religieux ira dans le sens d'une individualisation croissante, « créant pour les divers étages de la culture humaine des formes de culte appropriées à la capacité de chacun ». N'a-t-il pas lui-même devancé la situation présente en se créant sa religion personnelle, qui « n'est qu'un monologue subjectif sur lui-même[52] » ? Derrière le mysticisme de Renan, Laudyce Retat discerne cette volonté, qui habite tout esprit religieux, d'immortalité personnelle : « C'est pourquoi il s'attachait à tous les substituts de la religion — idéalisme scientifique, moral — comme à une immense entreprise de sauvegarde de lui-même, effort pour persévérer dans l'être, sorte d'Éros spirituel. [...] Renan n'a jamais proclamé la mort de Dieu, qui aurait été son propre suicide, mais il a maintenu un acte de foi (foi en lui-même) nécessaire à sa survie[53]. » C'est ce que son ami Taine exprimait d'une autre façon, qualifiant Renan de « sceptique qui, à l'endroit où son scepticisme fait un trou, le bouche avec son mysticisme[54] ».

La grande confusion des credo

Renan est bien enfant de son siècle. Un siècle déchiré entre foi chrétienne et athéisme matérialiste, et où, entre ces deux extrêmes, une foule de gens cherchent une formule de compromis, rejetant à la fois le dogmatisme étroit de l'Église catholique et les philosophies de la mort de Dieu. Même à l'intérieur de la franc-maçonnerie, le débat est engagé, entre ceux qui voudraient imposer la croyance au GADLU (Grand Architecte De L'Univers) et ceux qui prônent une totale liberté de conscience. La croyance au GADLU, dénoncée en

Belgique en 1871 et en France en 1877, recule au profit de l'agnosticisme et du scepticisme, et le Grand Architecte perd peu à peu sa
dimension personnelle, devenant un pur symbole d'harmonie universelle. La franc-maçonnerie du XIXᵉ siècle balance entre la « religion
humaniste » et l'« ordre non religieux », suivant la formule de Pierre
Chevallier. Ce qui ne l'empêche pas d'être ressentie par l'Église
comme un adversaire : le manuel de droit canon de 1917 prévoit
l'excommunication pour délit d'« inscription dans la franc-maçonnerie ou dans d'autres associations du même genre qui complotent
contre l'Église ou les pouvoirs civils légitimes. [...] Quand un franc-
maçon veut se réconcilier avec l'Église, il doit : se séparer de la
secte ; promettre qu'il ne paiera plus sa cotisation ; écarter le scandale
de son mieux ; être prêt à faire effacer son nom dès qu'il le pourra
sans grave inconvénient[55] ». Condamnation renouvelée en 1985.
Notons toutefois que la franc-maçonnerie sera interdite aussi bien par
la Russie communiste (1917) que par l'Allemagne hitlérienne (1935).

Les hésitations du XIXᵉ siècle face au problème religieux jouent
essentiellement contre l'Église catholique, et en faveur d'une spiritualité multiforme développée par l'esprit romantique. À l'intérieur
même de l'institution naissent des courants libéraux impitoyablement
rejetés, comme le mouvement mennaisien. En 1825, Théodore Jouf-
froy montre dans un texte du *Globe*, intitulé « Comment les dogmes
finissent », que l'esprit d'examen en arrive inévitablement à critiquer
les croyances. Certains tentent d'élargir l'esprit du christianisme, en
partant de l'idée d'une révélation primitive, qui expliquerait le fonds
commun à toutes les religions ; c'est le cas de l'abbé Maret, et aussi
de Frédéric Ozanam, qui écrit en 1831 : « Je crois pouvoir assurer
qu'il y a une providence, et que cette providence n'a point pu abandonner pendant six mille ans des créatures raisonnables. [...] Il est une
religion primitive, antique d'origine, essentiellement divine, et par là
même essentiellement vraie[56]. »

D'autres vont beaucoup plus loin. Dès 1799, Schleiermacher réduit
la religion à un pur sentiment : « Elle n'est ni pensée, ni action, mais
contemplation intuitive et sentiment. » La religion est une représentation intérieure de l'univers comme action de Dieu, un état d'âme, une
conscience de notre unité avec l'infini[57]. C'est dans cet esprit que les
grands romantiques, qui étouffent dans le cadre de plus en plus étriqué du catholicisme, en sortent à la recherche d'une foi ouverte — de
Balzac, auteur d'un *Livre mystique* dans la lignée de Swedenborg, à
Hugo, qui affirme le primat de la religion universelle sur les religions
particulières, écrivant dans la « Préface philosophique » des *Misé-*
rables, en 1862 : « L'auteur de ce livre, il le dit ici du droit de la
liberté de conscience, est étranger à toutes les religions actuellement
régnantes ; et en même temps, tout en combattant leur abus, tout en
redoutant leur côté humain qui est comme l'envers de leur côté divin,
il les admet toutes et les respecte toutes. »

Dans la suite de ce texte fondamental, le génie de Victor Hugo, redécouvrant l'unité des contradictoires, annule la distance entre foi et athéisme au sein d'une spiritualité cosmique :

> Abîmes, abîmes, abîmes. C'est là le monde. Et maintenant que voulez-vous que je fasse ? Cette énormité est là. Ce précipice de prodiges est là. Et, ignorant, j'y tombe, et, savant, je m'y écroule. Oui, savant, j'entrevois l'incompréhensible ; ignorant, je le sens, ce qui est plus formidable encore. Il ne faut pas s'imaginer que l'infini puisse peser sur le cerveau de l'homme sans s'y imprimer. Entre le croyant et l'athée, il n'y a pas d'autre différence que celle de l'impression en relief à l'impression en creux. L'athée croit plus qu'il ne pense. Nier est, au fond, une forme irritée de l'affirmation. La brèche prouve le mur. Dans tous les cas, nier n'est pas détruire. Les brèches que l'athéisme fait à l'infini ressemblent aux blessures qu'une bombe ferait à la mer. Tout se referme et continue. L'immanent persiste.

Cette théosophie romantique tient à la fois de la spiritualité négative et de l'antirationalisme boehmien. Réagissant contre l'intellectualisme du xviiie siècle, elle rappelle que l'esprit humain est incapable de se rendre maître de la totalité des significations du monde. Elle est à la recherche d'un Dieu à l'état brut, qui voisine avec le néant.

Pensée confuse où se mêlent tous les thèmes passés, et où même Spinoza fait un grand retour dans le camp théiste. Dès la fin du xviiie siècle, Goethe est séduit et l'annexe au christianisme : « Il ne démontre pas l'existence de Dieu, écrit-il à Jacobi, l'existence *est* Dieu. Et si, pour ce motif, d'autres le traitent d'*atheus*, moi je l'appellerai *theissimus* et *christianissimus*[58]. » Lessing, Herder, Steffens, Schelling contribuent tous à incorporer Spinoza à la spiritualité romantique, dans un esprit très éclectique, ce qui les fait taxer de panthéisme, de matérialisme, d'athéisme, en particulier par l'abbé Maret, qui écrit en 1840, dans l'*Essai sur le panthéisme dans les sociétés modernes* : « La confusion de Dieu et du monde, la divinisation de l'univers, l'identification du fini et de l'infini, l'unité de substance. Telle est la grande aberration dont nous accusons le siècle[59]. » Ce livre lui vaut d'un côté un poste à la faculté de théologie, et de l'autre une réplique de Victor Cousin qui, tout en acceptant l'assimilation panthéisme-athéisme, se défend de soutenir une telle position : « Mais à qui, de grâce, fera-t-on accroire que mes amis et moi confondions le monde et Dieu ? Qu'est-ce que le panthéisme ? Ce n'est pas un athéisme déguisé, comme on le dit ; non, c'est un athéisme déclaré. [...] et c'est à nous qu'on ose imputer une telle doctrine[60] ! »

Ainsi, le romantisme brouille les pistes à plaisir. Qui est croyant ? Qui est incroyant ? Tandis que pour Hugo il n'y a guère de différence, aux yeux du clergé catholique, l'amalgame est vite fait : « On traite d'athée celui qui professe, au sujet de Dieu, des conceptions différentes de celles que présuppose son accusateur[61]. » Or, le romantisme a beaucoup élargi la notion de christianisme et, écrit Georges

Gusdorf, « la liberté de religion, acquisition des temps nouveaux, ne peut plus être remise en question ; les accusations d'athéisme font partie d'un combat retardateur sans espoir. Signes et symptômes d'une situation nouvelle, elles mettent en lumière la mutation spirituelle. L'intérêt porte non sur la validité de ces accusations, mais sur leur signification, révélatrice du rapport de l'homme avec la divinité dans la conscience romantique[62] ».

Les choses deviennent si confuses que l'on est obligé d'inventer de nouveaux termes. Le panthéisme, en effet, est susceptible de plusieurs interprétations. Ce néologisme apparu en 1705 désigne, d'après Lalande, « la doctrine d'après laquelle tout est Dieu, Dieu et le monde ne font qu'un », ce qui peut s'entendre dans un sens matérialiste ou dans un sens théiste. Dans le premier cas, c'est le monde qui est réel, Dieu n'étant que la somme de tout ce qui existe, une abstraction proche du monisme matérialiste et de l'athéisme. Dans le second, c'est Dieu qui est réel, le monde n'étant qu'un ensemble de manifestations sans réalité permanente — c'est le sens spinoziste. Pour éviter les ambiguïtés, Kraus, dans son *System der Philosophie*, en 1828, parle de « panenthéisme » : « Le monde est une formation finie à l'intérieur de l'être infini de Dieu ; [...] le monde est en Dieu, mais Dieu est plus que le monde. » En 1849, dans sa *Psyche*, Karl Gustav Carus parle d'« enthéisme » : nous nous sentons exister en Dieu, mais nous ne pouvons nous identifier à lui.

Les romantiques, qui ont le sens du religieux, refusent de s'inscrire dans des Églises aux dogmes sclérosés. « Ce transfert de l'expérience spirituelle hors du territoire des dénominations traditionnelles est un fait capital dans le devenir de l'Occident », écrit Georges Gusdorf[63]. La théologie, qui a beaucoup décliné au cours du XVIIIe siècle — le même auteur parle même d'« euthanasie de la théologie » —, s'immobilise complètement au XIXe. La vitalité religieuse s'exprime donc en dehors des structures établies, avec parfois une volonté de resacraliser les cultes, comme chez Friedrich Creuzer, professeur à Heidelberg, pour qui toutes les religions participent d'une même vérité, donnée par Dieu à l'homme dès l'origine. C'est aussi ce que croit Pierre-Simon Ballanche (1776-1847).

Jacobi, qui a reçu une éducation luthérienne, croit également que la religion est aussi vieille que l'homme. Pour lui, elle est une impulsion naturelle, et l'athéisme n'est venu que plus tard, par la réflexion. Dieu se communique à nous par la révélation et la foi : « La foi, c'est l'ombre de la science et de la volonté divines dans l'esprit fini de l'homme. Si nous pouvions transformer cette foi en une science, alors s'accomplirait la promesse du serpent à la concupiscence d'Ève : nous serions comme Dieu[64]. » Pour Jacobi, en contradiction avec les romantiques, le spinozisme est bien un athéisme, car son Dieu est privé de conscience et de personnalité.

Les nouvelles Églises

Devant la défaillance du christianisme cloué sur place par le trau-
matisme révolutionnaire, plusieurs courants prétendent prendre le
relais, certains se présentant même comme de véritables Églises. Leur
religion est en réalité une religion de l'humanité, un athéisme très
ambigu, visiblement nostalgique du christianisme. Ainsi, les saint-
simoniens gardent l'idée de providence et de destination, et ils ont un
Dieu, intégré à l'homme :

> Le Dieu que nous annonçons, c'est celui que vous sentez en vous quand vos
> cœurs sont émus au récit d'une action généreuse, au spectacle d'un beau
> dévouement, à la vue de quelque être qui souffre et qui réclame votre appui.
> Enfin ce Dieu est celui qui a toujours récompensé, par les bénédictions de
> l'humanité tout entière, ceux qui l'avaient aimé, qui l'avaient aimé dans sa
> plus belle manifestation, dans l'humanité[65].

Pour Saint-Simon, la véritable science s'enracine dans la religion.
« Devenue complètement athée, [...] le nom de négative lui convient
mieux que celui de positive. »

Edgar Quinet évolue lui aussi sur la frontière mouvante entre
croyance et incroyance. Il regrette que la Révolution n'ait pas su
mettre fin à l'alternative catholicisme-incrédulité en régénérant
l'Église par les valeurs révolutionnaires. Il ressasse ce problème dans
Le Christianisme et la Révolution française, dans *La Révolution religieuse au XIXᵉ siècle*. L'homme a au fond du cœur un désir d'immortalité, et ce qui a fait la force de l'Église, c'est d'avoir su le combler :

> Ni la ruse ni l'habitude ne font seules la force de l'Église romaine. Sa puis-
> sance, c'est cet appât invincible d'immortalité, source toujours renaissante de
> l'éternelle religion. L'Église semble avoir consacré, elle seule, au milieu du
> monde civil, l'antique formule de l'évocation de l'âme hors du sépulcre[66].

Se refusant à éradiquer ce désir d'immortalité, il paraît se rallier à
une solution voisine de celle du Vicaire savoyard et met en place un
« spiritualisme démocratico-prophétique[67] », qu'il présente comme
l'achèvement authentique du christianisme. En fait, son idéal a perdu
toute transcendance, il est purement moral et social : « Pour moi,
j'estime que toute la France a communié le jour du serment du Jeu de
Paume[68]. » L'athéisme est décidément très souple dans le milieu
romantique !

Michelet en est une autre illustration, lui qui déifie également la
Révolution : « Dieu fut visible en 1790. » Pour lui, c'est un « blasphème énorme de dire que la France était sans Dieu », car celui-ci
s'est manifesté lors des grandes journées révolutionnaires. La Révolution ne pouvait par conséquent adopter aucune Église, car « elle était
une Église elle-même. Comme agape et communion, rien ne fut ici-
bas comparable à 90 ».

Le paradoxe de fonder une religion athée atteint son sommet avec
Auguste Comte, père de la religion de l'humanité, conçue comme distincte de ses membres : l'humanité est le « Grand Être », le « nouvel
Être suprême », auquel ne sont incorporés que les individus qui en
sont dignes. « Cette religion, écrit Paul Bénichou, qui refuse un Dieu,
maintient un appareil de prières, rites, catéchisme et sacrements ; elle
institue une nouvelle Trinité : Humanité, Ciel, Terre (autrement dit,
Grand Être, Grand Fétiche, Grand Milieu) ; elle développe un culte
féminin, qui culmine dans le type d'une Vierge-Mère[69]. »

Citons aussi les spéculations ésotériques de l'abbé Alphonse-Louis
Constant, qui, sous le pseudonyme d'Éliphas Lévi, accorde le rôle
essentiel à la femme dans le salut. Ou encore Charles Fourier, Pierre
Leroux ou Flora Tristan, laquelle écrit : « Si on ne croyait pas à un
Dieux [sic] providentiel, guidant et prévoyant toute chose, on serait
effrayé. » Nous avons là, en fait, ce qui constitue peut-être l'explication essentielle de l'extraordinaire floraison de courants athéistico-
religieux au XIXe siècle : le recul du christianisme à la suite de la
Révolution a créé un vide, qui laisse nombre de nouveaux incroyants
désemparés, angoissés, face au néant qui s'ouvre devant eux. Le pur
athéisme fait encore peur à beaucoup, qui préfèrent bricoler des credo
de substitution avec des lambeaux de christianisme. Cette tendance
s'observe dans l'Europe entière, jusqu'en Russie, où apparaissent des
formes variées d'illuminisme et d'athéisme, par exemple avec Vissa-
rion Grigorevitch Belinsky (1810-1848)[70].

Les déçus de l'ancienne Église, ayant perdu la foi, cherchent un
cadre rassurant, tel Hippolyte Carnot qui entre dans le saint-simo-
nisme comme dans une religion de substitution : « Je venais de traverser une phase de doute ou plutôt de négation absolue en matière de
foi », avoue-t-il. Philippe de Ségur (1753-1833) a relevé le paradoxe
de tous ces jeunes gens qui ont quitté l'Église catholique en ayant
l'impression de se libérer des préjugés de la superstition, pour se précipiter dans des croyances extravagantes, dans l'illuminisme et dans
des superstitions encore pires que les premières :

> Telle était la singularité de ce siècle qu'au moment où l'incrédulité était en
> vogue, où l'on regardait presque tous les liens comme des chaînes, où la phi-
> losophie traitait de préjugés toutes les anciennes croyances et toutes les
> anciennes coutumes, une grande partie de ces jeunes et nouveaux sages
> s'engouaient les uns de la manie des illuminés, des doctrines de Swedenborg
> et de Saint-Martin, de la communication possible entre les hommes et les
> esprits célestes, tandis que beaucoup d'autres, s'empressant autour du baquet
> de Mesmer, croyaient à l'efficacité du magnétisme, étaient persuadés de
> l'infaillibilité des oracles du somnambulisme, et ne se doutaient pas des rap-
> ports qui existaient entre le baquet magique, dont ils étaient enthousiastes, et
> le tombeau miraculeux de Pâris, dont ils s'étaient tant moqués[71].

Au niveau du petit peuple rural, la Révolution a eu pour conséquence la résurgence de la religiosité spontanée qui avait été refoulée
tant bien que mal par le clergé d'Ancien Régime. La désorganisation

du réseau paroissial, la pénurie de prêtres, le relâchement de l'emprise cléricale se sont soldés par la réapparition des superstitions pagano-chrétiennes au travers des fissures du culte tridentin policé et rationalisé, comme les herbes sauvages repoussent entre les dalles d'une allée. Ernest Renan l'a bien décrit pour son Trégor natal, montrant comment le clergé devait tolérer le culte des vieux saints non reconnus.

Sous la pression, l'Église a dû d'abord reculer, et à nouveau accepter certaines formes de religiosité populaire, en assimilant, en récupérant, en tolérant des pratiques pourtant jugées douteuses, sous peine de perdre massivement des fidèles. L'adaptation est d'autant plus aisée que les nouveaux prêtres viennent très majoritairement du petit peuple et connaissent bien la sensibilité populaire. Ainsi la religion des années 1800-1860 voit-elle se multiplier processions, pèlerinages, célébrations colorées, saluts, confréries, apparitions et miracles, dans le cadre plus chaleureux de la piété ultramontaine.

Cette union plus intime avec l'élément populaire a cependant deux inconvénients. Elle contribue à éloigner davantage l'élite intellectuelle et sociale, qui méprise ces puérilités ; et elle ne fait que retarder le détachement du peuple. En effet, comme l'a montré Gérard Cholvy[72], un décrochage se produit à partir des années 1860-1880. L'excès des cérémonies, la pompe et la longueur exagérées des offices, la mièvrerie croissante de l'imagerie, des prières et des hymnes, accentuent la féminisation et chassent de plus en plus les hommes de l'église. La méfiance vis-à-vis des nouveautés culturelles (sport, danse, bicyclette, radio), les progrès de l'individualisme, le déracinement croissant par l'exode rural, le développement des fêtes laïques, l'aggravation des différences de classes au niveau des sacrements — avec des services divers suivant les tarifs —, le rigorisme sans concession sur le plan moral : autant d'éléments qui alimentent une critique acerbe à l'égard de l'Église.

Mais le grand décrochement populaire aura lieu au siècle suivant. Pour l'heure, l'Église est surtout préoccupée par le développement des synthèses philosophiques athées, qui proclament ouvertement la mort de Dieu.

CHAPITRE XVII

Les athéismes de système
ou les idéologies de la mort de Dieu

Tandis que l'incroyance progresse, à travers de multiples tâtonnements, dans la société européenne, de nombreux intellectuels, reprenant la question là où l'avait laissée la philosophie des Lumières, élaborent des systèmes de pensée pour les temps nouveaux. Prenant acte du crépuscule des dieux, ils en établissent la théorie. Leurs systèmes, estiment-ils, doivent remplacer la défunte théologie, reléguée au rang de curiosité archéologique puisque bâtie autour d'un Dieu dont tous constatent le décès.

Cette assurance de la pensée athée est une des marques essentielles du xixᵉ siècle. Si les hésitations abondent encore dans les comportements, l'athéisme théorique prend les devants et élabore, de façon prématurée selon certains, la nouvelle vision d'un monde qui doit s'habituer à vivre sans Dieu.

Cette vision du monde est diverse. Dès le départ, on s'en rend compte : les hommes, qui étaient divisés au sujet de Dieu, le sont tout autant au sujet de l'absence de Dieu. Multiplicité des approches tout d'abord, suivant les formations et les tempéraments : l'athéisme est envisagé sous les angles philosophique, historique, anthropologique, biologique, social, psychologique et bientôt psychanalytique. Multiplicité des attitudes ensuite : de l'athéisme confiant et conquérant de Hegel et de Marx à l'athéisme pessimiste et désespéré de Shopenhauer en passant par l'athéisme volontariste de Nietzsche.

Ces systèmes ont en commun leur vision globale du monde, qu'il s'agit à la fois d'expliquer et de réorganiser en fonction de l'inexistence de Dieu. Celle-ci bouleverse en effet non seulement la connaissance, mais aussi le comportement. Peut-on vivre de la même façon avec ou sans Dieu ? Les systèmes élaborent une nouvelle morale, de nouveaux rapports sociaux. Ils sont donc porteurs d'idéologies.

Le rationalisme hégélien et sa postérité idéaliste

Le premier grand système athée, celui qui ouvre le siècle et qui fait la transition avec les Lumières, est celui de Hegel, grandiose synthèse qui tente d'englober la totalité des aspects de l'existence. Son approche est, comme il se devait, philosophique. Cette discipline était en effet en avance sur les autres dans l'élaboration d'un système athée. C'est sur elle que s'étaient fondés les précurseurs, au xvIII[e] siècle.

Pourtant, loin de prolonger l'athéisme des Lumières, Hegel s'en fait le critique. Sa position est totalement différente de celle du baron d'Holbach, qui voyait dans la dimension religieuse un simple sentiment, une conviction intime, résultat d'une éducation :

> Dès qu'on se refuse aux preuves que la théologie prétend donner de l'existence de Dieu, on oppose aux arguments qui la détruisent un *sens intime*, une persuasion profonde, un penchant invincible, inhérent à tout homme, qui lui retrace malgré lui l'idée d'un être tout-puissant qu'il ne peut totalement expulser de son esprit et qu'il est forcé de reconnaître en dépit des raisons les plus fortes qu'on peut lui alléguer[1].

À ce passage du *Bon Sens*, Hegel oppose une conception beaucoup plus substantielle de la religion, qui pour lui est une donnée fondamentale de la conscience humaine :

> Il n'y a en fait aucun homme perverti, perdu, misérable au point de n'avoir aucune religion, de ne pas la connaître, de n'en avoir aucune idée, ne serait-ce que pour la redouter, en avoir du moins le désir ou la haïr. Comme l'homme est un homme et non un animal, la religion ne saurait être pour lui un sentiment ou une intuition étrangère[2].

Pour Hegel, il n'y a jamais eu de philosophe athée. L'athéisme a toujours été une accusation lancée contre toute idée nouvelle du divin, tout approfondissement de son concept, et les attaques de d'Holbach ne font pas exception : elles ne visent qu'une forme dégénérée de religion, le catholicisme romain d'Ancien Régime. Le christianisme reste le « gond autour duquel tourne l'histoire universelle[3] ».

Le système hégélien est-il athée ? Les commentateurs épiloguent depuis presque deux siècles sur cette question. À en croire l'intéressé, il n'y a pas d'esprit plus religieux que le sien, et il a toujours repoussé avec indignation l'épithète d'« athée », plaçant l'idée de Dieu au centre de sa recherche et rendant des hommages appuyés au christianisme. Mais alors comment se fait-il que toute sa postérité spirituelle soit athée ? Bruno Bauer, dans un écrit anonyme de 1841 au titre évocateur, *La Trompette du jugement dernier sur Hegel l'athée et l'Antéchrist*, apporte la réponse. La philosophie de Hegel, écrit-il, est trompeuse. Sous ses apparences de « dignité et chrétienté », elle dissout la religion dans la philosophie par un système qui n'est qu'un vaste panthéisme. En rationalisant le dogme, Hegel le détruit. D'ailleurs, la

question : « Dieu existe-t-il ? », n'a pas vraiment d'importance pour
lui, tant la réponse est évidente. Dieu, c'est l'Absolu, qui se réalise
dans l'histoire, mais ce Dieu n'est pas transcendant, il est immanent
au fini, il est l'Idée et le Tout du fini, c'est un « Dieu qui sans le
monde n'est pas Dieu[4] ».

L'idée est de réconcilier philosophie et religion, en conservant tous
les aspects du christianisme. Mais cela ne peut se faire qu'en transpo-
sant ces derniers dans un vocabulaire philosophique. Ainsi l'Incarnation est-elle incarnation de l'idée qui prend conscience d'elle-même,
et par là :

> Ce Dieu est perçu immédiatement par les sens comme un moi, comme un
> homme réel et singulier ; c'est seulement ainsi qu'il est conscience de soi.
> Cette incarnation de l'essence divine, ou encore le fait que celle-ci a essen-
> tiellement et immédiatement la forme de la conscience de soi, est tout simple-
> ment le contenu de la religion absolue[5].

Ce Dieu incarné meurt dans le processus dialectique, lors du « vendredi saint spéculatif », et ressuscite « à la suprême totalité ». En donnant ainsi une explication rationnelle de tout le contenu de la religion
chrétienne, y compris du mystère central, Hegel en détruit la transcendance, il en fait un pur processus logique. La conscience religieuse est
subordonnée à la conscience philosophique ; les dogmes deviennent
des mythes, des réalisations imparfaites de la conscience, que seul le
pur concept exprime de façon absolue. Le christianisme dit la vérité,
mais sur un mode incorrect ; seul le philosophe peut en révéler le
contenu exact. Le fidèle et le philosophe adhèrent à la même vérité,
mais de façon différente : le fidèle croit, et le philosophe sait.

Par cette volonté de conserver tout le contenu de la foi chrétienne
en l'intégrant dans une synthèse philosophique, Hegel se situe bien à
la charnière entre le monde religieux et le monde athée. Chrono-
logiquement et logiquement, il est l'homme de la transition : ayant
assimilé le contenu de la foi, il le restitue en système sécularisé ; par
lui, la croyance religieuse se mue en idéologie athée.

Parmi ses héritiers directs dans le domaine philosophique, Ber-
trando Spaventa (1817-1883) illustre parfaitement ce glissement inéluctable à l'athéisme. Avec lui, la religion chrétienne n'est plus qu'un
obstacle au développement de la pensée. Forme mythique de représentation de l'Absolu, elle doit être écartée au profit de la philosophie. Le vieux Dieu transcendant est mort, et cède la place au Dieu
immanent qui est simplement l'idéal de l'œuvre humaine. Si la religion positive convient toujours à l'homme grossier, la religion ratio-
nalisée convient à l'homme achevé. Spaventa, qui travaille dans une
Italie agitée par les conflits autour de l'unité, dans une atmosphère
anticléricale, concrétise ses idées en abandonnant la prêtrise en 1849[6].

Son contemporain Augusto Vera (1813-1885) est davantage fidèle à Hegel, en maintenant la balance plus égale entre religion et philosophie : toutes deux expriment l'esprit absolu sous des formes différentes, mais l'expression la plus parfaite est celle de la philosophie. L'hégélianisme connaît un grand succès au XIXᵉ siècle et au début du XXᵉ en Italie sous sa forme idéaliste, avec Mazzoni, Passerini, Colecchi, Cusani, Ajello, Gatti, Maturi, qui accentue le côté panthéiste immanent.

Avec Giovanni Gentile (1875-1944), le caractère provisoire de la religion devient encore plus net. Elle doit s'effacer dans l'activité philosophique, qui la dépasse. Homme politique, Gentile fait passer cette idée dans les faits, subordonnant l'enseignement religieux à l'enseignement philosophique par sa réforme de 1923, et favorisant une conception laïque de l'État. Pour lui, Dieu ne fait qu'un avec la pensée ; totalement immanent, il exprime l'identité de l'être et de la pensée.

Benedetto Croce (1866-1952) est plus réfractaire encore à l'idée religieuse, assimilée au mythe pur. Pour Gianfranco Morra, ce neveu de Spaventa est un esprit totalement « sourd » à la religion[7]. Piero Martinetti (1873-1943), s'il lui accorde plus d'importance, ne conçoit qu'un Dieu impersonnel et abstrait, dans une philosophie rationaliste. Quant à Pantaleo Carabellese (1877-1948), il pousse le panthéisme immanentiste à l'extrême : « Le problème de Dieu n'est pas celui de l'existence de Dieu, mais de l'essence de Dieu ; car Dieu en tant que pur Objet constitue le Principe de tout ce qui existe, uniquement parce qu'il n'existe pas, mais consiste[8]. »

L'idéalisme hégélien, à la source d'un athéisme panthéiste, marque donc profondément la génération des philosophes nés dans les années 1860-1870. Cela est vrai également en France, avec Léon Brunschvicg (1869-1944), selon qui le Dieu-fétiche des religions positives a fait son temps. Toute réalité se trouvant à l'intérieur de l'unité de la conscience, les preuves de l'existence de Dieu n'ont aucune valeur. La seule vraie religion est celle de l'homme rationnel, pour qui Dieu est esprit intérieur. Aux yeux de Dominique Parodi (1870-1955), la conception traditionnelle de Dieu est un anthropomorphisme grossier ; le Dieu transcendant et distinct du monde est une illusion. Quand Jules Lagneau (1851-1894) parle de Dieu, il entend simplement par là l'idéal moral de la bonté et de la vérité, position reprise par Alain (1868-1951). Outre-Manche, François Bradley (1846-1924) préfère parler de l'Absolu, réalité impersonnelle, à la fois immanente et transcendante, tandis que Jean McTaggart (1866-1925) et d'autres philosophes anglo-saxons continuent directement la ligne hégélienne avec un Dieu-Absolu, immanent dans la nature et dans l'histoire, même si Guillaume Hocking (1873-1966) revient davantage au théisme[9].

Feuerbach et l'athéisme anthropologique

Si l'on a pu dire de la postérité idéaliste de Hegel qu'elle était de « droite » et qu'elle ne se reconnaissait pas vraiment dans l'athéisme, il en va différemment de la « gauche », qui se fonde non pas sur la philosophie mais sur l'anthropologie. Son plus brillant représentant est Ludwig Feuerbach (1804-1872), qui a ainsi défini son itinéraire intellectuel : « Dieu fut ma première pensée, la raison ma seconde, ma troisième et dernière pensée fut l'homme. » Élevé dans le protestantisme, il étudie la théologie à Heidelberg à partir de 1823, dans le but de devenir pasteur. En 1825, attiré par la philosophie, il vient suivre les cours de Hegel à Berlin, et c'est une révélation. Sa vocation change brusquement : « Je savais ce que je devais faire et ce que je voulais : non pas la théologie, mais la philosophie ! Ne pas délirer ni vagabonder, mais apprendre ! Ne pas croire, mais penser [10] ! » Sa thèse de philosophie, soutenue en 1828, illustre ce propos par son titre : *Sous la Raison une, universelle et infinie*. Il enseigne quelque temps, puis se retire en 1836, rédigeant le grand ouvrage qui va le rendre durablement célèbre : *L'Essence du christianisme* (1841).

L'approche est anthropologique : « L'anthropologie est le mystère de la théologie », affirme Feuerbach dans la préface [11]. La démarche hégélienne est donc inversée : ce n'est plus l'esprit humain qui est englobé dans l'Absolu, c'est ce dernier qui est réduit à la conscience de soi de l'homme :

> La conscience de Dieu est la conscience de soi de l'homme, la connaissance de Dieu est la connaissance de soi de l'homme. À partir de son Dieu, tu connais l'homme, et inversement à partir de l'homme son Dieu : les deux ne font qu'un. Ce que Dieu est pour l'homme, c'est son esprit, son âme, son cœur, c'est cela son Dieu : Dieu est l'intériorité manifeste, le soi exprimé de l'homme ; la religion est le solennel dévoilement des trésors cachés de l'homme, l'aveu de ses pensées les plus intimes, la confession publique de ses secrets d'amour. [...]
>
> Tu crois en l'amour comme à une qualité divine, parce que toi-même tu aimes, tu crois que Dieu est sage et bon, parce que tu ne connais rien de meilleur en toi que la bonté et l'entendement, et tu crois que Dieu existe, qu'il est donc sujet ou être — ce qui existe est être, qu'il soit défini et déterminé comme substance ou personne ou autrement —, parce que toi-même tu existes, parce que toi-même tu es un être [12].

Pour objectiver Dieu, l'homme se dépouille de ses propres qualités et les attribue à cet être supérieur : c'est le processus de l'aliénation. L'homme s'appauvrit pour que Dieu soit riche, il se méprise pour que Dieu soit aimé :

> Pour enrichir Dieu, l'homme doit s'appauvrir ; pour que Dieu soit tout, l'homme doit n'être rien. Mais il n'a besoin d'être quelque chose pour lui-même, puisque tout ce qu'il prend à soi-même n'est pas perdu en Dieu, mais

conservé. L'homme a en Dieu sa propre essence ; comment devrait-il l'avoir en soi et pour soi ? Ce que l'homme se retire, ce dont il se prive, il n'en jouit que dans une mesure incomparablement plus élevée et plus riche en Dieu[13].

Dieu est une projection de l'homme, c'est sa propre essence qu'il extériorise et objective. Il se coupe de lui-même et élabore un Dieu infini. « La conscience de l'infini n'est rien d'autre que la conscience de l'infinité de la conscience. » En personnifiant Dieu, l'homme célèbre la propre autonomie de sa personne, et donne en même temps une dimension infinie à toutes ses caractéristiques :

> La religion est la scission de l'homme d'avec lui-même : il pose en face de lui Dieu comme être opposé à lui : Dieu n'est pas ce qu'est l'homme, l'homme n'est pas ce qu'est Dieu. Dieu est l'être infini, l'homme l'être fini ; Dieu est parfait, l'homme imparfait ; Dieu éternel, l'homme temporel ; Dieu tout-puissant, l'homme impuissant ; Dieu saint, l'homme pécheur. Dieu et l'homme sont des extrêmes : Dieu est l'absolument positif, la somme de toutes les réalités, l'homme est l'absolument négatif, la somme de toutes les nullités[14].

En Dieu, l'homme adore ses propres vertus, et la religion « est le rapport de l'homme avec lui-même, ou plus exactement avec son être, mais un rapport avec son être qui se présente comme un être autre que lui », un être d'imagination au profit duquel il s'est entièrement dépouillé : « Si je ne pense ni ne crois à Dieu, alors il n'y a pas de Dieu pour moi. Il n'existe donc qu'en tant qu'il est pensé ou cru [...]. Donc son existence est un intermédiaire entre l'existence sensible et l'existence pensée, un intermédiaire plein de contradictions [...]. Seule l'imagination protège de l'athéisme. »

La religion chrétienne, en prêchant l'incarnation, restitue d'ailleurs la vérité : Dieu est homme, l'homme est un Dieu pour l'homme. La religion est une étape nécessaire dans la prise de conscience de l'homme par lui-même. Elle lui révèle son essence. Mais cette étape doit être dépassée, et l'homme doit récupérer son essence.

> La religion n'a pas conscience de la nature humaine de son contenu ; elle s'oppose plutôt à l'humain, ou du moins elle n'avoue pas que son contenu est humain. Le tournant nécessaire de l'histoire est donc cette confession et cet aveu publics de ce que la conscience de Dieu n'est autre que la conscience du genre[15].

Ici intervient le concept d'athéisme. Et là, surprise : pour Feuerbach, la récupération par l'homme de ses qualités, qui va mettre fin à son aliénation et dégonfler le personnage mythique de Dieu, est tout le contraire de l'athéisme, car l'homme va enfin pouvoir adorer le vrai Dieu, c'est-à-dire l'humanité, rentrée en possession de ses qualités. Les vrais athées, ce sont les chrétiens actuels, écrit Feuerbach, qui disent croire en Dieu, mais qui vivent exactement comme si ce dernier n'existait pas ; ces chrétiens qui ne croient plus en fait à la bonté, à la justice, à l'amour, c'est-à-dire à tout ce qui définit Dieu ; ces chrétiens qui ne croient plus au miracle, mais à la technologie, qui ont plus confiance dans les assurances-vie que dans la prière ; qui, face à

la misère, n'ont plus recours à la prière mais à l'État-providence :
« L'État est la réfutation pratique de la foi religieuse. De nos jours,
même le croyant ne cherche secours qu'auprès de l'homme. Il se
contente de la "bénédiction de Dieu" dont il faut bien accompagner
toute chose. Mais la "bénédiction de Dieu" n'est qu'un rideau de
fumée derrière lequel l'incroyance croyante dissimule son athéisme
pratique. » Le christianisme n'est plus qu'un nom :

> Le christianisme a depuis longtemps disparu non seulement de la raison,
> mais aussi de la vie de l'humanité, il n'est plus rien qu'une idée fixe, qui se
> trouve dans la contradiction la plus criante avec nos compagnies d'assurance-
> incendie et d'assurance-vie, nos chemins de fer et nos locomotives, nos pina-
> cothèques et nos glyptothèques, nos écoles militaires et industrielles, nos
> théâtres et nos cabinets d'histoire naturelle.

En finir avec cette religion morte, est-ce faire preuve d'athéisme ?
En fait, Feuerbach oppose l'athéisme pratique, celui qui nie les prédicats de Dieu en vivant en contradiction avec eux, et l'athéisme théorique, celui qui nie l'existence du Dieu extérieur mais qui a la religion
d'une humanité rentrée en possession de ses qualités. Les chrétiens
sont des athées pratiques, et Feuerbach un athée théorique, mais pour
lui ce n'est pas là le véritable athéisme. Il revendique la religion de
l'humanité, et son hymne à l'amour a d'authentiques accents religieux : « L'amour est Dieu lui-même et en dehors de lui il n'est pas
de Dieu. L'amour fait de l'homme un Dieu et de Dieu un homme. »

De telles phrases sont d'ailleurs troublantes pour un chrétien, et les
théologiens sont souvent mal à l'aise devant Feuerbach, qu'ils ont
parfois essayé de récupérer, parlant d'« un homme qui croit en Dieu
de manière athée », d'un « théologien politique antithéologie », d'un
« chrétien anonyme ». Sa sincérité, son langage quasi religieux
émeuvent. Pourtant, écrit Hans Küng — théologien libéral s'il en
fut —, Feuerbach représente bien l'athéisme le plus intégral que l'on
ait jamais conçu :

> Pour la première fois dans l'histoire de l'humanité, on est en présence d'un
> athéisme pleinement réfléchi, absolument résolu, se reconnaissant tel sans
> réserve et — c'est un point important — un athéisme soutenu jusqu'à la fin
> comme un programme à réaliser : en aucun cas la théologie ne saurait le réin-
> terpréter ou le récupérer après coup. Cet athéisme conséquent lance un défi
> permanent à toute foi en Dieu[16].

La fermeté du ton, inhabituellement solennel, du théologien de
Tübingen invite à prendre au sérieux l'athéisme de Feuerbach, qui a
fait accomplir à l'incroyance un progrès décisif en lui fournissant une
base anthropologique solide, qui le met hors de portée des critiques
d'ordre rationnel. En 1848, Feuerbach donne à Heidelberg des cours
sur l'essence de la religion, mais l'échec de la révolution européenne
le contraint à se retirer à Bruckberg. La fin de sa vie est solitaire, mais
les vingt mille personnes qui escortent son cadavre à Nuremberg en
1872 montrent qu'il n'était pas oublié.

Ses analyses restent d'une grande pertinence dans le processus d'élaboration et de dégénérescence d'une religion.

> La religion, écrit-il, est le rapport que l'homme entretient avec sa propre essence — là se trouve sa vérité et sa puissance morale de salut —, mais avec son essence non pas en tant que la sienne, mais en tant qu'une essence autre, distincte de lui, opposée à lui — là se trouve sa fausseté, ses limites, sa contradiction avec la raison et la moralité ; là, la source grosse de maux du fanatisme religieux [17].

Au début, la séparation entre l'homme et Dieu s'effectue de façon immédiate, naturelle, « involontaire, puérile, candide », mais peu à peu la réflexion progresse, et alors la théologie entre en scène, qui a pour tâche de maintenir dans l'esprit des croyants la séparation entre l'homme et Dieu, tandis que celle-ci commence à être contestée :

> Lorsque la religion devient théologie, alors la séparation originairement innocente et involontaire de Dieu et de l'homme devient une distinction intentionnelle, érudite, qui n'a d'autre but que l'évacuation hors de la conscience de cette unité qui s'y est déjà introduite. [...] Ainsi, dans l'ancien judaïsme, Jéhovah était un être distinct de l'individu humain par l'existence seulement ; mais qualitativement, dans son essence intime, il était parfaitement semblable à l'homme, il avait les mêmes passions, les mêmes propriétés humaines, et même corporelles. Ce n'est que dans le judaïsme tardif que l'on sépara de la manière la plus stricte Jéhovah et l'homme, et que l'on se réfugia dans l'allégorie afin de conférer aux anthropopathismes un autre sens que celui qu'ils possédaient originairement. Il en fut de même dans le christianisme [18].

C'est dans le même but que l'on développe des preuves de l'existence de Dieu, afin « d'extérioriser l'intérieur, de le séparer de l'homme. Par l'existence, Dieu devient une chose en soi ». Ainsi, la foi constitue un système fermé, inattaquable de l'extérieur, car elle a sa propre logique : « C'est pour le seul incroyant que les objets de la foi contredisent la raison ; mais celui qui y croit est convaincu de leur vérité, ils ont pour lui valeur de raison suprême [19]. »

Le christianisme, observe Feuerbach, est une religion de la souffrance, organisée autour d'un Dieu qui prouve sa sensibilité en souffrant. De plus, la souffrance a le mérite de réduire l'homme et de grandir Dieu, alors que le plaisir a l'effet inverse : « Dans le malheur, l'homme ressent Dieu comme un besoin. Le plaisir, la joie sont cause d'expansion pour l'homme ; le malheur, la douleur le font se contracter [20]. »

Marx, Lénine et l'athéisme socio-économique

Aux yeux de Marx, l'athéisme de Feuerbach est trop théorique, et ne prend pas assez en compte les réalités socio-économiques dans la genèse de la religion. D'autre part, il n'explique pas pourquoi l'homme s'aliène dans la projection religieuse, et il n'envisage pas les moyens concrets de l'en faire sortir. Autant de points sur lesquels Marx se penche dans la première partie de sa vie, jusqu'en 1848. Ensuite, la religion apparaît très peu dans son œuvre. Elle n'est qu'une superstructure qui disparaîtra d'elle-même avec la société qui l'a fait naître.

Élevé dans le protestantisme, sans conviction, Karl Marx se retrouve athée naturellement, sans crise. Contrairement aux penseurs qui ont perdu la foi par une mutation douloureuse, il n'est nullement obsédé par le problème religieux, qu'il aborde de façon lointaine dans sa thèse de 1841 sur Démocrite et Épicure. Pour lui, l'athéisme va de soi. Dieu est un faux problème, qui cessera un jour de se poser, et ce jour-là l'athéisme lui-même sera dépassé, comme est dépassée la négation des mythes grecs.

À l'origine de la religion, Marx place, comme Feuerbach, la notion d'aliénation. L'homme, malheureux, projette dans un autre monde, illusoire, le bonheur dont il est privé, et il dote ce monde de toutes les qualités qui manquent à celui-ci. Mais la genèse de cette croyance réside bien dans une certaine situation politique et sociale, qui forme l'homme :

> L'homme n'est pas une essence abstraite, terrée en dehors du monde. L'homme, c'est le monde de l'homme, État, société.
> Cet État, cette société produisent la religion, une conscience du monde renversée, parce qu'ils sont un monde renversé. La religion [...] est la réalisation fantastique de l'essence humaine, parce que l'essence humaine ne possède pas de vraie réalité. La lutte contre la religion est ainsi médiatement la lutte contre ce monde, dont la religion est l'arôme spirituel.
> La misère religieuse est, d'une part, l'expression de la misère réelle, et, d'autre part, la protestation contre la misère réelle. La religion est le soupir de la créature opprimée, le sentiment d'un monde sans cœur, comme elle est l'esprit des temps privés d'esprit. *Elle est l'opium du peuple* [21].

On mesure la différence essentielle avec Feuerbach, qui raisonnait à partir de l'homme, supposé universel et identique, et qui d'autre part laissait le soin à l'histoire de liquider la religion. Pour Marx, la religion est le fruit, non pas de la nature humaine, mais d'une situation socio-économique particulière qui fait que les exploités projettent leur salut dans l'au-delà. Il est donc nécessaire d'agir. C'est par la *praxis* révolutionnaire que l'homme réalisera son autocréation et que du même coup la religion disparaîtra. Feuerbach a cru tuer Dieu ; mais il ne l'a fait qu'en théorie. Si les exploiteurs continuent à se servir de lui, il existe toujours. Ce qu'il faut, c'est faire disparaître les conditions historiques qui ont produit Dieu.

Une fois la révolution prolétarienne effectuée, l'homme pourra vraiment devenir lui-même, se réaliser, s'autocréer ; il remplacera Dieu : « L'athéisme est l'humanisme médiatisé avec soi-même grâce à la suppression de la religion. Ce n'est que grâce à la suppression de cette médiation — qui est cependant un présupposé nécessaire — qu'il devient l'humanisme positif, qui commence positivement à partir de soi-même [22]. »

Si certains commentateurs ont cru pouvoir trouver une analogie entre la rédemption marxiste du prolétariat et la rédemption christique, il ne faudrait pas pour autant oublier la violente dénonciation des principes sociaux du christianisme que Marx publie le 12 septembre 1847 dans la *Deutsche Brüsseler Zeitung* :

> Les principes sociaux du christianisme ont justifié l'esclavage antique et magnifié le servage médiéval ; ils savent également, au besoin, défendre l'oppression du prolétariat, même s'ils le font avec une mine quelque peu navrée.
>
> Les principes sociaux du christianisme prêchent la nécessité d'une classe dominante et d'une classe opprimée, et n'ont à offrir à cette dernière que le pieux souhait de voir la première pratiquer la bienfaisance.
>
> Les principes sociaux du christianisme placent dans le ciel le dédommagement de toutes les infamies par les conseillers consistoriaux, justifiant par là leur permanence sur la terre.
>
> Les principes sociaux du christianisme expliquent toutes les vilenies des oppresseurs envers les opprimés, ou bien comme un juste châtiment du péché originel et des autres péchés, ou bien comme des épreuves que le Seigneur, dans sa sagesse infinie, inflige à ceux qu'il a rachetés.

Avec Lénine, la lutte contre la religion et pour l'athéisme entre dans sa phase pratique, et occupe une place beaucoup plus importante dans l'idéologie. Lénine est devenu athée à seize ans, avant d'être marxiste, en lisant les œuvres du matérialiste Tchernychevski. Pour lui, la religion naît de la personnification des forces qui dominent les hommes : « De même que l'impuissance des primitifs luttant contre les puissances de la nature suscite la croyance en Dieu, diable et miracles, de même l'impuissance des classes exploitées luttant contre l'exploiteur suscite irrémédiablement leur foi en une vie meilleure dans l'au-delà. À celui qui travaille et qui peine toute sa vie, la religion enseigne l'humilité et la patience dans sa vie sur terre, en lui proposant une récompense dans le ciel[23]. »

La misère et l'ignorance expliquent que les damnés de la terre acceptent de telles croyances. La religion est aussi pour eux une drogue, l'opium dont parlait Marx : « La religion est une sorte de breuvage spirituel qu'ingurgitent les esclaves du capital pour perdre ainsi leur figure humaine et leurs droits à une existence si peu humaine que ce soit. » Contrairement à Feuerbach, Lénine ne reconnaît aucun rôle positif à la religion : « Il n'est pas vrai que Dieu représente un ensemble d'idées qui éveille et organise des sentiments sociaux. [...] L'idée de Dieu a toujours endormi et émoussé les "sentiments sociaux", car elle remplaçait toujours le vivant par la charogne et elle fut toujours une idée d'esclavage[24]. »

À partir de là, une tâche s'impose : éliminer la religion, qui est nuisible sur le plan social et qui est totalement antiscientifique. Lénine est très clair sur ce point : « Il nous faut combattre la religion, voilà l'ABC du marxisme intégral » ; « Le marxisme, c'est le matérialisme, et, comme tel, il est inexorablement hostile à la religion », et à toutes les religions : « Derrière chaque icône du Christ, chaque image de Bouddha, l'on ne voit que le geste brutal du capital. »

Comment mener cette lutte? Pas seulement par des moyens politiques ou policiers. C'est là la méthode des bourgeois, qui se demandent pourquoi la religion reste vivace dans le cœur des simples et qui répondent : « Par suite de l'ignorance du peuple, [...] alors, à bas la religion, vive l'athéisme ; la diffusion des idées athées est notre tâche principale. Les marxistes disent : c'est faux. » Ce qu'il faut, c'est lutter contre la peur, qui crée les dieux : peur de la misère, du chômage, de la faim, de l'exploitation. Il faut transformer l'ordre social inique, et la religion tombera d'elle-même. Et si les croyants veulent se joindre à ce combat, ils sont les bienvenus. Bref, réaliser l'athéisme par l'action.

Sur le plan philosophique, notons que Lénine, dans son ouvrage de 1909, *Matérialisme et empiriocriticisme*, s'élève contre la théorie de certains marxistes qui, inquiets des découvertes récentes sur la complexité de la matière, souhaitaient fonder la représentation du monde sur des éléments subjectifs. Lénine tient à maintenir la notion du matérialisme classique : « La matière, c'est la réalité objective reflétée par nos sensations. »

L'athéisme historiciste

L'athéisme peut aussi se fonder sur des conceptions plus historiques, comme avec Schelling (1775-1854). Dans ses *Conférences sur la méthode des études universitaires*, en 1803, il aborde la question de l'historicité du christianisme. Ce dernier, dit-il, est historiquement nécessaire, et donc analysable par la raison, tout en restant « phénomène divin et absolu ». En fait, comme dans la vision hégélienne, la religion se perd dans la philosophie. La transcendance disparaît au profit d'un Dieu qui est l'« en-soi » de l'histoire, et les dogmes deviennent de purs symboles. En 1804, le traité *Philosophie et religion* précise ces traits, et Schelling est accusé de matérialisme ou de panthéisme, impression que ne peut effacer *La Philosophie de la révélation*, qui redonne de l'importance au christianisme.

L'école allemande est à la pointe de cet historicisme. Déjà Schlegel (1772-1829), converti au catholicisme en 1808, soumettait le religieux au politique. Hegel et Schelling le soumettent à la philosophie. Bruno Bauer (1809-1882) va plus loin. Au nom de l'historicisme, il rejette le christianisme comme un obstacle à l'évolution naturelle de l'homme. Cette religion, née à une époque de malheurs et de souffrances, pendant la décadence du monde antique, a situé l'essence de l'homme dans la douleur et a bâti un ensemble « inhumain ». C'est en 1843, dans *Le Christianisme dévoilé*, que Bauer expose ce point de vue hostile. Auparavant, dans la *Critique de l'histoire évangélique de saint Jean* (1840) et dans la *Critique de l'histoire évangélique des*

synoptiques et de Jean (1841), il développait une vision plus positive : le christianisme est une invention de Jean, qui est à l'origine de
la « divinité » du Christ, et il a été un moment de la prise de
conscience de soi de l'humanité. Il a conféré à l'homme une éminente
dignité ; mais, en le soumettant à l'arbitraire d'un Dieu et de dogmes
qu'il a créés, il est maintenant un obstacle à l'épanouissement de la
conscience de soi universelle.

Avec David Strauss (1808-1874), la critique historiciste de la religion atteint un niveau plus profond, et son effet va se révéler durable.
Strauss est un autre exemple frappant de ce type si commun au
XIXᵉ siècle du séminariste passé à l'incroyance par l'étude de l'exégèse et de la philosophie, tout en gardant la nostalgie du christianisme, comme Renan. Étudiant au séminaire de Tübingen, il maîtrise
parfaitement les langues anciennes et l'exégèse, qu'il va faire passer
par le moule hégélien pour produire les deux volumes de la *Vie de
Jésus* en 1835 et 1836, ouvrage bientôt traduit en français par Littré.

Strauss est le fondateur de la théorie si féconde du mythe, qu'il
nourrit de sa propre érudition. Il s'appuie sur l'idée que l'aventure
évangélique est bâtie en toute bonne foi par des hommes imprégnés
des prophéties bibliques. Ils façonnent un Jésus à l'image du Messie
attendu. Animés par l'Esprit (hégélien), ils sont tellement persuadés
de la venue de Dieu parmi les hommes qu'ils la font se produire. Il
n'y a pas de tromperie consciente, comme le disaient les philosophes
du XVIIIᵉ siècle, mais autopersuasion. Les apôtres et les évangélistes
ont créé un mythe, celui de l'homme-Dieu, et cela par un pur processus psychique.

Paradoxalement, Strauss lui-même croit être fidèle à l'esprit du
christianisme ; dans son esprit, son œuvre n'est pas destinée à le
détruire, mais au contraire à le renforcer, à l'accomplir. D'une certaine façon, on pourrait dire qu'il est lui-même victime d'un mythe de
son époque, qui est celui de l'humanité divinisée. L'homme prend la
place de Dieu. Par là, d'ailleurs, Strauss trahit son modèle, Hegel,
pour qui le christianisme, moment nécessaire de la prise de
conscience de l'esprit, avait une valeur en lui-même. Pour Strauss,
c'est bien l'esprit qui mène le monde, mais cet esprit est réduit à un
pur processus psychique humain. Il n'a plus rien de l'Absolu hégélien. Strauss s'indigne d'être traité d'athée, lui qui pensait avoir travaillé pour la vraie religion. Sa théorie du mythe allait être une des
plus corrosives pour la foi.

Friedrich Engels (1820-1895) a lui aussi un point de vue historiciste, mais fort éloigné de celui de Strauss. Ce penseur, trop longtemps caché par l'ombre de Marx, développe en réalité des idées très
personnelles, notamment en matière religieuse, où son itinéraire a été
très différent de celui de son *alter ego*. Une jeunesse piétiste et un
passage douloureux à l'athéisme à la suite d'une crise ont marqué sa

philosophie de la religion, à laquelle il accorde plus d'importance que Marx.

Philosophiquement, il discerne la présence du principe de contradiction, et donc de la dialectique même, au sein de la nature où, avec le mouvement, tout à la fois est et n'est plus. La matière est mouvement, ce qui exclut l'idée de création : « Le mouvement ne saurait être créé, il peut seulement être transmis. » « Le mouvement est le mode d'existence, la manière d'être de la matière », et ne peut être créé ou détruit ; il est éternel. « Par là s'est effacé le dernier souvenir d'un créateur surnaturel. »

La conséquence, c'est l'éternel retour, la série éternelle des cycles, qu'Engels illustre par le vers de *Faust* : « Tout ce qui naît mérite de périr » (*Alles was entsteht, ist wert, dass es zugrunde geht*) :

> C'est en un cycle éternel que se meut la matière, cycle qui n'achève sans doute sa route qu'en espaces de temps pour lesquels notre année terrestre n'est plus une unité suffisante, cycle où le moment du développement suprême, celui de la vie organique, et plus encore de la vie elle-même et d'êtres ayant conscience d'une nature, est d'aussi étroite mesure que l'espace où se produisent vie et conscience de soi ; cycle où tout mode fini d'existence de la matière est également passager, et où rien n'est éternel que la matière en éternelle transformation, en éternel mouvement, et les lois d'après lesquelles elle se meut et se transforme[25].

En ce qui concerne la religion, Engels l'explique, comme Marx, par une personnification des forces qui dominent l'homme : forces naturelles au début, puis forces sociales. Ces fausses représentations acquièrent une certaine autonomie, deviennent des dieux nationaux, puis avec l'Empire romain apparaissent les religions universalistes. Chaque classe dominante dans l'histoire utilise la religion qui lui est conforme, tandis que la classe montante utilise une « religion révolutionnaire », considérée d'abord comme hérétique. Ainsi le protestantisme a-t-il été la religion de la bourgeoisie montante. Mais ce processus est cassé : avec la montée du prolétariat, la religion est destinée à disparaître dans la société sans classe, où il n'y a plus besoin d'instrument idéologique de domination. L'athéisme est l'avenir de l'humanité.

Parmi les théories athées inspirées par l'historicisme, nous pourrions placer le positivisme d'Auguste Comte, même si lui non plus n'aimait pas être traité d'athée. Il écrivait à Stuart Mill :

> Cette qualification ne nous convient à nous autres qu'en remontant strictement à l'étymologie [...]. Car nous n'avons vraiment rien de commun avec ceux qu'on appelle ainsi que de ne pas croire en Dieu, sans d'ailleurs partager en aucune manière leurs vaines rêveries métaphysiques sur l'origine du monde et de l'homme, et encore moins leurs étroites et dangereuses tentatives pour systématiser la morale[26].

Simple querelle de mots. Car en réalité Auguste Comte entend se situer au-delà de l'athéisme, qui est lui-même dépassé. Celui qui se dit athée s'inscrit en fait dans le système théologique, par opposition à la croyance ; ce faisant, il persiste à accorder de la consistance à cette dernière, alors qu'on ne devrait même plus parler de ces questions « vides de sens ». Personne ne songe plus à afficher son incroyance à l'égard des mythes grecs, tellement cela va de soi ; alors, pourquoi se définir encore comme athée par rapport à un Dieu chrétien mort depuis longtemps, dont l'inexistence est si évidente ? Se dire athée, c'est conférer de l'existence à ce que l'on nie :

> Même sous l'aspect intellectuel, l'athéisme ne constitue qu'une émancipation insuffisante, puisqu'il tend à prolonger indéfiniment l'état métaphysique en poursuivant sans cesse de nouvelles solutions des problèmes théoriques, au lieu d'écarter comme radicalement vaines toutes les recherches accessibles. Le véritable esprit positif consiste surtout à substituer toujours l'étude des lois invariables des phénomènes à celle de leurs causes proprement dites, premières ou finales, en un mot la détermination du comment à celle du pourquoi. Il est donc incompatible avec les orgueilleuses rêveries d'un ténébreux athéisme sur la formation de l'univers, l'origine des animaux, etc. Tant qu'on persiste à résoudre les questions qui caractérisent notre enfance, on est très mal fondé à rejeter le mode naïf qu'y applique notre imagination, et qui seul convient, en effet, à leur nature [...]. Les athées persistants peuvent donc être regardés comme les plus inconséquents des théologiens, puisqu'ils poursuivent les mêmes questions en rejetant l'unique méthode qui s'y adapte[27].

Pour certains cependant, Auguste Comte, au lieu d'aller au-delà de l'athéisme, s'est arrêté en deçà, à l'agnosticisme, considérant que le problème de l'existence de Dieu était insoluble, et que dans ces conditions mieux valait n'en pas parler. Toujours est-il que dans sa loi des trois états la phase terminale, positiviste, est couronnée par la création d'une nouvelle religion, celle de l'humanité positive, où Dieu est remplacé par le « Grand Être », composé des individus qui ont coopéré au grand ouvrage humain. Religion strictement définie, avec ses dogmes, ses cérémonies, son calendrier ; religion athée, suprême contradiction qui suffit à en expliquer l'échec.

L'athéisme psychologique et individualiste désespéré de Stirner, Schopenhauer et Hartmann

Dans les synthèses athées du XIXᵉ siècle, l'un des courants les plus importants a son fondement, non dans les sciences positives ou spéculatives, mais dans la psychologie individuelle. Ce siècle sombre, troublé, a désorienté nombre d'esprits qui, confrontés à un monde déjà largement désenchanté, se sont enfoncés dans le désespoir. Car, contrairement aux types d'athéisme précédents, ouverts sur un avenir radieux, plein de promesses pour une humanité libérée de l'emprise religieuse, l'athéisme d'origine psychologique est pessimiste : Dieu, le Père, est mort ; les hommes, orphelins, se retrouvent seuls, perdus.

Ce sentiment d'un vide immense atteint son intensité maximale avec Nietzsche. Ce vide, chacun cherche à le combler, mais sans grande illusion.

Cette catégorie de penseurs athées s'alimente bien sûr aux sources précédentes : ce sont l'histoire, la philosophie, les sciences qui leur montrent l'inanité des religions. Mais à la différence des penseurs précédents, qui voient l'athéisme au niveau social, au niveau global de l'humanité, comme un élément positif dans la marche de la civilisation, ceux-ci, introvertis, inquiets, angoissés, méditent sur les conséquences individuelles de la mort de Dieu ; conséquences pour eux-mêmes et pour chaque homme en particulier. Héritiers des nominalistes, ils ont tendance à penser que l'humanité, dont les autres font le nouveau Dieu, n'existe pas plus que le Dieu chrétien, et en ce sens ils sont doublement athées, si l'on peut dire. Leur pessimisme vient en partie de là ; alors que les premiers ont déjà trouvé un remplaçant au Père, en la personne de l'humanité, ceux-ci n'ont plus personne, car l'humanité n'est qu'un mot. Seuls existent des individus, et une addition d'individus ne fera jamais surgir un être global. L'individu est seul, irrémédiablement seul.

La tendance est déjà amorcée par Schleiermacher (1768-1834), dans les deux volumes de *La Foi chrétienne selon les principes de l'Église évangélique*, publiés en 1821 et 1822. Pour lui, tout réside dans le sujet, dans le sentiment qu'il a d'une dépendance absolue à l'égard de Dieu. Les « preuves » de l'existence de ce dernier sont totalement illusoires. Tout est dans l'expérience intérieure de l'individu, et à la limite « ce n'est pas celui qui croit à une sainte écriture qui a de la religion, mais seulement celui qui n'en a pas besoin, et même serait capable d'en produire une lui-même ». Dans ce contexte, la révélation n'a plus de sens, et en faisant de la religion une pure affaire psychologique, Schleiermacher prépare l'athéisme.

Attitude tout aussi dangereuse, celle de Kierkegaard (1813-1855), qui récuse tout fondement rationnel de la foi. Ce passionné de Dieu prépare, quant à lui, le désespoir de l'incroyant. Dans *L'Alternative*, de 1841, il présente le dilemme : c'est « ou bien Dieu, ou bien » ; donc, c'est Dieu ou rien, la « perdition », le désespoir. Et comme la foi ne peut s'acquérir par aucun élément rationnel, celui qui ne l'a pas reçue n'a rien à espérer.

Et le véritable incroyant individualiste, le voici, avec Max Stirner (1806-1856), qui écrit en 1844 dans *L'Unique et sa propriété* : « J'ai mis ma cause dans le Néant » (*Ich hab' mein Sach' auf Nichts gestellt*). On a tué Dieu, dit-il, pour le remplacer par une autre mystification, l'Homme, qui n'existe pas plus que Dieu. Tout ce qui existe, tout ce qui compte, c'est *Moi*. « Pour Moi, rien n'est au-dessus de Moi. » Chacun devrait le reconnaître, au lieu de se camoufler derrière des mirages d'humanité, de classes. L'humanisme athée, en déifiant une illusoire essence humaine, n'a fait que remplacer une tyrannie par une autre, pire que la première : « En transférant à l'homme ce qui, jusqu'à présent, appartenait à Dieu, la tyrannie du sacré ne peut que se faire plus lourde, l'homme étant désormais enchaîné à sa propre essence. »

Il n'y a ni Dieu ni Homme, il y a Moi, et ce moi il faut le libérer en rejetant toutes les transcendances et toutes les idoles, en rejetant aussi toute idée de communication avec l'autre, qui est irrémédiablement hors d'atteinte. La conséquence est un nihilisme désespéré, une impasse. Le Moi est indéterminé, il doit s'autocréer dans ses actes, mais sans illusion : « Si je mets ma cause en moi, l'Unique, elle repose sur l'éphémère, le créateur mortel de soi qui se dévore soi-même, et je puis dire : j'ai mis ma cause dans le Néant[28]. » Le Moi ne peut qu'assister au spectacle de sa propre destruction.

L'incompréhension est totale entre l'athéisme marxiste et l'athéisme de Stirner. Pour celui-ci, Marx est victime de l'illusion de l'humanité, vain fantôme que l'on substitue à Dieu. Pour Marx, Stirner est le représentant d'une société bourgeoise individualiste, dont les membres se croient des « uniques » isolés.

La conséquence logique de l'athéisme individualiste, nous la trouvons chez Keller, Schopenhauer, Hartmann : c'est la volonté d'anéantissement. Au nom de quoi a-t-on décrété comme une évidence que l'être vaut mieux que le néant ? Pourquoi ne serait-ce pas l'inverse ? C'est ce que Schopenhauer (1788-1860) démontre éloquemment, dès 1818, dans *Le Monde comme volonté et représentation*.

Son athéisme matérialiste est intégral : il y a le monde et moi, un point c'est tout. Et dans ce face à face apparaît l'absurdité de la situation : je suis dans un monde qui n'a pas de finalité, un monde qui est un total non-sens. Ce monde, qui est ma représentation, ne va nulle part, n'est orienté vers aucun progrès. Bien entendu, il n'a pas été créé par un Dieu : quel Dieu aurait eu l'idée de faire un monde aussi absurde, aussi mauvais, aussi stupide ? Et nous, dans ce monde, nous sommes comme des taupes, aveugles, toujours affairés à des tâches qui ne servent à rien, sans même savoir pourquoi, sans doute pour passer le temps, en attendant la mort. À quoi bon tout cela ? « Ce qui a été, n'est plus, est aussi peu que ce qui n'a jamais été. Mais tout ce qui est, est déjà passé l'instant d'après. »

Dans cette situation, la raison ne nous est d'aucun secours, au contraire ; elle ne fait qu'entretenir une illusion, l'illusion que l'insupportable est supportable et peut donc se prolonger. Quant à la conscience, elle est la pire de nos facultés : c'est par elle que nous savons ce que nous sommes ; grâce à elle, l'homme est le seul animal à savoir qu'il est mortel et que le monde est absurde. L'être est une malédiction, et il aurait mieux valu que l'homme et le monde n'aient jamais existé.

Alors, que faire ? Inutile de faire le malin, de jouer le héros en décidant d'assumer envers et contre tout l'absurdité du monde. Non, la seule solution, c'est de mettre fin au désir de vivre qui ne fait que perpétuer l'absurdité. Et en attendant, puisque nous sommes tous embarqués dans ce bateau ivre, prenons conscience de notre solidarité et pratiquons les uns envers les autres une charité désespérée.

L'œuvre de Schopenhauer est mal reçue par le public qui, en dépit de ses problèmes, ne comprend pas ce pessimisme intégral. De même, l'accueil réservé au roman de Gottfried Keller, *Henri le Vert*, en 1855, est très négatif. Ce roman philosophique traite des conséquences existentielles de l'athéisme : le Dieu du christianisme étant rejeté, peut-on vivre sans Dieu ? Cela exige une éthique encore plus austère que celle du christianisme, une éthique sans pardon des fautes, qui conduit finalement le héros au suicide. Le public juge cette issue incongrue. L'athéisme est bien accepté, mais un athéisme positif, libérateur.

Sans doute faut-il donc voir une évolution de l'opinion publique vers le pessimisme dans le fait que quatorze ans plus tard, en 1869, la *Philosophie de l'inconscient*, d'Eduard von Hartmann (1842-1906), ait connu un large succès, avec neuf éditions en treize ans. Ce volumineux traité du désespoir intégral atteint en effet le fond de la détresse humaine sans Dieu et se termine par un appel au suicide collectif de l'humanité. Ce monde n'aurait jamais dû exister, et la vie est une duperie, dont le malheur est d'autant plus cruellement ressenti que le niveau de conscience est élevé. Tous les penseurs qui prônent un progrès collectif sont des marchands d'illusion, les socialistes comme les positivistes. En 1874, dans *L'Autodestruction du christianisme et la religion de l'avenir*, Hartmann prophétise : grâce à la science, les hommes vont bientôt pouvoir communiquer simultanément ; enfin conscients de l'absurdité et du malheur irrémédiables de leur situation, ils décideront l'anéantissement collectif et total de cette humanité dépourvue de sens.

On pourra s'étonner que Hartmann ait eu de nombreux enfants et qu'il se soit enthousiasmé pour les idées nationalistes allemandes. C'est oublier que la vie est un tissu de contradictions, qui ne font que contribuer à son caractère absurde. Contentons-nous d'observer que l'athéisme psychologique est sans doute le plus intégral, dans la mesure où il ne cherche pas à remplacer Dieu par une idole, la classe, la nation, la science, le progrès, la démocratie, la race, ou la plus illusoire de toutes, l'Homme. S'il n'y a plus de dieux, il ne reste que des individus face à un monde incompréhensible. À partir de là, à chacun de réagir comme bon lui semble. Les solutions ne sont pas nombreuses. Nietzsche, lui, propose la sienne : faire face par la volonté de puissance en élaborant le surhomme.

Nietzsche, de la mort de Dieu à la folie

Friedrich Nietzsche (1844-1900) a été élevé dans un esprit piétiste dont il a rapidement senti les insuffisances. Dès l'âge de dix-huit ans, il se rend compte que la critique biblique et la philosophie idéaliste ne laissent subsister du christianisme qu'une façade ou une coquille vide, ce qui prépare une crise sans précédent des valeurs occidentales lorsque l'humanité prendra conscience de ce fait. Pour lui, c'est là un drame intérieur considérable, peut-être le drame de sa vie. D'après le témoignage de celle qui l'a aimé, Lou Andreas Salomé, Nietzsche est un tempérament religieux tourmenté, sincèrement angoissé par le constat de la mort de Dieu[29]. Il écrivait à sa sœur : « Veux-tu la paix de l'âme et le bonheur, alors crois ; veux-tu être un disciple de la vérité, alors cherche. » La première position est la plus confortable. Mais lorsqu'on a perdu la foi, on ne peut revenir en arrière.

Or Nietzsche a rapidement fait le constat : « Le plus grand événement de ces derniers temps — à savoir que Dieu est mort, que la croyance dans le Dieu chrétien est devenue incroyable — commence déjà à jeter ses premières ombres sur l'Europe. » La proclamation de cette terrible nouvelle par l'« homme fou » est l'une des pages les plus célèbres de l'auteur, mais aussi l'une des plus poignantes de la littérature. Dieu est mort, et les hommes ne comprennent pas ce que cela veut dire :

> « Où est Dieu, criait-il, je veux vous le dire ! Nous l'avons tué — vous et moi ! Nous tous nous sommes ses meurtriers ! Mais comment avons-nous fait cela ? [...] N'entendez-vous pas déjà le bruit des fossoyeurs qui portent Dieu en terre ? Ne sentez-vous pas déjà l'odeur de la pourriture de Dieu ? — car les dieux aussi pourrissent ! Dieu est mort ! Dieu restera mort ! Et nous l'avons tué ! Comment nous consolerons-nous, nous les meurtriers entre tous les meurtriers ? Ce que le monde avait de plus sacré, de plus puissant a saigné sous nos couteaux — qui lavera de nous la tache de ce sang ? Avec quelle eau nous purifierons-nous ? Quelles fêtes expiatoires, quels jeux sacrés nous faudra-t-il inventer ? La grandeur de cet acte n'est-elle pas trop grande pour nous ? Ne devrons-nous pas devenir nous-mêmes des dieux, ne fût-ce que pour paraître dignes de l'avoir accompli ? Jamais il n'y eut si grande action — et tous ceux qui naîtront après nous tiendront de ce fait à une histoire plus haute que toute l'histoire du passé ! » — Alors l'homme fou se tut et regarda de nouveau ses auditeurs : eux aussi se taisaient et dirigeaient vers lui des regards inquiets. Enfin il jeta contre terre sa lanterne qui se brisa en morceaux et s'éteignit : « Je viens trop tôt, dit-il alors, les temps ne sont pas encore révolus. Cet événement formidable est encore en route, il marche, il n'est pas encore parvenu jusqu'aux oreilles des hommes. Il faut du temps à l'éclair et au tonnerre, du temps à la lumière des étoiles, il faut du temps aux actions, même après qu'elles ont été accomplies, pour être vues et entendues. Cette action vous est plus lointaine que les plus lointaines constellations — et pourtant vous l'avez accompli[30]. »

Comment a-t-on pu tuer Dieu ? Luther a commencé le travail, en faisant dépendre Dieu de la foi personnelle de chacun. Dieu est aussi mort par sa propre faute, « mort de sa pitié pour les hommes » ; il a été étouffé par la théologie. Il a également été tué par le développement humain, par les raffinements de la science, par la psychologie, qui l'ont rendu « tout à fait superflu ». Les hommes ne peuvent plus supporter un Dieu pareil, justicier, cruel, jaloux : il choque le bon goût, « il a échoué dans trop de ses créations, ce potier novice. [...] En matière de piété aussi, il existe un bon goût, c'est ce bon goût qui a fini par dire : "Assez d'un pareil Dieu[31]!" ». Dieu a encore été tué par « le plus hideux des hommes », comme le montre un passage de *Zarathoustra*[32]. Ce qui, à notre sens, ne veut pas dire, comme le voudraient les croyants, qu'il faut être hideux pour commettre un acte pareil, mais bien plutôt que Dieu est mort à cause du problème du mal, à cause de l'existence inexpliquée de tous ces êtres hideux innocents[33]. Enfin, Dieu est mort par la volonté nietzschéenne, qui ne peut supporter ce Dieu souffrant, misérable : « Dieu à la croix est une malédiction sur la vie. »

Pour Nietzsche, Schopenhauer a été le premier véritable athée complet à avoir annoncé la mort de Dieu, tandis qu'au contraire Hegel a essayé de le sauver, de retarder la fin du christianisme par sa synthèse ambiguë :

> Le crépuscule de la foi dans le Dieu du christianisme et le triomphe de l'athéisme scientifique constituent un événement qui concerne l'ensemble de l'Europe et auquel toutes les races doivent avoir leur part de mérite et d'honneur. En revanche, on devait mettre sur le compte des Allemands — des Allemands contemporains de Schopenhauer — d'avoir retardé cette victoire de l'athéisme de la façon la plus prolongée et la plus dangereuse. Hegel, en particulier, a été l'agent de retardement par excellence par la tentative grandiose qu'il a faite de nous persuader du caractère divin de l'existence, en faisant appel, en dernier ressort, même à notre sixième sens, le « sens historique »[34].

Dieu est donc mort. Le fait est acquis. Mais ce qui révolte Nietzsche, c'est que toutes les valeurs morales et métaphysiques attachées au christianisme subsistent, comme si on avait tué Dieu pour rien. On a transformé le christianisme en humanisme ; on a simplement changé de religion, et à notre époque il n'y a aucune excuse à cela, car nous savons que Dieu est mort, et nous faisons comme s'il vivait toujours :

> Je traverse avec une sombre prudence cette maison de fous qu'est le monde depuis des milliers d'années, peu importe qu'on l'appelle christianisme, foi chrétienne, Église chrétienne — je me garde de rendre l'humanité responsable de ses maladies mentales. Mais mon sentiment change, éclate dès que j'entre dans l'époque moderne, dans *notre* époque. *Notre époque n'est pas ignorante* [...]. Ce qui jadis ne fut que maladie devient aujourd'hui inconvenant. Il est inconvenant d'être aujourd'hui chrétien. Et c'est ici que commence mon dégoût : — je me retourne : il ne reste plus un mot de ce qui jadis s'appelait « la vérité » à la bouche. Même en ne réclamant qu'un minimum d'honnêteté, il faut savoir aujourd'hui qu'un théologien, un prêtre, un pape, par chaque phrase qu'il prononce, non seulement se trompe, mais qu'il ment, qu'il ne lui est plus permis de mentir par « innocence », par « ignorance » [...]. Tout le monde sait cela, et pourtant rien ne change[35].

Faut-il encore prouver la mort, l'inexistence de Dieu ? Ce n'est pas la peine. Ce sont les athées d'autrefois qui cherchaient à réfuter les preuves de l'existence de Dieu. Aujourd'hui, on a dépassé ce stade ; on en est à expliquer comment la croyance en Dieu a pu naître, ce qui est la meilleure réfutation de son existence :

> Autrefois on cherchait à prouver qu'il n'y avait pas de Dieu — aujourd'hui on montre comment la croyance en un Dieu a pu naître, et à quoi cette croyance doit son poids et son importance : du coup, une contre-preuve de l'inexistence de Dieu devient superflue. — Autrefois, lorsqu'on avait réfuté les « preuves de l'existence de Dieu » qui étaient avancées, le doute persistait encore : ne pouvait-on pas trouver des preuves meilleures que celles que l'on venait de réfuter ? En ce temps-là, les athées ne savaient pas faire table rase [36].

Ce qu'il faut maintenant, c'est s'habituer à vivre sans Dieu. Et là, deux chemins s'ouvrent devant l'athée. Le premier, emprunté par la foule, c'est le chemin qui conduit au dernier homme. Un chemin qui reste marqué par la morale de l'esclave, où l'on remplace Dieu par les idoles nouvelles, le progrès, la science, la démocratie, la vérité ; un chemin qui continue à subir l'influence de l'ombre de Dieu, comme celle de Bouddha, que l'on continuait à montrer des siècles après sa mort dans une caverne : « Dieu est mort ; mais telle est la nature des hommes que, des millénaires durant peut-être, il y aura des cavernes où l'on montrera son ombre. Et quant à nous autres, il nous faut vaincre son ombre aussi [37] ! » L'athéisme rationaliste lui-même n'est souvent qu'une autre forme d'idolâtrie. Et tout cela conduit l'humanité au dernier homme, dont Nietzsche fait une description terrible, d'autant plus accablante que nous sentons bien qu'elle correspond à l'humanité actuelle :

> La terre alors sera devenue exiguë, on y verra sautiller le Dernier Homme qui rapetisse toute chose. Son engeance est aussi indestructible que celle du puceron ; le Dernier Homme est celui qui vivra le plus longtemps. [...]
> Ils auront abandonné les contrées où la vie est dure ; car on a besoin de chaleur. On aimera encore son prochain et l'on se frottera contre lui, car il faut de la chaleur. [...]
> Un peu de poison de temps à autre ; cela donne des rêves agréables. Et beaucoup de poison pour finir, afin d'avoir une mort agréable.
> On travaillera encore, car le travail distrait. Mais on aura soin que cette distraction ne devienne jamais fatigante. [...]
> On sera malin, on saura tout ce qui s'est passé jadis ; ainsi l'on aura de quoi se gausser sans fin. On se chamaillera encore, mais on se réconciliera bien vite, de peur de se gâter la digestion.
> On aura son petit plaisir pour le jour et son petit plaisir pour la nuit ; mais on révérera la santé.
> « Nous avons inventé le bonheur », diront les Derniers Hommes, en clignant de l'œil [38].

L'autre voie, celle qui s'ouvre au véritable athée, à celui qui assume la vision d'un monde sans Dieu, à celui qui est désaliéné, débarrassé de toute illusion transcendante, à celui qui a compris que désormais il n'y a pas de « sens », que « rien n'est vrai, tout est permis », c'est la voie du surhomme. Pour lui, la morale, c'est la volonté de puissance, c'est le renversement de la morale d'esclaves qui avait imposé le christianisme avec son scandaleux principe d'égalité, suivant lequel « les hommes sont égaux devant Dieu : ce qui jusqu'à aujourd'hui a été le *non plus ultra* de l'idiotie ».

Le surhomme va se créer lui-même, en s'affirmant, et il n'a besoin de personne. Il regarde en face le destin, qui est celui d'un éternel retour des choses, vision désespérante, qu'on ne peut assumer qu'en aimant le destin, dans une attitude héroïque, à l'opposé du renoncement de Schopenhauer. Ainsi Nietzsche, au bout de son raisonnement, s'enferme-t-il orgueilleusement dans une suprême contradiction : le surhomme se choisit librement, se détermine par l'acceptation du destin inéluctable qui est la négation même de sa liberté. Il le répète lui-même : c'est « un non-sens que de s'imaginer comme choisissant soi-même librement son existence ou sa manière d'être telle ou telle ».

Nietzsche avoue son doute final, qui ne peut se terminer que par la folie : « Donnez-moi donc la folie, ô vous, êtres célestes, la folie afin que je croie enfin en moi-même [...]. Le doute me dévore ; j'ai tué la loi et la loi me tourmente comme un cadavre tourmente un vivant : si je ne suis pas plus que la loi, alors je suis le plus rejeté de tous[39]. »

L'athéisme psycho-physiologique et psychanalytique

Une autre voie importante s'ouvre à l'exploration de l'athéisme au XIXᵉ siècle : celle de la médecine, de la physiologie, où les Allemands jouent encore un rôle essentiel, avec un ensemble d'ouvrages parus vers 1850. En 1847, dans les *Lettres physiologiques*, Karl Vogt (1817-1895) écrit : « Les pensées sont au cerveau comme la bile au foie et l'urine aux reins. » Dans *Les Rapports du physique au moral*, il établit la dépendance stricte du second par rapport au premier ; dans *La Foi du charbonnier et la science*, il ridiculise les « contes de fées absolument insoutenables » de la religion.

Le chimiste Jakob Moleschott (1822-1893), dans la *Doctrine des aliments pour le peuple* (1850) et *La Circulation de la vie* (1852), fait reposer le processus de la pensée sur le phosphore : « Sans phosphore, pas de pensée. » Découvrir la proportion de matière organique chez l'homme intelligent résoudra le problème des capacités cérébrales et permettra d'améliorer le niveau intellectuel. Pour Ludwig Büchner (1824-1899), auteur de *Force et matière* en 1852, c'est également le physique qui détermine le psychique. Il faut en finir avec le surnaturel, avec les entités abstraites. N'est vrai que ce qu'on peut voir, peser, imaginer. La liberté n'est qu'une illusion. C'est aussi ce que pense Ernst Haëckel (1834-1919), qui se situe dans une perspective matérialiste dynamique adaptée de Darwin. Pour lui, l'évolutionnisme est la clé des *Énigmes de l'univers*.

L'étude psycho-physiologique du phénomène religieux connaît une grande vogue au début du XXe siècle et contribue à réduire la religion à un phénomène psychique. G.S. Hall insiste sur le rôle fondamental de la crise d'adolescence dans ce phénomène[40], de même que E.D. Starbuck[41] : le passage de l'égocentrisme de l'enfant à l'hétérocentrisme de l'adolescent peut être attribué par l'individu à des forces divines, qui « sont objectivées, et deviennent l'influence qu'exerce une personnalité spirituelle extérieure[42] » ; il y a alors conversion, par projection d'une évolution intérieure sur Dieu. C'est aussi la position de J.H. Leuba[43].

La psychanalyse se devait d'apporter sa contribution à l'explication du phénomène religieux. Les forces obscures de l'inconscient ne sauraient être étrangères aux différentes attitudes à l'égard du divin, et Freud s'est évidemment penché sur le problème, sans réussir toutefois à le cerner de façon satisfaisante. C'est dans *L'Avenir d'une illusion*, en 1927, qu'il donne une première explication psychanalytique de la religion comme moyen de canaliser les pulsions humaines réprimées par l'exigence sociale en leur promettant compensation et dédommagement dans l'au-delà. Frustré de mille manières par ses limites face à la nature, à la société, à la mort, l'homme est appelé à surmonter ses souffrances dans une croyance à l'immortalité bienheureuse. De là naissent les « besoins religieux ». La croyance religieuse acquiert consistance parce qu'elle s'enracine dans la figure du père : « Quand l'enfant, en grandissant, voit qu'il ne pourra jamais se passer de protection contre des puissances souveraines et inconnues, alors il prête à celles-ci les traits de la figure paternelle, il se crée des dieux, dont il a peur, qu'il cherche à se rendre propices et auxquels il attribue cependant la tâche de le protéger[44]. »

La religion est donc une réponse à une situation de détresse, une projection correspondant à des besoins, à des désirs, qui se fixent sur l'image idéalisée du père, et que l'adulte ensuite habille d'arguments rationnels d'ordre théologique. Ce qui d'ailleurs peut aussi expliquer l'évolution vers l'athéisme, lorsque l'individu grandissant rejette un Dieu dont il s'aperçoit qu'il n'était qu'une construction de son esprit.

La religion peut aussi recouvrir, comme l'athéisme, des phénomènes névrotiques tels que la révolte contre l'autorité du père. C'est pourquoi, comme l'écrivait Freud en 1909 à Pfister : « La psychanalyse n'est en soi ni religieuse, ni irréligieuse. C'est un instrument impartial dont peuvent se servir le prêtre comme le laïc quand ils ne cherchent qu'à guérir ceux qui souffrent[45]. » Il est vrai qu'en soi la psychanalyse ne se prononce pas sur la réalité du monde divin ; des prêtres s'en servent d'ailleurs pour corriger et purifier la foi. Malgré tout, il s'agit d'une discipline méthodologiquement athée et qui, en apportant des explications purement psychiques au sentiment religieux, renforce considérablement l'incroyance.

D'autant plus que Freud, dans ses œuvres ultérieures, *Malaise dans la civilisation* (1930), *Moïse et le monothéisme* (1939), accentue la critique de la religion elle-même comme névrose de la civilisation, dont il explique l'origine et annonce la disparition. Pour lui, écrit A. Vergote, « La religion judaïque surtout constitue un moment décisif dans le progrès de spiritualité. Par l'interdiction de toute représentation de Dieu, par l'obligation d'adorer un Dieu invisible, et par la défense d'abuser du nom de Dieu, la religion achève son évolution dans l'instauration du règne du Père. Transformés par la reconnaissance de la fonction paternelle, les hommes en viennent à se vouer au règne de l'esprit : à la culture, au langage et à l'intelligence, par opposition aux perceptions immédiates et aux satisfactions pulsionnelles [46] ».

Freud avance même l'hypothèse audacieuse d'un meurtre historique du père primitif, meurtre réitéré plusieurs fois sur la personne de Moïse, de Jésus, engendrant sentiment de culpabilité, divinisation du père assassiné et réconciliation avec le dieu-père dans la religion : « Le dieu personnel n'est rien d'autre, psychologiquement, qu'un père transfiguré. » La religion, stade nécessaire dans l'évolution de l'humanité, est une névrose collective que les progrès de la raison et de la science sont en train de faire reculer.

Freud a conscience des insuffisances de sa théorie, qu'il qualifie lui-même de « mythe scientifique ». L'école psychanalytique, pourtant, va encore accentuer l'aspect purement névrotique du phénomène religieux. Pour T. Reik, par exemple, la religion est réductible au complexe d'Œdipe, et ses pratiques sont des manifestations obsessionnelles [47]. C.G. Jung atténue bien le propos, en attribuant à Dieu une existence intérieure à l'individu. Dieu est une réalité psychique, que l'homme objective en projetant sa richesse intérieure sur un être imaginaire. Dieu est l'intimité même de l'individu, mais il n'a aucune réalité objective : « Le concept de Dieu est une fonction psychique de nature irrationnelle et absolument nécessaire, et il n'a aucun rapport avec la question de l'existence de Dieu » ; « Une doctrine sur Dieu au sens d'une existence non psychologique ne peut pas être soutenue [48] ». La religion est un pur rapport de soi avec soi.

Au total, la psychanalyse est un nouvel instrument qui renforce l'athéisme, en réduisant Dieu et le sentiment religieux à des phénomènes de conscience : « Avec plus de force encore que le marxisme, écrit A. Vergote, elle développe des arguments qui peuvent étayer un athéisme radical, ou même encore un antithéisme éthique déclaré. Une psychanalyse convaincue de l'origine morbide de la religion se doit de la détruire par ses moyens propres, et cela pour l'honneur même de l'humanité qu'elle entend améliorer [49]. »

Ainsi, le XIXe siècle se solde par un énorme bond en avant de l'incroyance sous toutes ses formes pratiques et théoriques : recul de la pratique religieuse dans toutes les catégories sociales, élaboration de vastes synthèses athées aux allures conquérantes, apparition de mouvements agressivement antireligieux et prosélytes, repli de la foi sur des positions piétistes pour les uns, scolastiquement rationnelles pour les autres, mais toujours dépassées, en décalage face aux avancées culturelles du siècle. La philosophie, la science, l'histoire, la sociologie, la médecine, la psychologie, la psychanalyse proclament par leurs représentants les plus autorisés la mort de Dieu, même si l'on a conscience que l'enterrement risque de se prolonger encore longtemps. Et pour bien montrer que Dieu est mort, on écrit sa biographie, on explique comment une telle illusion a pu apparaître, et comment elle va disparaître.

Bien sûr, il reste beaucoup de croyants ; ils sont même la grande majorité des Européens. Mais on pouvait alors penser que le grand reflux était commencé. Dans la brèche ouverte par la Révolution s'était engouffrée une foule iconoclaste, qui ne cessait d'élargir la voie de l'incroyance sous des formes variées, de l'athéisme matérialiste le plus dur au déisme le plus mou. Même des esprits aussi peu scientistes que Bergson n'osent plus se dire croyants. Beaucoup ont l'impression, vers 1900, que l'essor de l'athéisme est désormais irrésistible.

Pourtant, un siècle plus tard, l'incroyance semble piétiner. La diversité des points de vue athées — souvent antagonistes, comme nous avons pu le voir — a sans doute ralenti sa progression. Mais la véritable raison de cet enlisement tient au fait que le xxᵉ siècle, loin de marquer la victoire d'une certitude sur une autre, va se solder par la montée de l'incertitude. Là est sans doute la principale caractéristique de notre époque qui, après le siècle de la mort de Dieu, restera comme le siècle de la mort des certitudes, au détriment de la foi comme de l'athéisme.

SIXIÈME PARTIE

La fin des certitudes
(XXe siècle)

CHAPITRE XVIII

Athéisme et foi :
de la guerre à l'armistice ?

Nous avons peu de chances de nous tromper en affirmant que le xxᵉ siècle restera dans l'histoire comme celui du naufrage des certitudes. Commencé tambour battant avec les certitudes nationales, qui s'épuisent dans la boue des tranchées, rythmé ensuite par les certitudes idéologiques et raciales de droite, noyées dans les holocaustes et l'éclair atomique, par les certitudes communistes d'aube nouvelle pour l'humanité, enlisées dans les goulags et dans les rayons vides des magasins d'État, par les certitudes libérales capitalistes, piétinées par les hordes de chômeurs, par les certitudes démocratiques, asphyxiées par l'odeur des scandales et des affaires, par les certitudes scientifiques, confrontées aux problèmes éthiques, par les certitudes humanistes, mortes de la misère de la moitié de l'humanité, il s'achève enfin, ce siècle interminable, par des célébrations dont on a du mal à saisir la justification.

Il eût été surprenant que les domaines religieux et philosophique échappent à la tourmente. Là comme ailleurs, les certitudes s'envolent : certitude du croyant et certitude de l'incroyant, foi et athéisme ; le doute généralisé se traduit par le grouillement sinistre et la cacophonie des crédulités hétéroclites de la fin de siècle. Atmosphère crépusculaire qui marque d'une certaine façon la faillite intellectuelle d'une humanité qui en est venue à mépriser sa propre raison.

C'est pourquoi les trois chapitres de cette ultime partie poseront plus de questions qu'ils ne donneront de réponses. Nous examinerons tout d'abord les derniers conflits directs entre les dogmatismes athées et croyants ; puis nous nous pencherons sur les doctrines et les comportements afin de voir si le problème de l'existence de Dieu se pose toujours, sur le plan théorique comme sur le plan pratique ; enfin, nous tenterons un bilan de l'incroyance.

Le mouvement des « Sans-Dieu » en URSS (1925-1935)

Avec l'arrivée au pouvoir du marxisme-léninisme en Russie en 1917, l'athéisme devient pour la première fois l'idéologie officielle d'un État. Certes, comme l'avaient dit Marx et Lénine, la disparition de la religion devait accompagner naturellement la fin de l'ordre social bourgeois. Mais pour beaucoup de bolcheviks, la lutte anti-religieuse est une priorité en soi, qui nécessite des mesures de coercition : « La religion et le communisme sont incompatibles aussi bien en théorie qu'en pratique », écrit Boukharine dans l'*ABC du communisme*.

Dès 1918, la Constitution sépare l'Église et l'État, et « reconnaît à tous les citoyens la liberté de la propagande religieuse et anti-religieuse ». À partir de 1924, les églises sont livrées à toutes les religions, et de fortes taxes sont exigées pour leur utilisation. Le mouvement Novaïa-Jizn affiche comme programme la volonté de « combattre tout abêtissement religieux des ouvriers ». L'enseignement religieux est quasiment interdit.

En 1923, le XIIᵉ Congrès du Parti communiste décide d'entamer une lutte systématique contre les « préjugés religieux ». Deux journaux sont chargés de diffuser l'athéisme : *Bezbojnik* (« Le Sans-Dieu »), et *Bezbojnik ou Stanka* (« Le Sans-Dieu au chantier »). En 1925 est créée, sous la direction de Yaroslavsky, l'Union des Sans-Dieu, qui revendique 2 421 cellules et 87 033 membres en 1926, 3 980 cellules et 123 007 membres en 1928. Yaroslavsky annonce clairement l'objectif : « Mettre en action non seulement la critique des attaches sociales de la religion, mais aussi la critique scientifique ; montrer le gouffre qui sépare la science de la religion, aider les masses à franchir ce gouffre, voilà la tâche qui s'impose à nous pour les années à venir. La lutte contre la religion, c'est la lutte pour le socialisme[1]. »

En juin 1929, lors de son deuxième congrès à Moscou, l'union devient l'Union des Sans-Dieu militants (USDM) et, sous l'impulsion stalinienne, les nouveaux statuts sont plus agressifs : il s'agit d'« unir les masses ouvrières de l'URSS en vue d'une lutte active systématique et continuelle contre toutes les religions qui sont un obstacle à la construction socialiste et à la culture révolutionnaire ».

Il faut éradiquer toutes les religions, et pas seulement le christianisme, comme l'écrit Stepanoff dès 1923 :

> Nous devons agir de manière que chaque coup porté à la structure traditionnelle de l'Église, chaque coup porté au clergé, attaque la religion en général [...]. Les plus aveugles voient à quel point devient indispensable la lutte décisive contre le pope, qu'il s'appelle pasteur, abbé, rabbin, patriarche, mullah ou pape ; cette lutte doit se développer non moins inéluctablement « contre Dieu », qu'il s'appelle Jéhovah, Jésus, Bouddha ou Allah[2].

Dix ans plus tard, dans un article de *Bezbojnik*, Olechtchouk le confirme :

> Il est impossible de tracer une sorte de ligne de démarcation entre les véritables chrétiens et les chrétiens entre guillemets. En fin de compte, tous les croyants se ressemblent. Toute religion, comme l'a proclamé Marx, est un opium pour le peuple. Toute religion est un instrument d'exploitation, un moyen d'endormir les travailleurs. C'est pourquoi nous sommes contre toutes les religions[3].

La pensée de Staline, ancien séminariste, tient en quelques mots : « Je suis contre la religion parce que je suis pour la science. » Sous son impulsion, les mesures de persécution se multiplient. Le décret du 8 avril 1929 par le commissariat à l'Intérieur vise à retirer tout rôle social à la religion en interdisant aux associations religieuses d'organiser des caisses de secours, des réunions bibliques, de tenir des dispensaires et des bibliothèques. Les membres du clergé, considérés comme des « non-travailleurs », ou parasites, sont privés de droits civiques et de cartes d'alimentation ; beaucoup sont déportés ou exécutés ; leurs enfants doivent les renier.

Une propagande de masse est organisée. En 1929 est inauguré le Musée central antireligieux de Moscou, où l'on présente des expositions sur les méfaits de la religion. La presse redouble ses attaques. Un flot d'ouvrages d'athéisme militant inonde le pays, largement commentés par les journaux. La plupart sont des manuels pratiques, tels que *La Campagne contre Dieu, L'Éducation antireligieuse à l'école, Cours antireligieux par correspondance, Comment lutter contre la religion*. Le *Manuel antireligieux* de 1933, publié par le conseil central de l'USDM, sous la direction d'Ivan Kologrivof, étudie de façon précise chaque question posée par la foi, en demandant à un spécialiste d'y répondre. On doit y « apprendre à lutter contre la religion ; montrer comment elle a aujourd'hui un rôle contre-révolutionnaire et nocif, et comment elle est un vestige du capitalisme dans la conscience humaine ; fournir des armes aux militants antireligieux afin de les aider dans leur lutte contre les superstitions des masses laborieuses ».

Le travail antireligieux devra s'adapter aux différentes catégories et ne pas négliger les femmes, « refuge le plus assuré de la religion » selon Golovkine dans *Organisation et méthode du travail antireligieux* :

> Le prosélytisme antireligieux doit tenir compte de la diversité des états de conscience. À ce point de vue, il y a en somme deux grandes catégories d'hommes : les croyants et les incroyants. Chez les premiers, le travail consistera à saper les fondements de la foi ; les seconds devront seulement être encouragés à rester fermes dans leur incrédulité et à devenir des athées militants.
>
> Les Sans-Dieu ne sépareront pas la lutte contre la religion de la lutte de classes ; ils se garderont de blesser les croyants dans leurs sentiments religieux lorsque cette tactique risque de nuire à leur but ultime ; ils feront une critique large et complète des origines de la religion, de ses développements, de son enseignement, des rapports de l'homme avec la société.

Le travail parmi les femmes ne sera pas négligé, car, lorsqu'elles sont arrié-
rées, c'est parmi elles que se trouve le refuge le plus assuré de la religion[4].

La formation antireligieuse tient une place essentielle dans l'éducation. Si au début le manque d'enseignants contraint l'État à conserver
des instituteurs croyants — qualifiés en 1929 par le commissaire
à l'Instruction publique, Lounatcharsky, de « contradiction
absurde » —, ils sont espionnés en permanence par les agents de la
Guépéou aussi bien que par les élèves. Il s'agit non seulement de former des athées, mais des Sans-Dieu militants, comme le précise
l'USDM en 1935 :

> Nous devons amener l'enfant à une conception athée du monde, lui donner
> une juste notion de la nature de l'homme. Nous devons lui montrer le rôle de
> la religion dans la lutte de classes (évidemment sous une forme appropriée à
> son entendement), réveiller en lui la volonté de lutte contre les préjugés reli-
> gieux de sa famille et de son entourage[5].

La presse se fait l'écho des expériences concrètes dans les écoles
primaires, telles les méthodes utilisées par cette institutrice :

> Je me suis donné pour but d'éduquer les antireligieux de telle sorte qu'ils
> puissent devenir des assaillants conscients et bien préparés pour lutter contre
> la religion à l'école, à la maison et dans la rue. Le « travail » commence chez
> les enfants de neuf ans. On leur raconte des histoires choisies dans ce but. Les
> causeries consistent à mettre ceux-ci en présence d'un problème pratique de
> lutte contre la religion. Après une causerie de ce genre, j'ai demandé aux
> enfants s'ils désiraient lutter contre la religion [...]. Immédiatement, ils propo-
> sèrent de raconter dans d'autres groupes ce qu'ils venaient d'entendre, de lut-
> ter à la maison pour la suppression des croix, de persuader d'autres enfants
> d'agir de même, de faire des écriteaux antireligieux et de les placer en divers
> endroits de l'école et dans la rue[6].

Au début de 1930, l'USDM devient un véritable mouvement de
masse, avec 35 000 cellules et deux millions de membres. À ce
moment, la lutte antireligieuse est déjà lancée sur le plan international, où elle culmine dans les années 1930-1935. L'Internationale
des libres penseurs prolétariens (ILP), marxiste, fondée à Teplitz en
1925, veut « libérer les prolétaires de l'intoxication religieuse ». Son
siège est à Vienne jusqu'en 1930, et elle comprend des sections en
France, Allemagne, Tchécoslovaquie, Belgique, Pologne. Elle refuse
jusqu'à son quatrième congrès (à Bodenbach, en novembre 1930) de
prôner la persécution, ce qui provoque une scission entre les modérés,
qui fusionnent avec l'Internationale des libres penseurs radicaux
socialistes de Bruxelles pour former l'Union internationale des libres
penseurs, et les durs qui s'unissent à l'USDM soviétique en affirmant
leur volonté de lutter contre la liberté de conscience, « idéologie bourgeoise » : « Répudions ce terme de libre penseur qui a fait son temps.
Revendiquons la gloire d'être athées », proclame *La Lutte* en février
1932. L'ILP transporte alors son siège à Berlin et crée des filiales en
Suisse, en Espagne. Après sa dissolution en Allemagne en mai 1932,
elle dépend de plus en plus de Moscou. Sa propagande s'intensifie : à

la fin de 1932, elle compte vingt-quatre sections, dont seize en Europe, quatre en Amérique, trois en Asie et une en Australie.

La lutte antireligieuse se développe également à l'intérieur de l'URSS, où l'USDM revendique 3,5 millions de membres en janvier 1931, 5 millions en mai, 7 millions en mai 1932, tandis que le journal *Bezbojnik* tire à 400 000 exemplaires sur huit pages. C'est à ce moment que, d'après le journaliste anglais Sir Thomas Inskip, un plan quinquennal d'éradication complète de la religion aurait été élaboré, plan dont l'existence a toujours été niée par les autorités soviétiques, mais dont plusieurs indices laissent entrevoir la vraisemblance[7]. Ce plan, auquel Yaroslavsky lui-même fait allusion, comporterait les étapes suivantes[8] :

La première année, toutes les écoles religieuses devront être fermées et les premières mesures seront prises pour la fermeture des églises dans la capitale.

La deuxième année, toutes les personnes qui ont une religion devront être chassées des entreprises et des bureaux de l'État. Toute littérature religieuse sera prohibée et on fabriquera cent cinquante films antireligieux, destinés à être représentés dans toute l'Union soviétique, surtout dans les écoles.

La troisième année sera consacrée à augmenter l'activité des cellules Sans-Dieu et à chasser d'Union soviétique tout ecclésiastique qui refuse de renier son état, quelle que soit la religion à laquelle il appartient.

La quatrième année, toutes les églises, chapelles et synagogues devront être livrées au soviet local afin qu'on puisse les transformer en cinéma, club ou autre lieu destiné à passer son temps intelligemment.

La dernière année devra être consacrée à consolider les avances sur le front de la lutte antireligieuse. Le 1er mai 1937, il ne devra rester sur le territoire de l'URSS aucune maison destinée au culte et la notion même de Dieu devra être effacée de l'esprit populaire[9].

Essoufflement des « Sans-Dieu » et retournement politique (1935)

Si ce plan ne peut être mis à exécution, cela est peut-être dû à un certain essoufflement du mouvement antireligieux en URSS à partir du milieu de l'année 1932 : le tirage du *Bezbojnik* commence à reculer, celui de la revue *Antireliguioznik* passe de 31 000 exemplaires sur 128 pages en 1931 à 20 250 exemplaires sur 64 pages en 1933. *Bezbojnik* tente de relancer le mouvement, avec une enquête du 1er mai 1932 auprès de ses lecteurs, priés de répondre aux questions suivantes :

1. Quels ont été les livres qui ont produit sur toi la plus forte impression en ce qui concerne la destruction de tes conceptions et de ta mentalité religieuses ? Fais ton possible pour te souvenir de leurs titres et indique-les.

2. Quel passage spécial dans ces livres a ébranlé ta foi ou t'a consolidé dans l'athéisme ?

3. Quels livres antireligieux ne t'ont pas convaincu lorsque tu étais croyant ? Il n'est pas obligatoire de signer la réponse, mais n'oublie pas de

noter l'âge que tu avais lorsque tu es devenu antireligieux et ta situation sociale à ce moment. Il faut indiquer également le sexe et le degré d'instruction. La réponse doit être adressée aux Éditions antireligieuses de l'État.

Le 17 juin 1934, *Bezbojnik* estime « nécessaire de vérifier si les universités antireligieuses répondent aux espoirs qu'on avait fondés sur elles. Peut-on les appeler universités ? Dans la plupart des cas, ce ne sont que de mauvais séminaires ».

Le 17 décembre, ce même journal constate qu'« au cours des grandes fêtes organisées par les Sans-Dieu militants à Leningrad pour préparer leur dixième anniversaire, tout le monde a pu se rendre compte que l'enthousiasme et l'intérêt au travail antireligieux ne sont plus les mêmes qu'il y a quelques années. Les cellules sont faibles et leur activité nulle. La discipline est tombée ». Constat encore plus négatif en août 1935 : « À Leningrad par exemple, de nombreux prosélytes ont abandonné la propagande antireligieuse, l'instruction est négligée, il n'y a plus le même élan dans le travail des masses, la liaison avec les organisations régionales est relâchée. En Ukraine, on constate la même situation. Dans les régions de Saratov, de Stalingrad et dans le Nord, le travail est mauvais. Il en est de même dans presque toute la Sibérie et dans la région de l'Ouest. »

Cette retombée de l'enthousiasme antireligieux serait due, d'après *Bezbojnik*, à l'illusion que le travail serait terminé, la religion déjà morte ou mourante ; dix ans de communisme auraient effacé mille ans de christianisme : « Beaucoup d'organisations, peut-on lire en août 1935, se bercent d'illusions : elles s'imaginent que le succès du second plan quinquennal est grandiose, que l'ennemi de classe est détruit, elles en concluent donc que la propagande antireligieuse devient désormais superflue. Dans certaines régions — dans le Caucase et dans le Nord par exemple —, on a même cherché à supprimer les organisations des SDM, sous prétexte que personne n'avait plus de religion. Ailleurs, on laisse le travail antireligieux se faire de lui-même. »

Le journal ne partage pas cet optimisme, même si la *Pravda*, l'année suivante, publie un bilan triomphaliste de l'action des Sans-Dieu, le 8 février 1936 : le mouvement compterait 50 000 cellules et 5 millions de membres, plus 2 millions de jeunes militants ; il aurait fondé 30 musées antireligieux, publierait 80 titres par an, tiendrait 10 000 conférences annuelles. En fait, le dommage concerne plus le clergé et les édifices que les mentalités profondes : l'Église orthodoxe russe est passée de 50 960 prêtres à quelques centaines, l'Église catholique de 810 à 73, les Églises protestantes de 230 pasteurs à 83.

Mais, à partir de 1935, l'antireligion n'est plus un objectif prioritaire en URSS. Les nécessités de la lutte antifasciste amènent à préconiser un rapprochement avec les chrétiens. Le Comité central de l'Internationale communiste des jeunes décide de multiplier les accords avec les jeunes chrétiens. C'est l'époque où, en France,

Maurice Thorez préconise la politique de la « main tendue » sur l'antenne de Radio-Paris : « Nous te tendons la main, catholique, ouvrier, employé, artisan, paysan... » (17 avril 1936). Trois ans auparavant, on pouvait pourtant lire dans *L'Humanité* un appel en faveur de la fête antireligieuse du XIVe arrondissement en ces termes :

> Nous demandons aux camarades de venir en masse à cette grande goguette, car lutter contre la religion, c'est hâter la chute du capitalisme [...]. Notre combat ne connaît pas de frontières et nous sommes fiers de constater que nos frères, par exemple que nos frères les athées militants de l'URSS groupent plus de cinq millions d'adhérents. Il n'y a pas de place pour l'Église dans la société communiste et le deuxième plan quinquennal a posé pour tâche la liquidation de toutes les religions. Nous devons, de notre côté, suivre une voie parallèle et unir nos efforts pour que, dans un avenir prochain, l'Église rejoigne le capitalisme dans le néant du passé [10].

Depuis 1924, en effet, les libres penseurs communistes avaient fait sécession, pour entrer dans le mouvement des Sans-Dieu. Ils avaient quitté une Libre Pensée française tombée à 2 496 membres en 1920. Réorganisée sous le nom de Fédération nationale des libres penseurs de France et des colonies, elle remontait à 20 000 membres en 1931, et 25 000 en 1936. La coupure entre deux athéismes, communiste et non communiste, est évidemment un élément de faiblesse, surtout en raison d'une hostilité réciproque — les communistes, à l'exemple de Yaroslavsky, fustigeant l'« athéisme bourgeois » :

> Notre athéisme est un athéisme militant et, par là, il se distingue de l'athéisme bourgeois. Il attaque toutes les forteresses de l'ancien monde, ainsi que son idéologie. Il ne s'agit pas d'une coexistence pacifique avec le clergé, mais d'une lutte implacable contre la religion pour la rééducation des travailleurs qui suivent encore l'Église. C'est là notre but [11] !

En janvier 1932, par la plume d'Aragon dans un article de *La Lutte* intitulé « Athées ou libres penseurs ? », les libres penseurs communistes décident de se rallier au terme plus explicite et plus combatif d'athée :

> L'athéisme est en effet seul compatible avec la théorie révolutionnaire qui est propre au prolétariat. La croyance en l'existence d'un Dieu est une croyance contre-révolutionnaire, car les dieux ne sont pas au ciel mais sur la terre, et ils ne sont pas autre chose que des machines intellectuelles pour la préservation de l'État capitaliste [...]. Il va sans dire que la Libre Pensée, en perdant sa valeur de mot d'ordre [...] a cessé de pouvoir être un signe de ralliement clair, sous cette forme, pour les révolutionnaires. Reprenons le nom d'athées que les curés nous jettent à la face avec une sainte horreur et marquons par là ce qui nous distingue particulièrement des social-démocrates qui ont abandonné les fondements matérialistes du capitalisme et qui prétendent qu'on peut être socialiste à la fois et spiritualiste ou idéaliste, voire chrétien.

L'Association des travailleurs sans-Dieu est donc fondée en 1932, comprenant environ 4 300 membres, communistes. Membre éminent du bureau, Louis Aragon compose des diatribes antireligieuses et anticléricales d'assez bas étage, où il présente par exemple les chrétiens comme « les fournisseurs de drogue céleste, les patrons de bordels à prier, les masturbateurs de consciences, tous maquereaux et maîtres chanteurs [12] ».

De ces invectives, il n'est donc plus question à partir de 1935, où la « main tendue » de Thorez affecte les communistes d'une étrange amnésie collective, qu'a bien mise en valeur Jacqueline Lalouette en interrogeant d'anciens militants; tous lui ont opposé « une ignorance absolue ou un agacement maussade [13] ». Fernand Grenier n'a jamais entendu parler de l'Association des travailleurs sans-Dieu; Marcel Picard, militant à Bagnolet, n'a pas retrouvé un seul des anciens Sans-Dieu; Pierre Delon estime que « tout cela, c'était des bêtises ». Bref, pendant une vingtaine d'années, la politique antireligieuse est mise en sourdine par les communistes. En France, le gouvernement de Vichy met fin, de toute façon, aux activités de la libre pensée dès 1940. En URSS, l'USDM est dissoute en 1941 afin de ne pas risquer de diviser le peuple face aux Allemands.

L'athéisme militant dans les pays marxistes depuis 1945

C'est à partir de 1955-1956 que l'effort de lutte antireligieuse reprend en Union soviétique, avec des méthodes un peu moins primaires. Le fait religieux est étudié dans le cadre d'une catégorie de sciences sociales qualifiées en 1964 par A.A. Zvorykin de « sciences ayant pour objet les diverses formes de conscience sociale », parmi lesquelles on compte l'athéisme : « L'athéisme est la science qui a pour objet l'histoire et les lois de l'élimination par l'homme des conceptions imaginaires et religieuses du monde, en même temps que de la foi en Dieu et en un monde de l'au-delà; l'athéisme montre les voies et les moyens de libérer l'esprit humain des illusions encouragées par la religion [14]. »

Le but de cette science reste donc bien l'élimination de la religion, assimilée par ailleurs à la magie par I.A. Kryvelev. Des études sont menées sur le mode de disparition des religions. En 1963, par exemple, T.M. Mikhailov remarque que les religions païennes résistent mieux à l'athéisme que les religions plus évoluées comme le christianisme. Il note même un retour au chamanisme chez les Bouriates [15]. En mai 1960, la revue *Kommunist* publie le résultat d'une enquête sur l'athéisme chez les travailleurs des fermes collectives au nord de Moscou : coupés des traditions et coutumes rurales, ils perdent assez vite les notions religieuses; la prière s'étiole, et l'on n'en retient que l'aspect strictement utilitaire. Une chaire d'« athéisme scientifique » est créée à Moscou en 1963.

Ces préoccupations réapparaissent aussi dans la littérature soviétique à partir de 1954, et une nouvelle impulsion leur est donnée par le XXIIe Congrès du Parti en 1961. En 1963, la critique officielle déclare en effet : « On ne peut pas ne pas déplorer le fait que pendant de nombreuses années l'ensemble des thèmes antireligieux ait suscité si peu d'intérêt auprès des écrivains soviétiques. » Quelques œuvres romanesques illustrent le renouveau : *L'Icône miraculeuse*, de Tendriakov (1958), *Les dieux descendent sur la terre*, de Rozanov (1964), ou *À midi les ombres disparaissent*, d'Ivanov (1964).

Dans les démocraties populaires d'Europe de l'Est, un effort équivalent est accompli. En RDA, Olof Klohr, titulaire de la chaire d'athéisme scientifique, étudie en 1965 le rythme de recul de la foi, qu'il situe aux alentours de 6 à 8 pour 1 000 annuellement dans un groupe coupé des sources de la religion. Il évalue la proportion d'athées marxistes en 1965 dans le pays à 29,3 % (56,6 % chez les fonctionnaires). En Yougoslavie, le professeur Fiamengo établit un lien entre le niveau technologique des groupes sociaux et le développement de l'athéisme.

La politique antireligieuse est plus poussée en Tchécoslovaquie, où le haut clergé est accusé d'avoir collaboré avec l'occupant allemand. Des procès permettent d'éliminer les principaux évêques et abbés entre 1948 et 1951. En 1964, le ministre de l'Éducation nationale rappelle que « l'un des buts pédagogiques de cette école est l'athéisme de la jeunesse, le rejet des idées religieuses et l'acceptation de l'explication scientifique du monde. L'éducation athée à l'école est donc obligatoire ». Le programme d'enseignement comprend toujours une formation à l'athéisme. Ainsi, dans l'école de gardes-malades de Levoca, en Slovaquie, on étudie la première année l'explication scientifique des origines du monde et les raisons d'apparition de la religion ; la deuxième année, le rôle réactionnaire de l'Église, alliée du capitalisme ; la troisième année, la conception matérialiste de la société. En 1963, une enquête effectuée en Moravie sur 2 000 personnes montre que 30 % de la population est athée, 40 % indifférente, et 30 % croyante, dont à peine un quart adhère à l'ensemble de la foi chrétienne.

En Chine, la lutte antireligieuse est menée au nom du marxisme avec persistance, mais suivant des modalités qui diffèrent avec les religions. Les groupes chrétiens sont accusés de collusion avec les impérialistes ; pour les religions traditionnelles, on cherche à mettre les responsables en opposition avec la population ; les actions ne visent pas explicitement la suppression de la religion, mais une rééducation idéologique doit permettre d'éliminer le besoin religieux ; enfin, on tente de faire pénétrer la contradiction à l'intérieur même des groupes religieux. Les chrétiens sont particulièrement persécutés dans les années 1950 ; les moines bouddhistes, assimilés à l'oppression féodale, doivent s'engager dans les brigades de travail.

Les mouvements athées non marxistes

L'athéisme militant et prosélyte n'est pas exclusivement marxiste. Plusieurs groupements ont, au cours du XXe siècle, mené une vigoureuse action antireligieuse à l'échelle mondiale. Mais, n'ayant pas, à l'inverse des marxistes, un appareil d'État derrière eux, leur action est plus difficile, et ils ont souvent du mal à se faire entendre. C'est le cas de la World Union of Free-Thinkers, Union mondiale des libres penseurs, dont l'audience se réduit fréquemment au cercle des philosophes, chercheurs, écrivains, artistes. Bertrand Russell en a été l'un des principaux animateurs.

Le mouvement regroupe des fédérations nationales, telle la Fédération nationale des libres penseurs de France, implantée dans les milieux d'enseignants et de fonctionnaires, et qui reste marquée par une profonde méfiance à l'égard de l'Église catholique, en dépit de l'apparente libéralisation de cette dernière. L'esprit de combat antireligieux est toujours présent dans ses déclarations. Ainsi le congrès de Dijon, en 1964, adopte-t-il la motion suivante :

> La libre pensée s'affirme réfractaire aux illusions qu'inspire à des laïcs mal informés et naïfs le renoncement affecté de cette Église à son dogmatisme intolérant. À la suite des invitations de Paul VI marquées d'un paternalisme spirituel et d'une pitié humiliante pour des hommes conscients d'une libération intellectuelle, souvent chèrement acquise, elle déclare ne pas vouloir de cette pitié et conserver la fierté d'un idéal aussi positif qu'un autre.

À travers ce texte, la crainte que l'Église ne récupère les idéaux humanitaires est manifeste. Le congrès de 1965 dénonce de nouveau « le caractère dogmatique et impérialiste de l'Église », qui n'a rien perdu de ses ambitions, et dont l'attitude œcuménique n'est guère qu'une volonté de colonisation spirituelle. Ainsi, « la Fédération nationale des libres penseurs de France réaffirme sa fidélité à sa mission essentielle et spécifique de poursuivre, en dénonçant toutes les religions et tous les cléricalismes, l'émancipation des esprits, seule capable d'assurer l'amélioration de la condition humaine ».

Même l'ouverture au dialogue annoncée par Vatican II ne paraît guère convaincante à la libre pensée, dont la commission administrative exprime le 26 décembre 1965

> les réserves les plus expresses et les plus justifiées sur les plus vantés des textes votés : le texte sur la liberté religieuse qui n'inclut pas la « liberté d'incroyance » ; le texte sur l'œcuménisme ne concernant que des doctrines spiritualistes et théistes ne nous apportant qu'un idéal laïque restreint, depuis longtemps dépassé par nous ; le texte sur l'athéisme rendant vain ce qu'il comporte d'efforts de compréhension et son appel, même sincère, à la coopération et au dialogue, par la condamnation, avec référence aux pires condamnations antérieures, de croyances considérées comme pernicieuses, alors qu'elles constituent pour les incroyants le fondement même de l'idéal moral, qui pourrait seul les inciter à cette coopération[16].

La libre pensée s'oppose notamment à la place exagérée qu'occupent les Églises dans les médias et à l'organisation de cérémonies religieuses officielles lors des obsèques des présidents de la République, déclarant en 1974 qu'« une telle pratique aboutit en fait à donner à la religion catholique le caractère de religion officielle de l'État[17] ».

En dépit d'une résolution adoptée en 1970, selon quoi la libre pensée ne luttait pas seulement contre le cléricalisme et les dogmes religieux, mais contre tout ce qui contribue à « maintenir l'humanité dans un état d'infantilisme[18] », son action a pu paraître trop marquée par les vieilles querelles d'autrefois, et limitée à des réactions négatives peu propres à promouvoir un renouveau culturel post-religieux. C'est pourquoi apparaît en 1952 un mouvement mondial plus ambitieux, l'International Humanist and Ethical Union (IHEU), qui vise à refonder une éthique planétaire sur une base athée. Rejetant « la polémique stérile avec les Églises », l'IHEU comprend en son sein aussi bien des rationalistes positivistes que des humanistes relevant des idéaux d'un christianisme libéral d'extrême gauche. Son manifeste, adopté à Amsterdam en 1952, affirme le caractère pluraliste du mouvement et son orientation purement humaniste : « L'humanisme éthique réunit tous ceux qui ne peuvent plus croire aux différentes confessions et désirent baser leurs convictions sur le respect de l'homme en tant qu'être spirituel et moral[19]. »

Lors du congrès fondateur, le 26 août 1952, Julien Huxley, président, prononce un discours intitulé *Evolutionary Humanism*, illustrant le thème central d'un mouvement qui, dès 1966, regroupait une trentaine d'associations de vingt-sept pays, rassemblant plusieurs millions de membres.

Parmi les nombreux autres mouvements athées, signalons l'Union des athées, formée le 14 mars 1970 par Albert Beaughon, qui décerne un prix littéraire chaque année depuis 1977, tire à 2 500 exemplaires la *Tribune des athées*, et est en relation avec d'autres groupes tels que l'Atheist Center en Inde, l'American Atheists, l'Atheist Society of Australia, l'Union rationaliste. Cette dernière, fondée en 1930, a adopté une ligne intellectuelle. Elle organise des conférences et publie un magazine mensuel, les *Cahiers rationalistes*.

Les combats rationalistes des années 1950-1980

Après des débuts modestes, avec 1 260 membres en 1931, l'Union rationaliste connaît un certain essor avant-guerre, passant à 3 228 membres en 1938. En 1945, on trouve dans son comité d'honneur des personnalités comme Albert Einstein, Bertrand Russell, Albert Bayet, Édouard Herriot. Pourtant, le mouvement stagne, ce qui amène les responsables à se poser des questions, comme Paul Raphaël, qui écrit dans les *Cahiers rationalistes* de mai 1957 :

> Les principes laïques portent-ils en eux-mêmes une raison de faiblesse ? Tout bien pesé, il semble qu'il faille répondre par l'affirmative.
>
> La laïcité, c'est l'application pratique, dans les relations sociales, du principe de tolérance. Par suite, les laïcs, respectant la liberté de conscience chez leurs adversaires, se refusent à faire usage contre eux de toute mesure de contrainte. Au contraire, nos adversaires ne se font aucun scrupule, pour anéantir l'idée laïque, d'employer la force ou la ruse. Ce faisant, ils se savent justifiés d'avance par leur doctrine même. Pour eux, l'esprit laïque, c'est le mal, et tous les procédés sont bons pour détruire le mal. [...]
>
> Notre faiblesse provient encore de nos principes pour une autre raison. Pour nous, laïcs, l'esprit d'examen n'est pas seulement un droit, c'est un devoir. Nous ne recevons pas de mot d'ordre, même de nos amis ; ou, si nous en recevons, nos principes nous imposent de les juger et de n'y obéir que si nous les estimons justifiés. L'unité d'action est donc difficile à réaliser chez les laïcs puisqu'elle suppose un examen et une adhésion préalables. [...]
>
> Enfin, il est facile de pratiquer l'intolérance, il suffit d'obéir à ses préjugés, de ne s'embarrasser ni de raison ni de morale et de satisfaire le plaisir qu'on éprouve à faire preuve de sa force, à museler l'adversaire. La tolérance, au contraire, exige le rejet de toute prévention, la maîtrise de soi-même, l'obéissance à un idéal. Une brute peut être intolérante sans peine ; un philosophe doit faire effort pour demeurer constamment tolérant envers tous. La supériorité de nos principes nous oblige à lutter contre nous-mêmes[20].

L'analyse ne vaut évidemment que dans le cadre des mouvements de libre pensée non marxistes et en dehors des pays communistes, mais elle souligne bien les limites d'un mouvement essentiellement fondé sur une négation et qui ne trouve un véritable écho dans l'opinion publique que lors de certaines affaires qui font ressortir le vieux clivage cléricalisme-anticléricalisme. Une de ces affaires, qui fait beaucoup de bruit à l'époque, est la « récupération » par l'Église des derniers instants d'Édouard Herriot — athée ou agnostique, farouche anticlérical, membre de la libre pensée — en mars 1957. Le scandale est d'autant plus grand que c'est le cardinal Gerlier, archevêque de Lyon, ardent pétainiste, qui vient visiter le mourant, déclare qu'il est mort en paix avec l'Église, et préside ses obsèques religieuses ! Pour André Lorulot, c'en est trop. Dans un article incendiaire de *La Calotte,* il s'emporte contre les « charognards », les « voleurs de cadavres », contre « l'odieuse tyrannie de l'Église, imposant ses ridicules simagrées aux cadavres de ses adversaires les plus déterminés[21] ». Jean Rostand lui-même ne peut s'empêcher de faire allusion à « certains témoignages [qui] n'eussent pas été en harmonie avec toute sa vie de laïcité et d'agnosticisme[22] ».

René Rémond, dans l'histoire de *L'Anticléricalisme en France*, a donné d'autres exemples de réactions agacées par la médiatisation excessive des événements religieux, qui choque les incroyants. C'est le cas des voyages du pape, dont Paul VI a été l'initiateur. En 1964, Robert Escarpit proteste contre l'ostracisme dont sont victimes ceux qui boudent les célébrations de ces déplacements à grand spectacle : « Ceux qui restent en dehors de la ronde sont aussi respectables que ceux qui dansent en rond. La bonne volonté ne peut donner de meil-

leure preuve de son existence que de n'être point obligatoire[23]. »
Remarque qui reste valable à propos des nombreux voyages de Jean-
Paul II.

En 1963-1964, les protestations se multiplient en France contre
l'inflation des émissions à caractère religieux, et aussi contre une
sorte de conformisme moral qui tend à bannir l'athéisme des milieux
de la télévision : « La foi est respectable. Pourquoi faut-il qu'on lui
donne ce ton de bienséance nécessaire, comme s'il n'était pas conve-
nable d'être athée ? Veut-on revenir aux temps de la bonne presse ou
des billets de confession ? » demande Morvan Lebesque dans
L'Express[24]. En 1963, dans *France-Observateur*, Gilbert Verilhac
s'interroge lui aussi sur la véritable nature du phénomène religieux, et
en conclut que la religion « ne peut être qu'impérialiste », utilisant
désormais des moyens détournés pour imposer une morale dépassée ;
il s'étonne de ce que les médias ne semblent s'intéresser qu'aux états
d'âme des croyants, alors que la « solitude tragique » de l'incroyant
est passée sous silence :

> Peut-être n'a-t-on pas assez remarqué, dans le déluge des comptes rendus
> que nous ont valu Vatican II et maintenant la réunion du conclave, combien la
> question essentielle était escamotée — celle pourtant que doit inspirer à tout
> individu pensant la formidable assemblée de Rome : une religion est-elle
> encore utile à l'homme ? L'oubli est d'autant plus curieux que la France
> compte quand même un certain nombre d'incroyants — d'ailleurs sans tribune
> et sans audience officielle. Comment interpréter ce silence ? [...]
> Voici le paradoxe, au moins apparent, de notre temps : l'Église s'émeut de
> la déchristianisation de notre civilisation, alors que l'emprise de cette Église
> sur la politique et les esprits est plus forte qu'elle n'a été depuis un siècle. [...]
> La religion me gênerait beaucoup moins si elle ne cherchait à m'absorber
> par les moyens encore très puissants dont elle dispose. Je la tolérerais presque
> sans peine si elle me tolérait. Mais, par définition, elle ne peut être qu'impé-
> rialiste. Elle impose une certaine morale longtemps après que celle-ci a perdu
> toute nécessité, favorise des mœurs déterminées et reprend en main un pou-
> voir temporel qui tendait, du moins dans la doulce France, à lui échapper. Elle
> ne le fait pas sans concéder et s'adapter, mais elle exige plus qu'elle ne donne.
> [...]
> Les religions jettent leurs derniers feux ; elles se meurent dignement, lente-
> ment mais sûrement. Seulement, ces moribonds, semblables en cela aux vieil-
> lards despotiques, brûlent de régenter comme en leur forte jeunesse un entou-
> rage qui, veulement, y consent. [...]
> La solitude tragique de l'homme-sans-Dieu ne peut-elle tenter la curiosité
> du fidèle ? Pourquoi donc ce silence[25] ?

Les questions de fond n'ont donc pas disparu. L'un des aspects qui
irritent le plus les incroyants est l'intervention des milieux cléricaux
en faveur d'une censure culturelle, avec par exemple l'interdiction du
film *La Religieuse* en 1965, le retrait d'un sketch parodique sur la
Passion à la télévision française en 1970. Par ailleurs, des artistes,
metteurs en scène ou auteurs très hostiles à l'Église, comme Luis
Buñuel, Jacques Brel, Léo Ferré, sont exaspérés par les tentatives de

récupération qui semblent faire partie de la nouvelle tactique de l'Église : « Les croyants nous diront que Buñuel a la foi sans le savoir et que Dieu est en lui malgré lui[26] », écrit M. Duran. Ils s'attaquent à la fausse religion, donc ce sont de vrais esprits religieux : moyen imparable d'annexer toutes les consciences.

Voilà qui fausse toutes les tentatives de dialogue entre croyants et incroyants, déclare Pierre Desvalois en 1966. Le chrétien ne parle jamais aux autres sur un pied d'égalité, parce qu'il est certain, lui, de détenir la vérité ; tout ce qu'il peut faire, c'est aider l'autre à trouver sa vérité, la vérité de la foi. L'impérialisme religieux est toujours là, derrière les paroles de commisération envers les « non-croyants », terme encore plus négatif que celui d'incroyants :

> L'homme d'Église, le chrétien ne parle pas d'égal à égal lorsqu'il s'adresse aux gentils. Il est, lui, dès le départ, le témoin de la vérité ! À ses yeux le partenaire n'est rien d'autre qu'un chrétien en puissance, porteur inconscient du dépôt sacré dont le dialogue se fera l'accoucheur. C'est Paul VI qui, dans son encyclique, précise ainsi les choses : « Le dialogue ne supprime pas la prédication de la vérité [...]. L'Église dit aux hommes : j'ai ce que vous cherchez... Elle leur parle de vérité, de justice, de liberté, de progrès, de concorde, de paix, de civilisation. Ce sont des mots dont l'Église possède le secret ; le Christ le lui a confié. »
>
> Quel est donc ce dialogue ? Est-il cette recherche commune où doit déboucher tout échange authentique dans le respect de l'humain ? Ne s'agit-il pas plutôt de définir une approche et une méthode pédagogique pour assurer le triomphe de la vérité qu'affirme porter l'Église ? Nous redoutons vivement que le dialogue qu'on nous propose ne soit qu'un dialogue octroyé[27].

Le contexte d'affrontement est toujours vivace dans les milieux athées jusque dans les années 1970. La volonté de faire reculer l'Église, et même la foi tout court, s'exprime de multiples façons. Dans le domaine de l'enseignement, la question de la laïcité reste un thème mobilisateur en France, et dans le monde des théoriciens de la pédagogie athée, comme l'Américain John Dewey (1859-1952), on élabore une base raisonnée pour exclure la religion de l'école[28]. Des mouvements comme la franc-maçonnerie gardent leur orientation farouchement anticléricale. L'assemblée générale du Grand Orient de France s'inquiète par exemple en 1960 des risques de voir se reconstituer une Europe cléricale à la faveur de l'Union européenne : « D'aucuns ne rêvent-ils pas de couronner ce bel édifice, dressé contre tous les matérialismes, "tant américain que russe", de l'autorité spirituelle du pape ? Dans cette "petite Europe", à 68 % de cléricaux ne s'opposeraient, dit-on, que 32 % de laïques. »

Vers un armistice ?

Les deux dernières décennies du xxᵉ siècle voient pourtant décliner l'ardeur du combat antireligieux. Les positions tranchées de la période précédente s'émoussent, se désagrègent dans la grande morosité fin de siècle et fin de millénaire. Les camps se dissolvent rapidement, à part un inévitable noyau dur de chaque côté. Le doute pénètre les esprits, nourri par un sentiment d'impuissance et d'inutilité, presque de futilité à l'égard de questions qui naguère enflammaient les esprits.

Le thème le plus mobilisateur, l'anticléricalisme, n'est plus vraiment porteur. Les soutanes et les cornettes ont disparu du paysage. Politiquement, le curé n'est plus ce qu'il était : beaucoup sont passés à gauche ; on voit même des évêques en rupture de ban s'afficher en tête des manifestations contestant l'ordre établi, ce qui a fait en partie passer l'anticléricalisme à droite, et même à l'intérieur de l'Église. Il devient difficile de reconnaître ses amis et ses ennemis [29]. Il paraît loin, le temps où *La Calotte* lançait des appels guerriers : « Peuvent-ils donc être sincères, ces évêques qui ont soutenu Vichy et qui paradent à présent autour de de Gaulle, s'efforçant de tuer l'école laïque, de noyauter les syndicats, de trahir sournoisement la République, la vraie, celle de la Raison, et non celle qui prend ses directives au confessionnal ? [...] Contre la bêtise humaine et contre les Tartuffes, tous en avant [30] ! »

Dès 1962, Ernest Kahane, secrétaire général de l'Union rationaliste, déclare que le temps de l'« anticléricalisme vulgaire » est dépassé : « Si celui-ci a joué un rôle historique à l'époque où il s'agissait de libérer les esprits de la superstition la plus épaisse, il est permis d'estimer qu'en France, son rôle est à présent secondaire [31]. » Ce n'était là, poursuit-il, que « le petit côté de la tradition rationaliste », dont le grand but reste « la lutte contre l'esprit même de la religion et, d'une façon générale, contre tout esprit dogmatique », en montrant que « la science et la science seule est apte à résoudre les problèmes qui se posent à l'humanité ».

Cinq ans plus tard, Maurice Caveing, dans *Raison présente*, plaide pour une subordination des Églises à l'État laïque, où il faudrait voir non pas « une mesure de l'athéisme à l'encontre de la religion, mais l'application du principe de l'unité du pouvoir politique dans la nation, responsable de la paix civile ». En 1980, Evry Schatzman écrit dans la même revue : « Une foi, quelle qu'elle soit, serait parfaitement acceptable et respectable, je n'hésite pas à le dire, si elle s'accommodait des fois voisines, et si ceux qui y croient, persuadés de détenir la vérité, ne voulaient à tout prix y convertir les autres [32]. » On semble évoluer peu à peu vers une tolérance mutuelle, dont nous verrons plus loin les caractéristiques actuelles, même si les défiances subsistent. Du côté des Églises, le ton a également baissé à l'égard de l'athéisme, bien qu'une certaine ambiguïté plane encore dans les déclarations officielles.

La « *récupération* » *des athées par l'Église*

Le langage de l'Église catholique sur l'athéisme au XXᵉ siècle est multiforme. Le condamnation farouche et inconditionnelle reste long-temps de mise. On en trouve une expression systématique dans le *Grand Dictionnaire de théologie catholique*, de Vacant et Mangenot, rédigé à partir de 1913. Le début de l'article « Athéisme et erreurs connexes » donne le ton : « À part de rares exceptions, le qualificatif *athée* fait horreur dans le monde savant, et on cherche généralement à s'en défendre. » Inévitablement, l'athéisme est matérialiste, et le matérialisme est « grossier ». C'est pourquoi, explique le *Diction-naire*, même ceux qui refusent l'idée de création ne veulent pas se dire athées et tentent des compromis. Tels sont les panthéistes — avec leurs deux variantes, matérialiste et spiritualiste —, les positivistes et les sensualistes.

À qui doit-on attribuer l'étiquette infamante ? « Si une doctrine est manifestement incompatible avec l'idée de Dieu, si sa conclusion est directement la négation équivalente du minimum de notion absolu-ment requis pour formuler avec quelque vérité ce jugement : Dieu existe, alors, son nom propre, dans le dictionnaire, doit être athéisme. » Il faut distinguer d'une part l'athéisme « négatif » ou « précisif », qui se caractérise par une absence totale d'idée sur Dieu, et qui est plutôt de l'agnosticisme, et d'autre part l'athéisme « posi-tif » et « formel », qui nie catégoriquement l'existence d'un Être suprême. Dans cette catégorie figurent deux sous-groupes : l'athéisme théorique, négation de Dieu dans le domaine spéculatif, et l'athéisme pratique, négation étendue au domaine des actions courantes.

En revanche, on n'appellera pas athées les philosophes qui ont des théories fausses ou incomplètes sur la nature divine, ceux qui ont une « absence d'idées définies et précises sur la divinité », les « peuples sans croyances », ni « l'auteur d'une doctrine dont les conclusions ne détruisent point directement et immédiatement la notion de Dieu, encore que, par des déductions logiques, on peut démontrer qu'elles la mettent en péril ».

Ainsi l'adversaire est-il clairement désigné et son erreur stig-matisée. Le rôle du théologien est à la fois d'expliquer et de réfuter l'incroyance. C'est ce que tente de faire en 1944 l'un des esprits les plus éclairés du catholicisme, Henri de Lubac. Son livre, *Le Drame de l'humanisme athée*, a marqué la pensée chrétienne sur ce sujet. Esprit ouvert, le jésuite reconnaît la noblesse de pensée des humanistes athées, qui se retrouvent dans la phrase de Dietrich Kerler : « Même si l'on pouvait prouver mathématiquement que Dieu existe, je ne veux pas qu'Il existe, parce qu'Il me limiterait dans ma grandeur. » Pour lui, cette idée fausse d'un Dieu qui limite ma liberté et ma dignité a trois origines : Comte, Feuerbach et Marx, dont il s'attache à montrer les insuffisances. Mais il n'a que mépris pour l'« athéisme vulgaire », qu'il balaie d'un revers de main : « Ne parlons pas d'un athéisme vulgaire, qui est plus ou moins de tous les temps et n'offre rien de significatif; ni même d'un athéisme purement critique, dont les effets continuent aujourd'hui de s'étaler, mais qui ne constitue pas une force vive, parce qu'il se révèle incapable de remplacer ce qu'il détruit[33]. » Cet athéisme vulgaire est associé, classiquement, au matérialisme « grossier », qui est celui d'une masse populaire sans intérêt : « Cet humanisme athée ne se confond en aucune manière avec un athéisme jouisseur et grossièrement matérialiste, phénomène toujours banal, qu'on rencontre à bien des époques et qui ne mérite pas de retenir notre attention[34]. » Mépris insultant à l'égard de l'athéisme pratique de millions de personnes qui, justement, méritent de retenir l'attention.

Ce préjugé est partagé par bien d'autres membres de l'élite croyante, prête à charger l'athéisme de tous les maux de la planète, et cela jusqu'en cette extrême fin de siècle. Un exemple particulièrement net en est Michel Schooyans, qui peut encore écrire en 1997 que « si, par démocratie, on entend une société qui s'organise en vue du bonheur de tous ses membres, il va de soi que cette société ne peut être moralement neutre, indifférente, agnostique, athée. [...] Le pluralisme ne saurait donc signifier que la société politique doive faire profession d'agnosticisme ou d'athéisme, d'indifférence morale ou religieuse. L'expérience montre que, là où c'est le cas, la société politique devient intolérante et tyrannique[35] ». Pour lui, la mort de Dieu, c'est la mort de l'homme, et toutes les grandes idéologies totalitaires du XXᵉ siècle sont le fruit de la sécularisation et de l'athéisme, qui sont responsables des « attaques directes contre la vie humaine » : « Elles révèlent enfin un athéisme pratique, analogue à celui qui, après avoir intronisé le culte de l'État, de la Race et du Parti, s'efforce d'intròniser l'"idolâtrie du marché" et restaure à cette fin le culte païen de la Terre Mère[36]. » Cette position extrême d'un catholicisme qui n'a « rien appris et rien oublié » est cautionnée par le cardinal Ratzinger, qui rappelle que seule la vision chrétienne du monde, avec le respect intégral de la vie qu'elle commande, peut donner à l'existence « sa grandeur et sa dignité[37] ». Le vieux dilemme plane toujours : des centaines de millions de vies misérables d'une sous-humanité, qui mettent en valeur l'admirable dévouement d'une mère Teresa, valent-elles mieux qu'un contrôle rationnel de la fécondité permettant de faire accéder au véritable statut d'hommes et de femmes des êtres moins nombreux mais plus heureux ?

La plupart des théologiens ont à l'égard de l'athéisme un point de vue moins borné. Et pourtant, rares sont ceux qui acceptent de le considérer avec un respect sincère. L'une des attitudes les plus courantes consiste tout simplement à nier la réalité de l'athéisme. Il n'y aurait qu'un athéisme de façade, chez des gens qui, sans s'en rendre compte, reconnaîtraient l'existence de l'absolu divin par leur comportement. Ce qui revient à dire que tous les gens vertueux sont automatiquement, de gré ou de force, des croyants ; les autres, les vrais athées, sont « coupables ». C'est ce que n'hésite pas à affirmer Karl Rahner : il y a seulement, écrit-il, « des hommes qui croient ne pas croire en Dieu [...]. De même, il peut y avoir des athées qui croient seulement être tels, qui acceptent avec obéissance, d'une manière inexprimée, la transcendance, mais qui n'arrivent pas à lui donner une expression suffisamment adéquate. Il peut y avoir enfin un athéisme complet et donc nécessairement coupable, qui se ferme, par peur ou par orgueil, à la transcendance et la nie de façon explicite et consciente [38]. » De plus, « une morale athée achevée en elle-même, même seulement subjectivement, n'est donc pas possible et il faut donc en dire autant de l'athéisme lui-même ».

Jacques Maritain ne dit pas autre chose lorsqu'il parle des « pseudo-athées » : ceux « qui croient qu'ils ne croient pas en Dieu, mais qui en réalité croient inconsciemment en lui, parce que le Dieu dont ils nient l'existence n'est pas Dieu mais quelque chose d'autre [39] ». Les témoignages cités dans *Catholiques d'aujourd'hui* vont dans le même sens : « Je suis d'avis que l'athée véritable n'existe pas, ne peut exister [...]. Tel se proclame athée qui n'est au fond qu'anticlérical. » « On ne peut pas plus se permettre de nier Dieu que de prouver son existence. À ce point de vue, un certain rationalisme paraît aussi puéril et absurde que la superstition. À la limite, on ne peut conclure. On retombe toujours dans la même constatation : il y a quelque chose [40]. » L'ouvrage fait également état des réactions d'incompréhension : les athées qui respectent la morale alors que rien ne les y oblige seraient de véritables héros, « et cela n'est pas monnaie courante en ce monde ». Trois siècles après Bayle, la possibilité d'un athéisme vertueux ne convainc pas encore tout le monde. C'est souvent la pitié qui l'emporte : « Je les plains » ; « Ils sont plus à plaindre qu'à blâmer ».

Dans *Les Problèmes de l'athéisme*, le théologien Claude Tresmontant ne fait pas preuve de plus de compréhension. Les athées sont soit des croyants qui s'ignorent, soit des gens qui n'ont rien compris et qui critiquent un faux christianisme, soit encore un petit résidu inexplicable, une anomalie intellectuelle, une énigme. « À ce niveau, l'analyse peut difficilement avancer. Peut-être le psychologue pourra-t-il nous apporter quelques lumières concernant cette détestation du judaïsme et du christianisme qui se manifeste et s'exprime à travers les siècles [41]. » L'existence de cette curiosité, l'athéisme authentique, a au moins le mérite de nous montrer que la foi est un acte libre, que l'on peut refuser.

L'arrogance d'une telle position éclate dans la conclusion de l'ouvrage, niant la possibilité d'un véritable athéisme chez un être sain. L'athée est un anormal :

> L'athéisme pur n'existe pas. Il existe par contre une religion de la nature qui s'oppose au monothéisme hébreu.
> L'athéisme n'a absolument pas partie liée avec le rationalisme, et le rationalisme n'a pas partie liée avec l'athéisme. Il faut disjoindre soigneusement, et définitivement, athéisme et rationalisme. [...]
> L'athéisme est une foi, et l'athéisme moderne est essentiellement fidéiste puisqu'il renonce à donner des raisons pour se fonder philosophiquement. On dira que les chrétiens d'aujourd'hui, tout comme les athées, sont fidéistes aussi. Cela est vrai. Mais le christianisme, lui, n'est pas fidéiste.
> L'athéisme est une foi irrationnelle, et à ce titre il relève de la psychologie. C'est aux psychologues à nous donner une analyse en profondeur qui nous permette de comprendre la genèse et l'existence de l'athéisme. Les psychologues retrouveront, pensons-nous, dans l'analyse des conflits, les contresens théologiques que nous avons dégagés[42].

L'athéisme est irrationnel, c'est une « maladie infantile » ; il n'est jamais arrivé à se penser lui-même correctement. Pourquoi donc y a-t-il tant de gens, même intelligents, qui se disent athées ? Pour Claude Tresmontant, c'est qu'ils se sont trompés de cible : ils ont attaqué une caricature de christianisme. L'ennui, pourrait-on dire, c'est que le christianisme a produit tellement de caricatures de lui-même que l'on peut se demander où se cache le christianisme « authentique », s'il a jamais existé. Autres explications données par Claude Tresmontant : certains athées ne voient tout simplement pas le besoin de recourir à l'hypothèse d'un Dieu, la nature leur suffit. D'autres mettent toutes les religions sur le même plan, et prêtent au christianisme le même esprit que celui des mythologies antiques, anthropomorphiques et irrationnelles. D'autres encore voient dans l'Église une force réactionnaire, obscurantiste, ou au contraire révolutionnaire, ou lui reprochent ses contradictions au cours de l'histoire, maudissant la démocratie au siècle dernier et la glorifiant aujourd'hui, ce qui ne serait pas d'après l'auteur une contradiction, mais un développement de la pensée.

Bref, tous ceux qui ne sont pas capables de voir plus loin que ces vicissitudes se laissent abuser par les apparences. Ils sont athées par déficience mentale. Seuls les croyants ont compris ; les autres sont des inconscients. Le caractère insultant de cette position, qui refuse de prendre l'athéisme au sérieux, est dénoncé par d'autres croyants. Pour Jules Girardi, « ceux qui nient un Dieu faussement conçu ne cessent pas pour autant d'être athées », et doivent être pris au sérieux[43].

Peut-on prouver l'existence de Dieu ?

Il existe dans l'Église une autre façon insidieuse de disqualifier l'athéisme, en réintroduisant la vieille illusion des « preuves » de l'existence de Dieu. Écartons tout d'abord le cas peu sérieux de ceux qui jouent sur les paradoxes en affirmant, comme le cinéaste Henri-Georges Clouzot, que la meilleure preuve, c'est l'absence de preuve : « Quelque chose qui m'a aidé, c'est l'absence de preuves de l'existence de Dieu. Dieu caché. Pour moi, cette absence de preuves, c'est la première preuve : car si Dieu respecte l'homme, il doit vouloir de notre part une adhésion libre ; il ne doit pas nous mettre dans la nécessité de croire en lui[44]. » Un tel principe peut évidemment justifier la croyance en n'importe quoi. C'est pourquoi les théologiens ne renoncent pas facilement à l'idée scolastique de la démonstration de l'existence de Dieu, en y apportant les nuances et correctifs rendus nécessaires par la civilisation du soupçon qui est la nôtre. Et cela donne des choses assez curieuses.

Pour un Théodule Rey-Mermet qui admet qu'« on ne peut pas parler de preuves, mais seulement de "voies" vers Dieu, d'approches de Dieu par la raison[45] », d'autres ont un discours beaucoup plus oblique. Après les affirmations catégoriques de saint Anselme, de saint Thomas et d'innombrables théologiens scolastiques, après la déclaration péremptoire de Vatican I d'après laquelle « la raison droite démontre le fondement de la foi », il serait mal venu pour un théologien actuel de prétendre que la raison ne peut pas prouver l'existence de Dieu. Qu'à cela ne tienne. On a alors recours à un procédé classique dans les subtilités théologiques : on garde les mêmes mots et on change leur sens, ce qui permet de dire le contraire tout en disant la même chose, et ainsi d'afficher une magnifique unité de doctrine pendant deux mille ans. La capacité d'adaptation de l'Église tient en grande partie à ce procédé.

Deux illustrations dans le cas présent. On peut, en premier lieu, décréter que le verbe « prouver » ne signifier pas toujours la même chose, que « prouver » ne veut pas dire « prouver », et donc que la déclaration optimiste de Vatican I est à interpréter à la lumière de cette sémantique particulière. C'est ce que fait avec beaucoup de subtilité le père Gilbert dans un article de 1996 intitulé « Prouver Dieu et espérer en lui[46] ». C'est ce qu'on peut appeler le changement dans la continuité : « Le texte conciliaire ne dit pas que la raison est capable de "prouver l'existence" de Dieu. Il affirme plutôt qu'elle peut faire signe vers les fondements de la foi[47]. » Outre qu'on ne voit pas très bien ce que cela veut dire, il serait intéressant de savoir si les Pères de 1870 partageraient cette interprétation.

Deuxième solution : on peut — qu'on nous passe l'expression — « noyer le poisson ». Là encore, l'Église a des experts. Le cardinal Jean-Marie Lustiger, archevêque de Paris, en donne une brillante démonstration au cours d'un entretien avec Jean-Louis Missika, publié dans *Le Choix de Dieu*[48]. La question du journaliste est claire et nette : « Peut-on démontrer, par l'usage de la raison humaine, que

Dieu existe ? » On ne s'attend évidemment pas à un « oui » ou à un « non » ; on est donc d'abord impressionné d'entendre : « La réponse tombe comme un couperet [...]. Le premier concile du Vatican a répondu oui [...]. Autrement dit, cette démonstration rationnelle doit être possible. » Nous voilà rassurés : la réponse ne viendra pas. Le journaliste insiste pour la forme : « *Doit être* possible, ou *est* possible ? » Commence le morceau de bravoure : « Une question est ouverte à ce sujet... » Dix lignes plus bas : « Au nom même de la foi, le croyant est amené à affirmer le pouvoir de la raison humaine. C'est extraordinaire ! Ce renversement, ce paradoxe ne cesse de m'étonner... » Vingt lignes plus loin : « Pour que l'homme se laisse convaincre par les preuves de l'existence de Dieu, il faut que sa raison purifiée et ordonnée accepte de se laisser convaincre. Le travail de la raison sur l'affirmation de Dieu reçoit toute sa force de conviction dans l'acte de foi, qui est lui-même le fruit d'une guérison de Dieu, d'une grâce. »

Six questions et une page et demie plus loin, le journaliste tente de remettre le sujet sur ses rails, en relevant la pétition de principe habituelle : on peut démontrer l'existence de Dieu si l'on croit d'abord en lui : « L'argumentation que vous développez est paradoxale, voire contradictoire. Elle conduit à penser qu'il faut être croyant pour démontrer rationnellement l'existence de Dieu. Ne serait-il pas plus simple de dire que, si l'on peut bien évidemment discuter rationnellement de l'existence de Dieu, la démonstration en est impossible, et que cela trace la limite entre la raison et la foi ? Pourquoi vouloir à tout prix mettre en jeu la raison ? » Peine perdue. Nous ne saurons jamais s'il est possible de démontrer rationnellement l'existence de Dieu. Cependant, nous apprendrons de la bouche du cardinal que si les sociétés dites chrétiennes d'autrefois ont provoqué des massacres, c'est qu'elles n'étaient pas chrétiennes : elles se croyaient chrétiennes. En revanche, si les athées d'aujourd'hui se conduisent bien, c'est qu'ils ne sont pas athées : ils se croient athées, mais en fait ils sont chrétiens ! « Qu'on le veuille ou non, la société athée est une société chrétienne. Cet athéisme est spécifique, il n'est pas la destruction des dieux, mais la négation de Dieu [...]. La civilisation moderne est inéluctablement marquée par la rencontre du vrai Dieu[49]. »

Des preuves, pourtant, certains en trouvent, des preuves modernes, irréfutables, informatiques, consultables sur Internet[50]. Les recherches sur les structures numériques de la Bible ont en effet conduit certains à y découvrir des phrases cachées, au sens prophétique. Cette structure mathématique, dont la mise en place dépasserait les capacités d'un cerveau humain et dont le déchiffrement ne pouvait se faire avant l'ère de l'ordinateur, prouverait au moins une chose : que Dieu aime la plaisanterie et a du temps à perdre pour camoufler son existence dans des mots croisés aussi puérils, en attendant qu'une équipe de petits malins de la fin du XXᵉ siècle viennent trouver la solution par la grâce d'IBM. De ce fait, si la même structure n'est pas découverte dans le Nouveau Testament, c'est tout le christianisme qui s'effondre.

La théologie à la rencontre de l'athéisme

Plus sérieusement, l'Église a commencé à prendre en compte l'existence d'une masse irréductible et croissante d'incroyants. La certitude d'un triomphe inéluctable du christianisme à l'échelle planétaire s'est peu à peu dissipée. L'Église se résigne à n'être plus qu'une composante, et une composante minoritaire, dans l'éventail des croyances et des incroyances humaines, quitte à récupérer les autres en en faisant des chrétiens inconscients, comme nous venons de le voir. Reste tout de même à déterminer l'attitude à l'égard des athées.

Le concile Vatican II marque à ce sujet un tournant. D'abord, par la reconnaissance d'un nombre croissant d'athées dans le monde : « Refuser Dieu ou la religion, ne pas s'en soucier, n'est plus, comme en d'autres temps, un fait exceptionnel, lot de quelques individus : aujourd'hui, on présente volontiers un tel comportement comme une exigence du progrès scientifique ou de quelque nouvel humanisme[51]. » Ensuite, par l'aveu de la responsabilité des croyants dans la propagation de cet athéisme : « Dans la genèse de l'athéisme, les croyants peuvent avoir une part qui n'est pas mince dans la mesure où, par la négligence dans l'éducation de leur foi, par des présentations trompeuses de la doctrine, on peut dire d'eux qu'ils voilent l'authentique visage de Dieu. »

La constitution *Gaudium et Spes* étudie de façon précise les différentes modalités de l'athéisme : protestation contre le mal dans le monde, érection de certaines valeurs en absolus qui masquent Dieu, immersion dans une civilisation de type matérialiste, exaltation exagérée de l'homme et de la science, absence totale de préoccupation religieuse. Dans l'athéisme systématique, le concile distingue l'athéisme humaniste, qui pose l'homme en rival de Dieu, et l'athéisme marxiste, qui présente la religion comme un obstacle à la libération des classes opprimées.

Passant à l'attitude pratique, le concile énonce deux exigences à la fois complémentaires et contradictoires : lutter contre l'athéisme, en donnant au monde le spectacle d'un véritable amour fraternel, et collaborer avec les athées pour un monde plus juste : « Tout en rejetant absolument l'athéisme, l'Église proclame sans arrière-pensée que tous les hommes, croyants et incroyants, doivent s'appliquer à la construction d'un monde juste dans lequel ils vivent ensemble. Ce n'est possible, assurément, que par un dialogue loyal et prudent[52]. »

Ces conclusions du concile se fondent sur un document du Secrétariat pour les non-croyants, qui présente l'athéisme comme une attitude post-religieuse. L'intérêt de ce texte réside pour nous en particulier dans les précisions qu'il apporte en matière de terminologie, et qui montrent que depuis le *Dictionnaire de théologie catholique* l'Église a élargi considérablement la notion d'athéisme, en y rejetant quasiment tous les non-chrétiens. C'est ainsi que dans l'athéisme théorique on trouve ceux qui ignorent l'existence de Dieu, ceux qui la nient, ceux qui en doutent (athéisme sceptique), ceux qui l'estiment hors de portée de notre intelligence (athéisme agnostique), ceux qui pensent que la question n'a pas de sens (« athéisme sémantique ou néopositiviste »), ceux qui refusent toute révélation divine positive (les incroyants), ceux qui excluent Dieu de l'activité humaine (athéisme spéculatif-pratique), ceux qui centrent exclusivement leur attention sur un système de valeurs dont Dieu est absent (indifférentisme pratique).

Cette classification précise montre à quel point l'athéisme est pris au sérieux. Étrangement, il est considéré comme un « phénomène typiquement occidental », et particulièrement post-chrétien, né de la mentalité rationaliste. C'est dire que le christianisme portait en lui cette potentialité, par une insistance dualiste sur le divin d'un côté, et de l'autre sur le monde, obéissant à des lois naturelles. Le christianisme a engendré l'athéisme. Cela est en partie vrai, pour ce qui est de l'athéisme rationaliste en tout cas[53].

L'importance prise par l'athéisme dans le monde contemporain a beaucoup frappé le pape Paul VI, qui est revenu à plusieurs reprises sur ce qu'il appelle le « phénomène le plus grave de notre époque[54] ». Il distingue d'un côté ceux qui « font profession ouverte d'impiété et s'en font les protagonistes », et de l'autre

ceux qui repoussent tout culte religieux parce qu'ils considèrent comme superstitieux, inutile ou fastidieux d'aborder et de servir le Créateur et d'obéir à Ses lois. Ils vivent sans foi dans le Christ, privés de tout espoir et sans Dieu. Tel est l'athéisme qui serpente à notre époque dans la culture, dans l'économie, dans le domaine social, parfois ouvertement, d'autres fois caché, déguisé la plupart du temps sous le visage ou le manteau du progrès[55].

L'Église semble ainsi s'éveiller et prendre conscience du fait que le monde est en train d'échapper au christianisme, alors qu'elle était endormie dans un rêve de chrétienté universelle. Le réveil est brutal. Les prêtres, immergés dans le monde sécularisé, constatent amèrement l'étendue du désastre. Dieu n'est plus là ; le temps de la grande absence commence : « Cette absence de Dieu, nous la rencontrons partout : dans le train, dans l'autobus, dans l'atelier bruyant, comme dans l'ambiance feutrée des cadres supérieurs[56] », écrit le père Loew. Les prêtres de la région parisienne en témoignent :

L'athéisme, beaucoup plus étendu qu'on ne le croit, revêt des formes multiples et atteint tous les milieux : il se présente comme une incontestable réalité de milieu et, en même temps, passe à travers le cœur de presque tous les hommes, même croyants. L'athéisme est positif dans son dessein : nombres d'athées ont le sentiment de pouvoir refaire le monde, et pourtant il exprime une souffrance massive, celle d'une multitude qui s'éprouve frustrée dans son humanité et se heurte au fait du péché, du mal et de la mort[57].

Confrontée pour la première fois de son histoire à un tel niveau d'incroyance, l'Église réagit en ordre dispersé. Le sommet de la hiérarchie, comme d'habitude, est paralysé par ses structures, par ses traditions, et par l'âge de ses membres ; il ne peut que déplorer les « erreurs » de l'athéisme, tenter de le récupérer, et essayer de sauver ce qui peut encore l'être sur le plan de la morale pour atténuer les pertes sur le plan de la pratique et de la croyance ; il peut jouer aussi la carte d'un tiers monde jeune et plus réceptif face à un vieux monde occidental sceptique, déçu de ses deux mille ans de christianisme.

Au niveau des penseurs de l'Église, cependant, dans la mesure où ils peuvent s'exprimer, un renouvellement théologique est amorcé, qui témoigne d'une capacité d'adaptation assez remarquable. Dans un gros livre de 1978 au titre évocateur, *Existiert Gott ?* (« Dieu existe-t-il ? »)[58], Hans Küng proteste contre les tentatives chrétiennes de récupération de l'athéisme : « La théologie doit éviter de récupérer l'athéisme en le traitant comme une foi en Dieu "qui s'ignore". La conviction de l'athée doit être respectée, et non pas éliminée par la spéculation. Comme si leur athéisme n'était pas véritable, comme si leur non-foi était malgré tout une foi, et les athées des gens qui croient en Dieu secrètement[59]. » De même, il faut cesser de culpabiliser l'athée, de le traiter comme s'il était atteint d'une maladie honteuse : « Il faut éviter de disqualifier globalement l'athéisme comme une faute morale. » Troisième mise en garde : l'Église doit cesser de spéculer sur la crise du rationalisme en espérant que la vogue du surnaturel et de l'irrationnel va lui attirer des fidèles, que le désordre culturel et le besoin d'attaches vont contribuer à lui rendre son influence. La raison doit être prise au sérieux. En échange, il faut que les athées acceptent eux aussi de se soumettre à l'exigence rationnelle, prenant en compte le fait que « l'existence de Dieu est devenue problématique, mais sa non-existence aussi[60] ». Il n'y a de preuves ni d'un côté ni de l'autre.

Certains théologiens vont plus loin et, prenant acte de la sécularisation généralisée, la font pénétrer à l'intérieur de la théologie. Déjà, le pasteur Dietrich Bonhöffer plaidait pour un christianisme sans religion dans un monde areligieux. D'autres, encore plus audacieux, surtout dans le monde anglo-saxon, tentent d'adapter l'idée de « mort de Dieu » : c'est le cas de l'Américain Gabriel Vahanian qui, dans *La Mort de Dieu*, montre que le christianisme peut s'acclimater dans un monde sécularisé ; c'est aussi le cas de Leslie Newbigin, dans *Une religion pour un monde séculier*, tandis que l'anglican John Robinson, dans *Honest to God*, prône un retour à Jésus-Christ à travers l'agir, en abandonnant le langage métaphysique.

La tentative la plus intéressante est peut-être celle de Rudolf Bult-

mann (1884-1976), professeur de Nouveau Testament à Marbourg. Il
faut, écrit-il, rompre avec le mythe-Jésus, ce Jésus « historique »
fabriqué par les communautés chrétiennes : « Je pense que nous ne
pouvons pratiquement rien savoir de la vie et de la personnalité de
Jésus, parce que les sources chrétiennes en notre possession, très frag-
mentaires et envahies par la légende, n'ont manifesté aucun intérêt
sur ce point[61]. » La foi chrétienne doit être démythologisée. Elle s'est
bâtie dans une culture et dans un langage mythiques, utilisant l'hellé-
nisme, le gnosticisme, l'apocalypse juive. La résurrection, les
miracles, l'incarnation sont des mythes, dont seul compte le sens,
qu'il faut adapter au monde moderne. Par ailleurs, s'inspirant de
Strauss et de Heidegger, Bultmann estime qu'il faut renoncer à toute
rationalisation de la foi, qui serait illusoire. La foi est un « saut » irrationnel en Dieu ; elle n'a d'autre justification qu'elle-même.

N'y a-t-il pas là une convergence avec les points de vue purement
séculiers du structuralisme, en particulier tels que les expriment les
« maîtres du soupçon », qui tendent à réduire la réalité au langage et à
l'épistémologie ? Lorsque Claude Lévi-Strauss écrit : « Nous croyons
que le but dernier des sciences humaines n'est pas de constituer
l'homme, mais de le dissoudre », et que Michel de Certeau ajoute que
« l'objet des sciences dites humaines est finalement le langage et non
l'homme », on peut y voir un même état d'esprit que celui de Bultmann réduisant la religion à un langage. On pourrait facilement appliquer à Dieu ce que Michel Foucault applique à l'homme dans *Les
Mots et les choses* : « L'homme est une invention dont l'archéologie
de notre pensée montre aisément la date récente. Et peut-être la fin
prochaine... Ce qui manifeste le propre des sciences humaines, on voit
bien que ce n'est pas cet objet privilégié et singulièrement embrouillé
qu'est l'homme. Pour la bonne raison que ce n'est pas l'homme qui
les constitue et leur offre un domaine spécifique, mais c'est la disposition générale de l'*épistémè* qui leur fait place, les appelle et les instaure, leur permettant ainsi de constituer l'homme comme leur
objet. » Les sciences de l'homme, d'une certaine façon, « créent »
l'homme comme leur objet d'étude, et la théologie « crée » Dieu
comme un objet d'étude. Tout est dans les mots.

Athées et croyants peuvent ainsi se rejoindre dans un relativisme et
un scepticisme généralisés. Solution séduisante pour des esprits fati-
gués de parcourir les milliers d'années d'histoire de la pensée
humaine vainement en quête de la vérité. « Que sais-je ? » : voilà les
trois mots qui pourraient réunir croyants et incroyants à la fin du
xxe siècle. Certains s'y rallient et, de guerre lasse, acceptent l'armistice ainsi offert entre foi et athéisme.

Même si beaucoup conservent encore l'illusion de pouvoir

atteindre la vérité, ou même de la posséder déjà, la question de l'existence de Dieu, au niveau théorique comme au niveau pratique, subit
aujourd'hui une transformation remarquable, certains la disant même
dépassée.

CHAPITRE XIX

L'hypothèse Dieu :
un problème dépassé ?

« Il est frappant de constater qu'aujourd'hui on ne prouve plus guère Dieu, comme le faisaient saint Thomas, saint Anselme ou Descartes. Les preuves restent d'ordinaire sous-entendues et l'on se borne à réfuter la négation de Dieu soit en cherchant dans les philosophies nouvelles quelques fissures par où puisse reparaître la notion toujours supposée de l'Être nécessaire, soit au contraire, si décidément ces philosophies la mettent en question, en les disqualifiant brièvement comme *athéisme*[1]. »

Cette réflexion de Maurice Merleau-Ponty situe bien l'attitude des intellectuels du dernier demi-siècle. Dieu n'est plus la question centrale. Le problème passe au second plan, et personne ne prend plus la peine de refaire la démonstration. Dieu, on l'admet, ou on ne l'admet pas. Et il faut bien dire que, massivement, les philosophies contemporaines ne l'admettent pas. Mais sans en faire toute une histoire. Comme si la chose allait de soi. C'est là qu'est l'originalité actuelle : le philosophe s'installe d'emblée dans l'athéisme, un athéisme qui est passé « de la négation radicale à l'indifférence absolue[2] ». Loin d'être la position de quelques excentriques libertins, comme au xviie siècle, l'athéisme est la position commune, immédiate, presque évidente.

L'existentialisme : rejet de Dieu au nom de la liberté

Tellement évidente qu'à la limite la question de l'existence de Dieu, autrefois point crucial de toute pensée, n'est même plus envisagée. Typique à cet égard est le cas de l'existentialisme, cette nébuleuse philosophique qui a tant marqué les années 1950-1970. D'emblée, il s'installe dans le refus de tout absolu, de toute norme. L'homme est dans un monde qui n'a pas de sens prédéterminé, donc dans un monde absurde. Jeté dans ce monde comme une existence, sans essence, pure liberté, l'homme se fait lui-même, à travers ses actes, en s'engageant, dans une attitude de « nihilisme héroïque ». Jean-Paul Sartre a analysé ce processus de réalisation de l'individu, dont le pour-soi, qui est conscience et liberté, tente vainement de coïncider avec l'en-soi ; entre les deux, il y a le néant, et de cette vaine quête de l'en-soi résulte l'angoisse existentielle. Qu'il y ait ou non un Dieu ne change rien à l'affaire. Mais, pour Sartre, il ne peut pas y avoir de Dieu.

D'abord parce que Dieu devrait être l'être total, idéal, à la fois en-soi, donc parfaitement déterminé, et pour-soi, c'est-à-dire liberté, ce qui est contradictoire et irréalisable. Ensuite, il n'y a pas de Dieu parce qu'il n'y a pas de nature humaine, et donc pas de créateur. Et puis, s'il y avait un Dieu, omniprésent et infini, comment l'homme pourrait-il être libre ? L'être n'a pas de cause, pas de raison, pas de nécessité. D'une certaine façon, l'homme, pour se réaliser, doit se désapproprier, s'anéantir, et se créer, dans un vide angoissant qu'il tente de combler par son action : il est lui-même Dieu. « La liberté qui se manifeste par l'angoisse se caractérise par une obligation perpétuellement renouvelée de refaire le *Moi* qui désigne l'être libre. » Il faut donc oublier l'idée de Dieu, qui serait nuisible à ma liberté. Rien n'est déterminé d'avance ; l'homme invente le sens et les valeurs, dans une totale responsabilité, qui l'engage, lui et les autres. Cela n'est pas facile : « N'est pas athée qui veut », déclare Sartre dans une conférence sur Kierkegaard. L'angoisse existentielle n'est pas confortable.

Avec Albert Camus, l'athéisme et l'absurdité de l'existence semblent stimuler une attitude de défi humain, défi d'un être qui sait qu'il est seul dans l'univers, et que lui seul peut donc lui donner un sens : « Quelque chose en ce monde a du sens, et c'est l'homme, parce qu'il est seul à exiger d'en avoir. » La révolte lui permet de créer l'humanité : « Je me révolte, je m'insurge contre l'oppression, donc nous sommes. » Si je suis libre, c'est parce qu'il n'y a pas de Dieu : « Devenir Dieu, c'est seulement être libre sur cette terre, ne pas servir un être immortel. C'est surtout, bien entendu, tirer toutes les conséquences de cette douloureuse indépendance. Si Dieu existe, tout dépend de lui et nous ne pouvons rien contre sa volonté. S'il n'existe pas, tout dépend de nous[3]. » Là encore, ce n'est pas une position confortable, et, à propos de Don Juan l'athée, Camus parle de « la terrible amertume de ceux qui ont eu raison[4] ».

Albert Camus est-il vraiment athée ? On peut au moins à son sujet parler d'une « nostalgie de Dieu[5] ». À plusieurs reprises il a évoqué son sens du sacré et du mystère, et il déclare en août 1957 : « Je ne crois pas en Dieu, c'est vrai. Mais je ne suis pas athée pour autant. Je serais même d'accord avec Benjamin Constant pour trouver à l'irréligion quelque chose de vulgaire et de... oui, d'usé. » D'après I. Lepp, c'est le maintien d'une ligne intransigeante dans l'Église, avec l'ency-clique *Humani generis*, et la condamnation de Teilhard de Chardin, qui auraient anéanti ses velléités de conversion[6].

Maurice Merleau-Ponty est plus catégorique dans son athéisme. L'absolu n'existe pas, tout est contingent, indéterminé ; l'homme, accident de l'évolution, disparaîtra ; en attendant, c'est à lui de se faire, en toute liberté, et cette liberté n'existerait pas sous le regard de Dieu, « ce regard infini devant lequel nous sommes sans secret, mais aussi sans liberté, sans désir, sans avenir, réduits à la condition des choses visibles[7] ». Dieu ne doit pas exister, car sinon qu'aurions-nous à faire ici ? Il ne resterait à l'homme que sa médiocrité : « Si Dieu est, la perfection est déjà réalisée en deçà de ce monde, elle ne saurait être accrue, il n'y a, à la lettre, rien à faire[8]. »

Martin Heidegger préfère laisser la question de Dieu ouverte. Rien ne nous permet à l'heure actuelle de décider. Il nous faut donc nous installer dans l'« indifférence », ce qui ne veut pas dire que pour lui la question soit sans importance et qu'on ne puisse un jour envisager l'ouverture d'un chemin vers Dieu. Mais aujourd'hui la culture ne porte pas vers Dieu : « Non seulement les dieux et le Dieu se sont envolés, mais le reflet du divin s'est éteint dans le monde » ; « le sacré en tant que chemin vers Dieu se perd ». Notre époque est celle de l'« absence de Dieu », du « manque de Dieu », et le tragique est qu'elle « n'est même plus à même de ressentir le manque de Dieu comme un manque[9] ».

Pour Karl Jaspers, la croyance en la vérité qui fait vivre a des allures religieuses, mais il s'agit d'une attitude exclusivement philo-sophique, incompatible avec la véritable religion : « Il est à supposer qu'un homme parvenu à la croyance religieuse et qui aurait été aupa-ravant philosophe ne s'était jamais exercé à la véritable philoso-phie[10]. »

Assez proche finalement de ces positions existentialistes est la phé-noménologie de Nicolai Hartmann, qui l'amène à postuler que Dieu n'existe pas, pour sauver la liberté indispensable à l'homme moral[11]. Quant à José Ortega y Gasset, dont la pensée religieuse a été très controversée, il pense que « le divin est l'idéalisation de ce qu'il y a de meilleur chez l'homme, et la religion est le culte qu'une moitié de chaque individu rend à son autre moitié, les parties intimes et inertes aux plus nerveuses, aux plus héroïques[12] ».

Non-sens de la question de Dieu pour la philosophie analytique

Les existentialistes ne tiennent pas compte de Dieu pour sauver la liberté humaine. Les néo-positivistes, eux, nient tout simplement qu'il y ait un problème de l'existence de Dieu, parce que ce serait un problème métaphysique, et que la métaphysique est disqualifiée. Héritiers des nominalistes, ils considèrent que toute connaissance vient des expériences sensibles reliées entre elles par une logique formelle, qu'elle ne porte que sur des individus, et que la chose en soi ne peut pas être connue. Dans ce savoir purement empirique, sans idées innées, les questions qui ne peuvent être saisies par l'approche scientifique sont des pseudo-questions. Elles n'existent pas. Les propositions « Dieu existe » et « Dieu n'existe pas » n'ont pas de sens, elles ne sont ni vraies ni fausses. Une existence ne se prouve pas ; elle s'éprouve par intuition. De plus, nous ne connaissons même pas les attributs de Dieu : comment pourrions-nous le reconnaître ?

Le plus célèbre représentant de cette attitude est Ludwig Wittgenstein, qui, dans le *Tractatus logico-philosophicus*, montre que nous n'avons qu'une représentation du monde, qui est le langage, sans pouvoir atteindre la réalité des choses. Dans le langage, certaines propositions sont vraies et d'autres fausses. Une proposition est vraie si elle est scientifiquement vérifiable. Tout ce que dit la théologie est évidemment invérifiable, et n'a donc pas de sens. Personnellement, Wittgenstein n'exclut pas la possibilité de l'existence de Dieu, qui cependant relève uniquement du domaine de la mystique et est incommunicable, car Dieu, s'il existe, ne peut ni se révéler dans le monde ni être l'objet d'un savoir. Il peut y avoir un discours religieux, dont on peut étudier la cohérence interne, mais rien n'en garantit la vérité. Les autres penseurs néo-positivistes sont plus radicaux encore. Pour Rudolf Carnap, il y a impossibilité absolue de définir Dieu ; les pseudo-définitions ne sont que des mots dont le contenu est invérifiable, donc il est hors de question de discuter de l'existence ou de la non-existence d'un tel être.

La philosophie analytique, importante surtout dans le monde anglo-saxon, adopte à peu près le même point de vue. Son but est de clarifier le langage, ce qui permet d'écarter les pseudo-problèmes classiques, qui n'étaient que des confusions logico-linguistiques. Il ne s'agit pas d'un athéisme positif, niant formellement l'existence de Dieu, mais d'un rejet de la question ; le problème est écarté parce qu'il est un non-sens au niveau des possibilités de notre langage, ce qui n'exclut pas nécessairement une autre approche.

À l'intérieur de ce cadre général, on peut discerner quelques nuances. Pour G.E. Moore, le sens commun est totalement neutre à propos de la question de Dieu : « Au total, je crois plus juste de dire que le sens commun n'a pas d'opinion sur la question de savoir si nous connaissons effectivement qu'il y a un Dieu ou non : on ne peut dire ni qu'il l'affirme, ni non plus qu'il ne l'affirme pas ; et par conséquent le sens commun n'a pas d'opinion sur l'univers dans son ensemble[13]. » Sa position personnelle est plutôt agnostique. Alfred Jules Ayer est plus radical : toutes les propositions religieuses doivent être rejetées, parce qu'elles ne peuvent satisfaire aux exigences formelles et logiques qui leur donneraient un sens ; elles sont des non-sens, et n'ont même pas à être envisagées. Pour Bertrand Russell, toutes les preuves que l'on a pu fournir de l'existence de Dieu sont fallacieuses ; il est impossible de se prononcer et, d'ailleurs, pourquoi faire appel à un Dieu ? Le monde se suffit. Russell a cependant affirmé sans ambiguïté son athéisme personnel : « Je considère sans exception les grandes religions du monde — le bouddhisme, l'hindouisme, le christianisme, l'islamisme et le communisme — comme fausses et néfastes [14]. » Vis-à-vis du christianisme, il a des griefs plus particuliers, concernant notamment la morale sexuelle : « Le caractère le plus condamnable de la religion catholique toutefois, c'est son attitude à l'égard de la sexualité, attitude si malsaine, si contraire à la nature que, pour la comprendre, il faut remonter jusqu'à l'époque du déclin de l'Empire romain [15]. »

D'autres procèdent de façon négative : les énoncés religieux n'ont pas de sens parce qu'ils sont tels que nous ne savons pas ce qui les rendrait faux. C'est ce que déclare A. Flew : « On ne peut concevoir d'événement ou de série d'événements dont la réalisation pourrait être reconnue par des hommes de formation religieuse comme une raison suffisante de concéder : "Il n'y a pas de Dieu après tout", ou : "Dieu ne nous aime pas réellement dans ces conditions [16]." »

J.N. Findlay, quant à lui, retourne l'argument ontologique d'Anselme, en affirmant : « S'il est possible, en un certain sens logique et non seulement épistémologique, qu'il n'y ait pas de Dieu, alors l'existence de Dieu n'est pas seulement douteuse, mais impossible, car aucune chose capable de non-existence ne pourrait être Dieu [17]. » Les logiciens de l'école analytique se sont bien sûr particulièrement intéressés à la preuve ontologique d'Anselme, qu'ils ont retournée dans tous les sens, en montrant qu'elle n'a aucune valeur à propos d'une existence. Toutes les propositions concernant l'existence sont contingentes.

Le domaine de la foi religieuse n'a donc plus rien à voir avec celui de la rationalité et du discours commun. Nous sommes bien dans l'esprit nominaliste de Guillaume d'Occam. La foi ne peut se justifier que par elle-même. Dans le domaine de la logique, elle est absurde. R.B. Braithwaite a fait la théorie de cette coupure dans *Une conception empiriste de la nature et de la foi religieuse* [18]. Les affirmations religieuses, écrit-il, sont assimilables à des énoncés de morale : ce sont « des déclarations d'adhésion à une ligne d'action, des déclarations d'engagement à une manière de vivre [19] ». Quant aux dogmes, ce sont des histoires qui nous aident à vivre dans cette ligne morale. Ainsi, « dans le cadre de la conception de Braithwaite, il est possible de tenir non seulement que la proposition "Dieu existe", prise comme un énoncé factuel, est dépourvue de sens, mais aussi que tout le corps de la doctrine chrétienne, avec tous les énoncés historiques qui y sont joints, sont faux si on les prend à la lettre, et d'affirmer en même temps qu'on est un croyant chrétien utilisant le langage religieux en plénitude de sens[19] », écrit M.J. Charlesworth. La position d'Alfred Whitehead est différente, mais elle consiste à dissoudre la question, car on peut aussi bien dire que « Dieu existe » ou que « Dieu n'existe pas ». Dieu est

> la réalisation du monde actuel dans l'unité de sa nature. [...]
> Il est tout aussi vrai de dire que Dieu est permanent et le monde fluant que de dire que le monde est permanent et Dieu fluant.
> Il est tout aussi vrai de dire que Dieu est un et le monde multiple que de dire que le monde est un et que Dieu est multiple.
> Il est tout aussi vrai de dire que Dieu, si on le compare au monde, est éminnemment réel que de dire que le monde, comparé à Dieu, est éminemment réel.
> Il est tout aussi vrai de dire que le monde est immanent à Dieu que de dire que Dieu est immanent au monde.
> Il est tout aussi vrai de dire que Dieu transcende le monde que de dire que le monde transcende Dieu.
> Il est tout aussi vrai de dire que Dieu crée le monde que de dire que le monde crée Dieu[20].

Quant au structuralisme, pour lui, « Dieu n'est pas seulement mort : son nom ne peut même figurer dans le paysage, n'y ayant point de sens[21] ».

La science : nier Dieu ou réviser le concept?

À côté de ces courants philosophiques modernes, qui évacuent la question de l'existence de Dieu, il subsiste bien sûr des courants plus classiques, des attitudes de négation de Dieu qui reposent sur des critères scientifiques. Pour Jacques Monod, « il n'est pas question de prouver que Dieu n'existe pas. Personne n'y parviendra jamais. Dieu est une hypothèse dont la science ne peut pas s'occuper[22] ». La science est étrangère à ce problème, qui est un « pur postulat, à jamais indémontrable », ce qui semblerait rejoindre les positions précédentes. En fait, pour Monod, le ciel est bien vide. Aucun projet, aucune finalité n'est décelable dans l'évolution :

> Le hasard pur, le seul hasard, liberté absolue mais aveugle, à la racine même du prodigieux édifice de l'évolution : cette notion centrale de la biologie moderne n'est plus aujourd'hui une hypothèse, parmi d'autres possibles ou au moins concevables. Elle est la seule concevable, comme seule compatible avec les faits d'observation et d'expérience. Et rien ne permet de supposer (ou d'espérer) que nos conceptions sur ce point devront ou même pourront être révisées[23].

Face à cette absence de Dieu, chacun réagit suivant son tempérament, mais dans la plupart des cas, ce n'est pas la sérénité. Pour Monod, il nous reste à assumer l'angoisse de l'homme face à un univers dénué de sens, seul dans son « étrangeté radicale ». Angoisse également chez Jean Rostand, en des termes quasiment identiques :

« Tel est le message de la science. Il est aride. La science n'a guère fait jusqu'ici, on doit le reconnaître, que donner à l'homme une conscience plus nette de la tragique étrangeté de sa condition, en l'éveillant pour ainsi dire au cauchemar où il se débat[24]. » Et Jean Rostand lance cette question, que Robert Lenoble qualifie à juste titre de pascalienne : « Ceux qui croient en un Dieu pensent-ils à sa présence aussi passionnément que nous, qui n'y croyons pas, à son absence[25] ? »

En dépit de ce que tendrait à faire croire la multiplication récente d'ouvrages de savants croyants, expliquant chacun à leur façon comment ils concilient les exigences de la rationalité et leur foi[26], la communauté scientifique reste profondément divisée sur le sujet, à peu près dans une proportion de moitié-moitié. D'après une enquête de 1989 auprès des responsables des unités de recherche du CNRS[27], dans les départements de sciences exactes, 110 chercheurs se disent croyants, 106 incroyants et 23 agnostiques ; 70 % d'entre eux pensent que la science ne pourra jamais exclure ou prouver l'existence de Dieu, et le Dieu dont ils parlent n'a de toute façon qu'un très lointain rapport avec celui des Évangiles, des dogmes, de l'Église. Le Dieu anthropomorphe est inacceptable dans le monde scientifique, qui se sent mal à l'aise dans un culte qui continue à prêter à Dieu des sentiments humains. Il subsiste un noyau antireligieux pur et dur, dont la position est exprimée par William Provine, de l'université Cornell de New York, qui fonde son athéisme sur quatre constats :

> En premier lieu, en dehors des règles mécanistes pures, aucun principe organisateur ou finaliste n'existe dans le monde. Il n'y a ni dieux ni forces téléologiques. L'assertion réitérée selon laquelle la biologie moderne et la tradition judéo-chrétienne sont compatibles, cette assertion est fausse. En second lieu, il n'existe ni loi morale en soi, ni principes absolus pour guides de la société humaine. En troisième lieu, les hommes sont des machines merveilleusement complexes. L'individu devient une personne par l'efficience de deux mécanismes : l'hérédité et l'influence de l'environnement [...]. En quatrième lieu, la liberté, entendue au sens classique du terme, n'existe pas [...]. Toutes les tentatives pour découvrir la base de la liberté dans l'indéterminisme d'une mécanique quantique (déjà affaibli au niveau des molécules d'ADN) ou dans les ambiguïtés des systèmes complexes (lesquelles disparaissent rapidement), toutes ces tentatives sont condamnées à l'échec[28].

William Provine rejette catégoriquement tout consensus entre religion et science :

> Ils disent que la religion et la science sont parfaitement compatibles et que Dieu a pu créer le monde il y a très longtemps, peut-être au moment du *big bang*. Cette conception de Dieu est, je crois, intellectuellement malhonnête. Aucune preuve n'en existe, ce qui équivaut en tout cas à un athéisme réel. Le Dieu qui a créé le monde il y a des milliards d'années et l'a ensuite abandonné à lui-même n'est pas le Dieu personnel des religions[29].

Il est donc faux de prétendre, comme beaucoup d'enquêtes et de témoignages orientés tendraient à le faire croire, que la science est unanimement prête à basculer dans le spiritualisme. Nombre de savants se retrouvent en fait dans les déclarations d'Einstein : « Je crois au Dieu de Spinoza, qui se manifeste dans l'harmonie des lois de la réalité, et non en un Dieu qui s'occupe du destin et des actes de l'homme. Il est certain qu'à la base de tout travail scientifique un peu délicat se trouve une conviction analogue au sentiment religieux que le monde est fondé sur la raison et peut être compris. Cette conviction, liée à un sentiment profond d'une raison supérieure, qui se manifeste dans le monde de l'expérience, constitue pour moi l'idée de Dieu : en langage ordinaire, on peut l'appeler "panthéiste"[30]. »

On trouve beaucoup de matérialistes dans le monde scientifique, mais il faut se garder de mélanger les plans. Tout savant pratique un matérialisme de méthode, qui ne préjuge pas de ses opinions philosophiques ou religieuses. Il exclut l'hypothèse d'une pensée organisatrice et créatrice. C'est dans la façon dont il aborde les problèmes traditionnels qu'apparaissent les différences : comment naît la pensée ? comment les idéalités logico-mathématiques peuvent-elles exister ? comment expliquer la conscience collective ? Or, il est vrai qu'à ce niveau les réponses sont bien souvent d'ordre athée. Surtout chez les biologistes, dont le travail consiste justement à réduire la pensée et les conduites humaines en termes d'activité neuronale : *L'Homme neuronal* de Jean-Pierre Changeux, en 1983, en est une bonne illustration.

Il faut également signaler dans le monde scientifique un courant ambigu, qui s'est développé à partir des années 1970 et qui a connu un certain succès, surtout aux États-Unis : la gnose. S'appuyant sur les découvertes les plus récentes de la science, en particulier sur la mécanique quantique, qui semble propice à un « réenchantement » du monde, elle a les allures d'un néo-mysticisme. En 1969, c'est dans le milieu des astrophysiciens américains de Pasadena que naît la « gnose de Princeton », qui reconnaît en Newton son précurseur, avec son idée de l'espace comme *sensorium Dei*. Le mouvement se fonde sur les théories scientifiques récentes, physique des particules et astronomie. Il se situe en dehors de toute religion révélée et rejette les mythes de toutes espèces, ainsi que les phénomènes paranormaux. Le christianisme pour eux n'a plus aucune valeur. C'est dans la matière qu'ils trouvent l'esprit, que l'on peut appeler Dieu si l'on veut, et « Dieu est la pensée dont le monde constitué est le cerveau[31] ».

Ce Dieu est-il vraiment Dieu ? Raymond Ruyer, dans *Dieu des religions, Dieu de la science*, a tenté de clarifier ce terme si chargé de sens que son utilisation actuelle devient problématique[32]. Il part du constat d'après lequel l'image que nous avons de Dieu dépend de l'image globale du cosmos ; cette dernière a évolué, contrairement à l'image du Dieu des religions, qui de ce fait est devenue inadaptée. De plus, une religion se charge peu à peu de superstitions parasitaires, qui ont une lourde responsabilité dans le processus de l'incroyance :

L'expérience montre que ce n'est pas en multipliant les visions, apparitions, lieux de pèlerinage, croyance à l'ascension miraculeuse de divers personnages religieux, ou en prônant le retour à la Bible et à la parole de Dieu censée écrite noir sur blanc, que l'on renforce la foi primaire au mouvement religieux. Visions et apparitions peuvent enthousiasmer quelques dévotes, mais elles éloignent silencieusement des millions de gens « raisonnables », ou de gens qui se veulent des rationalistes, même dans leur idéologie fanatique[33].

Ce qu'on appelle Dieu est en fait la pensée du monde comme totalité ; il est intimement attaché au monde, à la nature. Il est le produit de l'espace-temps, il est en devenir. Le Dieu unique des grandes religions, comme infini de toutes les qualités, est une impossibilité : c'est aussi le retournement de la preuve ontologique. C'est pourquoi, que ce soit le Dieu-ordre ou le Dieu-personne des grandes religions, cet être est exclu. Mais, à l'inverse, Dieu étant l'axe du « tout de l'être », le véritable athéisme est impossible, car ce serait nier l'être. Dieu est une notion conceptuellement vide, n'existant qu'au niveau de l'efficacité. Nous en revenons finalement, sous une autre forme, à la relégation du problème de l'existence de Dieu au niveau d'un non-sens :

La controverse « athéisme ou théisme », quand elle prend la forme de la question : « Dieu existe-t-il ? », n'a aucun intérêt. Le « tout de l'être » est là, et nous y sommes pris. [...] Que l'homme croie ou non consciemment en Dieu n'a métaphysiquement pas d'importance, parce que, en deçà de cette conscience seconde, il y a une conscience primaire, pré-réflexive, qui pose Dieu sans avoir besoin de se poser elle-même. [...] Il semble alors, si la croyance en Dieu ne peut donner ni la vue d'un être, ni la révélation d'un sens ou d'une valeur spécifique, que la notion même de Dieu soit vide et inutile. Si personne ne peut être athée, c'est comme si personne ne pouvait être théiste. Si personne ne peut manquer Dieu, personne ne peut non plus le trouver. [...]

Le Dieu des religions particulières favorise la mégalomanie. De même l'athéisme, en tant que religion particulière. Celui qui croit que Dieu favorise son Église et celui qui croit que son parti a le pouvoir de décréter la vérité se ressemblent en ceci qu'ils sont également menacés de paranoïa. Le Dieu philosophique, justement parce qu'il est abstrait, et qu'il n'est inféodé à rien, est efficace contre ce genre de démence, sans risquer pourtant de faire tomber dans la folie inverse de l'homme qui se sent écrasé par un Dieu personnel et arbitraire[34].

On comprend que l'accueil réservé à la gnose ait été mitigé. Le jésuite François Russo exprime bien cette réserve :

Il est tout de même remarquable que, à une époque où l'on voit proclamer la mort de Dieu, où si nombreux sont ceux, même parmi les chrétiens, qui ont le sentiment que la foi ne peut « tenir » devant la science, des scientifiques de haut niveau en viennent à conclure que non seulement la science ne rejette pas Dieu, mais qu'elle est contrainte d'affirmer son existence. Cependant, le Dieu de la gnose n'est pas vraiment un Dieu transcendant. Il est à peine une Personne, et seulement quelques notations fort discrètes peuvent nous faire penser qu'il pourrait être un Dieu d'amour[35].

Si la plupart des observateurs s'accordent sur l'intérêt de la démarche, tous sont sceptiques quant au résultat.

La gnose illustre en tout cas une tendance récente importante dans le monde intellectuel, qui est de refuser la vieille opposition croyant-incroyant. *Il n'y a pas de problème de l'existence de Dieu*, écrit en titre de son livre Paule Levert [36]. Pour certains chrétiens eux-mêmes, « cette existence n'est pas une idée, ce n'est pas un fait donné une fois pour toutes. Comme un organisme vivant se renouvelle sans cesse à travers tous ses membres, elle se réalise dans la communion des consciences qui, par-delà leur différence, accomplissent et manifestent l'unité en acte dont elles tiennent la vie [37] ».

Assouplissement du marxisme

Les vrais négateurs de Dieu, à la façon classique et positive, nous les trouvons sans doute chez les marxistes-léninistes, en URSS, jusqu'à la disparition de ce pays. La philosophie officielle du régime s'efforce de maintenir tous les postulats de l'athéisme matérialiste marxiste. Les preuves de l'existence de Dieu sont une fois de plus réfutées, dans les manuels et encyclopédies. Un effort est fait pour approfondir l'étude des origines de la religion comme personnification des forces de la nature. Le point de départ est l'affirmation d'un état areligieux au début de l'histoire humaine. Dans *Les Problèmes fondamentaux de l'athéisme scientifique*, manuel quasiment officiel paru en 1966, on peut lire :

> La science a démontré de façon irréfutable que l'apparition des formes les plus anciennes de la religion avait été précédée par une longue période areligieuse dans l'histoire de l'humanité. Selon les constatations archéologiques, on peut situer l'apparition de l'homme il y a un million d'années. Des fouilles n'ont apporté aucune indication permettant de conjecturer, chez les espèces humaines les plus anciennes, la présence de représentations religieuses. C'est seulement à une époque située de cinquante à cent mille années qu'on peut faire état des découvertes qui indiqueraient que les hommes de cette période disposaient de représentations religieuses de croyance [38].

La forme la plus élémentaire de religion aurait été le fétichisme et le totémisme, et c'est la complexification des rapports sociaux qui aurait provoqué l'apparition des religions classiques, instruments de domination aux mains des classes supérieures. La propagande officielle insiste également beaucoup sur l'opposition entre la science et la religion, dans des ouvrages à large diffusion comme *Les Succès de la science moderne et la religion* (1961).

Dans les démocraties populaires et dans les partis communistes des pays occidentaux, on n'exclut toutefois pas une collaboration pratique avec la religion, comme en Hongrie et surtout en Pologne, avec des penseurs comme Leszek Kolakowski et Tadeusz Pluzanski, qui font la différence entre le christianisme intégriste et le christianisme ouvert à la Teilhard de Chardin. En France, dès 1949, Roger Garaudy souligne la valeur positive du christianisme dans l'élaboration du concept de personne humaine, et il pense qu'un accord entre marxistes et croyants est possible à propos de la conception de l'homme et de la société. De même, en Italie, sous l'impulsion de Palmiro Togliatti, de Lucio Lombardo-Radice, de Salvatore di Marco, une avancée vers le pluralisme culturel a été accomplie dans les années 1960. Le xe congrès du PCI, en 1962, adopte le texte suivant : « Il s'agit de comprendre que l'aspiration vers une société socialiste peut, il est vrai, faire son chemin chez des hommes qui ont une foi religieuse, mais que mieux encore elle peut trouver une incitation dans la conscience religieuse elle-même, lorsqu'elle est placée en face des problèmes dramatiques du monde contemporain[39]. » Cette évolution, sous la pression des événements politiques ayant suivi l'effondrement du communisme, trouve son aboutissement surréaliste dans les embrassades entre Jean-Paul II et Fidel Castro, en 1998, à La Havane, sous les regards complices et narquois (ou désabusés ?) des portraits géants de Jésus et de Che Guevara.

Les enquêtes sociologiques et la mesure de l'incroyance

Venons-en à la réalité sociale. Un peu partout, le xxe siècle a été marqué par une indéniable progression de l'incroyance sous toutes ses formes. Les enquêtes de sociologie religieuse, très abondantes, le confirment toutes. Nous nous contenterons de quelques exemples significatifs.

Gabriel Le Bras a laissé un panorama de la situation dans la plupart des diocèses de France dans les années 1930-1950[40]. Le tableau est assez éloquent. Nous y retrouvons les grands centres de l'irréligion déjà recensés au xixe siècle. La Creuse est peut-être le cas le plus net : « L'hostilité est telle que la bénédiction d'un chemin de croix par Mgr l'évêque de Limoges s'est faite, le 21 juillet 1935, sous la protection de trois brigades de gendarmerie[41]. » Et l'informateur de Gabriel Le Bras en tire même des enseignements d'ordre ethnologique sur le « caractère creusois » : « Race intelligente, mais d'une intelligence tournée aux choses pratiques, âpre au travail, fermée au rêve, au sentiment, individualiste à l'extrême, égalitaire, combative. Si excessif que cela puisse paraître, je crois que cette population creusoise n'a pas de besoins religieux[42]. » Quelques chiffres illustrent la situation : en 1935, sur trois paroisses rurales de 1 500 habitants, 80 personnes vont à la messe dominicale, dont 30 enfants ; 28 femmes font leurs pâques ; à Limoges, en 1926, plus du quart des enterrements et plus de 36 % des mariages sont civils ; dans le doyenné de Saint-Sulpice-des-Champs, ces proportions montent respectivement aux deux tiers et aux quatre cinquièmes. Non loin de là, à Tulle, en 1933, on note l'effet dissolvant de l'émigration rurale sur la foi : « L'émigration de nombreux ruraux serait la grande cause de cette révolution; naguère cochers de fiacres, aujourd'hui chauffeurs de taxis, ces prolétaires urbains deviennent irréligieux et souvent extrémistes. Ils exercent leur action quand ils rentrent au pays et, de Paris, en adressant à leurs familles enracinées journaux et tracts fort peu dévots [43]. » À Clermont-Ferrand, l'irréligion touche les zones de passage, et l'on signale l'« action des auberges dont beaucoup sont tenues par des militants de la libre pensée [44] ».

La Bourgogne reste un autre foyer d'incroyance. Dans le Mâconnais, on note une « irréligion profonde et générale », avec 25 % d'enfants non catéchisés. Un prêtre de quatre-vingt-dix ans rapporte que, dans son enfance, une cinquantaine de personnes sur 1 100 allaient à la messe; « aujourd'hui, ce contingent est réduit à deux indigènes ». L'observateur tente une explication : « Nous savons que le vignoble est un terroir d'indifférence, de vie facile plutôt que mystique, indépendante plutôt que soumise à Dieu et à ses ministres : la rugosité, l'insubordination du Mâconnais est proverbiale [45]. » Entre Auvergne et Bourgogne, le Berry : « Aux confins de la Creuse, granit et terres froides, population âpre et positive, sans besoins religieux, indifférence dans les champagnes autour de Bourges, Châteauroux et surtout Issoudun [...] une zone médiocre sur le calcaire des champagnes [46]. »

Dans le Sud-Ouest, le diocèse d'Aire est un « océan d'indifférence depuis des temps reculés ». On n'y compte pas plus de 5 % de pratiquants chez les hommes. Parmi les explications avancées en 1938, on note que « le service militaire en pays d'outre-mer y a contribué : c'est l'argument de beaucoup de ces voyageurs, qu'il n'y a pas de vérité universelle [47] ». Dans le diocèse d'Angoulême, 5 % d'hommes et 15 % de femmes font leurs pâques; dans celui de Luçon, 90 % des hommes du bocage pratiquent, mais 25 % seulement dans les régions ouvertes, en 1936. Contraste également dans le diocèse d'Aix, où s'opposent le nord, pratiquant, et le sud, « ceinture de Marseille, population industrielle, cosmopolite, déracinée, à réincorporer dans l'Église. Entre ces deux extrêmes, une terre d'indifférence [48] ». Dans le diocèse d'Amiens, on signale « le Santerre, riche, géréreux, indifférent. Autour d'Amiens, complète apathie [49] ».

À Saint-Jean-de-Maurienne, on met en cause l'émigration saisonnière des jeunes dans les villes, l'industrialisation, le mauvais exemple donné par les touristes. En Bretagne, on s'interroge toujours sur le scepticisme des Trégorrois, qui déroute l'abbé Le Meur, professeur à l'université catholique d'Angers, en 1938 : là « vit une population paysanne atteinte depuis longtemps d'un scepticisme foncier en matière religieuse. D'où vient ce phénomène ? Je me le suis souvent demandé, et je n'ai pu trouver de réponse satisfaisante [50] ».

Tous ces contrastes ressortent fort bien sur la carte religieuse de la France rurale, dressée par le chanoine Boulard, à la date du 1er janvier

1952. Il distingue les pays « indifférents » (centre du Bassin parisien, de la basse Normandie à la Champagne, de la Picardie au Poitou-Berry, l'Aquitaine, les régions méditerranéennes), les pays de « mission », largement déchristianisés (Creuse, Mâconnais, Champagne), qui s'opposent aux pays chrétiens[51].

Depuis, les progrès de l'incroyance ont continué. Yves Lambert les a suivis sur l'ensemble du siècle dans le cadre d'une paroisse du Morbihan, Limerzel[52]. Le signe le plus visible a été le recul de la pratique dominicale : d'un ou deux absents avant 1930, on est passé à 80 en 1958 ; la pratique régulière a reculé de 92 à 76 % entre 1958 et 1967. Les hommes quittent les premiers, commerçants, artisans, puis paysans, prétextant d'abord les bouleversements liturgiques : « Je ne sais plus ce que c'est, je n'y vais plus », et l'abandon du contenu littéral de la Bible. En même temps, le prestige social du clergé diminue, les touristes arrivent, le contexte change : la religion n'est plus ressentie comme indispensable, ni dans ce monde ni dans l'autre.

Certains milieux sont plus touchés que d'autres. Les marins en particulier : une enquête de 1980 en Vendée montre que 1 % d'entre eux participe à la vie religieuse, et cela s'accompagne d'une hostilité marquée à l'égard du clergé et de Dieu même, rendu responsable des difficultés de la vie[53].

La fin des catégories (athée, incroyant, agnostique, indifférent)

La frontière entre croyant et incroyant est de plus en plus floue. L'on doit alors s'interroger sur le sens contemporain des termes d'athéisme et d'incroyance — ce qui de fait pose la question du sens des statistiques contemporaines, fondées sur des sondages nécessairement réducteurs, voire caricaturaux. Désormais, on ne comptabilise plus les gens à la sortie de la messe, on leur pose la question : « Croyez-vous en Dieu ? », comme s'il n'y avait que deux réponses simples, « oui » ou « non » ! Et l'on en tire des tableaux péremptoires.

> Il n'y a rien de plus mensonger, note Cornelio Fabro, que les statistiques officielles : la majorité peut encore se déclarer adepte de telle ou telle confession chrétienne quoiqu'elle ignore tout des doctrines de celles-ci et qu'elle néglige les obligations sacrées, même les plus élémentaires comme la prière ou les cérémonies fondamentales du culte[54].

Il est encore plus trompeur, évidemment, d'élaborer des statistiques religieuses en s'appuyant sur des rites tels que le baptême, qui n'ont plus toujours de lien direct avec les convictions religieuses des individus qui les ont subis. Combien de baptisés sont athées, indifférents, agnostiques, déistes, panthéistes, membres de sectes, etc. ? Les recenser comme croyants, membres de l'Église catholique, ainsi que le font beaucoup de dictionnaires, guides et encyclopédies, n'a aucun sens. S'il est un phénomène irréductible en chiffres, c'est bien celui des croyances religieuses.

Qu'est-ce qu'un athée ? Jules Girardi pose de nouveau le problème :

> Devra-t-on, par exemple, considérer comme athée celui qui admet l'existence d'un « Être suprême », d'une « force » qui serait à l'origine du monde, sans pourtant lui reconnaître les attributs d'une personne ? celui qui, sans nier l'existence de Dieu, en doute fortement ? ou celui qui, tout en affirmant l'existence de Dieu, considère ce fait comme n'ayant aucune portée vitale ? ou encore celui qui, tout en se déclarant athée, poursuit un idéal éthique ? Des réponses possibles à ces questions naîtront des avis bien différents sur l'ampleur du phénomène athée dans son ensemble [55].

D'autre part, on est athée par rapport à quoi ? par rapport au « vrai » Dieu ou au « faux » Dieu ? Le panthéisme est-il de l'athéisme ? et ceux qui considèrent que la question de Dieu ne se pose pas ? Le nombre d'athées peut varier du simple au décuple suivant la définition adoptée.

Le cas le plus simple concerne sans doute l'athéisme théorique, qui nie catégoriquement l'existence d'un être transcendant personnel agissant sur le monde. Il est beaucoup plus difficile de cerner l'athéisme pratique. Dire, comme Lalande, qu'il regroupe « ceux qui vivent comme si Dieu n'existait pas » reviendrait à englober l'immense majorité de l'humanité, y compris nombre de chrétiens. C'est le renversement des termes : au lieu de considérer les athées comme des chrétiens qui s'ignorent, on pourrait aussi bien considérer beaucoup de chrétiens comme des athées qui s'ignorent. Dans leur façon de vivre, et même dans leurs « croyances » — les incohérences révélées par les sondages sont à cet égard troublantes : c'est ainsi qu'en 1997, 32 % des jeunes catholiques déclarent ne pas croire en Dieu [56] ! On a donc été obligé d'inventer la catégorie des « croyants athées », sur lesquels le professeur Robert O. Johann a fait une intéressante étude [57]. Pour lui, il s'agit de croyants pour lesquels la foi n'a que très occasionnellement un effet moral dans la vie pratique, ou, à l'inverse, d'athées qui vivent comme si, à tout hasard, Dieu existait.

Résumons-nous. Les études contemporaines distinguent un athéisme théorique, ou spéculatif, comprenant trois catégories : athéisme assertorique (on nie l'existence de Dieu), athéisme agnostique (on déclare le problème insoluble), athéisme sémantique (on estime que la question n'a pas de sens) ; un athéisme pratique (on vit comme s'il n'y avait pas de Dieu) ; un athéisme spéculativo-pratique (on déclare que l'existence éventuelle d'un Dieu ne doit pas avoir de conséquences sur le comportement) [58].

Mais qu'en est-il des incroyants ? Nous avons jusqu'ici utilisé les deux termes — abusivement — comme plus ou moins synonymes, dans la mesure où « athée » et « incroyant » s'opposent à « croyant ». Les incroyants forment une nébuleuse très difficile à cerner, comme le rappelle un article de la revue *Montalembert* :

> Sous ce terme générique, nous désignons des réalités fort diverses et même opposées. Il y a celui qui a laissé tout bonnement mourir sa foi, sans jamais accomplir un acte de liberté vrai. D'une croyance infantile et non assumée, il est passé sans trop de douleur à une incroyance aussi infantile et aussi peu assumée. Il y a celui qui a traversé une « crise » : l'affrontement intérieur d'une foi qui se voulait loyale et vigoureuse, et d'une critique qui, au nom de la même exigence de vérité, se voulait radicale. Il y a celui qui est passé d'une religion jamais vécue à une incroyance, ou plutôt à un athéisme positif, jouant dans son inexpérience le rôle intégrateur et unificateur qu'aurait dû jouer la foi. Il y a enfin celui qui est né et qui a vécu dans l'incroyance ; multiples visages que trahit l'appellation trop commode « les incroyants »[59].

Il faut aussi tenir compte du groupe très important des agnostiques, très nombreux surtout dans les milieux scientifiques, comme le rappelle R. Collin :

> Plusieurs d'entre eux ont l'intuition plus ou moins avouée que les phénomènes de la nature ont un envers métaphysique, mais ils se disent inaptes à le scruter. Ils se réfèrent pratiquement au monisme matérialiste, mais ils n'ont pas l'agressivité des athées véritables. Un scepticisme aimable ou ironique les écarte à la fois de ceux qui nient et de ceux qui affirment l'existence de Dieu et ils se dérobent aux questions embarrassantes, de quelque côté de l'horizon philosophique qu'elles surgissent. Ils nous paraissent former le gros de la troupe des hommes de science incroyants[60].

L'agnosticisme caractérise de plus en plus les milieux intellectuels. Ce terme, qui aurait été forgé par Huxley en 1869, n'est en fait qu'une variante du scepticisme, dans le domaine de la foi : l'esprit humain est incapable d'atteindre les vérités métaphysiques, au sujet desquelles il est donc préférable de retenir son jugement.

Enfin, il est un groupe qui représente sans doute la masse des foules contemporaines : c'est celui des indifférents, qui estiment que la religion n'est pas leur affaire. Cette attitude a pu être qualifiée de « post-athéiste », dans la mesure où les indifférents s'installent dans une dimension purement humaine, sans se poser de problèmes métaphysiques, considérant que l'on peut parfaitement vivre sans s'occuper de foi, de Dieu, de religion, questions reléguées dans un lointain passé et à l'égard desquelles ils n'éprouvent ni animosité ni sympathie.

> Il s'agit aujourd'hui, écrit J.-B. Metz, avant tout d'une incroyance d'un type nouveau, celui d'une ère « post-athéiste » L'incroyance de nos jours, quoi qu'il en soit de l'extrême complexité du phénomène qu'elle représente, a en effet plus ou moins cessé d'être ce qu'on pourrait appeler une « incroyance directe », cette attitude dont la base essentielle était la négation explicite de la foi. La première impression que donne l'incroyance contemporaine est moins celle d'un système dirigé contre la foi que celle d'une possibilité positive d'exister, d'être totalement homme, en se passant de la foi[61].

Cette nécessaire récapitulation montre à quel point peuvent être illusoires les jugements globaux sur l'athéisme ou l'incroyance au xxᵉ siècle, ainsi que les statistiques et sondages portant sur les questions religieuses. Les cloisons étanches entre croyants et athées ont disparu. Valables peut-être encore jusqu'au siècle dernier, elles se sont effacées sous l'effet d'un relativisme croissant, d'une montée de l'individualisme et de l'autonomie de la personne, du recul des credo et des idéologies. On passe désormais de l'athée pur au croyant intégriste par une infinité de nuances, qui rendent un peu vaines ces classifications.

C'est pourquoi l'on accueillera avec une extrême prudence les résultats des enquêtes qui par exemple, en 1959, rangent 18 % des jeunes Français dans les « sans religion », dont 4 % croient en Dieu, 5 % « hésitent à être formels sur le sujet », 9 % déclarent être sûrs de la non-existence de Dieu[62]. De même pour ce sondage de la SOFRES, en 1986, d'après lequel 8 % des Français seraient sans opinion au sujet de l'existence de Dieu, 12 % la jugeraient exclue, 14 % improbable, 35 % probable, 31 % certaine. Notons tout de même que d'après ce sondage les proportions parmi les catholiques seraient respectivement de 7, 6, 12, 39 et 36 %, ce qui confirmerait l'importance actuelle des «croyants athées» et de l'invraisemblable confusion régnant en ce domaine.

Perdre la foi au xxᵉ siècle : quelques exemples

Il est souvent plus éclairant d'étudier des cas individuels, qui peuvent fournir des réponses motivées. La littérature est très riche en exemples d'athéisme, illustrant de nombreuses nuances : athéisme noir de Thomas Hardy, athéisme tristement lucide de Gérard de Nerval, athéisme angoissé de Paul Valéry, athéisme nostalgique de Jules Romains ou de Roger Martin du Gard, athéisme inquiet de Georges Duhamel, qui exprime les regrets que lui inspire la perte de sa foi d'enfance :

> La religion catholique m'a quitté depuis trente-cinq ans. Passé l'âge où l'orgueil nous console en nous égarant, j'ai regretté bien souvent, et disons presque chaque jour, cette foi qui suffit à tout puisqu'elle offre une métaphysique, une morale, un système du monde et même une politique. Regrets sincères. Vains regrets. Le pari de Pascal est trop purement pragmatique pour me réchauffer le cœur[63].

Mais aussi athéisme mondain de Thomas Hardy, athéisme vide de Françoise Sagan, athéisme multiforme d'André Gide, athéisme moral de Thomas Mann, athéisme historiciste de Benedetto Croce.

Beaucoup de personnalités ont raconté comment elles ont perdu la foi, et cela fournit aussi un éclairage essentiel sur la désagrégation des croyances religieuses au xxᵉ siècle. Nombreux sont encore ceux qui, comme au siècle précédent, ont été rebutés par la persistance des Églises à soutenir puérilement le sens historique de la Bible. C'est ce qui pousse Albert Einstein à l'athéisme dès l'âge de douze ans :

> Je cessai subitement d'être religieux à l'âge de douze ans. Par la lecture de livres pour la diffusion de la science dans le peuple, j'acquis bien vite la conviction que maintes histoires que raconte la Bible ne pouvaient pas être vraies. La conséquence fut que je devins défenseur enflammé de la libre pensée, en associant à ma foi nouvelle l'impression que les jeunes étaient consciemment trompés par l'État qui leur donnait un enseignement menteur ; et cette impression fut pour moi bouleversante [64].

Einstein, il est vrai, évolue ensuite rapidement vers une foi de type panthéiste, mais repoussant toute idée d'un Dieu personnel.

Autre cheminement vers l'incroyance motivé par la faiblesse de l'exégèse chrétienne, celui de Saint-Exupéry qui, dans une page célèbre de ses *Carnets*, interpelle le père Sertillanges à propos du manque de base historique des Évangiles :

> Dites-nous pourquoi il faut croire à la résurrection sur des documents dont les auteurs sont inconnus et dont pas un n'a vécu du vivant du Christ. Pourquoi, quand votre Église insiste tant sur l'histoire, sans importance, de Jacob, elle insiste si peu sur la genèse des Évangiles, le choix qui a présidé à leur sélection, les mobiles de certains refus. Puisque cette authenticité même est la clé de voûte de votre Église, il eût fallu dire pourquoi la « pétition de principe » que partout ailleurs nous considérons comme indigne d'un homme qui respecte la pensée, et qui vous indigne autant que nous quand vous la démasquez chez vos adversaires, devient, dans votre Église, si brusquement une qualité faite d'humilité et d'obéissance ? « Le choix des Évangiles est certain parce que les conciles qui y présidèrent étaient infaillibles. » Ils étaient infaillibles parce que parlant au nom du Dieu des Évangiles. Et ce Dieu-là n'est démontré qu'autant que ce choix fut certain [65].

Le témoignage personnel de Georges Hourdin montre que les cas de ce genre sont nombreux, en particulier chez des croyants sincères qui peu à peu découvrent, en approfondissant l'étude des Écritures, que les Évangiles sont en fait l'élaboration collective de communautés n'ayant pas connu Jésus et qui en ont fait un véritable mythe. C'est la répétition du cas de Renan, beaucoup plus fréquente qu'on ne croit. Ainsi pour ce prêtre, qui confesse :

> J'ai fait dix ans d'exégèse et d'études bibliques à Rome [...]. Ces travaux m'ont conduit à l'athéisme. [...] Ce sont les premières communautés chrétiennes qui ont fait du Christ un Dieu, qui lui ont prêté les paroles qu'il ne prononça pas, les actes qu'il ne fit pas.
> J'ai voulu continuer d'honorer mon engagement sacerdotal et, pendant six ans, je suis monté en chaire chaque dimanche pour enseigner aux autres des vérités auxquelles je ne croyais plus. Ma persévérance n'a pas été récompensée. Ma foi en Dieu n'est pas revenue. Je suis bien obligé d'être vrai avec moi-même. J'ai donc décidé de renoncer au sacerdoce et de chercher à gagner ma vie de la même façon que font tous les autres hommes [66].

La foi se perd aussi fréquemment chez les intellectuels par lassitude dans la quête sans fin de la vérité. À force de chercher et de ne pas trouver, on se dit que cette recherche est vaine. C'est ce qu'a conclu Bertrand Russell : « La recherche de la vérité a ébranlé la plupart de mes anciennes croyances [...]. Je ne pense pas que cela m'ait rendu plus heureux », mais qu'y faire ? Jean Rostand, quant à lui, en est venu à détester la Vérité, ou plutôt ceux qui prétendent la posséder, religieux ou autres, et qui voudraient l'imposer aux autres : « Je redoute et je hais la vérité absolue, la vérité totale et définitive, la vérité avec un grand V, qui est à la base de tous les sectarismes, de tous les fanatismes et de tous les crimes. »

Pour beaucoup d'autres, le passage de la foi à l'athéisme se fait par la révolte. Révolte contre l'absurdité de la vie, mais aussi contre la solution chrétienne face à cette absurdité, pour Albert Camus. *L'Homme révolté* exprime cette attitude, cette volonté d'affronter seul l'absurdité de la condition humaine. Révolte contre un être qui limiterait sa propre liberté pour Jean-Paul Sartre, élevé dans un milieu de catholicisme confiné. Révolte contre l'inauthenticité du christianisme petit-bourgeois de ses parents pour Simone de Beauvoir, qui devient incroyante à l'âge de quinze ans : « "Je ne crois plus en Dieu", me dis-je, sans grand étonnement [...]. J'avais toujours pensé qu'au prix de l'éternité ce monde comptait pour rien ; il comptait, puisque je l'aimais, et c'était Dieu soudain qui ne faisait pas le poids : il fallait que son nom ne recouvrît plus qu'un mirage [67]. » Révolte contre l'absurdité encore, contre la mort aussi, chez Hemingway, qui rejette la foi de son enfance à l'université.

Ces expériences individuelles confirment les observations de la sociologie contemporaine, qui attribue à une foi mal intériorisée le passage des croyants à l'athéisme. Il s'agit souvent de personnes ayant été élevées dans une religion conformiste, qu'elles abandonnent insensiblement. Une enquête de 1956 sur le processus de la perte de la foi distingue trois modèles : certains renoncent à croire en raison de l'influence du milieu ambiant déchristianisé, des lectures, des loisirs, des difficultés de la vie ; d'autres, à cause d'une absence totale de formation religieuse ; d'autres encore, en constatant l'hypocrisie de certains croyants [68]. Le spectacle du mal régnant dans le monde est aussi un motif puissant, ainsi que la déception face au décalage entre des vérités religieuses enseignées et une réalité morale ou intellectuelle qui s'en écarte.

Psychologie et sociologie de l'athéisme ambiant

L'étude psychologique du phénomène de l'athéisme a rarement été tentée, contrairement à la psychologie de l'homme religieux, et toujours pour le même motif : l'athée se définit négativement comme celui qui ne croit pas[69]. Antoine Vergote s'élève avec raison contre cette façon de ne pas accorder une valeur positive à l'athéisme, dont il esquisse un tableau[70]. Il rejette catégoriquement la théorie des « tempéraments athées », qui ferait de certains hommes des êtres naturellement réfractaires à la foi. Pour lui, les processus psychologiques en jeu dans l'athéisme sont une réaction d'effroi, de fuite devant le sacré, réaction de défense angoissée face à ce qui apparaît comme du magique, totalement irrationnel. Autre processus : une désacralisation du monde, qui fait disparaître toute trace d'intervention divine. Cette désacralisation, nous l'avons vu, est elle-même en grande partie le produit du christianisme, qui a séparé le profane du sacré et fait apparaître Dieu comme le tout autre, tellement autre que son existence devient problématique. Le monde désenchanté, tombé sous l'emprise de la science et de la technique, n'offre plus guère d'espace de liberté à un Dieu éventuel, et l'individu immergé dans ce monde ne peut plus guère voir les marques d'une action divine.

Autre trait psychologique important de l'attitude athée : la méfiance, surtout chez les intellectuels, à l'égard de l'affectivité, catégorie dans laquelle on range couramment le « sentiment religieux ». La foi s'enracine dans l'expérience intérieure de la présence divine ; or, les sciences humaines nous ont appris combien l'« expérience intérieure » est tributaire de pulsions, refoulements, conduites de défoulement symbolique, remontant à l'enfance et totalement irrationnels. Tout cela enseigne la méfiance à l'égard d'une foi trop liée aux crises de l'adolescence, et que beaucoup rejettent justement pour cette raison, une fois l'équilibre affectif atteint à l'âge adulte.

On constate d'ailleurs que l'athéisme touche beaucoup plus les spécialistes des sciences humaines que ceux des sciences exactes. Rien de plus corrosif pour la foi que l'histoire, la sociologie, la psychologie, la psychanalyse, la philosophie. C'est ce que montrent toutes les études[71]. Les sciences humaines expliquent les comportements humains par des facteurs humains, et donc relativisent tous les absolus. La foi, en tant qu'élément psychologique, est pour elles un objet d'étude, ce qui immanquablement contribue à la réduire à l'état de sentiment purement humain.

L'expérience du mal, de la souffrance humaine, reste une des principales causes de l'incroyance, en particulier chez les jeunes, comme le montrent les enquêtes d'Antoine Vergote : 29 % des adolescents d'écoles techniques situent à ce niveau leur refus de la foi.

L'opposition entre la jouissance terrestre et la foi est également un obstacle à cette dernière. La sexualité en particulier est capable de procurer à l'homme un sentiment de plénitude et de suffisance qui le détourne de tout besoin surnaturel. Antoine Vergote a donné une analyse fort judicieuse de la méfiance profonde de l'Église à l'égard de la sexualité :

La réticence et la méfiance qu'une longue tradition chrétienne a entretenues envers la jouissance érotique tout particulièrement s'expliquent par cette intuition obscure de l'Église selon laquelle la jouissance est de soi marquée par une note de suffisance païenne. C'est ce qui peut expliquer l'effort poursuivi par l'Église en vue de dompter, d'humaniser et de christianiser la jouissance érotique, en la subordonnant à la loi de la vie et au service social. Il n'est d'ailleurs que de réfléchir un instant à la signification proprement religieuse du vœu de chasteté. L'abstinence sexuelle y est justifiée comme une option radicale pour la foi en Dieu, seul vrai salut de l'homme. Cela ne montre-t-il pas, de façon éclatante, le germe de paganisme athée que recèle la promesse érotique d'un bonheur en plénitude[72]?

L'attitude négative de l'Église à l'égard de la sexualité est un facteur important d'athéisme. Ce constat peut être étendu à toute espèce de jouissance : la joie évacue le besoin de Dieu, qui au contraire réapparaît dans les moments difficiles de l'existence. Tous les prêtres l'ont remarqué : les églises ne sont jamais aussi pleines qu'en temps de guerre. Pour beaucoup d'incroyants, la foi est donc liée à l'idée de souffrance, de tristesse, de refus des joies de l'existence. Ajoutons qu'à une époque où l'autorité paternelle est largement rejetée ou affaiblie, la religion du Dieu-père paraît étouffante, paralysante, frustrante, castratrice, contraire à la liberté humaine.

D'importants facteurs d'athéisme résident également dans le processus de la croissance psychologique. La foi, en milieu chrétien, se constitue au cours de l'enfance et de l'adolescence, et adopte nécessairement les formes et les expressions compréhensibles à cette époque de la vie; elle se charge d'un contexte anthropomorphique, magique, moral, intimement associé aux croyances fondamentales. L'individu, grandissant, est inévitablement amené à rejeter ces éléments enfantins, et très souvent il rejette en même temps la foi tout court, assimilée à ces enfantillages[73]. L'anthropomorphisme est l'un de ces traits les plus courants : non seulement Dieu a forme humaine dans l'imaginaire, mais il est paré de sentiments humains (anthropomorphisme affectif), fréquemment liés à la projection de l'image parentale. L'abandon de cet anthropomorphisme à l'âge adulte prend fréquemment l'allure d'une démystification. Le Dieu de l'enfance est lié à une conception magique du monde, qui fait attribuer un pouvoir surnaturel à la prière; le constat d'inefficacité de la prière est fréquemment avancé comme cause d'incroyance, ainsi que le recul d'une conception animiste du monde devant la révélation de l'efficacité scientifique. Enfin, la foi de l'enfance est presque toujours liée à une morale contraignante et répressive qui est ressentie ensuite comme un obstacle à l'épanouissement humain — surtout, là encore, dans le domaine sexuel. Le refus de la culpabilisation entraîne le refus de la foi[74].

L'aspect sociologique est tout aussi fondamental. Les mutations sociales et culturelles du xxᵉ siècle ont créé un environnement particulièrement favorable au développement de l'incroyance. Le cas de la Grande-Bretagne est à cet égard exemplaire[75]. Après un premier recul important dans les années 1920, suivi d'une relative stagnation, on constate un effondrement religieux depuis les années 1980 : « La religion en Grande-Bretagne se délabre considérablement, l'assistance aux offices est devenue le passe-temps de la plus petite minorité qui soit depuis la création du système paroissial dans la première moitié du millénaire[76]. » L'abandon a commencé par le haut. La bourgeoisie, devenue largement incroyante, a perdu tout intérêt pour l'évangélisation des masses : « C'est la lente érosion de l'appartenance de la bourgeoisie à l'Église, et non la disparition des ouvriers, qui explique les chiffres actuels de fréquentation[77]. »

L'avènement des loisirs de masse a joué un rôle fondamental : la presse à grand tirage, le cinéma, le football, la télévision ont rapidement meublé le jour du Seigneur, jadis strictement réservé à la piété et au repos.

D'une façon générale, la société de consommation et d'abondance a relégué Dieu au niveau des accessoires dépassés, ou des recours ultimes. Dans la société traditionnelle, toujours à la limite de la pénurie, Dieu est indispensable pour faire face à toutes les menaces potentielles : famine, peste, guerre. La relative disparition de ces fléaux a fait s'évanouir le besoin de protection. Oubli d'autant plus rapide que la création constante de nouveaux besoins et la course à l'argent ont détourné les esprits de la religion. Le mode de vie urbain, avec ses sollicitations permanentes d'activités, a bouché le vide existentiel dans la masse de la population, vide qui était souvent l'ouverture vers le surnaturel. Tandis que les élites, nourries de science et de philosophie, ont appris le scepticisme, la masse, gavée de pain et de jeux, s'est installée dans l'athéisme pratique. L'idéologie de consensus, l'humanisme démocratique laïque, après avoir assimilé les grandes valeurs humaines et chrétiennes, diffuse un climat lénifiant, qui endort la quête de sacré.

La sociologie elle-même participe à ce désenchantement, en expliquant les raisons de cette décroissance globale des besoins religieux, qui inéluctablement, d'après Lucien Lévy-Bruhl, sont comblés par la science et la technique. L'athéisme est tellement intégré dans le monde contemporain qu'il a pénétré dans ce qui en est peut-être l'élément le plus typique : le monde du virtuel, avec le cinéma. Le monde contemporain est de plus en plus un monde-spectacle, un monde qui se regarde à travers les représentations qu'il fabrique de lui-même, et le cinéma, qui exprime à la fois la vision d'un auteur et celle de la société ambiante, a traité tous les aspects de l'absence de Dieu, comme l'a montré Amédée Ayfre[78]. Parmi les réalisateurs, Luis Buñuel se distingue par sa vision farouchement athée du monde, dénonçant le caractère néfaste des religions, tandis qu'Ingmar Bergman exprime l'incertitude actuelle, facteur d'angoisse devant « une question à laquelle il n'y a pas de réponse. Il y en aurait une si on croyait en Dieu. Comme on n'y croit plus, il n'y a pas d'issue », fait-il dire à l'un de ses personnages. Federico Fellini peint le monde désenchanté, ce monde qui n'est qu'un décor masquant une hideuse réalité.

Le cinéma, dernier avatar de Dieu ? Des *Dix Commandements* à *Jésus de Nazareth*, Dieu fait recette. Son Fils a même tenu le haut de l'affiche comme *Super Star* de music-hall pendant plusieurs années dans la période 1970-1980. Mais ce Dieu intégré dans le circuit commercial du *show-business* n'est-il pas symbolique d'une société iconoclaste qui entre dans une phase de post-athéisme, ayant surmonté ses vieux problèmes de conscience au point d'en faire un spectacle ? Proclamé mort il y a un siècle, Dieu semble devenu un fantôme que même les croyants ont du mal à discerner. Mais, on le sait, rien de plus tenace que la croyance aux fantômes.

Quant à la question que Pilate adressait à Jésus, elle résonne toujours, de génération en génération, lancinante : « Qu'est-ce que la vérité ? » L'Europe, après des millénaires de foi, semble avoir épuisé toutes les réponses, toutes les religions, et cherche maintenant dans d'autres directions. Le temps de l'incroyance a-t-il sonné, après deux mille ans de christianisme ?

CHAPITRE XX

L'incroyance, après deux mille ans de christianisme : quel bilan ?

Où en est l'incroyance en l'an 2000 ? Il est devenu impossible de comptabiliser une réalité aussi multiforme, et ce fait est lui-même révélateur de l'atomisation des attitudes. Les chiffres, tous faux, abondent pourtant. Tout au plus permettent-ils d'affirmer que plus du cinquième de l'humanité ne croit plus en un Dieu d'aucune sorte. Des estimations pour 1993 dénombraient 1 154 millions d'agnostiques et athées dans le monde[1]. Pour la *World Christian Encyclopedia*, les chiffres de l'an 2000 devraient être d'environ 1 071 millions d'agnostiques et 262 millions d'athées, ce qui, en l'espace d'un siècle, représenterait un bond énorme, puisque les chiffres étaient respectivement de 2,9 et 0,22 millions en 1900[2]. Le groupe des incroyants, agnostiques et athées confondus constituerait donc la famille de pensée la plus importante du monde puisque l'islam regrouperait environ 1 200 millions de fidèles, et l'Église catholique 1 132 millions.

Importance de l'incroyance et difficultés de l'athéisme militant

En Europe, 25 % de la population se dit « non religieuse », les taux étant plus faibles dans les pays latins : 12 à 15 % (16,2 % en Italie, 15,6 % en France, 2,9 % en Espagne, 4,6 % au Portugal). Mais toutes les enquêtes font ressortir la faiblesse relative du groupe des « athées convaincus » : 5 % pour l'ensemble de l'Europe, avec de fortes différences nationales : 12 % en France, 7 % en Belgique, 6 % aux Pays-Bas, 5 % au Portugal, 4 % au Royaume-Uni[3].

Cette situation très minoritaire de l'athéisme intégral, convaincu, assumé, proclamé peut surprendre en cette fin d'un xxᵉ siècle qui a vu en Europe un recul massif des religions. On en trouve une illustration dans la faiblesse des associations militantes telles que la Ligue internationale de l'enseignement, de l'éducation et de la culture populaire, la Libre Pensée, les divers mouvements rationalistes. Ces mouvements ont d'ailleurs tendance à se regrouper : la Ligue française de l'enseignement et de l'éducation permanente a par exemple rejoint il y a quelques années la Fédération humaniste européenne.

Les adhésions sont rares : l'Union des athées compte 2 787 membres en 1993 ; l'assemblée générale de l'Union rationaliste en octobre 1996 faisait état de 1 299 abonnements aux *Cahiers rationalistes*, et 178 services gratuits, avec une perte annuelle de l'ordre d'une centaine ; elle admettait la difficulté de sa situation et préconisait des actions de proximité[4]. En 1996, les *Cahiers rationalistes* publiaient une étude-bilan du Norvégien Finngeir Hiorth, « Réflexions sur l'athéisme contemporain », recensant les organisations mondiales explicitement athées. Elles sont peu nombreuses et regroupent peu de membres.

La plus ancienne, étrangement, est indienne : c'est le Centre athée de Vijayawada, fondé en 1940 par l'Indien Gora. Depuis 1969, il publie en anglais un mensuel, *L'Athée*, organise des sessions et des actions locales en faveur des intouchables en particulier. Dans un livre de 1972, *Positive Atheism*, Gora met en parallèle l'hypocrisie inévitable de tout système religieux et la sincérité de l'athée authentique :

> L'inflexibilité des commandements scripturaires rend la malhonnêteté indispensable aux croyants. Ils sont obligés de satisfaire leurs besoins ordinaires subrepticement [...]. Les hindous parlent avec charme de l'*adwaita*, ou unité, mais traitent leurs compagnons humains en intouchables. Les chrétiens parlent d'amour, mais on les trouve partout engagés dans la guerre. Les musulmans parlent de fraternité, mais se plaisent à exterminer les autres croyants. [...] L'athéisme déclaré est une nécessité pour construire un homme moral, solide et complet [...]. Un athée est libre de dire ou de faire ce qui lui convient, pourvu qu'il fasse ce qu'il dit et dise ce qu'il fait. Ainsi, dans le contexte des relations sociales, la liberté de l'individu est une liberté morale. Bien entendu, les relations sociales ne permettent ni la licence, ni l'égoïsme, ni le secret[5].

Le Centre athée de Vijayawada n'est pas une organisation d'adhérents. Son audience reste limitée dans une Inde encore largement religieuse. Parmi les autres mouvements explicitement athées, Finngeir Hiorth mentionne deux organisations américaines : American Atheists (1963) et United Atheists, groupuscules de moins de mille membres chacun, rongés par les dissensions : le second a été fondé par des dissidents du premier, qui ne cesse de s'affaiblir, avec le départ de nouveaux membres en 1991, qui ont créé l'Atheist Alliance.

L'Allemagne est le foyer de nombreux et minuscules mouvements athées, comme l'International Bund der Konfessionlosen und Atheisten, créé en 1972. L'ancienne Société populaire pour la libre pensée, remontant à 1921, est devenue en 1991 la Dachverband Freier Weltanschauungsgemeinschaften (Réunion des associations de libre vision du monde), prônant une meilleure coopération entre les mouvements athées. En 1993 est apparue la Fédération humaniste d'Allemagne, revendiquant 10 000 membres.

L'extrême faiblesse de ces mouvements reflète la difficulté de donner un contenu positif à l'athéisme, qui reste un terme à connotation négative, dont le sens repose avant tout sur l'opposition à la croyance religieuse. Est-ce un point commun suffisant pour justifier la fondation de mouvements structurés ? Finngeir Hiorth ne le croit pas :

> Personnellement, je ne crois pas à l'athéisme en tant que tel. Je suis un athée et je sympathise avec l'athéisme positif de Gora et avec l'athéisme libéral de Richard Robinson. J'éprouve moins de sympathie pour l'athéisme de Ludwig Büchner, et encore moins pour celui de Marx et d'Engels.
>
> Comme je l'ai indiqué, différents athées ont sur des sujets divers des vues différentes. Ils ont en commun qu'ils ne croient pas en un dieu ou en des dieux. Apparemment, ce n'est pas beaucoup, mais en fait si. Parce que, si l'on rejette le concept de dieu, on rejette une masse d'absurdités. Il peut être bon de souligner cela en se qualifiant soi-même d'athée. [...]
>
> L'athéisme n'est pas suffisant dans la perspective des organisations. Ce qui explique la rareté des organisations purement athées. Une organisation a normalement besoin de plus d'une idée, bien qu'une idée, par exemple l'athéisme, puisse tenir le premier rang[6].

Paradoxalement, on pourrait dire que plus il y a d'athées, moins les groupements d'athées ont de justification. Lorsqu'une idée devient une évidence partagée par un grand nombre de personnes, il n'y a plus d'intérêt à la défendre en s'associant. Surtout s'il s'agit d'une idée opposée à une réalité en voie de désagrégation. Imaginerait-on, par exemple, des groupements d'opposants à la pratique de la saignée ? Des dizaines de millions d'athées ne voient pas vraiment l'intérêt de se regrouper autour du seul thème de leur non-croyance, surtout dans une Europe peu à peu gagnée à l'agnosticisme. La faiblesse des mouvements athées est la meilleure preuve de la diffusion de l'athéisme.

Il est vrai que la situation inverse existe aussi, avec l'interdiction de l'athéisme militant dans les pays islamiques. Comme le rappelle Finngeir Hiorth, il peut y avoir un islam tolérant à l'égard des autres religions et favorable aux droits de l'homme, mais son attitude à l'égard de l'athéisme reste très hostile :

> Dans beaucoup de pays, les athées ne peuvent s'organiser en tant qu'athées. Tel est le cas dans bon nombre de pays islamiques. Sans aucun doute, il y a des personnes intolérantes dans toutes les religions. Mais l'islam est peut-être la plus intolérante des religions déistes, bien qu'il y ait aussi beaucoup de musulmans tolérants. Il y a des musulmans qui combattent pour les droits de l'homme, mais il n'y en a pas beaucoup qui combattent pour les droits des athées.
>
> Un grand nombre d'États ont une idéologie officielle. En Indonésie, l'idéologie d'État est appelée « Pancasila » (les cinq principes) et l'un des principes est l'existence d'un dieu suprême. Toutes les organisations indonésiennes

doivent accepter les principes « Pancasila », et par conséquent l'existence d'un dieu suprême. Il y a des athées en Indonésie, mais ils ne peuvent pas s'organiser en tant qu'athées[7].

De même, l'athéisme en milieu juif a une position ambiguë, tant l'identité juive a été associée à une religion. Il y a pourtant de nombreux juifs athées, dont le judaïsme est ethnique et culturel : c'est le judaïsme humaniste ou laïque. On estime à plus de 50 % le nombre de juifs incroyants ou agnostiques, davantage en France, un peu moins en Israël. Rejetant l'existence d'un dieu, ils pensent que « la Bible et les écrits des sages ont été le produit d'une civilisation en cours de développement et d'un peuple qui tentait de s'adapter à une situation nouvelle[8] ». En 1985 est créée la Fédération internationale du judaïsme humaniste laïque aux États-Unis, à laquelle sont affiliés l'Association des juifs laïques, le Congrès des organisations juives laïques, le Centre du judaïsme laïque de Bruxelles, l'Association israélienne pour un judaïsme humaniste laïque. En 1991 se sont tenues à Paris les premières assises du judaïsme laïque.

L'impression générale est que l'athéisme militant subit la même évolution que les grandes religions contre lesquelles il est apparu et qui ont pendant longtemps été sa raison d'être : avec la décomposition de ces religions traditionnelles, les athées éprouvent moins le besoin de se définir en tant que tels, et l'incroyance tend ainsi à se dissoudre dans un ensemble humaniste et laïque plus vaste. Il reste certes quelques individus qui s'attardent encore à des actes et à des écrits de provocation blasphématoire dont la stupidité et l'archaïsme ne font même plus sourire, mais d'une façon générale la grande opposition croyants-incroyants semble révolue[9].

L'éclatement de la foi : de Dieu à l'Esprit

On ne sait d'ailleurs plus très bien où passe la frontière entre les deux, comme nous l'avons vu. Et même les mouvements militants se gardent bien aujourd'hui de proclamations belliqueuses. On peut lire en 1997 dans les *Cahiers rationalistes* que « le rationalisme est d'abord la reconnaissance du rôle fondamental de la raison dans l'aventure humaine. L'Union rationaliste ne repose sur aucun dogmatisme doctrinal ou moral. Elle est ouverte à tous les esprits indépendants qui ne se satisfont pas des idées toutes faites ou des croyances incontrôlées[10] ». Seuls certains épisodes de l'actualité ravivent périodiquement les querelles, tel le 1 500e anniversaire du baptême de Clovis, en 1996, dénoncé comme une nouvelle tentative de récupération cléricale : « Il n'est pas douteux que présenter l'épisode Clovis comme le baptême de la France et célébrer officiellement ce baptême équivalait à exclure symboliquement de la communauté nationale tous les non-catholiques[11]. »

L'introduction récente de chapitres d'histoire religieuse dans les programmes d'enseignement secondaire en France provoque également certains remous. Des libres penseurs se sont émus de la façon dont les auteurs de manuels de la classe de seconde par exemple ont traité la question des origines du christianisme. En avril 1998, dans une « tribune libre » de la revue *Historiens et géographes*, Michel Barbe s'est fait le porte-parole de ces inquiétudes, affirmant que « ce chapitre tend à transformer notre enseignement historique en page de catéchisme ». Son propos est malheureusement entaché d'excès et d'erreurs qu'un historien ne peut laisser passer. Contester l'existence historique de l'homme Jésus en affirmant que « les rédacteurs de ce chapitre des manuels savent pertinemment que l'existence de Jésus n'a jamais pu être prouvée ni par l'Église ni par les historiens », et accuser les éditeurs de manuels de « vouloir propager la fable de l'existence de Jésus et confondre histoire et catéchisme », est simplement excessif ; dire que « le premier Évangile (celui que Marc révéla à la communauté chrétienne de Rome) date de l'an 140 » est erroné, quand tous les exégètes, y compris incroyants, s'accordent à situer ce texte aux alentours de 70. De telles outrances ne font que desservir la cause qu'elles prétendent favoriser. Mais ce sont là de bien faibles éclats en comparaison des conflits du passé.

Confusion ? convergence ? compromis ? Toujours est-il que des deux côtés l'approche est des plus conciliantes. Des chrétiens n'hésitent pas à faire l'éloge du doute, encore que ce doute comme prolégomène de la foi puisse paraître un peu suspect aux yeux d'un incroyant[12]. Des transfuges comme Roger Garaudy vont jusqu'à écrire : « Finalement, ce qui caractérise notre époque, ce n'est pas l'athéisme, mais la superstition (à commencer par celle de la technique, à l'Est comme à l'Ouest). [...] Croire en Dieu, c'est choisir la liberté comme fondement suprême de la réalité. Croire en Dieu, c'est affirmer que la vie, le monde et son histoire ont un sens. Croire en Dieu, c'est croire en l'homme qu'Il habite. C'est croire qu'il n'y a pas de maudits éternels, et qu'il existe un avenir même pour ceux que leur passé condamne[13]. » Ce zèle spiritualiste d'un ex-communiste laisse perplexe mais après tout il est des conversions en tout genre.

Croire ou ne pas croire : la question, en l'an 2000, est englobée dans des problèmes plus vastes d'éthique, d'anthropologie, de société. L'existence de Dieu n'est plus vraiment abordée pour elle-même :

> Qui aujourd'hui, écrit Bernard Sève, propose des thèses philosophiques substantielles sur le statut d'être ou d'existence de ce qu'on appelle « Dieu » ? Le débat est tellement sur-déterminé par des préalables théoriques ou méthodologiques que le sens brut et brutal de cette notion d'existence de Dieu paraît avoir disparu. C'est qu'en fait beaucoup de philosophes contemporains qui

parlent de Dieu ne le rencontrent pas (si l'on peut dire) dans la philosophie, mais ailleurs — dans leur foi personnelle par exemple. D'où une certaine équivoque philosophique de la notion de Dieu, et plus encore de la notion d'existence de Dieu [14].

Cette question n'est pourtant toujours pas résolue. Le sera-t-elle un jour ? Bernard Sève s'étonne qu'on la pose encore :

> L'objet philosophique « Dieu » semble offrir une bien meilleure résistance à l'érosion que la plupart des autres concepts ou problèmes philosophiques. Et encore la métaphore de la résistance à l'érosion est-elle trop minérale ; il faudrait plutôt parler d'une nécessité dynamique : la question s'impose, malgré qu'on en ait. C'est là un fait, mais un fait ambigu. Le croyant y verra la motion ou pression de la vérité, une des formes de l'appel que Dieu adresse à toute âme ; l'athée y verra la marque de la singulière puissance d'illusion contenue dans cet impossible et imaginaire objet du désir qu'est Dieu [15].

Bricolage des croyances et tentatives de récupération

En fait, le plus frappant, deux mille ans après Jésus-Christ, est bien de constater que la question de l'existence de Dieu, sans avoir été résolue, devient secondaire. Dieu ou pas Dieu, quelle différence dans ce monde ? Au point que personne ne prend plus la peine ni de prouver ni de réfuter. Tous les arguments ont été épuisés, ressassés par les deux camps, et la question est tellement usée qu'elle n'intéresse plus grand monde. Même ceux qui acceptent l'existence de Dieu comme allant de soi utilisent de moins en moins le terme. Cela est net dans le langage clérical et dans la prédication. On parle beaucoup plus de l'« esprit ». Y aurait-il du vrai dans la vision de Joachim de Flore, qui divisait l'histoire en âge du Père, âge du Fils et âge de l'Esprit ?

La décomposition des grands ensembles religieux se fait en effet au profit d'une nébuleuse spiritualiste dans laquelle se côtoient le meilleur et le pire, le respectable et le méprisable, l'absurde et le pondéré. Toutes les liaisons classiques se défont, au profit d'une atomisation des croyances, d'un éparpillement anarchique d'autant plus fort que l'effacement de la culture religieuse enlève aux mots leur sens précis, et favorise des recompositions aberrantes. Les ex-pays de l'Est n'échappent pas au phénomène. En République tchèque par exemple, « cette expérience historique unique développe une religiosité teintée de scepticisme, mais en même temps fait naître des mouvements civiques à visée proprement religieuse qui investissent l'idée nationale d'un messianisme véritable [16] ».

L'éclatement des religions est à son comble. Jean-Louis Schlegel a donné un tableau de l'immense pagaille qu'est devenu le terrain de la croyance dans Religions à la carte [17] ; on en trouvera aussi une description dans la récente Encyclopédie des religions [18], comme dans les ouvrages dirigés par Jean Delumeau, *Le Fait religieux*[19], ou *Homo religiosus*[20]. Dans ce dernier, Patrick Michel relève avec justesse « la difficulté de plus en plus grande à accréditer la distinction entre "croyant" et "non-croyant", dès lors qu'il n'existe plus, sinon en théorie, au moins *de facto*, de "contenu" du croire susceptible de faire référence ; et d'autre part une incontournable et massive désinstitutionnalisation du croire[21] ». Pour l'auteur, nous sommes sortis, « sinon du religieux, du moins de la religion », et il dénonce l'ultime et utopique tentative de l'Église de récupérer la mise en jouant des contradictions de la sécularisation, en présentant par exemple l'effondrement du communisme comme l'échec de la pensée laïque et athée à organiser le monde.

L'accusation n'est pas sans fondement. Persuadée d'être indestructible simplement parce que l'Évangile de Matthieu (16, 18) fait dire à Jésus : « Sur cette pierre je bâtirai mon Église, et la puissance de la mort n'aura pas de force contre elle » , l'Église a su combiner rigidité et souplesse pour se prolonger pendant deux mille ans, et elle entend bien continuer le plus longtemps possible. La façon dont elle réagit face au relativisme religieux actuel est caractéristique. Pour le cardinal Ratzinger, le fait que la foi n'ait pas été balayée complètement par le scepticisme ambiant est une nouvelle preuve de son caractère à la fois naturel et surnaturel : « Si l'on regarde la situation religieuse actuelle [...] on peut s'émerveiller que, malgré tout, on continue à croire encore chrétiennement. Comment se fait-il que la foi ait encore une chance de succès ? Je dirais que c'est parce qu'elle trouve une correspondance dans la nature de l'homme. En effet, l'homme possède une dimension plus large que celle que Kant et les diverses philosophies post-kantiennes lui ont attribuée[22]. »

De son côté, la Commission théologique internationale, dans un document de 1997 sur « Le christianisme et les religions », concilie l'inconciliable : elle prend acte du pluralisme des croyances, l'accepte, le déclare légitime, tout en réaffirmant que l'Église catholique seule peut assurer le salut : « Ce n'est que dans l'Église, qui est en continuité historique avec Jésus, que l'on peut vivre pleinement son mystère [...] il est plus difficile de déterminer comment les hommes qui ne le connaissent pas sont en relation avec Jésus, ou comment le sont les religions. Il nous faut alors mentionner les chemins mystérieux de l'esprit[23]. » L'esprit, mot magique, dont on se gardera bien de donner une définition, capable de résoudre toutes les contradictions. Grâce à lui, la Commission peut affirmer à la fois « la nécessité de l'appartenance à l'Église pour ceux qui croient en Jésus, et la nécessité, pour le salut, du ministère de l'Église », et la possibilité du salut pour ceux qui ne sont pas dans l'Église, ceux qui « sont ordonnés de manière différente au Peuple de Dieu » : les juifs, les musulmans, mais aussi tous « ceux qui, sans faute de leur part, ignorent l'Évangile du Christ et ne connaissent pas l'Église, mais qui cherchent Dieu d'un cœur sincère et s'efforcent d'accomplir sa volonté comme au travers de la conscience, et en quatrième lieu ceux qui, sans faute de leur part, n'ont pas encore atteint la reconnaissance expresse de Dieu, mais qui malgré cela s'efforcent de mener une vie droite ». Autrement dit, pratiquement tout le monde. À quoi sert donc l'Église, et quelle différence cela fait-il d'y appartenir? C'est ce que beaucoup de non-chrétiens et d'incroyants se demanderont.

Ce langage permet à l'Église contemporaine de réaliser l'exploit de se proclamer représentative de l'humanité entière, y compris de tous les hommes qui lui sont opposés. Même processus dans un domaine différent, celui de la morale sexuelle, où l'on voit les autorités ecclésiastiques, par une stupéfiante décision de 1997, déclarer qu'au cas où l'on prévoit une désobéissance du croyant il vaut mieux ne pas lui faire connaître les exigences réelles de la foi. C'est exactement ce que dit le « Vade-mecum pour les confesseurs », publié par le Conseil pontifical pour la famille à propos de l'interdiction de la contraception : « Il est préférable de laisser les pénitents dans leur bonne foi pour les cas où l'erreur est due à une ignorance subjectivement invincible, quand on prévoit que le pénitent, même s'il entend vivre sa foi, ne changerait pas de conduite et en viendrait même à pécher formellement[24]. » Ainsi, tout le monde est satisfait : personne ne désobéit à l'Église, puisque l'Église ne demande rien; de la même façon, personne n'est contre l'Église, puisqu'elle s'érige en représentant de tous les hommes de bonne volonté, quelles que soient leurs croyances. Cette attitude est caractéristique de l'adaptation à la nouvelle forme de religiosité du monde actuel, une religiosité sans contenu précis, sans credo, susceptible d'une infinité d'expressions différentes manifestant la variété de l'« esprit ».

Car c'est bien de cela qu'il s'agit. Françoise Champion, dans une étude intitulée « Religieux flottant, éclectisme et syncrétismes[25] », décrit ainsi le phénomène : « Nous sommes actuellement en Occident dans une situation historique inédite : une décomposition du religieux, sans recomposition en vue. » On a affaire à « un christianisme dérégulé et bricolé, éclaté »; les découpages, de plus en plus flous, font apparaître schématiquement un groupe de croyants, un groupe d'incroyants, et une masse de partisans de fois diffuses, mêlant christianisme, ésotérisme, occultisme, voyance, astrologie et cultes orientaux, sans véritables certitudes. Une débâcle pour l'esprit rationnel. La nébuleuse mystico-ésotérique, rejetant les orthodoxies, se caractérise par la primauté donnée à l'« expérientiel », la transformation de soi par des techniques psycho-corporelles inspirées de l'Extrême-Orient, le tout visant l'appréhension d'un bonheur terrestre. L'accent est mis sur une éthique d'amour, avec une vision moniste du monde, dans le cadre de groupes d'affinité, autour de leaders librement choisis, aux charismes parfois douteux.

Dans cet ensemble, le sacré, loin de renaître, est menacé de disparition, en se dissolvant dans un individualisme exacerbé : « Menée à son terme, la tendance au bricolage personnalisé porte la fin du sacré », écrit Françoise Champion, car les emprunts aux autres spiritualités, bouddhiste, hindouiste, zen, chamaniste et autres, détachés de leur contexte ethnologique et culturel d'origine, se transforment en simples pratiques magiques en vue du bonheur personnel :

> La nébuleuse mystique-ésotérique ne peut donc guère être conçue comme une recomposition véritablement religieuse de cette religiosité flottante et diffuse qui ne cesse de se développer avec la perte d'emprise continue des grandes institutions religieuses. Elle peut la cristalliser, mais correspond, elle aussi, à une décomposition du religieux (ou plutôt du magico-religieux, car il n'y a jamais de religion pure de toute magie), au profit du « simplement magique » tendant vers le parascientifique, du psychologique, d'un humanisme revisité[26].

La tentation parascientifique et ses ambiguïtés

La dérive parascientifique au sein de ces mouvements est également très accentuée, et pose un sérieux problème de crédibilité. Ce mélange ahurissant de fragments de croyances de toutes origines, dans une sauce ésotérico-astrologique agrémentée de divagations prophétiques et de bribes scientifiques mal assimilées, a de quoi effrayer l'esprit cartésien, qui en vient à regretter la bonne vieille période de la guerre froide entre les chrétiens et les athées matérialistes. Le phénomène dépasse l'Europe : les inepties éthérées du *New Age* n'ont d'équivalent dans l'absurde que le syncrétisme catholico-spirito-animiste de l'umbanda, qui fait des ravages dans les esprits brésiliens, pendant qu'au Japon plus de 300 mouvements religieux regroupent 15 % de la population.

À partir du moment où l'on ne fait plus la différence entre science et parascience, où la limite entre le croyable et l'incroyable s'efface, la porte s'ouvre à toutes les crédulités. On s'aperçoit alors que l'alliance si longtemps souhaitée entre la science et la foi, susceptible de nous approcher de la vérité, peut en fait produire un monstre qui nous en éloigne irrémédiablement. Dans ce cas précis, l'affrontement n'était-il pas plus fécond que la collaboration, ou tout au moins qu'une certaine forme de collaboration ? C'est ainsi que l'on peut être perplexe devant des mouvements qui prétendent que la science la plus moderne, surtout la physique des particules élémentaires, peut redécouvrir des réalités religieuses, mystiques, ésotériques, en s'appuyant sur une conception moniste du monde selon laquelle tout l'univers est de nature spirituelle, une sorte de spiritualisme matérialiste en quelque sorte. La perplexité est d'autant plus grande que d'authen tiques savants, dont les relations avec la méditation transcendantale peuvent intriguer, participent à ces mouvements :

> Le colloque de Cordoue, organisé par France-Culture en 1978, a ainsi rassemblé, notamment en physique, de très grands noms, tels David Bohm (auteur d'importants travaux en mécanique quantique) et Brian D. Josephson (prix Nobel à trente-trois ans pour sa découverte de la supraconductivité). David Bohm a notamment beaucoup discuté avec Krishnamurti à partir de son idée d'un « ordre impliqué » de l'univers. B.D. Josephson poursuit des recherches avec Maharishi Mahesh (leader de la Méditation transcendantale) ; il estime qu'« une part de l'activité scientifique est incluse dans la conscience cosmique » et que les axes de recherche qu'il a choisis « ne peuvent être maîtrisés sans la méditation » qu'il pratique[27].

Dans *Tao de la physique*, Fritjof Capra établit aussi de troublants rapprochements entre physique quantique et mystique orientale.

Le mouvement de la transdisciplinarité se trouve au carrefour de ces tentatives syncrétiques visant à appréhender le réel sous des angles divers. Organisé formellement autour d'un Centre international de recherches et d'études transdisciplinaires, dont le premier congrès s'est tenu en 1994, il affirme son intention de transcender les oppositions classiques entre foi religieuse et athéisme. Son président, Basarab Nicolescu, physicien-théoricien au CNRS, écrit dans son *Manifeste*, en 1996 :

> Les différentes religions ainsi que les courants agnostiques et athées se définissent, d'une manière ou d'une autre, par rapport à la question du sacré. Le sacré, en tant qu'expérience, est la source d'une attitude transreligieuse. La transdisciplinarité n'est ni religieuse ni areligieuse : elle est transreligieuse. C'est l'attitude transreligieuse, issue d'une transdisciplinarité vécue, qui nous permet d'apprendre à connaître et apprécier la spécificité des traditions religieuses et areligieuses qui nous sont étrangères, pour mieux percevoir les structures communes qui les fondent et parvenir ainsi à une vision transreligieuse du monde.
>
> L'attitude transreligieuse n'est en contradiction avec aucune tradition religieuse et aucun courant agnostique ou athée, dans la mesure où ces traditions et ces courants reconnaissent la présence du sacré. Cette présence du sacré est, en fait, notre transprésence dans le monde. Si elle était généralisée, l'attitude transreligieuse rendrait impossible toute guerre de religion[28].

En effet, l'auteur rappelle que le sacré n'implique pas la croyance en Dieu et, dans un autre ouvrage, il fait remonter la tradition transdisciplinaire à cet étrange penseur mystique que fut Jakob Boehme (1575-1624) :

> Le pari de Jakob Boehme était et reste un crucial défi : concilier, tout en gardant leur spécificité, le rationnel et l'irrationnel, la matière et l'esprit, la finalité et la non-finalité, le bien et le mal, la liberté et la loi, le déterminisme et l'indéterminisme, l'imaginaire et le réel, concepts qui d'ailleurs n'apparaissent, dans le contexte de sa philosophie, que comme de pauvres et risibles approximations de concepts infiniment plus riches[29].

C'est pourquoi,

tout en se situant résolument dans le domaine de la rationalité, la transdisciplinarité pourrait permettre l'émergence d'un dialogue polyphonique
rationnel-irrationnel, sacré-profane, simplicité-complexité, unité-diversité,
nature-imaginaire, homme-univers. Je suis convaincu que la transdisciplinarité
pourrait s'avérer, dans les décennies à venir, le moyen privilégié de l'élaboration de l'épistémologie de la complexité et pourrait éclairer la voie de la formulation d'une nouvelle Philosophie de la Nature[30].

De l'athéisme à l'indifférence

Tout cela est un peu déroutant, mais symptomatique de la
recherche actuelle de nouvelles voies post-religieuses aussi bien que
post-athées, dépassant l'ancien antagonisme qui a marqué plus de
cinq mille ans de culture occidentale. Le danger réside dans l'atomisation de la recherche, qui peut chez certains déboucher sur des spéculations aberrantes ou dangereuses.

Car, si le mouvement transdisciplinaire, tout comme la gnose,
concerne une élite intellectuelle capable d'autoréguler sa réflexion,
les enquêtes révèlent que la masse des « nouveaux croyants », adeptes
des modes ésotériques, astrologiques ou sectaires, se situe à un niveau
d'instruction qui ne dépasse pas le baccalauréat et qui cède sans
réflexion à la vogue de l'irrationnel : quand 11 % des Français croient
aux fantômes, 21 % à la réincarnation et 46 % à l'explication des
caractères par l'astrologie, on peut être inquiet sur l'équilibre mental
d'une société « avancée » comme la nôtre. L'échec du rationalisme,
croyant et incroyant, à fournir une explication valable du monde et
surtout à assurer des valeurs culturelles stables et crédibles est sans
doute responsable de cette montée de l'irrationnel. En se prêtant parfois, pour des raisons médiatiques ou commerciales, à des polémiques
douteuses, la science elle-même contribue à rendre floue la distinction
entre le croyable et l'incroyable :

> On rappellera que l'« affaire de la mémoire de l'eau », en 1988, susceptible
> de valider l'homéopathie par les méthodes scientifiques classiques, relevait
> d'une coopération scientifique internationale impliquant plusieurs chercheurs
> de haut niveau, et, avant d'être en quelque sorte ridiculisée, a donné lieu à des
> publications dans des revues scientifiquement reconnues, jusqu'au très presti-
> gieux *Nature*. Tout cela nous semble révélateur d'un sentiment social d'incer-
> titude et d'interrogation sur la nature et la validité de la science, propice au
> développement de croyances incroyables[31].

Cette désintégration du rationnel ne profite ni aux religions ni à
l'athéisme : « Cette prise de distance à l'égard des institutions religieuses établies ne s'est pas effectuée au profit de l'athéisme : les
taux de personnes se déclarant athées sont partout restés à peu près
stables et à un niveau bas[32]. » On se dit « sans religion », mais

croyant volontiers en Dieu, en l'âme, en la vie après la mort, et
— pourquoi pas ? — en la métempsycose. On se livre aux pratiques
ésotériques, à l'astrologie transpersonnelle, dans une approche globale, « holistique », de la réalité, qu'on pourrait qualifier de spinozisme populaire. On capte les « forces », les « vibrations », l'« énergie » psychiques et spirituelles ; on adopte les techniques
psycho-corporelles de l'Extrême-Orient. Le Dieu personnel est absent
de ces systèmes hétéroclites, qu'on ne peut pourtant pas qualifier
strictement d'athées.

« Pour beaucoup de nos contemporains, le problème religieux n'est
même plus un problème. L'athéisme s'est donc banalisé, il disparaît
lui-même, comme le phénomène religieux qui l'avait fait naître, en
devenant l'horizon neutre de l'existence », écrit René Le Corre[33], qui
ajoute : « L'indifférence pure est proche, elle est déjà là, malgré les
apparences. » Si l'athéisme engagé et agressif n'a pas entièrement
disparu, il est largement remplacé par un athéisme tranquille, synonyme d'indifférence : « Cet athéisme va de soi. Il ne se pense même
plus comme tel. » Il n'en veut plus aux religions, devenues de simples
objets d'étude. La vogue des études religieuses n'est-elle pas d'ailleurs, paradoxalement, un signe de l'effacement des religions ?
Réduites à l'état de phénomènes culturels, elles peuvent être étudiées
comme tels ; tant qu'elles représentaient l'absolu, elles étaient en
dehors du champ d'investigation : « L'intérêt, peut-être croissant,
pour les sciences religieuses [...] ne peut faire illusion : la religion est
vue désormais comme une région de la culture parmi d'autres, un
objet de recherches, un rayon de bibliothèque. Elle n'est plus *la*
vision du monde, même si elle reste *une* vision du monde, située
parmi d'autres[34]. »

Le religieux ne disparaît pas. Il poursuit, sous la forme de religion
naturelle, « une vie souterraine et modeste » chez les croyants non
pratiquants, comme le montre Jacqueline Lagrée : c'est « une attitude
de repli, entre une religion positive et l'agnosticisme[35] ». On parle
aussi de religion « fluide ».

La religion n'est sans doute pas près de mourir, reconnaît en 1997
Charles Conte, libre-penseur militant :

> Le premier constat est celui de la permanence. Reste-t-il encore des gens
> pour croire au déclin inéluctable des religions en général et du catholicisme en
> particulier ? Cette disparition n'est sans doute pas impensable, mais il est sûr
> qu'elle n'est ni pour demain ni pour après-demain. Les suppositions n'ont pas
> manqué, de l'« avenir d'une illusion » (Freud) à l'« irréligion de l'avenir »
> (Guyau). [...] Plus de 900 millions de personnes, encadrées par un million et
> demi de prêtres, religieuses et religieux, 2 700 évêques et un pape, se défi-
> nissent comme catholiques. Aux pires moments de son histoire, le catholi-
> cisme s'est vu régénéré par de grands mouvements, souvent populaires, qui
> surprirent d'abord le clergé[36].

Il ne faudrait pourtant pas oublier que l'histoire ne se répète jamais, et que si la situation actuelle a des similitudes avec des périodes comme le Bas-Empire romain et le début du XIXᵉ siècle, le contexte global est sans précédent. Jamais le désenchantement du monde n'a été poussé à ce point. Marcel Gauchet l'a bien montré dans son livre de 1985 : la religion a perdu son rôle social ; les sociétés avancées ne font plus référence au divin, et si le religieux persiste, c'est largement un religieux sans Dieu, où il est question de sacré, de surnaturel, voire de divin — mais avec un grand absent : Dieu. Même une certaine « théologie » commence à en prendre son parti.

C'est pourquoi une résurrection du christianisme paraît en définitive peu vraisemblable. *Le christianisme va-t-il mourir ?* se demandait déjà il y a plus de vingt ans Jean Delumeau dans un livre qui suscita les passions[37]. Depuis, les événements ont confirmé les analyses de l'auteur, qui prévoyait le remplacement progressif d'un certain type de christianisme, clérical, dogmatique, ritualiste et totalitaire, par un autre, ouvert, sécularisé, décléricalisé. Le problème est tout de même de savoir s'il s'agira toujours d'un « christianisme ». Celui-ci s'est tellement métamorphosé au cours des siècles, donnant de lui-même simultanément des images tellement variées, qu'on ne sait plus vraiment s'il y a un « vrai » christianisme, ou si ce qu'on appelle christianisme depuis deux mille ans n'est pas tout simplement la cristallisation des besoins religieux dominants de chaque phase culturelle successive de la civilisation occidentale autour de la figure indéfiniment adaptable de Jésus. D'autres avatars restent possibles, mais le christianisme de masse, ou même majoritaire, a vécu : « Je crois apercevoir, écrit Jean Delumeau, la nouvelle carrière d'un christianisme minoritaire mais rajeuni. Passé le temps des conformismes, des obligations et des sanctions fulminées conjointement par l'Église et l'État, la religion chrétienne dans cette seconde vision d'anticipation va redevenir ce qu'elle n'aurait jamais dû cesser d'être : un groupement d'hommes de foi, libres et conscients de l'importance et des risques de leur adhésion au Christ[38]. »

Les jeunes et Dieu : un abandon massif

Il est fréquent de se tourner vers la jeunesse pour évaluer les tendances futures à moyen terme. Depuis les années 1960, enquêtes et sondages se multiplient dans le milieu des 15-25 ans sur tous les sujets, et en particulier à propos des croyances religieuses. La synthèse de ces enquêtes pour le dernier demi-siècle donne des résultats globalement cohérents, qui vont dans le sens d'un abandon progressif des religions au profit de croyances hétéroclites qui reflètent en définitive un désarroi croissant. Remontons au milieu du siècle. Aux États-Unis, des études de 1948 montrent déjà un taux de fréquentation des offices religieux tombé à 17 % chez les garçons et 38 % chez les filles dans les universités[39], tandis qu'en France la pratique religieuse, qui commence à décliner vers treize ans, se stabilise vers vingt ans à 9 % chez les garçons et 15 % chez les filles. Des résultats du même ordre étaient obtenus en Italie, Allemagne, Suisse[40]. Parmi les non-pratiquants, le nombre d'athées reste en général inférieur à 10 % : 7,3 % aux États-Unis, mais on retrouve ici les problèmes de délimitation, car si les trois quarts des jeunes Américains déclarent croire en Dieu, cette croyance est chez beaucoup purement abstraite et n'a aucune influence sur la conduite, et 12 % « ne savent pas exactement ce qu'ils croient ».

Dans la décennie 1960-1970, la proportion d'athéisme déclaré augmente nettement chez les étudiants. En 1962-1963, à l'université de Londres, 17 % s'affirment athées, et la proportion atteint 40 % à la London School of Economic and Political Science ; à Cambridge, 21 % se disent agnostiques ; à Oxford, 23 % sont agnostiques et 11 % athées[41]. En Suisse, 26,5 % répondent négativement à la question : « Dieu existe-t-il ? ». En Italie, 12 % des étudiants de Pavie se déclarent sceptiques et agnostiques, 7 % « refusent Dieu », 5 % se disent athées[42].

Nous sommes alors à l'époque de la grande vogue des idéologies marxistes, trotskistes, maoïstes dans la jeunesse intellectuelle européenne. La poussée d'athéisme de ces années 1960-1970 est explicable par deux facteurs socio-culturels contradictoires : d'un côté, ces jeunes sont immergés dans une société de consommation matérialiste sécularisée où s'estompent les valeurs religieuses ; de l'autre, ils rejettent ce type de société en adhérant à des idéologies athées. D'un côté comme de l'autre, Dieu est absent. D'innombrables études sociologiques menées à cette époque ont fait ressortir le rôle fondamental des moyens de communication de masse, comme destructeurs de valeurs et de références ; véhiculant des modèles totalement laïcisés, ils ont fortement contribué à la désagrégation des valeurs religieuses. Giancarlo Milanesi, dans une étude sur « L'athéisme des jeunes », écrit pertinemment en 1967 :

> À cet état de choses contribuent certainement les moyens de communication de masse ; les « messages » qui sont introduits dans la culture par le moyen de la presse, de la radio, de la télévision et du cinéma peuvent, en raison de leur quantité, de leur instabilité et de leur caractère contradictoire, accroître l'état de confusion culturelle dans lequel les jeunes se débattent ; à la longue, cela met en crise toutes les valeurs. On constate en effet que la teneur de ces « messages » tend à solliciter surtout le changement culturel des valeurs (familiales et sexuelles) les plus étroitement dépendantes du fait religieux. D'où une influence directe sur la religiosité, aussi bien vers un nivellement des valeurs religieuses par rapport aux valeurs profanes que dans le sens d'une critique généralisée à leur égard[43].

L'action corrosive des médias modernes sur la foi est d'autant plus forte qu'ils utilisent des techniques de persuasion qui donnent un aspect attractif à leur message, face à « la faible structuration psychologique et sociologique du message religieux ».

Pour le même auteur, l'athéisme juvénile est aussi une réaction de défense face aux multiples frustrations subies, frustrations d'ordre social dans un monde en continuelle mutation, dont ils n'arrivent plus à saisir et à intégrer les changements. Il faut y ajouter des facteurs tels que la désintégration progressive de la cellule familiale, cause de conflits, d'instabilité et de rejet de la tutelle parentale. Les problèmes d'ordre sexuel sont également à l'origine d'un abandon précoce : les sollicitations de plus en plus ouvertes rencontrées dans un environnement permissif accentuent le décalage avec l'interdit religieux, qui semble de plus en plus insupportable : « La religion est mise à part, car elle condamne les attitudes qui ont une fonction immédiate d'équilibre affectif et s'oppose directement à celles-ci[44]. »

La jeunesse est l'époque de l'insertion de la personnalité dans la société ; or cette dernière, parce qu'elle est sécularisée, ne laisse guère d'opportunité d'expression à un sens du sacré, qui va se reporter sur les multiples « idoles » fabriquées par la société de consommation : vedettes du spectacle et du sport en particulier. Le nivellement des valeurs et des non-valeurs engendre d'ailleurs un contexte culturel défavorable au sacré, avec une dispersion des énergies, des intérêts, des activités, génératrice d'un non-sens de l'existence : « Du nivellement des attitudes religieuses à l'abandon de la pratique religieuse, à la rupture de l'unité des croyances religieuses, puis à l'incrédulité et à la rupture de toute appartenance, telle semble être la marche d'une "mobilité négative" progressive de l'attitude religieuse ; cette marche est, à un certain point de vue psycho-sociologique, l'équivalent du processus de développement de l'athéisme juvénile[45]. »

Giancarlo Milanesi conclut son étude par le constat d'une certaine persistance du sacré chez les jeunes, qui pourrait selon lui préluder à une recomposition du religieux : « Nombreux sont ceux qui pensent que le malaise actuel, dû surtout au "désordre transitionnel des valeurs et des rôles", sert de "purification" de la religiosité des jeunes et prélude à la possibilité d'une reprise aussi bien de la pratique religieuse que de l'intégration religieuse socio-culturelle[46]. »

Trente ans après, les enquêtes récentes démentent ces pronostics. Considérons, parmi d'autres, les résultats d'un sondage CSA de mars 1997, intitulé « Dieu intéresse-t-il les jeunes[47] ? ». À la question fondamentale : « Croyez-vous en Dieu ? », 51 % répondent « non ». La progression de cette négation est constante depuis trente ans : 17 % de non en 1967, 30 % en 1977. Ainsi, deux mille ans après Jésus-Christ, dans un pays de forte tradition chrétienne, plus de la moitié des jeunes nient l'existence de Dieu. Par ailleurs, les réponses font ressortir le manque d'intérêt de ces jeunes pour la religion : 17 % n'en parlent jamais, 53 % rarement ; 12 % prient, 7 % respectent les périodes de jeûne, 2 % se confessent ; 47 % pensent que le catholicisme n'est plus adapté à la spiritualité d'aujourd'hui, 67 % qu'il n'est plus adapté au monde moderne, 76 % qu'il ne répond pas aux questions que se posent les jeunes, 50 % qu'il n'apporte pas d'espoir, 60 % qu'il ne favorise pas l'épanouissement personnel. Bref, le bilan est largement négatif. L'islam n'a d'ailleurs pas meilleure presse, alors que l'image du bouddhisme est beaucoup plus positive.

Certains feront valoir que Jean-Paul II déplace encore des centaines de milliers de jeunes. Mais quel est le sens réel de ces rassemblements à grand spectacle, dont le succès, amplifié par les médias et par une solide logistique de base, reste ambigu ? Que quelques centaines de milliers de jeunes — sur des dizaines de millions —, entraînés par l'effet de groupe, se réunissent une journée pour voir un pape dont ils n'acceptent même plus les enseignements dogmatiques et moraux, ne doit pas faire illusion. Le vrai phénomène de masse, il se trouve derrière cette façade médiatisée, dans le constat quotidien, sur le terrain : 1 % de jeunes à la messe dominicale, encore moins dans les aumôneries de lycées, et une vaste indifférence de l'immense majorité devant les problèmes de foi. La jeunesse européenne n'est plus religieuse. Elle n'est pas non plus massivement athée ; elle navigue entre deux eaux, reflet de la situation globale de la culture ambiante. Les commentateurs en perdent leur latin : entre les jeunes chrétiens qui ne croient ni en Dieu ni à la résurrection, et les jeunes incroyants qui ont le sentiment du sacré, la contradiction semble régner, et l'on en revient aux notions de « bricolage » et de « butinage ». Le millénaire se termine sur un vide effrayant de la pensée, comme si tous les systèmes possibles avaient été expérimentés et s'étaient usés. « On a cru d'abord que l'époque était athée, écrit Jean-Claude Eslin ; le refus du christianisme était l'athéisme. On était parti pour le grand débat de l'athéisme et du christianisme. Puis on a parlé d'indifférence religieuse. Aujourd'hui, on parlerait plutôt de mutation religieuse[48]. » En fait, on assiste à une « croyance qui glisse vers le probabilisme et vers les parasciences plus que vers l'incroyance ». Le monde n'a plus de sens et l'on ne croit plus aux maîtres spirituels : 70 % des jeunes interrogés en 1997 en rejettent le besoin. À cet égard, la montée des sectes, là encore amplifiée par les médias, doit être relativisée. Si l'on en compte 172 en France d'après le rapport Guyard de 1996, tous leurs adhérents réunis ne dépassent pas 250 000 personnes, soit 0,4 % de la population, dont 100 000 témoins de Jéhovah, qui plafonnent à ce niveau après plus d'un siècle de porte-à-porte : la « menace » ne semble pas bien grave.

Mais pour ce qui est des grandes religions, la méfiance subsiste, et paraît durable car, en dépit de l'assouplissement du langage, leur tendance totalitaire ne manque pas de ressurgir à la première occasion, comme le montre l'exemple des démocraties populaires : « Le décryptage du phénomène idéologique a laissé voir de lourdes analogies entre religions et idéologies, entre inquisition et goulag. Les religions contraignent et plus loin oppriment, autant que l'époque leur en offre les moyens. Le mode de réapparition de l'Église en Pologne achève de nous en convaincre[49] », écrit Chantal Millon-Delsol.

Le sentiment d'appartenance religieuse recule partout. De moins en moins d'hommes et de femmes s'identifient à une religion. La comparaison des chiffres de 1975 et de 1992 le montre amplement. D'après les eurobaromètres, les déclarations d'appartenance religieuse sont tombées de 71 à 54 % aux Pays-Bas, de 81 à 69 % en France, de 81 à 70 % en Belgique, de 74 à 65 % en Grande-Bretagne. Le recul est beaucoup plus fort chez les jeunes. Aucun lien ne peut être établi avec le niveau de vie : parmi les pays les plus religieux, on trouve aussi bien la Scandinavie et les États-Unis que le Portugal et la Grèce. Aucun lien non plus avec le statut des Églises : pays de concordats et régimes de séparation de l'Église et de l'État en sont au même point. L'explication des inégalités par les facteurs historiques serait-elle plus éclairante ? Yves Lambert le pense :

> En fait, pour comprendre les différences à la fois d'états religieux et de régime confessionnel à travers l'Europe, il faut se tourner vers l'histoire. Nous nous contenterons d'un survol rapide destiné simplement à synthétiser les points essentiels. À la suite de David Martin, surtout, nous soulignerons cinq éléments clés : la réussite ou l'échec de la Réforme protestante, l'attitude des Églises face aux Lumières, leur attitude face à la pénétration de la démocratie, le rôle de la religion dans la construction de l'identité nationale, l'importance des influences socialiste et communiste au xxe siècle[50].

Nous sommes à l'ère de la confusion. Que dire ? que faire ? que croire ? que penser ? Le doute est le maître mot de l'an 2000. Technique, technologie, société évoluent à une allure accélérée, échappant à tout contrôle de la pensée systématisante ; l'action l'emporte sur la réflexion, qui n'a plus le temps de théoriser. La pensée économique est prise de vitesse par les acteurs anonymes ; la morale, par la multiplication des cas inédits (en biologie notamment) ; la pensée philosophique, par les mutations culturelles ; la pensée religieuse, par la désintégration des credo. L'action n'est plus encadrée, elle n'est plus pensée ; elle redevient sauvage.

Le « retour du religieux » : une illusion

Le questionnaire envoyé en 1997 par la revue *Esprit* à un groupe d'intellectuels, croyants et non-croyants, à propos de la situation religieuse actuelle, illustre bien cette perte d'intelligibilité du monde, même pour ceux dont la tâche est de penser la culture. Les questions elles-mêmes sont instructives. En voici quelques-unes :

> Entre « retour du religieux », à l'ordre du jour depuis bientôt deux décennies, et « décomposition du religieux », où va, selon vous, la tendance ? Si « recomposition » il y a, quelles en sont les lignes de force ?
> Sommes-nous devant une tentative de réenchantement du monde, devant une réaction anti-individualiste ? En particulier, doit-on voir dans toutes sortes de symptômes actuels une crise décisive ou même une sortie du christianisme (et donc du judaïsme), au profit d'une sorte de religiosité fondée sur un panthéisme diffus, éventuellement un polythéisme ? Ou, au contraire, assiste-t-on avant tout à une réidentification (*cf.* intégrisme, fondamentalisme, mouvements sectaires) ? [...]
> Doit-on voir, au moins dans certains aspects du retour du religieux, un rééquilibrage nécessaire par rapport à des Lumières ou à une modernité « antireligieuse » ou « areligieuse » et pas seulement anticléricale ? [...]
> Que peut le religieux face au nihilisme ordinaire ? Est-ce que la « question de Dieu » (d'un dieu, de « dieux nouveaux ») est pertinente dans votre histoire, dans la société (à quels points de vue, dans quelles dimensions) ? [...]
> Avec des nuances, ne doit-on pas admettre que le « retour du religieux », fondamentaliste et intégriste évidemment, mais aussi tout simplement identitaire, juif, chrétien et musulman, coïncide avec un affaiblissement du travail intellectuel, de l'effort interprétatif, de la reprise critique et constructive de la tradition[51] ?

Les réponses s'accordent au moins sur quelques points essentiels. Et en particulier sur la négation d'un supposé « réenchantement du monde ». Il n'y a ni « retour du religieux », ni « retour de Dieu » en vue. Ces expressions à la mode, qui nourrissent les magazines et revues pour grand public, sont des abus de langage utilisés dans un but médiatique, à partir de cas isolés démesurément gonflés, ou résultent d'une application beaucoup trop large du terme « religieux ». Pour Paul Valadier, les divagations ésotériques de certains mouvements n'ont absolument rien à voir avec le religieux :

> On évitera cependant de parler d'un *retour du religieux*, ou d'identifier les sectes à de nouveaux mouvements religieux comme le font certains sociologues avec une hâte qui surprend et inquiète, car si l'on assiste incontestablement à une effervescence autour du mystérieux, de l'ésotérique, de l'impénétrable, il est pour le moins imprudent d'englober sous le label de « religieux » tant de recherches buissonnantes qui vont de la quête d'un équilibre de son corps, ou de son psychisme, à un désir d'harmonie avec le cosmos ou les forces telluriques, mais qui n'excluent pas non plus l'adhésion à des galimatias pseudo-scientifiques ou la fidélité inconditionnelle à des gourous ; de telles aspirations si hétéroclites ne pourraient entrer dans la catégorie de « religieux » qu'à condition de donner à cette catégorie une extension si large et si plastique qu'elle pourrait alors recouvrir à peu près tout[52].

Jean-Louis Schlegel est du même avis : le sociologue des religions a tendance à voir du religieux et du sacré partout. En réalité, « le réenchantement du monde n'est guère à l'ordre du jour[53] ». La vogue des anges gardiens, du spiritisme, du paranormal et du satanisme, qui distrait certains lycéens — et même certains proviseurs —, est en fait un jeu puéril à but thérapeutique. « De toute façon, cette mode angélique est déjà passée. Il y en a d'autres », comme la réincarnation. Classer tout cela dans le religieux, c'est procéder à une « réduction anthropologique », écrit Richard Figuier, dans laquelle l'homme se projette[54].

On peut du reste remarquer que toutes ces croyances extravagantes auraient autrefois été qualifiées d'athéisme. Le glissement de vocabulaire est révélateur. Tout ce qui sortait jadis du cadre strict du christianisme était qualifié d'athéisme : réaction de croyants immergés dans une civilisation fondée sur la foi. Aujourd'hui, à l'inverse, tout ce qui sort du matérialisme déterministe pur et dur est qualifié de religieux : réaction d'une génération imprégnée d'incroyance et d'athéisme. L'homme de l'an 2000 voit spontanément le monde en athée.

D'ailleurs, se demande Robert Scholtus,

> Dieu peut-il encore avoir lieu ? Y a-t-il encore de la place pour lui, hors du lieu commun où son nom se confond avec l'« Être », l'« Autre », le « désir », l'« histoire » ? Comme le note Jean-Luc Nancy, « la mort de Dieu a exigé et suscité une pensée qui se risque là où Dieu n'assure plus ni l'être, ni le sujet, ni le monde. À ces extrémités, sur ces abîmes, ou dans ces dérives, aucun Dieu ne saurait revenir[55] ». Et ce qui se donne aujourd'hui pour retour du religieux n'est sans doute que l'ultime gesticulation de son épuisement, l'ombre projetée du fantôme de Dieu dans la caverne du monde. Mais pour le théologien, « une chose semble acquise : nous vivons à une époque dépourvue de place pour parler de Dieu. Il s'ensuit l'impossibilité de plus en plus grande de penser Dieu, ainsi que le mutisme théologique, même quand il est camouflé sous un flot de paroles. La théologie est mal en point[56] ». Et sans doute lui faudra-t-il séjourner encore longtemps en ce lieu de silence et d'absence[57] ».

La théologie négative des mystiques, théologie de l'absence, retrouve ainsi une certaine actualité.

Il n'y a donc pas de retour du divin. Mais pas davantage de progression du véritable athéisme, note Yves Lambert : « Remarquons qu'on ne peut pas parler, en Europe occidentale, de "revanche de Dieu", mais pas davantage de disparition progressive du religieux, même s'il se manifeste une tendance à la sortie individuelle de la religion, car l'athéisme convaincu reste faible bien qu'en légère progression, et les "croyances parallèles" sont plutôt orientées à la hausse[58]. » Resterait donc à savoir si ces « croyances parallèles » ne sont pas en fait un athéisme déguisé.

Et quand bien même elles le seraient : la différence entre croyants et incroyants est-elle aussi fondamentale que cela ? se demande Umberto Eco. L'opposition n'est-elle pas plutôt entre des façons de croire et des façons de ne pas croire ? N'y a-t-il pas plus de différence entre un fondamentaliste et un croyant libéral qu'entre ce dernier et un athée ouvert au sens du sacré ? C'est la revue italienne *Liberal* qui avait lancé en 1996 un débat sur ce thème entre le cardinal Carlo Maria Martini et Umberto Eco, lequel rappelait : « Il existe des formes de religiosité, et donc du sens du sacré, de la limite, de l'interrogation et de l'attente, de la communion avec quelque chose qui nous dépasse, même en l'absence de la foi en une divinité personnelle et providentielle[59]. »

C'est sur le problème éthique que l'accord échoue. Pour le cardinal Martini comme pour Umberto Eco, c'est la dignité de la personne humaine qui doit servir de référence. Mais, pour le premier, cette dignité n'est fondée que parce qu'elle a été mise en l'homme par Dieu. La dignité humaine a-t-elle besoin d'être fondée en un autre que soi ? N'est-elle pas « porteuse par elle-même de dimension respectable » ? Là semble se situer le point actuel des divergences entre croyant et incroyant.

L'ambiguïté se retrouve même au niveau de l'avenir européen, avec le débat autour des futures valeurs de la civilisation occidentale. Jean-Marie Mayeur a en 1997, dans *La Question laïque*, cerné les problèmes soulevés par la diversité des héritages socio-culturels des membres de l'Union européenne. L'idée d'une « religion civile », à base chrétienne, qui rappelle la pensée de Ferdinand Buisson, soulève à juste titre des objections, car « elle fait l'impasse sur les agnostiques et les adeptes des religions non chrétiennes ». Mais aussi sur les athées, héritiers d'une tradition plus ancienne que celle du christianisme. La laïcité à la française, faite de neutralité souple et pragmatique, serait peut-être le plus à même de concilier les divers courants en l'absence de croyance de rechange.

Vers la perte du sens

Voilà donc où nous en sommes, deux mille ans après Jésus-Christ. La question de Dieu n'est toujours pas résolue ; peut-être ne le sera-t-elle jamais. Depuis les débuts de l'histoire, les hommes ont pris parti sur ce sujet, qu'ils considéraient comme fondamental. Et depuis les débuts il y en a qui ont affirmé que ce monde est sans Dieu ; non pas que Dieu soit mort, mais qu'il n'a jamais existé. Car l'athéisme est aussi vieux que la pensée humaine, aussi vieux que la foi, et le conflit entre les deux est un trait permanent de la civilisation occidentale, comme le rappelle André Godin :

> Une certaine apologétique chrétienne se plaît à souligner l'universalité géographique et temporelle de la croyance au divin, l'adhésion unanime (plus ou moins consciente) à une forme de théisme. En bonne méthode, une telle affirmation devrait être complétée par cette autre : l'universalité également impressionnante d'un certain athéisme, la présence (plus ou moins socialement admise) d'une pensée selon laquelle aucune divinité n'est à l'origine du monde ou à l'œuvre dans le monde.
> La coexistence de ces deux tendances, que l'on peut retrouver aussi bien chez les philosophes de la Grèce antique que dans les cultures primitives chez

certains adultes ayant cessé de croire aux mythes et aux rites traditionnels, suggère l'idée de la permanence, dans l'humanité, d'un conflit ou d'une antinomie psychologique dont la résolution se poursuivrait, au cours de la croissance, soit dans la ligne de la croyance religieuse, soit dans la ligne de l'incroyance [60].

C'est ce conflit que nous avons suivi depuis les origines. Il nous a permis de constater que, à l'instar des religions, l'athéisme a pris des formes très variées, successivement et simultanément. Athéisme de révolte, contre l'existence du mal, contre les interdits moraux, contre la limitation de la liberté humaine, athéisme spéculatif lié aux périodes de crise des valeurs, touchant à la fois les classes montantes et les classes déclinantes. Les personnages de Dostoïevski ont incarné ces divers athéismes, qu'ils présentent comme une exaltation de l'homme : « Il y aura un nouvel homme, heureux et fier. Celui qui vaincra la souffrance et la terreur sera lui-même un Dieu. Et le Dieu là-haut ne sera plus », déclare Kirillov dans *Les Possédés*, tandis qu'ailleurs Dostoïevski fait de l'athéisme une sorte d'ascèse préparant à la foi parfaite : « Le parfait athéisme se tient au sommet de l'échelle, sur l'avant-dernier degré qui mène à la foi parfaite. »

Interprétations tout aussi diverses et tout aussi anciennes du matérialisme : réductionniste, mécaniste, épiphénoméniste, émergentiste, évolutionniste, suivant la classification d'Olivier Bloch [61], qui ajoute que cette position est aussi vieille que la philosophie. En fait, le matérialisme est ce qui donne à l'athéisme son aspect positif, avec une théorie philosophique structurée tout à fait indépendante de la foi, et n'ayant pas à se définir en fonction d'elle.

L'athéisme a son histoire propre. Depuis les origines de l'humanité, il est l'une des deux grandes façons de voir le monde : un monde sans surnaturel, un monde où l'homme est seul face à lui-même et à une nature régie par des lois immuables. L'athée sent le subterfuge derrière le concept de Dieu, et il le dénonce. Pourchassé pendant longtemps, il obtient droit de cité au XIXᵉ siècle, et croit même pouvoir alors proclamer la mort de Dieu, et lui substituer son propre système du monde. Mais on se rend compte à la fin du XXᵉ siècle que rien n'est joué. Dieu, en s'éclipsant, a emporté avec lui le sens du monde, que l'homme tente vainement de retrouver par une accumulation de rationalité :

> Or, écrit Georges Gusdorf, le chaos, l'absurde, aujourd'hui, ne proposent pas des possibilités abstraites ; ils traînent partout, non par insuffisance de rationalité, mais par surabondance et excès de logique, de technique, d'intellectualité parcellaire, dans un univers où l'immense accumulation de détails contradictoires occulte, ou même détruit, l'ordre humain. [...] Dieu est mort, l'histoire est devenue folle, l'homme est mort, autant de formules désespérées qui expriment la conscience prise, et le ressentiment, de l'absence du sens [62].

Georges Gusdorf dresse un tableau impitoyable et lucide de l'humanité de l'an 2000, qui vit dans le Grand Interrègne des valeurs, condamnée à une traversée du désert axiologique dont personne ne peut prévoir la fin. [...] Le fait nouveau, c'est l'énorme pression exercée sur le for intérieur de chaque individu par les diverses techniques de la communication de masse. [...] La perception et la compréhension de l'écriture mobilisent les ressources de l'intellect, c'est-à-dire la possibilité de la critique. La photographie, le cinéma, la radio, la télévision ont un effet direct sur les facultés émotives de l'individu, soumis sans résistance à des fascinations qui agissent sur les instincts, dans le domaine des pulsions inconscientes. [...] Nous sommes les témoins impuissants d'une diminution capitale de l'intelligence. [...] Le laisser-aller général du langage et des mœurs exprime dans son ordre le relâchement de toutes les disciplines ; la passivité des autorités est la marque d'une impuissance fondée sur la mauvaise conscience et la mauvaise pensée. Personne n'est responsable, tout le monde est coupable ; le criminel est plus à plaindre que la victime. [...] Les philosophies de la frénésie prennent appui sur la frénésie du temps ; cailloux roulés par le courant. Il s'agit d'être l'homme du moment, celui qui dit le mot de la situation au bon moment, c'est-à-dire sous l'œil des caméras de la télévision et des reporters des magazines [63].

La technologie parcellaire a pris le pas sur l'intelligence, sur la morale, sur la compréhension globale du monde. Dans ce naufrage de la rationalité, la question de Dieu elle-même a perdu son sens. Le fait est capital : c'est la première fois qu'il se produit dans l'histoire, et c'est pourquoi l'avenir est imprévisible. Si l'on ne voit plus aujourd'hui le besoin d'affirmer ou de nier l'existence de Dieu, c'est que l'esprit humain est en train de capituler devant les forces de dispersion. L'idée de Dieu était une façon d'appréhender l'univers entier et de lui donner un sens, en se positionnant par rapport à cet Être : le théiste lui attribuait la direction de l'ensemble ; l'athée la lui retirait et chargeait l'homme de donner un sens au monde. L'un et l'autre paraissent aujourd'hui dépassés par l'atomisation du savoir. Le partage ne semble plus se faire entre croyants et incroyants, mais plutôt entre ceux qui affirment la possibilité rationnelle de penser globalement le monde, sur un mode divin ou sur un mode athée, et ceux qui se limitent à une vision fragmentaire dans laquelle prédomine l'ici et maintenant, l'immédiat localisé. Si cette seconde attitude l'emporte, cela signifie que l'humanité abdique sa quête de sens.

L'athéisme et la foi apparaissent donc comme des positions plus liées que jamais, car ils ont en commun une affirmation globale sur le monde. Ils se perpétueront ensemble, ou ils périront ensemble.

Le xxiᵉ siècle sera-t-il irréligieux?

« Le xxiᵉ siècle sera religieux ou il ne sera pas », aurait dit André Malraux. La remarque est apocryphe. En revanche, il a bien dit : « Je pense que la tâche du prochain siècle, en face de la plus terrible menace qu'ait connue l'humanité, va être d'y réintégrer les dieux. » Mais qu'on ne s'y trompe pas : « Les dieux ne sont que des torches une à une allumées par l'homme pour éclairer la voie qui l'arrache à la bête. » S'il faut entendre par là que l'humanité a un besoin urgent de réinventer des valeurs sacrées qui lui permettent de redonner un sens à l'univers et de croire à nouveau en son rôle, le diagnostic a de grandes chances d'être exact. Ce n'est en aucun cas un pronostic. L'avenir reste totalement ouvert. Sera-t-il athée?

Avant de risquer la moindre opinion, il convient de regarder une dernière fois en arrière, dans l'espoir de discerner le mécanisme de l'évolution de l'athéisme à travers ce que nous avons pu en retrouver. Tout processus linéaire est exclu. Il n'y a pas une marche régulière qui irait d'une situation exclusivement religieuse à un triomphe iné-luctable de l'incroyance. Car croyance et incroyance sont des phéno-mènes complexes, variés, nuancés, qui ne sont qu'une composante de la culture globale, une composante toujours présente, depuis le début, et dont les proportions varient en fonction d'une multitude de fac-teurs : la situation des sciences, la place de la raison, les rapports sociaux et les forces productives, l'attitude des pouvoirs politiques, les modes de pensée et de vie dominants, les principes épistémolo-giques, éthiques et même esthétiques.

Le schéma qui semblerait se dégager de l'histoire depuis l'Anti-quité opposerait les périodes à prédominance rationnelle aux périodes à prédominance irrationnelle. Dans les premières, l'homme a confiance en la raison, qu'il utilise avec optimisme comme un guide capable de lui révéler peu à peu le sens de l'existence et les principes de la conduite morale à suivre. Ces périodes « rationalistes » se caractérisent à la fois par la puissance d'une grande religion aux dogmes structurés, équilibrant révélation et raison, et de courants d'athéisme théorique, témoignant d'une réflexion intellectuelle sur l'univers, alors que l'athéisme pratique est relativement faible. Dans ces périodes, la raison sert pour certains à renforcer la foi, pour d'autres à la détruire, mais elle est pour tous la référence.

La culture traverse aussi des phases d'irrationalité, au cours desquelles on se défie des capacités humaines de raisonnement, et l'on préfère se réfugier dans des croyances irraisonnées, hétéroclites, de type ésotérique et parascientifique ; le sentiment prend le pas sur la raison, la passion sur l'intelligence, le mystère et la confusion sur la clarté. Pendant ces périodes, les grandes religions sont en crise, en même temps que l'athéisme théorique, alors que les sectes, les cultes à mystères prolifèrent dans la plus grande confusion ; de même, l'athéisme pratique progresse, ainsi que l'indifférence, beaucoup de gens vivant sans référence au religieux. En somme, le développement des grandes religions va de pair avec celui de l'athéisme théorique, parce que ces deux attitudes reposent sur une confiance dans la capacité de la raison à atteindre la vérité ; en revanche, la superstition et la vogue des croyances paranormales, ésotériques et autres extravagances va de pair avec l'athéisme pratique, parce que ces deux attitudes reposent sur un rejet de la raison, jugée incapable d'atteindre la vérité, et qualifiée de froide et inhumaine.

Ainsi les deux formes de l'athéisme sont-elles en fait intimement associées aux deux formes de croyances religieuses, comme les deux faces d'une médaille, ainsi que l'indiquait notre schéma initial. Chaque période rationnelle voit s'accomplir une nouvelle synthèse issue de la crise de civilisation qui marque chaque période irrationnelle. Récapitulons les épisodes passés, qui nous amèneront à l'aube du XXIᵉ siècle.

Au cours de l'Antiquité classique, alors que la religion gréco-romaine atteint son apogée, les philosophes grecs, s'appuyant sur la raison, élaborent des systèmes sceptiques ou athées : Démocrite, Épicure, prolongé par le Romain Lucrèce, contestent l'action et même l'existence des dieux, dont les temples trônent pourtant dans toutes les villes, fréquentés par un peuple croyant. Cet équilibre est contesté à partir du Iᵉʳ siècle, qui voit monter l'inquiétude du salut, avec la prolifération des religions à mystères, tandis que le peuple abandonne peu à peu les anciens dieux et que les superstitions se multiplient. C'est au cours de cette crise d'irrationalité que naît le christianisme, autour duquel s'établit bientôt une nouvelle synthèse rationnelle.

Celle-ci marque le Moyen Âge jusqu'à la fin du XIIIᵉ siècle, et se caractérise d'un côté par le système scolastique, union d'Aristote et de la foi chrétienne qui proclame la capacité de la raison éclairée par la révélation à expliquer le monde et à prouver l'existence de Dieu, et d'un autre côté par des courants purement rationnels en contradiction avec la foi, n'hésitant pas à affirmer que la vérité peut être double : vérité suivant la raison, et vérité suivant la foi, ce qui peut légitimer une certaine forme d'athéisme.

Du XIVe au XVIe siècle, c'est le retour de l'irrationnel, déclenché au niveau de la pensée par le nominalisme de Guillaume d'Occam : la foi et la raison sont deux domaines totalement indépendants, et la raison est incapable d'atteindre le réel. Du coup, les hypothèses foisonnent, les hérésies pullulent, l'autorité de l'Église est ruinée par le Grand Schisme ; les valeurs chancellent. Avec les débuts de l'humanisme, la pensée païenne revient en force ; Épicure séduit les classes dominantes qui glissent dans l'athéisme pratique. Les découvertes géographiques, la révolution copernicienne, les bouleversements économiques introduisent le désarroi dans les esprits, qui se tournent vers l'ésotérisme, la magie, la kabbale, l'irrationnel. L'incroyance devient une réalité vécue, au siècle de Rabelais, phénomène qui a attiré l'attention des meilleurs historiens contemporains. Leurs analyses ne convergent pas, car l'époque n'a pas produit de système athée cohérent ; mais son impertinence à l'égard de la foi est un indice révélateur d'une incroyance pratique.

Le grand retour de la raison, c'est le XVIIe siècle, c'est le cartésianisme, et ce retour est utilisé aussi bien par la religion que par l'athéisme. Descartes fournit des raisonnements aussi bien à l'une qu'à l'autre ; Malebranche et Fontenelle sont tous deux ses disciples. L'Église tridentine, qui sépare profane et sacré, s'appuie sur la raison ; elle cherche à prouver l'existence de Dieu, elle rationalise le dogme. En face, c'est également en s'appuyant sur la raison que les libertins, puis les sceptiques, puis les philosophes des Lumières élaborent des systèmes athées de plus en plus audacieux, culminant avec le curé Meslier et le baron d'Holbach. Le XVIIIe siècle voit l'affrontement de la raison religieuse et de la raison athée.

De cet affrontement stérile, l'irrationnel sort vainqueur, avec l'esprit romantique. La Révolution et le début du XIXe siècle, jusque vers 1830, c'est l'affirmation massive de l'incroyance pratique, pour la première fois admise. Les églises se vident, la religion se féminise, et en même temps fleurissent les cultes parallèles, théosophie, théophilanthropie, Être suprême et autres curiosités. Croyance et incroyance cherchent de nouvelles formes d'expression, en dehors de la raison, dont on rejette la froide et inhumaine rigueur.

Néanmoins, une nouvelle période rationnelle s'ouvre vers 1830. L'Européen reprend confiance en la capacité de l'esprit humain à expliquer et organiser le monde. Et pour la première fois le nouvel équilibre qui s'instaure est à l'avantage de l'athéisme. L'essor scientifique donne une impulsion décisive au matérialisme. Le scientisme est la force montante, la science positive est l'avenir de l'humanité. La foi religieuse, qui ne s'est pas relevée du choc de la Révolution, est prise de court. Elle ne désespère pourtant pas de la raison : Vatican I proclame la capacité rationnelle de l'homme à prouver l'existence de Dieu, et l'accord inéluctable entre la raison et la foi, tandis que dans les universités allemandes le contenu de la révélation est passé au crible de la raison. Malgré tout, cette dernière semble bien passée du côté de l'athéisme. La civilisation technicienne occidentale se sécularise, baignant dans un climat de plus en plus marqué par l'incroyance. La mort de Dieu semble programmée ; le rôle social, économique, politique, culturel de la religion ne cesse de reculer au cours du XXe siècle, recul accentué par l'essor des sciences humaines, qui réduisent la foi à un objet d'étude.

Sans doute le mouvement serait-il allé jusqu'à son terme, le triomphe de l'athéisme, si la remise en cause du pouvoir de la raison dans la seconde moitié du XXe siècle n'était venue interrompre le processus. Et nous revoici dans une période d'irrationnel, à la fois semblable aux précédentes, et différente d'elles. Semblable par la même méfiance à l'égard de la raison et le même attrait pour l'irrationnel. Mais différente par le côté plus radical de la présente crise des valeurs.

Après quatre échecs successifs de la rationalité (rationalité païenne, rationalité scolastique, rationalité cartésienne, rationalité scientiste), nous en sommes à la quatrième crise d'irrationalité de l'Occident (irrationalisme de la fin du monde antique, irrationalisme de la fin du Moyen Âge et de la Renaissance, irrationalisme romantique, irrationalisme de la fin du millénaire). Après un tel parcours, la culture européenne ressemble à un champ de ruines, ou plutôt au chantier de la Tour de Babel une nouvelle fois interrompu.

Cette Tour de Babel à laquelle nous revenons résume l'histoire humaine, l'histoire d'une humanité qui, comme disait Jaurès, n'existe toujours pas, qui essaie de se construire, de se donner « un nom », suivant l'expression biblique, de marquer sa place dans l'univers. Une humanité qui veut se bâtir seule, s'affirmer sans Dieu. Les travaux avancent pendant les périodes de rationalité, lorsque les hommes utilisent le seul outil efficace dont ils disposent : la raison. Le chantier s'interrompt pendant les périodes d'irrationalité, lorsque les hommes brisent leur outil, se dispersent dans des croyances ésotériques, parascientifiques, paranormales ou magiques, recourent à un bricolage de croyances qui s'écroulent à peine ébauchées. Nous sommes en plein dans une telle période ; les travaux sont arrêtés, et nul ne sait s'ils reprendront un jour.

Car pour qu'ils reprennent, encore faudrait-il que de nouvelles valeurs se dégagent, permettant d'unir à nouveau la majorité des hommes autour de la construction commune. Mais après quatre crises d'irrationalité, quelles valeurs tiennent-elles encore debout? Le problème dépasse l'histoire de l'incroyance, mais celle-ci en est malgré tout un élément essentiel et très révélateur.

Où en est aujourd'hui l'incroyance? Au-delà des statistiques illusoires sur le nombre d'athées, comptabilité puérile, ce qui est remarquable, c'est que la question centrale, autour de laquelle se déroulaient jusque-là les débats, la question de l'existence de Dieu, paraît elle-même dépassée, sans jamais avoir été résolue. Tout se passe comme si l'homme de l'an 2000 en prenait son parti : fausse question, faux débat; c'est ce que semblent dire aussi bien l'intellectuel que l'homme de la rue, l'ex-athée théorique comme l'ex-athée pratique, qui se rejoignent dans une attitude post-athéiste, à moins qu'elle ne soit post-religieuse.

Il est peut-être là, le grand tournant de l'an 2000 : dans le consensus qui paraît se dessiner pour occulter la question de Dieu. Certes, les religions ne sont pas mortes; certaines semblent même redevenir agressives. Mais le contenu de ces religions s'est largement sécularisé. Dans les discours des religieux, Dieu est de moins en moins présent; il est surtout question d'accomplissement de l'homme, d'équilibre intérieur, de recherche de la sérénité, ou bien de la poursuite d'un idéal d'entraide, de solidarité, sur un plan très horizontal. Dans d'autres contextes, la religion est une pure arme politique, ou une façon de se créer une identité dans des sociétés en désarroi. Mais Dieu, dans tout cela, est de plus en plus absent. Cela est encore plus net dans tous les « bricolages » religieux et « religions à la carte » que chacun se fabrique en dehors des grandes dénominations.

C'est de cette façon insidieuse que l'incroyance a pénétré la société contemporaine. Non pas par un affrontement direct, comme au siècle dernier, choc qui ne peut que durcir les positions de part et d'autre, mais par une progression de l'intérieur, qui a fini par ronger le contenu transcendant de la foi et ne laisser qu'une coquille vide. Les bâtiments religieux sont très fréquentés, mais ce sont des musées; on ne vient plus y adorer le saint sacrement, mais y admirer les chapiteaux romans. Les livres d'histoire religieuse et de spiritualité prolifèrent; ils témoignent d'une profonde nostalgie pour les premiers, d'un besoin thérapeutique pour les seconds, beaucoup plus que d'une foi en Dieu, dont la figure s'estompe inexorablement.

C'est là qu'est la véritable victoire de l'athéisme. Un athéisme qui ne dit pas son nom; un athéisme conquérant sans le vouloir, sans préméditation, et sans même être conscient de lui-même. Les combats passés entre croyants et incroyants paraissent désormais bien loin. Le sacré lui-même, que certains s'obstinent à voir partout sous forme de nouvelles idoles, n'existe plus. La dernière valeur sacrée est le moi. Tout le reste est instrument, moyen, outil de réalisation de mon équilibre intérieur. Cette victoire de l'athéisme de fait n'est pas le produit de quelque plan machiavélique. Elle résulte de l'évolution culturelle globale, qui a fini par user toutes les valeurs, y compris l'ex-valeur suprême, Dieu, dont on ne se demande même plus s'il existe.

La civilisation de l'an 2000 est athée. Qu'on y parle encore de Dieu, d'Allah, de Yahveh ou d'autres n'y change rien. Car le contenu du discours n'est plus religieux, mais politique, sociologique, psychologique. Le sacré lui-même a vécu ; même l'homme, que l'on aurait très bien vu au XIXᵉ siècle comme successeur de Dieu, n'a pas pris la place. Il suffit de voir comment on le traite, comment on le manipule, comment on le martyrise, pour se persuader rapidement que l'humanité n'a pas été divinisée. Dans le naufrage généralisé des valeurs, il ne reste qu'un sacré irréductible : moi.

Et c'est en définitive sur le seul moi que l'on devra se fonder pour bâtir une nouvelle rationalité. Car le monde ne peut pas vivre longtemps dans un chaos culturel, social, économique et politique tel que celui qu'il connaît à l'heure actuelle. Il lui faudra inventer de nouveaux dieux, des dieux crédibles. C'est ce que disait déjà Durkheim il y a un siècle : « Les anciens dieux vieillissent ou meurent, et d'autres ne sont pas nés. C'est ce qui a rendu vaine la tentative de Comte en vue d'organiser une religion avec de vieux souvenirs historiques, artificiellement réveillés : c'est de la vie elle-même, et non d'un passé mort, que peut sortir un culte vivant. *Mais cet état d'incertitude et d'agitation confuse ne saurait durer éternellement.* Un jour viendra où nos sociétés connaîtront à nouveau des heures d'effervescence créatrice au cours desquelles de nouveaux idéaux surgiront, de nouvelles formules se dégageront qui serviront, pendant un temps, de guide à l'humanité. »

Depuis Durkheim, l'humanité a inventé de nouveaux dieux, sous forme d'idéologies, qui lui ont servi de guides au XXᵉ siècle. On connaît le résultat. Ces nouveaux dieux sont morts à leur tour. L'humanité moderne est grosse consommatrice de divinités. Forts de cette expérience, nous sommes maintenant désabusés, méfiants, soupçonneux. L'homme a multiplié les dieux, et les dieux en sont morts. Maintenant, c'est l'homme qui prolifère, et plus il prolifère, moins il a de valeur. Il est devenu si commun que chaque exemplaire ne vaut plus grand-chose. Et la question n'est pas de savoir si le XXIᵉ siècle sera croyant ou athée, religieux ou incroyant, mais si la fourmilière a encore la volonté et les moyens de s'inventer un avenir.

NOTES

INTRODUCTION

1. S. Decloux, « Les athéismes et la théologie trinitaire. À propos d'un livre récent », *Nouvelle Revue théologique*, janvier-février 1995, t. 117, n° 1, p. 112.

2. Augustae Vindelicorum, 1663.

3. Stuttgart et Berlin, 1920-1923.

4. *L'État des religions dans le monde*, sous la dir. de M. Clévenot, Paris, 1987, p. 495.

5. *Lumen Vitae*, 1951, p. 20.

6. G. Hourdin, « Conversions du christianisme à l'athéisme », dans *L'Athéisme dans la vie et la culture contemporaines*, t. I, 1re partie, Paris, 1967, p. 392.

7. Genèse, 11, 1-9, trad. de la TOB.

PREMIÈRE PARTIE : L'ATHÉISME DANS L'ANTIQUITÉ ET AU MOYEN ÂGE

Chapitre premier : Au commencement : foi ou incroyance ?

1. H. de Lubac, « L'origine de la religion », dans *Essai d'une somme catholique contre les sans-Dieu*, Paris, 1936.

2. H. Spencer, *Principles of Sociology*, Londres, 3 vol., 1875, 1888, 1896.

3. A. Lang, *The Making of Religion*, Londres, 1898.

4. W. Schmidt, *Ursprung der Gottesidee. Eine historisch-kritische und positive Studie*, Münster, 6 vol., 1912-1954.

5. Spencer et Gillen, *The Northern Tribes of Central Australia*, Londres,

1904; Nieuwenhuis, *De Mensch in de werkelijkleid*, Leyde, 1920; Volz, *Im Dämmer des Rimba*, Leipzig, 1925; Tessmann, *Preussische Jahrbücher*, 1927.

6. É. Durkheim, *Les Formes élémentaires de la vie religieuse*, éd. Quadrige, Paris, 1990, p. 601.

7. *Ibid.*, p. 599.

8. *Ibid.*, p. 593.

9. *Ibid.*, p. 598.

10. Codrington, *The Melanesians*, Oxford, 1891.

11. Lehmann, *Mana : eine begriffsgeschichtliche Untersuchung auf ethnologischer Grundlage*, Leipzig, 1915.

12. G. Gusdorf, *Mythe et métaphysique*, éd. Flammarion, Paris, 1984, p. 89.

13. H. Bergson, *Les Deux Sources de la morale et de la religion*, éd. PUF, 1967, p. 185.

14. *Ibid.*, p. 185.

15. *Ibid.*, p. 217.

16. C. Lévi-Strauss, *La Pensée sauvage*, Paris, 1962, p. 265.

17. G. Gusdorf, *op. cit.*, p. 144.

18. M. Eliade, *Traité d'histoire des religions*, éd. Payot, 1979, p. 386.

19. *Ibid.*, p. 32-33.

20. G. Gusdorf, *op. cit.*, p. 67.

21. *Ibid.*, p. 222.

22. R. Caillois, *L'Homme et le sacré*, 1950, éd. Folio, Paris, 1991, p. 30.

23. L. Brunschvicg, « Religion et philosophie », *Revue de métaphysique et de morale*, 1935.

24. G. Gusdorf, *op. cit.*, p. 233.

25. R. Caillois, *op. cit.*, p. 177.

26. C. Lévy-Bruhl, *La Mythologie primitive*, Paris, 1935, p. 317.

27. M. Eliade, *op. cit.*, p. 345.

28. *Ibid.*, p. 360.

29. G. Gusdorf, *op. cit.*, p. 253.

30. C. Geertz, dans *Anthropological Approaches in the Study of Religion*, éd. Banton, 1966, p. 43.

31. K. Thomas, *Religion and the Decline of Magic*, Londres, 1971, éd. Penguin, 1991, p. 206. C'est aussi ce que montre P. Radin, *Primitive Man as Philosopher*, New York, 1927.

32. Cité par le *Dictionnaire de théologie catholique* de Vacant et Mangenot, art. « Athéisme et erreurs annexes ».

33. A. Peyrefitte, « Les Chinois sont-ils a-religieux ? », dans *Homo religiosus, autour de Jean Delumeau*, Paris, 1997, p. 695-703.

34. Finngeir Hiorth, « Réflexions sur l'athéisme contemporain », *Les Cahiers rationalistes*, avril 1996, n° 504, p. 21.

35. R. Garbe, *Die Samkhyaphilosophie*, Leipzig, 1917, p. 253 et suiv.

36. Jan Gonda, *Die Religionen Indiens*, Stuttgart, 1963.

37. A. Rosthorn, « Die Urreligion der Chinesen », dans *Die Religionen der Erde in Einzeldarstellungen*, Vienne-Leipzig, 1929.

38. Wingteit-Chan, *Religiöses Leben im heutige China*, Munich, 1955, p. 222.

39. W. Beetke, *Die Religion der Germanen in Quellenzeugnissen*, Francfort, 1938.

40. *Œuvres de Jean Meslier*, éd. Anthropos, Paris, 1971, t. II, p. 300.

41. E. Bloch, *Atheismus im Christentum*, Francfort-sur-le-Main, 1968, trad. franç., *L'Athéisme dans le christianisme. La religion de l'exode et du royaume*, Paris, 1978.

Chapitre II : Les athéismes gréco-romains

1. R. Lenoble, *Histoire de l'idée de nature*, Paris, 1969.

2. P. Veyne, *Les Grecs ont-ils cru à leurs mythes?*, Paris, 1983.

3. K. Marx, *Différence de la philosophie de la nature chez Démocrite et chez Épicure*, 1841.

4. F.A. Lange, *Histoire du matérialisme et critique de son importance à notre époque*, trad. franç. Pommerol, Paris, 1877.

5. Eusèbe de Césarée, *Praep. Evang.*, I, viii, 1.

6. C. Tresmontant, *Le Problème de l'athéisme*, Paris, 1972, p. 23.

7. H. Diels, *Die Fragmente der Vorsokratiker*, 1951, I, p. 312 et 313.

8. Diogène Laërce, *Vies, doctrines et sentences des philosophes illustres,* éd. Garnier-Flammarion, Paris, 1965, t. II, p. 185.

9. *Ibid.*

10. E. Derenne, *Les Procès d'impiété intentés aux philosophes à Athènes aux ve et ive siècles avant J.-C.*, Liège-Paris, 1930.

11. Diogène Laërce, *op. cit.*, I, p. 105.

12. Plutarque, *Vies parallèles*, « Nicias », 23.

13. *Ibid.*, « Périclès », II et IX.

14. Diogène Laërce, *op. cit.*, I, p. 116.

15. E. Derenne a présenté les interprétations des historiens allemands à son sujet dans *Les Procès d'impiété, op. cit.*, p. 94, note 1.

16. Aristophane, *Les Nuées*, vers 246, 365, 425.

17. Platon, *Phèdre*, 229, e.

18. Platon, *Apologie*, 18, b.

19. Xénophon, *Mémorables*, I, 11-14.

20. Cf. E. Derenne, *op. cit.*; P. Decharme, *La Critique des traditions religieuses chez les Grecs*, Paris, 1904; A.B. Drachmann, *Atheism in Pagan Antiquity*, Londres-Copenhague, 1922; F. Jacoby, *Diagoras*, Berlin, 1959.

21. Diogène Laërce, *op. cit.*, I, p. 146.

22. *Ibid.*

23. Plutarque, *De com. nat.*, XXXI, 3, 1075, a.

24. Platon, *Les Lois*, X, 885.

25. *Ibid.*, X, 889.

26. *Ibid.*, X, 890.

27. *Ibid.*, X, 887.

28. *Ibid.*, X, 888.

29. B. Sève, *La Question philosophique de l'existence de Dieu*, Paris, 1994, p. 275.

30. Platon, *Les Lois*, X, 886.

31. *Ibid.*, X, 908.

32. *Ibid.*, X, 909.

33. *Ibid.*

34. M. Daraki, *Une religiosité sans dieu. Essai sur les stoïciens d'Athènes et saint Augustin*, Paris, 1889.

35. J.-A. Festugière, *Épicure et ses dieux*, Paris, 1968.
36. *Ibid.*, cité p. 72.
37. M. Hild, *Aristophanes impietatis reus*, 1880.
38. Sextus Empiricus, *Contre l'enseignement des sciences*, IX, 17.
39. *Stoicorum veterum fragmenta*, éd. von Arnim, Stuttgart, 1974, III, 660, 604, 661, 606, 809.
40. M. Daraki, *op. cit.*, p. 215.
41. J.-A. Festugière, *op. cit.*
42. *Ibid.*, p. 82.
43. Lucrèce, *De natura rerum*, III, 978-1024.
44. Épicure, *Lettre à Ménécée*, citée par Diogène Laërce, *op. cit.*, II, p. 261-262.
45. Diogène Laërce, *op. cit.*, II, p. 20.
46. *Ibid.*, p. 21.
47. A. Grenier, *Le Génie romain dans la religion, la pensée et l'art*, Paris, 1925, p. 186-187.
48. Tite-Live, 39, 8 et suiv.
49. A. Grenier, *op. cit.*, p. 438.
50. Plutarque, *Vies parallèles*, « Brutus », trad. Amyot, Paris, Gallimard, « Bibliothèque de la Pléiade », t. II, p. 1079.
51. Cicéron, *De natura deorum*, I, 6.
52. *Ibid.*, I, 22.
53. *Ibid.*, I, 22.
54. *Ibid.*, I, 23.
55. *Ibid.*, I, 25.
56. Actes, 17, 18-33.
57. R.L. Fox, *Pagans and Christians*, New York, 1986, p. 551.
58. A. Harnack, *Der Vorwurf des Atheismus in den drei ersten Jahr-hunderten*, Leipzig, 1905, p. 50.
59. C. Fabro, « Genèse historique de l'athéisme philosophique contemporain », dans *L'Athéisme dans la philosophie contemporaine*, Paris, 1970, p. 34.
60. Sextus Empiricus, *Hypotyposes pyrrhoniennes*, III, 11-12.
61. C. Fabro, *op. cit.*, p. 32.
62. A. Anwander, « Le problème des peuples athées », dans *L'Athéisme dans la vie et la culture contemporaines*, Paris, 1968, t. I, vol. 2, p. 66-67.
63. Sextus Empiricus, *Hypotyposes*, III, 3, 6.

Chapitre III : Un athéisme médiéval ?

1. H. Ley, *Studie zur Geschichte des Materialismus im Mittelalter*, Berlin, 1959.
2. *Ibid.*, p. 151.
3. C. Fabro, « Genèse historique de l'athéisme contemporain », dans *L'Athéisme dans la philosophie contemporaine*, Paris, 1970, p. 38.
4. E. Le Roy Ladurie, *Montaillou, village occitan*, Paris, 1975, p. 534.
5. *Ibid.*, p. 535, note 2.
6. J.-C. Schmitt, « La croyance au Moyen Âge », *Raison présente*, n° 113. Sur la notion de croyance médiévale, voir en particulier A. Vauchez (éd.),

Faire croire. Modalités de la diffusion et de la réception des messages religieux du XIIe au XVe siècle, École française de Rome, Rome, 1981 ; J. Wirth, *La Naissance du concept de croyance. XIIe-XVIe siècle*, Bibliothèque d'humanisme et Renaissance. Travaux et documents, XLV, 1983.

7. J.-C. Schmitt, art. cit., p. 10.

8. *Ibid.*, p. 12 : « L'historicité du christianisme est au principe de ce qu'on pourrait appeler le retraitement permanent des croyances. [...] Loin d'être un système de croyances clos et fixé une fois pour toutes, le christianisme médiéval n'a jamais cessé de se modifier, d'innover (en inventant par exemple la croyance au purgatoire), de s'adapter et de retrancher. [...] Soyons certains que cette faculté d'adaptation a été l'un des secrets de la force et de la pérennité de l'Église. »

9. *Ibid.*, p. 11.

10. Théodoret de Cyr, *Thérapeutique des maladies helléniques*, III, 4.

11. *Ibid.*, II, 112-113. Eusèbe de Césarée rejette également Diagoras, Théodore, Evhémère (*La Préparation évangélique*, XIV, 16, 1).

12. Clément d'Alexandrie, *Le Protreptique*, II, 23, 1 et II, 24, 2.

13. Cité par L. Febvre, *Le Problème de l'incroyance au XVIe siècle*, Paris, 1968, p. 154-155.

14. E. Bréhier, *La Philosophie du Moyen Âge*, Paris, éd. A. Michel, 1971, p. 64.

15. Coran, XLV, 23-25, trad. Kasimirski, Paris, Garnier-Flammarion, 1970.

16. Cité par E. Bréhier, *op. cit.*, p. 196.

17. L. Gauthier, *La Théorie d'Ibn Roschd Averroès sur les rapports de la religion et de la philosophie*, Paris, 1909.

18. Cité par A. de Libera, dans l'introduction d'Averroès, *Le Livre du discours décisif*, Paris, éd. Garnier-Flammarion, 1996, p. 80-81.

19. Rapporté dans L. Moreri, *Le Grand Dictionnaire historique*, Paris, 1691.

20. F. Berriot, *Athéismes et athéistes au XVIe siècle en France*, Atelier national de reproduction des thèses, Lille, t. I, p. 313.

21. E. Bréhier, *La Philosophie du Moyen Âge, op. cit.*, p. 296.

22. Cité dans l'*Histoire de la philosophie*, Paris, Gallimard, « Bibliothèque de la Pléiade », 1969, t. I, p. 1448. Sur Siger de Brabant, voir le livre classique de P. Mandonnet, *Siger de Brabant et l'averroïsme latin au XIIIe siècle*, Louvain, 1911.

23. A. de Libera, introduction du *Livre du discours décisif, op. cit.*, p. 58-61.

24. Martin de Pologne, *Chronique*, éd. de 1574, Anvers, p. 393.

25. E. Bréhier, *op. cit.*, p. 185.

26. Saint Bernard, *Lettre 191*.

27. Guillaume de Conches, *Philosophia mundi*, II, 3.

28. Cité par Claude Fleury, *Histoire ecclésiastique*, Paris, 1758, t. XVII, p. 255.

29. F. Berriot, *op. cit.*, I, p. 329.

30. L. Beauchamp, *Biographie universelle*, Paris, 1811, art. « Alphonse X ».

31. Thomas de Cantimpré, *Bonum universale de apibus*, cité dans F. Berriot, *op. cit.*, I, p. 338.

32. Cité par F. Berriot, *ibid.*, p. 339.

33. Sur le problème des preuves de l'existence de Dieu, voir B. Sève, *La Question philosophique de l'existence de Dieu*, Paris, 1994.

34. S. Kierkegaard, *Post-scriptum aux Miettes philosophiques*, trad. Petit, NRF, 1941, p. 369.

35. E. Le Roy, *Le Problème de Dieu*, Paris, 1929, p. 83.

36. G. Marcel, *Journal métaphysique*, Paris, 1935, p. 65.

37. G. Gusdorf, *Mythe et métaphysique*, Paris, éd. Champs-Flammarion, 1984, p. 300.

38. E. Bréhier, *op. cit.*, p. 335.

39. H. Martin, *Mentalités médiévales, xiᵉ-xvᵉ siècle*, Paris, 1996.

40. P.-A. Sigal, *L'Homme et le miracle en France aux xiᵉ et xiiᵉ siècles*, Paris, 1985.

41. *Ibid.*, p. 215.

42. J. Le Goff, *L'Imaginaire médiéval. Essais*, Paris, 1985 ; M. Meslin, *Le Merveilleux. L'imaginaire et la croyance en Occident*, Paris, 1984 ; B. Merdrignac, *La Vie des saints bretons durant le haut Moyen Âge*, Rennes, 1993.

43. H. Martin, *op. cit.*, p. 203.

44. J. Le Goff, *op. cit.*, p. 29.

45. G. Lecouteux, *Les Monstres dans la pensée médiévale européenne*, Paris, 1993.

46. J. Delumeau, *La Peur en Occident*, Paris, 1978, p. 483.

47. H. Cox, *La Fête des fous. Essai théologique sur les notions de fête et de fantaisie*, Paris, 1971 ; J. Le Goff et J.-C. Schmitt, *Le Charivari*, Paris-New York-La Haye, 1981 ; J. Heers, *Fêtes, jeux et joutes dans les sociétés d'Occident à la fin du Moyen Âge*, Paris-Montréal, 1971.

48. R. Muchembled, *Culture populaire et culture des élites dans la France moderne, xvᵉ-xviiiᵉ siècle*, Paris, éd. Champs-Flammarion, 1978, p. 73.

49. R. Vaultier, *Le Folklore pendant la guerre de Cent Ans d'après les lettres de rémission du Trésor des Chartes*, Paris, 1965.

50. F. Rapp, *L'Église et la vie religieuse en Occident à la fin du Moyen Âge*, Paris, 1971, p. 160.

51. O. Dobiache-Rojdestvensky, *Les Poésies des goliards*, Paris, 1931.

52. Honorius Augustodunensis, *Elucidarium*, II, 18.

53. B. Geremek, *Les Marginaux parisiens aux xivᵉ et xvᵉ siècles*, trad. franç., Paris, Champs-Flammarion, 1976, p. 184.

54. T. de Cauzons, *Histoire de l'Inquisition en France*, t. II, Paris, 1909, p. 149.

55. H. Martin, *Le Métier de prédicateur à la fin du Moyen Âge. 1350-1520*, Paris, 1988.

56. Cité par H. Martin, *Le Métier de prédicateur, op. cit.*, p. 359.

57. *Ibid.*, p. 359-360.

58. J.A.F. Thomson, *The Later Lollards*, Oxford, 1965.

59. *Ibid.*, p. 27, 36-37, 76, 80, 82, 160.

60. G.G. Coulton, « The Plain Man's Religion in the Middle Ages », *Medieval Studies*, 13, 1916.

61. K. Thomas, *Religion and the Decline of Magic*, éd. Penguin Books, 1991, p. 199-200.

62. *Les Facéties de Pogge*, trad. franç., Paris, 1878, CCLXII, CCXVI, CCXXVII.

63. P. Marchand, *Œuvres complètes*, t. I, p. 315, note H.

64. Cité par B. de La Monnoie, *De tribus impostoribus*, Paris, 1861, p. 30.

65. La Croze, *Entretiens sur divers sujets d'histoire*, Amsterdam, 1711, p. 130.

66. Sur les rapports entre l'astrologie et la foi à la fin du Moyen Âge, voir G. Minois, *Histoire de l'avenir. Des prophètes à la prospective*, Paris, 1996, 3ᵉ partie, « L'âge de l'astrologie ».

67. C. Lecouteux, *Fées, sorcières et loups-garous au Moyen Âge*, Paris, 1992.

68. Grégoire de Tours, *Histoire des Francs*, X, 13.

69. E. Delaruelle, *La Piété populaire au Moyen Âge*, Turin, 1975 ; R. Manselli, *La Religion populaire au Moyen Âge, problèmes de méthode et d'histoire*, Montréal-Paris, 1975 ; *La Religion populaire en Languedoc du xiiiᵉ siècle à la moitié du xivᵉ siècle*, Cahiers de Fanjeaux, t. XI, Toulouse, 1976.

70. J. Paul, « La religion populaire au Moyen Âge. À propos d'ouvrages récents », *Revue d'histoire de l'Église de France*, n° 170, janv.-juin 1977, p. 86.

71. E. Le Roy Ladurie, *Montaillou, village occitan de 1294 à 1324*, Paris, 1975, p. 360.

72. *Ibid.*, p. 525.

73. *Ibid.*, p. 527 et 525.

74. *Ibid.*, p. 528 et 529.

75. *Ibid.*, p. 530.

76. *Ibid.*, p. 363.

77. *Ibid.*, p. 586.

78. P. Adam, *La Vie paroissiale en France au xivᵉ siècle*, Paris, 1964.

79. Nicolas de Clamanges, *De corr. Eccl. statu.*, chap. vi et xvi, dans *Opera*, p. 8 et 16.

80. La situation ne semble guère avoir été meilleure au xiiiᵉ siècle. O. Dobiache-Rojdestvensky, *La Vie paroissiale en France au xiiiᵉ siècle d'après les actes épiscopaux*, Paris, 1911.

81. A. Cherest, *L'Archiprêtre. Épisodes de la guerre de Cent Ans au xivᵉ siècle*, Paris, 1879.

82. J. Toussaert, *Le Sentiment religieux en Flandre à la fin du Moyen Âge*, Paris, 1963.

83. A. Langfors, *La Société française vers 1330, vue par un frère prêcheur du Soissonnais*, Helsingfors, 1918, p. 14.

84. P. Adam, *op. cit.*, p. 251.

85. Cité par P. Adam, *op. cit.*, p. 293.

86. F. Rapp, *op. cit.*, p. 160.

87. Cité par G. Minois, *Du Guesclin*, Paris, 1993, p. 272-273. Sur les rapports entre les militaires et la foi, voir G. Minois, *L'Église et la guerre. De la Bible à la guerre atomique*, Paris, 1994.

88. *Le Procès des Templiers*, présent. R. Oursel, Paris, 1955, p. 78-80.

89. T. de Cauzons, *Histoire de l'Inquisition en France*, 2 vol., Paris, 1909, t. II, p. 149.

90. *Liber Guillelmi Majoris*, éd. C. Port, Paris, 1874, p. 274.

91. G. Dupont, « Le registre de l'officialité de Cerisy, 1314-1357 »,

602 HISTOIRE DE L'ATHÉISME

Mémoires de la Société des antiquaires de Normandie, t. 30, 1880, p. 361-492.

92. J. Gerson, *Rememoratio per praelatum quemlibet agendorum*, dans *Opera*, t. II, col. 107.

93. J. Delumeau, *Le Christianisme de Luther à Voltaire*, Paris, 1971, p. 330.

94. G. Dagron, dans l'*Histoire du christianisme*, t. IV, *Évêques, moines et empereurs (610-1054)*, Paris, 1993, p. 87.

DEUXIÈME PARTIE :
L'ATHÉISME SUBVERSIF
DE LA RENAISSANCE

Chapitre IV : Le contexte d'incroyance de la Renaissance

1. E. Gebhart, *Rabelais, la Renaissance et la Réforme*, Paris, 1877.

2. H. Busson, *Le Rationalisme dans la littérature française de la Renaissance, 1533-1601*, Paris, 1922.

3. A. Lefranc, *Étude sur le Pantagruel*, en tête des *Œuvres de Rabelais*, Paris, 1923.

4. V.-L. Saulnier, « Le sens du *Cymbalum mundi* de Bonaventure des Périers », *Bibliothèque d'humanisme et Renaissance*, Genève, 1951, t. XIII, p. 167.

5. H. Weber, *Histoire littéraire de la France*, Paris, 1975, chap. v.

6. Publiée par l'Atelier national de reproduction des thèses, université de Lille-III, Thèses-Cerf, 1977.

7. L. Febvre, *Le Problème de l'incroyance au xvie siècle. La religion de Rabelais*, Paris, éd. A. Michel, 1968, p. 128.

8. H. Estienne, *Apologie pour Hérodote*, II, 373.

9. L. Febvre cite plusieurs cas : « Il est athée comme personne ne le fut », écrit Rabelais à Erasme en parlant de Scaliger. « Pour ses idées, où les a-t-il prises, sinon chez Lucien, l'auteur le plus mordant, le plus impudent de tous, sans religion, sans Dieu, et porté à ridiculiser toutes choses, religieuses comme profanes ? » demande Dolet, lui-même brûlé comme athée, à propos d'Erasme.

10. *Ibid.*, cité p. 128.

11. *Ibid.*, p. 127 et 137-138.

12. *Ibid.*, p. 329-330.

13. *Ibid.*, p. 422.

14. *Ibid.*, p. 324-325.

15. *Ibid.*, p. 427.

16. J.F. Reimmann, *Historia universalis atheismi et atheorum falso et merito suspectorum*, Hildesiae, 1718.

17. L. Mabilleau, *Étude historique sur la philosophie de la Renaissance en Italie*, Paris, 1881.

18. P.-O. Kristeller, « Le mythe de l'athéisme de la Renaissance et la tradition française de la libre pensée », *Bibliothèque d'humanisme et Renaissance*, t. 37, n° 1, janv. 1975, p. 337-348.

19. D. Cantimori, *Eretici italiani del Cinquecento*, Florence, 1939.

20. S. Seidel Menchi, *Erasmo in Italia, 1520-1580*, Turin, 1987, trad. franç. : *Erasme hérétique. Réforme et Inquisition dans l'Italie du xvie siècle*, Paris, Hautes Études, Gallimard-Seuil, 1996, p. 211.

21. *Ibid.*, cité p. 219.

22. *Ibid.*, cité p. 218.

23. E. Pommier, « L'itinéraire religieux d'un moine vagabond au xvie siècle », *Mélanges d'archéologie et d'histoire de l'École française de Rome*, 66, 1954, p. 293-322.

24. Erasme, *Éloge de la folie*, 43.

25. *Ibid.*

26. S. Castellion, *De arte dubitandi*, dans D. Cantimori et E. Feist (éd.), *Per la storia degli eretici italiani del secolo sedicesimo in Europa*, Rome, 1937, p. 345.

27. *Ibid.*, p. 347.

28. S. Seidel Menchi, *op. cit.*, p. 228-231.

29. L. Régnier de La Planche, *Histoire de l'Estat de France*, 1575, p. 6, et Anonyme, *Tocsain contre les massacreurs et auteurs des confusions de France*, Reims, 1579.

30. Rapporté par F. Berriot, *op. cit.*, t. II, p. 843, note 22.

31. Cité par J. Lecler, « Aux origines de la libre pensée française. Étienne Dolet », *Etudes*, 20 mai 1931, t. 207, n° 10, p. 403-420. Pour J. Lecler, cet indifférentisme est poussé chez certains jusqu'« au plus grossier athéisme ».

32. J. Burckhardt, *La Civilisation de la Renaissance en Italie*, Paris, 1958, p. 271.

33. F. Berriot, *op. cit.*, t. I, p. 52.

34. R. Lenoble, *Esquisse d'une histoire de l'idée de nature*, Paris, éd. A. Michel, 1969, p. 295.

35. J. Cardan, *De subtilitate*, XIX.

36. Cité par J.-R. Charbonnel, *La Pensée italienne au xvie siècle et le courant libertin*, Paris, 1917, p. 444.

37. D.C. Allen, *Mysteriously Meant. The Rediscovery of Pagan Symbolism and Allegorical Interpretation in the Renaissance*, Baltimore et Londres, 1970.

38. B. Pereyra, *Commentatorium... in Genesim tomi quatuor*, t. I, p. 1b.

39. F. Laplanche, *La Bible en France entre mythe et critique, xvie-xixe siècle*, Paris, 1994.

40. Melchior de Flavin, *De l'estat des ames après le trepas*, Paris, éd. de 1595, XIII.

41. Calvin, *Institution*, éd. de 1541, t. I, p. 43.

42. Chassanion de Monistrol, *Les Grands et Redoutables Jugemens et punitions de Dieu advenus au monde*, éd. de 1581, I, 24, p. 135.

43. Urbain Chauveton, *Brief discours et histoire d'un voyage de quelques François en la Floride*, Paris, 1579.

44. Marc Lescarbot, *Relation dernière de ce qui s'est passé au voyage du Sieur Poutrincourt en la Nouvelle France depuis 20 mois en ça*, Paris, 1612.

45. J. de Mendoza, *Histoire du grand royaume de Chine*, trad. franç., Paris, 1588.

46. *Copie d'une lettre missive envoyée aux gouverneurs de La Rochelle par les capitaines des galères de France*, La Rochelle, 1583.

47. J. de Léry, *Histoire d'un voyage en terre de Brésil*, 1578, éd. du Livre de Poche, 1994, chap. XVI, p. 379. Déjà, dans la préface, il écrivait : « Au regard de ce qu'on nomme religion parmi les autres peuples, il se peut dire tout ouvertement que, non seulement ces pauvres sauvages n'en ont point, mais aussi s'il y a nation qui soit et vive sans Dieu au monde, ce sont vrayment eux. »

48. *Ibid.*, p. 391.

49. *Ibid.*, p. 393.

50. *Ibid.*, p. 384.

51. *Ibid.*, p. 370.

52. A. Catalan, *Passevant parisien*, Paris, 1556, éd. de 1875, p. 93.

53. Cité par H. Busson, « Les noms des incrédules au XVIe siècle (athées, déistes, achristes, libertins) », *Bibliothèque d'humanisme et Renaissance*, t. XVI, 1954, p. 273-283.

54. *Ibid.*, p. 282.

55. A. Croix, *Culture et religion en Bretagne aux XVIe et XVIIe siècles*, Rennes, 1995.

56. Cité par L. Romier, *Le Royaume de Catherine de Médicis. La France à la veille des guerres de religion*, Paris, 1925, t. II, p. 99.

57. *Ibid.*

58. *Histoire de la France religieuse*, t. II, *Du christianisme flamboyant à l'aube des Lumières*, Paris, 1988, p. 199-213.

59. *Histoire du christianisme*, t. VIII, *Le temps des confessions, 1530-1620*, Paris, 1992, 3e partie, « La vie des chrétiens », par M. Vénard, p. 857-1028. Cet ouvrage fournit une abondante bibliographie à jour.

60. F. Berriot, *op. cit.*, t. I, p. 622-631.

61. René de Lucinge, *Lettres sur la cour d'Henri III*, Paris, éd. A. Dufour, 1966.

62. G.M. Viscardi, « La mentalité religieuse en Basilicate à l'époque moderne », dans *Homo religiosus*, Paris, 1997, p. 264-273.

63. F. Smahel, « Magisme et superstitions dans la Bohême hussite », *ibid.*, p. 255-263.

64. C. Langlois, « La dépénalisation de la superstition d'après la *Théologie morale* de Mgr Gousset (1844) », *ibid.*, p. 280-286.

65. F. Berriot, *op. cit.*, p. 233.

66. *Moralité très singulière et très bonne des blasphémateurs du nom de Dieu où sont contenus plusieurs exemples et enseignemens à l'encontre des maulx qui procèdent à cause des grands juremens et blasphèmes qui se commettent de jours en jours, imprimée nouvellement à Paris par Pierre Sergent*, éd. Silvestre, Paris, 1831.

67. B. Bennassar, *L'Homme espagnol*, Paris, 1975, p. 77.

68. F. Bethencourt, *L'Inquisition à l'époque moderne. Espagne, Portugal, Italie. XVe-XIXe siècle*, Paris, 1995, p. 183.

69. J. Delumeau, *La Peur en Occident*, Paris, 1978, p. 522.

70. *Les Commandements de Dieu et du Dyable*, éd. en fac-similé de 1831, par P. Maréchal.

71. Cité par J. Delumeau, *op. cit.*, p. 461.

72. H. Institor, J. Sprenger, *Le Marteau des sorcières*, éd. A. Danet, Paris, 1973, p. 316.

73. N. Rémi, *Daemonolatriae libri tres*, Lyon, 1595.

74. P. Le Loyer, *Discours des spectres*, Paris, 1608.

75. Simon Goulard, *Tresor d'histoires admirables et mémorables de nostre temps*, Cologne, 1610-1614.

76. J. Delumeau, *La Peur en Occident, op. cit.*, p. 474-506.

77. E. Le Roy Ladurie, *Le Monde*, janvier 1972.

78. « Histoire du diable de Laon », dans *Archives curieuses de l'histoire de France*, Paris, 1836, t. VI.

79. L. Lavater, *Trois livres des apparitions des esprits, fantosmes, prodiges*, Genève, 1571.

80. Par exemple : François Hedelin, *Des satyres, brutes, monstres et démons, de leur nature et adoration*, Paris, 1627.

81. G. Minois, *Histoire du suicide. La société occidentale face à la mort volontaire*, Paris, 1995, chap. IV.

82. G. Minois, *Histoire de l'avenir. Des prophètes à la prospective*, Paris, 1996.

83. P. Le Loyer, *Le Discours des spectres et apparitions d'esprits*, Paris, 1608, p. 557.

84. T. More, *Utopia*, éd. M. Delcourt, s.l.n.d., p. 135.

Chapitre V : Les témoignages d'athéisme au XVIe siècle

1. J. Calvin, *Psychopannychie. Traité par lequel il est prouvé que les âmes veillent et vivent après qu'elles sont sorties des corps, contre l'erreur de quelques ignorants qui pensent qu'elles dorment jusques au dernier jugement*, 1534, trad. franç., 1558, dans *Œuvres françaises de Jean Calvin*, Paris, 1842, p. 105.

2. J. Calvin, *Des scandales qui empeschent aujourd'huy beaucoup de gens de venir à la pure doctrine de l'Evangile et en débauchent d'autres*, Genève, 1550.

3. J. Calvin, *Institution de la religion chrestienne*, 1559.

4. J.-L. Herminjard, *Correspondance des réformateurs dans les pays de langue française*, Genève, 1866-1877, t. VIII, p. 228-233.

5. S. Vigor, *Sermons catholiques du Saint Sacrement de l'autel, accommodez pour tous les jours des octaves de la feste-Dieu*, Paris, 1582. En particulier le premier sermon, p. 1-39, et celui pour le dernier jour des octaves de la Fête-Dieu, p. 269-320.

6. François Le Picard, *Les Sermons et instructions chrétiennes*, Paris, 1563.

7. Cité par H. Busson, « Les noms des incrédules au XVIe siècle », *Bibliothèque d'humanisme et Renaissance*, t. XVI, 1954, p. 273-283.

8. M. Servet, *Christianismi restitutio*, 1553, p. 664.

9. *Catéchisme de Jean Brenze*, Tubingue, 1563.

10. *Catéchisme du concile de Trente*, 1re partie, chap. II, 1.

11. P. Viret, *L'Interim faict par dialogues*, Lyon, 1565, p. 207.

12. J. Sleidan, *Histoire entière déduite depuis le déluge jusqu'au temps présent en XXIX livres*, Genève, 1563, livre XXV.

13. G. Dupréau-Prateolus, *Nostrorum temporum calamitas*, 1559, f° 210.

14. Cité par F. Berriot, *op. cit.*, t. I, p. 439.

15. *Ibid.*

16. Cité par H. Busson, « Les noms des incrédules au xvie siècle », *Bibliothèque d'humanisme et Renaissance*, t. XVI, 1954, p. 273-283.

17. Cité par J. Boulmier, *Estienne Dolet, sa vie, ses œuvres, son martyre*, Paris, 1857, p. 266.

18. E. Dolet, *De imitatione Ciceronia*, cité par F. Berriot, *op. cit.*, t. I, p. 396.

19. Cité par F. Berriot, *op. cit.*, t. I, p. 450.

20. G. Postel, *Absconditorum clavis*, trad. franç., Paris, 1899 ; *Les Très Merveilleuses Victoires des femmes du Nouveau Monde et comment elles doibvent à tout le monde par raison commander*, Paris, 1563 ; *Les Premières Nouvelles de l'autre monde, ou l'Admirable Histoire de la Vierge vénitienne*, trad. Morard, Paris, 1922.

21. H. Estienne, *Apologie pour Hérodote ou Traité de la conformité des merveilles anciennes avec les modernes*, 1566, chap. xviii, 1.

22. F. de La Noue, *Discours politiques et militaires nouvellement recueillis et mis en lumière*, Bâle, 1587.

23. *Recueil des actes, titres et mémoires concernant les affaires du clergé de France*, t. VII, 1719, col. 994.

24. Innocent Gentillet, *Discours sur les moyens de bien gouverner et maintenir en bonne paix un royaume contre Nicolas Machiavel, Florentin*, 1576.

25. Pierre de La Primaudaye, *L'Académie françoise. Premier livre. De la cognoissance de l'homme et de son institution en bonnes mœurs*, 1577 ; *Suite de l'Académie françoise en laquelle il est traicté de l'homme et comme par une histoire naturelle du corps et de l'âme est discouru de la création*, Paris, 1580.

26. Pierre de La Primaudaye, *Suite de l'Académie françoise*, op.cit., chap. 95.

27. P. Le Loyer, *Des spectres*, op. cit.

28. Pierre Crespet, *Six livres de l'origine, excellence, exil, exercice, mort et immortalité de l'âme*, Paris, 1588.

29. Noël du Fail, *Propos rustiques. Baliverneries. Contes et discours d'Eutrapel*, Paris, éd. de 1842, p. 379-398.

30. Antoine de Laval, *Des philtres, breuvages, charmes et autres fascinations et diaboliques en amour*, 1584 ; *Desseins des professions nobles et publiques*, 1605.

31. Jean Benedicti, *La Somme des pechez et remèdes d'iceux*, Lyon, 1594, mais le livre a sans doute été écrit au début des années 1580, car le privilège date de 1583.

32. *Ibid.*, p. 70.

33. *Ibid.*, p. 68-69.

34. Pierre Matthieu, *Histoire des derniers troubles de France sous les règnes des très chrestiens roys Henri III,... Henri IV*, Lyon, 1597, p. 38.

35. Philippe Marnix de Sainte-Aldegonde, *Tableau des différences de la religion*, dans *Œuvres*, éd. de Bruxelles, 1857.

36. Florimond de Raemond, *Histoire de la naissance, progrez et décadence de l'hérésie de ce siècle, divisée en huit livres*, Paris, 1610.

37. R. Blancone, *La Vie miraculeuse de la séraphique et dévote Catherine de Sienne*, trad. de l'italien, Paris, 1607.

38. Jacques Gaultier, *Table chronographique de l'estat du christianisme, depuis la naissance de Jésus-Christ jusques à l'année 1612*, Lyon, 1613, chap. « Des athéistes ou épicuriens », p. 593.

39. Antoine Tolosain, *L'Adresse du salut éternel et antidote de la corruption qui règne en ce siècle et fait perdre continuellement tant de pauvres âmes*, Lyon, 1612.

40. F. Bethencourt, *L'Inquisition à l'époque moderne. Espagne, Portugal, Italie. XVᵉ-XIXᵉ siècle*, Paris, 1995, p. 186-188.

41. G. Minois, *Censure et culture sous l'Ancien Régime*, Paris, 1995.

42. S. Seidel-Menchi, *Erasmo in Italia, 1520-1580*, Turin, 1987.

43. A. Rotondo, « La censura ecclesiastica e la cultura », dans *Storia d'Italia*, éd. R. Romano et C. Vivanti, vol. V, Turin, 1973.

44. F. Bethencourt, *op. cit.*, p. 332-334 et 336-339.

45. L. Stone, dans l'*English Historical Review*, 1962, p. 328.

46. Exemples rapportés par K. Thomas, *Religion and the Decline of Magic*, éd. Penguin Books, 1991, p. 204-205.

47. *Ibid.*, p. 201-202. L'athéisme dans l'Angleterre élisabéthaine a été étudié par G.T. Buckley, *Atheism in the English Renaissance*, Chicago, 1932 ; D.C. Allen, *Doubt's Boundless Sea. Skepticism and Faith in the Renaissance*, Baltimore, 1964.

48. Rapporté par K. Thomas, *op. cit.*, p. 199, 574.

49. P.H. Kocher, *Christopher Marlowe*, Chapel Hill, 1946.

50. P. Lefranc, *Sir Walter Raleigh écrivain*, Paris, 1968, p. 381.

Chapitre VI : Un athéisme critique (1500-1600)

1. F. Berriot, *op. cit.*, t. I, p. 264-265.

2. *De tribus impostoribus*, éd. de 1867, Paris, p. 21-23.

3. *Ibid.*, p. 27.

4. *Ibid.*, p. 11.

5. *Ibid.*, p. 33.

6. Cité par F. Berriot, *op. cit.*, I, p. 547.

7. F. Berriot, *op. cit.*, p. 546-560.

8. H. Busson, *La Pensée religieuse de Charron à Pascal*, Paris, 1933, p. 97.

9. P. de Dampmartin, *De la connoissance et merveilles du monde et de l'homme*, Paris, 1585.

10. G. Le Fèvre de La Boderie, *De la religion chrestienne de Marsile Ficin*, Paris, 1578.

11. P. du Plessis-Mornay, *Athéomachie ou Réfutation des erreurs et detestables impietez des athéistes libertins et autres esprits profanes de ces derniers temps, escrite pour la confirmation des infirmes en la Foy de l'Église chrestienne et maintenant mise en lumière par Baruch Canephius*, 1582. L'attribution de ce livre à Duplessis-Mornay a été contestée. Peut-être n'a-t-il fait que l'inspirer, point d'érudition qui ne fait guère de différence pour notre propos.

12. A. Possevin, *De atheismis sectatorium nostri temporis*, Cologne, 1584 ; *Atheismi haereticorum hujus seculi*, Posnan, 1585.

13. H. Estienne, *Apologie pour Hérodote,* I, chap. XIV.

14. F. des Rues, *Description contenant toutes les singularitez des plus célèbres villes*, Rouen, 1608, p. 155.

15. Machiavel, *Discours,* III, 1.

16. F. Garasse, *La Doctrine curieuse des beaux esprits de ce temps*, Paris, 1623, p. 435.

17. *Ibid.*, p. 944.

18. B. de La Monnoie, *Lettre à M. Bouhier*, dans *Œuvres complètes*, La Haye, 1770, t. II, p. 405.

19. P. Bayle, *Œuvres complètes*, Rotterdam, 1702, t. III, p. 2520-2521.

20. B. Ochino, *Dialogi triginta in duos libros divisi*, Bâle, 1563.

21. Cité par F. Berriot, *op. cit.*, I, p. 463.

22. *Ibid.*, p. 456.

23. J.-P. Niceron, *Mémoires pour servir à l'histoire des hommes illustres dans la république des lettres*, Paris, 1729-1745, t. XVII, p. 219.

24. C.-P. Goujet, *Bibliothèque françoise*, Paris, 1744, t. VIII, p. 121.

25. P.-H. Michel, « L'atomisme de Giordano Bruno », dans *La Science au XVIᵉ siècle*, colloque de Royaumont, Paris, 1960, p. 251.

26. Giordano Bruno, *De l'univers fini et des mondes*, cité par A. Koyré, *Du monde clos à l'univers infini*, Paris, 1962, p. 77.

27. G. Minois, *L'Église et la science. Histoire d'un malentendu*, t. I, Paris, 1990, p. 339-342.

28. M. Chassaigne, *Étienne Dolet*, Paris, 1930 ; J. Lecler, « Aux origines de la libre pensée française. Étienne Dolet », *Études*, 20 mai 1931, t. 207, n° 10, p. 403-420.

29. Cité par M. Chassaigne, *op. cit.*, p. 100.

30. Cité par J. Lecler, *op. cit.*, p. 37.

31. Cité par M. Chassaigne, *op. cit.*, p. 182.

32. F. Berriot, *op. cit.*, t. II, p. 865.

33. Cité par F. Berriot, *op. cit.*, I, p. 450.

34. *Ibid.*, II, p. 862-864.

35. J. Bolsec, *Histoire de la vie, mœurs, actes, doctrine, constance et mort de Jean Calvin*, 1577, dans *Archives curieuses de l'histoire de France*, Paris, 1835, t. V, p. 343.

36. A. Roget, *Le Procès de Michel Servet*, Genève, 1877, p. 82.

37. *Ibid.*, p. 57.

38. G. Postel, *De orbis terrae concordia*, Paris, 1543, p. 72.

39. F. de Raemond, *Histoire de la naissance de l'hérésie de ce siècle*, Paris, 1610, p. 229.

40. J.-P. Niceron, *op. cit.* , t. VIII, 1729, p. 295 et 356.

41. F. de Raemond, *op. cit.*, p. 236.

42. *Cymbalum mundi en francoys*, Lyon, 1538, B.N., Grande Réserve, Z.2242.

43. B. des Périers, *Cymbalum mundi*, Paris, éd. F. Franck, 1883, p. 21.

44. *Ibid.*, p. 26.

45. *Ibid.*, p. 52.

46. G. Minois, *Histoire du suicide. La société occidentale face à la mort volontaire*, Paris, 1995.

47. *Discours merveilleux de la vie, actions et déportemens de la Reyne Catherine de Médicis*, Paris, 1574, p. 101 et 107.

48. Melchior de Flavin, *De l'estat des âmes après le trépas et comment elles vivent estant du corps séparées*, Paris, 1595.

49. M. Mersenne, *Quaestiones in Genesim*, Paris, 1623, p. 230.

50. André du Breil, *Police de l'art et science de médecine, contenant la réfutation des erreurs et insignes abus qui s'y commettent pour le jourd'huy*, Paris, 1580.

51. P. de L'Estoile, *Journal*, Paris, éd. Michaud-Poujoulat, 1837, t. II, p. 533.

52. *Mémoire concernant les pauvres qu'on appelle enfermez*, Paris, 1617, cité par F. Berriot, *op. cit.*, I, p. 215.

53. Cité par F. Berriot, *op. cit.*, p. 209.

54. François Crespet, *Instruction de la foy chrestienne contre les impostures de l'Alcoran Mahométique, tant contre mahométistes que faux chrestiens et athéistes*, Paris, 1589, f° 204.

55. *Conseil salutaire d'un bon François aux Parisiens*, Paris, 1589.

56. F. Cardini, *La Culture de la guerre*, trad. franç., Paris, 1994, p. 189.

57. Nous avons abordé ces problèmes dans *L'Église et la guerre. De la Bible à l'ère atomique*, Paris, 1994, chap. VIII.

58. H. Busson, *Le Rationalisme dans la littérature française de la Renaissance*, Paris, 1957, p. 519-520.

59. A. Désiré, *La Singerie des huguenots*, Paris, 1571.

TROISIÈME PARTIE :
D'UNE CRISE DE CONSCIENCE À L'AUTRE
(1600-1730)

Chapitre VII : La première crise de la conscience européenne :
les sceptiques libertins (1600-1640)

1. On trouve une liste de ces ragots dans F.-T. Perrens, *Les Libertins en France au XVIIe siècle*, Paris, 1899.

2. Publié à Lyon en 1666.

3. R.H. Popkin, *Histoire du scepticisme d'Erasme à Spinoza*, trad. franç., Paris, PUF, 1995.

4. G. Paganini, *Scepsi moderna. Interpretazioni dello scetticismo da Charron a Hume*, Cosenza, 1991.

5. Cité par F. Berriot, *Athéismes et athéistes au XVIe siècle en France*, Atelier national de reproduction des thèses, université de Lille-III, t. II, 1976, p. 793. Une traduction anglaise du texte latin de Bodin a été publiée par M.D.L. Kuntz, *Colloquium of the Seven about the Secrets of the Sublime*, Princeton, 1975, et des extraits du texte français par R. Chauviré, *Colloque de Jean Bodin des secrets cachez des choses sublimes*, Paris, 1914.

6. *Ibid.*, p. 795.

7. « Le déiste aura foi en la science aux XVIIIe et XIXe siècles, et même cette foi en la science sera la cause de son déisme. Au contraire, au XVIIe siècle, le déiste est un sceptique, même en matière de science » (F. Strowski, *Pascal et son temps*, Paris, 1922, t. I, p. 228). Déjà, le père Mersenne notait le scepticisme généralisé des libertins : « Ils s'efforcent de persuader aux ignorants qu'il n'y a rien de certain au monde, à raison du flux et du reflux

continuel de tout ce qui est ici-bas; ce qu'ils tâchent de faire glisser dans l'esprit de certains jeunes hommes qu'ils connaissent être portés au libertinage et à toutes sortes de voluptés et curiosités, afin qu'ayant fait perdre le crédit à la vérité en ce qui est des sciences et des choses naturelles, ils fassent de même en ce qui est de la religion » (M. Mersenne, *La Vérité des sciences contre les sceptiques et les pyrrhoniens*, Paris, 1625, préface).

8. Paris, Champion, 1917.

9. J.S. Spink, *La Libre Pensée française de Gassendi à Voltaire*, trad. franç., Paris, 1966.

10. R. Lenoble, *Mersenne ou la Naissance du mécanisme*, Paris, 1943; G. Minois, *L'Église et la science*, t. II, Paris, 1991, chap. I.

11. J.-B. Neveux, *Vie spirituelle et vie sociale entre Rhin et Baltique au XVIIᵉ siècle : de J. Arndt à P.J. Spener*, Paris, 1967.

12. C'est dans l'exemplaire de la B.N., A952, col. 671, des *Quaestiones celeberrimae in Genesim*, qu'il avance ce chiffre.

13. Cité par R. Pintard, *Le Libertinage érudit dans la première moitié du XVIIᵉ siècle*, Paris, 1943, t. I, p. 36.

14. *Ibid.*, p. 28-29.

15. *Histoire nouvelle et merveilleuse et espouvantable d'un jeune homme d'Aix en Provence emporté par le Diable et pendu à un amandier pour avoir impiement blasphémé le nom de Dieu et mesprisé la saincte messe [...]. Arrivé le 11 janvier de la présente année 1614.* À Paris.

16. D'après R. Pintard, *op. cit.*

17. Cité par R. Pintard, *op. cit.*, t. I, p. 63.

18. *Ibid.*, p. 73.

19. P. Coton, *Le Théologien dans les conversations avec les sages et les grands du monde*, Paris, 1683, p. 3 et 5.

20. *Ibid.*, p. 3, 62-63, 84, 185.

21. *Ibid.*, p. 58.

22. En particulier, F. Garasse, *Le Rabelais réformé, ou les Bouffonneries, impertinences, impiétés et ignorances de Pierre du Moulin...*, Paris, 1619; *Recherches des recherches d'Estienne Pasquier*, Paris, 1622.

23. M.-F. Lachèvre, *Le Procès de Théophile de Viau devant le parlement de Paris*, 2 vol., Paris, 1919.

24. Sur le père Garasse, voir J. Lecler, « Un adversaire des libertins au début du XVIIᵉ siècle, le père François Garasse », *Études*, t. 209, n° 23, 5 déc. 1931, p. 553-572.

25. F. Garasse, *La Doctrine curieuse des beaux esprits de ce temps*, Paris, 1623 , p. 219.

26. *Ibid.*, p. 37.

27. *Ibid.*, p. 38.

28. *Ibid.*, p. 159-166.

29. *Ibid.*, p. 38.

30. *Ibid.*, p. 267.

31. *Ibid.*, p. 676-678.

32. *Ibid.*, p. 833.

33. *Ibid.*, p. 552.

34. *Ibid.*, p. 205.

35. *Ibid.*, p. 55.

36. *Ibid.*, p. 698.

37. G. Minois, *Histoire du suicide. La société occidentale face à la mort volontaire*, *op. cit.*, p. 120-124.

38. T. Bright, *A Treatise of Melancholie*, Londres, 1586, p. 228.

39. P. Barrough, *The Method of Physick*, Londres, 1596.

40. Fernel, *Physiologia*, 1607, p. 121.

41. Cité par M. Foucault, *Histoire de la folie à l'âge classique*, Paris, Gallimard, 1972, p. 281.

42. R. Burton, *The Anatomy of Melancholy*, éd. de 1948, Londres, t. I, p. 439.

43. F. Garasse, *Doctrine curieuse, op. cit.*, p. 47 et 51.

44. F. Berriot, *Athéismes et athéistes au xvi* siècle en France, op. cit.*, t. II, p. 759.

45. F. Ogier, *Jugement et censure de la Doctrine curieuse de François Garasse*, Paris, 1623, p. 135.

46. *Ibid.*, p. 172.

47. F. Garasse, *Apologie*, Paris, 1624, p. 135.

48. F. Garasse, *Somme théologique*, Paris, 1625, Avertissement XVIII, p. 36.

49. *Ibid.*, p. 233.

50. *La Somme des fautes et faussetés capitales contenues en la Somme théologique du P. François Garasse*, Paris, 1624, t. I, p. 8.

51. J.-P. Charbonnel, *La Pensée italienne au xvi* siècle et le courant libertin*, Paris, 1917; R. Pintard, *Le Libertinage érudit dans la première moitié du xvii* siècle*, Paris, 1964; J.S. Spink, *La Libre Pensée française de Gassendi à Voltaire*, éd. franç., Paris, 1966.

52. R. Pintard, *op. cit.*, t. II, p. 565.

53. De l'édition originale de l'*Histoire comique de Francion*, publiée en 1623, il ne reste que trois exemplaires. La seconde édition, en 1626, comporte des corrections, apportées à la suite du procès de Théophile de Viau.

54. Cité par A. Adam, *Les Libertins au xvii* siècle*, Paris, 1964, p. 66.

55. *Ibid.*, p. 83, 84, 86.

56. Cité par R. Pintard, *op. cit.*, p. 81.

57. Cité par D. Jacquart, « Le regard d'un médecin sur son temps : Jacques Despars (1380-1458) », *Bibliothèque de l'École des chartes*, janv.-juin 1980, t. 138, p. 35-86.

58. R. Pintard, *op. cit.*, p. 83.

59. *Quatrains du déiste*, n° 56.

60. L'*Esprit de Gui Patin,* recueil de sa correspondance, publié à Amsterdam en 1710, éclaire un peu les traits de ce personnage déroutant.

61. Cité par R. Pintard, *op. cit.*, p. 473.

62. Cité par F. Charles-Daubert, « Libertinage, littérature clandestine et privilège de la raison » », *Recherches sur le xviii* siècle*, VII, 1984, p. 45-55.

63. F. de La Mothe Le Vayer, *De la vertu des païens*, dans *Œuvres*, éd. de 1662, t. I, p. 665.

64. Cité par A. Adam, *op. cit.*, p. 127.

65. *Ibid.*, p. 136.

66. *Ibid.*, p. 136.

67. *Ibid.*, p. 203.

68. *Ibid.*, p. 195.

69. *Lettres de Gui Patin*, éd. Reveillé-Parise, t. II, p. 478-479.

70. H. Ostrowiecki, « La Bible des libertins » », *Dix-septième siècle*, n° 194, janv.-mars 1997.

71. *Lettres de Gui Patin*, *op. cit.*, p. 81.

72. J.S. Spink, *op. cit.*, p. 35.

73. R. Zuber, « Libertinage et humanisme : une rencontre difficile », *Dix-septième siècle*, n° 127, avril-juin 1980, p. 163-180. On trouvera dans le même numéro, consacré aux « Aspects et contours du libertinage », une mise au point de R. Pintard, « Les problèmes de l'histoire du libertinage, notes et réflexions », p. 131-162.

Chapitre VIII : L'envers incrédule du Grand Siècle (1640-1690)

1. Sainte-Beuve, *Port-Royal*, éd. de la Pléiade, t. II, p. 281-284.

2. Bossuet, *Lettre à un disciple du père Malebranche*, dans *Œuvres complètes*, éd. Outhenin-Chalandre, Besançon, 1836, t. II, p. 723.

3. *Ibid.*, t. I, p. 596.

4. *Ibid.*, t. I, p. 484-485.

5. *Ibid.*, t. I, p. 43.

6. La Bruyère, *Les Caractères*, chap. « Les esprits forts ».

7. Molière, *Don Juan*, I, 1.

8. *Ibid.*, III, 1.

9. R. Pintard, « Les aventures et les procès du chevalier de Roquelaure », *Revue d'histoire de la philosophie*, 1937.

10. Tallemant des Réaux, *Historiettes*, Paris, Gallimard, « Bibliothèque de la Pléiade », t. II, p. 385.

11. *Ibid.*, t. I, p. 232.

12. *Ibid.*, t. II, p. 263.

13. *Ibid.*, t. II, p. 441 et 444.

14. *Ibid.*, t. II, p. 857.

15. Saint-Simon, *Mémoires*, Paris, Gallimard, « Bibliothèque de la Pléiade », t. II, 1983, p. 867.

16. M. Marais, *Mémoires*, t. III, p. 480.

17. Bibliothèque Sainte-Geneviève, manuscrit 885-887.

18. Cité par A. Adam, *Les Libertins au xviie siècle*, Paris, 1964, p. 112-113.

19. *Ibid.*, p. 118-119.

20. *Ibid.*, p. 114-115.

21. Sainte-Beuve, *op. cit.*, t. II, p. 359.

22. J.S. Spink, *La Libre Pensée française de Gassendi à Voltaire*, trad. franç., Paris, 1966, p. 83.

23. D. Van der Cruysse, *L'Abbé de Choisy, androgyne et mandarin*, Paris, 1995. Choisy s'est expliqué sur ses goûts : voir le passage cité par Van der Cruysse, p. 94.

24. Saint-Simon, *Mémoires*, Paris, Gallimard, « Bibliothèque de la Pléiade », t. II, p. 869.

25. G. Gusdorf, *La Révolution galiléenne*, Paris, 1969, t. I, p. 193.

26. Descartes, *Œuvres complètes*, éd. C. Adam et P. Tannery, Paris, 1996, t. IV, p. 536. Descartes écrit à Chanu le 1er novembre 1646 qu'il ne veut pas s'exprimer publiquement sur l'immortalité de l'âme puisqu'on l'a accusé d'athéisme.

27. *Ibid.*, lettre du 10 mai 1647 à Élisabeth, t. V, p. 16.

28. *Ibid.*, t. III, p. 215.
29. *Ibid.*, t. V, p. 477.
30. Descartes, *Œuvres et lettres*, Paris, Gallimard, « Bibliothèque de la Pléiade », 1966, p. 1058.
31. *Ibid.*, p. 1400.
32. Bossuet, lettre du 24 mars 1701 à Pestel, docteur en Sorbonne.
33. Descartes, *Œuvres complètes*, *op. cit.*, t. I, p. 144, lettre du 25 novembre 1630.
34. G. Minois, *L'Église et la science,* t. II, Paris, 1991, p. 52-53.
35. Pascal, *Pensées*, fragment 77.
36. B. Sève, *La Question philosophique de l'existence de Dieu*, Paris, 1994.
37. O. Bloch, *Le Matérialisme*, Paris, 1985, p. 61.
38. Mme de Sévigné, *Correspondance*, Paris, Gallimard, « Bibliothèque de la Pléiade », t. I, Paris, 1972, p. 586-587.
39. T. Hobbes, *Leviathan,* I, 12.
40. P. Redondi, *Galilée hérétique*, trad. franç., Paris, 1985, p. 76.
41. *Ibid.*, p. 104.
42. *Ibid.*, p. 109.
43. *Ibid.*, p. 149.
44. *Ibid.*, p. 351.
45. G. Lamy, *Discours anatomique*, Paris, 1675, p. 230.
46. J.S. Spink, *op. cit.*, p. 142.
47. J. Cardan, *Les Livres de la subtilité*, Paris, 1584.
48. J.C. Vanini, *L'Amphithéâtre de l'éternelle providence*, dans *Œuvres philosophiques de Vanini*, trad. M.-X. Rousselot, Paris, 1842, p. 36.
49. *Ibid.*, p. 32.
50. *Ibid.*, p. 52.
51. *Ibid.*, p. 194.
52. *Ibid.*, p. 120.
53. *Ibid.*, p. 65.
54. *Ibid.*, p. 93.
56. *Ibid.*, p. 68.
56. *Ibid.*, p. 106.
57. J.C. Vanini, *De admirandis naturae reginae deaeque mortalium arcanis*, ou *Dialogues de la nature*, trad. M.-X. Rousselot, dans *Œuvres philosophiques de Vanini*, Paris, 1842, p. 219-220.
58. Cité par F. Berriot, *Athéismes et athéistes au xvi* siècle en France*, *op. cit.*, t. II, p. 800.
59. Grammont, *Historiarum Galliae ab excessu Henrici IV libri XVIII*, Toulouse, 1643, III, p. 210.
60. J. Saurin, *Sermons sur divers textes de l'Écriture sainte*, Genève, 1745, t. I, p. 200.
61. *Œuvres de Jean Meslier*, t. II, Paris, 1971, p. 178.
62. *Ibid.*, p. 579.
63. Cité par R. Pintard, *Le Libertinage érudit dans la première moitié du xvii* siècle*, Paris, 1943, t. I, p. 261.
64. *Ibid.*, p. 262.
65. Traiano Boccalini (1556-1613) ironisait de son côté sur l'attitude de Pomponazzi, racontant que, convoqué par Apollon, il lui dit : « Je crois

comme chrétien et comme homme ce que je ne puis croire comme philosophe et comme savant. » Le jugement d'Apollon aurait été : « Pomponazzi doit donc être disculpé comme homme et brûlé comme philosophe. » (*Récits du Parnasse*, 1613.)

66. Cité par R. Pintard, *op. cit.*, p. 397.

67. R. Pintard, *op. cit.*, p. 397.

68. Cité par R. Pintard, *op. cit.*, p. 398.

69. Balzac, *Socrate chrétien*, Paris, 1652, p. 181.

70. Lord Falkland, *A Discourse of Infallibility*, Londres, 1660, p. 241.

71. H. Trevor-Roper, « The Great Tew Circle », dans *Catholics, Anglicans and Puritans*, Londres, 1987, p. 166-230.

72. H. Trevor-Roper, « Nicholas Hill, the English Atomist », *ibid.*, p. 1-39.

73. K. Thomas, *Religion and the Decline of Magic*, éd. Penguin, Londres, 1991, p. 203. Au sujet des courants athées en Angleterre à cette époque, voir C. Hill, *The World turned upside down*, Londres, 1972.

74. *Acts and Ordinances of the Interregnum, 1642-1660*, éd. C.H. Firth et R.S. Rait, Londres, 1911, t. I, p. 1133.

75. J. Redwood, *Reason, Ridicule and Religion. The Age of Enlightenment in England, 1660-1750*, rééd., Londres, 1996, p. 19.

76. J. Milton, *Haeresiae, Schism, Toleration and Best Means may be used against the Growth of Popery*, Londres, 1679, p. 16.

77. G.W. Stoye, *English Travellers abroad, 1604-1667. Their Influence on English Society and Politics*, Londres, 1952 ; J. Lough, *France observed in the seventeenth Century by British Travellers*, Stocksfield, 1984.

78. Nous reprenons ici des passages de notre article « Religion et culture nationale d'après les voyageurs anglais au xviie siècle », dans *Homo religiosus*, Paris, 1997, p. 407-412.

79. J. Glanvill, *A Seasonable Recommendation and Defence of Reason, on the Affairs of Religion against Infidelity*, Londres, 1670, p. 1.

80. On en possède quatre manuscrits, et une bonne édition critique est parue en Italie : *Theophrastus redivivus*, éd. G. Paganini et G. Canziani, 2 vol., Florence, 1981. Voir aussi la très bonne étude de T. Gregory, *Theophrastus redivivus. Erudizione e ateismo nel Seicento*, Naples, Morano, 1979.

81. J.S. Spink, *op. cit.*, p. 86.

82. J.S. Spink, « La diffusion des idées matérialistes et antireligieuses au début du xviiie siècle, le *Theophrastus redivivus* », *Revue d'histoire littéraire de la France*, t. 34, 1937, p. 248-255.

83. H. Ostrowiecki, « Le jeu de l'athéisme dans le *Theophrastus redivivus* », *Revue philosophique de la France et de l'étranger*, avril-juin 1996.

84. *Ibid.*, p. 276.

85. *Ibid.*, p. 277.

Chapitre IX : La deuxième crise de la conscience européenne :
raison et athéisme (1690-vers 1730)

1. R. Bentley, *Réfutation de l'athéisme*, Londres, 1737.

2. Cité par F. Russo, « Théologie naturelle et sécularisation de la science

au XVIIIe siècle », *Recherches de sciences religieuses*, janv.-mars 1978, t. 66, p. 32.

3. G. Berkeley, *Principles of Human Knowledge*, Edimbourg, éd. Luce te Jessop, 1949, t. I, p. 94.

4. G. Berkeley, *The Works*, Oxford, éd. Fraser, 1871, p. 297.

5. *Four Letters from Sir Isaac Newton to doctor Bentley containing some Arguments in Proof of a Deity*, Londres, 1756, p. 1.

6. L. François, *Preuves de la religion de Jésus-Christ contre le spinozisme et les déistes*, Paris, 1751, t. I, p. 94.

7. J. Redwood, *Reason, Ridicule and Religion. The Age of Enlightenment in England, 1660-1750*, Londres, éd. 1996, p. 99.

8. Cité par F. Russo, *op. cit.*, p. 32.

9. Cité par J. Baruzi, *Leibniz et l'organisation religieuse de la terre*, Paris, 1907, p. 487.

10. C. Wolff, *Vernünftige Gedanken von Gott*, § 381.

11. « Après sa mort, la pensée se développera à l'encontre de ses intentions tout en suivant le sillage qu'il a lui-même tracé. Il a voulu justifier le christianisme. Il l'a miné » (P. Lenz-Medoc, « La mort de Dieu », dans *Satan*, Études carmélitaines, Paris, 1948, p. 612).

12. *Mémoires de Trévoux*, oct. 1710, p. 1748.

13. Fénelon, *Réfutation du système du père Malebranche*, chap. XXIII.

14. Le Clerc publie des résumés de 1703 à 1706 dans sa *Bibliothèque choisie*.

15. R. Cudworth, *The True Intellectual System...*, I, 322.

16. J. Roger, *Les Sciences de la vie dans la pensée française au XVIIIe siècle*, Paris, 1993, p. 43.

17. Voltaire, *Questions sur les miracles*, lettre IV.

18. Cité par J. Roger, *op. cit.*, p. 513.

19. C. Brunet, *Le Progrès de la médecine,* Paris, 1697, p. 43.

20. C. Perrault, *Œuvres de physique et de mécanique*, Leyde, 1721, p. 330.

21. Tyssot de Patot, *Lettres choisies*, 1727, lettre 67.

22. P. Bayle, *Réponses aux questions d'un provincial*, t. III.

23. F. Colonna, *Les Principes de la nature suivant les opinions des anciens philosophes*, Paris, 1725, préface, p. XXX.

24. G. Purshall, *Essay on the Mechanical Fabrik of the Universe*, Londres, 1707.

25. Le François, *Réflexions critiques sur la médecine*, Paris, 1714.

26. P. Hecket, *La Médecine théologique*, Paris, 1733, p. 279.

27. Maubec, *Principes physiques de la raison et des passions de l'homme*, Paris, 1709.

28. Jurieu, *La Religion du latitudinaire*, Rotterdam, 1691.

29. A. Thomson, « Guillaume Lamy et l'âme matérielle », *Dix-huitième siècle*, n° 24, 1992.

30. Collins, *Lettre à Dodwell sur l'immortalité de l'âme*, 1709.

31. Boulainvilliers, *La Vie de Mohammed*, Paris, 1730, p. 180.

32. Abbadie, *Traité de la vérité de la religion chrétienne*, 1684, t. I, p. 185.

33. P. Bayle, *Réponses aux questions d'un provincial*, t. III, p. 929.

34. J.-B. Labat, *Nouveau voyage aux îles d'Amérique*, Paris, 1722, t. II, p. 25.

35. R. Dutertre, *Entretiens sur la religion*, 1743.

36. C. Buffier, *Traité des premières vérités*, Paris, 1724, p. 34.

37. V. Pinot, *La Chine et la formation de l'esprit philosophique en France (1640-1740)*, Paris, 1932.

38. D. Venturino, « Un prophète "philosophe"? Une *Vie de Mohammed* à l'aube des Lumières », *Dix-huitième siècle*, n° 24, 1992.

39. R. Challe, *Journal d'un voyage fait aux Indes orientales*, éd. Mercure de France, 1983, cité p. 14.

40. *Ibid.*, cité p. 14.

41. Cité par G. Gusdorf, *La Révolution galiléenne*, Paris, 1969, t. II, p. 388.

42. Bossuet, *Œuvres complètes*, lettre du 22 octobre 1693.

43. *Ibid.*, lettre du 27 mai 1702.

44. La Peyrère, *Prae Adamitae, systema theologicum ex praeadamitarum hypothesis*, 1655.

45. Cité par P. Hazard, *La Crise de la conscience européenne. 1680-1715*, Paris, 1961, p. 41.

46. F. Laplanche, *La Bible en France entre mythe et critique. xvie-xixe siècle*, Paris, 1994, p. 84-85.

47. E. Labrousse, *Pierre Bayle*, La Haye, 1964, Paris, 1996.

48. A.-M. de Liguori, *Brève dissertation contre les erreurs des incrédules modernes*, éd. de Turin, 1825-1826, t. I, p. 239.

49. H. Arvon, *L'Athéisme*, Paris, 1967, p. 29.

50. C. Fabro, « Genèse historique de l'athéisme philosophique contemporain », dans *L'Athéisme dans la philosophie contemporaine*, t. II, vol. 1, Paris, 1970, p. 52.

51. P. Bayle, *Continuation des pensées diverses sur la comète*, dans *Œuvres diverses*, La Haye, 1737, p. 329.

52. *Ibid.*, p. 240.

53. P. Bayle, *Pensées diverses sur la comète*, dans *Œuvres diverses*, III, p. 91.

54. P. Bayle, *Réponses aux questions d'un provincial*, dans *Œuvres diverses*, III, p. 1057.

55. P. Bayle, *Commentaire philosophique*, p. 431.

56. J. Locke, *Lettre sur la tolérance*, Paris, éd. Garnier-Flammarion, 1992, p. 206.

57. H.B. Acton, « The Enlightenment et ses adversaires », *Histoire de la philosophie*, Paris, Gallimard, « Bibliothèque de la Pléiade », t. II, p. 635.

58. On y trouve les principaux ouvrages de lutte contre l'athéisme, comme l'ont montré J. Harrison et T.P. Laslett, *The Library of John Locke*, 2e éd., Oxford, 1971.

59. J. Locke, *Discourses on the Being of a God and the Immortality of the Soul...*, Londres, 1712.

60. J. Swift, *An Argument to prove that the Abolition of Christianity in England may, as things now stand, be attended with some Inconveniences*, Londres, 1708, dans *Swift's Works*, éd. H. Davis, Oxford, 1939, t. II, p. 34.

61. Cité par J. Redwood, *op. cit.*, p. 43.

62. *A Persuasive to an Ingenious Trial of Opinions in Religion*, Londres, 1685.

63. H. Croft, *Some Animadversions upon a Book intituled « The Theory of the Earth »*, Londres, 1685, préface.

64. J. Edwards, *The Charge of Socinianism against Dr. Tillotson conside-red*, Londres, 1695.

65. *To the King's most Excellent... the Humble Address of the Atheists, or Sect of the Epicureans*, Londres, 1688.

66. W. Chillingworth, *The Religion of Protestants*, Londres, 1687.

67. D. Sicurus, *The Origins of Atheism in the Popish and Protestant Churches*, Londres, 1684.

68. *Reflections upon the Great Depravity and Infidelity of the Times*, Londres, 1729.

69. *The Infidel convicted*, Londres, 1731.

70. M. Iofrida, « Matérialisme et hétérogénéité dans la philosophie de John Toland », *Dix-huitième siècle*, n° 24, 1992.

71. W. Whiston, *Discourse of the Grounds and Reasons of the Christian Religion*, Londres, 1724.

72. T. Chubb, *The True Gospel of Jesus Christ asserted*, Londres, 1738.

73. J. Sherlock, *The Tryal of Witnesses of the Resurrection of Jesus*, Londres, 4ᵉ éd., 1729.

74. T. Stackhouse, *A Fair State of the Controversy between Mr. Woolston and his Adversaries*, Londres, 1730.

75. G. Berkeley, *Alciphron, or the Minute Philosopher, in Seven Dia-logues*, 2 vol., Londres, 1732, vol. I, préface.

76. M. Bracken, *The Early Reception of Berkeley's Immaterialism*, Londres, 1965.

77. *The Third Charge of Sir John Gonson to General Quarter Sessions of the Peace for Westminster*, Londres, 1728, p. 91.

78. P. Lurbe, « Matière, nature, mouvement chez d'Holbach et Toland », *Dix-huitième siècle*, n° 24, 1992.

QUATRIÈME PARTIE :
LE XVIIIᵉ SIÈCLE INCRÉDULE

Chapitre X : Le manifeste de l'abbé Meslier (1729)

1. *Œuvres de Jean Meslier*, éd. J. Deprun, R. Desné, A. Soboul, Paris, 3 vol., 1970, t. III, p. 203.

2. *Ibid.*, p. 185.

3. *Ibid.*, p. 187-188.

4. *Ibid.*, p. 194.

5. *Ibid.*, p. 197.

6. *Ibid.*, p. 199.

7. *Ibid.*, p. 182.

8. *Ibid.*, t. II, p. 334.

9. *Ibid.*, t. II, p. 348.

10. *Ibid.*, t. II, p. 280-281.

11. *Ibid.*, t. I, p. 81.

12. *Ibid.*, p. 311.

13. J. Desné, dans *Œuvres de Jean Meslier*, *op. cit.*, t. III, p. 216.

14. *Ibid.*, t. III, p. 296.

15. *Ibid.*, t. II, p. 473.

16. *Ibid.*, t. II, p. 431, note 1.

17. *Ibid.*, t. III, p. 43-44.

18. *Ibid.*, t. II, p. 190.

19. *Ibid.*, t. II, p. 221.

20. Par exemple Marc Bredel, *Jean Meslier l'enragé, prêtre athée et révolutionnaire sous Louis XIV*, Paris, 1983, p. 200.

21. *Œuvres de Jean Meslier, op. cit.*, t. III, p. 14.

22. *Ibid.*, t. III, p. 38.

23. *Ibid.*, t. III, p. 40.

24. *Ibid.*, t. III, p. 44 et 45.

25. *Ibid.*, t. III, p. 60.

26. *Ibid.*, t. III, p. 65.

27. *Ibid.*, t. III, p. 236.

28. *Ibid.*, t. III, p. 245.

29. *Ibid.*, t. III, p. 276.

30. *Ibid.*, t. I, p. 113-114.

31. *Ibid.*, t. I, p. 108.

32. *Ibid.*, t. I, p. 336.

33. *Ibid.*, t. I, p. 330.

34. *Ibid.*, t. I, p. 344.

35. *Ibid.*, t. I, p. 361.

36. *Ibid.*, t. I, p. 240.

37. *Ibid.*, t. I, p. 391.

38. *Ibid.*, t. I, p. 397.

39. *Ibid.*, t. I, p. 307.

40. *Ibid.*, t. I, p. 306.

41. *Ibid.*, t. I, p. 191-192.

42. *Ibid.*, t. I, p. 197.

43. *Ibid.*, t. I, p. 477.

44. *Ibid.*, t. I, p. 497.

45. *Ibid.*, t. II, p. 483.

46. *Ibid.*, t. II, p. 486.

47. *Ibid.*, t. I, p. 424.

48. *Ibid.*, t. I, p. 315.

49. *Ibid.*, t. II, p. 157.

50. Voir notre étude, *Le Couteau et le poison. L'assassinat politique en Europe (1400-1800)*, Paris, 1997.

51. *Œuvres de Jean Meslier, op. cit.*, t. III, p. 129.

52. *Ibid.*, t. III, p. 139.

53. *Ibid.*, t. III, p. 177.

54. *Ibid.*, t. I, p. 37-38.

55. La biographie la plus complète de Meslier reste celle de M. Dommanget, *Le Curé Meslier, athée, communiste et révolutionnaire sous Louis XIV*, Paris, 1965.

56. C. Chalippe, *Oraison funèbre de Mgr F. de Mailly*, Paris, 1722, p. 24.

57. Saint-Simon, *Mémoires*, Paris, Gallimard, « Bibliothèque de la Pléiade », t. VII, p. 819.

58. J. Gillet, *Camille Le Tellier de Louvois*, Paris, 1884, p. 197.

59. *Œuvres de Jean Meslier*, *op. cit.*, préface, t. I, p. xxvi.

60. *Ibid.*, t. I, p. 31-33. De même pour les quatre passages précédents : t. I, p. xxvii-xxviii; t. III, documents, p. 417; t. I, p. 5-6; t. I, p. 29.

61. *Ibid.*, t. I, préface, p. lxxxii.

62. *Ibid.*, t. II, p. 160.

63. *Ibid.*, t. III, p. 175.

64. Voltaire, *Extraits des sentiments de Jean Meslier*, Paris, Gallimard, « Bibliothèque de la Pléiade », vol. *Mélanges*, p. 501.

65. Voltaire, *Correspondance*, éd. Bestermann, t. 50, p. 80.

66. Cité par R. Desné, dans la préface des *Œuvres de Jean Meslier*, *op. cit.*, t. I, p. lxii.

67. F. Ravaisson, *Archives de la Bastille*, t. XII, Paris, 1881, p. 231.

68. J.K. Kossakowski, *Ksiadz pleban* (*Le Curé*), Varsovie, 1786.

69. G. Artigas-Menant, « Quatre témoignages inédits sur le "Testament" de Meslier », *Dix-huitième siècle*, n° 24, 1992.

70. Voir à ce sujet les *Actes du colloque international de Reims*, 17-19 octobre 1974, sur *Le Curé Meslier et la vie intellectuelle, religieuse et sociale (fin xviie-début xviiie siècle)*, Reims, bibliothèque de l'université. En particulier les communications de P. Doussot, « L'archaïsme de Meslier », qui note chez lui des réminiscences hussites, de K.M. Mondjian, « Meslier et l'orientation démocratique populaire dans le matérialisme français au xviiie siècle », de J. Chaurand, « Tromper et se tromper : Meslier et le sens de l'Écriture », de R. Desné, « Meslier et son lecteur », de P. Retat, « Meslier et Bayle : un dialogue cartésien et occasionaliste autour de l'athéisme ».

71. Cité dans *Œuvres de Jean Meslier*, *op. cit.*, t. III, p. 503.

72. C. Nodier, *Mélanges tirés d'une petite bibliothèque*, Paris, 1829, p. 182.

73. R. Desné, dans la préface des *Œuvres de Jean Meslier*, *op. cit.*, t. I, p. lxxiii-lxxix.

74. M. Skrzypek, « L'athéisme de Meslier et l'athéisme marxiste », dans *Actes du colloque de Reims*, *op. cit.* N.P. Solokov, *Histoire de la libre pensée et de l'athéisme en Europe*, Moscou, 1966 ; B.F. Porchnev, *Jean Meslier et les sources populaires de ses idées*, Moscou, 1955 ; I.P. Voronitsine, *Istoria ateizma*, Riazan, 1930. La *Grande Encyclopédie soviétique* de 1938 lui consacre un long article.

75. M. Skrzypek, « La fortune de Jean Meslier en Russie et en URSS », *Dix-huitième siècle*, 1971, n° 3, p. 117-143.

76. J. Quéniart, *Culture et société urbaines dans la France de l'Ouest au xviiie siècle*, Paris, 1988, p. 243.

77. R. Desné, dans *Œuvres de Jean Meslier*, préface, *op. cit.*, t. I, p. xxvii.

78. A. Bernard, *Le Sermon au xviiie siècle*, Fontemoing, 1901 ; J. Candel, *Les Prédicateurs français de la première moitié du xviiie siècle*, Paris, 1904.

79. R. Mortier, « Meslier et le statut de l'ecclésiastique », dans *Actes du colloque de Reims*, *op. cit.*

80. *Mémoires de Fléchier sur les Grands Jours d'Auvergne en 1665*, Paris, 1856, p. 195.

81. E. Le Roy Ladurie, *Le Territoire de l'historien*, t. II, Paris, 1978, p. 378.

82. Cité par H. Le Goff, *Bégard, le petit Cîteaux de l'Armorique*, Guipavas, 1980, p. 355.

83. A. Robinet, *Dom Deschamps. Le maître du soupçon*, Paris, 1994.

84. Lettre de Dom Deschamps à Amdorffer, citée par A. Robinet, *op. cit.*

Chapitre XI : Irréligion et société au XVIIIe siècle

1. *Œuvres de Jean Meslier, op. cit.*, t. II, p. 157.
2. G. Le Bras, *Études de sociologie religieuse*, 2 vol., Paris, 1955.
3. *Ibid.*, t. I, p. 60.
4. *Ibid.*, cité p. 64.
5. *Ibid.*
6. *Ibid.*, p. 65.
7. *Ibid.*, p. 249.
8. *Ibid.*, p. 252.
9. T.-J. Schmitt, *L'Organisation ecclésiastique et la pratique religieuse dans l'archidiaconé d'Autun de 1650 à 1750*, Autun, 1957.
10. L. Pérouas, *Le Diocèse de La Rochelle de 1648 à 1724*, Paris, 1964.
11. N. Perin, « Quelques aspects de la vie religieuse dans les campagnes ardennaises au temps de Meslier », dans *Le Curé Meslier et la vie intellectuelle, religieuse et sociale (fin XVIIe-début XVIIIe siècle)*, Actes du colloque international de Reims, 17-19 octobre 1974, Reims.
12. *Œuvres complètes de Massillon*, Paris, 1822, t. XV, p. 218.
13. *Ibid.*, p. 217.
14. *Ibid.*, p. 221.
15. *Ibid.*, p. 234.
16. *Ibid.*, p. 263.
17. *Ibid.*, p. 235.
18. *Ibid.*, p. 226.
19. *Ibid.*, p. 230-232.
20. *Ibid.*, p. 265.
21. A.-M. de Liguori, *Courte dissertation contre les erreurs des incrédules modernes, connus sous le nom de matérialistes et de déistes*, dans *Œuvres complètes*, t. 18, Paris, 1835, p. 132.
22. *Ibid.*, p. 134.
23. *Ibid.*
24. *Ibid.*, p. 206.
25. *Ibid.*, p. 207.
26. *Ibid.*, p. 233.
27. *Ibid.*, p. 238.
28. *Ibid.*, p. 150.
29. A.-M. de Liguori, *Contre les matérialistes qui nient l'existence de Dieu*, dans *Œuvres complètes*, t. 18, p. 216.
30. *Ibid.*, p. 17.
31. *Ibid.*, p. 2-3.
32. A.-M. de Liguori, *Réflexions sur la vérité de la révélation divine contre les principales objections des déistes*, dans *Œuvres complètes*, t. 18, p. 216.
33. *Collection des procès-verbaux des assemblées générales du clergé de France depuis 1500 jusqu'à présent*, 9 vol., Paris, 1767-1778.
34. G. Minois, *Censure et culture sous l'Ancien Régime*, Paris, 1995, p. 231-234.

35. *Collection des procès-verbaux*, *op. cit.*, t. VII, 2ᵉ partie, 1778, col. 1227.

36. *Ibid.*, col. 2233.

37. *Ibid.*, col. 707.

38. *Ibid.*, col. 708.

39. *Ibid.*, col. 716.

40. *Procès-verbal de l'assemblée générale du clergé de France de 1780, au couvent des Grands Augustins*, Paris, 1782, p. 335.

41. G. Minois, *op. cit.* p. 240-242.

42. *Ibid.*, p. 244-252.

43. S. Mercier, *Tableau de Paris*. Nous utilisons l'édition de 1783.

44. *Ibid.*, t. 3, p. 92.

45. *Ibid.*

46. *Ibid.*, p. 90.

47. *Ibid.*, p. 93.

48. *Ibid.*, p. 91.

49. *Ibid.*, t. 7, p. 33.

50. *Ibid.*, t. 6, p. 114.

51. *Ibid.*, t. 7, p. 166-168.

52. *Ibid.*, t. 7, p. 128.

53. *Ibid.*, t. 7, p. 55.

54. Cité dans *Œuvres de Jean Meslier*, *op. cit.*, t. I, p. 420, note 1.

55. Cité dans R. Stauffenegger, *Église et société à Genève au xviiᵉ siècle*, Paris, 1984, t. I, p. 384.

56. *Ibid.*, t. I, p. 443.

57. M. Fontius, « Littérature clandestine et pensée allemande », dans *Le Matérialisme du xviiiᵉ siècle et la littérature clandestine*, sous la dir. de O. Bloch, Paris, 1982, p. 251-262.

58. Mendelssohn, *Morgenstunden oder Vorlesungen über das Dasein Gottes*, dans *Schriften zur Metaphysik und Ethik*, t. I, Leipzig, 1880, p. 300.

59. M. Skrzypek, « La diffusion clandestine du matérialisme français dans les Lumières polonaises », dans *Le Matérialisme du xviiiᵉ siècle...*, *op. cit.*, p. 263-271.

60. Cité par M. Skrzypek, art. cit., p. 263.

61. *Ibid.*, p. 264.

62. Saint-Simon, *Mémoires*, Paris, Gallimard, « Bibliothèque de la Pléiade », t. II, p. 857-858.

63. *Lettres de la princesse Palatine*, éd. Mercure de France, Paris, 1981, p. 175.

64. *Ibid.*, p. 133.

65. *Ibid.*, p. 386.

66. Saint-Simon, *op. cit.*, t. I, p. 570.

67. *Ibid.*, t. I, p. 455.

68. *Ibid.*, t. II, p. 663.

69. *Ibid.*, t. II, p. 463.

70. *Ibid.*, t. VII, p. 666.

71. Cardinal de Bernis, *Mémoires*, éd. Mercure de France, Paris, 1986, p. 52.

72. *Ibid.*, p. 65.

73. M. Vovelle, *Piété baroque et déchristianisation en Provence au xviiiᵉ siècle*, Paris, 1973, p. 601.

74. *Ibid.*

75. *Ibid.*, p. 602.

76. G. Le Bras, *Études de sociologie religieuse*, Paris, 1955, t. I, p. 241.

77. M. Vovelle, *op. cit.*, p. 614.

78. *Ibid.*, p. 291.

79. Chaudon, *Nouveau Dictionnaire historico-portatif*, éd. de 1804.

80. D'Hémery, *Journal de la Librairie*, année 1753, BN, Ms. Fr. 22158, f° 186.

81. Duclos, *Mémoires secrets*, Paris, éd. de 1864, t. I, p. 34.

82. Cité par M. Vovelle, *Mourir autrefois. Attitudes collectives devant la mort aux xviiᵉ et xviiiᵉ siècles*, Paris, 1974, p. 56.

83. G. Le Bras, *op. cit.*, t. I, p. 241.

84. Cité par G. Le Bras, *op. cit.*, t. I, p. 44.

85. F. Billacois, « À vau-l'eau ? La religiosité des mariniers de Loire », dans *Homo religiosus*, Paris, 1997, p. 597-603.

86. R. Baetens, « La population maritime de la Flandre : une religiosité en question (xviᵉ-xviiiᵉ siècle) », dans *Foi chrétienne et milieux maritimes, xvᵉ-xxᵉ siècle,* Actes du colloque du Collège de France, 23-25 septembre 1987, Paris, 1989, p. 86.

87. *Ibid.*, p. 102.

88. A. Cabantous, « Morale de la mer, morale de l'Église (1650-1850) », dans *Foi chrétienne..., op. cit.*, p. 274-292.

89. G.-A. Lobineau, *Les Vies des saints de Bretagne et des personnages d'une éminente dignité qui ont vécu dans la même province*, Rennes, 1724, p. 176.

90. G. Minois, « Les missions des jésuites dans les îles bretonnes dans la première moitié du xviiᵉ siècle », dans *Foi chrétienne..., op. cit.*, p. 19-36.

91. A. Croix, *Cultures et religion en Bretagne aux xviᵉ et xviiᵉ siècles*, Rennes, 1995.

92. P. Séjourné, *Histoire du vénérable serviteur de Dieu Julien Maunoir*, 2 vol., Paris, 1895.

93. R. Muchembled, *Culture populaire et culture des élites dans la France moderne (xvᵉ-xviiiᵉ siècle)*, Paris, 1978.

94. J.-B. Thiers, *Traité des superstitions*, Paris, 1679.

95. M.-H. Froeschlé-Chopard, « Les visites pastorales de Provence orientale du xviᵉ au xviiiᵉ siècle », *Revue d'histoire de l'Église de France*, n° 171, juill.-déc. 1977, p. 273-292.

96. L. Michard et G. Couton, « Les livres d'états des âmes. Une source à collecter et à exploiter », *Revue d'histoire de l'Église de France*, n° 179, juill.-déc. 1981, p. 261-276.

97. *Pratique du sentiment de pénitence ou méthode pour l'administrer utilement*, Paris, 1711, p. 200-201.

98. *Ibid.*, p. 508.

99. Cité dans G. Minois, *Un échec de la réforme catholique en Basse Bretagne : le Trégor du xviᵉ au xviiiᵉ siècle*, thèse d'État dactyl., t. IV, Rennes, 1984, p. 998.

100. *Mémoires de Madame Roland*, éd. C. Perroud, Paris, 1905, t. II, p. 91-92.

101. *Ibid.*, p. 93.

102. *Ibid.*, p. 109.

103. Abbé Charrier, *Histoire du jansénisme dans le diocèse de Nevers*, Paris, 1920, p. 146. Opinion confirmée par E. Préclin, *Les Jansénistes du xviiie siècle et la Constitution civile du clergé*, Paris, 1928, et P. Ordioni, *La Résistance gallicane et janséniste dans le diocèse d'Auxerre (1704-1760)*, Auxerre, 1932.

104. Cité par D. Dinet, « Le jansénisme et les origines de la déchristianisation au xviiie siècle. L'exemple des pays de l'Yonne », dans *Du jansénisme à la laïcité. Le jansénisme et les origines de la déchristianisation*, sous la dir. de L. Hamon, Paris, 1987, p. 20.

105. *Ibid.*, p. 23.

106. *Ibid.*, p. 26.

107. E. Le Roy Ladurie, « L'ethnographie à la Rétif », dans *Le Territoire de l'historien*, Paris, t. II, 1978, p. 379.

108. F. Bluche, *Les Magistrats du parlement de Paris (1715-1771)*, Paris, 1960, cité p. 248.

109. E.R. Briggs, « L'incrédulité et la pensée anglaise en France au début du xviiie siècle », *Revue d'histoire littéraire de la France*, 1934, p. 534.

110. *Archives de la Bastille*, éd. Ravaisson, t. XIV, p. 221.

111. Duclos, *op. cit.*, p. 38.

112. Cité par E.R. Briggs, *op. cit.*, p. 526.

113. *Ibid.*, p. 530.

114. *Ibid.*, p. 526.

115. *Ibid.*, p. 528.

116. P. Clair, « Déisme et athéisme de 1665 à 1715 à travers les journaux », dans *Recherches sur le xviie siècle*, 2, Paris, 1978, p. 109-122.

117. *Le Matérialisme du xviiie siècle et la littérature clandestine*, sous la dir. de O. Bloch, Paris, 1982. *Les Matérialistes du xviiie siècle*, présenté par J.-C. Bourdin, Paris, 1996. L'ouvrage ancien de I.O. Wade, *The Clandestine Organisation of Philosophic Ideas in France from 1700 to 1750*, Princeton, 1938, est toujours valable, mais compte des lacunes.

118. M. Benitez, « Qu'est-ce qu'un manuscrit clandestin ? », dans *Le Matérialisme du xviiie siècle*, *op. cit.*, p. 13-29.

119. *Spectatrice danoise*, II, 1750, p. 467.

120. F. Deloffre, « Un "système de religion naturelle" : du déisme des *Difficultés de la religion* au matérialisme du *Militaire philosophe* », dans *Le Matérialisme du xviiie siècle*, *op. cit.*, p. 67-80.

121. R. Desné, « Sur un manuscrit utilisé par d'Holbach : *L'Histoire critique de Jésus, fils de Marie* », dans *Le Matérialisme du xviiie siècle*, *op. cit.*, p. 169-176.

122. *Ibid.*, cité p. 174.

123. Cité par G. Lanson, « Questions diverses sur l'histoire de l'esprit philosophique en France avant 1750 », *Revue d'histoire littéraire de la France*, t. 19, 1912.

124. J.S. Spink, *La Libre Pensée française de Gassendi à Voltaire*, Paris, 1966, p. 325.

125. Cité par A. Niderst, « L'examen critique des apologistes de la religion chrétienne. Les frères Lévesque et leur groupe », dans *Le Matérialisme du xviiie siècle*, *op. cit.*, p. 46.

126. *Ibid.*, p. 59-61.

127. A. Thomson et F. Weil, « Manuscrits et éditions de l'*Examen de la religion* », dans *Le Matérialisme du XVIIIᵉ siècle, op. cit.*, p. 219-226.

128. M. Benitez, « Orobio de Castro et la littérature clandestine », dans *Le Matérialisme du XVIIIᵉ siècle, op. cit.*, p. 149-165.

130. A. Thomson, « La Mettrie et la littérature clandestine », dans *Le Matérialisme du XVIIIᵉ siècle, op. cit.*, p. 235-244.

131. *Ibid.*, p. 240.

132. Cité par C. Stancati, « La *Dissertation sur la formation du monde* et les origines du matérialisme : matière et mouvement », dans *Le Matérialisme du XVIIIᵉ siècle, op. cit.*, p. 109.

133. M. Benitez, « La tentation du gouffre. La pluralité des mondes dans la littérature clandestine », dans *Le Matérialisme du XVIIIᵉ siècle, op. cit.*, p. 115-128.

134. *Ibid.*, p. 122.

135. P. Retat, « Érudition et philosophie. Mirabaud et l'Antiquité », dans *Le Matérialisme du XVIIIᵉ siècle, op. cit.*, p. 91-99.

136. H. Coulet, « Réflexions sur les *Meditationes* de Lau », dans *Le Matérialisme du XVIIIᵉ siècle, op. cit.*, p. 31-43.

137. B. Tocanne, « Aspects de la pensée libertine à la fin du XVIIᵉ siècle : le cas de Claude Gilbert », *Dix-septième siècle*, nº 127, avril-juin 1980, p. 213-224.

138. Sur la question du suicide, voir notre étude, *Histoire du suicide. La société occidentale face à la mort volontaire*, Paris, 1995.

139. J. Ehrard, *L'Idée de nature en France dans la première moitié du XVIIIᵉ siècle*, Paris, 1963 ; éd. A. Michel, 1994, p. 94.

140. La Mettrie, *L'Homme machine*, 1748, p. 108.

141. A. Chérel, *Un aventurier religieux au XVIIIᵉ siècle : André-Michel Ramsay*, Paris, 1926.

142. *Collection intégrale et universelle des orateurs sacrés*, éd. Migne, t. 76, col. 2.

Chapitre XII : La remise en cause des fondements du christianisme
et les hésitations du déisme

1. J.P. Richter, *Siebenkäs*, éd. Aubier, Paris, 1963, p. 452.

2. *Ibid.*, p. 456.

3. Diderot, *Essai sur le mérite et la vertu*, p. 13.

4. Voltaire, *Dictionnaire philosophique*, art. « Théiste ».

5. Le Franc de Pompignan, *Questions diverses sur l'incrédulité*, Paris, 1751, p. 3.

6. D. Hume, *Dialogues sur la religion naturelle*, éd. M. Malherbe, Paris, 1987, IX.

7. *Ibid.*, IV.

8. *Ibid.*, p. 158.

9. K. Jaspers, *Deucalion 4*, nº 36, 1952, p. 247.

10. J.-M. Paul, *Dieu est mort en Allemagne. Des Lumières à Nietzsche*, Paris, 1994, p. 71.

11. *Ibid.*, p. 46.

12. Fichte, *Werke*, 1798-1799, I, 5, p. 354.

13. Cité par Leisegang, *H. Lessings Weltanschauung*, Leipzig, 1931, p. 175.

14. Montesquieu, *Œuvres posthumes*, éd. 1798, p. 215.

15. Cité par R. Favre, *La Mort au siècle des Lumières*, Lyon, 1978, p. 511.

16. *Ibid.*, p. 532.

17. Voltaire, *Correspondance*, Besterman 4014.

18. Cité par R. Favre, *op. cit.*, p. 533-534.

19. Senancour, *Rêveries sur la nature primitive de l'homme*, t. I, éd. Cornely, Paris, 1910, p. 19.

20. R. Favre, *op. cit.*, p. 508.

21. *Procès-verbaux des assemblées générales du clergé de France*, 1775, pièces justificatives, p. 715.

22. P. Lallemant, *Les Saints Désirs de la mort*, Paris, 1673, p. 51.

23. Bayle, *Dictionnaire historique et critique*, art. « Bion Borysthémite ».

24. Marquis d'Argens, *Lettres juives*, La Haye, 1736, V, p. 205.

25. R. Favre, *op. cit.*, p. 95.

26. Cité par R. Favre, *op. cit.*, p. 96.

27. J. Necker, *De l'importance des opinions religieuses*, dans *Œuvres complètes*, éd. Treuttel et Würtz, 1820-1821, t. XII, p. 355.

28. Cité par R. Favre, *op. cit.*, p. 172.

29. D'Holbach, *Système de la nature*, I, p. 228.

30. Chamfort, *Maximes et pensées,* dans *Œuvres complètes*, t. I, p. 362.

31. Diderot, *Correspondance,* t. III, p. 275.

32. R. Favre, *op. cit.*, chap. « Le goût de la mort », p. 415-466.

33. Cité par R. Favre, *op. cit.*, p. 463.

34. J.-J. Rousseau, *Œuvres complètes*, t. IV, p. 1075.

35. La Mettrie, *Système d'Épicure*, dans *Œuvres philosophiques*, I, 257.

36. R. Favre, *op. cit.*, p. 212.

37. Voir par exemple A. Hunwick, « *Nouvelles remarques critiques sur le Nouveau Testament.* Un manuscrit clandestin inédit », *Dix-huitième siècle*, n° 24, 1992, texte de 1756.

38. Voltaire, *Dictionnaire philosophique*, art. « Athée ».

39. *Démonstrations évangéliques*, Paris, éd. J.-P. Migne, 18 vol., 1865.

40. N.-S. Bergier, *Traité historique et dogmatique de la vraie religion*, Paris, 1780, t. V, p. 283.

41. F. Laplanche, *La Bible en France entre mythe et critique. xvf-xixe siècle*, Paris, 1994, p. 87-106.

42. M. Cottret, « Le catholicisme face au déisme. Autour de l'*Émile* », *Revue d'histoire de l'Église de France*, n° 203, juill.-déc. 1993.

43. B. de Negroni, *Lectures interdites. Le travail des censeurs au xviiie siècle, 1723-1774*, Paris, 1995, p. 195.

44. G. Minois, *Censure et culture sous l'Ancien Régime*, Paris, 1995, p. 181-230.

45. Cité par B. de Negroni, *op. cit.*, p. 205.

46. R. Darnton, *Édition et sédition. L'univers de la littérature clandestine au xviiie siècle*, trad. franç., Paris, 1991, p. 172.

47. Les quatre parties sont la « tentative », la « sorbonnique », la « mineure », et la « majeure ordinaire ».

48. J.S. Spink, « Un abbé philosophe : l'affaire de J.-M. de Prades », *Dix-huitième siècle*, 1971, n° 3, p. 145-180.

49. Vicq d'Azyr, *Mémoires*, t. VII, p. 75.

50. Ms. 1191 de la bibliothèque Mazarine. Étudié par R. Mortier, « Les *Dialogues sur l'âme* et la diffusion du matérialisme au xviiie siècle », *Revue d'histoire littéraire de la France* , 1961, p. 342-358.

51. Le Clerc, *Bibliothèque choisie*, t. X, p. 322.

52. Du Voisin, *Essai sur la religion naturelle*, art. 6, p. 109.

53. Boulanger, *L'Antiquité dévoilée par ses usages*, éd. de 1765, livre VI, chap. 1.

54. Voir à ce sujet le livre capital de J. Ehrard, *L'Idée de nature en France dans la première moitié du xviiie siècle*, Paris, 1963 ; rééd. 1994.

55. J. Buddeus, *Traité de l'athéisme et de la superstition*, Amsterdam, 1740, p. 100.

56. D'Holbach, *Système de la nature*, I, chap. ix.

57. *Ibid.*

58. Section X, chap. vii.

59. *Dialogues sur l'âme*, p. 145.

60. *Ibid.*, p. 142.

61. *Ibid.*, p. 144.

62. *Ibid.*, p. 172.

63. N. Wagner, *Morelly, le méconnu des Lumières*, Paris, 1978, p. 57-58.

64. *Ibid.*, p. 341.

65. L-S. Mercier, *Tableau de Paris*, Amsterdam, 1783, t. VI, p. 146.

66. Abbé Gauchat, *Lettres critiques ou Analyse et réfutation des divers écrits modernes contre la religion*, Paris, 1762, p. 96.

67. N. Wagner, *op. cit.*, p. 247.

68. *Ibid.*, p. 334.

69. Cité par A.-M. Franchi, « La franc-maçonnerie en Europe », dans *Religion et laïcité dans l'Europe des douze*, sous la dir. de J. Bauberot, Paris, 1994, p. 207.

70. J.-A. Ferrer Benimeli, « Franc-maçonnerie et Église catholique. Motivations politiques des premières condamnations papales », *Dix-huitième siècle*, 1987, n° 19, p. 7-20.

71. G. Gusdorf, *Du néant à Dieu dans le savoir romantique*, Paris, 1983, p. 395.

72. J. Roger, *Les Sciences de la vie dans la pensée française au xviiie siècle*, Paris, 1963 ; rééd. Paris, 1993, p. 771-772.

73. J. Pappas, « Voltaire et la guerre civile philosophique », *Revue d'histoire littéraire de la France*, 1961, p. 525-549.

74. F. Galiani, *Correspondance avec Madame d'Espinay*, Paris, 1881, I, p. 103.

75. Cité par J. Pappas, art. cit., p. 541.

76. *Ibid.*, p. 543.

77. *The Letters of Horace Walpole*, éd. Toynbee, Oxford, 1904, t. VI, p. 352.

78. B.N. Schilling, *Conservative England and the Case against Voltaire*, New York, 1950, p. 198.

Chapitre XIII : L'affirmation du matérialisme athée

1. Dans d'Holbach, *Système de la nature*, Paris, Fayard, 1991, t. II.

2. A.C. Kors, *D'Holbach's Coterie. An Enlightment in Paris*, Princeton, 1976.

3. Cité par J.-L. Dumas, *Histoire de la pensée. Philosophies et philosophes*, Paris, 1990, p. 295.

4. D. Roche, *Les Républicains des lettres. Gens de culture et lumières au xviiiᵉ siècle*, Paris, 1988, p. 243.

5. O. Bloch, *Le Matérialisme*, Paris, 1985 ; *Le Matérialisme du xviiiᵉ siècle et la littérature clandestine*, éd. O. Bloch, Paris, 1982 ; *Les Matérialistes français de 1750 à 1800*, éd. R. Desné, Paris, 1965 ; *Les Matérialistes au xviiiᵉ siècle*, éd. J.-C. Bourdin, Paris, 1996 ; « Le matérialisme des Lumières », *Dix-huitième siècle*, n° 24, 1992.

6. O. Bloch, « L'héritage libertin dans le matérialisme des Lumières », *Dix-huitième siècle*, n° 24, 1992.

7. D'Holbach, *Essai sur les préjugés*, chap. iii.

8. S. Auroux, « Condillac, inventeur d'un nouveau matérialisme », *Dix-huitième siècle*, n° 24, 1992.

9. O. Bloch, « Sur l'image du matérialisme français du xviiiᵉ siècle dans l'historiographie philosophique de la première moitié du xixᵉ siècle : autour de Victor Cousin », dans *Images au xixᵉ siècle du matérialisme du xviiiᵉ siècle*, Paris, 1979.

10. J.-C. Bourdin, *Hegel et les matérialistes français du xviiiᵉ siècle*, Paris, 1992.

11. O. Bloch, « Marx, Renouvier et l'histoire du matérialisme », *La Pensée,* n° 191, février 1977, p. 3-42.

12. F.-A. Lange, *Histoire du matérialisme*, trad. franç., Paris, 1910.

13. R. Rey, « Les paradoxes du matérialisme de Robinet », *Dix-huitième siècle*, n° 24, 1992.

14. D'Alembert, *Œuvres*, t. V, p. 304.

15. *Ibid.*, p. 303.

16. Diderot, *Réflexions sur le livre « De l'esprit » par M. Helvétius*, dans *Œuvres complètes,* Paris, 1982, t. IX, p. 245.

17. La Mettrie, *L'Homme machine*, discours préliminaire.

18. *Ibid.*

19. Diderot, *Œuvres*, Paris, éd. L. Versini, 1994, t. I, p. 1118.

20. Cité par R. Desné, *Les Matérialistes français de 1750 à 1800*, Paris, 1965, p. 113.

21. S. Maréchal, *Le Lucrèce français*, Paris, 1798, fragment XCIX.

22. S. Maréchal, *Dictionnaire des athées*, Paris, 1800, discours préliminaire.

23. C. Miquet, « Les damnés de l'*Aufklärung* : Johann Carl Wezel : Belphegor (1776) », *Dix-huitième siècle*, 1971, n° 3, p. 331-336.

24. J. Deprun, « Sade et le rationalisme des Lumières », *Raison présente*, n° 55, 1980, p. 29.

25. Marquis de Sade, *La Nouvelle Justine*, chap. ix.

26. J.-C. Bourdin, *Les Matérialistes au xviiiᵉ siècle*, Paris, 1996, p. 201.

27. D. Diderot, *Pensées philosophiques*, éd. R. Niklaus, Genève, 1950, p. 15.

28. P. Casini, « Newton, Diderot et la vulgate de l'atomisme », *Dix-huitième siècle*, n° 24, 1992.

29. J. Roger, *Les Sciences de la vie dans la pensée française au xviiiᵉ siècle*, Paris, 1963 ; rééd. Paris, 1993, p. 599.

30. *Diderot Studies*, I, 47-63. Max Wartofsky, en revanche, pense que le

déisme de Diderot n'était qu'un athéisme déguisé par prudence (« Diderot and the Development of Materialist Monism », *Diderot Studies*, II, Syracuse, 1952).

31. D'Holbach, *Système de la nature*, éd. J. Boulad-Ayoub, Paris, 1990, p. 178.

32. *Ibid.*, livre II, chap. IV.

33. *Ibid.*, livre II, chap. V.

34. *Ibid.*, livre II, chap. XI.

CINQUIÈME PARTIE :
LE SIÈCLE DE LA MORT DE DIEU
(XIXe siècle)

Chapitre XIV : La déchristianisation révolutionnaire,
irruption de l'athéisme populaire

1. H. Labroue, « La société populaire de La Garde-Freinet », *Révolution française*, t. 54, 1908, p. 145.

2. Cité par B. Plongeron, *Conscience religieuse en Révolution*, Paris, 1969, p. 146.

3. Cité par G. Minois, *Un échec de la réforme catholique en Basse Bretagne : le Trégor du XVIe au XVIIIe siècle*, thèse dactyl., université de Rennes-2, 1984, t. IV, p. 1014.

4. R. Cobb, *Les Armées révolutionnaires, instrument de la terreur dans les départements*, Paris-La Haye, 1963, p. 645.

5. G. Minois, *La Bretagne des prêtres en Trégor d'Ancien Régime*, Braspars, 1987.

6. Cités par R. Cobb, *op. cit.*, p. 645-646.

7. Cité par R. Desné, *Les Matérialistes français de 1750 à 1800*, Paris, 1965, p. 107.

8. *Ibid.*, p. 108.

9. M. Vovelle, *Religion et Révolution. La déchristianisation de l'an II*, Paris, 1976 ; B. Cousin, M. Cubells, R. Moulinas, *La Pique et la croix. Histoire religieuse de la Révolution française*, Paris, 1989.

10. Cité par P. Christophe, *1789, les prêtres dans la Révolution*, Paris, 1986, p. 146.

11. *Choix de rapports, opinions et discours prononcés à la tribune nationale depuis 1789 jusqu'à ce jour*, Paris, 1820, t. XIII, p. 236.

12. Cité par B. Cousin, M. Cubells, R. Moulinas, *op. cit.*, p. 178.

13. S. Bianchi, « Les curés rouges dans la Révolution française », *Annales historiques de la Révolution française*, 1964, p. 377.

14. A.N., DIII 30, 2.

15. Cité par R. Cobb, *op. cit.*, p. 657.

16. *Ibid.*, p. 669.

17. *Ibid.*, p. 676.

18. *Ibid.*, p. 677.

19. *Ibid.*, p. 679.

20. *Ibid.*

21. *Ibid.*, p. 678.

22. *Ibid.*

23. *Ibid.*, p. 658.

24. *Ibid.*, p. 687.

25. *Ibid.*, p. 680.

26. A. Soboul, *Les Sans-culottes parisiens de l'an II*, Paris, 1962, p. 924.

27. *Ibid.*, p. 978.

28. R. Cobb, *op. cit.*, p. 672.

29. Cité par R. Cobb, *op. cit.*, p. 643.

30. *Ibid.*, p. 651.

31. Cité par B. Cousin, M. Cubells, R. Moulinas, *op. cit.*, p. 192.

32. Cité par A. Soboul, *op. cit.*, p. 294.

33. A. Soboul, *op. cit.*, p. 828.

34. Cité par M. Vovelle, *Mourir autrefois. Attitudes collectives devant la mort aux XVII⁰ et XVIII⁰ siècles*, Paris, 1974, p. 222.

35. *Ibid.*, p. 223.

36. Cité par B. Plongeron, *op. cit.*, p. 111-112.

37. R. Cobb, *op. cit.*, p. 688.

38. B. Cousin, M. Cubells, R. Moulinas, *op. cit.*, p. 192.

39. A. Aulard, *Le Culte de la raison et le culte de l'Être suprême*, Paris, 1892.

40. J.-L. Vieillard-Baron, « Phénoménologie de la conscience religieuse », *Dix-huitième siècle*, 1982, n° 14, p. 167-190.

41. R. Caillois, *L'Homme et le sacré*, Paris, 1950; Gallimard, « Folio », 1991, p. 176-177.

42. Friedrich Schleiermacher, dans ses *Discours sur la religion aux gens cultivés qui, parmi d'autres, la méprisent*, en 1799, avait étudié la dimension religieuse de la Révolution, et le Hollandais Hemsterhuis, philosophe et mathématicien, qui rejetait la religion révélée, proclamait le règne de la religion intérieure : « Que les hommes sont fols ! Qu'ils apprennent ce que c'est que Dieu. Qu'ils cessent d'apprendre à leurs enfants au berceau à épeler le mot divinité et les séquelles de ce mot, si horriblement humaines. Qu'ils leur apprennent à bien sentir, ils seront justes et pieux par nature. »

43. B. Plongeron, « À propos des mutations du "populaire" pendant la Révolution et l'Empire », dans *La Religion populaire. Approches historiques*, Paris, 1976, p. 131.

44. Cité par B. Plongeron, *op. cit.*, p. 132-133.

45. A. Aulard, *Le Christianisme et la Révolution française*, Paris, 1925.

46. *La Pique et la croix*, *op. cit.*, p. 207.

47. *Scéances de l'Ecole normale recueillies par des sténographes*, rééd. 1800, p. 118.

48. Barbey d'Aurevilly, « À un dîner d'athées », *Les Diaboliques*, Paris, Garnier-Flammarion, 1967, p. 236-237.

Chapitre XV : La montée de l'athéisme pratique et ses combats

1. H. Heine, « De l'Allemagne depuis Luther », *Revue des Deux-Mondes*, 15 novembre 1834 ; p. 408.

2. N.-J. Chaline, « Une image du diocèse de Rouen sous l'épiscopat de Mgr de Croy (1823-1844) », *Revue d'histoire de l'Église de France*, n° 160, janv.-juin 1972, p. 53-72.

3. P. Join-Lambert, « La pratique religieuse dans le diocèse de Rouen de 1660 à 1789 », *Annales de Normandie*, 1953, p. 247-274.

4. Cité par G. Le Bras, *Études de sociologie religieuse*, 2 vol., Paris, 1955, t. I, p. 69.

5. Cité par G. Gusdorf, *Du néant à Dieu dans le savoir romantique*, Paris, 1983, p. 270.

6. A. Siegfried, *Tableau politique de la France de l'Ouest sous la IIIᵉ République*, Paris, 1913 ; P. Bois, *Paysans de l'Ouest. Des structures économiques et sociales aux options politiques depuis l'époque révolutionnaire*, Paris-La Haye, 1960.

7. Cité par P. Bois, *op. cit.*, Paris, Flammarion, 1971, p. 70.

8. *Ibid.*, p. 69.

9. P. Lévêque, « Vigne, religion et politique », dans *Du jansénisme à la laïcité*, sous la dir. de L. Hamon, Paris, 1987, p. 139-166.

10. J.-P. Rocher, « Évolution politique et religieuse du département de l'Yonne dans la première partie du XIXᵉ siècle », dans *Du jansénisme à la laïcité, op. cit.*, p. 124.

11. Archives de l'évêché de Saint-Brieuc, « Enquête sur l'état spirituel du diocèse ».

12. G. Minois, *Un échec de la réforme catholique en Basse Bretagne : le Trégor du XVIᵉ au XVIIIᵉ siècle*, thèse d'État dactyl., 4 vol., université de Rennes-2, 1984.

13. Archives de l'évêché de Saint-Brieuc, lettres de Mgr Caffarelli, 3 août 1811, 17 octobre 1814.

14. G. Hoyois, « En quête d'une chrétienté : la Bretagne », *Revue nouvelle*, juin 1956, p. 605.

15. E. Renan, *Souvenirs d'enfance et de jeunesse*, Paris, Garnier-Flammarion, 1973, p. 94-95.

16. À propos du Trégor, il parle d'un « mysticisme anticlérical dont j'ai été le témoin dans mon enfance et que des radicaux très influents exaspéraient au cours des périodes électorales » (*Études de sociologie religieuse, op. cit.*, t. II, p. 605). « L'esprit trécorrois, caustique et rebelle, favorisait la critique du clergé, qui poussait parfois l'exigence jusqu'aux approches du jansénisme, sans avoir un ascendant égal à celui de ses détracteurs » (p. 606).

17. Archives de l'évêché de Saint-Brieuc, registre « État moral des paroisses, 1846-1849 ».

18. Mgr Laveille, *Jean-Marie de Lamennais, 1780-1860*, Paris, 1913.

19. C. Langlois, *Le Diocèse de Vannes au XIXᵉ siècle, 1800-1830*, Paris, 1974.

20. Y. Le Gallo, *Clergé, religion et société en Basse Bretagne*, 2 vol., Les Éditions ouvrières, 1991, t. II, p. 729.

21. Cité par Y. Le Gallo, *op. cit.*, t. II, p. 795.

22. *Ibid.*, p. 736.

23. *Ibid.*, p. 1037.

24. F. de Lamennais, *Essai sur l'indifférence en matière de religion*, Paris, s.d., Introduction, t. I, p. 4.

25. *Ibid.*, p. 18.

26. *Ibid.*, p. 47.

27. *Ibid.*, p. 297.

28. *Ibid.*, t. II, p. 124.

29. Montalembert, *Des intérêts catholiques au xixe siècle*, Paris, 1852, p. 67.

30. Cité par G. Goyau, *Un tournant d'histoire religieuse : 1830, catholicisme et libéralisme*, Paris, 1930, p. 13.

31. A. Daumard, *Les Bourgeois de Paris au xixe siècle*, Paris, Flammarion, 1970, p. 326-327.

32. C. Langlois, *op. cit.*

33. G. Flaubert, *Madame Bovary*, II, 1, Paris, Gallimard, « Bibliothèque de la Pléiade », 1951, p. 361-362.

34. G. Cholvy, « Réalités de la religion populaire dans la France contemporaine (xixe-début xxe siècle) », dans *La Religion populaire. Approches historiques*, sous la dir. de B. Plongeron, Paris, 1976, p. 149-170. Voir aussi *Christianisme et monde ouvrier*, dans les *Cahiers du mouvement social*, n° 1, Paris, 1975, et, pour l'Italie, G. Veruca, « Anticléricalisme, libre pensée et athéisme dans le mouvement ouvrier et socialiste », dans *Chiesa e religiosità in Italia dopo l'Unita (1861-1878)*, Milan, 1973.

35. *Histoire religieuse de la Grande-Bretagne*, sous la dir. de Hugh McLeod, Paris, 1997, p. 317.

36. E.P. Thompson, *The Making of the English Working Class*, Harmondsworth, 1969, p. 386.

37. *Histoire religieuse de la Grande-Bretagne*, *op. cit.*, p. 327. Les auteurs insistent sur l'« importance énorme de la religion dans la vie communautaire et familiale des ouvriers entre les années 1890 et 1930 » (p. 328).

38. P. Pierrard, *La Vie ouvrière à Lille sous le Second Empire*, Paris, 1965, chap. ix.

39. H. Desroches, *Les Dieux rêvés. Théisme et athéisme en utopie*, Paris, coll. « L'athéisme interroge », 1972.

40. G. Massignon, *Contes traditionnels des teilleurs de lin du Trégor*, Paris, 1965.

41. *Le Journal de Paimpol*, 21 février 1904.

42. *Ibid.*, 16 février 1908.

43. *Le Réveil des Côtes-du-Nord*, 18 février 1904.

44. *Journal de Paimpol*, 12 juin 1887. Voir F. Chappé, « La IIIe République et la mer à Paimpol ; combats et défaites de l'anticléricalisme maritime », dans *Foi chrétienne et milieux maritimes*, Paris, 1989, p. 293-305.

45. M. Lagrée, « L'évolution religieuse des pêcheurs bretons (milieu xixe-milieu xxe siècle) », dans *Foi maritime...*, *op. cit.*, p. 141.

46. A. Siegfried, *Tableau politique de la France de l'Ouest sous la IIIe République*, Paris, 1913, p. 394.

47. R. Rémond, *L'Anticléricalisme en France de 1815 à nos jours*, Paris, 1976, p. 33. Edouard Herriot aura beau faire la distinction, dans un discours du 20 mars 1925 — « Messieurs, il faut choisir entre la religion d'Etat et la religion de l'apostolat. Quand la religion se bornera à ses moyens spirituels, quand elle ne sera plus cléricale, entre vous et nous, elle n'aura pas de protecteurs plus respectueux que nous » —, la limite ne sera jamais vraiment respectée.

48. F. Buisson, « La crise de l'anticléricalisme », *Revue politique et parlementaire*, oct. 1903, p. 5-32.

49. G. Le Bras, *op. cit.*, t. II, p. 369.

50. *Ibid.*, p. 304.

51. *Ibid.*, p. 370.

52. *Ibid.*, p. 306.

53. P. Lévêque, « Vigne, religion et politique en France aux XIXᵉ et XXᵉ siècles », dans *Du jansénisme à la laïcité*, Paris, 1987, p. 139-166.

54. *Ibid.*, p. 67.

55. P. de Grandmaison, *La Religion personnelle*, Paris, 1930, p. 7.

56. Cité par P. Haubtmann, *P.-J. Proudhon, genèse d'un antithéiste*, Paris, 1969, p. 120.

57. G. Hourdin, « Conversions du christianisme à l'athéisme », dans *L'Athéisme dans la vie et la culture contemporaines*, t. I, Paris, 1967, p. 418.

58. J. Lalouette, *La Libre Pensée en France, 1848-1940*, Paris, 1997.

59. Cité par J. Lalouette, *op. cit.*, p. 39.

60. *La Démocratie*, 20 juin et 1er août 1869.

61. J. Lalouette, *op. cit.*, p. 102.

62. Cité par J. Lalouette, *op. cit.*, p. 102.

63. M. Milner, *Le Diable dans la littérature française de Cazotte à Baudelaire, 1772-1861*, Paris, t. II, p. 494.

64. Cité par J. Lalouette, *op. cit.*, p. 158.

65. F. Buisson et C. Wagner, *Libre pensée et protestantisme libéral*, Paris, 1903, p. 84.

66. Mgr Dupanloup, *Avertissement à la jeunesse*, Paris, 1863, p. 7.

67. Dr Coudereau, « De l'influence de la religion sur la civilisation », *Bulletin de la Société d'anthropologie*, t. II, Paris, 1867, p. 582.

68. F. Buisson et C. Wagner, *op. cit.*, p. 49.

69. *L'Anti-clérical*, 17 décembre 1881.

70. J. Lalouette, *op. cit.*, p. 189-202.

71. Cité par J. Lalouette, *op. cit.*, p. 339.

72. *Collection complète des lois, écrits, ordonnances, règlements et avis du Conseil d'État*, 1887. Discours de M. Chesnelong au Sénat, p. 454.

Chapitre XVI : De la croyance à l'incroyance. Les credo de substitution

1. Chateaubriand, *Essai historique, politique et moral sur les révolutions anciennes et modernes considérées dans leurs rapports avec la Révolution française*, Londres, 1797.

2. F. Bethencourt, *L'Inquisition à l'époque moderne. Espagne, Portugal, Italie, XVᵉ-XIXᵉ siècle*, Paris, 1995, p. 189-190.

3. G. Minois, *L'Église et la science. Histoire d'un malentendu*, 2 vol., Paris, 1990 et 1991.

4. R.P. Félin, *Le Progrès par le christianisme*, Paris, 1864, p. 50.

5. Cité par J. Comby, *Pour lire l'histoire de l'Église*, Paris, 1986, t. II, p. 176.

6. Cité dans *De Darwin au darwinisme : science et idéologie*, Congrès international pour le centenaire de la mort de Darwin, Paris, 1983.

7. *Revue des questions scientifiques*, 1888, t. I, p. 379.

8. Cité par N. Hampson, *Le Siècle des Lumières*, trad. franç., Paris, 1972, p. 233.

9. *Ibid.*, p. 229.

10. J.W. Draper, *Les Conflits de la science et de la religion,* 6ᵉ éd., trad. franç., Paris, 1879, p. 278.

11. Herder, *Lettres concernant l'étude de la théologie*, dans *Werke*, X, Berlin, 1879, p. 278.

12. Gutzkow, *Werke*, Iéna, 1872, IX, p. 176.

13. C. de Villers, *Essai sur l'esprit et l'influence de la réformation de Luther*, 1804, p. 217.

14. F. de Lamennais, *Essai sur l'indifférence en matière de religion*, 1817, p. 226.

15. G. Gusdorf, *Du néant à Dieu dans le savoir romantique*, Paris, 1983, p. 262.

16. *Ibid.*, p. 258.

17. Cité par F. Laplanche, *La Bible en France entre mythe et critique, xvIᵉ-xIxᵉ siècle*, Paris, 1994, p. 138.

18. *Ibid.*, p. 168.

19. E. Renan, *Souvenirs d'enfance et de jeunesse*, Paris, Garnier-Flammarion, 1973, p. 144.

20. *Ibid.*, p. 162.

21. *Ibid.*, p. 154.

22. *Ibid.*, p. 170.

23. C. Tresmontant, *Le Problème de l'athéisme*, Paris, 1972, p. 414.

24. E. Renan, *op. cit.*, p. 179-181.

25. G. Hourdin, « Conversions du christianisme à l'athéisme », dans *L'Athéisme dans la vie et la culture contemporaines*, t. I, Paris, 1967, p. 409.

26. C. Dupuis, *Origine de tous les cultes ou Religion universelle*, éd. de 1831, p. 249.

27. E. Vacherot, *La Métaphysique et la science, ou Principes de métaphysique*, Paris, 1858.

28. P. Bert, « La suppression des facultés de théologie », dans *À l'ordre du jour*, Paris, 1885, p. 242.

29. É. Durkheim, *Les Formes élémentaires de la vie religieuse*, éd. Quadrige, 1990, p. 614-615.

30. *Ibid.*, p. 610-611.

31. Cité par A. Vergote, « Analyse psychologique du phénomène de l'athéisme », dans *L'Athéisme dans la vie...*, *op. cit.*, p. 237.

32. Cité par J. Lalouette, *op. cit.*, p. 87.

33. P. Boyer, *Une brune. Scènes de la vie d'un carabin*, Paris, 1868, p. 106.

34. F. Le Dantec, *L'Athéisme*, Paris, 1906, p. 39 et 55.

35. *Ibid.*, p. 38.

36. Bakounine, *Dieu et l'Etat*, éd. Publico, s.d., p. 19.

37. Cité par C. Santos, « Athéisme et naturalisme : G. Santayana », dans *L'Athéisme dans la philosophie contemporaine*, Paris, 1979, p. 538.

38. A.J. McNicholl, « Santayana y su concepto de la religion », *Estudios filosophicos*, 2, 1953, p. 168.

39. G. Santayana, *Ultimate religion*, dans *Obiter Scripta*, Londres, 1936, p. 221.

40. L. Retat, *Religion et imagination religieuse : leurs formes et leurs rapports dans l'œuvre d'Ernest Renan*, Paris, 1977, p. 279.

41. *Ibid.*, p. 11.

42. *Ibid.*, p. 484-485.

43. Sainte-Beuve, *Nouveaux Lundis*, t. VI, p. 1-23.

44. Cité par J. Pommier, *Renan*, Paris, 1923, p. 164.

45. Guizot, *Lettre à Madame Lenormant*, 6 juillet 1863.

46. Mérimée, *Lettre à une inconnue*, Paris, 1874, t. II, p. 230.

47. Michelet, *Bible de l'humanité*, Paris, 1864, p. 434.

48. P. Larroque, *Opinion des déistes rationalistes sur la Vie de Jésus selon Renan*, Paris, 1863.

49. *La Libre Pensée*, 28 octobre 1866.

50. Archives de l'évêché de Saint-Brieuc, Lettre pastorale de Mgr David, 1864.

51. E. Renan, *Questions contemporaines*, I, p. 240.

52. L. Retat, *op. cit.*, p. 369.

53. *Ibid.*, p. 369-370.

54. Cité par J. Lalouette, *op. cit.*, p. 170.

55. *Manuel de droit canon conforme au code de 1917*, Paris, 1949, art. 1032, p. 545.

56. Cité par G. Gusdorf, *op. cit.*, p. 343.

57. F. Schleiermacher, *Discours sur la religion*, trad. franç., Paris, 1944.

58. Cité par G. Gusdorf, *op. cit.*, p. 150.

59. Abbé Maret, *Essai sur le panthéisme dans les sociétés modernes*, Paris, 1840, p. XIV.

60. V. Cousin, *Rapport à l'Académie sur la nécessité d'une nouvelle édition des* Pensées *de Pascal*, Paris, 1842, p. XLII.

61. G. Gusdorf, *op. cit.*, p. 178.

62. *Ibid.*, p. 179.

63. *Ibid.*, p. 105.

64. Jacobi, *Werke*, II, p. 55.

65. Cité par P. Bénichou, *Le Temps des prophètes. Doctrines de l'âge romantique*, Paris, 1977. *Religion saint-simonienne. Recueil de prédications*, t. I, p. 515.

66. E. Quinet, *L'Ultramontanisme*, dans *Œuvres complètes*, t. II, p. 389.

67. P. Bénichou, *op. cit.*, p. 494.

68. E. Quinet, *Le Christianisme et la Révolution française*, dans *Œuvres complètes*, t. III, p. 346.

69. P. Bénichou, *op. cit.*, p. 312.

70. E.T. Weiant, *Sources of Modern Mass Atheism in Russia*, Newark, Ohio, 1953.

71. P. de Ségur, *Mémoires*, t. I, p. 96.

72. G. Cholvy, « Réalités de la religion populaire dans la France contemporaine, XIXe-début XXe siècle », dans *La Religion populaire. Approches historiques*, Paris, 1976, p. 149-170.

Chapitre XVII : Les athéismes de système
ou les idéologies de la mort de Dieu

1. D'Holbach, *Le Bon Sens*, cité par J.-C. Bourdin, « L'athéisme de d'Holbach à la lumière de Hegel », *Dix-huitième siècle*, n° 24, 1992.

2. Hegel, *Philosophie de la religion*, I, 17.
3. L'opposition Hegel-d'Holbach amène J.-C. Bourdin à transposer judicieusement le problème à notre époque : « On peut se demander si l'athéisme mérite une attention autre qu'"historique", et dans ce cas s'interroger sur l'effacement de ce thème aujourd'hui. En revanche, doit-il être réactivé, si on estime que la pensée libre est toujours menacée par les dévots de toute sorte ou les séductions de l'irrationalisme le plus bête ? Nul doute que, dans cette hypothèse, il serait utile de prendre la mesure de notre tradition athée et de relire les œuvres de d'Holbach en leur restituant toute leur violence libératrice » (art. cit., p. 226).
4. Hegel, *Philosophie de la religion,* éd. Lasson, I, 184.
5. Hegel, *Phénoménologie de l'esprit*, cité par J.-M. Paul, *Dieu est mort en Allemagne. Des Lumières à Nietzsche*, Paris, 1994, p. 146.
6. G. Morra, « Athéisme et idéalisme », dans *L'Athéisme dans la philosophie contemporaine*, Paris, 1970, p. 98-107.
7. *Ibid.*, p. 107.
8. *Ibid.*, p. 115.
9. *Ibid.*, p. 137.
10. Cité par H. Küng, *Dieu existe-t-il ?*, trad. franç., Paris, 1978, p. 229.
11. L. Feuerbach, *L'Essence du christianisme*, éd. Gallimard, 1968, p. 93.
12. *Ibid.*, p. 129-130, 135.
13. *Ibid.*, p. 143-144.
14. *Ibid.*, p. 153.
15. *Ibid.*, p. 425.
16. H. Küng, *op. cit.*, p. 250.
17. L. Feuerbach, *op. cit.*, p. 345.
18. *Ibid.*, p. 345-346.
19. *Ibid.*, p. 90.
20. *Ibid.*, p. 331.
21. K. Marx, *Introduction à la critique de la philosophie du droit de Hegel*, dans *Critique du droit politique hégélien*, Paris, 1975, p. 198.
22. K. Marx, Manuscrit, 1844, cité par G.-M. Cottier, dans *L'Athéisme dans la philosophie contemporaine, op. cit.*, p. 184.
23. Cité par G. Wetter, « Le marxisme-léninisme », dans *L'Athéisme..., op. cit.*, p. 224-225.
24. *Ibid.*, p. 228.
25. Cité par G.-M. Cottier, « Engels », dans *L'Athéisme..., op. cit.*, p. 211.
26. Cité par H. de Lubac, *Le Drame de l'humanisme athée*, éd. 10-18, 1963, p. 133.
27. *Ibid.*, p. 136.
28. Max Stirner, *Der Einzige und sein Eigentum*, Stuttgart, 1891, p. 412.
29. L. Andreas Salomé, *Friedrich Nietzsche in seine Werken*, Vienne, 1894.
30. F. Nietzsche, *Le Gai Savoir*, trad. H. Lichtenberger, *La Philosophie de Nietzsche*, Paris, 1923, p. 20.
31. F. Nietzsche, *Zarathoustra*, IV, 6, trad. Bianquis, Paris, 1946, p. 505.
32. *Ibid.*, p. 509.
33. P. Lenz-Medoc, « La mort de Dieu », dans *Satan*, Paris, 1948, p. 628.
34. Cité par G. Sigmund, « Athéisme et vitalisme : Nietzsche l'athée », dans *L'Athéisme..., op. cit.*, p. 379.

35. F. Nietzsche, *L'Antéchrist*, 1889.
36. F. Nietzsche, *Aurore*, aphorisme 95.
37. F. Nietzsche, *Le Gai Savoir*, aphorisme 108.
38. F. Nietzsche, *Zarathoustra*, trad. Bianquis, p. 61-63.
39. Cité par G. Sigmund, *op. cit.*, p. 399.
40. G.S. Hall, *Adolescence, its Psychology and its Relations to Physiology, Anthropology, Sociology, Sex, Crime, Religion and Education*, Appleton, 1904.
41. E.D. Starbuck, *The Psychology of Religion*, New York, 1899.
42. *Ibid.*, p. 161.
43. J.H. Leuba, *The Psychological Origin and the Nature of Religion*, Londres, 1909.
44. S. Freud, *L'Avenir d'une illusion*, éd. PUF, 1963, p. 33.
45. Cité par E. Jones, *La Vie et l'Œuvre de Sigmund Freud,* trad. franç., Paris, 1961, p. 464.
46. A. Vergote, « Interprétations psychologiques du phénomène religieux dans l'athéisme contemporain », dans *L'Athéisme dans la vie et la culture contemporaines*, t. I, vol. 1, Paris, 1967, p. 463.
47. T. Reik, *Das Ritual. Probleme der Religionspsychologie,* Leipzig-Vienne, 1919.
48. C.G. Jung, *Psychologie und Religion*, Zurich, 1957, p. 1953.
49. A. Vergote, *op. cit.*, p. 473.

SIXIÈME PARTIE :
LA FIN DES CERTITUDES
(XXe siècle)

Chapitre XVIII : Athéisme et foi : de la guerre à l'armistice ?

1. Yaroslavsky-Goubelmann, *Sans Dieu*, août 1935.
2. Stepanoff, *Les Problèmes et les méthodes de la propagande antireligieuse*, Moscou, 1923, cité dans *La Documentation catholique*, 19 avril 1930, col. 1010.
3. *Bezbojnik*, 29 juillet 1934.
4. Golovkine, *Organisation et méthodes du travail antireligieux*, Moscou, 1934, cité dans *Essai d'une somme catholique contre les Sans-Dieu*, Paris, 1936, p. 510.
5. Cité par l'*Essai d'une somme...*, *op. cit.*, p. 510.
6. *Antireliguioznik*, n° 7, 1930.
7. *Britain without God, an Exposure of Anti-Godism*, préface de Sir Thomas Inskip, Londres, 1935. Les indices sont exposés dans l'*Essai d'une somme catholique contre les Sans-Dieu*, *op. cit.*, p. 521, note 3.
8. E. Yaroslavsky, *Religion in USSR*, New York, 1934, p. 13.
9. *Essai d'une somme...*, *op. cit.*, p. 521-522.
10. *L'Humanité*, 25 janvier 1933.
11. *Bezbojnik*, août 1935.
12. L. Aragon, *Traité du style*, Paris, 1928, p. 98.

13. J. Lalouette, *La Libre Pensée en France, 1848-1940*, Paris, 1997, p. 74.

14. Cité dans *L'Athéisme dans la vie et la culture contemporaines*, Paris, 1967, t. I, 1ʳᵉ partie, p. 171.

15. T.M. Mikhailov, *Certaines causes de la conservation des restes de chamanisme chez les Bouriates*, cité dans *L'Athéisme..., op. cit.*, p. 178.

16. *Le Monde*, 29 décembre 1965.

17. *Le Monde*, 9 avril 1974.

18. *Le Monde*, 18 août 1970.

19. *Proceedings of the First International Congress in Humanism and Ethical Culture*, Utrecht, 1953, p. 150.

20. P. Raphaël, « Tolérance et laïcité », *Les Cahiers rationalistes*, n° 163, mai 1957, p. 171 et s.

21. A. Lorulot, *La Calotte*, mai 1957.

22. Discours de réception de Jean Rostand à l'Académie française, 12 novembre 1959.

23. *Le Monde*, 8 janvier 1964.

24. *L'Express*, 16 avril 1964.

25. *France-Observateur*, 13 juin 1963.

26. *Le Canard enchaîné*, 19 mars 1969.

27. *École libératrice*, 9 septembre 1966.

28. J. Dewey, *A Common Faith*, New Haven, 1934.

29. A. Mellor, *Histoire de l'anticléricalisme français*, Tours, 1966.

30. *La Calotte*, oct. 1945.

31. *Cahiers rationalistes*, janv.-févr. 1962, n° 200, p. 8

32. *Raison présente*, n° 55, 1980, p. 7

33. H. de Lubac, *Le Drame de l'humanisme athée*, éd. 10-18, s.d., p. 5.

34. *Ibid.*, p. 19.

35. M. Schooyans, *L'Évangile face au désordre mondial*, Paris, 1997, p. 144.

36. *Ibid.*, p. 309.

37. *Ibid.*, préface du cardinal Ratzinger, p. III.

38. K. Rahner, H. Vorgrimler, *Petit Dictionnaire de théologie catholique*, art. « Athéisme ».

39. J. Maritain, *La Signification de l'athéisme contemporain*, Paris, 1949, p. 9.

40. Cité par J. Potel, « Peut-on parler aujourd'hui en France d'incroyants et d'athées ? », dans *L'Athéisme..., op. cit.* p. 152, note 95.

41. C. Tresmontant, *Les Problèmes de l'athéisme*, Paris, 1972, p. 431.

42. *Ibid.*, p. 438.

43. J. Girardi, dans *L'Athéisme..., op. cit.*, p. 49, note 32.

44. Cité par T. Rey-Mermet, *Croire. Pour une redécouverte de la foi*, t. I, Paris, 1976, p. 23.

45. *Ibid.*, p. 22.

46. *Nouvelle Revue théologique*, n° 118, 1996.

47. *Ibid.*, p. 693.

48. Paris, 1987, p. 195-198.

49. *Ibid.*, p. 200.

50. M. Drosnin, *La Bible : le code secret*, trad. franç., Paris, 1997.

51. Constitution *Gaudium et Spes*, 7, 3.

52. *Ibid.*, 21, 6.

53. « L'athéisme contemporain », *La Documentation catholique*, 19 juin 1966, col. 1111.

54. Encyclique *Ecclesiam Suam*, 1964.

55. Paul VI, allocution aux jésuites, *Le Monde*, 9 mai 1965.

56. Cité dans *L'Athéisme..., op. cit.*, p. 110.

57. *Ibid.*

58. H. Küng, *Existiert Gott ? Antwort auf die Gottesfrage des Neuzeit*, Munich, 1978 ; trad. franç. : *Dieu existe-t-il ? Réponse à la question de Dieu dans les temps modernes*, Paris, 1981.

59. *Ibid.*, p. 395.

60. *Ibid.*, p. 384.

61. R. Bultmann, *Jésus*, trad. franç., Paris, 1968. p. 35.

Chapitre XIX : L'hypothèse Dieu : un problème dépassé ?

1. M. Merleau-Ponty, *Éloge de la philosophie*, Paris, 1953, p. 58.

2. C. Bruaire, « Athéisme et philosophie », dans *L'Athéisme dans la philosophie contemporaine*, Paris, 1970, p. 10.

3. A. Camus, *Le Mythe de Sisyphe*, éd. Folio, 1993, p. 146.

4. *Ibid.*, p. 106.

5. I. Lepp, *Psychanalyse de l'athéisme contemporain*, Paris, 1961, p. 248.

6. *Ibid.*, p. 249.

7. M. Merleau-Ponty, *Sens et non-sens*, Paris, 1948, p. 362.

8. *Ibid.*, p. 356.

9. M. Heidegger, *Holzwege*, Francfort, 1952, p. 248.

10. K. Jaspers, *Existenzphilosophie*, Berlin, 1938, p. 80.

11. N. Hartmann, *Ethik*, Berlin, 1949.

12. Cité par F. Goyenechea, « Athéisme et historicisme : Ortega y Gasset », dans *L'Athéisme..., op. cit.*, p. 521.

13. E.G. Moore, *Some Main Problems of Philosophy*, Londres, 1953, p. 17.

14. B. Russell, *Why I am not a Christian*, Londres, 1927.

15. *Ibid.*, p. 52.

16. A. Flew, *Theology and Falsification*, Londres, 1955, p. 98.

17. J.N. Findley, *Language, Mind and Value*, Londres, 1963, p. 8.

18. Cambridge, 1955.

19. M.J. Charlesworth, « Athéisme et philosophie analytique », dans *L'Athéisme..., op. cit.*, p. 651.

20. A.N. Whitehead, *Process and Reality. An Essay in Cosmology,* New York, 1960, p. 528.

21. P. Blanquart, « Athéisme et structuralisme », dans *L'Athéisme..., op. cit.*, p. 709.

22. J. Monod, « La science, valeur suprême de l'homme », dans *Raison présente*, n° 55, 1980, p. 63.

23. J. Monod, *Le Hasard et la nécessité*, Paris, 1970, p. 127.

24. J. Rostand, *Pensées d'un biologiste*, Paris, 1954, p. 106.

25. *Ibid.*, p. 130.

26. Voir par exemple *Le Savant et la foi. Des scientifiques s'expriment*, présent. par J. Delumeau, Paris, 1989, ou la collection « Scientifiques et croyants », chez Beauchesne.

27. *Le Nouvel Observateur*, 21-27 décembre 1989, p. 9.

28. W.B. Provine, « Mécanisme, dessein et éthique : la révolution darwinienne inachevée », dans *De Darwin au darwinisme : science et idéologie*, Congrès international pour le centenaire de la mort de Darwin, Paris-Chantilly, 13-16 septembre 1982, Paris, 1983, p. 119.

29. *Ibid.*, p. 121.

30. A. Einstein, *Comment je vois le monde*, Paris, 1958, p. 210.

31. R. Ruyer, *La Gnose de Princeton*, Paris, 1974, p. 248.

32. Paris, 1970.

33. *Ibid.*, p. 34-35.

34. *Ibid.*, p. 236-239.

35. F. Russo, *Études*, oct. 1975, p. 403.

36. Paris, 1976.

37. *Ibid.*, p. 170.

38. Cité par G. Wetter, « La critique de la religion du marxisme-léninisme », dans *L'Athéisme..., op. cit.*, p. 279.

39. *Ibid.*, p. 326.

40. G. Le Bras, *Études de sociologie religieuse*, Paris, 1955, t. I.

41. *Ibid.*, p. 151.

42. *Ibid.*

43. *Ibid.*, p. 188.

44. *Ibid.*, p. 143.

45. *Ibid.*, p. 129.

46. *Ibid.*, p. 135.

47. *Ibid.*, p. 121.

48. *Ibid.*, p. 122.

49. *Ibid.*

50. *Ibid.*, p. 174.

51. *Ibid.*, p. 325.

52. Y. Lambert, *Dieu change en Bretagne. La religion à Limerzel de 1900 à nos jours*, Paris, 1985.

53. J. Chaussade, « Anticléricalisme et religiosité dans le milieu maritime vendéen », dans *Foi chrétienne et milieux maritimes*, Paris, 1989, p. 351-359.

54. C. Fabro, « Genèse historique de l'athéisme contemporain », dans *L'Athéisme..., op. cit.*, p. 27.

55. J. Girardi, « Athéisme : précisions terminologiques », dans *L'Athéisme dans la vie et la culture contemporaines*, Paris, 1967, t. I, 1re partie, p. 25.

56. Sondage CSA, *La Vie*, 27 mars-2 avril 1997, p. 20.

57. R.O. Johann, « L'athéisme des croyants », dans *L'Athéisme dans la vie..., op. cit.*, p. 371-387.

58. J. Girardi, *op. cit.*, p. 54.

59. « L'étudiant et la religion », *Revue Montalembert*, 1er trimestre 1966, p. 188.

60. R. Collin, « Athéisme et science », *Lumière et Vie*, n° 13, janvier 1954, p. 17.

61. J.-B. Metz, *Concilium*, n° 16, éditorial.

62. Enquête IFOP, 1959.

63. Dans P.-H. Simon, *Georges Duhamel*, Paris, 1953, p. 151.

64. A. Einstein *et al.*, *Albert Einstein savant et philosophe*, Turin, 1958.

65. Cité par G. Hourdin, « Conversions du christianisme à l'athéisme », dans *L'Athéisme dans la vie...*, *op. cit.*, p. 408.

66. *Ibid.*, p. 406

67. S. de Beauvoir, *Mémoires d'une jeune fille rangée*, Paris, 1954, p. 138.

68. E. Pin, *Pratique religieuse et classes sociales*, Paris, 1956.

69. E.C. Rumke, *The Psychology of Unbelief*, Londres, 1952.

70. A. Vergote, « Analyse psychologique du phénomène de l'athéisme », dans *L'Athéisme dans la vie...*, *op. cit.*, p. 213-252.

71. Ces études sont en particulier des thèses américaines, comme celles de M.D. Riggs, *An Exploratory of the Concepts of God Reported by Selected Samples of Physical Scientists, Biologists, Psychologists, and Sociologists*, Southern California University, 1959; R. Mayer, *Religious Attitudes of Scientists*, Ohio State University, 1959.

72. A. Vergote, *op. cit.*, p. 241.

73. R.C. McCann, « Developmental Factors in the Growth of a Mature faith », *Religious Education*, 1955, n° 50, p. 147-155.

74. Voir pour ces aspects A. Godin, « Croissance psychologique et tentation d'athéisme », dans *L'Athéisme dans la vie...*, *op. cit.*, p. 269-292.

75. E.R. Norman, *Church and Society in England, 1770-1970. A Historical Study*, Londres, 1976; D. Budd, *Variety of Unbelief: Atheists and Agnostics in English Society, 1850-1960*, Londres, 1977; E. Royle, *Radicals, Secularists and Republicans: Popular Free Thought in Britain, 1866-1915*, Manchester University Press, 1980; Hugh McLeod (sous la dir. de), *Histoire religieuse de la Grande-Bretagne*, Paris, 1997.

76. *Histoire religieuse de la Grande-Bretagne*, *op. cit.*, p. 337.

77. E.R. Norman, *op. cit.*, p. 10.

78. A. Ayfre, « L'athéisme dans le cinéma contemporain », dans *L'Athéisme dans la vie...*, *op. cit.*, t. I, 2ᵉ partie, p. 248-286.

Chapitre XX : L'incroyance, après deux mille ans de christianisme : quel bilan ?

1. *Britannica Book of the Year*, 1994.

2. *L'État des religions dans le monde*, Paris, 1987.

3. *Religion et laïcité dans l'Europe des douze*, sous la dir. de J. Baubérot, Paris, 1994, p. 259.

4. *Cahiers rationalistes*, janvier 1997, n° 511.

5. Gora, *Positive Atheism*, Vijayawada, p. 56-59.

6. F. Hiorth, « Réflexions sur l'athéisme contemporain », *Cahiers rationalistes*, avril 1996, n° 504, p. 25.

7. *Ibid.*, p. 17-18.

8. *Dictionnaire du judaïsme*, Paris, 1996.

9. Exemple récent : Alain Tête, *Contre Dieu. Court traité du blasphème*, Paris, Phébus, 1996.

10. *Les Cahiers rationalistes*, mai 1997, n° 515.

11. Y. Galifret, « Reims, la reculade », *Les Cahiers rationalistes*, nov. 1996, n° 7.

12. N. Copin, *Je doute donc je crois*, Paris, 1996.

13. R. Garaudy, *Appel aux vivants*, Paris, 1979, p. 313-314.

14. B. Sève, *La Question philosophique de l'existence de Dieu*, Paris, 1994, p. 271.

15. *Ibid.*, p. 274-275.

16. Compte rendu du livre de P. Michel (sous la dir. de), *Les Religions de l'Est*, Paris, 1992, dans *Annales. Histoire, science sociale*, janv.-févr. 1997, p. 226. Dans le même numéro se trouve une revue détaillée des parutions récentes sur l'évolution religieuse du monde contemporain, en particulier : F.-A. Isambert, *De la religion à l'éthique*, Paris, 1992 ; D. Hervieu-Léger, *La Religion pour mémoire*, Paris, 1993 ; J.-M. Donegani, *La Liberté de choisir. Pluralisme religieux et pluralisme politique dans le catholicisme français contemporain*, Paris, 1993.

17. Paris, 1995.

18. Paris, 1997, 2 vol.

19. Paris, 1993.

20. Paris, 1997.

21. P. Michel, « Les itinéraires de croire aujourd'hui », dans *Homo religiosus*, Paris, 1997, p. 619.

22. Conférence du cardinal Ratzinger, « Le relativisme est aujourd'hui le problème central de la foi et de la théologie », *Documentation catholique*, n° 2151, janv. 1997, p. 36.

23. *Documentation catholique*, n° 2157, avril 1997, p. 320.

24. *Ibid.*, p. 337.

25. Dans *Le Fait religieux*, sous la dir. de J. Delumeau, Paris, 1993, p. 742-772.

26. *Ibid.*, p. 764.

27. F. Champion, « De nouveaux courants mystiques et ésotériques », dans *Religion et laïcité dans l'Europe des douze, op. cit.*, p. 201.

28. B. Nicolescu, *La Science, le sens et l'évolution. Essai sur Jakob Boehme*, Paris, 1988, p. 27.

30. *Ibid.*, p. 137.

31. F. Champion, *op. cit.*, p. 203.

32. *Ibid.*, p. 746.

33. *L'État des religions dans le monde*, sous la dir. de M. Clévenot, 1987, p. 500.

34. *Ibid.*, p. 497.

35. J. Lagrée, *La Religion naturelle*, Paris, 1991.

36. *Esprit*, juin 1997, *Le Temps des religions sans Dieu*, p. 203.

37. Paris, 1977.

38. *Ibid.*, p. 149-150.

39. G.W. Allport, J.M. Gillespie, J. Young, « The Religion of the Post-War College Students », *Journal of Psychology*, 25, 1948, p. 3-33.

40. G. Milanesi, « L'athéisme des jeunes », dans *L'Athéisme dans la vie..., op. cit.*, I, 1, p. 293-370.

41. J.B. Brothers, « Religion in the British Universities ; the Findings of Some Recent Surveys », *Archives de sociologie des religions*, 18, 1964, p. 71-82.

42. G. Milanesi, *op. cit.*, p. 313-314.

43. *Ibid.*, p. 338.

44. *Ibid.*, p. 348.

45. *Ibid.*, p. 358-359.

46. *Ibid.*, p. 367.

47. *La Vie*, mars 1997.

48. *Esprit*, juin 1997, p. 87-88.

49. *Ibid.*, p. 46.

50. Y. Lambert, « Les régimes confessionnels et l'état du sentiment religieux », dans *Religion et laïcité dans l'Europe des douze*, *op. cit.*, p. 253.

51. *Esprit*, juin 1997, p. 87-88.

52. *Ibid.*, p. 41.

53. *Ibid.*, p. 66.

54. *Ibid.*, p. 78.

55. J.-L. Nancy, *Des lieux divins*, Paris, 1987, p. 35.

56. E. Jungel, *Dieu mystère du monde*, t. I, Paris, 1983, p. 2.

57. *Esprit*, juin 1997, p. 83.

58. Y. Lambert, *op. cit.*, p. 249-250.

59. *Esprit*, juin 1997, p. 59.

60. A. Godin, dans *L'Athéisme dans la vie...*, *op. cit.*, p. 270.

61. O. Bloch, *Le Matérialisme*, Paris, 1985, p. 17.

62. G. Gusdorf, *Mythe et métaphysique*, Paris, Flammarion, 1984, p. 44-45.

63. *Ibid.*, p. 30-33.

Index des noms de personnes

M

Mabillon, Jean : 111, 269
Mably, Gabriel Bonnot de : 378
Machiavel, Nicolas : 140, 142, 144, 145, 160, 161, 240
Macrobe : 72
Madre de Dios, Geronimo de la : 153
Magnan, Jean-Chrysostome : 207
Magnen, J.C. : 238
Mahesh, Maharishi : 576
Mahomet : 74, 80, 82, 94, 95, 153, 154, 160, 162, 198, 222, 374, 429
Maignan, Emmanuel, frère minime : 224, 231
Mailly, Mgr de : 300
Maimbourg, père : 113
Maïmonide : 73
Maine, duchesse du : 233
Maistre, Joseph de : 187, 453, 469
Malebranche, Nicolas : 84, 217, 228, 230, 234, 253, 256, 259, 290-292, 303, 352, 385, 390, 591
Malesherbes, Chrétien Guillaume de : 373
Malézieux : 226
Malherbe, François de : 185
Malraux, André : 589
Mancini, Giulio : 244
Mandeville, Bernard de : 276
Manéthon : 268
Mangenot, abbé : 68, 472, 534
Mann, Thomas : 560
Manzoli, marquis de : 245
Marais, Matthieu : 221
Marana : 235, 303
Marat, Jean-Paul : 422
Marc, saint : 571
Marcel, Gabriel : 84
Marcel, père jésuite : 176
Marchand, Prosper : 94
Marco, frère bénédictin : 113
Marco, Salvatore di : 555
Maréchal, Sylvain : 307, 363, 364, 368, 378, 397-400, 407, 425, 429
Maret, abbé : 470, 472, 486, 487
Marguerite de Navarre : 170
Marguerite-Marie : 216

Maritain, Jacques : 28, 536
Marlowe, Christopher : 150
Marolles, Michel de, abbé : 183, 203, 206, 224, 225
Marot, Clément : 201
Marsham, John : 268
Marthe, sainte : 249
Martial : 144
Martin, André : 232
Martin, David : 583
Martin, Hervé : 87, 88
Martin du Gard, Roger : 477, 560
Martinetti, Piero : 495
Martini, Carlo Maria, cardinal : 585, 586
Marx, Karl : 40, 308, 392, 467, 481, 492, 499-501, 503, 504, 507, 520, 521, 535, 569
Mascardi, Agostino : 237
Massillon, Jean-Baptiste : 317-320, 345
Mathiez, Albert : 431
Mathusalem : 196
Matthieu, saint : 573
Matthieu, Pierre : 147
Maturi : 495
Maubert de Gouvest, Jean-Henri : 392
Mauffret, Dom : 311
Mauléon, Auger de : 182
Maunoir, père Julien : 339-341
Maupertuis, Pierre Louis Moreau de : 255, 367, 368, 395, 396
Maury, Jean Siffrein : 309
Mautner, F. : 11
Mayer, Jean Frédéric : 154
Mayeur, Jean-Marie : 482, 586
Mazarin, Jules : 208, 220
McNicholl, père : 483
McTaggart, Jean : 495
Médicis, Cosme de : 209
Médicis, Jules de, cardinal : 112
Médicis, Laurent de : 209
Mélétos, poète : 45
Melin de Saint-Gelais : 201
Mendelssohn, Moses : 331
Mendoza, Jean de : 119
Menetra, Jean-Louis, artisan : 337
Menier, Jean : 142
Menjot, Antoine, médecin : 238

TABLE DES MATIÈRES

Troisième partie :
D'une crise de conscience
à l'autre
(1600-1730)

Quatrième partie :
Le xvIIIᵉ siècle incrédule

Chapitre XVII : Les athéismes de système ou les idéologies de la mort de Dieu

Sixième partie :
La fin des certitudes
(xxᵉ siècle)

Impression réalisée sur CAMERON par
BRODARD ET TAUPIN
La Flèche
en avril 1999

Imprimé en France
Dépôt légal : avril 1999
N° d'édition : 5287 – N° d'impression : 1173W
35-66-0330-03/7
ISBN : 2-213-60130-5